CHINESE REFERENCE SERIES FOR FOREIGNERS

外国人学汉语工具书

1700对近义词语用法对比

1700 GROUPS OF FREQUENTLY USED CHINESE SYNONYMS

杨寄洲 贾永芬 编著

北京语言大学出版社
BEIJING LANGUAGE AND CULTURE UNIVERSITY PRESS

图书在版编目（CIP）数据

1700对近义词语用法对比／杨寄洲；贾永芬编著.
—北京：北京语言大学出版社，2010重印
ISBN 978-7-5619-1265-2

Ⅰ. 1…
Ⅱ. ①杨…　②贾…
Ⅲ. 汉语-词典
Ⅳ. H136

中国版本图书馆CIP数据核字（2003）第084756号

书　　名：1700对近义词语用法对比
责任印制：汪学发

出版发行：北京语言大学出版社
社　　址：北京市海淀区学院路15号　邮政编码100083
网　　址：www.blcup.com
电　　话：发行部　82303648／3591／3651
　　　　　编辑部　82303647
　　　　　读者服务部　82303653／3908
　　　　　网上订购电话　82303668
　　　　　客户服务信箱　service@blcup.net
印　　刷：北京中科印刷有限公司
经　　销：全国新华书店

版　　次：2005年7月第1版　2010年10月第4次印刷
开　　本：880毫米×1230毫米　1/32　印张：53.625
字　　数：1433千字　印数：12 501-15 000
书　　号：ISBN 978-7-5619-1265-2／H·03091
定　　价：108.00元

前言

本书是为学习汉语的外国人和海外华人华侨以及从事对外汉语教学的教师们编写的。

有志于学习汉语并打算今后用汉语工作的外国朋友和海外华人华侨朋友，如果你已经学过了汉语的基本语法并掌握了1500个左右的汉语常用词语，你就会遇到词语用法方面的问题，诸如“爱”和“热爱”，“办法”和“方法”，“参观”和“访问”，“常常”和“往往”，“从”和“离”，“向”和“对”，“点钟”和“小时”，“搞”和“弄”，“过”和“了”，“忽然”和“突然”，“会”和“能”，“正”、“在”和“正在”，“就”和“才”，“再”和“又”，“立刻”和“马上”，“看”和“看见”，“认为”和“以为”，“所有”和“一切”，“为”和“为了”，“学习”和“学”，“一下儿”和“一下子”，“怎么”和“怎样”，“祝”和“祝贺”，“终于”和“到底”，“不得了”和“了不得”，“想出来”和“想起来”等等，等等，这一对对词语的意义和用法有什么相同或不同的地方，为什么，怎么用。刚开始遇到这些问题时，你会困惑不解，如入迷津，感到“山重水复疑无路”，等弄懂了它们之间的异和同，你就会豁然开朗，顿觉“柳暗花明又一村”，从中体会到学习汉语的乐趣。会越学越有味儿，越学越有劲儿，从而大大增强学习汉语，学好汉语的信心和勇气，推动你加速到达成功的彼岸。

本书就是指引你走出“山重水复”的路标，是送你到达“柳暗花明又一村”的船和桥。

本书共选了1700多对常用词语（其中有80多个是三个词为一组的），之所以把这些词语成对地配在一起，是因为它们大部分是同义词或近义词，有的是关系密切的词或词语结构，都是各国汉语学习者在使用中容易出错的。所以挑选这些词语进行对比，完全是从对外汉语课堂教学的实际出发并为对外汉语课堂教学所用的。编者根据几十年从事对外汉语教学和研究的经验，根据外国人和海外华人华侨学习汉语的实际需要，对这1700多对词语从语义、语用诸方面进行了有限的而不是穷尽性的分析对比。为了保证所选词条的常用性，我们参照了中国国家对外汉语教学领导小组办公室汉语水平考试中心编的《汉语水平词汇与汉字等级大纲》，使所选词条基本限制在该词汇大纲规定的范围之内。

这是一部通俗的汉语学习参考书，适用于以各种方法学习汉语或用汉语工作的各国朋友和海外华人华侨朋友，同时可供从事对外汉语教学的各国教师们参考。

本书的体例是，首先列出两个（或三个）意义相同、相近或相互有关联的词语，标出词性，加注汉语拼音，然后从以下三个方面，分层次地对它们进行比较和分析。

一、词义说明

词语用法的异同首先是由它们的意义来决定的。外国人和海外华人华侨学习汉语词语时，对词语意义的理解大多借助于词典和教材中的英文翻译。因此，本书对每个词语的意义都作了英语注释。同时，根据对外汉语课堂教学和汉语学习者的需要，用汉语对所选词语的意义进行了更加通俗浅显的说明。因为是常用词语，所以，大都具有多义性，我们对这些词语的义项是有取舍的，原则是选择其常用义项，排除其非常用义项。本书词条的汉语解释参照了《现代汉语词典》，词条的英语解释参照了外研社出版的《汉英词典》。这是需要特别加以说明并表示感谢之忱的。

二、词语搭配

因为所选词语主要是同义词和近义词，仅仅从词义方面，难以清楚它们用法上的异同。因此，还要看它们与其他词语搭配使用时的差异。词语搭配是为词语用法提供的一个小语境。为了让读者从搭配上观察两个词语用法上的异同，本书列出了若干个与之有关的词语，考察它们之间搭配使用的情况，对号（√）表示可以搭配，叉（×）表示不能搭配。少数连接两个分句的连词不设此项。

三、用法对比

从对外汉语教学的实践来看，词语对比不能仅仅止于语义理解这一层面，而是要求学习者会用，“会用”才是本书要达到的目的。因此，这一部分是本书的重点。

词语用法的异同最终要靠句子来鉴别、来对比，因为句子是交际的基本单位。用句子来对比一对同义词或近义词的用法，既简单明了，又具可操作性。因此，本书词语用法对比也主要是通过例句来进行的。大多数词条我们都在例句前面作了简要的说明。

由于本书面向的是外国人和海外华人华侨中的汉语学习者，所以我们没有采用从中文原著中找例句的传统做法，因为如果那样做，就会带来有关时代和历史背景、社会和文化知识、人名、人物及其相互关系诸方面的问题，就会大大增加读者阅读和使用的难度。这显然是不合适的，也不符合本书编写的宗旨。因此，本书"用法对比"的例句全部是由编者编写的。编写这些例句所遵循的原则是：一、从外国人、海外华人华侨特别是来华留学生在华学习、生活、娱乐和将来工作的实际出发，充分照顾到他们运用汉语进行社会交际的需要，尽量为他们提供学习、生活、娱乐或工作中实用的句子。二、尽量过滤掉可能给他们的理解造成障碍的某些文化和知识背景因素。三、句子的语境尽量做到浅显易懂，并能为广大外国汉语学习者所接受，以帮助他们理解句子的意思，掌握词语的用法。四、尽量注意全书生词量的控制，努力降低读者使用本书的难度。

作为一个从事对外汉语教学几十年的教师，我真诚地希望本书能帮助有志于学好汉语并准备用汉语工作的外国朋友和海外华人华侨朋友把汉语学得更好，使大家的汉语水平"更上一层楼"。

尽管本人满怀热望，想为各国学习汉语的朋友们提供一本实用的工具书，但限于水平，疏漏和错误之处肯定难免，希望广大读者朋友提出意见和建议，也期求专家学者不吝赐教，以便在不断修订中，使这本书更加完善。

杨寄洲

Preface

A foreign student asked me one day what was the difference between“扶”and“搀”. I answered him after I thought for a while that the object of“扶”could be either a person or a thing. For example, “我扶奶奶过马路。”or“护士扶着病人走路。”, and we could also say “他扶着墙走路。”or“我把那棵被风刮倒的小树扶了起来。”But it is wrong to say“他搀着墙走路。”or“我把那棵被风刮倒的小树搀了起来。”

Since I was often asked by my students questions similar to the above one during the past years of my teaching, I paid special attention to analyzing the similarities and differences between synonyms and near synonyms in order to help them. This book was being written while I was teaching and doing research. 1718 pairs (among which there are 80 groups of 3 words) of commonly used Chinese words and expressions that foreign students often misused were selected in the book, such as “爱——热爱”, “办法——方法”, “参观——访问”, “常常——往往”, “从——离”, “向——对”, “点钟——小时”, “搞——弄”, “过——了”, “忽然——突然”, “会——能”, “正、在——正在”, “就——才”, “再——又”, “立刻——马上”, “看——看见”, “认为——以为”, “一切——所有”, “为——为了”, “学习——学”, “一下儿——一下子”, “怎么——怎样”, “祝——祝贺”, “终于——到底”, “不得了——了不得”, “想出来——想起来” and “只好——不得不” etc. The Chinese people do not have problem with these words and expressions. But foreigners are often confused and frustrated by them, just like what it is said in an ancient Chinese poem, “The hills and streams have no end, there seem to be no road beyond”. Only after they understand the similarities and differences between these words and expressions do they see a road ahead, “Dim with willows, bright with flowers, another village appears."

This is a reference book for foreign students who learn Chinese as a foreign language. It can also be used as a reference book by teachers who teach Chinese as a foreign language. It is not the author's goal to make this book an academic accomplishment. It is hoped that this book serves as a useful tool to students and teachers of Chinese as a foreign language and can solve their problems in their learning and teaching effectively.

Yang Jizhou

总　　目

凡　例

一、本书是为学习汉语的外国人、海外华人华侨编写的。只要是汉语水平达到中级以上者都可以使用。同时也可以作为对外汉语教师的教学参考用书。

二、本书共收录词语 1700 多对，多数是同义词和近义词，少数是汉语学习者经常遇到并感到不解的、关系密切的词语。为了保证适用，我们参照中国国家对外汉语教学领导小组办公室汉语水平考试中心编的《汉语水平词汇与汉字等级大纲》，使所选词条基本限制在该词汇大纲规定的范围之内。

三、本书的编写体例是：

词目：在方括号中标出词性，加注汉语拼音，从适用对象考虑，"不"、"一"一律标示变调，例如：一共：yígòng；一起：yìqǐ；不必：búbì。

词义说明：包括英文翻译和汉语解释。

词语搭配：用表格标示能或不能与这对词语搭配使用的词语。能搭配的用对号（√）标示，不能搭配的用叉（×）标示。

用法对比：包括"用法解释"和"语境示例"两项。"用法解释"是简单扼要的解释词语在使用时的异同，主要指出其不同之处。"语境示例"是用例句来讲解用法，每对词语一般都提供了五个以上的例句，为学习者造句提供范例。例句的编写讲究实用性、规范性和稳定性，力求做到易读、易懂、规范、实用。尽量满足外国汉语学习者的需要，尤其考虑到了来华外国留学生的学习、生活和将来工作的需要。尽量贴近中国现实生活。既注意到了口语，同时也考虑到了书面语。一个句子，如果两个词语能够替换使用的，用一个孩子的笑脸（☺）表示，不能替换时用 * 表示，该词语在句子中出现的位置用下画线标出。

四、本书词目以每对词语的第一个词语首字的汉语拼音音序排列，同音节字按声调顺序排列。首字音节、声调相同的，按笔画多少排列；笔画数也相同的，按起笔笔画排列。首字字形相同的，按第二个字的音序排列，依次类推。

五、本书的字体以《简化字总表》和国家语委和新闻出版总署联合发布的《现代汉语通用字表》（1988年）规定的字形为准。

六、本书词性的标示以国家汉办《汉语水平词汇与汉字等级大纲》为依据。

七、本书对同义词或近义词的辨析和对比不追求穷尽性，也不追求学术性，而是从教学实际出发，追求实用性和教学中的有效性。

八、本书前面有音序排列的目录，书后附全部词语的索引，以方便读者查找。音序目录按每对词语中第一个词语的音节和声调排序。例如：爱、热爱，就按“爱”的节音和声调排列。

附录：

一、汉语词类简称表

名称	简称	英文
1. 名词 míngcí	（名）	noun
2. 代词 dàicí	（代）	pronoun
3. 动词 dòngcí	（动）	verb
离合词 líhécí		discrete verb
4. 助动词 zhùdòngcí	（助动）	auxiliary verb
5. 形容词 xíngróngcí	（形）	adjective
6. 数词 shùcí	（数）	numeral
7. 量词 liàngcí	（量）	classifier
8. 副词 fùcí	（副）	adverb
9. 介词 jiècí	（介）	preposition
10. 连词 liáncí	（连）	conjunction
11. 助词 zhùcí	（助）	particle
(1) 动态助词 dòngtài zhùcí		aspect particle
(2) 结构助词 jiégòu zhùcí		structural particle
(3) 语气助词 yǔqì zhùcí		modal particle

二、汉语语法术语

1. 主语

zhǔyǔ subject, an element of a sentence, about which something is said in the predicate. In general, a sentence comprises a subject part and a predicate part; the major word in the subject part is the subject. For instance, in the sentences "你好。" "我学习汉语。"; "你" and "我" are the subjects.

2. 谓语

wèiyǔ predicate, a verb or verb phrase, including any complements, the object, and the modifiers, which is one of two immediate constituents of a sentence and makes a statement about the subject. For example, in the sentence "我们学习。", "学习" is a predicate.

3. 宾语

bīnyǔ object, part of a sentence generally following a verb, indicating "who" or "what", such as "米饭" in "我吃米饭。"; "汉语" in "他学习汉语", "我们" and "汉语" in "王老师教我们汉语。"

4. 定语

dìngyǔ attribute, a modifier used before a noun to indicate pertinence, character, quantity, etc. of the modified. The attribute can be a noun, pronoun, adjective, classifier, etc., e. g. in "语言大学", "中文书" and "两个留学生", "语言", "中文" and "两个" are attributes.

5. 状语

zhuàngyǔ adverbial modifier or adverbials, a word or phrase used generally to modify a verb, or adjective, by express time, place, manner, or degree. Adjectives, adverbs, and the words expressing time and place can be used as adverbials. For instance, in the sentences“身体很好。”，“我今天上课。”，“我在北京学习。”，“很”，“今天”and“在北京”are adverbials.

6. 补语

bǔyǔ complement, a sentence element following a verb or adjective, as an additional remark to answer questions beginning with“如何”or“怎么样”, e. g. “很好”in“学得很好”, “懂”in“听懂了”, “来”in“跑来了”, “不见”in“看不见”, “不去”in“出不去”, “一回”in“来一回”, “一年”in“学了一年”.

(1) 程度补语 chéngdù bǔyǔ complement of degree

例如：形容词：+极了：这个电影好极了。

动词+得+很：他高兴得很。

(2) 状态补语 zhuàngtài bǔyǔ complement of state

例如：动词+得+形容词/动词词组：

他学得好不好？他学得很好。

他跑得快不快？他跑得不快。

你写得怎么样？我写得不太好。

他高兴得跳了起来。

(3) 结果补语 jiéguǒ bǔyǔ complement of result

例如：动+动词/形容词

我的作业做完了。

瓶子里的酒喝光了。

他把这本书翻译成了英语。

(4) 趋向补语 qūxiàng bǔyǔ complement of direction

例如：动词+上/下/进/出/回/过/起/上来/下去/回来/回去/过来/过去/起来/进来/进去……

他从楼上下来了。

我们从这儿上去吧。

我买来了一盆花。

他从外边里带回来一只小狗。

(5) 可能补语　kěnéng bǔyǔ　complement of potentiality

例如：动词 + 得/不 + 结果补语/趋向补语

中文报纸你看得懂看不懂？

我现在还听不懂中文广播。

屋子太小，坐不下二十个人。

你买得太多了，我吃不了。

沙发太大，搬不进去。

太重了，我提不动。

(6) 数量补语　shùliàng bǔyǔ　complement of quantity

例如：动词 + 数量词

他比我高五公分。

姐姐比我大两岁。

(7) 时量补语　shíliàng bǔyǔ　complement of duration

例如：动词 + 时量词

我汉语已经学了三年了。

他走了快一个月了。

(8) 动量补语　dòngliàng bǔyǔ　complement of frequency

例如：动词 + 动量词

我敲了一下门，但是没有人答应。

中国我已经去过三次了。

我把这篇文章从头到尾仔细看了一遍，没有发现错字。

香港我去过一回，台湾我还没有去过。

词　目

（共 1718 对）

A

B

C

D

E

F

H

625. 忽然（副）hūrán 突然（形）tūrán ……………… 579
626. 忽视（动）hūshì 轻视（动）qīngshì ……………… 580
627. 糊涂（形）hútu 马虎（形）mǎhu ……………… 581
628. 互相（副）hùxiāng 相互（形）xiānghù ……………… 582
629. 华侨（名）huáqiáo 华人（名）huárén ……………… 583
630. 怀疑（动）huáiyí 疑问（名）yíwèn ……………… 583
疑心（动、名）yíxīn
631. 欢乐（形）huānlè 欢喜（形）huānxǐ ……………… 584
632. 欢迎（动）huānyíng 迎（动）yíng ……………… 585
633. 缓缓（副）huǎnhuǎn 缓慢（形）huǎnmàn ……………… 586
634. 幻想（动、名）huànxiǎng 梦想（动、名）mèngxiǎng ……… 587
空想（动、名）kōngxiǎng
635. 荒谬（形）huāngmiù 荒唐（形）huāngtáng ……………… 588
636. 慌乱（形）huāngluàn 慌忙（形）huāngmáng ……………… 589
637. 灰心 huī xīn 泄气 xiè qì ……………… 590
638. 辉煌（形）huīhuáng 光辉（形、名）guānghuī ……… 591
639. 回答（动、名）huídá 答案（名）dá'àn ……………… 592
640. 回顾（动）huígù 回忆（动、名）huíyì ……………… 593
641. 回忆（动、名）huíyì 回想（动）huíxiǎng ……………… 594
642. 会（名）huì 会议（名）huìyì ……………… 594
643. 会（动、助动）huì 能（助动）néng ……………… 596
644. 会见（动、名）huìjiàn 接见（动）jiējiàn ……………… 597
645. 会谈（动、名）huìtán 会晤（动）huìwù ……………… 598
646. 浑身（名）húnshēn 全身（名）quánshēn ……………… 599
647. 活儿（名）huór 工作（动、名）gōngzuò ……… 600
648. 活动（动、名）huódòng 运动（动、名）yùndòng ……… 601
649. 活泼（形）huópo 活跃（形、动）huóyuè ……………… 602
650. 伙伴（名）huǒbàn 伙计（名）huǒji ……………… 603
651. 或许（副）huòxǔ 也许（副）yěxǔ ……………… 604
652. 货（名）huò 货物（名）huòwù ……………… 604
653. 获取（动）huòqǔ 获得（动）huòdé ……………… 605

J

K

L

M

N

973. 胖 （形） pàng 肥 （形、名） féi ………… 900
974. 抛弃（动） pāoqì 放弃（动） fàngqì ………… 901
975. 跑 （动） pǎo 奔跑（动） bēnpǎo ………… 902
976. 陪 （动） péi 陪同（动） péitóng ………… 903
977. 培养（动） péiyǎng 培育（动） péiyù ………… 903
978. 赔偿（动） péicháng 赔 （动） péi ……………… 904
979. 佩服（动） pèifú 敬佩（动） jìngpèi ………… 905
980. 配 （动） pèi 配备（动） pèibèi ………… 906
981. 碰撞（动） pèngzhuàng 碰 （动） pèng ………… 907
撞 （动） zhuàng
982. 批评（动、名） pīpíng 批判（动、名） pīpàn ……… 908
983. 批准（动） pīzhǔn 准 （动、副、形） zhǔn …… 910
984. 疲劳（形） píláo 疲倦（形） píjuàn ………… 911
985. 疲劳（形） píláo 累 （形） lèi ……………… 911
986. 便宜（形） piányi 贱 （形） jiàn ………… 912
987. 骗 （动） piàn 欺骗（动） qīpiàn ………… 913
988. 飘 （动） piāo 飘扬（动） piāoyáng ……… 914
989. 贫苦（形） pínkǔ 贫困（形） pínkùn ………… 915
贫穷（形） pínqióng
990. 品尝（动） pǐncháng 吃 （动） chī ……………… 916
991. 品行（名） pǐnxíng 品质（名） pǐnzhì ………… 917
992. 聘请（动） pìnqǐng 聘 （动） pìn ……………… 917
993. 聘请（动） pìnqǐng 招聘（动） zhāopìn ………… 918
994. 平安（形） píng'ān 安全（名、形） ānquán …… 919
995. 平常（形、名） píngcháng 平凡（形） píngfán ………… 920
996. 平常（形、名） píngcháng 平时（名） píngshí ………… 921
997. 平常（形、名） píngcháng 日常（名） rìcháng ………… 922
998. 平常（形、名） píngcháng 寻常（形） xúncháng ……… 923
999. 平等（形、名） píngděng 平衡（动、名） pínghéng …… 924
1000. 平静（形） píngjìng 安静（形） ānjìng ………… 925
1001. 评 （动） píng 评论（动、名） pínglùn …… 926
1002. 评估（动） pínggū 评价（动、名） píngjià …… 926

1062. 庆祝（动）qìngzhù 庆贺（动）qìnghè ………… 981
1063. 秋 （名）qiū 秋天（名）qiūtiān ………… 982
1064. 求 （动）qiú 请求（动、名）qǐngqiú …… 983
1065. 区别（动、名）qūbié 区分（动）qūfēn ………… 984
1066. 取得（动）qǔdé 得到（动）dédào ………… 985
1067. 取得（动）qǔdé 获得（动）huòdé ………… 986
1068. 取消（动）qǔxiāo 取缔（动）qǔdì ………… 987
1069. 去世（动）qùshì 死 （动）sǐ ………… 988
1070. 趣味（名）qùwèi 兴趣（名）xìngqù ………… 989
1071. 全部（名）quánbù 所有（动、形）suǒyǒu …… 990
1072. 全体（名）quántǐ 全部（名）quánbù ………… 991
1073. 权利（名）quánlì 权力（名）quánlì ………… 992
1074. 劝告（动、名）quàngào 劝说（动）quànshuō ……… 993
1075. 缺点（名）quēdiǎn 毛病（名）máobìng ……… 994
1076. 缺点（名）quēdiǎn 缺陷（名）quēxiàn ……… 994
1077. 缺乏（动）quēfá 缺少（动）quēshǎo ……… 995
1078. 确定（动）quèdìng 确认（动）quèrèn ………… 996
1079. 确切（形）quèqiè 确凿(形)quèzáo〔zuò〕……… 997
1080. 确实（形、副）quèshí 实在（形、副）shízài …… 998

R

1081. 然而（连）rán'ér 但是（连）dànshì ………… 999
1082. 然后（连）ránhòu 以后（名）yǐhòu ………… 999
1083. 热潮（名）rècháo 高潮（名）gāocháo ……… 1000
1084. 热情（形、名）rèqíng 热烈（形）rèliè ………… 1001
1085. 热心（形、动）rèxīn 热情（形、名）rèqíng …… 1002
1086. 人家（代）rénjia 别人（代）biérén ………… 1003
1087. 人品（名）rénpǐn 人格（名）réngé ………… 1005
1088. 人体（名）réntǐ 人身（名）rénshēn ……… 1006
1089. 人心（名）rénxīn 民心（名）mínxīn ………… 1006
1090. 忍不住 rěn bu zhù 禁不住 jīn bu zhù …… 1007
不由得（副）bùyóude

S

T

1211. 探索（动、名）tànsuǒ 研究（动、名）yánjiū …… 1120
1212. 探望（动）tànwàng 访问（动）fǎngwèn ……… 1121
1213. 探望（动）tànwàng 看望（动）kànwàng ……… 1122
1214. 讨论（动）tǎolùn 商量（动）shāngliang …… 1123
1215. 讨厌（动、形）tǎoyàn 厌恶（动）yànwù ……… 1124
不喜欢 bù xǐhuan
1216. 特别（形、副）tèbié 特殊（形）tèshū ……… 1125
1217. 特别（形、副）tèbié 特意（副）tèyì ………… 1126
特地（副）tèdì
1218. 特别（形、副）tèbié 尤其（副）yóuqí ……… 1127
1219. 特点（名）tèdiǎn 特性（名）tèxìng ……… 1128
特征（名）tèzhēng
1220. 特色（名）tèsè 特点（名）tèdiǎn ……… 1129
1221. 疼 （动）téng 痛 （动）tòng ……………… 1130
1222. 提案（名）tí'àn 议案（名）yì'àn ……… 1131
1223. 提拔（动）tíbá 提升（动）tíshēng …… 1132
1224. 提前（动）tíqián 提早（动）tízǎo ……… 1133
1225. 提问（动）tíwèn 询问（动）xúnwèn …… 1134
1226. 提醒 tí xǐng 提示（动）tíshì ……………… 1134
1227. 提要（名）tíyào 提纲（名）tígāng ……… 1135
1228. 提议（动、名）tíyì 建议（动、名）jiànyì …… 1136
1229. 题 （名、动）tí 题目（名）tímù ……………… 1137
1230. 体谅（动）tǐliàng 原谅（动）yuánliàn ……… 1138
谅解（动、形）liàngjiě
1231. 体现（动、名）tǐxiàn 表现（动、名）biǎoxiàn … 1139
1232. 体验（动）tǐyàn 体会（动、名）tǐhuì ……… 1140
1233. 替 （介）tì 给 （介）gěi ……………… 1141
为 （介）wèi
1234. 替代（动）tìdài 替换（动）tìhuàn ……… 1142
1235. 天 （名）tiān 天气（名）tiānqì ……… 1143
1236. 天下（名）tiānxià 世界（名）shìjiè ……… 1144
1237. 添 （动）tiān 加 （动）jiā ……………… 1145

W

1268. 外　（名）wài　外边（名）wàibian …………1172
1269. 外表（名）wàibiǎo　外观（名）wàiguān …………1173
1270. 外部（名）wàibù　外界（名）wàijiè ……………1174
1271. 外交（名）wàijiāo　外事（名）wàishì ……………1174
1272. 外语（名）wàiyǔ　外文（名）wàiwén …………1175
1273. 完　（动）wán　完成（动）wánchéng …………1176
1274. 完成（动）wánchéng　完毕（动）wánbì ……………1177
1275. 完全（形）wánquán　全部（名）quánbù ……………1178
1276. 完全（形）wánquán　完整（形）wánzhěng …………1179
1277. 完善（形、动）wánshàn　完备（形）wánbèi ……………1180
1278. 完善（形、动）wánshàn　完美（形）wánměi …………1181
1279. 顽固（形）wángù　顽强（形）wánqiáng …………1182
1280. 顽强（形）wánqiáng　坚强（形）jiānqiáng …………1182
1281. 晚　（形、名）wǎn　晚上（名）wǎnshang …………1183
1282. 万万（副）wànwàn　千万（副）qiānwàn …………1184
1283. 往　（介）wǎng　向　（介）xiàng ……………1185
1284. 往返（动）wǎngfǎn　来回（动）láihuí ……………1186
1285. 妄图（动）wàngtú　妄想（动、名）wàngxiǎng …1187
1286. 忘　（动）wàng　忘记（动）wàngjì ……………1188
忘却（动）wàngquè
1287. 望　（动）wàng　看　（动）kàn ……………1189
1288. 危害（动）wēihài　损害（动）sǔnhài ……………1190
1289. 危机（名）wēijī　危急（形）wēijí ……………1191
1290. 威信（名）wēixìn　威望（名）wēiwàng …………1192
1291. 微小（形）wēixiǎo　渺小（形）miǎoxiǎo …………1193
1292. 为难（动、形）wéinán　难为（动）nánwei ……………1194
1293. 违反（动）wéifǎn　违犯（动）wéifàn ……………1195
1294. 惟独（副）wéidú　惟有（副）wéiyǒu ……………1195
1295. 维持（动）wéichí　保持（动）bǎochí ……………1196
1296. 维护（动）wéihù　爱护（动）àihù ……………1197

1419. 徐徐（副）xúxú　慢慢（副）mànmàn ………… 1312
缓缓（副）huǎnhuǎn
1420. 许多（形）xǔduō　多（形、动）duō ………… 1313
1421. 许可（动）xǔkě　容许（动）róngxǔ ………… 1315
允许（动）yǔnxǔ
1422. 宣布（动）xuānbù　宣告（动）xuāngào ………… 1316
1423. 宣传（动）xuānchuán　宣扬（动）xuānyáng ………… 1316
1424. 选（动、名）xuǎn　选拔（动、名）xuǎnbá ………… 1317
1425. 选举（动、名）xuǎnjǔ　选（动、名）xuǎn ………… 1318
1426. 选择（动、名）xuǎnzé　选用（动）xuǎnyòng ………… 1319
1427. 削弱（动）xuēruò　减弱（动）jiǎnruò ………… 1320
1428. 学（动、名）xué　学习（动、名）xuéxí ………… 1321
1429. 学问（名）xuéwen　知识（名）zhīshi ………… 1322
1430. 学者（名）xuézhě　专家（名）zhuānjiā ………… 1323
1431. 雪（名）xuě　雪花（名）xuěhuā ………… 1324
1432. 寻找（动）xúnzhǎo　寻求（动）xúnqiú ………… 1325
1433. 迅速（形）xùnsù　快（形）kuài ………… 1325

Y

1434. 压迫（动）yāpò　压制（动）yāzhì ………… 1327
1435. 压制（动）yāzhì　压抑（动）yāyì ………… 1328
1436. 延长（动）yáncháng　延伸（动）yánshēn ………… 1329
1437. 严（形）yán　严格（形）yángé ………… 1330
1438. 严格（形）yángé　严厉（形）yánlì ………… 1330
1439. 严肃（形）yánsù　严厉（形）yánlì ………… 1331
1440. 严重（形）yánzhòng　严峻（形）yánjùn ………… 1332
1441. 沿着（动）yánzhe　顺着（动）shùnzhe ………… 1333
1442. 掩盖（动）yǎngài　遮盖（动）zhēgài ………… 1334
1443. 眼（名）yǎn　眼睛（名）yǎnjing ………… 1335
1444. 眼看（副、动）yǎnkàn　马上（副）mǎshàng ………… 1336
1445. 眼前（名）yǎnqián　现在（名）xiànzài ………… 1337
1446. 眼色（名）yǎnsè　眼神（名）yǎnshén ………… 1338

1560. 阅读（动）yuèdú　阅览（动）yuèlǎn ………… 1446
1561. 越来越… yuè lái yuè…　越…越… yuè…yuè… …… 1447
1562. 云　（名）yún　云彩（名）yúncǎi ………… 1448
1563. 允许（动）yǔnxǔ　同意（动）tóngyì ………… 1448
1564. 运输（动）yùnshū　运送（动）yùnsòng ……… 1449

Z

1565. 杂乱（形）záluàn　混乱（形）hùnluàn ………… 1451
1566. 灾害（名）zāihài　灾难（名）zāinàn ………… 1452
1567. 栽　（动）zāi　种　（动）zhòng ………… 1453
1568. 再　（副）zài　又　（副）yòu …………… 1453
1569. 在　（动）zài　是　（动）shì …………… 1457
有　（动）yǒu
1570. 在　（副）zài　正　（副）zhèng ………… 1459
正在（副）zhèngzài
1571. 在乎（动）zàihu　在意　zài yì ………… 1460
1572. 暂且（副）zànqiě　暂时（形）zànshí ………… 1461
1573. 赞成（动）zànchéng　同意（动）tóngyì ………… 1462
赞同（动）zàntóng
1574. 赞美（动）zànměi　赞赏（动）zànshǎng ……… 1463
赞扬（动）zànyáng
1575. 赞扬（动）zànyáng　表扬（动）biǎoyáng ……… 1464
1576. 遭到（动）zāodào　遭受（动）zāoshòu ……… 1465
1577. 遭受（动）zāoshòu　遭遇（动、名）zāoyù …… 1466
1578. 早点（名）zǎodiǎn　早饭（名）zǎofàn ………… 1467
早餐（名）zǎocān
1579. 早晚（副、名）zǎowǎn　迟早（副）chízǎo ………… 1468
1580. 责备（动）zébèi　责怪（动）zéguài ………… 1469
1581. 怎么（代）zěnme　为什么(代)wèishénme …… 1470
1582. 怎么（代）zěnme　怎么样(代)zěnmeyàng …… 1472
1583. 怎样（代）zěnyàng　如何（代）rúhé …………… 1475
1584. 增加（动）zēngjiā　增添（动）zēngtiān ……… 1476

1676. 追求（动）zhuīqiú　寻求（动）xúnqiú ………… 1559
1677. 准备（动、名）zhǔnbèi　预备（动）yùbèi ………… 1560
1678. 准确（形）zhǔnquè　确实（形、副）quèshí …… 1561
1679. 准确（形）zhǔnquè　准　（形、动、副）zhǔn …… 1562
1680. 准时（形）zhǔnshí　及时（形）jíshí ……………… 1563
1681. 准时（形）zhǔnshí　正点（副）zhèngdiǎn …… 1564
1682. 准许（动）zhǔnxǔ　允许（动）yǔnxǔ ………… 1565
1683. 准则（名）zhǔnzé　原则（名）yuánzé ………… 1565
1684. 着手（动）zhuóshǒu　动手　dòng shǒu …… 1566
1685. 着想（动）zhuóxiǎng　考虑（动）kǎolǜ ………… 1567
1686. 姿态（名）zītài　姿势（名）zīshì ……………… 1568
1687. 资本（名）zīběn　资金（名）zījīn ……………… 1569
1688. 资料（名）zīliào　材料（名）cáiliào ………… 1570
1689. 资助（动）zīzhù　赞助（动）zànzhù ………… 1571
1690. 仔细（形）zǐxì　细致（形）xìzhì ……………… 1572
1691. 自　（介）zì　从　（介）cóng ……………… 1573
1692. 自动（形）zìdòng　主动（形）zhǔdòng ……… 1574
1693. 自动（形）zìdòng　自发（形）zìfā ……………… 1575
1694. 自己（代）zìjǐ　自我（代）zìwǒ ……………… 1576
1695. 自学（动）zìxué　自修（动）zìxiū ……………… 1577
1696. 自由（形）zìyóu　自在（形）zìzài/zìzai …… 1577
1697. 总是（副）zǒngshì　常常（副）chángcháng …… 1579
1698. 总算（副）zǒngsuàn　终于（副）zhōngyú ……… 1579
1699. 走漏（动）zǒulòu　泄露（动）xièlòu ………… 1580
1700. 租　（动、名）zū　租用（动）zūyòng ………… 1581
租借（动）zūjiè
1701. 阻碍（动）zǔ'ài　妨碍（动）fáng'ài ……… 1582
1702. 阻碍（动）zǔ'ài　阻拦（动）zǔlán ……………… 1583
阻挡（动）zǔdǎng
1703. 阻挠（动）zǔnáo　阻止（动）zǔzhǐ ………… 1584
1704. 组织（动、名）zǔzhī　安排（动、名）ānpái …… 1585

1705. 最初（名）zuìchū　　起初（名）qǐchū …………1586
1706. 最后（名）zuìhòu　　然后（连）ránhòu …………1587
1707. 最后（名）zuìhòu　　终于（副）zhōngyú ………1588
1708. 最近（名）zuìjìn　　近来（名）jìnlái ……………1589
1709. 尊敬（动）zūnjìng　　敬重（动）jìngzhòng ………1590
1710. 尊敬（动）zūnjìng　　尊重（动）zūnzhòng ………1590
1711. 遵守（动）zūnshǒu　　遵从（动）zūncóng ………1591
1712. 遵照（动）zūnzhào　　按照（介）ànzhào …………1592
1713. 遵照（动）zūnzhào　　遵循（动）zūnxún …………1593
1714. 左　（名）zuǒ　　左边（名）zuǒbian ………1594
1715. 左右（名、动）zuǒyòu　　上下（名）shàngxià ………1595
1716. 作业（名）zuòyè　　练习（动、名）liànxí ……1596
1717. 座　（名）zuò　　坐位（名）zuòwèi …………1597
1718. 做　（动）zuò　　作　（动）zuò ……………1598

1 哀求[动]āiqiú ▶ 恳求[动]kěnqiú

词义说明 Definition

哀求[entreat; implore] 悲伤痛苦地提出请求，希望得到帮助或救助：苦苦～饶命。

恳求[implore; entreat; beseech] 诚恳殷切地提出请求，希望得到帮助、支持或满足。

词语搭配 Collocation

	苦苦～	～饶命	～支持	～帮助	～批准	～的目光
哀求	√	√	×	×	×	√
恳求	×	×	√	√	√	√

用法对比 Usage

用法解释 Comparison

“哀求”和“恳求”多用于书面。虽然都是向别人提出自己的要求或请求，但是，哀求时，一定是遇到了不幸或悲痛的事情，在非常无奈或痛苦的情况下才求别人，“恳求”只是表示态度诚恳。它们“求”的内容也有差别。

语境示例 Examples

① 看到他那哀求的目光，我真不忍心让他失望。(☺看到他那恳求的目光，我真不忍心让他失望。)

② 他恳求老板原谅他这一次。(☺他哀求老板原谅他这一次。)

③ 她向父母苦苦哀求不要逼她嫁人。(＊她向父母苦苦恳求不要逼她嫁人。)

④ 他跪在地上哀求饶命。(＊他跪在地上恳求饶命。)

⑤ 我们恳求上级能批准这个开发计划。(＊我们哀求上级能批准这个开发计划。)

⑥ 我恳求你不要去冒这个险。(＊我哀求你不要去冒这个险。)

2 挨[动]ái ▶ 受[动]shòu

词义说明 Definition

挨[suffer; endure] 遭受，忍受，困难地度过（岁月）。

受[suffer; be subjected to] 遭受：～损失。[stand; endure; bear] 忍受：～不了。[receive; accept] 接受：～教育|～贿。

词语搭配 Collocation

	～打	～教育	～批评	～苦	～累	～罪	～表扬	～气	～不了	～委屈
挨	√	×	√	×	×	×	×	×	×	×
受	×	√	√	√	√	√	√	√	√	√

用法对比 Usage

用法解释 Comparison

“挨”和“受”都是动词，但是，“挨”的宾语是动词，“受”的宾语可以是动词，也可以是形容词和名词。“挨”的都是坏事，是不愿接受的，而“受”的对象可以是不好的事情，也可以是好的、乐于接受的。

语境示例 Examples

① 因为没有完成作业，挨了老师的批评。(☺因为没有完成作业，受了老师的批评。)

② 你没有挨过饿，不知道挨饿的滋味。(*你没有受过饿，不知道受饿的滋味。)

③ 因为帮助同学，他受到了老师的表扬。(*因为帮助同学，他挨到了老师的表扬。)

④ 我小时候因为说谎，挨过爸爸的打。(*我小时候因为说谎，受过爸爸的打。)

⑤ 这儿的夏天热得真让人受不了。(*这儿的夏天热得真让人挨不了。)

⑥ 看了这个展览很受教育。(*看了这个展览很挨教育。)

⑦ 这种新产品很受顾客欢迎。(*这种新产品很挨顾客欢迎。)

⑧ 一个人的一生不可能不受一点儿委屈。(*一个人的一生不可能不挨一点儿委屈。)

⑨ 要让农村的孩子都能入学，受到良好的教育。(*要让农村的孩子都能入学，挨到良好的教育。)

⑩ 因为受贿，他被抓起来了。(*因为挨贿，他被抓起来了。)

3 矮[形]ǎi ▶ 低[形、动]dī

词义说明 Definition

矮[short (of stature)] 身材短：~个子。[low] 高度小的：~墙。[low in rank or grade]（级别、地位）低：~一级。

低[low] 从下向上距离小；离地面近（跟"高"相对）；在一般标准或平均程度之下；等级在下的。[let droop; hang low]（头）向下垂。

词语搭配 Collocation

	~个子	~水平	~空	~年级	~墙	~树	声音很~	~头
矮	√	×	×	×	√	√	×	×
低	×	√	√	√	×	×	√	√

用法对比 Usage

用法解释 Comparison

"低"和"矮"的意思不太一样。作为形容词，它们都可以修饰身高，但是"低"也是个动词，可以带宾语，如：低头，"矮"没有动词的用法，不能带宾语。

语境示例 Examples

① 你个子比较矮，站前边吧。(☺你个子比较低，站前边吧。)

② 我和妹妹都在这个大学学习汉语，不过妹妹比我低一年级。(☺我和妹妹都在这个大学学习汉语，不过妹妹比我矮一年级。)

③ 飞机在低空飞行，地上的楼房和树木都看得清清楚楚。(*飞机在矮空飞行，地上的楼房和树木都看得清清楚楚。)

④ 你的声音太低了，我听不清楚。(*你的声音太矮了，我听不清楚。)

⑤ 我现在的汉语水平还很低，当翻译还不够格。(*我现在的汉语水平还很矮，当翻译还不够格。)

⑥ 我低头一看，脚不知道什么时候碰破了。(*我矮头一看，脚不知道什么时候碰破了。)

A

4 爱[动]ài ▶ 热爱[动]rè'ài

词义说明 Definition

爱[love] 对人和事物有很深的感情：～祖国｜我～她｜他俩相～了。[like; be fond of; be keen on] 喜欢：～游泳｜～看电影。[cherish; treasure; take good care of] 爱惜；爱护：～公物。[be apt to; be in the habit of] 常常发生某种行为，容易发生某种变化：～哭｜～开玩笑。

热爱[ardent love; have deep love (or affection) for] 热烈地爱：～祖国。

词语搭配 Collocation

	～祖国	～家乡	～人民	～科学	～妻子	～学习	～唱歌	～感冒	我～你
爱	√	√	√	√	√	√	√	√	√
热爱	√	√	√	√	×	√	√	×	×

用法对比 Usage

用法解释 Comparison

"爱"和"热爱"都是动词。"热爱"表示爱的程度很深，它的宾语应是抽象名词，不能是具体的人或物，"爱"的宾语没有此限。

语境示例 Examples

① 爱祖国，爱人民是一个公民的基本品质。(☺热爱祖国，热爱人民是一个公民的基本品质。)

② 她爱唱歌也爱跳舞，是个活泼可爱的姑娘。(☺她热爱唱歌也热爱跳舞，是个活泼可爱的姑娘。)

③ 我爱自己的工作，总想做出一些成绩来。(☺我热爱自己的工作，总想做出一些成绩来。)

④ 我爱你。(*我热爱你。)

⑤ 他爱他的妻子，觉得不能失去她。(*他热爱他的妻子，觉得不能失去她。)

"爱"可以带动宾词组作宾语，"热爱"不能。

他爱看足球比赛，只要有足球比赛，饭可不吃，觉可不睡。(*他热爱看足球比赛，只要有足球比赛，饭可不吃，觉可不睡。)

"爱"还表示某种行为"容易发生"或"常常发生"的意思，"热爱"没有这个用法。

① 妹妹爱哭。(* 妹妹热爱哭。)
② 这里冬天爱下雪。(* 这里冬天热爱下雪。)

5 爱戴[动]àidài ▶ 敬爱[动]jìng'ài

词义说明 Definition

爱戴[love and esteem] 敬爱并且拥护。

敬爱[respect and love] 尊敬热爱。

词语搭配 Collocation

	受到～	～他	学生～的老师	～师长	～的领袖
爱戴	√	√	√	×	√
敬爱	×	√	√	√	√

用法对比 Usage

用法解释 Comparison

这两个词都用于下对上，例如学生对老师，儿女对父母，晚辈对长辈。

语境示例 Examples

① 他是国内外知名的学者，也是一位循循善诱的导师，同学们都很爱戴他。(☺他是国内外知名的学者，也是一位循循善诱的导师，同学们都很敬爱他。)
② 他是人民衷心敬爱的国家领导人。(☺他是人民衷心爱戴的国家领导人。)
③ 王教授工作努力，关心学生，受到了学生们的爱戴。(* 王教授工作努力，关心学生，受到了同学们的敬爱。)
④ 总理热爱人民，也得到了人民衷心的爱戴。(* 总理热爱人民，也得到了人民衷心的敬爱。)

书信中，"敬爱"可以用来修饰称呼语，"爱戴"不能这么用。

敬爱的李老师，您好！(用于书信)(* 爱戴的李老师，您好！)

6 爱好[动、名]àihào ▶ 喜欢[动]xǐhuan

词义说明 Definition

爱好[be fond of; be keen on] 对某种事物有兴趣；喜爱：～音乐。[hobby; interest] 能引起浓厚兴趣的事物或活动。

喜欢[like; love; be fond of; be keen on] 对人或事有好感或感兴趣；喜爱：～运动。

词语搭配 Collocation

	有什么～	～什么	～唱歌	～运动	足球～者	我～她
爱好	√	√	√	√	√	×
喜欢	×	√	√	√	×	√

用法对比 Usage

用法解释 Comparison

动词"爱好"和"喜欢"的用法差不多，它们的宾语都可以是名词或动宾词组。"爱好"有名词的用法，可以作宾语，"喜欢"没有名词的用法，不能作宾语。

语境示例 Examples

① 我爱好游泳、唱歌、爬山、听音乐。(☺我喜欢游泳、唱歌、爬山、听音乐。)

② A：你喜欢吃什么？B：我喜欢吃北京烤鸭。(*A：你爱好吃什么？B：我爱好吃北京烤鸭。)

③ A：你有什么爱好？B：我最大的爱好就是画画儿。(*A：你有什么喜欢？B：我最大的喜欢就是画画儿。)

④ 你的业余爱好是什么？(*你的业余喜欢是什么？)

"喜欢"还有"爱慕"的意思，"爱好"没有这个意思。

我喜欢你。(*我爱好你。)

7 爱护[动]àihù ▶ 保护[动]bǎohù

词义说明 Definition

爱护[cherish; treasure; take good care of] 爱惜并保护。

保护[protect; safeguard] 尽力照顾使不受损害。

词语搭配 Collocation

	~环境	~公物	~眼睛	~视力	~文物	~森林	~权益	~现场	自我~
爱护	√	√	√	×	√	√	×	×	×
保护	√	×	√	√	√	√	√	√	√

用法对比 Usage

用法解释 Comparison

“爱护”表示的是态度和感情，“保护”除了爱护之外，还要有具体的措施和行动。

语境示例 Examples

① 要爱护公园里的一草一木。(☺要保护公园里的一草一木。)

② 要注意爱护眼睛。(☺要注意保护眼睛。)

③ 要教育孩子爱护公物。(＊要教育孩子保护公物。)

④ 法律保护妇女儿童的权益。(＊法律爱护妇女儿童的权益。)

⑤ 要努力做好环境保护工作。(＊要努力做好环境爱护工作。)

⑥ 我们班的同学来自世界各国，大家互相关心，互相爱护，像一家人一样。(＊我们班的同学来自世界各国，大家互相关心，互相保护，像一家人一样。)

8 爱护[动]àihù ▶ 爱惜[动]àixī

词义说明 Definition

爱护[cherish; treasure; take good care of] 爱惜并保护。

爱惜[cherish; treasure; be fond of] 因重视而不糟蹋滥用；疼爱；爱护。

词语搭配 Collocation

	很~	特别~	不~	~公物	~年轻一代	~时间	~东西	~他
爱护	√	√	√	√	√	×	√	√
爱惜	√	√	√	×	×	√	√	×

用法对比 Usage

用法解释 Comparison

“爱护”和“爱惜”的对象有所不同，“爱护”的对象可以是人也可以是物，“爱惜”的对象一般是物。

语境示例 Examples

① 这些东西得来都不容易，要懂得爱护。（☺这些东西得来都不容易，要懂得爱惜。）

② 要像爱护眼睛一样爱护我们社会的团结和稳定。（*要像爱惜眼睛一样爱惜我们社会的团结和稳定。）

③ 要爱惜时间，因为时间就是生命。（*要爱护时间，因为时间就是生命。）

④ 要爱护年轻一代，关心他们的健康成长。（*要爱惜年轻一代，关心他们的健康成长。）

⑤ 大熊猫是国宝，又是濒临灭绝的动物，所以中国人民十分爱护它。（*大熊猫是国宝，又是濒临灭绝的动物，所以中国人民十分爱惜它。）

“爱惜”可以作状态补语，“爱护”没有这个用法。

因为用得爱惜，我这个照相机用了十多年了，还好好的。（*因为用得爱护，我这个照相机用了十多年了，还好好的。）

9 爱惜[动]àixī ▶ 珍惜[动]zhēnxī

词义说明 Definition

爱惜[value highly and use prudently; treasure] 重视而不糟蹋。

珍惜[treasure; value; cherish] 珍视，爱惜。

词语搭配 Collocation

	～时间	～人才	～粮食	～机会	～友谊	～爱情	～感情	～东西
爱惜	√	√	√	×	×	×	×	√
珍惜	√	√	√	√	√	√	√	×

用法对比 Usage

用法解释 Comparison

“爱惜”的对象可以是具体的，也可以是抽象的；而“珍惜”的对象多为抽象事物，常用于书面。

语境示例 Examples

① 人才难得，一定要爱惜人才。（☺人才难得，一定要珍惜人才。）

② 同学们一定要珍惜时间。（☺同学们一定要爱惜时间。）

③ 他很珍惜这次来中国留学的机会。(*他很爱惜这次来中国留学的机会。)
④ 我和他是多年的朋友,我十分珍惜我们之间的友谊。(*我和他是多年的朋友,我十分爱惜我们之间的友谊。)
⑤ 虽然他们最终没有成为夫妻,但是都十分珍惜曾经有过的那段感情。(*虽然他们最终没有成为夫妻,但是都十分爱惜曾经有过的那段感情。)
⑥ 什么东西他都不知道爱惜,随用随扔。(*什么东西他都不知道珍惜,随用随扔。)

10 碍事 ài shì ▶ 影响[动、名] yǐngxiǎng

词义说明 Definition

碍事[be in the way; be a hindrance] 妨碍做事。[(used in the negative) be of consequence; matter] 严重,大有关系(多用于否定):不~。

影响[affect; influence] 对别人的思想或行为起作用。[influence; effect] 对人或事物所起的作用。

词语搭配 Collocation

	不~	很~	~得很	~别人	~学习	~工作	~休息
碍事	√	√	√	×	×	×	×
影响	√	√	×	√	√	√	√

用法对比 Usage

用法解释 Comparison

"碍事"是动宾词组,不能再带其他宾语,"影响"可以带宾语。"影响"还是名词,既有褒义,也含贬义,"碍事"是个贬义词。

语境示例 Examples

① 碍事:把这把椅子搬走,放在这儿碍事。
影响:把这把椅子搬走,放在这儿影响走路。
② 碍事:让小孩子走开,他们在这儿碍事。
影响:让小孩子走开,他们在这儿影响工作。
③ 夜间施工影响附近居民休息。(*夜间施工碍事附近居民休息。)

④ 我在这儿影响你吗？（＊我在这儿碍事你吗？）（☺我在这儿碍你的事吗？）
⑤ 我不能影响你的前程。（＊我不能碍事你的前程。）
⑥ 你们说话的声音小点儿，不要影响别人看书。（＊你们说话的声音小点儿，不要碍事别人看书。）
⑦ A：你腿上的伤怎么样？B：只是擦破了一点儿皮，不碍事。（＊A：你腿上的伤怎么样？B：只是擦破了一点儿皮，不影响。）

11 安[动、形]ān ▶ 安装[动]ānzhuāng

词义说明 Definition

安[install；fix；fit；set up] 安装；设立。

安装[install；fix；set up] 按照一定的方法、规格把机械或器材（多指成套的）固定在一定的地方。

词语搭配 Collocation

	～电话	～电灯	～天线	～防盗门	～门铃	～机器	～一～
安	√	√	√	√	√	×	√
安装	√	√	√	√	√	√	×

用法对比 Usage

用法解释 Comparison

“安”是动词，也是形容词，“安装”只是动词。动词“安”和“安装”意思都是按照一定的程序、规格把机械或器材固定在一定的位置上，但是“安”是个口语词，“安装”多用于书面。

语境示例 Examples

① 这个屋子里没有电话，我想安个电话。（☺这个屋子里没有电话，我想安装个电话。）
② 几乎每座楼都安装有公用电视天线。（☺几乎每座楼都安有公用电视天线。）
③ A：你干什么呢？B：我安个台灯。（＊我安装个台灯。）
④ 第一台发电机组已经安装完毕。（＊第一台发电机组已经安完毕。）
⑤ 你帮我把自行车锁安上。（＊你帮我把自行车锁安装上。）

“安”还有形容词的用法，形容词“安”多用于固定词组，表示安定、安全、平安等意思，"安装"没有这个用法。
① 手术很成功，病人已经转危为安了。
② 难怪他最近有点儿心神不安，听说他失恋了。

12 安定[形、动]āndìng ▶ 稳定[形、动]wěndìng

词义说明 Definition

安定[stable;quiet;settled]一般用来形容生活平静正常，没有波折或骚扰：～的社会环境。[stabilize;maintain]使安定：～人心。

稳定[stable;steady]稳固安定，没有变动：物价～|情绪～。[stabilize;steady]使稳定：～物价|～情绪。

词语搭配 Collocation

	生活～	工作～	～社会秩序	社会～	～情绪	～思想	～物价
安定	√	√	×	√	×	×	×
稳定	×	√	√	√	√	√	√

用法对比 Usage

用法解释 Comparison

"安定"和"稳定"意思相同，只是在与有些词语搭配使用时有所不同。"安定"常作谓语，很少带宾语，"稳定"既可作谓语，也常带宾语。

语境示例 Examples

① 要发展经济就要保持社会的安定。(☺要发展经济就要保持社会的稳定。)
② 教师的工作比较稳定。(☺教师的工作比较安定。)
③ 物价稳定才能稳定人心。(☺物价稳定才能安定人心。)
④ 他最近的情绪不太稳定。(＊他最近的情绪不太安定。)
⑤ 我们的生活很安定。(＊我们的生活很稳定。)
⑥ 人民生活必需品的价格一定要保持稳定。(＊人民生活必需品的价格一定要保持安定。)

13 安静[形]ānjìng ▶ 清静[形]qīngjìng

词义说明 Definition

安静[quiet; peaceful; calm; undisturbed] 没有声音，没有吵闹：病人需要～。

清静[quiet] （环境）安静，不嘈杂。

词语搭配 Collocation

	非常～	～极了	不～	～的环境	～的地方	请～
安静	√	√	√	√	√	√
清静	√	√	√	√	√	×

用法对比 Usage

用法解释 Comparison

“安静”和“清静”的意思相同，不同的是，“安静”可以用于祈使句，“清静”不能。

语境示例 Examples

① 我住的地方周围安静极了。(☺我住的地方周围清静极了。)

② 我们找个清静的地方谈吧，这儿太吵。(☺我们找个安静的地方谈吧，这儿太吵。)

③ 爸爸退休后，一直过着安静的生活。(☺爸爸退休后，一直过着清静的生活。)

④ 孩子们都已经安静地入睡了。(* 孩子们都已经清静地入睡了。)

⑤ 请不要大声说话，病人需要安静。(* 请不要大声说话，病人需要清静。)

⑥ 同学们，请安静！我给大家念个通知。(* 同学们，请清静！我给大家念个通知。)

14 安排[动、名]ānpái ▶ 安置[动]ānzhì

词义说明 Definition

安排[arrange (matters); plan; allocate (people)] 有条理、分先后地处理（事情）；安置人员。

安置[find a place for; arrange for; put sb. or sth. in place] 使人

或事物有适当的位置或地方；安放。

词语搭配 Collocation

	好好～	～人员	～行李	～工作	工作～	～住处	～生活	得到～
安排	√	√	×	√	√	√	√	√
安置	√	√	√	√	×	√	×	√

用法对比 Usage

用法解释 Comparison

“安排”可以用于人和事物，与它搭配的是工作、学习、生活、住处、住房等；“安置”主要用于人，对象多是失业人员、毕业生、退伍军人等。

语境示例 Examples

① 外国留学生到校以前，学校已经把他们的住处都安排好了。(☺外国留学生到校以前，学校已经把他们的住处都安置好了。)

② 灾民的生活已经做了妥善的安排。(*灾民的生活已经做了妥善的安置。)

③ 我们正在研究下学期的工作安排。(*我们正在研究下学期的工作安置。)

④ 公司领导准备安排你做经理。(*公司领导准备安置你做经理。)

⑤ 要做好新来大学毕业生的安置工作。(*要做好新来大学毕业生的安排工作。)

⑥ 今年暑假准备安排老师们去欧洲旅游。(*今年暑假准备安置老师们去欧洲旅游。)

15 安心ān xīn ▶ 放心fàng xīn

词义对比 Definition

安心[feel at ease; be relieved; set one's mind at rest] 心情安定。

放心[set one's mind at rest; be at ease; rest assured; feel relieved; free from pain or worry] 心情安定；没有忧虑和牵挂；不担心。

A

词语搭配 Collocation

	很～	不～	～工作	～学习	～休息	～地去	你～吧	请～
安心	√	√	√	√	√	√	×	×
放心	√	√	×	×	×	√	√	√

用法对比 Usage

用法解释 Comparison

“安心”和“放心”都是动宾词组，都有心情安定、没有忧虑、不着急的意思，但是它们涉及的对象不同。

语境示例 Examples

① 安心：她对工作不太安心。(她不想做这个工作)
放心：她对工作不太放心。(她担心工作出问题)

② 因为是第一次来中国，有点儿担心，到学校后，看到学校把一切都安排好了，他才放下心来。(☺因为是第一次来中国，有点儿担心，到学校后，看到学校把一切都安排好了，他才安下心来。)

③ 妈妈有病住院了，我不太放心。(*妈妈有病住院了，我不太安心。)

④ 我在中国过得很好，学习和生活都没有问题，请爸爸妈妈放心。(*我在中国过得很好，学习和生活都没有问题，请爸爸妈妈安心。)

⑤ 爸爸妈妈希望你到学校后安心学习，不要挂念家里。(*爸爸妈妈希望你到学校后放心学习，不要挂念家里。)

⑥ 我就是不太放心他。(*我就是不太安心他。)

⑦ 她这是第一次开车，我不太放心。(*她这是第一次开车，我不太安心。)

16 按[介、动]àn ▶ 按照[介]ànzhào

词义说明 Definition

按[according to; in accordance with; in the light of; on the basis of] 动作行为遵从某种标准、条件、规定等进行；按照；依照。[press; push down] 用手或指头压：～门铃。[restrain; control] 抑制：～不住心头的怒火。

按照[according to; in accordance with; in the light of; on the basis of] 以某事物为根据照着进行。

词语搭配 Collocation

	～门铃	～图钉	～时间	～制度	～规定	～约定	～住	～一下	～一～
按	√	√	√	√	√	√	√	√	√
按照	×	×	√	√	√	√	×	×	×

用法对比 Usage

用法解释 Comparison

“按”是介词也是动词，口语常用，动词“按”带具体名词作宾语，介词“按”带抽象名词作宾语。“按照”是介词，书面语常用，宾语只能是双音节抽象名词，不能是单音节词。

语境示例 Examples

① 要按照实际情况决定工作方针。(☺要按实际情况决定工作方针。)

② 这项工程已经按计划完成。(☺这项工程已经按照计划完成。)

③ 要按照税法的规定纳税。(☺要按税法的规定纳税。)

④ 双方按照约定的时间和地点，举行了第一次会谈。(☺双方按约定的时间和地点，举行了第一次会谈。)

⑤ 房租要按月交。(＊房租要按照月交。)

“按”还是个动词，“按照”没有动词的用法。

① 我按了半天门铃，也没有人开门。(＊我按照了半天门铃，也没有人开门。)

② 你按住地图，我来用图钉把它钉在墙上。(＊你按照住地图，我来用图钉把它钉在墙上。)

17 按时[副]ànshí ▶ 按期[副]ànqī

词义说明 Definition

按时[on time; on schedule] 按照规定或预先约定的时间。

按期[on schedule; on time] 依照规定的期限。

词语搭配 Collocation

	不～	～完成	～交工	～归还	～吃药	～到达	～交货	～出版
按时	√	√	√	√	√	√	√	√
按期	×	√	√	√	×	×	√	√

用法对比 Usage

用法解释 Comparison

"按时"和"按期"都是副词，但是"按时"指按照规定的或约定的时点，可以精确到几点几分，"按期"的"期"指的是时段，即按照规定的日期或期限。一般为某年某月。

语境示例 Examples

① 我们一定要保证按时交货，不能违反合同。(☺我们一定要保证按期交货，不能违反合同。)
② 经过建设者十多年的艰苦努力，这项伟大的水利工程终于按期完成了。(☺经过建设者十多年的艰苦努力，这项伟大的水利工程终于按时完成了。)
③ 要按时完成老师布置的作业。(*要按期完成老师布置的作业。)
④ 大家一定要按时到达集合地点，不要迟到。(*大家一定要按期到达集合地点，不要迟到。)
⑤ 这批货物必须按时送到，不得有误。(*这批货物必须按期送到，不得有误。)
⑥ 邮递员每天都按时把报送到订户家中。(*邮递员每天都按期把报送到订户家中。)

18 按时[副]ànshí ▶ 及时[形]jíshí

词义说明 Definition

按时[on time; on schedule] 按照规定或约定的时间。

及时[timely; in time; seasonable] 正赶上时候，符合要求，适合需要。[promptly; without delay] 不拖延；马上。

词语搭配 Collocation

	很～	～起床	～睡觉	～吃饭	～上课	来得～	去得～	(雨)下得～	开得～
按时	×	√	√	√	√	×	×	×	×
及时	√	×	×	×	×	√	√	√	√

用法对比 Usage

用法解释 Comparison

"按时"是副词，常常用来作状语。"及时"是形容词，也可用来作状语，但常常用作补语。

语境示例 Examples

① 要听大夫的嘱咐，按时吃药。（＊要听大夫的嘱咐，及时吃药。）
② 希望同学们每天按时上课。（＊希望同学们每天及时上课。）
③ 下课以后要及时复习课文和语法。（＊下课以后要按时复习课文和语法。）
④ 你来得很及时。（＊你来得很按时。）
⑤ 这场雨下得很及时。（＊这场雨下得很按时。）
⑥ 学习上有问题要及时问老师。（＊学习上有问题要按时问老师。）
⑦ 发现问题要及时解决。（＊发现问题要按时解决。）
⑧ 他乘坐的飞机按时到达首都机场。（＊他乘坐的飞机及时到达首都机场。）

19 暗[形]àn ▶ 黑[形]hēi

词义说明 Definition

暗[dark; dim; dull] 光线不足，黑暗。（跟“明”相对）
[hidden; secret] 隐藏不露的，秘密的：～号。

黑[black] 像墨和煤一样的颜色（跟“白”相对）：～颜色。[dark] 黑暗：屋里很～。[secret; shady] 秘密；非法的：～车。[wicked; sinister] 坏；狠毒：～心。

词语搭配 Collocation

	很～	太～	光线～	～下决心	～板	天～了	～市	～社会	心～
暗	√	√	√	√	×	√	×	×	×
黑	√	√	×	×	√	√	√	√	√

用法对比 Usage

用法解释 Comparison

“暗”和“黑”都是形容词，但是意思和用法都有不同，除了描写天气可以通用以外，其他情况不能相互替换。

语境示例 Examples

① 冬天天短，一到五点天就渐渐暗下来了。（☺冬天天短，一到五点天就渐渐黑下来了。）
② 屋子里光线太暗，容易伤眼睛。（＊屋子里光线太黑，容易伤眼睛。）

③ 任用干部一定要公开透明，不能暗箱操作。（* 任用干部一定要公开透明，不能黑箱操作。）
④ 常言说，明人不做暗事，无论做什么事都要经得起时间的考验。（* 常言说，明人不做黑事，无论做什么事都要经得起时间的考验。）
⑤ 我劝你不要到黑市上去换钱。（* 我劝你不要到暗市上去换钱。）
⑥ 要彻底粉碎那种带有黑社会性质的犯罪团伙，保证社会安定，人民平安。（* 要彻底粉碎那种带有暗社会性质的犯罪团伙，保证社会安定，人民平安。）

20 暗暗[副]àn'àn ▶ 悄悄[副]qiāoqiāo

词义说明 Definition

暗暗[secretly; inwardly; behind sb.'s back; to oneself] 在暗中或私下里，不显露；内心知道或感到，但不说出。

悄悄[quietly; on the quiet] 没有声音或声音很低，不想让别人知道或怕影响别人。

词语搭配 Collocation

	~高兴	~走了	~进来	~下定决心	~吃惊
暗暗	√	×	×	√	√
悄悄	×	√	√	×	×

用法对比 Usage

用法解释 Comparison

“暗暗”和“悄悄”都是副词，都可以作状语。“暗暗”多用来描写心理活动，“悄悄”用来描写动作行为，它们不能相互替换。

语境示例 Examples

① 听到这个消息，我暗暗吃惊。（* 听到这个消息，我悄悄吃惊。）
② 他们俩在悄悄地交谈。（* 他们俩在暗暗地交谈。）
③ 她接受了我的礼物，我心里不免暗暗高兴。（* 她接受了我的礼物，我心里不免悄悄高兴。）
④ 我暗暗下决心，一定要把汉语学好，实现自己当翻译的理想。（* 我悄悄下决心，一定要把汉语学好，实现自己当翻译的理想。）

⑤ 因为迟到了，他悄悄地走进教室，坐在最后边。（他怕影响大家）（＊因为迟到了，他暗暗地走进教室，坐在最后边。）

⑥ 早上，我怕吵醒孩子，就悄悄地离开了家。（＊早上，我怕吵醒孩子，就暗暗地离开了家。）

21 暗暗[副]àn'àn ▶ 偷偷[副]tōutōu

词义说明 Definition

暗暗[secretly; inwardly; behind sb.'s back; to oneself] 在暗中或私下里，不显露；内心知道或感到，但不说出。

偷偷[stealthily; secretly; covertly; on the sly (or quiet)] 动作不想让人知道；趁人不注意。

词语搭配 Collocation

	～伤心	～流泪	～高兴	～走了	～进来	～告诉我
暗暗	√	√	√	×	×	×
偷偷	×	√	√	√	√	√

用法对比 Usage

用法解释 Comparison

“暗暗”修饰的是表示心理活动的动词，“偷偷”修饰表示动作行为的动词。

语境示例 Examples

① 收到女朋友同意跟我结婚的电子邮件（e-mail），心里暗暗地高兴。（☺收到女朋友同意跟我结婚的电子邮件，心里偷偷地高兴。）

② 他趁大家不注意，偷偷地走了。（＊他趁大家不注意，暗暗地走了。）

③ 听到爷爷去世的消息，她暗暗伤心。（＊听到爷爷去世的消息，她偷偷伤心。）

④ 你偷偷地进去，把我的书包拿出来。（＊你暗暗地进去，把我的书包拿出来。）

⑤ 听到这个消息我不免暗暗吃惊。（＊听到这个消息我不免偷偷吃惊。）

⑥ 他怕父母发现，就偷偷地去打工。（＊他怕父母发现，就暗暗地去打工。）

22 昂贵［形］ángguì ▶ 贵［形］guì

词义说明 Definition

昂贵［expensive；costly］价格很高。

贵［expensive；costly］价格高：这本书不～。［highly valued；valuable］评价高，值得珍视或重视：宝～。［of high rank；noble］以某种情况为可贵：～在坚持。［(polite) your］敬辞：～国｜～公司。

词语搭配 Collocation

	物价～	～不～	太～了	很～	～姓	～国	～在坚持	人～有自知之明
昂贵	√	×	√	√	×	×	×	×
贵	√	√	√	√	√	√	√	√

用法对比 Usage

这两个词的意思相同，都表示价格高，但“昂贵”是书面语。

① 一件大衣上万元，也太昂贵了。(☺一件大衣上万元，也太贵了。)

② 你怎么送我这么昂贵的礼物？(☺你怎么送我这么贵的礼物？)

③ 钻石首饰都非常昂贵。(☺钻石首饰都非常贵。)

“昂贵”不用于正反疑问句，“贵”可以用于正反疑问句。

你觉得这双鞋贵不贵？(＊你觉得这双鞋昂贵不昂贵？)

“昂贵”不用于比较句，“贵”可以用于比较句。

这辆汽车比那辆贵一万元。(＊这辆汽车比那辆昂贵一万元。)

“贵”还有以某种情况为好的意思，“昂贵”没有这个用法。

① 学习外语，贵在坚持。(＊学习外语，昂贵在坚持。)

② 人贵有自知之明。(＊人昂贵有自知之明。)

“贵”还用来表示对对方的尊敬，“昂贵”没有这个用法。

① 请问，您贵姓？
② 访问期间，受到贵国政府和人民的热情欢迎和隆重接待，在此深表感谢。

23 奥秘[名]àomì ▶ 秘密[名、形]mìmì

词义说明 Definition

奥秘[profound mystery] 很难理解，很难找到答案的秘密；奥妙神秘。

秘密[secret; sth. secret; clandestine; confidential] 不让人知道的（跟“公开”相对）；不让人知道的事情或事物。

词语搭配 Collocation

	探索宇宙～	很～	～文件	～来往	保守～	军事～	商业～
奥秘	√	×	×	×	×	×	×
秘密	√	√	√	√	√	√	√

用法对比 Usage

用法解释 Comparison

“秘密”既是名词也是形容词，“奥秘”只是名词。名词“奥秘”多指不解、难解的事物，“秘密”是指不让别人或某些人知道的事情。

语境示例 Examples

① 人类总在不断探索宇宙的奥秘。（☺人类总在不断探索宇宙的秘密。）
② 有关飞碟和外星人的问题，我觉得是个奥秘。（*有关飞碟和外星人的问题，我觉得是个秘密。）
③ 我告诉你一个秘密。（*我告诉你一个奥秘。）
④ 他要我为他保守秘密。（*他要我为他保守奥秘。）
⑤ 这些都属于公司的商业秘密，决不能泄露出去。（*这些都属于公司的商业奥秘，决不能泄露出去。）
⑥ 我们公司丢失了一份秘密文件。（*我们公司丢失了一份奥秘文件。）

B

24 巴结[动]bājie ▶ 奉承[动]fèngcheng

词义说明 Definition

巴结[fawn on; curry favor with; make up to] 趋炎附势，极力奉承有权有钱的人或自己的上级。

奉承[flatter; fawn on; toady to] 向人讨好；用好听的话恭维人。

词语搭配 Collocation

	～人	～领导	～上级	说～话
巴结	√	√	√	×
奉承	√	√	√	√

用法对比 Usage

用法解释 Comparison

这两个词都是贬义词，“巴结”的意思是为了得到好处想办法用言语或行动讨好别人；“奉承”的意思是为了某种目的说别人的好话，不包含行为。

语境示例 Examples

① 那么多人巴结他，还不是因为他有权有势。(☺那么多人奉承他，还不是因为他有权有势。)

② 他可会巴结领导了。(☺他可会奉承领导了。)

③ 我最讨厌巴结人的人。(☺我最讨厌奉承人的人。)

④ 你可不要被他的奉承话迷住了眼睛。(＊你可不要被他的巴结话迷住了眼睛。)

⑤ 你说，是不是谁都喜欢听奉承话？(＊你说，是不是谁都喜欢听巴结话？)

25 把[介]bǎ ▶ 被[介]bèi

词义说明 Definition

把[used to shift the object to the position before the verb, to indicate the disposal or the result of the disposal of the object (specific person or thing) by the verb] "把"用来把动词的宾语提到动词前面，表示动作动词对宾语（特定人或事物）的处置或处置结果。

被[used in a passive sentence to introduce the doer of the action. The subject before the verb is the receiver of the action, and the verb is often followed by words indicating a completion or result. (The doer is often omitted in communication.)] 用在被动句中，引进动作的施动者。前面的主语是动作的受动者。动词后边多有表示完成或结果的词语。(交际中施动者往往省略)

词语搭配 Collocation

	～手洗洗	～药喝了	～大衣穿上	～它译成英语	他～狗咬了	车～偷了	腿～撞伤了
把	√	√	√	√	×	×	×
被	×	×	×	×	√	√	√

用法对比 Usage

"把"和"被"都是介词，都各自与其宾语组成介词词组作动词的状语，构成两个非常特殊的动词谓语句，用"把"的叫把字句，用"被"的叫被字句。把字句是主动句，在汉语里使用的频率很高。被字句是被动句，与把字句比较，使用频率则显得低得多。它们的句型结构是：

把字句：主语（施事）+把+宾语（受事）+主要动词+其他成分（宾语/动词重叠/结果补语/趋向补语/"了"等）

被字句：主语（受事）+被+宾语（施事）+主要动词+其他成分（宾语/结果补语/趋向补语/"了"等）

下边的把字句可以换成被字句，不过，把字句里"把"的宾语，到了被字句里就成了主语。

① 把：他把这本书翻译成了英文。
被：这本书被（他）翻译成了英文。

② 把：风把树叶刮掉了。　　被：树叶被风刮掉了。

③ 把：他把客人送到了机场。　　被：客人被他送到了机场。

④ 把：我把你的照相机弄坏了。　被：你的照相机被我弄坏了。
⑤ 把：他把我的这篇小说改成了电影。
被：我的这篇小说被他改成了电影。

能用把字句表达的不一定能用被字句。

① 把：我把今天的作业做完了。(＊今天的作业被我做完了。)
② 把：你把车开到我家门口吧。　被：不能用被字句。
③ 把：请你把名字写在这里。　被：不能用被字句。
④ 把：你把这件行李提上去吧。　被：不能用被字句。
⑤ 把：弟弟快把妈妈气死了。　被：妈妈快被弟弟气死了。

被字句基本上都能变换成把字句。

① 被：我的钱包被小偷偷走了。　把：小偷把我的钱包偷走了。
② 被：小偷被警察抓住了。　把：警察把小偷抓住了。
③ 被：伤员被送到医院去了。　把：把伤员送到医院去了。

把字句中"把"的宾语不能省略。

我把在长城上照的照片寄回家去了。(＊我把寄回家去了。)

被字句中"被"的宾语可以省略。

我的汽车被他撞坏了。(☺我的汽车被撞坏了。)

26 把握[名、动]bǎwò ▶ 掌握[动]zhǎngwò

词义说明 Definition

把握[hold; grasp] 握，拿：～方向盘。[grasp (the abstract)] 抓住(抽象的东西)：～时机。[assurance; certainty] 成功的可靠性(用于"有"或"没有"后边)：有成功的～。

掌握[grasp; master; know well] 了解事物，并能充分支配和运用：～技术。[have in hand; take into one's hands; control] 主持；控制：～政权。

词语搭配 Collocation

	有～	没有～	好好～	～知识	～外语	～命运	～主动权	～方向	～机会
把握	√	√	√	×	×	√	√	√	√
掌握	×	×	√	√	√	√	√	√	×

用法对比 Usage

用法解释 Comparison

"把握"是动词也是名词，动词"把握"的宾语多是抽象事物，名词“把握”可以作动词“有”或“没有”的宾语。“掌握”只是动词，不能作宾语。

语境示例 Examples

① 这样的机会很难得，一定要把握住。（*这样的机会很难得，一定要掌握住。）
② 这次能不能考好，我一点儿把握也没有。（*这次能不能考好，我一点儿掌握也没有。）
③ 一定要把自己的命运掌握在自己手里。（☺一定要把自己的命运把握在自己手里。）
④ 今天老师讲的语法我还没有完全掌握。（*今天老师讲的语法我还没有完全把握。）
⑤ 要想找到理想的工作，最好掌握一门外语。（*要想找到理想的工作，最好把握一门外语。）
⑥ 要进行调查，只有掌握准确可靠的事实，才能得出可靠的结论。（*要进行调查，只有把握准确可靠的事实，才能得出可靠的结论。）

27 霸占[动]bàzhàn ▶ 侵占[动]qīnzhàn

词义说明 Definition

霸占[forcibly occupy; seize] 依仗权势把不属于自己的占为己有，强行占据：～土地。

侵占[invade and occupy] 侵略占据别国的领土。[seize or take illegal possession of another's property] 非法占有别人的财产：～公有土地。

词语搭配 Collocation

	～别国的领土	～别人的财产	～别人的土地	～别人的房子
霸占	√	√	√	√
侵占	√	√	√	√

用法对比 Usage

用法解释 Comparison

“霸占”和“侵占”的宾语有所不同，“霸占”的宾语可以包括人，“侵占”不包括人。

语境示例 Examples

① 帝国主义列强侵占了中国大片的领土，激起了全中国人民的强烈反抗。(☺帝国主义列强霸占了中国大片的领土，激起了全中国人民的强烈反抗。)
② 不允许非法侵占国有土地。(☺不允许非法霸占国有土地。)
③ 他们发动侵略战争的目的，就是要用强权霸占别国的石油资源。(☺他们发动侵略战争的目的，就是要用强权侵占别国的石油资源。)
④ 中国的宝岛台湾曾经被日本帝国主义侵占过五十年。(☺中国的宝岛台湾曾经被日本帝国主义霸占过五十年。)
⑤ 在解放前的西藏，农奴主可以随意霸占农奴的妻子。(*在解放前的西藏，农奴主可以随意侵占农奴的妻子。)

28 吧[助]ba ▶ 吗[助]ma ▶ 呢[助]ne

词义说明 Definition

吧[indicate a suggestion, a request or a mild command]用在句末表示商量、提议、请求、命令：咱们走～！|你好好想想～。[indicate consent or approval]用在句末表示同意或认可：好～，我答应你。[form a question which asks for the confirmation of a supposition]用在句末表示疑问，带有揣测的意味：这么晚了，他大概不来了～？[indicate some doubt in the speaker's mind]用在句末，表示不敢肯定(不要求回答)：他是前天来的～？[indicate a pause with a tone of supposition]用在句中表示停顿，带有假设的语气(常常成对出现，有两难的意味)：去～，不好，不去～，也不好。

吗[used at the end of questions]用在句末表示疑问：明天有课～？[used to form a pause in a sentence before introducing the theme]用在句中停顿处，点出话题：这件事～，其实我早就知道了。[used at the end of a rhetorical question]用于反问句表示反问：难道你看不出来～？

呢[used at the end of a special, alternative, or rhetorical question, or after a noun or pronoun]用在疑问句(特指问句、选择问句或正反

问句)的末尾,表示疑问语气。也可以用在名词、代词后边组成省略问句,句子根据不同语境表达不同的疑问内容:我的钥匙~?[used at the end of a declarative sentence to reinforce the assertion]用在陈述句的末尾,表示确认事实,使对方信服(含有指示兼夸张的语气):电影七点半才开演~。[used at the end of a declarative sentence to indicate the continuation of an action or a state]用在陈述句的末尾,表示动作或情况正在继续:他正在听音乐~。[used to mark a pause]用在句中表示停顿(多对举):去~,不合适,不去~,也不合适。

词语搭配 Collocation

	懂~	好~	就这样~	你忙~	找什么~	会来~	我的车~	他正在听音乐~
吧	√	√	√	√	×	√	√	√
吗	√	√	√	√	×	√	√	√
呢	×	×	×	√	√	×	√	√

用法对比 Usage

用法解释 Comparison

“吧”、“吗”和“呢”都是语气助词,都可以用在句尾,表示疑问,也都读轻声。用“吧”时疑问语气要比“吗”轻一些,询问者对所问问题在心中已经有了答案,向对方提问只是为了证实自己的估计或猜测。用“吗”问时表示提问者有疑,不懂,不明白。“呢”可以与名词、代词组成省略问句,一般问什么人或什么东西在哪儿。不过,在句子中,省略问句所问的内容要根据上下文才能判断。

语境示例 Examples

A:你也是留学生吧?(我想你是留学生) B:是。

A:你也是留学生吗?(不知道对方是否是留学生) B:不是。我是中国学生。

(*你是留学生呢?)

用“吧”提问时有表示委婉的恳求、提议、请求、命令等语气。

① 我们一起去吧?(商量、建议)(☺我们一起去吗)?(询问)(*我们一起去呢?)

② 帮帮我吧。(*帮帮我吗/呢。)

③ 要考试了,你好好准备准备吧。(*要考试了,你好好准备准备

吗/呢。)

④ A：咱们走吧。B：好吧。(＊好吗/呢。)

⑤ A：我们星期天去博物馆看看吧？B：好吧。(＊好呢/吗。)

用“吗”要说：

A：我们星期天去博物馆看看，好吗？B：好吧。(＊好呢/吗。)

“吧”表示估量、推测语气，“吗”没有这种用法。

① 他回国了吧？(估计)

他回国了吗？(不知道他是否回国了)

② 今天王老师不来吧？(推测)

今天王老师不来吗？(询问)(＊今天王老师不来呢？)

③ 你找我有什么事吗？(不知道你有没有事)

你找我有什么事吧？(我想你可能有事)

④ 你跟人家发那么大火，像话吗？(＊你跟人家发那么大火，像话吧/呢？)

“吧”有表示同意、认可的语气，“呢”没有这种用法。

① A：你跟我一起去，好吗？B：好吧。(＊好呢。)

② A：你看这样办行吗？B：行，就这么办吧。(＊行，就这么办呢。)

“吧”和“呢”还表示假设的语气，有两难的意味，“吗”没有这种用法。

① 这件事不告诉他吧，不好；告诉他吧，也不好。我真不知道怎么办。(☺这件事不告诉他呢，不好；告诉他呢，也不好。我真不知道怎么办。)(＊这件事不告诉他吗，不好；告诉他吗，也不好。我真不知道怎么办。)

② 去吧，我担心妈妈的身体；不去吧，我实在想去中国学习。(☺去呢，我担心妈妈的身体；不去呢，我实在想去中国学习。)(＊去吗，我担心妈妈的身体；不去吗，我实在想去中国学习。)

③ 便宜呢，我就要一个；不便宜呢，我就不要。(＊便宜吧，我就要一个；不便宜吧，我就不要。)(＊便宜吗，我就要一个；不便宜吗，我就不要。)

④ A：你明天去学校的时候，把这本书给玛丽带去。B：玛丽要不去上课呢？(＊玛丽要不去上课吧/吗？)

“吗”和“吧”用在句中停顿处，有点出话题的作用。

① 这件事吗，不一定要你亲自去办，你跟他们打个招呼就行。(☺这件事吧，不一定要你亲自去办，你跟他们打个招呼就行。)

② 这件事吗，我已经知道了。(☺这件事吧/呢，我已经知道了。)

用“呢”可以组成省略问句。

① 我的书呢？（我的书在哪儿？）（＊我的书吗/吧？）

② 我学习汉语，你呢？（你学习什么？）（＊我学习汉语，你吗/吧？）

“呢”还可以用在其他问句后边，“吗”和“吧”不能这么用。

你喝咖啡呢还是喝茶呢？（＊你喝咖啡吗/吧还是喝茶吗/吧？）

“呢”可以用来表示提醒。

小声点儿，他正在里屋睡觉呢。（＊小声点儿，他正在里屋睡觉吗/吧。）

“呢”用在句子中间，有表示停顿、舒缓语气的作用。

我想暑假去云南旅行，你愿意呢，就跟我一起去，不愿意呢，就一个人回国。（＊我想暑假去云南旅行，你愿意吗/吧，就跟我一起去，不愿意吗/吧，就一个人回国。）

29 白[副]bái ▶ 白白[副]báibái

词义说明 Definition

白[in vain; for nothing] 没有效果：～跑了一趟。[free of change; gratis] 不花代价：～吃了一顿。

白白[in vain; to no purpose; for nothing] 工作得不到报偿，努力而不成功。浪费时间或金钱：不要让时间～过去。

词语搭配 Collocation

	～吃	～等	～看戏	～费工夫	不吃～不吃	～得了一千块	～干了	～忙了半天
白	√	√	√	√	√	√	√	√
白白	×	×	×	√	×	√	×	√

用法对比 Usage

用法解释 Comparison

“白白”是副词“白”的重叠形式，因为音节的不同，在用法上也有所不同。“白白”常修饰双音节动词，修饰单音节动词时，动词后边要有补语，用“白白”有强调的作用。

语境示例 Examples

① 这一天的时间又白浪费掉了。（☺这一天的时间又白白地浪费掉了。）

② 做了这么多菜，你们都没吃，我白忙了半天。（☺做了这么多菜，你们都没吃，我白白忙了半天。）
③ 我等了半天，他还是没来，白等了。（*我等了半天，他还是没来，白白等了。）
④ 他学了一年汉语，连简单的话也不会说，白学了。（*他学了一年汉语，连简单的话也不会说，白白学了。）
⑤ 昨天有人给了一张票，我白看了一场戏。（*昨天有人给了一张票，我白白看了一场戏。）
⑥ 看到这些自来水白白地流走，我觉得心疼。（*看到这些自来水白地流走，我觉得心疼。）

30 摆[动]bǎi ▶ 放[动]fàng

词义说明 Definition

摆[put; arrange; place; set in order] 安放；排列：书架上～着很多中文书。[talk; say] 说；谈；陈述：～事实，讲道理。[sway; wave] 摇动；摇摆：向我～手。

放[put; place; lay] 使处在一定的位置上；加进去：把书～在书架上|咖啡里～不～糖？[show (a film, etc.); play (a record, ect.)] 放送：～音乐|～录像。[let go; set free; release] 解除约束，使自由：～他走吧|把水～掉。[put out to pasture] 让牛羊等在草地上吃草或活动：～羊。[stop (work or study)] 在一定的时间停止（工作或学习）：～学。

词语搭配 Collocation

	～桌子	～花	～书	～上照片	～糖	～手	～事实	～掉	～牛	～整齐	～不下
摆	√	√	√	√	×	√	√	×	×	√	√
放	√	√	√	√	√	√	×	√	√	√	√

用法对比 Usage

用法解释 Comparison

“摆”的意思是认真地放置或排列，“放”可以是认真地也可以是随意地。

语境示例 Examples

① 你把书柜里的书摆整齐，不要弄得乱七八糟的。（☺你把书柜里的

书放整齐，不要弄得乱七八糟的。）

② 把这盆花摆在窗台上吧。（☺把这盆花放在窗台上吧。）

③ 桌子上已经摆上了点心和水果。（☺桌子上已经放上了点心和水果。）

④ 这张桌子太大，屋子里摆不下。（☺这张桌子太大，屋子里放不下。）

⑤ 你把我的提包放哪儿了？（*你把我的提包摆哪儿了？）

⑥ 快把东西放下，休息休息。（*快把东西摆下，休息休息。）

“放”和“摆”的其他意思不同，不能相互替代。

① 菜里放没放味精？（*菜里摆没摆味精？）

② 他向我摆摆手让我过去。（*他向我放放手让我过去。）

③ 他小时候放过羊。（*他小时候摆过羊。）

④ 先把池子里的水放掉。（*先把池子里的水摆掉。）

31 摆动[动]bǎidòng ▶ 摇动[动]yáodòng

词义说明 Definition

摆动[swing; sway] 来回摇动，摇摆。

摇动[wave; shake; sway] 用力使物体动；（物体）来回或转着圈儿地动。

词语搭配 Collocation

	随风～	来回～	不停地～	～旗子
摆动	√	√	√	√
摇动	√	√	√	√

用法对比 Usage

用法解释 Comparison

“摆动”和“摇动”都有物体随外力来回晃动的意思。不同的是，其行为主体为人时，“摇动”的力度比“摆动”大。说物体摆动时只是来回动，说摇动时，既可指来回动，也可指转着圈儿地动。

语境示例 Examples

① 欢迎的群众摆动着手中的花束。（☺欢迎的群众摇动着手中的花束。）

② 小船在水面上摆动。(☺小船在水面上摇动。)
③ 拉拉队员摆动着手中的旗子，为场上的运动员加油。(☺拉拉队员摇动着手中的旗子，为场上的运动员加油。)
④ 柳树的枝条随着微风摆动。(☺柳树的枝条随着微风摇动。)
⑤ 钟摆在不停地来回摆动。(＊钟摆在不停地来回摇动。)
⑥ 请大家注意立正姿势，头不要来回摆动。(＊请大家注意立正姿势，头不要来回摇动。)

32 败[动]bài ▶ 失败[动、名]shībài

词义说明 Definition

败[be defeated; lose (a battle or contest)] 在战争或竞赛中失败(与“胜”相对)。[defeat or beat (one's enemy or opponent)] 使失败，打败(敌人或对手)：大～对手。[fail] 失败：不计成～。[spoil] 事情失败(跟“成”相对)：事情就～在了他手里。

失败[lose (a war, contest, etc.); be defeated; be beaten] 在战争或竞赛中被对方打败(跟“胜利”相对)。[fail] 工作没有达到预期的目的(与“成功”相对)：实验～了。

词语搭配 Collocation

	～了	～给对手	大～敌人	不怕～	～是成功之母	试验～	打～了
败	√	√	√	√	×	×	√
失败	√	×	×	√	√	√	×

用法对比 Usage

用法解释 Comparison

“失败”既是动词又是名词，“败”只是动词，可以带宾语，“失败”不能带宾语。

语境示例 Examples

① 创新就要有不怕失败，失败了再来的勇气。(☺创新就要有不怕败，败了再来的勇气。)
② 败了没关系，我们可以再干。(☺失败了没关系，我们可以再干。)
③ 昨天的足球赛我们败给了外贸大学。(＊昨天的足球赛我们失败给了外贸大学。)
④ 昨天我们3比0大败对手。(＊昨天我们3比0大失败对手。)

⑤ 在婚姻问题上我是个失败者。（* 在婚姻问题上我是个败者。）

33 拜访[动]bàifǎng ▶ 拜会[动]bàihuì

B

词义说明 Definition

拜访[pay a visit; call on]（短时间）看望并谈话。

拜会[（used on diplomatic occasions）pay an official call; call on] 拜访会见（多用于外交上的正式访问）。

词语搭配 Collocation

	~朋友	~老师	~总统	~…故居	告别~	礼节性~	正式~	专程~
拜访	√	√	√	√	×	√	√	√
拜会	×	×	√	×	√	√	√	√

用法对比 Usage

用法解释 Comparison

汉语里“拜”是个敬词，与“拜”结合组成的词如“拜访”和“拜会”等都是敬词。“拜会”的对象是人，“拜访”的对象可以是人，也可以是地方。“拜会”多用于外交场合。

语境示例 Examples

① 这是一次正式拜访。（☺这是一次正式拜会。）

② 我们怀着景仰的心情去韶山拜访了毛泽东故居。（* 我们怀着景仰的心情去韶山拜会了毛泽东故居。）

③ 中国外交部长于当地时间 10 日上午在白宫拜会了美国总统。（☺中国外交部长于当地时间 10 日上午在白宫拜访了美国总统。）

④ 在中国，春节的第二天是拜访亲友的日子。（* 在中国，春节的第二天是拜会亲友的日子。）

⑤ 这次去英国我拜访了我的导师泰勒教授。（* 这次去英国我拜会了我的导师泰勒教授。）

34 颁布[动]bānbù ▶ 公布[动]gōngbù

词义说明 Definition

颁布[promulgate; issue; publish] 公布。

公布［promulgate；announce；publish；make public］（政府机关的法律、命令、文告，团体的通知事项）公开发布，让大家知道。

词语搭配 Collocation

	已经～	～了	～法令	～奖励条例	～于众	～账目	～新宪法	～名单	～成绩	～结果
颁布	√	√	√	√	×	×	√	×	×	×
公布	√	√	×	√	√	√	×	√	√	√

用法对比 Usage

用法解释 Comparison

“颁布”和“公布”的宾语都是法律、法令等。但“公布”的也可是一般信息；“颁布”的行为主体是政府机关或领导人，而“公布”的行为主体可以是政府机关或领导人，也可以是社会团体、新闻媒体、一般单位或个人，如老师公布考试成绩。

语境示例 Examples

① 国家主席颁布了新的治安管理条例。(☺国家主席公布了新的治安管理条例。)

② 请问，这次 HSK（汉语水平考试）的考试成绩什么时候公布？(*请问，这次 HSK 的考试成绩什么时候颁布？)

③ 国务院总理今天颁布了国务院第 31 号令。(☺国务院总理今天公布了国务院第 31 号令。)

④ 媒体把这家商店欺骗顾客的行为公布以后，引起了社会的强烈反响。(*媒体把这家商店欺骗顾客的行为颁布以后，引起了社会的强烈反响。)

⑤ 报上公布了新一届国务院组成人员的名单。(*报上颁布了新一届国务院组成人员的名单。)

⑥ 新闻媒体应该把政府的政策、法令及时向人民公布。(*新闻媒体应该把政府的政策、法令及时向人民颁布。)

35 颁发［动］bānfā ▶ 发［动］fā

词义说明 Definition

颁发［issue；award］发布（命令、政策、嘉奖令、指示等）；授与（奖状、奖品、证书等）。

发[send out; issue; emit; give forth] 是个口语词，意思是送出，交付。

B

词语搭配 Collocation

	~指示	~嘉奖令	~奖状	~奖金	~证书	~书	~钱	~信	~货	~稿	~工资
颁发	√	√	√	√	√	×	×	×	×	×	×
发	√	√	√	√	√	√	√	√	√	√	√

用法对比 Usage

用法解释 Comparison

“颁发”命令、政策、嘉奖令、指示等的行为主体一般是高级领导人或政府的行为。颁发奖状、奖品、证书等是一般单位领导的工作。“颁发”多用于书面和正式场合，“发”多用于口语和一般场合。

语境示例 Examples

① 毕业典礼上，校长给我们颁发了毕业证书。(☺毕业典礼上，校长给我们发了毕业证书。)

② 国家主席今天颁发嘉奖令，嘉奖抗洪救灾中的有功人员。(*国家主席今天发嘉奖令，嘉奖抗洪救灾中的有功人员。)

③ 老师今天给我们发了新书。(*老师今天给我们颁发了新书。)

④ 我今天给他发了一封电子邮件 (e-mail)。(*我今天给他颁发了一封电子邮件。)

⑤ 你们要的那批货我们今天发出，收到后请回电。(*你们要的那批货我们今天颁发出，收到后请回电。)

⑤ 明天发工资。(*明天颁发工资。)

36 搬[动]bān ▶ 搬运[动]bānyùn

词义说明 Definition

搬[take away; move; remove] 移动物体的位置，一般多指比较大的笨重的东西：~家具。[move (house)] 迁移：~家。

搬运[carry; transport] 把物体从一个地方运送到另一个地方：~货物。

词语搭配 Collocation

	～货物	～书柜	～桌子	～砖	～家	～家具	～行李	～进新居	～工人
搬	√	√	√	√	√	√	√	√	×
搬运	√	√	√	×	×	√	√	×	√

用法对比 Usage

用法解释 Comparison

与“搬”和“搬运”搭配的词语有所不同。“搬运”一般要带双音节名词作宾语。“搬”不受此限。

语境示例 Examples

① 要把这台机器搬运到工地去。(☺要把这台机器搬到工地去。)
② 把这些家具搬到楼下去。(☺把这些家具搬运到楼下去。)
③ 这个星期我要搬家。(＊这个星期我要搬运家。)
④ 王老师已经搬进了新居，不住原来的地方了。(＊王老师已经搬运进了新居，不住原来的地方了。)
⑤ 我想把这个书柜搬到外屋去。(＊我想把这个书柜搬运到外屋去。)
⑥ 这位作家十年前曾经在火车站当过搬运工人。(＊这位作家十年前曾经在火车站当过搬工人。)

37 办[动]bàn 办理[动]bànlǐ

词义说明 Definition

办[do; handle; manage; tackle; attend to] 办理；处理；料理：～护照|～签证。[set up; run] 创办；经营：～公司|～学校。[purchase; get sth. ready] 采购；置备：～酒席。

办理[handle; conduct; transact] 处理事务；承办：～邮购。

词语搭配 Collocation

	～公	～事	～手续	～公司	～学校	～业务	～公务	～签证	～婚礼
办	√	√	√	√	√	√	√	√	√
办理	×	×	√	×	×	√	√	√	×

用法对比 Usage

用法解释 Comparison

“办理”多用于书面，“办”为口语，“办理”的宾语应是双音节词，“办”不受此限。

语境示例 Examples

① 我明天去中国大使馆办签证。(☺我明天去中国大使馆办理签证。)
② 我们公司为你办理出国进行商务考察的一切手续。(☺我们公司为你办出国进行商务考察的一切手续。)
③ 新华书店都办理邮购业务。(☺新华书店都办邮购业务。)
④ 这是十年前一个农民办的工厂，现在是一个大企业了。(＊这是十年前一个农民办理的工厂，现在是一个大企业了。)
⑤ 有一件事你能不能帮我办一办？(＊有一件事你能不能帮我办理一办理？)(☺有一件事你能不能帮我办理一下？)

“办”还有代替一些动词的用法，“办理”没有这种用法。
他把弟弟从农村办到城里来了。(＊他把弟弟从农村办理到城里来了。)

38 办法[名]bànfǎ ▶ 方法[名]fāngfǎ

词义说明 Definition

办法[way; means; measure] 办事或解决问题的方法。
方法[method; way; means] 解决思想、说话、学习、工作、行动等问题的做法。

词语搭配 Collocation

	想～	有～	没有～	科学～	学习～	工作～	思想～	看问题的～
办法	√	√	√	×	×	×	×	×
方法	√	×	×	√	√	√	√	√

用法对比 Usage

用法解释 Comparison

“办法”和“方法”的意思差不多，在句子中的作用也一样，只是在与其他词语搭配上不同。

语境示例 Examples

① 你们找到解决问题的办法了没有？(☺你们找到解决问题的方法了没有？)
② 我也想不出好办法。(☺我也想不出好方法。)
③ 政府正在想办法解决贫困人口的脱贫问题。(＊政府正在想方法

解决贫困人口的脱贫问题。)

④ 这件事你一定帮我想想办法。(＊这件事你一定帮我想想方法。)

⑤ 你的学习方法很好，应该给大家介绍介绍。(＊你的学习办法很好，应该给大家介绍介绍。)

⑥ 有正确的思想方法才能有正确的行动。(＊有正确的思想办法才能有正确的行动。)

⑦ 他看问题的方法不对，太绝对化。(＊他看问题的办法不对，太绝对化。)

⑧ 半夜里，妈妈突然发病，急得我们没有办法。(＊半夜里，妈妈突然发病，急得我们没有方法。)

39 伴随[动]bànsuí ▶ 随着[动]suízhe

词义说明 Definition

伴随[accompany, follow] 随同；跟。

随着[along with; following] 跟着。一般用在句子前边或者动词前面，表示动作、行为或事件的发生所依赖的条件。

词语搭配 Collocation

	～母亲	～音乐	有人～	没人～	～经济发展	～汉语水平的提高
伴随	√	√	√	√	√	×
随着	√	√	×	×	√	√

用法对比 Usage

用法解释 Comparison

“伴随”和“随着”的意思相同，多用于书面，口语很少用。“伴随”是个动词，后边也常常带“着”。“随着”是“随”和助词“着”组成的词组。

语境示例 Examples

① 游行队伍伴随着军乐的节奏迈着整齐的步伐通过主席台。(☺游行队伍随着军乐的节奏迈着整齐的步伐通过主席台。)

② 随着经济的不断发展，人民的生活水平也在逐步提高。(☺伴随着经济的不断发展，人民的生活水平也在逐步提高。)

③ 随着汉语水平的提高，我对学习汉语的兴趣也越来越浓。(＊伴随汉语水平的提高，我对学习汉语的兴趣也越来越浓。)

④ 我随着人流走出音乐厅。(＊我伴随着人流走出音乐厅。)
⑤ 肖邦的小夜曲伴随我度过了一个愉快的夜晚。(＊肖邦的小夜曲随着我度过了一个愉快的夜晚。)
⑥ 父母年纪大了，希望身边有人伴随。(＊父母年纪大了，希望身边有人随着。)

B

40 帮[动]bāng ▶ 帮助[动]bāngzhù

词义说明 Definition

帮[help; assist; aid] 帮助。

帮助[help; assist; aid] 替人出力，出主意或给以物质上、精神上的支援：互相～。

词语搭配 Collocation

	～他	～朋友	～～他	～一～我	互相～
帮	√	√	√	√	×
帮助	√	√	√	×	√

用法对比 Usage

用法解释 Comparison

"帮"和"帮助"意思相同，因为音节不同，所以用法有差异，"帮"多用于口语，"帮助"书面、口语都用。

语境示例 Examples

① 看到别人有困难，当然应该去帮助他。(☺看到别人有困难，当然应该去帮他。)
② "助人为乐"的意思是，把帮助别人当做快乐。(☺"助人为乐"的意思是，把帮别人当做快乐。)
③ 请你帮我提这个箱子吧。(☺请你帮助我提这个箱子吧。)
④ 你帮我翻译一下这个句子好吗？(☺你帮助我翻译一下这个句子好吗?)
⑤ 我们公司的工作是帮助在中国的外国人租房、办公司等。(☺我们公司的工作是帮在中国的外国人租房、办公司等。)
⑥ 谁都会有需要别人帮助的时候。(☺谁都会有需要别人帮的时候。)
⑦ 你去邮局的时候，顺便帮我买几张邮票，好吗？(☺你去邮局的时候，顺便帮助我买几张邮票，好吗?)

⑧ 我和麦克互相帮助，他教我英语，我教他汉语。（＊我和麦克互相帮，他教我英语，我教他汉语。）

B

41 帮忙 bāng máng ▶ 帮助[动] bāngzhù

词义说明 Definition

帮忙[help; give (or lend) a hand; do a favour] 帮助别人做事，泛指在别人困难的时候给予帮助。

帮助[help; assist; aid] 替人出力，出主意或给以物质上、精神上的支援：互相～。

词语搭配 Collocation

	请他～	给朋友～	～朋友	～～	互相～	请多～
帮忙	√	√	×	×	×	×
帮助	√	√	√	√	√	√

用法对比 Usage

用法解释 Comparison

“帮忙”是动宾词组，中间可以插入其他成分，后边不能再带宾语，“帮助”是个动词，中间不能插入其他成分，可以带宾语。“帮助”的重叠形式是“帮助帮助”，“帮忙”的重叠形式是“帮帮忙”。

语境示例 Examples

① 今天一个同学要搬家，需要帮忙，我去帮帮他。(☺今天一个同学要搬家，需要帮助，我去帮帮他。)

② A：你今天能跟我一起去吗？

B：对不起，今天我要去给一个朋友帮忙，不能跟你一起去。

（＊对不起，今天我要去给一个朋友帮助，不能跟你一起去。）

③ 你有什么困难尽管说，只要我能做到的，一定帮助你。（＊你有什么困难尽管说，只要我能做到的，一定帮忙你。）（☺你有什么困难尽管说，只要我能做到的，一定帮忙。）

④ 我的发音不太好，你能不能帮助我纠正一下。（＊我的发音不太好，你能不能帮忙我纠正一下。）

⑤ 我们互相帮助吧。(＊我们互相帮忙吧。)

⑥ 小张，能不能帮我一个忙？(＊小张，能不能帮我一个助？)

⑦ 你今天可帮了我的大忙了，真不知道怎么感谢你才好。（＊你今天可帮了我的大助了，真不知道怎么感谢你才好。）

42 帮助[动]bāngzhù ▶ 协助[动]xiézhù

词义说明 Definition

帮助[help; assist; aid] 替人出力，出主意或给以物质上、精神上的支援：互相～。

协助[assist; help; give assistance; provide help] 从旁帮助，辅助。

词语搭配 Collocation

	～别人	～同学	互相～	～领导工作	～老师做工作
帮助	√	√	√	√	√
协助	√	√	×	√	√

用法对比 Usage

用法解释 Comparison

“帮助”的行为主体和对象不分主次或上下，所以可以说互相帮助。“协助”的行为主体与对象一般分主次和上下，协助者为次，在下。被协助者在上，为主，所以不能说互相协助。

语境示例 Examples

① 副经理的职责是帮助总经理工作。（☺副经理的职责是协助总经理工作。）

② 玛丽常常帮助我复习语法。（＊玛丽常常协助我复习语法。）

③ 我们互相帮助，互相学习。（＊我们互相协助，互相学习。）

④ 这项工作主要由你负责，他从旁协助。（＊这项工作主要由你负责，他从旁帮助。）

⑤ 导师让我协助他做这个试验。（☺导师让我帮助他做这个试验。）

43 绑[动]bǎng ▶ 捆[动]kǔn

词义说明 Definition

绑[bind; tie] 用绳、带缠绕或捆扎。

捆[tie; bind; bundle up] 用绳子把东西缠紧打结。

B

词语搭配 Collocation

	～行李	～人	～担架	～麦子	～紧	把…～起来	～一下	～一～
绑	√	√	√	×	√	√	√	√
捆	√	√	×	√	√	√	√	√

用法对比 Usage

用法解释 Comparison

"绑"和"捆"都是动词，但是意思稍微有所不同，"绑"的对象一般要依附于一个物体，"捆"的对象不一定依附于其他物体。

语境示例 Examples

① 警察把那个逃犯绑了起来，带走了。(☺警察把那个逃犯捆了起来，带走了。)

② 你帮我把行李绑在自行车后座儿上，要绑紧点儿。(☺你帮我把行李捆在自行车后座儿上，要捆紧点儿。)

③ 大家绑了一个临时担架，把他送到了医院。(*大家捆了一个临时担架，把他送到了医院。)

④ 把这一摞旧书捆起来。(*把这一摞旧书绑起来。)

⑤ 做完手术，护士给我绑上了绷带。(*做完手术。护士给我捆上了绷带。)

"捆"有引申义，表示"束缚"。

要有创新精神，不要被老的条条框框捆住手脚。(*要有创新精神，不要被老的条条框框绑住手脚。)

44 棒[形]bàng ▶ 强[形]qiáng

词义说明 Definition

棒[good; fine; excellent; strong] 体力或能力强；水平高；成绩好。

强[strong; powerful] 能力高，力量大，性格刚，要求达到的程度高，使强大或强壮等。[better] 用于比较时有好、优越的意思。

词语搭配 Collocation

	身体～	～小伙子	学习～	写得～	说得～	能力～	体育～国	责任心～	很要～
棒	√	√	√	√	√	×	×	×	×
强	×	×	×	×	×	√	√	√	√

用法对比 Usage

用法解释 Comparison

“棒”用于口语，有“强”的意思，但是它们修饰的对象不同，不能相互替换。

语境示例 Examples

① 这幅画儿画得真棒！（＊这幅画儿画得真强！）
② 他汉语说得真棒，简直听不出来是外国人。（＊他汉语说得真强，简直听不出来是外国人。）
③ 这小伙子身体真棒！（＊这小伙子身体真强！）
④ 他的工作能力很强，这项工作交给他，你就放心吧。（＊他的工作能力很棒，这项工作交给他，你就放心吧。）
⑤ 她是个责任心很强的人，做什么事都非常认真。（＊她是个责任心很棒的人，做什么事都非常认真。）
⑥ 农民的生活一年比一年强。（＊农民的生活一年比一年棒。）
⑦ 每天坚持打太极拳能强身健体。（＊每天坚持打太极拳能棒身健体。）

45 包[动、名]bāo ▶ 包装[动、名]bāozhuāng

词义说明 Definition

包[wrap] 用纸、布或其他薄片把东西裹起来：请把这些糖～起来。[bundle; package; pack; packet; parcel]（～儿）包好了的东西：邮～。[bag; sack] 装东西的口袋：书～。

包装[pack(acommodity); package]在商品外边用纸包裹或把商品放进盒子、瓶子等。[packing materials]指包装商品的东西，如纸、盒子、瓶子等。

B

词语搭配 Collocation

	~起来	~住	~着	~好	~书	~饺子	钱~	~美观	讲究~	~艺术
包	√	√	√	√	√	√	√	×	×	×
包装	√	×	×	√	×	×	×	√	√	√

用法对比 Usage

用法解释 Comparison

"包装"有"包"的某些意思，但是"包"是多义词，它的其他意思是"包装"所没有的。"包"还是个语素，可以与其他语素组合成新词语，"包装"没有组词能力。

语境示例 Examples

① 请把这些东西给我包一下。(☺请把这些东西给我包装一下。)
② 商品包装是一门艺术。(*商品包是一门艺术。)
③ 这些礼品的包装都很美观。(*这些礼品的包都很美观。)
④ 你来吧，今天晚上我们包饺子。(*你来吧，今天晚上我们包装饺子。)
⑤ 我的钱包被小偷偷走了。(*我的钱包装被小偷偷走了。)
⑥ 这个皮包是在意大利买的。(*这个皮包装是在意大利买的。)

46 包含[动]bāohán ▶ 包括[动]bāokuò

词义说明 Definition

包含[contain; embody; include] 里边含有。

包括[include; consist of; comprise; incorporate] 总括（或列举各部分，或着重指出某一部分）。

词语搭配 Collocation

	~两层意思	~听说读写	~你	~老师	~在内	~三个方面	~着	~进去
包含	√	√	×	×	√	√	√	√
包括	√	√	√	√	√	√	×	√

用法对比 Usage

用法解释 Comparison

"包括"的对象可以是人也可以是物，"包含"的对象只能是物。

语境示例 Examples

① 这个提案里也包括了你的建议。(☺这个提案里也包含了你的建议。)
② 学费里边包括书费吗?(☺学费里边包含书费吗?)
③ 我们说的言语技能包括听、说、读、写四项。(☺我们说的言语技能包含听、说、读、写四项。)
④ 这句话里包含两层意思。(☺这句话里包括两层意思。)
⑤ 五岳是指中国五座有名的山,包括泰山、嵩山、恒山、衡山和华山。(*五岳是指中国五座有名的山,包含泰山、嵩山、恒山、衡山和华山。)
⑥ 你说全班一共去18个人,包括不包括老师?(*你说全班一共去18个人,包含不包含老师?)

47 包围[动]bāowéi ▶ 围[动]wéi

词义说明 Definition

包围[surround; encircle] 四面围住;正面进攻的同时,向敌人的侧翼和后方进攻。

围[enclose; surround; all round; around; length of sth.] 四周拦挡起来。四周;周围;某些物体周围的长度。

词语搭配 Collocation

	~敌人	把…~起来	~住	~了一圈人	~墙
包围	√	√	√	×	×
围	×	√	√	√	√

用法对比 Usage

用法解释 Comparison

"包围"和"围"都是动词,"围"是口语,"包围"口语和书面语都用。

语境示例 Examples

① 我们的住宅小区被绿地和树林包围着。(☺我们的住宅小区被绿地和树林围着。)
② 警察已经把那些歹徒团团围住了。(☺警察已经把那些歹徒团团包

围住了。)

③ 前边围了一圈人，不知道发生了什么事？(＊前边包围了一圈人，不知道发生了什么事？)

④ 外边冷，围上围巾吧。(＊外边冷，包围上围巾吧。)

⑤ 用木板把工地四周都围上。(＊用木板把工地四周都包围上。)

⑥ 我一走进教室，学生们就围上来问考试的情况。(＊我一走进教室，学生们就包围上来问考试的情况。)

48 饱和[形]bǎohé ▶ 饱满[形]bǎomǎn

词义说明 Definition

饱和[saturation] 在一定的温度和压力下，溶液中所含溶质达到最高限度，不能再溶解。比喻事物达到最大限度。

饱满[full; plump] 丰满：颗粒～。充实：精神～。

词语搭配 Collocation

	人员～了	～点	接近～	已经～	很～	颗粒～	精神～	～的热情
饱和	√	√	√	√	×	×	×	×
饱满	×	×	×	×	√	√	√	√

用法对比 Usage

用法解释 Comparison

“饱满”和“饱和”的意义不同，用法也不一样，不能相互替换。

语境示例 Examples

① 现在大城市对电视机的需求已经趋于饱和。(＊现在大城市对电视机的需求已经趋于饱满。)

② 我们单位的人员已经饱和了，不能再进人了。(＊我们单位的人员已经饱满了，不能再进人了。)

③ 今年的小麦普遍长势良好，颗粒饱满，收成肯定不错。(＊今年的小麦普遍长势良好，颗粒饱和，收成肯定不错。)

④ 大家精神饱满地投入到了这项实验中。(＊大家精神饱和地投入到了这项实验中。)

⑤ 他对工作有着饱满的热情。(＊他对工作有着饱和的热情。)

49 饱满[形]bǎomǎn ▶ 丰满[形]fēngmǎn

词义说明 Definition

饱满[full; plump] 丰满：颗粒～。充实：精神～。

丰满[full and round; well-developed; full-grown] 充足；（身体或身体的一部分）胖得匀称好看。

词语搭配 Collocation

	颗粒～	精神～	体态～	长得～
饱满	√	√	×	×
丰满	×	×	√	√

用法对比 Usage

用法解释 Comparison

"饱满"和"丰满"都是形容词，但是意思不同，不能相互替换。"饱满"多用来形容人的精神、精力、感情、情绪等；"丰满"形容人的身体。

语境示例 Examples

① 中午睡一觉，下午工作起来就显得精神饱满。（*中午睡一觉，下午工作起来就显得精神丰满。）

② 她长得很丰满。（*她长得很饱满。）

③ 她体态丰满，面目姣好，很有魅力。（*她体态饱满，面目姣好，很有魅力。）

④ 对工作只有饱满的热情是不够的，还要讲究方式方法。（*对工作只有丰满的热情是不够的，还要讲究方式方法。）

⑤ 今年的稻子长得好，颗粒饱满，丰收在望。（*今年的稻子长得好，颗粒丰满，丰收在望。）

50 宝贵[形]bǎoguì ▶ 珍贵[形]zhēnguì

词义说明 Definition

宝贵[valuable; precious] 极有价值，非常难得；珍贵。[value; treasure; set store by] 重视，当做珍宝看待。

珍贵[valuable; precious] 价值大；意义深刻；宝贵。

词语搭配 Collocation

	～的生命	～的时间	～的文物	～的经验	～的礼物	～的药材	～得很
宝贵	√	√	√	√	×	√	√
珍贵	×	×	√	×	√	√	√

用法对比 Usage

用法解释 Comparison

“宝贵”和“珍贵”都是形容词，都有价值高、重要、不易得到的意思。“宝贵”常常用来修饰经验、时间、生命等抽象事物，多为客观描写。“珍贵”除了修饰抽象事物之外，还常常修饰礼物、资料、文物、纪念品等稀少珍奇的具体事物，带主观评价的色彩。

语境示例 Examples

① 这些中药非常宝贵。(☺这些中药非常珍贵。)
② 考试前的这段时间非常宝贵，千万不可浪费。(＊考试前的这段时间非常珍贵，千万不可浪费。)
③ 这一年在国外生活和学习的经验很宝贵。(＊这一年在国外生活和学习的经验很珍贵。)
④ 这是朋友送给我的一件珍贵礼物。(＊这是朋友送给我的一件宝贵礼物。)
⑤ 人最宝贵的就是生命，浪费时间就是浪费生命。(＊人最珍贵的就是生命，浪费时间就是浪费生命。)
⑥ 这个年轻的警察为解救人质献出了宝贵的生命。(＊这个年轻的警察为解救人质献出了珍贵的生命。)

51 保存[动]bǎocún ▶ 保管[动]bǎoguǎn

词义说明 Definition

保存[preserve; conserve; keep] 使事物性质、意义、作风等继续存在，不受损失或不发生变化。

保管[take care of; storekeeper] 保藏和管理，照管；做保管工作的人；完全有把握，担保。[certainly; surely] 完全有把握，管保。

词语搭配 Collocation

	～东西	～食品	～仓库	～药品	～员	～能行
保管	√	√	√	√	√	√
保存	√	√	×	√	×	×

用法对比 Usage

用法解释 Comparison

“保存”和“保管”都有使事物继续存在的意思。但是，“保存”的动作主体既可以是人，也可以是物体，“保管”的动作主体是人。

语境示例 Examples

① 我要去旅行，你替我保管一下钥匙吧。(☺我要去旅行，你替我保存一下钥匙吧。)

② 这些药品最好保存在冰箱里。(＊这些药品最好保管在冰箱里。)

③ 他是仓库的保管员。(＊他是仓库的保存员。)

④ 这些一百多年前的字画都完好无损地保存下来了。(＊这些一百多年前的字画都完好无损地保管下来了。)

“保管”还有保证、肯定、有把握的意思，“保存”没有这种意思。

① 你现在去找他，保管他正在家睡觉呢。(＊你现在去找他，保存他正在家睡觉呢。)

② 只要你坚持每天上课，保管能把汉语学好。(＊只要你坚持每天上课，保存能把汉语学好。)

52 保存[动]bǎocún ▶ 保留[动]bǎoliú

词义说明 Definition

保存[preserve; conserve; keep] 使事物、性质、意义、作风等继续存在，不受损失或不发生变化：～自己。

保留[continue to have; retain] 保存不变：～原貌。[hold (or keep) back; reserve] 暂时留着不处理：有意见可以～。留下，不拿出来：毫无～。

B

词语搭配 Collocation

	～古迹	～实力	～自己	～着	～起来	～下去	～完好	～意见	有～	毫无～	暂时～
保存	√	√	√	√	√	√	√	×	×	×	×
保留	√	×	×	√	√	√	×	√	√	√	√

用法对比 Usage

用法解释 Comparison

“保存”和“保留”都有保持事物原来的状态使不变化的意思。不过，“保存”多带具体名词作宾语，“保留”不受此限。

语境示例 Examples

① 这些古建筑都保存着原来的面貌。(☺这些古建筑都保留着原来的面貌。)

② 这些文物能保留到现在很不容易。(☺这些文物能保存到现在很不容易。)

③ 我至今还保留着她当年送给我的照片。(☺我至今还保存着她当年送给我的照片。)

④ 这些字画是从我爷爷的爷爷那一代保存下来的。(☺这些字画是从我爷爷的爷爷那一代保留下来的。)

⑤ 修理古建筑要做到修旧如旧，保留古建筑原来的风貌。(*修理古建筑要做到修旧如旧，保存古建筑原来的风貌。)

⑥ 王教授把自己的教学经验毫无保留地教给了我们青年教师。(*王教授把自己的教学经验毫无保存地教给了我们青年教师。)

“保留”可以带抽象宾语，表示不同意，不赞成。“保存”没有这个意思。

① 我对这项决议持保留意见。(*我对这项决议持保存意见。)

② 有意见可以保留，不要强求大家都同意。(*有意见可以保存，不要强求大家都同意。)

53 保卫[动]bǎowèi ▶ 捍卫[动]hànwèi

词义说明 Definition

保卫[defend; safeguard] 保护使不受侵犯。

捍卫[defend; guard; protect] 保护；防卫。

词语搭配 Collocation

	~祖国	~和平	做~工作	~真理	~大桥	~领空	~主权	~宪法	~首长
保卫	√	√	√	×	√	√	×	×	√
捍卫	√	√	×	√	×	√	√	√	×

B

用法对比 Usage

用法解释 Comparison

"保卫"的对象范围很广，可以是具体名词也可以是抽象名词；"捍卫"的对象只能是抽象名词，限于国家、政治路线等，不能是人。

语境示例 Examples

① 坚决保卫国家的领土和主权不受侵犯。(☺坚决捍卫国家的领土和主权不受侵犯。)

② 中国人民解放军是世界和平的保卫者。(☺中国人民解放军是世界和平的捍卫者。)

③ 为了宣传科学，捍卫真理，他与邪教进行了不屈不挠的斗争。(*为了宣传科学，保卫真理，他与邪教进行了不屈不挠的斗争。)

④ 他们部队担负这座大桥的保卫任务。(*他们部队担负这座大桥的捍卫任务。)

"保卫"可以作定语，"捍卫"不能。

① 要做好安全保卫工作，保证人民有一个和平安定的生活和工作环境。(*要做好安全捍卫工作，保证人民有一个和平安定的生活和工作环境。)

② 他在一个公司的保卫部门工作。(*他在一个公司的捍卫部门工作。)

54 保证[动、名]bǎozhèng ▶ 保障[动、名]bǎozhàng

词义说明 Definition

保证[pledge; guarantee; assure; ensure] 担保负责做到；确保已经规定的要求或标准；作为担保的事物。

保障[ensure; guarantee; safeguard] 保护（权利、生命、财产

等）使不受侵害；起保障作用的事物。

词语搭配 Collocation

	～做到	～按时到达	有～	～人身安全	～言论自由	～公民权利
保证	√	√	√	×	×	×
保障	×	×	√	√	√	√

用法对比 Usage

用法解释 Comparison

名词“保证”和“保障”常常可以互换，动词“保证”的宾语可以是名词（保证质量），也可以是动词词组。动词“保障”的宾语多为抽象名词。

语境示例 Examples

① 社会稳定是发展经济的保证。（☺社会稳定是发展经济的保障。）
② 健康的身体是工作和学习的保障。（☺健康的身体是工作和学习的保证。）
③ 宪法保障公民的合法权利不受侵犯。（＊宪法保证公民的合法权利不受侵犯。）
④ 明天早上七点要保证按时到达车站。（＊明天早上七点要保障按时到达车站。）
⑤ 要保障人民生命财产的安全。（＊要保证人民生命财产的安全。）
⑥ 这次考试你能保证考及格吗？（＊这次考试你能保障考及格吗？）
⑦ 这我可保证不了。（＊这我可保障不了。）
⑧ 最近因为工作忙，业余自学的时间常常没有保证。（＊最近因为工作忙，业余自学的时间常常没有保障。）

55 报[名、动]bào ▶ 报纸[名]bàozhǐ

词义说明 Definition

报［newspaper］报纸：《人民日报》。［periodical；journal］指某些刊物：学～。［bulletin；report］指用文字报道消息或发表意见的某些东西：喜～。［recompense；requite］报答。［report；announce；declare］告诉：～名。［reply；respond］回答：～以热烈的掌声。

报纸[newspaper; newsprint] 以国内外新闻为主要内容的定期出版物；纸张的一种，用来印报或一般书刊。

词语搭配 Collocation

	一份～	一张～	订～	看～	日～	画～	黑板～	上～	回～	～到	恶～
报	√	√	√	√	√	√	√	√	√	√	√
报纸	√	√	√	√	×	×	×	×	×	×	×

用法对比 Usage

用法解释 Comparison

“报”是名词也是动词。“报纸”只是名词，“报纸”有“报”的某些意思，但“报”是个语素，有组词能力，“报纸”没有组词能力。

语境示例 Examples

① 他每天都坚持看报，听新闻。(☺他每天都坚持看报纸，听新闻。)
② 中国最权威的报纸是《人民日报》。(☺中国最权威的报是《人民日报》。)
③ 我喜欢看中文画报。(*我喜欢看中文画报纸。)
④ 给我来一张晚报。(*给我来一张晚报纸。)

以下动词“报”的用法都不能用“报纸”替代。

① 这件事应该报上级批准。
② 善有善报，恶有恶报。不是不报，时候未到，时候一到，一切都报。
③ 我想报名参加太极拳学习班。
④ 学校九月一号开学，我想八月三十号去报到。
⑤ 大家对他的讲演报以热烈的掌声。

56 报仇bào chóu ▶ 报复[动]bàofu

词义说明 Definition

报仇[revenge; avenge] 用行动打击仇敌。

报复[make reprisals; retaliate] 打击批评自己或损害自己利益的人。

词语搭配 Collocation

	为/替…~	受到~	~他	不准打击~
报仇	√	×	×	×
报复	×	√	√	√

用法对比 Usage

用法解释 Comparison

"报仇"是离合词，不能再带宾语，"报复"是动词，可以带宾语，它们的意思和用法都不同，所以不能相互替换。

语境示例 Examples

① 因为我批评了他，他就想报复我。（*因为我批评了他，他就想报仇我。）
② 不允许打击报复批评自己的人。（*不允许打击报仇批评自己的人。）
③ 父亲被敌人杀害了，他说，一定要为父亲报仇。（*父亲被敌人杀害了，他说，一定要为父亲报复。）
④ 因为他举报了单位领导贪污受贿的行为，受到了领导的报复。（*因为他举报了单位领导贪污受贿的行为，受到了领导的报仇。）
⑤ 这场洪水是大自然对人类破坏自然生态环境的一次报复。（*这场洪水是大自然对人类破坏自然生态环境的一次报仇。）

57 抱[动]bào ▶ 拥抱[动]yōngbào

词义说明 Definition

抱[hold or carry in the arms; embrace; hug] 用手臂围住。

拥抱[embrace; hug; hold in one's arms] 表示亲爱而相抱。

词语搭配 Collocation

	~孩子	~着书	相互~	~在一起	~得动/不动	~得住/不住
抱	√	√	×	√	√	√
拥抱	√	×	√	√	×	×

用法对比 Usage

用法解释 Comparison

"抱"和"拥抱"都是手臂的动作，用手臂围住。"抱"的对象可以是人，也可以是物；“拥抱”的对象一定是人，表示亲爱而搂抱，不能是物。

语境示例 Examples

① 一见面他们俩就拥抱在了一起。(☺一见面他们俩就抱在了一起。)
② 两国领导人相互拥抱，互致问候。(＊两国领导人相互抱，互致问候。)
③ 见一个抱小孩的上车来，我连忙站起来给她让座。(＊见一个拥抱小孩的上车来，我连忙站起来给她让座。)
④ 这孩子重得我都快抱不动了。(＊这孩子重得我都快拥抱不动了。)
⑤ 我看见她抱着几本书从图书馆出来。(＊我看见她拥抱着几本书从图书馆出来。)
⑥ 这棵古树粗得十个人都抱不过来。(＊这棵古树粗得十个人都拥抱不过来。)

58 抱[动]bào ▶ 搂[动]lǒu

词义说明 Definition

抱[hold or carry in the arms; embrace; hug] 用手臂围住（人或东西）。[hang together] 结合在一起。[cherish; harbour] 心里存着（想法、意见）。

搂[hold in one's arms; hug; embrace] 搂抱；用胳膊拢着对方。

词语搭配 Collocation

	～住	～着	～孩子	～在怀里	～在一起	不～幻想	不～希望	～起来
抱	√	√	√	√	√	√	√	√
搂	√	√	√	√	√	×	×	√

用法对比 Usage

用法解释 Comparison

“抱”和“搂”都是动词，“抱”的对象可以是具体的人或物，也可以是抽象的事物，“搂”的对象只能是具体事物。

语境示例 Examples

① 妈妈怀里抱着孩子。(☺妈妈怀里搂着孩子。)
② 女儿抱着个玩具娃娃睡着了。(☺女儿搂着个玩具娃娃睡着了。)
③ 两个人一见面就激动地抱在一起。(☺两个人一见面就激动地搂在一起。)

④ 我对这件事一开始就没有抱多大希望，所以也无所谓失望。（＊我对这件事一开始就没有搂多大希望，所以也无所谓失望。）

⑤ 只要我们大家抱成团，就一定能把这件事办成。（＊只要我们大家搂成团，就一定能把这件事办成。）

⑥ 我希望你要现实一些，不要总抱着幻想生活。（＊我希望你要现实一些，不要总搂着幻想生活。）

59 抱歉[形]bàoqiàn ▶ 道歉dào qiàn

词义说明 Definition

抱歉[be sorry; feel apologetic; regret] 觉得对不起别人。

道歉[apologize; make an apology] 认错，向别人说“对不起”或“抱歉”。

词语搭配 Collocation

	真～	很～	太～了	向…表示～	应该～
抱歉	√	√	√	×	×
道歉	×	×	×	√	√

用法对比 Usage

用法解释 Comparison

“抱歉”是形容词，“道歉”是离合动词，它们的用法不同，不能相互替换。

语境示例 Examples

① 让你久等了，很抱歉。（＊让你久等了，很道歉。）

② 是我错了，我应该向你道歉。（＊是我错了，我应该向你抱歉。）

③ A：你明天陪我一起去，好吗？

B：真抱歉，明天我有事，不能陪你去。（＊真道歉，明天我有事，不能陪你去。）

④ A：昨天你误会小王了，应该向人家道歉。（＊昨天你误会小王了，应该向人家抱歉。）

B：我已经向他道过歉了。（＊我已经向他抱过歉了。）

60 抱怨[动]bàoyuàn ▶ 埋怨[动]mányuàn

B

词义说明 Definition

抱怨[complain; grumble] 心中不满，数说别人的不对；埋怨。

埋怨[blame; complain; grumble] 因为事情不如意而对人或事表示不满。

词语搭配 Collocation

	~别人	别~	落~	~条件不好	互相~
抱怨	√	√	×	√	√
埋怨	√	√	√	√	√

用法对比 Usage

用法解释 Comparison

“抱怨”的对象可以是具体的人，也可以是具体的事，“埋怨”的对象一般是人。“埋怨”的对象可以是自己，“抱怨”的对象不能是自己。

语境示例 Examples

① 输了球不要互相埋怨。(☺输了球不要互相抱怨。)

② 要多想想自己的不对，不能只埋怨别人。(☺要多想想自己的不对，不能只抱怨别人。)

③ 我担心事情办不好，落埋怨。(＊我担心事情办不好，落抱怨。)

④ 他直埋怨自己没有给我把事情办成。(＊他直抱怨自己没有给我把事情办成。)

⑤ 他一来就抱怨这里工作条件不好。(☺他一来就埋怨这里工作条件不好。)

⑥ 他总是抱怨这里的气候不好，冬天太冷，夏天太热。(☺他总是埋怨这里的气候不好，冬天太冷，夏天太热。)

61 暴露[动]bàolù ▶ 揭露[动]jiēlù

词义说明 Definition

暴露[expose; reveal; lay bare] 隐蔽的事物（缺陷、问题、矛盾

等）显露出来。

揭露[expose；unmask；ferret out] 使隐蔽的事物显露。

B

词语搭配 Collocation

	～目标	～自己	被～	把…～出来	～出来	～问题	～矛盾
暴露	√	√	×	×	√	√	√
揭露	×	×	√	√	√	√	√

用法对比 Usage

用法解释 Comparison

“暴露”多是事物自身无意地显露出来，“揭露”是人将对象显露出来。“暴露”的动作主体可以是人，也可以是物，“揭露”的动作主体一定是人，对象一般不是自己，而是他人。

语境示例 Examples

① 问题既然已经暴露出来了，就要想办法解决。(☺问题既然已经揭露出来了，就要想办法解决。)

② 俗话说，要想人不知，除非己莫为，干坏事早晚会暴露的。(＊俗话说，要想人不知，除非己莫为，干坏事早晚会揭露的。)

③ 揭露别人的隐私是不道德的，也是违法的。(☺暴露别人的隐私是不道德的，也是违法的。)

④ 他的问题被群众揭露了出来。(＊他的问题被群众暴露了出来。)

⑤ 报纸把这个公司走私犯罪的事实揭露了出来。(＊报纸把这个公司走私犯罪的事实暴露了出来。)

⑥ 她勇敢地揭露了公司领导偷税漏税的行为。(＊她勇敢地暴露了公司领导偷税漏税的行为。)

62 暴露[动]bàolù ▶ 泄露[动]xièlòu

词义说明 Definition

暴露[expose；reveal；lay bare] 隐蔽的事物（问题、矛盾等）显露出来。

泄露[(of a secret, etc.) leak；let out；divulge；give away；reveal] 让人知道了不该知道的事。

词语搭配 Collocation

	～目标	～自己	～机密	～情报	把情报～给别人	被～出去
暴露	√	√	×	×	×	×
泄露	×	×	√	√	√	√

用法对比 Usage

用法解释 Comparison

“暴露”和“泄露”的对象不同，它们不能相互替换。

语境示例 Examples

① 这次事故暴露了管理上存在的问题。（*这次事故泄露了管理上存在的问题。）

② 这是公司的商业机密，决不允许泄露出去。（*这是公司的商业机密，决不允许暴露出去。）

③ 因为泄露了公司的机密，他被公司解雇了。（*因为暴露了公司的机密，他被公司解雇了。）

④ 把国家机密泄露给敌人是一种卑鄙的背叛行为。（*把国家机密暴露给敌人是一种卑鄙的背叛行为。）

63 爆[动]bào ▶ 爆炸[动]bàozhà

词义说明 Definition

爆[explode; burst] 猛然破裂或迸出。出人意料地出现；突然发生：～冷门。

爆炸[explode; blow up; detonate] 物体体积急剧膨大，使周围气压发生强烈变化并产生巨大的声响。形容数量急剧增加，突破极限：人口～。

词语搭配 Collocation

	炸弹～了	车胎～了	～出冷门	～新闻	信息～	知识～
爆	√	√	√	×	×	×
爆炸	√	×	×	√	√	√

用法对比 Usage

用法解释 Comparison

“爆”和“爆炸”的主体都可以是炸弹，但是“爆炸”的主体还可以是抽象的事物。

语境示例 Examples

① 电视上说，一颗炸弹在某国大使馆门口爆炸了。(☺电视上说，一颗炸弹在某国大使馆门口爆了。)
② 我骑自行车去乡下，突然车胎爆了。(＊我骑自行车去乡下，突然车胎爆炸了。)
③ 花炮在空中爆出五颜六色的礼花，好看极了。(＊花炮在空中爆炸出五颜六色的礼花，好看极了。)
④ 这次乒乓球比赛爆出了冷门，世界冠军被一个无名小将打败了。(＊这次乒乓球比赛爆炸出了冷门，世界冠军被一个无名小将打败了。)
⑤ 互联网上信息爆炸，怎么也看不过来。(＊互联网上信息爆，怎么也看不过来。)

64 杯[名、量]bēi ▶ 杯子[名]bēizi

词义说明 Definition

杯[cup; measure word for liquids] 杯子：多喝了一～。[(prize) cup; trophy] 像杯子形状的锦标：世界～足球赛。

杯子[cup; glass] 盛饮料或其他液体的器具。

词语搭配 Collocation

	一～茶	玻璃～	纸～	喝一～	世界～	奖～
杯	√	√	√	√	√	√
杯子	×	√	√	×	×	×

用法对比 Usage

用法解释 Comparison

“杯”和“杯子”是同义词，但是“杯”可以作量词，“杯子”只是名词。“杯”还是语素，可以与其他词语组成新词，“杯子”没有组词能力。

语境示例 Examples

① 喝啤酒还是用这种玻璃杯好。(☺喝啤酒还是用这种玻璃杯子好。)
② 他给我倒了满满一杯。(☺他给我倒了满满一杯子。)
③ 来一杯咖啡。(＊来一杯子咖啡。)
④ 下班后我们去喝一杯，怎么样？(＊下班后我们去喝一杯子，怎么样？)

⑤ 你说这次世界杯足球赛，哪国能得冠军？（*你说这次世界杯子足球赛，哪国能得冠军？）

⑥ 他们第一次得到这个奖杯。（*他们第一次得到这个奖杯子。）

65 悲哀[形]bēi'āi ▶ 悲伤[形]bēishāng

词义说明 Definition

悲哀[grieved; sorrowful] 伤心；痛苦。

悲伤[sad; grieved; sorrowful] 伤心；难过。

词语搭配 Collocation

	很～	非常～	令人～的消息	～的样子	感到～	～的眼泪
悲哀	√	√	√	√	√	×
悲伤	√	√	√	√	√	√

用法对比 Usage

用法解释 Comparison

二者都表示因不幸的事情而伤心、痛苦，不过“悲哀”还表示因付出而未得到公正的回报或对待而伤心。“悲伤”时常常表现为哭泣、流泪，“悲哀”时不一定哭泣、流泪。

语境示例 Examples

① 他逝世的消息传开，举国悲哀。（☺他逝世的消息传开，举国悲伤。）

② 这是一件令人悲伤的事情。（☺这是一件令人悲哀的事情。）

③ 听到父亲去世的消息她悲伤地哭了起来。（*听到父亲去世的消息她悲哀地哭了起来。）

④ 我对他那么好，他却这么对待我，我感到悲哀。（*我对他那么好，他却这么对待我，我感到悲伤。）

⑤ 不要太悲伤了，要注意自己的身体。（*不要太悲哀了，要注意自己的身体。）

⑥ 听到这个消息她流下了悲伤的眼泪。（*听到这个消息她流下了悲哀的眼泪。）

66 悲伤[形]bēishāng ▶ 悲痛[形]bēitòng

B

词义说明 Definition

悲伤[sad; grieved; sorrowful] 伤心；难过。

悲痛[grieved; sorrowful] 非常伤心，痛苦。

词语搭配 Collocation

	很～	不要太～了	化～为力量
悲伤	√	√	×
悲痛	√	√	√

用法对比 Usage

用法解释 Comparison

“悲伤”和“悲痛”的原因不同，“悲痛”的原因一定是亲人或敬爱的人去世了，“悲伤”可以是这样的原因，也可以是其他原因。

语境示例 Examples

① 听到妈妈去世的消息我很悲伤。(☺听到妈妈去世的消息我很悲痛。)

② 全国人民都为失去这位杰出的领导人而十分悲痛。(☺全国人民都为失去这位杰出的领导人而十分悲伤。)

③ 我们要化悲痛为力量，完成他未竟的事业。(*我们要化悲伤为力量，完成他未竟的事业。)

④ 你不要太悲伤了，要保重自己的身体。(☺你不要太悲痛了，要保重自己的身体。)

⑤ 遇到这样的不幸难免让人悲伤。(☺遇到这样的不幸难免让人悲痛。)

67 北[名]běi ▶ 北边[名]běibian

词义说明 Definition

北[north] 与“南”相对。早上面向太阳时左手的一边。

北边[north] 与“南边”相对。

词语搭配 Collocation

	~边	~方	~风	~面	往~走	~房	~屋	~头儿	~半球	~国
北	√	√	√	√	√	√	√	√	√	√
北边	×	×	×	×	√	×	×	×	×	×

用法对比 Usage

用法解释 Comparison

表示方向时，“北”和“北边”意义用法相同，可以相互替换，表示方位时要用“北方”。“北”是语素，有组词能力，“北边”可以单用，但没有组词能力。

语境示例 Examples

① 从这儿往北走，十分钟就到了。（☺从这儿往北边走，十分钟就到了。）
② 北房冬暖夏凉。（*北边房冬暖夏凉。）
③ 我们学校的北边是一个书店。（*我们学校的北是一个书店。）
④ 长城在北京的北边。（*长城在北京的北。）（☺长城在北京以北。）
⑤ 体育馆的北边有图书馆和教学楼。（*体育馆的北有图书馆和教学楼。）
⑥ 冬天这里常刮北风。（*冬天这里常刮北边风。）

68 北边[名]běibian ▶ 北部[名]běibù ▶ 北方[名]běifāng

词义说明 Definition

北边[north] 北；北方。

北部[north] 泛指一地、一国的北方地区或指在某一明指或隐含的定向点以北的地区或国家。

北方[north; the northern part of the country, esp. the area north of the Huanghe River; the North] 向北的方向。特指中国黄河以北的地区。

B

词语搭配 Collocation

	在～	～地区	～人	中国～	～方言	～话	学校～	图书馆～	往～走
北边	√	×	×	√	×	×	√	√	√
北部	√	√	×	√	×	×	×	×	×
北方	√	√	√	√	√	√	×	×	×

用法对比 Usage

用法解释 Comparison

"北边"和"北部"都表示方位，它们的区别在于，说某地"北边"时，某地可以包括在内，也可以不包括在内（要根据具体语境决定）。说某地"北部"时，则某地必包括在内，即某地范围内的北部，而"北方"既表示方向，也特指中国黄河以北的广大地区。

语境示例 Examples

① 北极在地球最北边。(☺北极在地球最北部。)(*北极在地球最北方。)
② 哈尔滨是中国北方的一个大城市。(☺哈尔滨是中国北部的一个大城市。)(*哈尔滨是中国北边的一个大城市。)
③ 我爸爸是北方人，妈妈是南方人。(*我爸爸是北部/北边人，妈妈是南方人。)
④ 南方已经是春暖花开了，北方还在下雪呢。(*南方已经是春暖花开了，北部还在下雪呢。)(☺南方已经是春暖花开了，北边还在下雪呢。)
⑤ 我们学的普通话是以中国北方话为基础方言，全中国通用的标准语。(*我们学的普通话是以中国北部/北边话为基础方言，全中国通用的标准语。)
⑥ 俄罗斯在中国北边。(*俄罗斯在中国北部/北方。)
⑦ 图书馆北边是学生食堂。(*图书馆北部/北方是学生食堂。)
⑧ 天气预报说今天下午北京北部地区有雨。(*天气预报说今天下午北京北方/北边地区有雨。)

69 背叛[动]bèipàn ▶ 叛变[动]pànbiàn

词义说明 Definition

背叛[betray; forsake] 背离，叛变。

叛变[betray (one's country, party, etc.); turn traitor; turn renegade] 贬义词，背叛自己的阶级或集团而采取敌对行动或投到敌对的一方去。

词语搭配　Collocation

	～了	～祖国	他～了我	～投敌
背叛	×	√	√	×
叛变	√	×	×	√

用法对比　Usage

用法解释 Comparison

"背叛"和"叛变"都是动词，"叛变"是不及物动词，不能带宾语；"背叛"可以带宾语。

语境示例 Examples

① 我对他那么好，他最后还是背叛了我。（＊我对他那么好，他最后还是叛变了我。）

② 他经不起敌人威胁利诱，叛变了。（＊他经不起敌人威胁利诱，背叛了。）

③ 他背叛了祖国和人民，投到敌人那边去了。（＊他叛变了祖国和人民，投到敌人那边去了。）

④ 他曾经是个有理想有抱负的青年，但是由于经不起金钱的诱惑，背叛了自己的理想，走向了犯罪的深渊。（＊他曾经是个有理想有抱负的青年，但是由于经不起金钱的诱惑，叛变了自己的理想，走向了犯罪的深渊。）

⑤ 背叛祖国的人是不会有好下场的。（＊叛变祖国的人是不会有好下场的。）

70　背诵[动]bèisòng ▶ 朗诵[动]lǎngsòng

词义说明　Definition

背诵[recite; repeat from memory] 不看原文，凭记忆说出读过的文字。

朗诵[read aloud with expression; recite; declaim] 看着诗文大声地诵读，把作品的感情表达出来。

B

词语搭配 Collocation

	～课文	～诗歌	～下来	不会～	能～	～会	～表演	～得很有感情
背诵	√	√	√	√	√	×	×	×
朗诵	√	√	×	√	√	√	√	√

用法对比 Usage

用法解释 Comparison

"背诵"和"朗诵"的意思不同。"朗诵"还是一种文艺表演形式，"背诵"只是一种学习行为或方法。

语境示例 Examples

① 他参加了汉语朗诵比赛，还得了第一名。（*他参加了汉语背诵比赛，还得了第一名。）

② 你朗诵得很有感情。（*你背诵得很有感情。）

③ 朗诵是一种艺术表演形式。（*背诵是一种艺术表演形式。）

④ 老师常常对我们说，要大声朗诵课文。（*老师常常对我们说，要大声背诵课文。）

⑤ 学过的课文要能背诵下来，听说能力肯定能提高。（*学过的课文要能朗诵下来，听说能力肯定提高。）

71 被[介]bèi 叫[介]jiào 让[介]ràng

词义说明 Definition

被[(used in a passive sentence to introduce that the subject is the object of the action (the agent or doer usu. follows 被, and is oft. omitted) by] 用在句子中表示主语是受动（施动放在"被"字后，但常常省略）。[used after a verb to form a set phrase with a passive meaning] 用在动词前构成被动词组：～压迫。

叫[(used in a passive sentence to introduce the doer of the action, doer usu. follows 叫, but it cannot omit.) by] 用在句子中表示主语是受动（施动放在"叫"字后，不能省略）。

让[(used in a passive sentence to introduce the doer of the action, doer usu. follows 让, but it cannot omit.) by] 用在句子中表示主语是受动（施动放在"让"字后，不能省略）。

词语搭配 Collocation

	~他打败了	~偷了	~捕了	~淋了	~大水冲了	~他气坏了	~风刮走了
被	√	√	√	√	√	√	√
叫	√	×	×	×	√	√	√
让	√	×	×	×	√	√	√

用法对比 Usage

用法解释 Comparison

"被"、"叫"、"让"是汉语常用的三个介词，都用于被动句，引出动作者（它们的宾语），不同的是，"被"字的宾语可以省略，而"叫"和"让"的宾语不能省略，口语多用"叫"和"让"，比较庄重、严肃的场合用"被"，不用"叫、让"。

语境示例 Examples

① 他们队这次被我们打败了。(☺他们队这次叫/让我们打败了。)

② 我的车被弟弟开走了。(☺我的车叫/让弟弟开走了。)

③ 行李都被雨淋湿了。(☺行李都叫/让雨淋湿了。)

④ 因为贪污受贿和巨额财产来历不明，他被捕了。(*因为贪污受贿和巨额财产来历不明，他叫/让捕了。)

⑤ 去年，他被中国语言学会吸收为正式会员。(*去年，他叫/让中国语言学会吸收为正式会员。)

⑥ 由于品学兼优，他同时被国外三所名牌大学录取。(*由于品学兼优，他同时叫/让国外三所名牌大学录取。)

⑦ 要想人不知，除非己莫为，干坏事迟早都会被发现的。(*要想人不知，除非己莫为，干坏事迟早都会叫/让发现的。)

⑧ 这么粗的大树都被刮倒了。(*这么粗的大树都叫/让刮倒了。)

72 被动[形]bèidòng ▶ 被迫[副]bèipò

词义说明 Definition

被动[passive] 与"主动"相对，意思是受到外力推动才行动；不利的情况。

被迫[be compelled; be forced; be constrained] 受形势或他人的压力而行动。

B

词语搭配 Collocation

	感到很～	～句	～地学	～挨打	～交代罪行	～犯罪	～跟别人干坏事
被动	√	√	√	√	×	√	×
被迫	×	×	×	×	√	√	√

用法对比 Usage

用法解释 Comparison

“被动”和“被迫”的意思不同，用法各异，不能相互替换。

语境示例 Examples

① 汉语的把字句是主动句，被字句是被动句。（*汉语的把字句是主动句，被字句是被迫句。）
② 他干这种事是被迫的。（*他干这种事是被动的。）
③ 要是课前不预习生词和课文，上课时一定感到很被动。（*要是课前不预习生词和课文，上课时一定感到很被迫。）
④ 我被迫无奈才答应跟他去。（*我被动无奈才答应跟他去。）
⑤ 因为同伙已经交代了，他才被迫交代了自己的罪行。（*因为同伙已经交代了，他才被动交代了自己的罪行。）
⑥ 这种事一定要主动，不能太被动了。（*这种事一定要主动，不能太被迫了。）

73 奔[动]bēn ▶ 奔跑[动]bēnpǎo

词义说明 Definition

奔[run quickly; flee] 快跑。着急地赶着（办事）。
奔跑[run] 很快地跑。

词语搭配 Collocation

	～驰	～命	～丧	东～西跑	～逃	往来～	～如飞	火车在～
奔	√	√	√	√	√	×	×	×
奔跑	×	×	×	×	×	√	√	√

用法对比 Usage

用法解释 Comparison

“奔”和“奔跑”有相同的意思，但是，“奔”还有着急地赶着办某事的意思，一般不单用，常用在固定词组中，“奔跑”没有此限，它们不能相互替换。

语境示例 Examples

① 每天忙得像奔命的一样。（*每天忙得像奔跑命的一样。）
② 火车奔跑如飞。（*火车奔如飞。）
③ 这匹马奔跑起来能赶上火车。（*这匹马奔起来能赶上火车。）
④ 警察一来，这些坏蛋一个个东奔西逃。（*警察一来，这些坏蛋一个个东奔跑西逃。）
⑤ 他父亲去世了，昨天他回老家奔丧去了。（*他父亲去世了，昨天他回老家奔跑丧去了。）

74 本来[形、副]běnlái ▶ 原来[形、副]yuánlái

词义说明 Definition

本来[original] 原有的。[originally; at first] 原先；先前。[it goes without saying; of course] 表示理所当然。

原来[original; former] 起初。[originally, formerly] 没有经过改变的。[as a matter of fact; as it turns out; actually] 表示发现真实情况。

词语搭配 Collocation

	~不愿意	~的房间	~的专业	~是你啊	~嘛
本来	√	×	√	×	√
原来	√	√	√	√	×

用法对比 Usage

副词“本来”和“原来”在表示“原先、先前”的意思时，可以通用。

我本来是学经济的，后来才改学汉语。（☺我原来是学经济的，后来才改学汉语。）

作形容词时，搭配不同。

① 我原来的专业是中国历史，读研究生时改修中国哲学。（☺我本来的专业是中国历史，读研究生时改修中国哲学。）
② 他还住在原来的地方。（*他还住在本来的地方。）
③ 他原来的女朋友跟他吹了。（*他本来的女朋友跟他吹了。）

“原来”有突然明白了真实情况，表示醒悟的意思，“本来”没有这个意思。

原来是你啊！我以为是小李呢。（＊本来是你啊！我以为是小李呢。）

“本来”有理所当然的意思，常和“嘛”一起，用于附和别人的意见，“原来”没有这个用法。

A：我觉得这个电影不错。B：本来嘛，这是今年得奖的一个片子。（＊原来嘛，这是今年得奖的一个片子。）

75 本领[名]běnlǐng ▶ 本事[名]běnshi

词义说明 Definition

本领[skill; ability; capability] 技能，能力。

本事[skill; ability; capability] 胜任工作的技能。

词语搭配 Collocation

	有～	学～	掌握～	～大	～高	～强
本领	√	√	√	√	√	√
本事	√	√	×	√	×	×

用法对比 Usage

用法解释 Comparison

“本领”多用于书面，“本事”用于口语。它们的意思相同，常常可以相互替换。

语境示例 Examples

① 他的本领可大了，别人办不到的事他都能办到。（☺他的本事可大了，别人办不到的事他都能办到。）

② 会做菜也是一种谋生的本领。（☺会做菜也是一种谋生的本事。）

③ 除了教书我没有别的本事。（☺除了教书我没有别的本领。）

④ 年轻的时候一定要努力学会一两种本领。（＊年轻的时候一定要努力学会一两种本事。）

⑤ 学好一门外语，就是掌握了一种本领。（＊学好一门外语，就是掌握了一种本事。）

⑥ 他看中国电影里会武术的人个个本领高强，就决心去中国学习武术。（＊他看中国电影里会武术的人个个本事高强，就决心去中国学习武术。）

76 本能[名]běnnéng ▶ 本性[名]běnxìng

B

词义说明 Definition

本能[instinct] 人或动物生来就有，不学就会的能力；对外界不知不觉地（作出反应）。

本性[innate nature; inherent quality] 即天性，原来就有的性质或个性。

词语搭配 Collocation

	人的～	～难改	一种～	～地
本能	√	×	√	√
本性	√	√	√	×

用法对比 Usage

用法解释 Comparison

"本能"可以作状语，"本性"不能作状语。

语境示例 Examples

① 很多动物都有保护幼崽的本能。(☺很多动物都有保护幼崽的本性。)

② 猫吃老鼠是它的本能。(☺猫吃老鼠是它的本性。)

③ 生下来就能吃喝是人和动物的一种本能。(*生下来就能吃喝是人和动物的一种本性。)

④ 本性是很难改的。(*本能是很难改的。)

⑤ 突然从屋子里跑出来一个人，她本能地叫了一声："哎呀!"
(*突然从屋子里跑出来一个人，她本性地叫了一声："哎呀!")

77 本人[代]běnrén ▶ 自己[代]zìjǐ

词义说明 Definition

本人[me, myself] 说话人指自己。[oneself; in person] 指当事人自己或前面所提到的人自己。

自己[referring to the noun or pronoun mentioned earlier in the sentence; oneself] 复指前头的名词或代词（多强调不由于外力）。[closely related; own] 亲近的，关系亲密的。

B

词语搭配 Collocation

	我～	他～	你～	老师～	我们～	他们～	你们～	我国～
本人	√	√	√	√	×	×	×	×
自己	√	√	√	√	√	√	√	√

用法对比 Usage

用法解释 Comparison

“本人”既强调说话人自己，也可指前面代词或名词所说的人，“自己”指的是前边代词或名词所提到的人。“本人”只能指代人，而“自己”既可以指代人，也可以指代其他事物。

语境示例 Examples

① 办理结婚手续，领取结婚证要他本人来才行。(☺办理结婚手续，领取结婚证要他自己来才行。)

② 这种事如果他本人不提出来，别人不好过问。(☺这种事如果他自己不提出来，别人不好过问。)

③ 自己的事情要自己动手。(*本人的事情要本人动手。)

④ 我自己来吧，不麻烦您了。(*我本人来吧，不麻烦您了。)

⑤ 他总觉得自己了不起。(*他总觉得本人了不起。)

⑥ 我想见见经理本人。(*我想见见经理自己。)

⑦ 要是没有人碰，桌子上的瓶子不会自己掉下来。(*要是没有人碰，桌子上的瓶子不会本人掉下来。)

⑧ 这种新型飞机是我国自己研制的。(*这种新型飞机是我国本人研制的。)

78 本性[名]běnxìng ▶ 本质[名]běnzhì

词义说明 Definition

本性 [natural instincts (or character; disposition); nature; inherent quality] 即天性，原来就有的性质或个性。

本质 [essence; nature; innate character; intrinsic quality] 事物本身所固有的、决定事物性质、面貌和发展的根本属性。

词语搭配 Collocation

	人的～	事物的～	他的～	透过现象看～	～难改	～很好
本性	√	×	√	×	√	×
本质	√	√	√	√	×	√

用法对比 Usage

用法解释 Comparison

“本性”指人和动物的个性或性质，“本质”既可以指人，也可以指事物。它们不是同义词，不能相互替换。

语境示例 Examples

① 老虎的本性是要吃肉的。(＊老虎的本质是要吃肉的。)

② 江山易改，本性难移。(＊江山易改，本质难移。)

③ 我们不能只看事物的现象，还要透过现象看本质。(＊我们不能只看事物的现象，还要透过现象看本性。)

④ 他的本质是好的，是受坏人影响才犯下这个错误的，应该帮助他改正。(＊他的本性是好的，是受坏人影响才犯下这个错误的，应该帮助他改正。)

⑤ 他们两个人的错误有本质上的区别。(＊他们两个人的错误有本性上的区别。)

79 笨[形]bèn ▶ 傻[形]shǎ

词义说明 Definition

笨[stupid; dull; foolish] 理解能力和记忆能力不好；不聪明：脑子～。[clumsy; awkward] 不灵巧；不灵活：～手～脚。[cumbersome; awkward; unwieldy] 笨重；费力气：～家具。

傻[stupid; muddleheaded] 头脑糊涂，不明白事理。[think or act mechanically] 不知道根据情况改变做法。

词语搭配 Collocation

	真～	很～	～瓜	脑子～	嘴～	～手～脚	～蛋	～子	～乎乎	～干
笨	√	√	×	√	√	√	√	×	×	×
傻	√	√	√	×	×	×	√	√	√	√

用法对比 Usage

用法解释 Comparison

"笨"和"傻"都可以用来自指，也可以指别人。"笨"可以指人，也可以指物；"傻"只能指人。

语境示例 Examples

① 瞧你那傻样儿。(男女朋友之间亲昵的说法)
瞧你那笨样儿。(对别人不尊重，看不起的说法)

② 我真笨，这一课的生词我记了三天也没都记住。(＊我真傻，这一课的生词我记了三天也没都记住。)

③ 你真傻，怎么就相信了他说的话呢？(＊你真笨，怎么就相信了他说的话呢?)

④ 其实他的脑子一点儿也不笨，就是不努力。(＊其实他的脑子一点儿也不傻，就是不努力。)

⑤ 别看他外表傻乎乎的，他可聪明了。(＊别看他外表笨乎乎的，他可聪明了。)

⑥ 这种沙发样子太笨。(＊这种沙发样子太傻。)

80 笨重[形]bènzhòng ▶ 笨拙[形]bènzhuō

词义说明 Definition

笨重[heavy; cumbersome; unwiedy]大而重；不灵便，费力气的。

笨拙[clumsy; awkward; stupid]反应不快，手脚不灵活的、动作难看的。

词语搭配 Collocation

	～的家具	身体～	～的劳动	动作～	～的文字(文章)
笨重	√	√	√	×	×
笨拙	×	×	×	√	√

用法对比 Usage

用法解释 Comparison

"笨拙"形容动作、文字等，"笨重"形容身体、物体。这两个词的意思不同，不能相互替换。

语境示例 Examples

① 他太胖了，行动起来显得很笨拙。(行动不便)
他太胖了，身体显得很笨重。(体重大)

② 过去一些笨重的体力劳动，现在都被机器代替了。（*过去一些笨拙的体力劳动，现在都被机器代替了。）
③ 把这些笨重的旧家具都处理了吧。（*把这些笨拙的旧家具都处理了吧。）
④ 我用自己笨拙的笔写了这篇文章。（*我用自己笨重的笔写了这篇文章。）
⑤ 这篇文章的笔法笨拙，不值一读。（*这篇文章的笔法笨重，不值一读。）

81 崩溃[动]bēngkuì ▶ 瓦解[动]wǎjiě

词义说明 Definition

崩溃[collapse; break down; crumble; fall apart] 完全破坏；垮台（多指国家政治、经济、军事等）。

瓦解[disintegrate; collapse; crumble] 比喻崩溃或分裂。[rout] 使对方的力量崩溃。

词语搭配 Collocation

	全线～	精神～	～敌人	～士气
崩溃	√	√	×	×
瓦解	×	×	√	√

用法对比 Usage

用法解释 Comparison

“崩溃”不能带宾语，只能作谓语。“瓦解”可以作谓语，也可以带宾语。

语境示例 Examples

① 他的精神防线已经崩溃，只好交代了全部贪污受贿的罪行。（*他的精神防线已经瓦解，只好交代了全部贪污受贿的罪行。）
② 在我军的猛烈攻击下，敌人已经全线崩溃。（*在我军的猛烈攻击下，敌人已经全线瓦解。）
③ 要用强大的政治攻势，瓦解敌人的斗志。（*要用强大的政治攻势，崩溃敌人的斗志。）
④ 长期的国内战争使这个国家的经济全面崩溃。（*长期的国内战争使这个国家的经济全面瓦解。）
⑤ 在警察的严厉打击下，这个黑社会团伙已经土崩瓦解。（*在警察的严厉打击下，这个黑社会团伙已经土崩崩溃。）

82 蹦[动]bèng ▶ 跳[动]tiào

B

词义说明 Definition

蹦[leap; jump; spring] (双脚同时向上) 跳。

跳[jump; leap; bounce] 腿上用力使身体突然离开所在的地点。

词语搭配 Collocation

	~起来	向上~	往下~	高兴得直~	~高	~远	~水运动
蹦	√	√	√	√	×	×	×
跳	√	√	√	√	√	√	√

用法对比 Usage

用法解释 Comparison

"蹦"多指双脚同时向上，"跳"既可是双脚，也可以是单脚。"跳"还表示其他器官的动作，如心跳，眼皮直跳，"蹦"不能这么用。"蹦"不带宾语，"跳"可带宾语，宾语既可是具体名词，如跳水、跳楼，也可是抽象名词，如跳级。

语境示例 Examples

① 你跳起来能够着天花板吗？(☺你蹦起来能够着天花板吗？)

② 听了这个消息，她高兴得跳了起来。(☺听了这个消息，她高兴得蹦了起来。)

③ 这个电影太惊险了，看得我心跳。(＊这个电影太惊险了，看得我心蹦。)

④ 她妹妹是跳水运动员。(＊她妹妹是蹦水运动员。)

⑤ 他从小就喜欢跳高、跳远。(＊他从小就喜欢蹦高、蹦远。)

83 逼近[动]bījìn ▶ 靠近[动]kàojìn

词义说明 Definition

逼近[press on towards; close in on; draw near; approach] 向前靠近；接近。

靠近[be close to; be near; draw near; move towards] 向一定目标运动，使彼此间的距离缩小。

词语搭配 Collocation

	～河边	～这里	～黄昏	向我～	～窗户	～一点儿	船慢慢～码头
逼近	√	√	√	√	×	×	√
靠近	√	√	×	√	√	√	√

用法对比 Usage

用法解释 Comparison

"逼近"和"靠近"的意思都是接近某地点、时间或程度，使彼此间的距离缩小，但是"逼近"的动作主体一般是移动着的，"靠近"的动作主体可以是移动着的，也可以是静止不动的。它们涉及的对象也不同。

语境示例 Examples

① 船慢慢地靠近河岸。(☺船慢慢地逼近河岸。)
② 天色已经逼近黄昏。(*天色已经靠近黄昏。)
③ 你向我这边儿靠近一点儿。(*你向我这边儿逼近一点儿。)
④ 靠近窗户的地方放着一张沙发。(*逼近窗户的地方放着一张沙发。)
⑤ 我住的地方靠近马路，所以特别吵。(*我住的地方逼近马路，所以特别吵。)
⑥ 今天的气温已经逼近40度了。(*今天的气温已经靠近40度了。)

84 逼迫[动]bīpò ▶ 强迫[动]qiǎngpò

词义说明 Definition

逼迫[force; compel; coerce] 用压力促使，紧紧地催促。

强迫[compel; force; coerce] 用压力使服从。

词语搭配 Collocation

	不要～她	～别人接受	～对方接受条件	～他学习	～他结婚
逼迫	√	√	√	√	√
强迫	√	√	√	√	√

用法对比 Usage

用法解释 Comparison

有时人会乐于接受"逼迫"做的事，但是"强迫"的事，人们不会乐于接受。

B

语境示例 Examples

① 父母逼迫我跟他结婚，我坚决不同意。（☺父母强迫我跟他结婚，我坚决不同意。）
② 你不能强迫别人接受你的观点。（☺你不能逼迫别人接受你的观点。）
③ 学习靠自觉，强迫是不行的。（☺学习靠自觉，逼迫是不行的。）
④ 我周围的同学学习都非常努力，也逼迫我变得爱学习了。（*我周围的同学学习都非常努力，也强迫我变得爱学习了。）
⑤ 发现一架飞机侵入我国领空，我空军立刻起飞拦截并强迫其降落。（*发现一架飞机侵入我国领空，我空军立刻起飞拦截并逼迫其降落。）

85 比方[动、名]bǐfang ▶ 比如[动]bǐrú

词义说明 Definition

比方[analogy; instance] 用一个容易懂的事物来说明另一个不容易懂的事物；指用来比方的行为。[for example; for instance; such as] 比如。[if; suppose] 假如。

比如[for example; for instance; such as] 例如；表示下面举例。[if] 假如。

词语搭配 Collocation

	～说	打个～	你的～不对	不能这么～	～得很好
比方	√	√	√	√	√
比如	√	×	×	×	×

用法对比 Usage

用法解释 Comparison

“比方”既是动词又是名词，可以作宾语，“比如”只是动词，不能作宾语。

语境示例 Examples

① 汉语中两个词的意思可能一样，但是用法往往不同，比方说，“二”和“两”。（☺汉语中两个词意思可能一样，但是用法往往不同，比如说，“二”和“两”。）
② 她对我很关心，打个比方来说吧，她就像我姐姐。（*她对我很关心，打个比如来说吧，她就像我姐姐。）

③ 可以拿爬山来做比方，学习汉语就像爬山，快到山顶的时候是最累的时候。（*可以拿爬山来做比如，学习汉语就像爬山，快到山顶的时候是最累的时候。）

④ 这个比方很恰当。（*这个比如很恰当。）

这两个词都可以用来表示假设。

比如你是我，会不会同意跟这样的人结婚？（☺比方你是我，会不会同意跟这样的人结婚？）

B

86 比较[动、介、副]bǐjiào ▶ 比[动、介]bǐ

词义说明 Definition

比较[compare; contrast] 就两种或两种以上同类的事物辨别异同或高下：～一下，看哪个好。[used to compare differences in properties and degrees] 用来比较性状和程度的差别：～刚来时好多了。[fairly; comparatively; relatively; quite; rather] 表示具有一定程度：这篇作文写得～好。

比[compare; contrast] 比较，较量：～学习成绩。[draw an analogy; liken to; compare to] 比方；比喻：中国人把聪明的人～做诸葛亮。[to (in a score)] 表示比赛双方得分的对比：3～1。[than] 用来比较性状和程度的差别：生活一年～一年好。

词语搭配 Collocation

	～好	～学习	～放心	～～	～一～	弟弟～我高
比较	√	×	√	√	×	×
比	×	√	×	√	√	√

用法对比 Usage

用法解释 Comparison

“比较”和“比”都是动词和介词，但“比较”有副词的用法，可以放在动词或形容词前作状语，“比”不能直接用在动词或形容词前。

语境示例 Examples

① 你比较一下，这两个手机哪个好。（☺你比一下，这两个手机哪个好。）

② 昨天的足球赛，我们队2比1赢了。（*昨天的足球赛，我们队2比较1赢了。）

③ 我现在对北京的气候比较习惯了。（* 我现在对北京的气候比习惯了。）
④ 我比较喜欢游泳。（* 我比喜欢游泳。）
⑤ 这个比较好。（* 这个比好。）
⑥ 这种方法比较省力。（* 这种方法比省力。）
⑦ 从这儿去比较近。（* 从这儿去比近。）

“比”可以和宾语组成介词词组作状语，“比较”不能这么用。

我比你大一岁。（* 我比较你大一岁。）

“比”有比喻的意思，“比较”没有这个意思。

文学作品里常常把姑娘比做鲜花。（* 文学作品里常常把姑娘比较做鲜花。）

87 比赛[动、名]bǐsài ▶ 竞赛[动、名]jìngsài

词义说明 Definition

比赛[match, competition] 在体育、生产等活动中，比较本领大小、技术高低。

竞赛[contest; competition; emulation; race] 互相比赛，争取优胜。

词语搭配 Collocation

	体育～	看～	～～	足球～	劳动～	一场～
比赛	√	√	√	√	×	√
竞赛	√	×	√	×	√	√

用法对比 Usage

用法解释 Comparison

“比赛”常用于体育、文艺方面，“竞赛”可以指体育方面，也可以指其他方面，如劳动竞赛、军备竞赛。“比赛”可以带宾语，“竞赛”不能带宾语。

语境示例 Examples

① 你们俩比赛一下，闭上眼睛用单腿站立，看谁站得时间长。（☺你们俩竞赛一下，闭上眼睛用单腿站立，看谁站得时间长。）
② 咱们比赛一下，看谁跑得快。（☺咱们竞赛一下，看谁跑得快。）
③ 昨天我们跟政法大学比赛篮球了。（* 昨天我们跟政法大学竞赛篮球了。）

④ 这场足球比赛很精彩。(*这场足球竞赛很精彩。)
⑤ 我们工厂开展了百日无事故的劳动竞赛。(*我们工厂开展了百日无事故的劳动比赛。)
⑥ 如果继续搞军备竞赛，这个世界就不会安宁。(*如果继续搞军备比赛，这个世界就不会安宁。)

88 必[副]bì ▶ 必须[助动、副]bìxū

词义说明 Definition

必[certainly; surely; necessarily] 必然；必定；一定。[must; have to] 必须；一定要。

必须[must; have to] 一定要。

词语搭配 Collocation

	~需	~然	~修	~要	~定	~努力	~来	~去	~买	~参加
必	√	√	√	√	√	×	√	√	√	√
必须	×	×	×	×	×	√	√	√	√	√

用法对比 Usage

用法解释 Comparison

“必须”的反义词是“不必”、“不须”，“必”的反义词是“不一定”。“必须”表示要求和命令，多用于祈使句，“必”表示肯定，常用于陈述句。

语境示例 Examples

① 必：　我给他打电话他必来。(他一定来)
必须：我给他打电话他必须来。(他不来不行)
② 必：　这个会他必参加。(他肯定参加)
必须：这个会他必须参加。(他不参加不行)
③ 他无论做什么实验都必亲自动手。(*他无论做什么实验都必须亲自动手。)
④ 你放心吧，我明天早上七点必到。(*你放心吧，我明天早上七点必须到。)
⑤ 这个活动你必须参加。(*这个活动你必参加。)
⑥ 凡是汉语学得好的学生必是那些坚持每天来上课的学生。(*凡是汉语学得好的学生必须是那些坚持每天来上课的学生。)
⑦ 这次考试，我必须考及格，不然就得留级。(*这次考试，我必

考及格，不然就得留级。)

⑧ 这场球赛你们队必败，不信走着瞧。(＊这场球赛你们队必须败，不信走着瞧。)

B

89 必将[副]bìjiāng ▶ 将[副]jiāng

词义说明 Definition

必将[will] 必定；判断或推断事情发生的必然性，不可避免；也表示主观意志的坚决。

将[be going to; be about to; will; shall] 将要，快要；表示行为或情况在不久以后发生。

词语搭配 Collocation

	～要	～发生	～胜利	～失败	～近	～来	～去
必将	√	√	√	√	×	√	√
将	√	√	√	√	√	√	√

用法对比 Usage

用法解释 Comparison

“必将”和“将”的意思不同，“必将”主观色彩浓，语气很肯定；“将”用于客观陈述，语气舒缓。“必将”和“将”都可以用于肯定句中，“必将”不能用于有些特殊疑问句中，“将”没有此限。

语境示例 Examples

① 如果不解决交通问题，必将影响经济的发展。(☺如果不解决交通问题，将影响经济的发展。)

② 他大学毕业以后将在父亲的公司里工作。(☺他大学毕业以后必将在父亲的公司里工作。)

③ 将下课的时候他才来。(＊必将下课的时候他才来。)

④ 他如果不同意，你将怎么打算？(＊他如果不同意，你必将怎么打算？)

⑤ 明年毕业后你将去哪儿？(＊明年毕业后你必将去哪儿？)

⑥ 人类这一美好理想必将实现。(＊人类这一美好理想将实现。)

90 必然[形]bìrán ▶ 自然[形、名]zìrán/zìran

词义说明 Definition

必然[inevitable; certain] 事理上确定不移，肯定是什么样：~趋势。[be bound to; be sure to] 肯定：他~成功。[necessity] 哲学上指不以人们意志为转移的客观发展规律。

自然[natural world; nature] 自然界。[naturally; in the ordinary course of events] 自由发展，不经人力干预。[of course; naturally] 理所当然：第一次表演~会紧张。

自然(读 zìran) [at ease; natural; free from affectation] 不拘束；不勉强；不呆板：态度很~|演得很~。

词语搭配 Collocation

	很~	~现象	~规律	~会	~能	听其~	~而然	~结果
必然	×	×	√	√	√	×	×	√
自然	√	√	√	√	√	√	√	×

用法对比 Usage

用法解释 Comparison

“必然”是个非谓形容词，只能作定语和状语，不能作谓语；形容词“自然”可以作定语和状语，也可以作谓语。

语境示例 Examples

① 新的代替旧的，青年代替老年，这是事物发展的必然规律。(☺新的代替旧的，青年代替老年，这是事物发展的自然规律。)

② 只要你努力，自然能学好。(☺只要你努力，必然能学好。)

③ 你先不要问，到时候自然就知道了。(*你先不要问，到时候必然就知道了。)

④ 你跟他一起去，他自然很高兴。(*你跟他一起去，他必然很高兴。)

⑤ 刮风下雨都是自然现象。(*刮风下雨都是必然现象。)

⑥ 桂林的自然风光可以说是世界上少有的。(*桂林的必然风光可以说是世界上少有的。)

⑦ 他表演得很自然(读 zìran)。(*他表演得很必然。)

⑧ 你这病不必吃药，过几天自然就会好。(*你这病不必吃药，过几天必然就会好。)

91 必需[动、形]bìxū ▶ 必须[助动、副]bìxū

词义说明 Definition

必需[essential; indispensable; necessary] 一定要有的；不能少的（东西）。

必须[must; have to] 必定；一定要。

词语搭配 Collocation

	生活～品	～的东西	～的资料	～努力	～坚持上课	你～来/去	～做到
必需	√	√	√	×	×	×	×
必须	×	×	×	√	√	√	√

用法对比 Usage

用法解释 Comparison

这两个词发音相同，从书面上才能看出它们的差别，它们的意思和用法都不同。“必须”是副词，用在动词或动词性词组前边作状语，是“一定要”的意思。“必需”是动词也是形容词，在句子中作谓语，可以带宾语，表示一定要有的，不能缺少的。

语境示例 Examples

①必需：《汉语词典》是学习汉语必需的工具书。（不能写成“必须”。）

必须：我必须买一本《汉语词典》。（不能写成“必需”）

② 水是我们日常生活必需的。（＊水是我们日常生活必须的。）

③ 必须拿到汉语水平考试的高级证书，才有可能取得当翻译的资格。（＊必需拿到汉语水平考试的高级证书，才有可能取得当翻译的资格。）

④ 生活必需品一般都比较便宜。（＊生活必须品一般都比较便宜。）

⑤ 这件事别人还办不了，必须你亲自去。（＊这件事别人还办不了，必需你亲自去。）

92 必要[形]bìyào ▶ 必须[副]bìxū

词义说明 Definition

必要[necessary; essential; indispensable] 不可少，一定要，非这

样不可。

必须[must; have to] 一定要。

词语搭配 Collocation

	十分～	很～	～的手续	～的时候	～努力	～工作	～好好学习
必要	√	√	√	√	×	×	×
必须	×	×	×	×	√	√	√

用法对比 Usage

用法解释 Comparison

"必要"是形容词，可以作定语，也可以作谓语，"必须"是副词，在句子中只能放在动词和形容词的前边作状语，它们不能相互替换。

语境示例 Examples

① 去留学当然要办一些必要的手续。(＊去留学当然要办一些必须的手续。)

② 要想上课时听懂老师的讲解，必须预习生词和课文。(＊要想上课时听懂老师的讲解，必要预习生词和课文。)

③ 明天的活动我们必须参加。(＊明天的活动我们必要参加。)

④ 要想学好汉语，多跟中国人交流是十分必要的。(＊要想学好汉语，多跟中国人交流是十分必须的。)

"必要"还可以说"有必要"，"必须"不能这么用。

我们公司认为有必要扩大在中国的投资。(＊我们公司认为有必须扩大在中国的投资。)

93 毕竟[副]bìjìng ▶ 到底[副]dàodǐ

词义说明 Definition

毕竟[after all; all in all; when all is said and done; in the final analysis] 表示追根究底所得的结论。究竟；到底。

到底[at last; in the end; finally] 表示经过变化和曲折最后实现的情况：我们～成功了。[used in a question for emphasis] 用在问句中表示深究：你～去不去？[after all; in the final analysis] 毕竟：～年轻，力气真大。

B

词语搭配 Collocation

	～年轻	～没有经验	～是老大夫	～去不去	～怎么样	～谁赢了	坚持～
毕竟	√	√	√	×	×	×	×
到底	√	√	√	√	√	√	√

用法对比 Usage

"毕竟"和"到底"都有"终于得到好结果"的意思，"到底"用于口语。

他虽然付出了很大的代价，但毕竟成功了。(☺他虽然付出了很大的代价，但到底成功了。)

都可以用来强调原因或理由。

① 毕竟是老司机，一听就知道汽车出了什么毛病。(☺到底是老司机，一听就知道汽车出了什么毛病。)

② 到底是年轻人，轻轻松松地就把这点儿活干完了。(☺毕竟是年轻人，轻轻松松地就把这点儿活干完了。)

"毕竟"强调最终的结论，"到底"不能这么用。

和他的功绩比起来，错误毕竟是第二位的。(*和他的功绩比起来，错误到底是第二位的。)

"到底"用来表示追问，"毕竟"没有这个用法。

① 你明天到底来不来？(*你明天毕竟来不来？)

② 你说到底有没有外星人？(*你说毕竟有没有外星人？)

"到底"还是个动宾词组，有"一直到最后，完成"的意思，"毕竟"没有这个意思。

我一定要坚持学到底。(*我一定要坚持学毕竟。)

94 毕业 bì yè ▶ 结业 jié yè

词义说明 Definition

毕业 [graduate; finish school] 学生在学校或训练班修业期满，达到规定要求，结束学习。

结业 [complete a course; wind up one's studies] 完成学习或培训任务。

词语搭配 Collocation

	～证书	～两年了	大学～	中学～了	研究生～	培训班～了
毕业	√	√	√	√	√	×
结业	√	×	×	×	×	√

用法对比 Usage

用法解释 Comparison

“毕业”和“结业”都是动宾词组，不能再带别的宾语，“结业”一般指短期学习或培训结束。

语境示例 Examples

① 学校举行博士研究生毕业典礼，还请他们的父母们都来参加。（＊学校举行博士研究生结业典礼，还请他们的父母们都来参加。）

② 我哥哥大学毕业已经两年了。（＊我哥哥大学结业已经两年了。）

③ 汉语进修班结业以后，学校发给结业证书。（＊汉语进修班毕业以后，学校发给毕业证书。）

④ 这个短期班两个月结业。（＊这个短期班两个月毕业。）

⑤ 他是我们单位新来的大学毕业生。（＊他是我们单位新来的大学结业生。）

95 闭[动]bì ▶ 关[动、名]guān

词义说明 Definition

闭[shut; close] 关，合（在一起）；不通，闭塞。停止；结束。

关[shut; close] 使开着的物体合拢：～门。[turn off] 使其结束工作状态：～灯。[(of a business) close down]（企业）暂停营业或终止营业。[shut in; lock up] 放在里面不使出来：不要把鸟～在笼子里。[barrier; a critical juncture] 关口；困难的时刻或地方。

词语搭配 Collocation

	～门	～窗户	～电视	～机	～头	～口	～上嘴	～会	～幕	～路电视
闭	√	×	×	×	×	√	√	√	√	√
关	√	√	√	√	√	×	×	×	×	×

用法对比 Usage

用法解释 Comparison

“闭”是个动词，“关”既是动词，又是名词。动词“关”和“闭”的意思差不多，但是涉及的对象不同。

语境示例 Examples

① 外边风太大，快把窗户关上。（*外边风太大，快把窗户闭上。）
② 奥运会明天闭幕。（*奥运会明天关幕。）
③ 我们这里每家都能看到闭路电视。（*我们这里每家都能看到关路电视。）
④ 闭上眼睛休息一会儿吧。（*关上眼睛休息一会儿吧。）
⑤ 为了写这本书他整天把自己关在家里。（*为了写这本书他整天把自己闭在家里。）
⑥ 那个公司因为经营不好，已经关门了（停业）。（*那个公司因为经营不好，已经闭门了。）

“关”有名词的用法，“闭”没有这个用法。

我争取在两年内汉语听说水平能过关。

96 弊病[名]bìbìng ▶ 弊端[名]bìduān

词义说明 Definition

弊病[malady; evil; malpractice; drawback; disadvantage] 坏处；缺点；毛病。

弊端[malpractice; abuse; corrupt practice] 害处的所在。由于制度上或工作上的漏洞而发生的损害公益的事情。

词语搭配 Collocation

	有～	～很大	很多～	消除～	去掉～	克服～	避免产生～
弊病	√	√	√	√	√	√	√
弊端	√	×	√	√	√	√	√

用法对比 Usage

用法解释 Comparison

“弊病”和“弊端”同义，“弊端”较“弊病”的书面语色彩更浓一些。“弊端”使用范围窄，多用于制度、工作、管理方面，

"弊病"不受此限。"弊病"的语义较重。"弊端"有"由所指的害处为开端而发展下去"(将引起其他害处、毛病)的意思，语义较轻。

语境示例 Examples

① 市场经济的弊端是容易造成社会上贫富差别过大。(☺市场经济的弊病是容易造成社会上贫富差别过大。)
② 这种社会弊病必须消除。(☺这种社会弊端必须消除。)
③ 要克服管理不严的弊病。(☺要克服管理不严的弊端。)
④ 由于法制不健全，给管理上带来很多弊病。(☺由于法制不健全，给管理上带来很多弊端。)
⑤ 这种衣服的弊病是容易产生静电。(*这种衣服的弊端是容易产生静电。)
⑥ 这是人类共同的弊病，任何社会都可能产生。(*这是人类共同的弊端，任何社会都可能产生。)

97 避[动]bì ▶ 躲[动]duǒ

词义说明 Definition

避[avoid; evade; shun] 离开；回避，防止。

躲[hide (oneself)] 把身体隐藏起来，不让人看见。 [avoid; dodge] 故意离开不想在的地方或不利的事物。

词语搭配 Collocation

	~暑	~难	~嫌	~孕	~雨	~风	~车	~人	~债
避	√	√	√	√	√	√	×	×	×
躲	×	×	×	×	√	×	√	√	√

用法对比 Usage

用法解释 Comparison

"避"和"躲"都有离开不利事物的意思，但是"躲"有"藏"的意思，"避"没有这个意思。

语境示例 Examples

① 雨越下越大了，我们先到那个商店去避避雨吧。(☺雨越下越大了，我们先到那个商店去躲躲雨吧。)

② 不知道为什么，他最近总是躲着我。（＊不知道为什么，他最近总是避着我。）
③ 夏天我们常常去海边避暑。（＊夏天我们常常去海边躲暑。）
④ 咱们先找一个避风的地方休息一会儿。（＊咱们先找一个躲风的地方休息一会儿。）
⑤ 车来了，快躲开。（＊车来了，快避开。）
⑥ 他来了，你快躲起来。（＊他来了，你快避起来。）

98 避免[动]bìmiǎn ▶ 免[动]miǎn

词义说明 Definition

避免[avoid; refrain from; avert] 想办法不使发生（不好的事情或情况）。

免[excuse sb. from sth.; exempt; dispense wish] 去掉；除掉：～税｜～职。[avoid; avert; escape] 避免：～灾。[be not allowed] 不要；不可：闲人～进。

词语搭配 Collocation

	～事故	～冲突	～误会	～麻烦	～贪污受贿	～费	～税	以～着急	～进
避免	√	√	√	√	√	×	×	×	×
免	×	×	×	×	×	√	√	√	√

用法对比 Usage

用法解释 Comparison

“避免”一般书面用得较多，宾语不能是单音节词语。“免”一般用于口语，宾语不能是双音节词语，如果用于书面，要和别的词语组成双音节，例如以免、免得等。

语境示例 Examples

① 双方达成协议，各自的军队都向后撤，以避免再次发生冲突。（☺双方达成协议，各自的军队都向后撤，以免再次发生冲突。）
② 为了避免作弊，考试的卷子分A、B两种。（＊为了免作弊，考试的卷子分A、B两种。）
③ 这个商店的东西都是免税的。（＊这个商店的东西都是避免税的。）
④ 由于司机及时刹车，避免了一次重大事故的发生。（＊由于司机

及时刹车，免了一次重大事故的发生。）

⑤ 这些是我们公司的试用品，是免费赠送的。（*这些是我们公司的试用品，是避免费赠送的。）

⑥ 快给家里打个电话吧，免得父母着急。（*快给家里打个电话吧，避免得父母着急。）

⑦ 他们两国互免签证。（*他们两国互避免签证。）

B

99 避免[动]bìmiǎn ▶ 防止[动]fángzhǐ

词义说明 Definition

避免[avoid; refrain from; avert] 想办法不使发生（不好的事情或情况）。

防止[prevent; guard against; forestall; avoid] 事先行动或做好准备不让坏事发生。

词语搭配 Collocation

	～事故	～冲突	～受伤害	～受损失	～中毒	～疾病	～误会
避免	√	√	√	√	√	√	√
防止	√	√	√	√	√	√	√

用法对比 Usage

用法解释 Comparison

“避免”和“防止”的意思和用法基本相同。

语境示例 Examples

① 这种事情的发生是很难避免的。（☺这种事情的发生是很难防止的。）

② 由于警察发现及时，避免了一起恶性案件发生。（☺由于警察发现及时，防止了一起恶性案件发生。）

③ 夏天到了，要注意食品卫生，防止发生食物中毒。（☺夏天到了，要注意食品卫生，避免发生食物中毒。）

④ 希望双方保持最大限度的克制，避免发生武装冲突。（☺希望双方保持最大限度的克制，防止发生武装冲突。）

⑤ 这件事你好好跟他解释解释，避免产生误会。（☺这件事你好好跟他解释解释，防止产生误会。）

⑥ 要注意交通安全，防止发生事故。（☺要注意交通安全，避免发生

事故。）

⑦ 夫妻离婚一定要避免使孩子受到伤害。（☺夫妻离婚一定要防止使孩子受到伤害。）

B

100 边疆[名]biānjiāng ▶ 边界[名]biānjiè ▶ 边境[名]biānjìng

词义说明 Definition

边疆[border area; borderland; frontier region; frontier] 靠近国界的疆土；边远地方。

边界[boundary; border] 国家之间或一个国家内不同地区之间的界线。国家之间的边界叫国界，地区之间的界线叫省界、地界或县界等。

边境[border; frontier] 靠近边界的地方。

词语搭配 Collocation

	～地区	两国的～	靠近～	驻守～	保卫～	划定～	确定～	～安全	侵犯～
边疆	√	×	√	√	√	×	×	√	√
边界	×	√	√	×	×	√	√	×	√
边境	√	×	√	×	√	×	×	√	√

用法对比 Usage

用法解释 Comparison

这三个词有时可以互相替换，语法没有什么错，但是它们的语义不同，表示的地域范围不同。“边界”涉及两个地区或两个国家，“边疆”和“边境”均在一个国家之内。

语境示例 Examples

① 中国的少数民族大都住在边疆/边境地区。（＊中国的少数民族大都住在边界地区。）

② 这两国的边界上常常发生武装冲突。（＊这两国的边境/边疆上常常发生武装冲突。）

③ 这支部队长期驻守在祖国的边疆/边境，和这里的少数民族建立了深厚的感情。（＊这支部队长期驻守在祖国的边界，和这里的少数民族建立了深厚的感情。）

④ 两国经过长期的谈判，终于解决了历史遗留的边界问题。（＊两国经过长期的谈判，终于解决了历史遗留的边境/边疆问题。）

⑤ 这条河的中心线就是两国的边界线/边境线。（＊这条河的中心线就是两国的边疆线。）

⑥ 边界以南是中国，边界以北是俄罗斯。（＊边境/边疆以南是中国，边境/边疆以北是俄罗斯。）

101 编[动]biān ▶ 编辑[动、名]biānjí

词义说明 Definition

编[edit; compile] 编辑。[write; compose] 创作（歌词、剧本等）：～剧本。

编辑[edit; compile] 对材料或现成的作品进行整理、加工。[editor; compiler] 做编辑工作的人。

词语搭配 Collocation

	～书	～词典	～教材	～索引	～剧	总～	主～	杂志～	～工作
编	√	√	√	√	√	√	√	×	×
编辑	×	×	×	×	×	√	×	√	√

用法对比 Usage

用法解释 Comparison

“编”是动词，除了“编辑”的意思以外还有创作的意思。“编辑”既是动词，也是名词，名词“编辑”是指从事编辑工作的人。

语境示例 Examples

① 我们正在为孩子们编一本书。（☺我们正在为孩子们编辑一本书。）

② 他是我们报社的总编辑。（☺他是我们报社的总编。）

③ 我的朋友是这家杂志的主编。（＊我的朋友是这家杂志的主编辑。）

④ 他参加了这本词典的编辑工作。（＊他参加了这本词典的编工作。）

⑤ 他是这部电影的编剧。（＊他是这部电影的编辑剧。）

102 编辑[动、名]biānjí ▶ 编者[名]biānzhě

B

词义说明 Definition

编辑[edit; compile] 对材料或现成的作品进行整理、加工。[editor; compiler] 做编辑工作的人。

编者[editor; compiler] 编写的人，做编辑工作的人。

词语搭配 Collocation

	~同志	总~	~索引	杂志~	~工作	~按
编辑	√	√	√	√	√	×
编者	√	×	×	√	×	√

用法对比 Usage

用法解释 Comparison

“编者”和“编辑”都指在报社、杂志社或电台、电视台、出版社等单位编辑书报杂志和文稿的人，“编者”也可以是编书的人，他们不在上述单位工作，“编辑”除了名词的用法外，还有动词的词性。动词“编辑”的对象就是书、报、杂志、电视、电影、广播节目等。

语境示例 Examples

① 他是这本书的编者之一。(☺他是这本书的编辑之一。)

② 我只是这家报纸的一个普通编辑。(☺我只是这家报纸的一个普通编者。)

③ 海峡两岸的专家学者共同编辑了这本汉语词典。(*海峡两岸的专家学者共同编者了这本汉语词典。)（注：海峡两岸专指台湾海峡两岸。）

④ 她是这本书的责任编辑。(*她是这本书的责任编者。)

⑤ 他在这家报纸任总编辑。(*他在这家报纸任总编者。)

⑥ 今天的《人民日报》在头版显著位置发表了这篇文章，还加了编者按。(*今天的《人民日报》在头版显著位置发表了这篇文章，还加了编辑按。)

⑦ 编辑工作是一个为他人做嫁衣裳的工作，没有一点儿奉献精神是做不了也做不好的。(*编者工作是一个为他人做嫁衣裳的工作，没有一点儿奉献精神是做不了也做不好的。)

103 鞭策[动、名]biāncè ▶ 鼓励[动、名]gǔlì

B

词义说明 Definition

鞭策[spur on; urge on] 用鞭和策赶马；比喻督促。

鼓励[encourage; urge] 激发，勉励。

词语搭配 Collocation

	~自己	很大的~	~的话	老师的~	领导的~	受到~
鞭策	√	√	×	×	×	×
鼓励	√	√	√	√	√	√

用法对比 Usage

用法解释 Comparison

“鞭策”和“鼓励”有相同的意思，但是“鞭策”的对象多指说话人一方或说话人自己，“鼓励”没有这个限制。

语境示例 Examples

① 我经常用“有志者事竟成”这个成语鞭策自己，一定要克服困难，把汉语学好。(☺我经常用“有志者事竟成”这个成语鼓励自己，一定要克服困难，把汉语学好。)

② 老师的话是对我的鞭策。(☺老师的话是对我的鼓励。)

③ 爸爸妈妈来信总鼓励我，要不怕苦，不怕难，坚持到底。(*爸爸妈妈来信总鞭策我，要不怕苦，不怕难，坚持到底。)

④ 欢送会上，同学们对我说了很多鼓励的话。(*欢送会上，同学们对我说了很多鞭策的话。)

⑤ 老师和朋友的鼓励使我增加了信心。(*老师和朋友的鞭策使我增加了信心。)

104 便[副、连]biàn ▶ 就[副、连]jiù

词义说明 Definition

便[(used in the same way as 就, and more formal than it) soon afterwards: 过了一会儿，天~亮了。in that case; then: 这几天不是刮风，~是下雨。as soon as: 他一下课~跑回宿舍去了。] 就。

就[at once; right away] 表示在很短的时间内：你等一下儿，他～来。[as early as; already] 表示事情发生得早或结束得早：他七点半～来教室了。[as soon as; right after] 表示前后事情紧接着：他下了课～走了。[in that case; then] 表示在某种条件或情况下自然怎么样（前面常用"只要、要是、既然"等或含有这类意思）：只要努力～能成功。[as much as; as many as] 表示对比起来数目大：我和姐姐两个人才有一台电脑，你一个人～有一台。[to begin with; as is expected] 表示原来或早已这样：对我来说，汉字本来～难。[only; merely; just] 仅仅；只：我们班～一个美国学生。[just; simply] 表示坚决：我～不信学不会电脑。[exactly; precisely] 表示事实正是这样：这～是我的书包。

词语搭配 Collocation

	他马上～来	～要回国了	八点～走	看了～会	～我一个人	～一百块
便	√	×	√	×	×	×
就	√	√	√	√	√	√

用法对比 Usage

"便"的意义和用法基本上跟"就"某些意思相同，用于书面，"就"口语和书面语都常用。

① 他去年便来中国了。(☺他去年就来中国了。)
② 这几天不是刮风便是下雨。(☺这几天不是刮风就是下雨。)
③ 她一下课就去图书馆了。(☺她一下课便去图书馆了。)
④ 只要你努力就一定能学好。(☺只要你努力便一定能学好。)
⑤ 就是你不去，我也要去。(*便是你不去，我也要去。)

"就"表示很少，有"只"的意思，"便"没有这个意思。

我们班就一个非洲学生。(*我们班便一个非洲学生。)

"就"有强调事实正是如此的意思，"便"没有这个用法。

词典就在我桌子上，你自己拿吧。(*词典便在我桌子上，你自己拿吧。)

"就"表示原来或早已这样，"便"没有这个用法。

对外国人来说汉字本来就难。(*对外国人来说汉字本来便难。)

"就"表示坚决，"便"没有这个意思。

① 我就不信我学不会开车。(*我便不信我学不会开车。)
② 我既然决定办公司，就一定要把它办好。(*我既然决定办公司，便一定要把它办好。)

105 便利[形、动]biànlì ▶ 方便[形、动]fāngbiàn

词义说明 Definition

便利[convenient; easy] 使用或行动起来不感觉困难；容易达到目的。[facilitate] 使便利：~读者查阅。

方便[convenient] 便利；适宜。[make things convenient for sb.] 使便利和方便。[have money to spare or lend] 指有富裕的钱：手头不~。[go to the lavatory] 指大小便：车停一会儿，大家可以~~。

词语搭配 Collocation

	很~	不~	~得很	交通~	~顾客	~面	~食品	~~
便利	√	√	√	√	√	×	×	×
方便	√	√	√	√	√	√	√	√

用法对比 Usage

"便利"强调容易达到目的，"方便"强调使不感到麻烦，都可以作谓语。

① 住宅小区里什么都有，生活很便利。(☺住宅小区里什么都有，生活很方便。)

② 这个城市的交通很方便。(☺这个城市的交通很便利。)

③ 服务工作应该千方百计地方便群众。(☺服务工作应该千方百计地便利群众。)

④ 现在商店有很多方便食品。(*现在商店有很多便利食品。)

"方便"还表示有富余的钱，"便利"没有这个意思。

最近我手头不太方便。(我没有钱用了) (*最近我手头不太便利。)

"方便"还是大小便的委婉说法，"便利"没有这个意思。

停车十分钟，让大家方便方便。(*停车十分钟，让大家便利便利。)

"方便"还有适宜的意思，"便利"没有这个用法。

这里说话不大方便，我们另找个地方谈吧。(*这里说话不大便利，我们另找个地方谈吧。)

106 便于[动]biànyú ▶ 以便[连]yǐbiàn

B

词义说明 Definition

便于[easy to; convenient for] 容易做某事。

以便[so that; in order to; so as to; with the aim of; for the purpose of] 用在下半句话的开头，表示使下文所说的目的容易实现。

词语搭配 Collocation

	～携带	～使用	～查找	～合作	～解决	～治疗	～保护	不～
便于	√	√	√	√	√	√	√	√
以便	√	√	√	√	√	√	√	×

用法对比 Usage

“便于”是动词，“以便”是连词，它们都是书面语，口语不常用，“便于”常用于第一个分句，“以便”用于第二个分句。

① 便于：为了便于旅客更快地通关，海关简化了手续。
以便：海关简化了手续，以便旅客更快地通关。

② 为了便于读者查找借阅，图书馆把图书目录都输入了电脑。
(＊为了以便读者查找借阅，图书馆把图书目录都输入了电脑。)
(☺图书馆把图书目录都输入了电脑，以便读者查找借阅。)

③ 你说得慢一点，以便大家记录。(＊你说得慢一点，便于大家记录。)

④ 你带上这把雨伞吧，以便下雨好用。(＊你带上这把雨伞吧，便于下雨好用。)

“便于”前边可以加“不”，说“不便于”，“以便”不能加“不”，没有“不以便”的说法。“以便”的否定是“不便”，“不便于”也可说“不便”。

① 外语课文如果没有故事情节，不便于学生记忆和复述。(＊外语课文如果没有故事情节，不以便学生记忆和复述。)

② 这个箱子太大，不便于携带。(＊这个箱子太大，不以便携带。)
(☺这个箱子太大，不便携带。)

③ 还是买个笔记本电脑吧，便于携带。(＊还是买个笔记本电脑吧，以便携带。)

107 变[动]biàn ▶ 改变[动、名]gǎibiàn ▶ 变化[动、名]biànhuà

词义说明 Definition

变[become different; change] 和原来不同；变化；改变：样子～了。[change into; become] 改变（性质、状态）；变成：沙漠～绿洲。[transform; change; alter] 使改变：～废为宝。[an unexpected turn of events] 有重大影响的突然变化：事～。

变化[change; vary] 事物产生新的状况：～很大。

改变[change; alter; transform] 事物发生显著的差别，和原来不一样；改换：～计划。

词语搭配 Collocation

	～了	没有～	～一～	～红	～很大	发生了～	～计划	～面貌	～时间	～样子
变	√	√	√	√	×	×	√	×	√	√
变化	√	√	×	×	√	√	×	×	×	×
改变	√	√	×	×	×	×	√	√	√	√

用法对比 Usage

用法解释 Comparison

这三个词都是动词，都可以作谓语。"改变"和"变"是及物动词，"变化"是不及物动词，不能带宾语。"改变"书面用得多一些，"变"是口语词。"改变"的宾语一般是双音节词语，常常说"改变面貌"，"改变计划"等。

语境示例 Examples

① 事物是不断变化的。(☺事物是不断变/改变的。)

② 因为情况变了，我们不得不改变原来的计划。(☺因为情况变化了，我们不得不改变原来的计划。)(*因为情况改变了，我们不得不改变原来的计划。)

③ 她爱说爱笑的性格一点儿也没有变。(☺她爱说爱笑的性格一点儿也没有改变。)(*她爱说爱笑的性格一点儿也没有变化。)

"变"和"变化"的是客观事物，"改变"强调主观行为，"变化"可以作宾语，"变"不能作宾语，"改变"不能作动词"发生"的宾语。

① 情况发生了变化，我们的思想也应该跟着改变。(*情况发生了

变/改变，我们的思想也应该跟着改变。）
② 他最近变化很大。（*他最近变/改变很大。）
③ 我们已经十几年没有见面了，她变得我几乎认不出来了。（*我们已经十几年没有见面了，她变化/改变得我几乎认不出来了。）
④ 这里原来是一片荒地，现在变成了一个美丽的公园。（*这里原来是一片荒地，现在改变/变化成了一个美丽的公园。）
⑤ 他们决心改变自己家乡贫穷落后的面貌。（*他们决心变/变化自己家乡贫穷落后的面貌。）

"变化"有名词的用法，"改变"和"变"都没有这种用法。
没想到，这几年家乡的变化这么大。（*没想到，这几年家乡的改变/变这么大。）

108 变动[动、名]biàndòng ▶ 变迁[动、名]biànqiān

词义说明 Definition

变动[alteration; change] 变化（多指社会现象）；改变。
变迁[changes; vicissitudes] 情况或阶段的变化或转移。

词语搭配 Collocation

	工作～	～计划	人事～	任务～了	时代～	社会～	环境～
变动	√	√	√	√	×	×	×
变迁	×	×	√	×	√	√	√

用法对比 Usage

用法解释 Comparison

"变动"是及物动词，可以带宾语，可以用于"把"字句。"变迁"是不及物动词，不能带宾语，不能用于"把"字句。

语境示例 Examples

① 请同学们注意，课程表有变动，星期三上午的"经济阅读"课改成了下午。（*请同学们注意，课程表有变迁，星期三上午的"经济阅读"课改成了下午。）
② 公司的人事有变动，原来的经理退下来了，换上来了一个年轻的。（*公司的人事有变迁，原来的经理退下来了，换上来了一个年轻的。）［注："人事变迁"的"人事"指人的离合、存亡等情况。②中的"人事"指工作人员的调配、使用。］
③ 公司领导决定把你的工作变动一下。（*公司领导决定把你的工

作变迁一下。)

④ 随着时代的变迁，人们的观念也发生了很大的变化。(＊随着时代的变动，人们的观念也发生了很大的变化。)

⑤ 随着环境的变迁，原来生活在这里的很多动物现在都没有了。(＊随着环境的变动，原来生活在这里的很多动物现在都没有了。)

109 变革[动、名]biàngé ▶ 改变[动、名]gǎibiàn

词义说明 Definition

变革[transform; change] 改变事物的本质（多指社会制度)。

改变[change; alter; transform] 事物发生显著的差别，和原来不一样；改换：～计划。

词语搭配 Collocation

	社会～	制度～	历史～	～环境	～计划	～态度	～一下	～习惯	～工作
变革	√	√	√	×	×	×	×	×	×
改变	×	×	×	√	√	√	√	√	√

用法对比 Usage

用法解释 Comparison

“变革”和“改变”意思差不多，但是“变革”是书面语，它的对象多指社会制度。“改变”书面和口语都常用，它涉及的对象比“变革”多。

语境示例 Examples

① 社会的变革必然带来人们思想和观念的改变。(＊社会的改变必然带来人们思想和观念的变革。)

② 二十多年来，中国发生了巨大的历史性变革。(＊二十多年来，中国发生了巨大的历史性改变。)

③ 我准备改变一下工作。(＊我准备变革一下工作。)

④ 在中国生活了一年，我的思想有了很大的改变。(＊在中国生活了一年，我的思想有了很大的变革。)

⑤ 经过二十多年的努力，我们家乡的面貌完全改变了。(＊经过二十多年的努力，我们家乡的面貌完全变革了。)

110 变化[动、名]biànhuà ▶ 变换[动]biànhuàn

B

词义说明 Definition

变化[change; vary] 事物产生新的状况：~万千。

变换[vary; alternate] 改换，事物的一种形式或内容换成了另一种。

词语搭配 Collocation

	很大的~	有~	~很大	~方法	~手法	~位置	~工作	~号码
变化	√	√	√	×	×	×	×	×
变换	×	×	×	√	√	√	√	√

用法对比 Usage

用法解释 Comparison

"变化"是不及物动词，不能带宾语，"变换"是及物动词，可以带宾语，它们不能相互替换。

语境示例 Examples

① 几年没来，这里已经发生了很大的变化。（*几年没来，这里已经发生了很大的变换。）

② 我现在的工作太没有意思了，我想变换一下。（*我现在的工作太没有意思了，我想变化一下。）

③ 社会已经发生了很大变化，他的思想还停留在二十年前。（*社会已经发生了很大变换，他的思想还停留在二十年前。）

④ 他想把这些美元变换成人民币。（*他想把这些美元变化成人民币。）

⑤ 你最好变换一下生活环境。（*你最好变化一下生活环境。）

⑥ 他不断变换手法，欺骗我，我实在不愿意再和他交往下去了。（*他不断变化手法，欺骗我，我实在不愿意再和他交往下去了。）

111 遍[量]biàn ▶ 次[量]cì

词义说明 Definition

遍[(for action) once through; a time] 一个动作从开始到结束的

整个过程为一遍。

次[occurrence; time] 用于反复出现或可能出现的事情。

词语搭配 Collocation

	看过多～	读一～	参观了一～工厂	去了一～上海	听过一～音乐会
次	√	×	√	√	√
遍	√	√	×	×	×

用法对比 Usage

用法解释 Comparison

“遍”和“次”都表示动量，但是表达的意思不同，带处所宾语的动词后边只能用“次”，不能用“遍”。

语境示例 Examples

① 这是个老电影，我不知道看过多少遍了。(☺这是个老电影，我不知道看过多少次了。)

② 我去过一次黄山，黄山的风景美极了。(＊我去过一遍黄山，黄山的风景美极了。)

③ 每课课文王老师都要求我们读十遍。(＊每课课文王老师都要求我们读十次。)

④ 长城你去过几次了？(＊长城你去过几遍了？)

⑤ 希望同学们把课文抄写一遍。(＊希望同学们把课文抄写一次。)

⑥ 麦克，请把课文念一遍。(＊麦克，请把课文念一次。)

112 辨认[动]biànrèn ▶ 辨别[动]biànbié

词义说明 Definition

辨认[identify; recognize] 根据事物特点辨别，做出判断，以便找出或认定某一对象。

辨别[differentiate; distinguish; discriminate] 根据不同事物的特点，在认识上加以区别。

词语搭配 Collocation

	～笔迹	无法～	～出来	～不出来	～真假	～是非	～方向	～声音
辨认	√	√	√	√	×	×	√	×
辨别	√	√	√	√	√	√	√	√

B

用法对比 Usage

用法解释 Comparison

“辨认”主要用眼睛，涉及的对象是具体的事物，“辨别”除了用眼睛以外，主要用大脑及其他感觉器官，涉及的对象既可以是具体事物，如辨别气味，也可以是抽象事物，如辨别真假，辨别是非等。

语境示例 Examples

① A：他们两个你能辨认出谁是姐姐谁是妹妹吗？（☺他们两个你能辨别出谁是姐姐谁是妹妹吗？）
B：我辨认不出来。（☺我辨别不出来。）

② 我没有方向感，到一个新地方，不会辨别方向。（☺我没有方向感，到一个新地方，不会辨认方向。）

③ 王老师的笔迹很容易辨认。（☺王老师的笔迹很容易辨别。）

④ 他们还小，还没有辨别是非的能力。（＊他们还小，还没有辨认是非的能力。）

⑤ 这张照片很模糊，照片的人已经无法辨认了。（＊这张照片很模糊，照片的人已经无法辨别了。）

113 辩护[动]biànhù ▶ 辩解[动]biànjiě

词义说明 Definition

辩护[speak in defence of; argue in favour of; defend] 为了保护别人或自己，提出事实和理由来说明某种见解或行为是正确合理的，或是错误的程度不如别人所说的那么严重。[plead; defend] 在法院审判案件时被告人为自己申辩或辩护人为被告申辩。

辩解[provide an explanation; try to defend oneself] 对受到指责的某种见解或行为加以解释。

词语搭配 Collocation

	为…～	不要～	～人	无法～	不用～
辩护	√	√	√	×	√
辩解	√	√	×	√	√

用法对比 Usage

用法解释 Comparison

"辩护"既可以用于一般场合，也可以用于正式场合，例如法庭上。"辩解"用于一般场合，"辩解"的对象是事情的原因，"辩护"的对象是他人、自己或被告。

语境示例 Examples

① 事实很清楚，你再为自己辩护也没有用。(☺事实很清楚，你再为自己辩解也没有用。)
② 被告请我做他的辩护律师。(＊被告请我做他的辩解律师。)
③ 错了就是错了，不要再辩解了。(＊错了就是错了，不要再辩护了。)
④ 被告有权为自己获得辩护。(＊被告有权为自己获得辩解。)
⑤ 在法庭上辩护人为被告进行了有力地辩护。(＊在法庭上辩解人为被告进行了有力地辩解。)

114 辩论[动]biànlùn ▶ 争论[动]zhēnglùn

词义说明 Definition

辩论[argue; debate] 彼此用一定的理由来说明对事物或问题的见解，指出对方的矛盾，以便最后得出正确的认识或共同的意见。

争论[controversy; dispute; debate; contention] 都认为自己的意见是对的，互相辩论。

词语搭配 Collocation

	开～会	互相～	～问题	～起来	展开～	～～	不～的原则	～得脸红脖子粗
辩论	√	√	√	√	√	√	×	√
争论	×	√	√	√	×	×	√	√

用法对比 Usage

用法解释 Comparison

"辩论"和"争论"的情况有所不同。"辩论"的双方可以是事先无准备的，但也可以是事先有准备的，而"争论"一定是事先无准备的。"辩论"时双方可以是不理性的，也可以是很理性的，"争论"时双方一般是不太理性的，比"辩论"要激烈、冲动。为某个问题可以开会让双方展开辩论，但不可能为让双方争论而开会。

语境示例 Examples

① 哥儿俩不知道为什么争论起来了。(☺哥儿俩不知道为什么辩论起来了。)
② 为这个问题双方展开了激烈的争论。(☺为这个问题双方展开了激烈的辩论。)
③ 星期六我们系的留学生开辩论会，你参加不参加？（＊星期六我们系的留学生开争论会，你参加不参加？)
④ 最好不要争论，先干起来再说。（＊最好不要辩论，先干起来再说。)

115 标题[名]biāotí ▶ 题目[名]tímù

词义说明 Definition

标题[title; heading; headline; caption] 表明文章、作品等内容的简短语句。

题目[title; subject; topic] 概括诗文或讲演内容的词句。[exercise problem; examination question] 练习或考试时要求解答的问题。

词语搭配 Collocation

	大～	副～	通栏～	文章的～	论文～	考试～	辩论的～
标题	√	√	√	√	√	×	×
题目	×	×	×	√	√	√	√

用法对比 Usage

用法解释 Comparison

“标题”和“题目”都可以与“文章”、“论文”搭配，说文章的题目或标题，论文的标题或题目。但考试时出的问题只能叫“题目”，不能叫“标题”。“标题”的字数一般也比“题目”少得多。

语境示例 Examples

① 文章的标题很重要，好的标题能引起读者的阅读兴趣。(☺文章的题目很重要，好的题目能引起读者的阅读兴趣。)
② 我论文的题目还没有定下来呢。（＊我论文的标题还没有定下

来呢。)

③ 这篇文章的大标题是《论新经济》，副标题是《网络时代我们的对策》。(*这篇文章的大题目是《论新经济》，副题目是《网络时代我们的对策》。)

④ 老师布置的作文题目是《我在中国的见闻》。(*老师布置的作文标题是《我在中国的见闻》。)

⑤ 这次考试题目虽然多，但是都不太难。(*这次考试标题虽然多，但是都不太难。)

116 标志[名、动]biāozhì ▶ 记号[名]jìhào

词义说明 Definition

标志[sign; mark; symbol] 表明特征的记号。[indicate; mark; symbolize] 表明某种特征。

记号[mark; sign] 为引起注意，帮助识别、记忆而做成的标记。

词语搭配 Collocation

	有~	~着	做个~	联络~	停车场的~
标志	√	√	√	×	√
记号	√	×	√	√	×

用法对比 Usage

用法解释 Comparison

“标志”既是名词也是动词，可以带宾语；“记号”只是名词。名词“标志”既可以是抽象事物，也可以是具体的事物，而“记号”只是具体的事物。

语境示例 Examples

① 树上有个记号，说明他们是经过这里向前走的。(☺树上有个标志，说明他们是经过这里向前走的。)

② 圆圈里有一个英文字母I，是问事处的标志。(*圆圈里有一个英文字母I，是问事处的记号。)

③ @是电子信箱的标志。(*@是电子信箱的记号。)

④ 我在看过的地方都做了记号。(*我在看过的地方都做了标志。)

⑤ 社会稳定，民族团结是国家兴旺发达的标志。(*社会稳定，民族团结是国家兴旺发达的记号。)

⑥ 这次重要的会议标志着一个新时期的开始。（*这次重要的会议记号着一个新时期的开始。）

B

117 表达[动]biǎodá ▶ 表示[动、名]biǎoshì

词义说明 Definition

表达[express; convey; voice] 表示（思想、感情、态度等）。

表示[show; express; indicate] 用言语行为显出某种思想、感情、态度等；事物本身显出某种意义。[expression; indication] 显出思想感情的言语、动作或神情。

词语搭配 Collocation

	～思想	～感情	～感谢	～同意	～出来	～欢迎	～理解	～关心	…的～
表达	√	√	×	×	√	×	×	×	×
表示	×	√	√	√	√	√	√	√	√

用法对比 Usage

用法解释 Comparison

"表达"是用语言形式，即口头说出或用笔头写出思想、感情、态度等。"表示"可以用语言形式，也可以是非语言的方式，例如手势、眼神、面部表情、动作等来显示某种思想、感情、态度等，或者是事物本身显示出某种意义或者凭借某种事物显示出某种意义。它们不能相互替换。

语境示例 Examples

① 我代表学校向新同学表示热烈的欢迎。（*我代表学校向新同学表达热烈的欢迎。）

② 我向你表示衷心的祝贺。（*我向你表达衷心的祝贺。）

③ 红灯表示停，绿灯表示行。（*红灯表达停，绿灯表达行。）

④ 点头表示同意，摇头表示不同意。（*点头表达同意，摇头表达不同意。）

⑤ 我现在已经能用汉语表达自己的思想了。（*我现在已经能用汉语表示自己的思想了。）

⑥ 这篇课文表达了作者对母亲的爱。（*这篇课文表示了作者对母亲的爱。）

⑦ 短文教学主要训练学生的成段表达能力。（*短文教学主要训练学生的成段表示能力。）

"表示"有名词用法，"表达"没有这种用法。

我向她求爱，可是她一点儿表示也没有。（*我向她求爱，可是她一点儿表达也没有。）

118 表演[动、名]biǎoyǎn ▶ 演[动]yǎn

词义说明 Definition

表演[perform; act; play] 在戏剧、舞蹈、杂技等演出中，把其中的各个细节或人物特性表现出来。[performance; exhibition; demonstrate] 做示范性的动作：体操～。

演[perform; show; put on; act] （把戏曲、舞蹈、曲艺、杂技等）在观众面前表演。

词语搭配 Collocation

	～节目	～太极拳	体操～	～电影	看～	～一～	～一下	～得很好	～出来
表演	√	√	√	×	√	×	√	√	√
演	√	×	×	√	×	√	√	√	√

用法对比 Usage

用法解释 Comparison

"表演"和"演"有相同的意思，但是，"表演"还是名词，可以作宾语，"演"只是动词。动词"表演"的宾语一般不是单音节词，"演"没有此限。

语境示例 Examples

① 晚会上，演员们为大家表演了精彩的文艺节目。(☺晚会上，演员们为大家演了精彩的文艺节目。)

② 她在这个话剧里表演得非常好。(☺她在这个话剧里演得非常好。)

③ 这个话剧已经演了一百多场了。(☺这个话剧已经表演了一百多场了。)

④ 她在这个电影里演主人公的妻子。（*她在这个电影里表演主人公的妻子。）

⑤ 今天晚上礼堂演电影，你去看吗？（*今天晚上礼堂表演电影，你去看吗？）

⑥ 天安门前举行了一万多人参加的太极拳表演。（*天安门前举行了一万多人参加的太极拳演。）

119 表扬[动]biǎoyáng ▶ 表彰[动]biǎozhāng

B

词义说明 Definition

表扬[praise; commend] 对好人好事公开称赞。

表彰[cite (in dispatches); commend] 表扬并嘉奖伟大的成绩或事迹。

词语搭配 Collocation

	～好人好事	～先进	～先进人物	受到～	～～	～了我	～他的事迹
表扬	√	√	√	√	√	√	√
表彰	√	√	√	√	×	×	√

用法对比 Usage

用法解释 Comparison

"表扬"和"表彰"的意义相同，"表彰"多用于正式的庄重的场合，口语一般不用，"表扬"不受此限。"表彰"的对象多为突出的人物或事迹，"表扬"的对象较广。

语境示例 Examples

① 这次大会<u>表彰</u>了一百多位全国劳动模范。(☺这次大会<u>表扬</u>了一百多位全国劳动模范。)

② 他的先进事迹受到了<u>表彰</u>。(☺他的先进事迹受到了<u>表扬</u>。)

③ 因为学习成绩优异，受到了学校的<u>表扬</u>。(☺因为学习成绩优异，受到了学校的<u>表彰</u>。)

④ 老师<u>表扬</u>他学习认真努力。(＊老师<u>表彰</u>他学习认真努力。)

⑤ 今天上课的时候老师<u>表扬</u>了我。(＊今天上课的时候老师<u>表彰</u>了我。)

⑥ 我写了一封<u>表扬</u>信，表扬他拾金不昧的品质。(＊我写了一封<u>表彰</u>信，表扬他拾金不昧的品质。)

120 别[副]bié ▶ 不要bú yào

词义说明 Definition

别[(used in giving commands or advise) don't; had better not] 不

要；表示劝止。如：～忘了｜～自做主张。［used in expressing anxiety that sth. bad may happen］表示不希望某种情况发生。如：明天可～下雨了。

不要［do not］表示禁止和劝阻。

词语搭配 Collocation

	～…了	～去了	～说话	～动	我～你帮我	～大意	～麻烦
别	√	√	√	√	×	√	√
不要	√	√	√	√	√	√	√

用法对比 Usage

用法解释 Comparison

“别”和“不要”都可以用来放在动词和某些形容词前边，表示劝止，隐含的主语一般是第二人称（你或你们），但是“不要”是“不”和“要”组成的词组，“不要”除了有“别”的意思之外，还有“不需要”、“不买”等意思，可以带小句作宾语。

语境示例 Examples

① 别睡了，快九点了。（☺不要睡了，快九点了。）

② 请不要打断别人的发言。（☺请别打断别人的发言。）

③ 别喝了，你喝得不少了。（☺不要喝了，你喝得不少了。）

④ 你别太难过了。（☺你不要太难过了。）

表示不需要时，“不要”的主语也可以是第一人称，“别”没有这个用法。

我不要你帮我，我自己能行。（*我别你帮我，我自己能行。）

“别”前边如果是第一人称，则不表示劝止，而表示商量、请示。

我别去了，你一个人去就行了。（☺我不要去了，你一个人去就行了。）

121 别的［代］biéde ▶ 另外［代、副］lìngwài

词义说明 Definition

别的［other; another］另外的。

另外［in addition; besides］在说过或写出的以外，还有别的。

词语搭配 Collocation

	～东西	～人	还买～吗	不要～了	～还买	～还有	～两个人
别的	√	√	√	√	×	×	×
另外	×	×	×	×	√	√	√

用法对比 Usage

用法解释 Comparison

"别的"是代词，可以作定语和宾语，但是后边不能跟数量词。"另外"作定语时要加"的"，名词前如有数量词时可以不加"的"，"另外"不能作动词的宾语。

语境示例 Examples

① 这些东西手提着，别的行李要托运。(☺这些东西手提着，另外的行李要托运。)
② 还要别的吗？(＊还要另外吗？)
③ 我买两枝铅笔，另外再买一块橡皮。(＊我买两枝铅笔，别的再买一块橡皮。)
④ 那个穿红上衣的是我同学，另外两个人我不认识。(＊那个穿红上衣的是我同学，别的两个人我不认识。)
⑤ 我跟你谈的是另外一件事。(＊我跟你谈的是别的一件事。)

"另外"还是副词，可以作状语，"别的"不能作状语。

今天我实在没有时间，我们另外再找时间谈吧。(＊今天我实在没有时间，我们别的再找时间谈吧。)(☺今天我实在没有时间，我们再找别的时间谈吧。)

122 别人[代]biérén ▶ 他人[代]tārén

词义说明 Definition

别人[other people; others; people] 另外的人；自己或某人以外的人。

他人[another person; other people; others] 另外的人，别人。

词语搭配 Collocation

	关心～	没有～	让给～	不管～	听～的	～的意见
别人	√	√	√	√	√	√
他人	√	×	×	×	×	√

用法对比 Usage

用法解释 Comparison

“别人”和“他人”的意思相同，交际中常用“别人”，“他人”用于书面，口语不常用。

语境示例 Examples

① 他关心他人比关心自己为重。(☺他关心别人比关心自己为重。)
② 我希望你多听听别人的意见。(☺我希望你多听听他人的意见。)
③ 他根本听不进别人的意见。(☺他根本听不进他人的意见。)
④ 你这么看，别人不一定也这么看。(☺你这么看，他人不一定也这么看。)
⑤ 这件事我想再跟别人商量商量。(*这件事我想再跟他人商量商量。)
⑥ 别人都同意，就你一个人反对。(*他人都同意，就你一个人反对。)
⑦ 我们家只有我和母亲，没有别人。(*我们家只有我和母亲，没有他人。)

123 兵[名]bīng ▶ 战士[名]zhànshì

词义说明 Definition

兵[soldier; army; troops] 军队；军人：上等～｜当～｜骑～。[military] 关于军事或战争的：～书。

战士[soldier; man] 军队中最基层的成员：新～。[champion; warrior; fighter] 泛指从事某种正义事业或参加某种正义斗争的人：国际主义～。

词语搭配 Collocation

	～法	～种	步～	当～	新～	解放军～	白衣～	钢铁～
兵	√	√	√	√	√	×	×	×
战士	×	×	×	√	√	√	√	√

用法对比 Usage

用法解释 Comparison

“兵”和“战士”的意思相同，但是“兵”是个中性词，“战士”是褒义词，称他人有尊敬的意思，自称有自豪的意思。“兵”还是个语素，能与其他语素组合成新词语，“战士”不能。

语境示例 Examples

① 每年年初都是新兵入伍的时候。(☺每年年初都是新战士入伍的时候。)

② 人们把大夫和护士叫做白衣战士。(＊人们把大夫和护士叫做白衣兵。)

③ 这是研究中国古代兵法的一部重要著作。(＊这是研究中国古代战士法的一部重要著作。)

④ 我不明白为什么那么多中国青年愿意当兵。(＊我不明白为什么那么多中国青年愿意当战士。)

⑤ 在中国，人人都知道的雷锋是普通一兵。(＊在中国，人人都知道的雷锋是普通一战士。)(☺在中国，人人都知道的雷锋是一个普通的解放军战士。)

⑥ 加拿大的白求恩大夫是个国际主义战士，他的名字在中国家喻户晓。(＊加拿大的白求恩大夫是个国际主义兵，他的名字在中国家喻户晓。)

124 并[副、连]bìng ▶ 并且[连]bìngqiě

词义说明 Definition

并[side by side; equally; simultaneously] 副词“并”表示不同的事物同时存在，不同的事情同时进行。[(used to reinforce a negative) actually; definitely] 用在否定词前边加强否定的语气，有反驳他人的意思。[and; besides] 连词“并”和“并且”相同。

并且[and; besides; moreover; furthermore] 用在两个动词或动词性词组之间，表示两个动作同时或先后进行，用在复合句后一个分句里，表示更进一层的意思。

词语搭配 Collocation

	～存	～行	～不	～没（有）	～非	讨论～同意	支持～参加
并	√	√	√	√	√	√	√
并且	×	×	×	×	×	√	√

用法对比 Usage

用法解释 Comparison

“并”既是连词又是副词，“并且”只是一个连词。副词“并”用来作状语，也与其他词语组成固定格式，连词“并”和“并且”的用法基本相同。因为音节不同，用“并”的句子显得节奏紧凑，用“并且”的句子节奏舒缓。

语境示例 Examples

① 代表大会认真讨论并通过了这个报告。(☺代表大会认真讨论并且通过了这个报告。)

② 他这次考试成绩是全班第一，并且被评为全校优秀学生。(☺他这次考试成绩是全班第一，并被评为全校优秀学生。)

③ 大学生们热情支持并且积极参加了志愿者活动。(☺大学生们热情支持并积极参加了志愿者活动。)

“并”是个副词，可以在动词前边作状语，“并且”没有这个用法。

①“一国两制”就是允许两种社会制度在中国并存。(*“一国两制”就是允许两种社会制度在中国并且存。)

② 这次世乒赛，他们两个并列第三名。(*这次世乒赛，他们两个并且列第三名。)

“并”可以放在否定词“不”或“没”的前边，用于加强否定语气，“并且”没有这个用法。

① 你说他回国了，其实他并没有回国，他去旅行了。(*你说他回国了，其实他并且没有回国，他去旅行了。)

② 我并不同意他这么做。(*我并且不同意他这么做。)

③ 她虽然跟他结了婚，但是并不爱他。(*她虽然跟他结了婚，但是并且不爱他。)

125 并列[动]bìngliè ▶ 并排[动]bìngpái

词义说明 Definition

并列[stand side by side; be juxtaposed] 并排平列，不分主次。

并排[side by side; abreast] 不分前后地排列在一条线上。

B

词语搭配 Collocation

	～第一	～复句	～走	～坐	～行驶
并列	√	√	×	×	×
并排	×	×	√	√	√

用法对比 Usage

用法解释 Comparison

“并列”和“并排”意义不同，用法也不同，不能相互替换。

语境示例 Examples

① 这次国际乒乓球邀请赛，他俩并列第三名。（*这次国际乒乓球邀请赛，他俩并排第三名。）
② 这是一个并列复句。（*这是一个并排复句。）
③ 这座大桥可以并排行驶六辆汽车。（*这座大桥可以并列行驶六辆汽车。）
④ 并排骑车很容易出问题。（*并列骑车很容易出问题。）
⑤ 这里并排三座楼都是教学楼。（*这里并列三座楼都是教学楼。）

126 病号[名]bìnghào ▶ 病人[名]bìngrén

词义说明 Definition

病号[sick personnel; person on the sick list; patient] 部队、学校、机关等集体中的病人。

病人[sick person; invalid; patient] 生病的人；受治疗的人。

词语搭配 Collocation

	老～	照顾～	他是～	家里有～	～饭
病号	√	√	√	×	√
病人	×	√	√	√	×

用法对比 Usage

用法解释 Comparison

“病人”和“病号”意思相同，只是使用的环境不同。

语境示例 Examples

① 住院的病人都得到了很好的护理和治疗。（☺住院的病号都得到了

很好的护理和治疗。)

② 医院的病号饭怎么样?(*医院的病人饭怎么样?)

③ 她家里有病人需要照顾。(*她家里有病号需要照顾。)

④ 他是个老病号,早就不工作了。(*他是个老病人,早就不工作了。)

⑤ 我们医院医生不够,每天来的病人太多。(*我们医院医生不够,每天来的病号太多。)

⑥ 病人对他们医院的意见很大。(*病号对他们医院的意见很大。)

B

127 播放[动]bōfàng ▶ 播送[动]bōsòng

词义说明 Definition

播放[broadcast; broadcast a radio or TV programme] 通过广播或电视放送音响或影像。

播送[broadcast; transmit; beam] 通过无线电或有线电向外传送(消息等)。

词语搭配 Collocation

	~音乐	~录音	~录像	~实况	~故事片	~新闻	~消息	~启事	~广告
播放	√	√	√	√	√	×	×	×	√
播送	√	×	×	×	×	√	√	√	√

用法对比 Usage

用法解释 Comparison

“播放”和“播送”的动作主体都可以是电台、电视台等,但它们涉及的对象不完全一样。

语境示例 Examples

① 电台现在正在播送轻音乐。(☺电台现在正在播放轻音乐。)

② 中央人民广播电台,现在播送新闻。(*中央人民广播电台,现在播放新闻。)

③ 现在播放的是这场比赛的实况录像。(*现在播送的是这场比赛的实况录像。)

④ 您刚才听到的是北京人民广播电台播送的话剧《茶馆》的录音剪辑。(*您刚才听到的是北京人民广播电台播放的话剧《茶馆》的录音剪辑。)

⑤ 昨晚电视台播放的电影你看了没有？（＊昨晚电视台播送的电影你看了没有?）

B

128 驳斥[动]bóchì ▶ 驳[动]bó

词义说明 Definition

驳斥[refute; rebut; contradict] 批评别人的言论、意见或观点。

驳[refute; contradict; gainsay] 指出对方的意见和观点不符合事实或没有道理，说出自己的意见和观点，否定别人的意见。

词语搭配 Collocation

	批～	反～	不值一～	～他	～邪说	～谬论	～错误观点	～别人的意见
驳斥	×	×	×	√	√	√	√	√
驳	√	√	√	√	√	√	√	√

用法对比 Usage

用法解释 Comparison

"驳斥"和"驳"的意思一样，因为音节不同，用法也有差别。"驳"多用于口语，"驳斥"用于书面；"驳斥"前面可以加双音节词语作状语，"驳"不能。

语境示例 Examples

① 报上的文章，用大量事实驳斥了这一歪理邪说。(☺报上的文章，用大量事实驳了这一歪理邪说。)

② 我不同意他的观点，所以写文章驳斥了他。(☺我不同意他的观点，所以写文章驳了他。)

③ 你要驳斥别人就一定要说出道理来。(☺你要驳别人就一定要说出道理来。)

④ 我的文章一发表就受到了他的驳斥。（＊我的文章一发表就受到了他的驳。)

⑤ 你的文章反驳得很有力。(＊你的文章反驳斥得很有力。) (☺你的文章驳斥得很有力。)

⑥ 法院已将他的上诉驳回，维持原判。（＊法院已将他的上诉驳斥回，维持原判。)

129 不必[副]búbì ▶ 不用[副]búyòng

B

词义说明 Definition

不必[not necessarily] 事理上或情理上没有必要。

不用[need not] 事实上没有必要；这样做没有作用。

词语搭配 Collocation

	～客气	～介绍	～担心	～着急	～管	～说	～去了	大可～
不必	√	√	√	√	√	√	√	√
不用	√	√	√	√	√	√	√	×

用法对比 Usage

用法解释 Comparison

"不必"和"不用"是同义词，"不必"多用于劝说或拒绝，对象是第二人称（你或你们）。"不用"除了和"不必"有相同的用法以外，还可以用于第一人称。

语境示例 Examples

① 都是自己人，不必客气。(☺都是自己人，不用客气。)

② 你不必介绍了，我们早就认识。（☺你不用介绍了，我们早就认识。)

③ 电影七点半才开演呢，不必去得太早。(☺电影七点半才开演呢，不用去得太早。)

④ 这次去外地参观有老师带队，你们不必担心。(☺这次去外地参观有老师带队，你们不用担心。)

⑤ 考题不难，大家不必紧张。(☺考题不难，大家不用紧张。)

⑥ 孩子都大了，家长不必事事为他操心。(☺孩子都大了，家长不用事事为他操心。)

⑦ 为这么一件小事生气，大可不必。（*为这么一件小事生气，大可不用。)

⑧ 我的事情我自己会处理，不用你管。（*我的事情我自己会处理，不必你管。)

130 不必[副]búbì ▶ 未必[副]wèibì

B

词义说明 Definition

不必[need not; not have to] 表示事理上或情理上不需要，没有必要。

未必[may not; not necessarily] 不一定；不见得。

词语搭配 Collocation

	~着急	~去得太早	~难过	~生气	大可~	~知道	~满意	~可信	~可靠
不必	√	√	√	√	√	√	×	×	×
未必	√	×	√	√	×	√	√	√	√

用法对比 Usage

用法解释 Comparison

“不必”和“未必”的意思完全不同，“不必”是“必须”的否定，用于劝告，对象为第二人称（你或你们），“未必”是“必定”的否定，意思是不一定，表示估计和推测，它们不能相互替换。

语境示例 Examples

① 未必：这个会他未必参加。（他不一定参加）
不必：这个会他不必参加。（他不用参加）

② 未必：这事他未必太在意。（他很可能不太在意）
不必：这事你不必太在意。（你没有必要太在意）

③ 这事他知道，他爱人未必知道。（*这事他知道，他爱人不必知道。）

④ 慢慢来，不必着急。（*慢慢来，未必着急。）

⑤ 他今天未必来得了。（*他今天不必来得了。）

⑥ 留学生能听懂的句子，未必会说。（*留学生能听懂的句子，不必会说。）

⑦ 你别看他这个人说得好听，其实未必可靠。（*你别看他这个人说得好听，其实不必可靠。）

⑧ 为这点儿小事生气，大可不必。（*为这点儿小事生气，大可未必。）

131 不错[形]búcuò ▶ 好[形]hǎo

B

词义说明 Definition

不错[correct; right] 正确，对。[not bad; pretty good] 不坏，好。

好[good; fine; nice] 优点多的；使人满意的（跟“坏”相对）。

词语搭配 Collocation

	很～	写得～	学得～	做～了	身体很～	病～了	～得很
不错	√	√	√	×	√	×	×
好	√	√	√	√	√	√	√

用法对比 Usage

用法解释 Comparison

形容词“不错”和“好”的意思有相同的地方，但是用法不尽相同。“不错”只能用来作谓语或状态补语，不能直接跟在动词后面作结果补语；“好”除了可以作谓语和状态补语以外，还可以作结果补语。

语境示例 Examples

① 我父母的身体都很不错。（☺我父母的身体都很好。）
② 你的这篇文章我看了，写得很不错。（☺你的这篇文章我看了，写得很好。）
③ 他现在汉语已经说得很不错了。（☺他现在汉语已经说得很好了。）
④ 我们两个关系很好。（☺我们两个关系很不错。）
⑤ 我觉得他这个人很不错。（☺我觉得他这个人很好。）
⑥ 晚饭已经做好了。（*晚饭已经做不错了。）
⑦ 他是我的好朋友。（*他是我的不错朋友。）

“好”可以带程度补语“很”，“不错”不能。

你能这样想，这样做，好得很。（*你能这样想，这样做，不错得很。）

“不错”有对、正确的意思，“好”没有这个意思。

你说得一点儿也不错。（*你说得一点儿也好。）

“好”可以用于比较句，“不错”不用于比较句。

① 他学开车比我学得晚，可是开得比我还好。（*他学开车比我学得晚，可是开得比我还不错。）
② 这篇文章写得比那篇好。（*这篇文章写得比那篇不错。）

132 不但[连]búdàn ▶ 不仅[连]bùjǐn

B

词义说明 Definition

不但[(used correlatively with 而且, 并且, 也 or 还) not only] 不仅，不只是。用在表示递进关系的复句的前一分句，后一分句常有连词“而且”、“并且”和副词“也”、“还”、“又”等词相呼应，表示更进一层。

不仅[not the only one; same as 不但] 不止这一个，还有同样的；不但。

用法对比 Usage

用法解释 Comparison

“不但”和“不仅”的意思相同，“不但”常常与“而且”搭配，组成递进复句，“不仅”常常和“还”、“也”等搭配使用。“不仅”也说“不仅仅”，多用于书面。“不但”口语书面都常用。

语境示例 Examples

① 他不但会说英语，还会说法语。（☺他不仅会说英语，还会说法语。）

② 他不但学习好，而且人品也好。（☺他不仅学习好，而且人品也好。）

③ 我来中国不但要学习汉语，还要学习中医。（☺我来中国不仅要学习汉语，还要学习中医。）

④ 不仅他来了，他妹妹也来了。（☺不但他来了，他妹妹也来了。）

⑤ 不仅我这么看，别人也这么看。（☺不但我这么看，别人也这么看。）

⑥ 给孩子们的礼物，不仅这些，还有别的。（*给孩子们的礼物，不但这些，还有别的。）

133 不断[副]búduàn ▶ 不停[副]bùtíng

词义说明 Definition

不断[unceasing; uninterrupted; continuous; constant] 连续不间断；继续但是有停顿地。

不停[continuously] 不断地，不停止地。

词语搭配 Collocation

	～发展	～进步	～前进	～出现	接连～	～地说	说个～	下个～
不断	√	√	√	√	√	√	×	×
不停	×	×	×	×	×	√	√	√

用法对比 Usage

用法解释 Comparison

“不断”常用来作状语，不能用来作补语；“不停”既可以作状语，也可以作补语。

语境示例 Examples

① 人类社会总是在不断进步的。(＊人类社会总是在不停进步的。)
② 我脑子里也在不断地思考着这个问题。(☺我脑子里也在不停地思考着这个问题。)
③ 改革就是为了促进生产力的不断发展。(＊改革就是为了促进生产力的不停发展。)(☺改革就是为了促进生产力不停地发展。)
④ 最近这里接连不断地发生交通事故。(＊最近这里接连不停地发生交通事故。)
⑤ 公司的管理制度需要不断完善。(＊公司的管理制度需要不停完善。)
⑥ 雨下个不停。(＊雨下个不断。)
⑦ 他一个人在那里说个不停。(＊他一个人在那里说个不断。)
⑧ 她一边说一边不停地比画着。(＊她一边说一边不断地比画着。)

134 不够[副]búgòu ▶ 不足[形]bùzú

词义说明 Definition

不够[not enough; insufficiently; inadequately] 表示数量上或程度上不能满足需要。

不足[not enough; insufficient; inadequate] 不充足，不够，满足不了需要。

词语搭配 Collocation

	～用	～吃	～花	～丰富	～深入	～两万	估计～	信心～	人手～	～之处	～道
不够	√	√	√	√	√	√	×	×	√	×	×
不足	×	×	×	×	×	√	√	√	√	√	√

用法对比 Usage

用法解释 Comparison

"不够"可以作状语，谓语和定语，后接动词、形容词和名词都行，"不足"不常作状语，但可以作谓语和定语。

语境示例 Examples

① 因为经费不足，所以这座楼的修建停下来了。(☺因为经费不够，所以这座楼的修建停下来了。)

② 参加学术讨论会的不足一百人。(☺参加学术讨论会的不够一百人。)

③ 这些饺子不够五个人吃。(*这些饺子不足五个人吃。)

④ 我一个月两千块钱根本不够用。(*我一个月两千块钱根本不足用。)

⑤ 我对学习汉语的困难估计不足。(*我对学习汉语的困难估计不够。)

⑥ 他对学好汉语的信心不足。(*他对学好汉语的信心不够。)

⑦ 我们掌握的词语还不够丰富，所以很多话听不懂。(*我们掌握的词语还不足丰富，所以很多话听不懂。)(☺我们掌握的词语还不足，所以很多话听不懂。)

⑧ 我认为你对去中国留学的思想准备不够充分。(*我认为你对去中国留学的思想准备不足充分。)(☺我认为你对去中国留学的思想准备不足。)

"不足"还有不值得、不必的意思，"不够"没有这个用法。

这点儿小事不足挂齿。(*这点儿小事不够挂齿。)

135 不顾[动]búgù ▶ 不管[动 连]bùguǎn

词义说明 Definition

不顾[in spite of; regardless of] 不管，不照顾，不考虑或不顾及。

不管[in spite of; regardless of] 动词有"不顾"的意思。[regardless of; no matter (what, who, etc.)] 连词"不管"表示在任何条件或情况下都不会改变，后边常有"都、也"等副词与它呼应。

词语搭配 Collocation

	~别人	~一切	~家	置生死于~	~危险不危险	~怎样	~多大	~好不好
不顾	√	√	√	√	×	×	×	×
不管	√	×	√	×	√	√	√	√

用法对比 Usage

用法解释 Comparison

动词“不管”和“不顾”的意义相同，但是“不管”还是连词，“不顾”没有连词的词性。

语境示例 Examples

① 不管：他从来不管家，家里一切事都是我来管。(他不管理家务)
不顾：他从来不顾家，家里一切事都是我来管。(他可能工作太忙，没有时间考虑家里的事情)

② 我们不能只顾自己不顾别人。(☺我们不能只管自己不管别人。)

③ 看到孩子落水了，他不顾一切地跳到河里去救孩子。(＊看到孩子落水了，他不管一切地跳到河里去救孩子。)

④ 他常常丢下孩子不管，自己去打麻将。(☺他常常丢下孩子不顾，自己去打麻将。)

⑤ 干什么事情都要三思而后行，不能不顾后果。(＊干什么事情都要三思而后行，不能不管后果。)

⑥ 不管父母同意不同意我都要去中国留学。(＊不顾父母同意不同意我都要去中国留学。)

⑦ 不管刮风下雨，爸爸从来没有误过上班。(＊不顾刮风下雨，爸爸从来没有误过上班。)

136 不过[连]búguò ▶ 但是[连]dànshì

词义说明 Definition

不过[but; yet; however; only] 连词，用在后半句，表示转折的语气。[(used as an intensifier after an adjective) cannot be better] 副词，用在形容词性的词组或双音形容词后面，表示程度最高：这再好~了。[only; merely; no more than] 副词，指明范围；只，仅仅：他来中国留学时~十八岁。

但是[but; yet; still; nevertheless] 用在后半句，表示转折，往往与“虽然、尽管”等呼应。

B

词语搭配 Collocation

	虽然…，～…	尽管…，～…	再好～了	最快～	～十六岁	～十分钟	～三百块
但是	√	√	×	×	×	×	×
不过	√	√	√	√	√	√	√

用法对比 Usage

连词“不过”和“但是”都用在后半句表示转折，不同的是，“不过”只表示轻微的转折，没有“但是”转折的幅度大，“不过”多用于口语，“但是”没有此限。

① 他说得很流利，不过有的音说得不太准确。(☺他说得很流利，但是有的音说得不太准确。)

② 他虽然说得比较流利，不过阅读和汉字书写都不太好。(☺他虽然说得比较流利，但是阅读和汉字书写都不太好。)

③ 虽然学习汉语的困难很多，但是我不怕。(☺虽然学习汉语的困难很多，不过我不怕。)

“不过”还可以用在形容词性的词组或双音节形容词后面，表示程度很高，“但是”没有这个用法。

你能跟我一起去那就再好不过了。(非常好) (*你能跟我一起去那就再好但是了。)

“不过”还是副词，指明范围，是“只、仅仅”的意思，有把事情往小里或轻里说的意味。“但是”没有这个用法。

① 我来中国的时候不过十八岁，什么都不懂，还常常因为想家一个人躲在被窝里哭。(*我来中国的时候但是十八岁，什么都不懂，还常常因为想家一个人躲在被窝里哭。)

② 他不过是个孩子，你怎么能听他的呢。(*他但是是个孩子，你怎么能听他的呢。)

③ 我不过才晚来了十分钟，你就生这么大的气。(*我但是才晚来了十分钟，你就生这么大的气。)

④ 这件大衣不过二百块钱，很便宜。(*这件大衣但是二百块钱，很便宜。)

137 不见得bú jiàndé ▶ 不一定bù yídìng

词义说明 Definition

不见得[not necessarily; not likely] 不一定。

不一定[not necessarily] 不能确定，不能肯定。

词语搭配　Collocation

	他～会来	～知道	～同意	～回得来	～对	～正确	～能及格
不见得	√	√	√	√	√	√	√
不一定	√	√	√	√	√	√	√

用法对比　Usage

"不见得"和"不一定"的意思相同，都可以用在动词或形容词前边作状语，很多情况下可以互换。

① 我想把留学的时间再延长一年，可是妈妈不见得同意。(☺我想把留学的时间再延长一年，可是妈妈不一定同意。)
② 我看这雨不见得下得来。(☺我看这雨不一定下得来。)
③ 他今晚不见得会来。(☺他今晚不一定会来。)
④ 我的意见不一定对，仅供参考。(☺我的意见不见得对，仅供参考。)
⑤ 他对这件事不见得清楚。(☺他对这件事不一定清楚。)
⑥ 她七点钟不一定回得来，我们别等了。(☺她七点钟不见得回得来，我们别等了。)

"不一定"可以作谓语，"不见得"不能。

暑假我去不去旅行还不一定。(*暑假我去不去旅行还不见得。)

"不一定"可以作定语，"不见得"不能作定语。

不一定的事，现在想也没有用。(*不见得的事，现在想也没有用。)

138 不愧[副]búkuì ▶ 无愧[动]wúkuì

词义说明　Definition

不愧[be worthy of; deserve to be called; prove oneself to be] 当之无愧，当得起。(多跟"为"和"是"连用)

无愧[feel no qualms; have a clear conscience] 没有什么可以惭愧的地方。

词语搭配　Collocation

	～是英雄	～是子弟兵	～为祖国的好儿女	问心～	当之～	～于教师的称号
不愧	√	√	√	×	×	×
无愧	×	×	×	√	√	√

用法对比 Usage

用法解释 Comparison

"不愧"说的是当得起，常用来作状语，"无愧"是感到没有可惭愧的，多用来作谓语，它们不能相互替换。

语境示例 Examples

① 郑成功不愧是民族英雄，是他带领着英雄儿女，赶走了侵略者，收复了宝岛台湾。（*郑成功无愧是民族英雄，是他带领着英雄儿女，赶走了侵略者，收复了宝岛台湾。）

② 他不愧是英雄的儿子，当得知父亲为了保护人民的利益而光荣牺牲的消息后，他毅然决然地要求当兵，继承父亲的遗志。（*他无愧是英雄的儿子，当得知父亲为了保护人民的利益而牺牲的消息后，他毅然决然地要求当兵，继承父亲的遗志。）

③ 为官清正廉洁，光明正大，才能问心无愧。（*为官清正廉洁，光明正大，才能问心不愧。）

④ 一个人能力有大小，但是，只要努力为人民、为社会而工作，就可以无愧地说，我的一生没有白过。（*一个人能力有大小，但是，只要努力为人民、为社会而工作，就可以不愧地说，我的一生没有白过。）

⑤ 他把自己的一切都贡献给了祖国和人民，所以，他当之无愧地受到了人民衷心的敬仰和爱戴。（*他把自己的一切都贡献给了祖国和人民，所以，他当之不愧地受到了人民衷心的敬仰和爱戴。）

139 不料[副]búliào ▶ 没想到 méi xiǎngdào

词义说明 Definition

不料[unexpectedly; to one's surprise] 没想到；没有预先料到。

没想到[unexpectedly; to one's surprise] 事先没有预料到。

词语搭配 Collocation

	～下雨了	～他来了	～出事了	～发生了	真～	一点儿也～
不料	√	√	√	√	×	×
没想到	√	√	√	√	√	√

用法对比 Usage

用法解释 Comparison

"不料"就是"没想到"，但是"不料"只用在后半句的开头，不能作谓语，"没想到"可以作谓语。

语境示例 Examples

① 我们出门时天气还好好的，不料半路下起了大雨。(☺我们出门时天气还好好的，没想到半路下起了大雨。)

② 我很想跟他在一起学习，不料他家里出了事，中途回国了。(☺我很想跟他在一起学习，没想到他家里出了事，中途回国了。)

③ 突然发生这样的事，是我们谁都没想到的。(＊突然发生这样的事，是我们谁都不料的。)

④ 真没想到，在这里遇到了多年不见的好朋友。(＊真不料，在这里遇到了多年不见的好朋友。)

⑤ 谁也没想到她会跟小王结婚。(＊谁也不料她会跟小王结婚。)

140 不论[连]búlùn ▶ 不管[连]bùguǎn

词义说明 Definition

不论[(often used correlatively with 都，也 or 总) no matter (what, who, how, etc.); whether... or...; regardless of; irrespective of] 表示条件或情况不同而结果不变，后面往往有正反并列的词语或表示任指的疑问代词，下文多用"都、总"等副词与它呼应。

不管[regardless of; no matter (what, who, etc.)] 表示在任何条件或情况下都不会改变，后边常有"都、也"等副词与它呼应。

词语搭配 Collocation

	～好不好	～去不去	～怎样	～谁	～什么时候	～有多大困难	～做什么
不论	√	√	√	√	√	√	√
不管	√	√	√	√	√	√	√

用法对比 Usage

作为连词，"不论"和"不管"的意思相同，"不管"多用于口语，“不论”口语和书面都用。

① 不论遇到什么情况都要冷静。(☺不管遇到什么情况都要冷静。)

② 不论花多少钱也要把他的病治好。(☺不管花多少钱也要把他的病治好。)

③ 不论我走到什么地方都不会忘记你。(☺不管我走到什么地方都不会忘记你。)

④ 不论是老师还是同学都喜欢她。(☺不管是老师还是同学都喜欢她。)

⑤ 不管多贵，我都得买，因为我女朋友喜欢。(☺不论多贵，我都得买，因为我女朋友喜欢。)

注意："不论"和"不管"连接无条件复句，后边一定跟正反并列的词语（贵不贵，大不大，远不远等）或表示任指的疑问代词(谁、什么、怎么、怎样、多少、多么、哪儿等)。下列的句子都是不对的。

① *不论/不管天气不好，爸爸都去上班。

② *不管/不论这个电影很好，我也不想去看。

"不管"还有动词的用法，可以作谓语，"不论"没有这个用法。

① 她不管父母的反对，坚决要跟我结婚。(*她不论父母的反对，坚决要跟我结婚。)

② 他整天忙工作，家里什么事都不管。(*他整天忙工作，家里什么事都不论。)

141 不像话 bú xiànghuà

▶ 不像样 bú xiàngyàng

词义说明 Definition

不像话 [unreasonable]（言语行动）不合乎道理或情理。[shocking; outrageous] 坏得无法形容。

不像样 [not fit to be seen; unpresentable; (used as a complement after 得) beyond recognition] 不合规范和标准，不合道理或情理：瘦得～。

词语搭配 Collocation

	真~	太~了	很~	瘦得~	破得~
不像话	√	√	√	×	×
不像样	√	√	√	√	√

用法对比 Usage

用法解释 Comparison

这两个词有相同的意思，都用于批评和责备。“不像样”还用于描写人或事物不好的状况，“不像话”多用于指责人的行为。

语境示例 Examples

① 这个屋子乱得简直<u>不像样</u>。(☺这个屋子乱得简直<u>不像话</u>。)
② 你们怎么能把垃圾倒进湖里，真<u>不像话</u>。(*你们怎么能把垃圾倒进湖里，真<u>不像样</u>。)
③ 你太<u>不像话</u>了，来不了也不打个电话，让大家白白等你一个小时。(*你太<u>不像样</u>了，来不了也不打个电话，让大家白白等你一个小时。)
④ 你怎么能动手打人呢，太<u>不像话</u>了。(☺你怎么能动手打人呢，太<u>不像样</u>了。)
⑤ 这活做得实在<u>不像样</u>，要让他们返工。(☺这活做得实在<u>不像话</u>，要让他们返工。)
⑥ 我的这幅画很<u>不像样</u>，实在拿不出手。(*我的这幅画很<u>不像话</u>，实在拿不出手。)
⑦ 她病了一场，现在瘦得<u>不像样</u>。(*她病了一场，现在瘦得<u>不像话</u>。)

142 不在乎 búzàihu ▶ 无所谓 wúsuǒwèi

词义说明 Definition

不在乎 [don't care about; never mind; don't take to heart] (认为事情不重要) 不放在心上。

无所谓 [cannot be called; not deserve the name of] 说不上。[be indifferent; not matter] 不在乎；没有什么关系。

词语搭配 Collocation

	一点儿也～	～这些钱	～别人的议论	～好	觉得～	～的态度	～似的
不在乎	√	√	√	×	×	√	√
无所谓	√	×	×	√	√	√	√

用法对比 Usage

用法解释 Comparison

“不在乎”是“在乎”的否定式,“无所谓”有“不在乎”的意思，但是还有说不上、达不到某种程度或标准的意思，“不在乎”没有这个意思。

语境示例 Examples

① 你别不在乎，这可是你的终身大事。(☺你别无所谓，这可是你的终身大事。)

② 怎么办你决定好了，我无所谓。(☺怎么办你决定好了，我不在乎。)

③ 我就看不惯你这种对什么都不在乎的态度。(☺我就看不惯你这种对什么都无所谓的态度。)

④ 我认为正确的事情就大胆去干，至于别人怎么说我一点儿也不在乎。(＊我认为正确的事情就大胆去干，至于别人怎么说我一点儿也无所谓。)

⑤ 我不在乎他的态度，关键是看他说的有没有道理。(＊我无所谓他的态度，关键是看他说的有没有道理。)

⑥ 我刚才的话无所谓报告，只是谈一点儿个人的看法，供大家参考。(＊我刚才的话不在乎报告，只是谈一点儿个人的看法，供大家参考。)

143 不至于[动]búzhìyú ▶ 不会bú huì

词义说明 Definition

不至于[cannot go so far; be unlikely] 表示不会达到某种（不希望看到的）程度。

不会[be unlikely; will not (act, happen, etc.)] 表示不可能出现某种情况或结果。[have not learned to; be unable to] 不能做。[(used to express reproach for the non-performance of an action)]

用于表示反问。

词语搭配 Collocation

	~那么坏	~不来	~不知道	~不及格	~游泳	你~打个电话问问	~早点起床
不至于	√	√	√	√	×	×	×
不会	√	√	√	√	√	√	√

用法对比 Usage

用法解释 Comparison

"不至于"和"不会"都可以用来表示估计或揣测，不过，"不至于"用于不好的情况，"不会"没有这个限制。另外"不会"还表示不能和反问，"不至于"没有这个用法。

语境示例 Examples

① 我知道他有问题，但<u>不至于</u>走上犯罪的道路吧？（☺我知道他有问题，但<u>不会</u>走上犯罪的道路吧？）

② 你平常学习不错，这次考得再不好，也<u>不至于</u>不及格。（☺你平常学习不错，这次考得再不好，也<u>不会</u>不及格。）

③ 如果当初努力学习，也<u>不至于</u>落到留级的地步。（☺如果当初努力学习，也<u>不会</u>落到留级的地步。）

④ 你要是听我的话，也<u>不至于</u>这么被动。（☺你要是听我的话，也<u>不会</u>这么被动。）

"不会"的以下用法，是"不至于"没有的。

① 我<u>不会</u>开车。（*我<u>不至于</u>开车。）

② 他<u>不会</u>说法语，会说日语。（*他<u>不至于</u>说法语，会说日语。）

③ 有不明白的地方，你<u>不会</u>去问问老师？（*有不明白的地方，你<u>不至于</u>去问问老师？）

144 补[动]bǔ ▶ 补充[动]bǔchōng

词义说明 Definition

补[mend; patch; repair] 添加材料，修理破损的东西，修补。[fill; supply; make up for] 补充，补足；填补（缺额）：~选。[nourish] 补养：~品。

补充[replenish; supplement; complement; add] 在原来不足或有损失的的地方，增加一部分：~发言。[additional; complementary；supplementary］在主要事物之外追加一些：～教材。

B

词语搭配 Collocation

	～衣服	～上	～钱	～牙	～一个人	～身体	有～	～材料	～说明	～规定
补	√	√	√	√	√	√	×	×	×	×
补充	×	√	×	×	√	×	√	√	√	√

用法对比 Usage

用法解释 Comparison

“补”和“补充”都是动词，“补充”可以作定语，直接修饰双音节名词，“补”作定语一定要加“的”。

语境示例 Examples

① 再给你们班补一个学生。(☺再给你们班补充一个学生。)

② 我的自行车胎破了，得去补一补。(＊我的自行车胎破了，得去补充一补充。)

③ 今天下午我要给学生补课。(＊今天下午我要给学生补充课。)

④ 刚出院，要好好补补身体。(＊刚出院，要好好补充补充身体。)

⑤ 我想给学生找些材料做补充阅读教材。(＊我想给学生找些材料做补阅读教材。)

⑥ 我同意大家的意见，只做一点补充。(＊我同意大家的意见，只做一点补。)

145 补课 bǔ kè ▶ 补习 [动] bǔxí

词义说明 Definition

补课［make up a missed lesson］补学或补教所缺的功课。［do sth. not well done over again］比喻某种工作做得不完善而重做。

补习［take lessons after school or work；take a make-up course］为了补足某种知识，在业余时间或课外学习。

词语搭配 Collocation

	给学生～	需要～	～外语	～学校	～班	～～
补课	√	√	×	×	×	×
补习	√	√	√	√	√	√

用法对比 Usage

用法解释 Comparison

"补课"是动宾词组，不能再带宾语，"补习"可以带宾语。

语境示例 Examples

① 因为生病我一个多星期没有上课，想请老师给我补课。(☺因为生病我一个多星期没有上课，想请老师给我补习。)
② 我参加了一个外语补习班。(＊我参加了一个外语补课班。)
③ 我想利用假期补习补习英语。(＊我想利用假期补课补课英语。)
④ 每星期六晚上他都要去一个补习学校上课。(＊每星期六晚上他都要去一个补课学校上课。)
⑤ 环境卫生没有达标（达到标准）的单位，要补课。(＊环境卫生没有达标的单位，要补习。)

146 补助[动]bǔzhù ▶ 补贴[动]bǔtiē

词义说明 Definition

补助[help financially; subsidize; subsidy; allowance] 从经济上帮助。

补贴[subsidize] 从经济上帮助。[subsidy; allowance] 补贴的费用。

词语搭配 Collocation

	生活～	～费	给～	～家用	副食～
补助	√	√	√	×	√
补贴	√	×	√	√	√

用法对比 Usage

用法解释 Comparison

"补助"和"补贴"的意思差不多，但是，行为主体不同，"补助"一般由单位或组织发给个人，"补贴"可以是单位或组织的行为，也可以是个人的行为，由个人给自己的亲戚或朋友提供经济帮助。

语境示例 Examples

① 国家给家庭贫困的学生发放生活补助。(☺国家给家庭贫困的学生

发放生活补贴。)

② 我每个月的工资都不够用，需要父母补贴一些。(☺我每个月的工资都不够用，需要父母补助一些。)

③ 学校给家住校外的老师提供交通补助。(☺学校给家住校外的老师提供交通补贴。)

④ 我一个月有几十块钱的副食补贴。(☺我一个月有几十块钱的副食补助。)

⑤ 我每个月都要给父母寄些钱，补贴家用。(＊我每个月都要给父母寄些钱，补助家用。)

147 捕[动]bǔ ▶ 捕捉[动]bǔzhuō

词义说明 Definition

捕[catch; seize; arrest] 捉；逮。

捕捉[hunt; chase; catch; seize] 捉。

词语搭配 Collocation

	被～	追～	～猎	～鸟	～昆虫	～逃犯	～镜头	～信息
捕	√	√	√	√	√	×	×	×
捕捉	×	×	×	×	√	√	√	√

用法对比 Usage

用法解释 Comparison

“捕”和“捕捉”是同义词，但是“捕”的宾语是具体名词，而“捕捉”的宾语应是双音节词，既可以是具体名词，也可以是抽象名词。

语境示例 Examples

① 小时候最喜欢到小河里去捕鱼玩。(＊小时候最喜欢到小河里去捕捉鱼玩。)

② 因为犯罪他被捕了。(＊因为犯罪他被捕捉了。)

③ 警察正在全力捕捉逃犯。(＊警察正在全力捕逃犯。)

④ 要善于捕捉瞬间的镜头，这样照出来的照片才更真实生动。(＊要善于捕瞬间的镜头，这样照出来的照片才更真实生动。)

⑤ 记者要有新闻敏感，要善于捕捉信息。(＊记者要有新闻敏感，要善于捕信息。)

148 不[副]bù ▶ 没(有)[副]méi(yǒu)

B

词义说明 Definition

不[used before verbs, adjectives, and other adverbs to indicate negation] 用在动词、形容词和其他副词前表示否定。

没(有)[have not; not yet; did not] 表示"已然"的否定；表示对"曾经"的否定。

词语搭配 Collocation

	～去	～想	～要	～行	～可以	～好	～舒服	～高兴	～及格
不	√	√	√	√	√	√	√	√	√
没	√	√	√	×	×	√	×	×	√

用法对比 Usage

用法解释 Comparison

"不"和"没(有)"都是否定副词，都可以用在动词、形容词或其他副词前边作状语，"不"主要否定判断、意愿、打算、态度、规律、能力、事实、性质、状态等非过程时态；而"没(有)"则主要否定过程时态，即对事物存在，状态出现和存在，动作行为发生，进行和完成等的否定。"不"可以用于过去、现在和将来，"没(有)"只能用于过去和现在，不能用于将来。"不"可以用于所有的助动词前面，"没(有)"只能用在"能、能够、要、肯、敢"等少数几个助动词前。

语境示例 Examples

① 我不进城。(否定意愿)
我没进城。(否定动作发生)

② 爸爸回来不回来？爸爸不回来。(否定意愿)
爸爸回来没回来？爸爸没回来。(否定动作)

③ 现在香山的树叶还不红呢。(否定状态)
现在香山的树叶还没红呢。(否定变化过程)

④ 昨天银行不开门。(否定事实)
昨天银行没开门。(否定动作)

⑤ 我明年不去美国。(*我明年没去美国。)

⑥ A：你爸爸在家吗？
B：不在。(否定事实)(☺没在。)(否定动作行为)

⑦ 玛丽，你想不想家？（过去和说话时）

玛丽，你想没想家？（说话以前的时间）

否定“是”要用“不”。

张东不是留学生，他是中国学生。（＊张东没是留学生，他是中国学生。）

否定现在和将来的动作行为用“不”。

① 我现在不去图书馆。（＊我现在没去图书馆。）

② 我明天不去商店，去书店。（＊我明天没去商店，去书店。）

③ A：这件事你知道吗？B：我不知道。（＊我没知道。）

④ 他们班我一个人也不认识。（＊他们班我一个人也没认识。）

“不”用在能愿动词前，否定能力、意愿、爱好和可能性。

① 来中国以前，我一句汉语也不会说。（＊来中国以前，我一句汉语也没会说。）

② 我不想当翻译了，我要当老师。（＊我没想当翻译了，我要当老师。）

③ 我喝了不少酒，现在不能开车，你开吧。（＊我喝了不少酒，现在没能开车，你开吧。）

④ 他不喜欢这些给清朝皇帝歌功颂德的电视剧。（＊他没喜欢这些给清朝皇帝歌功颂德的电视剧。）

⑤ A：你在我这儿吃了晚饭再走吧。B：不了，我还有事儿，改天再来拜访您。（＊没了，我还有事儿，改天再来拜访您。）

⑥ 大门锁着，我没带钥匙进不去。（＊大门锁着，我没带钥匙进没去。）

“不”否定经常性或习惯性的动作。

① 我不常给他们打电话。（＊我没常给他们打电话。）

② A：谢谢你！B：不客气。（＊没客气。）

③ A：谢谢！B：不谢！（＊没谢！）

④ 他从来不抽烟。（＊他从来没抽烟。）

“不”用在形容词前，否定事物的性质状态。

① 这个地方夏天一点儿也不热。（＊这个地方夏天一点儿也没热。）

② 他最近心情不太好。（＊他最近心情没太好。）

③ 他的腿已经不肿了。（＊他的腿已经没肿了。）

④ 她长得不漂亮，但是很耐看。（＊她长得没漂亮，但是很耐看。）

⑤ 明天你去不去看她？（＊明天你去没去看她？）

⑥ 我暑假不想回国了。（＊我暑假没想回国了。）

“没（有）”还可以否定存在或领有。

① 教室里没有一个人。（*教室里不有一个人。）
② 我家没有汽车。（*我家不有汽车。）
③ 我没有汉语词典。（*我不有汉语词典。）

否定动作行为的发生或完成要用“没”。

① 我们这里昨天没下雨。（*我们这里昨天不下雨。）
② 昨天我没去商店，去书店了。（*昨天我不去商店，去书店了。）
③ A：你觉得昨天晚上的电影怎么样？
B：我没看，不知道。（*我不看，没知道。）
④ 这件事我没听说过。（*这件事我不听说过。）
⑤ 我的练习还没做完呢。（*我的练习还不做完呢。）
⑥ 我没学过太极拳，不会打。（*我不学过太极拳，没会打。）
⑦ 昨天你去没去学校？（*昨天你去不去学校？）

注意：“能”有时可以用“没”否定，表示事实是这样。

我昨天起晚了，没能来上课。（*我昨天起晚了，不能来上课。）

149 不比[动]bùbǐ ▶ 没有[动、副]méiyǒu

词义说明 Definition

不比[unlike] 比不上，不同于。

没有[not have; there is not; be without] 表示对“领有、具有”和存在的否定。[be not so...as] 不如，不及。[less than; not more than] 不够，不足。[have not or did not] 表示对“已然”和“曾经”的否定。

词语搭配 Collocation

	~弟弟高	北方~南方	~词典	屋里~人	~他考得好	~十点	~去过	~回来
不比	√	√	×	×	√	×	×	×
没有	√	×	√	√	√	√	√	√

用法对比 Usage

用法解释 Comparison

“不比”和“没有”都有“不如、不及和比不上”的意思，它们用法上的不同，主要是适用的语境不同，“没有”还是一个副词，用于否定已然或曾经发生的动作或事情。

语境示例 Examples

① 我没有他考得好。(他比我考得好。)
我不比他考得好。(有人说我比他考得好时才用这个句子否定或纠正别人的说法或看法，也许我和他的成绩一样。)
② 我没有他高。(他比我高)
我不比他高。(可能的意思是：我们两个差不多一样高)
③ 北方不比南方，南方现在已经春暖花开了，北方还这么冷。(*北方没有南方，南方现在已经春暖花开了，北方还这么冷。)
④ 在外不比在家，自己一定要注意。(*在外没有在家，自己一定要注意。)

“没有”的以下用法都不能用“不比”替换。

① 我没有汽车，只有自行车。
② 屋子里一个人都没有。
③ 我还没有去过云南，以后有机会一定去看看。
④ 他在国外没有住够一年就因为想家回来了。
⑤ 你爸爸回来了没有？还没有呢。

150 不曾 [副] bùcéng ▶ 未曾 [副] wèicéng

词义说明 Definition

不曾 [never (have done sth.)] 没有，是“曾经”的否定。

未曾 [have not; did not] 表示从前没有过的动作行为或情况。

词语搭配 Collocation

	~去过	~出过国	~见过	~听说过	~有过	~经过
不曾	√	√	√	√	√	√
未曾	√	√	√	√	√	√

用法对比 Usage

用法解释 Comparison

“不曾”有“没（有）”的意思，“未曾”是“还没（有）”的意思，二者意义大致相同，都用于否定过去，都是书面语，口语多用“没有”。

语境示例 Examples

① 中国我还不曾去过。(☺中国我还未曾去过。)

② 对于兵马俑，古代史书上未曾记载过。(☺对于兵马俑，古代史书上不曾记载过。)
③ 这种事我不曾听说过。(☺这种事我未曾听说过。)
④ 这次考古发现是历史上未曾有过的。(☺这次考古发现是历史上不曾有过的。)
⑤ 他们俩一生不曾见过面。(☺他们俩一生未曾见过面。)
⑥ 她未曾开口就先哭了起来。(* 她不曾开口就先哭了起来。)

151 不得不bù dé bù ▶ 只好[副]zhǐhǎo

词义说明 Definition

不得不[have to; have no choice (or option) but to; cannot but] 必须，一定要这么做。

只好[have to; be forced to] 必须，没有别的办法，只能这么做。

词语搭配 Collocation

	～说	～来	～回国	～退学	～住院	～动手术	～结婚	～不工作
不得不	√	√	√	√	√	√	√	×
只好	√	√	√	√	√	√	√	√

用法对比 Usage

用法解释 Comparison

“不得不”和“只好”的意思一样，都表示在一定情况下不得已才这么做，有“无奈，没有办法”的意思。“不得不”多用于口语，“只好”没有此限，“不得不”后边一般跟肯定句，不能跟否定的句子，“只好”没有此限。

语境示例 Examples

① 因为太晚了，已经没有公共汽车了，我不得不坐出租车回来。(☺因为太晚了，已经没有公共汽车了，我只好坐出租车回来。)
② 他坚持要去，我不得不让他去。(☺他坚持要去，我只好让他去。)
③ 他的病很重，已经不能继续学习了，只好退学。(☺他的病很重，已经不能继续学习了，不得不退学。)
④ 他知道她已经怀孕以后，不得不跟她结婚。(☺他知道她已经怀孕以后，只好跟她结婚。)

“只好”有时可以放在主语前面，“不得不”不能这样用。

他们需要一个人帮忙，你不愿意去，只好我去。（＊他们需要一个人帮忙，你不愿意去，不得不我去。）

后跟否定句时只能用“只好”，不用“不得不”。

① 因为没有找到车，今天只好不去。（＊因为没有找到车，今天不得不不去。）

② 因为病得很重，只好不工作。（＊因为病得很重，不得不不工作。）

152 不得了 bù déliǎo ▶ 了不得 liǎobudé

词义说明 Definition

不得了［（of situations）terrible；horrible］表示情况很严重：～了，着火了。［（used after 得 as a complement）extremely；exceedingly］表示程度很深：热得～。

了不得［wonderful；terrific］大大超过常态，很突出。［extremely；awfully；terribly］表示情况严重，没有办法解决：～了，小王晕过去了。

词语搭配 Collocation

	真～	高兴得～	多得～	热得～	渴得～	着急得～	～的一件大事	～了
不得了	√	√	√	√	√	√	×	√
了不得	√	√	√	√	√	√	√	√

用法对比 Usage

用法解释 Comparison

这两个词都表示程度很高，或者说情况和事情很严重，但是“了不得”还表示称赞，和“了不起”同义。

语境示例 Examples

① 听到儿子考上大学了，他们高兴得不得了。(☺听到儿子考上大学了，他们高兴得了不得。)

② 不得了啦，前边两辆汽车撞在一起了。(☺了不得啦，前边两辆汽车撞在一起了。)

③ 听到爷爷去世的消息我难过得不得了。（＊听到爷爷去世的消息我难过得了不得。）

“了不得”表示“超乎寻常”，“不得了”没有这个意思。

① 真了不得，他十七岁就考上了北京大学。（*真不得了，他十七岁就考上了北京大学。）
② 他连续三次获得世界冠军，真了不得。（*他连续三次获得世界冠军，真不得了。）

"了不得"还有高傲的意思，"不得了"没有这个意思。

① 他总觉得自己了不得（了不起）。（*他总觉得自己不得了。）
② 你不要以为自己了不得（了不起），离了你地球照样转。（*你不要以为自己不得了，离了你地球照样转。）

"不得了"一般不作定语，"了不得"可以作定语（前面常带"什么"）。

这不是什么了不得的事，你别放在心上。（*这不是什么不得了的事，你别放在心上。）

153 不得已[形]bùdéyǐ ▶ 没办法méi bànfa

词义说明 Definition

不得已[act against one's will; have no alternative but to; have to]
没有办法；不能不这样。

没办法[can do nothing about it; can't help it; there is no way out]
没有办法，不知道怎么办。

词语搭配 Collocation

	实在～	真是～	万～	因为～	出于～	～帮助他	～说服他	～搞到	～学下去了
不得已	√	√	√	×	√	×	×	×	×
没办法	√	√	×	√	√	√	√	√	√

用法对比 Usage

用法解释 Comparison

"不得已"只能单用或用来作谓语，不能作状语；"没办法"可以放在动词前面作状语。

语境示例 Examples

① 他这样做实在是不得已，你应该理解他。（☺他这样做实在是没办法，你应该理解他。）
② 他辞职是出于不得已。（☺他辞职是出于没办法。）

③ 我当时没有那么多钱，又很想买这套房子，不得已，只好向银行贷款。(☺我当时没有那么多钱，又很想买这套房子，没办法，只好向银行贷款。)

④ 不到万不得已，我是不会停止这项研究的。(*不到没办法，我是不会停止这项研究的。)

"没办法"可以带动词或动词性词组作宾语，"不得已"没有这种用法。

① 这种病现代医学还没办法解决。(*这种病现代医学还不得已解决。)

② 这种事没办法不让人知道。(*这种事不得已不让人知道。)

③ 他已经没办法继续学下去了，只好退学。(*他已经不得已继续学下去了，只好退学。)

154 不法[形]bùfǎ ▶ 非法[形]fēifǎ

词义说明 Definition

不法[lawless; illegal; unlawful] 违犯法律的。

非法[illegal; unlawful; illicit] 不合法。

词语搭配 Collocation

	~分子	~行为	~商人	~所得	~收入	~占据	~活动	~占有	~入境
不法	√	√	√	√	√	×	√	×	×
非法	×	√	×	√	√	√	√	√	√

用法对比 Usage

用法解释 Comparison

"不法"和"非法"都是形容词，它们修饰的范围和对象不尽相同。"非法"既可作状语，修饰动词，又可作定语，修饰名词。"不法"只能修饰名词。"非法+的"可以作"是"的宾语。例如：你们这样做是非法的，"不法"不能这么用。

语境示例 Examples

① 走私是一种不法行为。(☺走私是一种非法行为。)

② 这个邪教组织打着宗教的幌子从事破坏社会安定的不法活动。(☺这个邪教组织打着宗教的幌子从事破坏社会安定的非法活动。)

③ 制假贩假是破坏市场秩序，损害消费者利益的非法行为。(☺制假贩假是破坏市场秩序，损害消费者利益的不法行为。)
④ 要严厉打击一些不法分子的盗版活动。(* 要严厉打击一些非法分子的盗版活动。)
⑤ 这家印刷厂非法盗印图书，被有关部门查获，没收了全部非法所得，还罚款十万元。(* 这家印刷厂不法盗印图书，被有关部门查获，没收了全部不法所得，还罚款十万元。)
⑥ 要警惕那些不法商人卖假药坑害消费者。(* 要警惕那些非法商人卖假药坑害消费者。)

155 不公[形]bùgōng ▶ 不平[形]bùpíng

词义说明 Definition

不公[unjust; unfair] 不公道，不公平。

不平[injustice; unfairness; wrong; grievance] 不公平；不公平的事。[indignant; resentful] 由不公平的事而引起的愤怒和不满。

词语搭配 Collocation

	办事～	处事～	分配～	～的事	愤愤～	心中～
不公	√	√	√	√	×	×
不平	×	×	×	√	√	√

用法对比 Usage

用法解释 Comparison

“不公”说的是处事，表示客观评价时用“不公”；“不平”说的是心情，表示主观感觉时用“不平”。

语境示例 Examples

① 看到这种不公的事，凡有正义感的人，都会感到不平。(☺看到这种不平的事，凡有正义感的人，都会感到不公。)
② 分配不公是造成社会不安定的重要因素。(* 分配不平是造成社会不安定的重要因素。)
③ 因为他办事不公，所以群众对他非常不满。(* 因为他办事不平，所以群众对他非常不满。)
④ 到现在他一想起这件事还愤愤不平。(* 到现在他一想起这件事还愤愤不公。)

⑤ 当你心中感到不平时，要理智，千万不要太冲动。（＊当你心中感到不公时，要理智，千万不要太冲动。）

B

156 不解[动]bùjiě ▶ 不懂bù dǒng

词义说明 Definition

不解[not understand; indissoluble] 不能理解；解不开。

不懂[not understand] 不理解，不明白。

词语搭配 Collocation

	感到～	～其意	～之谜	～之缘	我～
不解	√	√	√	√	√
不懂	×	×	×	×	√

用法对比 Usage

用法解释 Comparison

"不解"和"不懂"都可表示不理解，但说"不解"时是感到困惑（不一定不懂）。说"不懂"时，是对问题、道理、原因等不明白。"不懂"是一个词组。"不解"不单用，与其他词语一起用于书面，"不懂"常用于口语。

语境示例 Examples

① 让我不解的是，难道我助人为乐的行为有什么错吗？（＊让我不懂的是，难道我助人为乐的行为有什么错吗？）

② 我对她这样做感到不解。（＊我对她这样做感到不懂。）

③ 老师，我不懂这个句子的意思，您能不能给我讲讲？（＊老师，我不解这个句子的意思，您能不能给我讲讲？）

④ 有些句子虽然没有生词，但是因为文化背景的原因，留学生也不解其意。（＊有些句子虽然没有生词，但是因为文化背景的原因，留学生也不懂其意。）（☺有些句子虽然没有生词，但是因为文化背景的原因，留学生也不懂它的意思。）

⑤ 这个洞穴据说有一千多年的历史了，当年是怎么开凿出来的，开凿这些洞穴的目的是什么，至今还是一个不解之谜。（＊这个洞穴据说有一千多年的历史了，当年是怎么开凿出来的，开凿这些洞穴的目的是什么，至今还是一个不懂之谜。）

157 不堪bù kān ▶ 不能bù néng

词义说明 Definition

不堪[cannot bear; cannot stand] 承受不了；不可，不能（多用于不好的方面）。如：～一击。[(used after negative words) utterly; extremely] 用在消极意思的词后边，表示程度深。如：痛苦～。

不能[cannot; must not; should not] 不可以，不会，不应该。

词语搭配 Collocation

	～其苦	～一击	～入耳	～设想	～造就	～回首	狼狈～	破烂～	～说	～做	～写
不堪	√	√	√	√	√	√	√	√	×	×	×
不能	×	×	×	×	×	×	×	×	√	√	√

用法对比 Usage

用法解释 Comparison

“不能”是助动词“能”的否定，只能用在动词的前面，不能单独带宾语；“不堪”常与其他词语一起组成固定格式，用于书面。“不能”口语和书面都常用。

语境示例 Examples

① 他出国后，因为不堪国外生活的孤独和寂寞，所以很快就回来了。（*他出国后，因为不能国外生活的孤独和寂寞，所以很快就回来了。）（☺他出国以后，因为不能忍受国外生活的孤独和寂寞，所以很快就回来了。）

② 这么大的工程，如果不重视质量，后果是不堪设想的。（*这么大的工程，如果不重视质量，后果是不能设想的。）

③ 往事不堪回首，还是应该鼓起勇气向前看。（*往事不能回首，还是应该鼓起勇气向前看。）

④ 这个绯闻搞得他狼狈不堪。（*这个绯闻搞得他狼狈不能。）

⑤ 我刚学习汉语，现在还不能读中文报纸。（*我刚学习汉语，现在还不堪读中文报纸。）

⑥ 他刚才喝了一些酒，现在不能开车。（*他刚才喝了一些酒，现在不堪开车。）

158 不可 bù kě ▶ 不行 bù xíng

B

词义说明 Definition

不可 [cannot; should not; must not] 不可以；不能够：～小视。[(used in 非…～) must] 用在"非……不可"的格式中，表示必须或一定：这事非你～。

不行 [not be allowed; won't do; be impossible] 不可以，不被允许：你不去可～。[be no good; won't work] 不中用：这个办法～。[not good; poor] 不好：他的身体～。[(used as a complement after 得) awfully; extremely] 表示程度极深；不得了（用在"得"字的后边作补语)：夜里热得～。

词语搭配 Collocation

	～随便说	～抗拒	～多得	这样～	能力～	水平～	困得～	累得～
不可	√	√	√	×	×	×	×	×
不行	×	×	×	√	√	√	√	√

用法对比 Usage

用法解释 Comparison

"不可"常与动词一起使用，不能单独作谓语；"不行"不能作状语，可以作谓语和补语。

语境示例 Examples

① 这事不可告诉别人。(＊这事不行告诉别人。)
② 你这样干不行。(＊你这样干不可。)
③ A：下午你能不能陪我一起去？B：今天下午不行，我有事。(＊今天下午不可，我有事。)
④ 历史的潮流是不可抗拒的。(＊历史的潮流是不行抗拒的。)
⑤ 他是个不可多得的人才。(＊他是个不行多得的人才。)
⑥ 当翻译，我的汉语水平现在还不行。(＊当翻译，我的汉语水平现在还不可。)
⑦ 玩了一天，现在累得不行。(＊玩了一天，现在累得不可。)
⑧ 我不让他去，他非去不可。(＊我不让他去，他非去不行。)

159 不良[形]bùliáng ▶ 不好[形、副]bùhǎo

词义说明 Definition

不良[bad; harmful; unhealthy] 不好。

不好[not good; poor; bad] 有"坏，不满意的，不健康的，不容易，不同意"等意思。

词语搭配 Collocation

	很~	~现象	~倾向	~影响	~行为	存心~
不良	×	√	√	√	√	√
不好	√	×	×	×	×	×

用法对比 Usage

用法解释 Comparison

"不良"就是"不好"，但是"不良"一般用来作定语，不能作谓语，"不良"作定语时，它和中心语之间可以不用"的"，"不好"一般用来作谓语，也可以作状语和定语，"不好"作定语时，它和中心语之间一般要加"的"。

语境示例 Examples

① 要改掉不良的生活习惯。(☺要改掉不好的生活习惯。)

② 对于社会上的不良现象要坚决抵制。(*对于社会上的不好现象要坚决抵制。)(☺对于社会上不好的现象要坚决抵制。)

③ 这些吹捧封建皇帝的电视剧，给社会带来的不良影响不可低估。(*这些吹捧封建皇帝的电视剧，给社会带来的不好影响不可低估。)(☺这些吹捧封建皇帝的电视剧，给社会带来的不好的影响不可低估。)

④ 我觉得他这样做完全是存心不良。(*我觉得他这样做完全是存心不好。)

⑤ 爸爸最近身体不好。(*爸爸最近身体不良。)

⑥ 他最近的情绪很不好。(*他最近的情绪很不良。)

⑦ 学习方法不对，效果一定不好。(*学习方法不对，效果一定不良。)

"不好"可以作状语，有不容易的意思。"不良"没有这种用法。

① 如果一开始不注意发音和声调，以后就不好纠正了。(*如果一开始不注意发音和声调，以后就不良纠正了。)

② 这种病现在还不好治。(＊这种病现在还不良治。)

B

160 不如[动、副]bùrú ▶ 不及[动]bùjí

词义说明 Definition

不如[not equal to; not as good as; inferior to] 表示前面提到的人或事物比不上后面所说的。

不及[not as good as; inferior to] 不如；比不上。[find it too late] 来不及。

词语搭配 Collocation

	我～他	～不去	～骑车去	这个～那个	躲闪～	后悔～
不如	√	√	√	√	×	×
不及	√	×	×	√	√	√

用法对比 Usage

用法解释 Comparison

"不如"是前边说的没有后边的好，"不及"除了达不到某种标准的意思外，还有"时间短，反应不过来，来不及"的意思。

语境示例 Examples

① 这辆车不如那辆漂亮。(☺这辆车不及那辆漂亮。)

② 我们班的男学生不如女学生学习认真。(☺我们班的男学生不及女学生学习认真。)

③ 我这次不如玛丽考得好。(☺我这次不及玛丽考得好。)

④ 她本来就怕骑车上街，看到一辆汽车开过来，躲闪不及，一下子摔倒了。(＊她本来就怕骑车上街，看到一辆汽车开过来，躲闪不如，一下子摔倒了。)

⑤ 每想到年轻时没有学好一门外语，就后悔不及。(＊每想到年轻时没有学好一门外语，就后悔不如。)

161 不时[副]bùshí ▶ 经常[副]jīngcháng

词义说明 Definition

不时[frequently; often] 时时，经常不断地。动作之间有一定的时间间隔，有“过一会儿就……”的意思。[at any time] 随时地，不是预定的时间：~之需。

经常[frequently; constantly; regularly; often] 常常，表示动作不止一次地进行。

B

词语搭配 Collocation

	~回头看	~听到歌声	~复习	~练习	~联系	~锻炼	~打扫	~清理
不时	√	√	×	×	×	×	×	×
经常	√	√	√	√	√	√	√	√

用法对比 Usage

用法解释 Comparison

强调动作或情况间断地进行或发生时用“不时”，强调动作不止一次地屡次地发生时用“经常”。都可以作状语。

语境示例 Examples

① 河对面不时传来阵阵歌声。(☺河对面经常传来阵阵歌声。)

② 他们一边走一边不时地向四周张望。(*他们一边走一边经常地向四周张望。)

③ 他在做练习，不时地翻一下词典。(*他在做练习，经常地翻一下词典。)

④ 下午他经常去图书馆看书。(*下午他不时去图书馆看书。)

⑤ 来中国以后，我经常给妈妈打电话。(*来中国以后，我不时给妈妈打电话。)

162 不停[副]bùtíng ▶ 不住bú zhù

词义说明 Definition

不停[continuous] 不断地，不停止地。

不住[uninterrupted; unceasing] 动作不停地。

词语搭配 Collocation

	~地咳嗽	~地叫	~拉肚子	~地哭	雨下个~	说个~
不停	√	√	√	√	√	√
不住	√	√	√	√	×	×

用法对比 Usage

用法解释 Comparison

"不停"和"不住"都可以作状语，但是，"不停"可以作状态补语，"不住"不能作状态补语。

语境示例 Examples

① 从昨天晚上到现在我不住地拉肚子。(☺从昨天晚上到现在我不停地拉肚子。)
② 因为感冒，一躺下就不停地咳嗽。(☺因为感冒，一躺下就不住地咳嗽。)
③ 她肚子疼得不停地哼哼。(☺她肚子疼得不住地哼哼。)
④ 雨一直下个不停。(*雨一直下个不住。)
⑤ 她们俩一见面就高兴地说个不停。(*她们俩一见面就高兴地说个不住。)

"不住"常跟在动词后边构成可能补语的否定式，表示不能达到某种希望的结果（例如：站不住、停不住、坐不住、控制不住，刹不住、闲不住、搁不住、拿不住、接不住、坚持不住等），"不停"不能这么用。

① 血流得怎么也止不住。(*血流得怎么也止不停。)
② 这几个词我怎么也记不住。(*这几个词我怎么也记不停。)

163 不由得[副]bùyóudé ▶ 不禁[副]bùjīn

词义说明 Definition

不由得[can't help; cannot but] 控制不住自己要发生某动作；不禁；不容。

不禁[can't help (doing sth.); can't refrain from] 控制不住自己。

词语搭配 Collocation

	～笑起来	～大声喊	～流下了眼泪	～不相信	～就想起过去
不由得	√	√	√	√	√
不禁	√	√	√	×	√

用法对比 Usage

用法解释 Comparison

"不由得"和"不禁"的意思一样，都是控制不住才发生（某动作），"不由得"是口语，"不禁"是书面语。"不由得"后边可以是否定句，“不禁”后边不能是否定句。

语境示例 Examples

① 他看着看着不由得流下了眼泪。(☺他看着看着不禁流下了眼泪。)
② 看到这张照片不由得想起我的中学时代。(☺看到这张照片不禁想起我的中学时代。)
③ 她长得那么漂亮，气质又那么高雅，小伙子见了她，不由得想多看她两眼。(☺她长得那么漂亮，气质又那么高雅，小伙子见了她，不禁想多看她两眼。)
④ 他说得那么诚恳，不由得你不信。(* 他说得那么诚恳，不禁你不信。)
⑤ 看到这么好吃的点心，你不由得不尝一口。(* 看到这么好吃的点心，你不禁不尝一口。)

164 不怎么bù zěnme

不怎么样bù zěnmeyàng

词义说明 Definition

不怎么[(怎么 used in the negative as an understatement) not very; not particularly] 表示程度，是“不很”的意思。

不怎么样[just so-so; not particularly good] 代替某种不说出来的动作或情况。表示一种委婉否定的评价。平平常常，不很好。

词语搭配 Collocation

	~好	~来	~会说	~舒服	~开心	~说话	~喜欢	这人~
不怎么	√	√	√	√	√	√	√	×
不怎么样	×	×	×	×	×	×	×	√

用法对比 Usage

用法解释 Comparison

“不怎么”是“怎么”的否定，“不怎么样”是“怎么样”的否定，“不怎么”，用来作状语，表示“不太、不常、没什么”等意思，“不怎么样”表示委婉的否定态度，多用作谓语或补语，表示“不好、不太好”，它们不能相互替换。

语境示例 Examples

① 他身体不怎么舒服，我们改天再聚吧。（＊他身体不怎么样舒服，我们改天再聚吧。）
② 他最近不怎么来上课，不知道干什么去了。（＊他最近不怎么样来上课，不知道干什么去了。）
③ A：你怎么了？好像不高兴。B：不怎么。（＊不怎么样。）
④ 他这个人不怎么喜欢热闹。（＊他这个人不怎么样喜欢热闹。）
⑤ 我们刚认识不久，对她还不怎么了解。（＊我们刚认识不久，对她还不怎么样了解。）
⑥ 这段京剧我刚学，还不怎么会唱。（＊这段京剧我刚学，还不怎么样会唱。）
⑦ 我觉得他在这个电视剧里的表演不怎么样。（不太好）（＊我觉得他在这个电视剧里的表演不怎么。）

165 不怎么样 bù zěnmeyàng

不好[形、副] bùhǎo

词义说明 Definition

不怎么样[just so-so; not particularly good] 平平常常的，质量不高的，不太好的。

不好[not good] 不满意。

词语搭配 Collocation

	说得～	写得～	演得～	做得～	考得～	画得～	真～	觉得～	很～	非常～
不怎么样	√	√	√	√	√	√	√	√	×	×
不好	√	√	√	√	√	√	√	√	√	√

用法对比 Usage

用法解释 Comparison

“不怎么样”是个口语词，表示对某事或某人的评价，有“不好、不太好、不令人满意”的意思，是比较随便的说法，“不好”应用范围要广得多。“不怎么样”前边不能再加程度副词“很”、“非常”等，“不好”可以。

语境示例 Examples

① A：你觉得这幅画画得怎么样？B：不怎么样。(☺不好。)
② 他英语说得不怎么样。(☺他英语说得不好。)

“不怎么样”表达的不满比较客气、委婉，“不好”很直接，语气较重。

① 你这个办法可不怎么样。(☺你这个办法可不好。)
② A：他这次考得怎么样？B：非常不好。(*非常不怎么样。)

在陈述一件事或说明一种情况时，不用“不怎么样”。

① 他最近经常请假是因为他爸爸身体不好。(*他最近经常请假是因为他爸爸身体不怎么样。)
② 她这两天心情很不好。(*她这两天心情很不怎么样。)

166 不只[连]bùzhǐ ▶ 不仅[连]bùjǐn

词义说明 Definition

不只[not only; not merely] 不但，不仅；不止这一个、这方面，还有其他的。

不仅[not the only one] 表示超过某数或范围还有另外的。不但。

词语搭配 Collocation

	～这些	～这个	～学习好	～质量好	～是我一个人
不只	√	√	√	√	√
不仅	√	√	√	√	√

用法对比 Usage

用法解释 Comparison

“不只”和“不仅”都有“不止这一个，不止这方面，还有其他”的意思，都可以与“而且”连用，表示“不但”的意思，“不仅”还可以说成“不仅仅”，“不只”没有这种用法。

语境示例 Examples

① 他不仅发音好，而且汉字也写得很漂亮。(☺他不只发音好，而且汉字也写得很漂亮。)
② 王老师不仅教我们怎么学习汉语，还教我们怎么生活。(☺王老师不只教我们怎么学习汉语，还教我们怎么生活。)

③ 他不只会说英语，还会法语。(☺他不仅会说英语，还会法语。)
④ 这不仅是我一个人的看法，大家都这么看。(☺这不只是我一个人的看法，大家都这么看。)
⑤ 想去的不仅仅是他一个人，很多同学都想去。(＊想去的不只只是他一个人，很多同学都想去。)

167 布置[动]bùzhì ▶ 部署[动]bùshǔ

词义说明 Definition

布置[fix up; arrange; decorate] 在一个地方安排和陈列各种物件使这个地方适合某种需要。[assign; make arrangements for; give instructions about] 对一些活动做出安排。

部署[organize; delegate (human resources, tasks); deploy] 安排；布置（人力、任务）。

词语搭配 Collocation

	～房间	～会场	～作业	～工作	～任务	～兵力	重大～	战略～
布置	√	√	√	√	√	×	×	×
部署	×	×	×	√	√	√	√	√

用法对比 Usage

用法解释 Comparison

“布置”多指具体的安排；“部署”一般是大规模地、全面地安排重大的活动。

语境示例 Examples

① 你们的任务是布置晚会的会场。(＊你们的任务是部署晚会的会场。)
② 今天老师布置作业了没有？(＊今天老师部署作业了没有？)
③ 西部大开发是关系我国经济能否持续发展的重大战略部署。(＊西部大开发是关系我国经济能否持续发展的重大战略布置。)
④ 晚上要在这里给玛丽过生日，我们得把房间布置一下。(＊晚上要在这里给玛丽过生日，我们得把房间部署一下。)
⑤ 要在敌人经过的道路两边部署兵力。(＊要在敌人经过的道路两边布置兵力。)

168 步伐[名]bùfá ▶ 步子[名]bùzi

词义说明 Definition

步伐[step; pace] 队伍操练时脚步的大小快慢；行进的步子；比喻进行的速度。

步子[step; pace] 脚步；一步跨出的距离；生活或从事活动的速度。

词语搭配 Collocation

	～太大	放慢～	～有点儿快	～很整齐	统一～	时代的～	改革的～	前进～
步伐	×	×	×	√	√	√	√	√
步子	√	√	√	×	×	×	√	×

用法对比 Usage

用法解释 Comparison

"步伐"和"步子"的意思差不多，还都可以用来比喻进行的速度，但是"步伐"具抽象性。

语境示例 Examples

① 改革的步子可以再大一点儿。(☺改革的步伐可以再大一点儿。)

② 后边的同学步子大一点儿，快跟上来。(＊后边的同学步伐大一点儿，快跟上来。)

③ 我们必须加快步伐，不然一个月完不成。(＊我们必须加快步子，不然一个月完不成。)

④ 一个国家，一个民族，要想发展，必须统一前进的步伐。(＊一个国家，一个民族，要想发展，必须统一前进的步子。)

⑤ 要不断学习新知识，不然就跟不上时代前进的步伐。(＊要不断学习新知识，不然就跟不上时代前进的步子。)

C

169 擦[动]cā ▶ 擦拭[动]cāshì

词义说明 Definition

擦[wipe] 有用布、纸等摩擦使干净：～黑板。[rub] 摩擦：手～破了一层皮。[apply or spread sth. on] 涂抹：～点儿酒精。[touch lightly or come close to in passing; shave; brush] 贴近，挨着：我们～肩而过。

擦拭[wipe clean; cleanse] 用布、纸、毛巾等摩擦使干净。

词语搭配 Collocation

	用手～	～汗	～手	～脸	～桌子	～玻璃	～药水	～边球	～亮眼睛
擦	√	√	√	√	√	√	√	√	√
擦拭	√	×	×	×	×	×	×	×	×

用法对比 Usage

用法解释 Comparison

“擦拭”和“擦”有相同的意思，但是“擦”的宾语很广泛，物体和身体都可以，“擦拭”的宾语只限于家具、枪支等。“擦”有抽象意义，“擦拭”没有；“擦”用于口语，“擦拭”要带双音节作宾语，多用于书面。

语境示例 Examples

① 母亲总是把家里的桌椅擦得干干净净的。(☺母亲总是把家里的桌椅擦拭得干干净净的。)

② 你把桌子擦擦，准备吃饭。(*你把桌子擦拭擦拭，准备吃饭。)

③ 快把你脸上的汗擦擦。(*快把你脸上的汗擦拭擦拭。)

④ 我的手擦破了一点儿皮。(*我的手擦拭破了一点儿皮。)

⑤ 我给你擦点儿酒精吧。(*我给你擦拭点儿酒精吧。)

⑥ 关键的时候对方打了一个擦边球。(乒乓球)(*关键的时候对方打了一个擦拭边球。)

⑦ 他们俩擦肩而过，谁也没有看见谁。(*他们俩擦拭肩而过，谁

也没有看见谁。)

⑧ 要擦亮眼睛，不要上当受骗。（*要擦拭亮眼睛，不要上当受骗。）

170 猜[动]cāi ▶ 猜测[动]cāicè

词义说明 Definition

猜[guess; conjecture] 根据不明显的情况或凭想像来寻找正确的解答。[suspect] 起疑心。

猜测[guess; surmise; conjecture] 推测，凭想像估计。

词语搭配 Collocation

	～谜语	～灯谜	～中了	～对了	～出来了	～不出来	～一～	难～
猜	√	√	√	√	√	√	√	√
猜测	×	×	√	√	√	×	×	√

用法对比 Usage

用法解释 Comparison

“猜”和“猜测”的意思差不多，但是音节不同，“猜”是口语，“猜测”用于书面。

语境示例 Examples

① 她的心思让人很难猜。(☺她的心思让人很难猜测。)

② 你猜猜谁来了？(*你猜测猜测谁来了？)

③ 我猜他可能跟这个案子有关系。(☺我猜测他可能跟这个案子有关系。)

④ 你猜猜这些字是谁写的？(*你猜测猜测这些字是谁写的？)

⑤ 新年晚会有猜灯谜的活动，猜对的有奖。(*新年晚会有猜测灯谜的活动，猜测对的有奖。)

⑥ 这个灯谜太难了，我猜不出来。(*这个灯谜太难了，我猜测不出来。)

171 猜测[动]cāicè ▶ 猜想[名、动]cāixiǎng

词义说明 Definition

猜测[guess; surmise; conjecture] 推测，凭想像估计。

猜想[suppose; guess; suspect] 猜测。

词语搭配 Collocation

	～不透	～到	～不到	～对了	没有～到
猜测	√	√	√	√	√
猜想	√	√	√	×	√

用法对比 Usage

用法解释 Comparison

从语义上分析，“猜想”比“猜测”要准确一些，“猜测”只是动词，“猜想”既是动词又是名词，“猜想”可以作宾语，“猜测”不能。

语境示例 Examples

① 他猜想的不一定正确。(☺他猜测的不一定正确。)

② 这种事情的发生谁也难猜测到。(☺这种事情的发生谁也难猜想到。)

③ 我猜想你今天会来。(☺我猜测你今天会来。)

④ 科学的发展证明了他几十年前的猜想是正确的。(＊科学的发展证明了他几十年前的猜测是正确的。)

⑤ 我没有猜想到父亲得的是这种病，因为当时的病状很像重感冒。(＊我没有猜测到父亲得的是这种病，因为当时的病状很像重感冒。)

172 才[副]cái ▶ 就[副]jiù

词义说明 Definition

才[a moment ago; just] 表示以前不久：你怎么～来就要走？[(preceded by an expression of time) not until] 表示事情发生得晚或结束得晚：昨晚十二点～睡。[(followed by a numerical expression) only] 对比起来数量小，次数少，能力差，程度低等：我们学校～五千多人，他们学校一万多人呢。[(preceded by an expression of reason or condition) not unless; not until; then and only then; for no other reason] 表示只有在某种条件下然后怎样。(常与前面的“只有、必须”搭配组成条件复句，表示要产生这样的结果，前边所述的条件是必要的甚至是惟一

的)：只有经过实验～能知道效果。表示发生新情况，原来并不如此：经他一解释我～明白是怎么回事。［（followed by a numerical expression）only］用在数量词前边，表示数量少；只：现在～七点|一件～一百块。［（used in an assertion or contradiction，emphasizing what comes before 才，usu. with 呢 at the end of the sentence）；actually；really］表示强调所说的事：(句尾常用"呢"字)：他要是知道这件事～怪呢。

就［at once；right away］表示很短的时间之内：他马上～来。［as early as；already］表示事情发生得早或结束得早：八点上课，他七点半～来教室了。［as soon as；right after］表示前后事情紧接着：我下了课～去医院看他。［in that case；then］表示在某种条件或情况下自然会怎么样（前面常用"只要、要是、既然"等词语与之搭配)：既然决定学习汉语，～要学好。［as much as；as many as］比较起来数目大，次数多，能力强：一双皮鞋～一千多块。［（used between two identical elements to express resignation）］表示容忍，宽容：坏了～坏了，再买一个新的吧。［to begin with；as is expected］表示原来或早已如此：我～知道你会来的。［only；merely；just］仅仅，只：中国我～去过一次。［just；simply］表示坚决的态度：我～不信女的不如男的。［exactly；precisely］表示事实正是这样，有强调的语气：我说的那个人～是她。

词语搭配　Collocation

	～来	只有…～	只要…～	～明白	～五个	～我一个	～是	本来～难
才	√	√	×	√	√	√	√	×
就	√	×	√	×	√	√	√	√

用法对比　Usage

"才"和"就"是意义相对的一对副词，都用在动词的前边作状语。

"才"表示以前不久，"就"没有这个用法。

我<u>才</u>到家。(＊我<u>就</u>到家。)

"就"表示在很短的时间内，"才"没有这个用法。

你稍等一下，我马上<u>就</u>回来。(＊你稍等一下，我马上<u>才</u>回来。)

"才"放在时点词前边表示时间早。

电影七点半开演，现在<u>才</u>七点，还早呢。(＊电影七点半开演，现在就七点，还早呢。）

“才”和“就”都放在时点词后边时，“才”表示动作发生或完成得晚，“就”表示动作发生或完成得早。

① 我昨天晚上跟一个朋友聊了很长时间，十二点才睡。（睡得晚）
我昨天晚上不太舒服，九点钟就睡了。（睡得早）

② 八点钟上课，他八点半才来。（他来得晚）
八点钟上课，她七点半就来了。（她来得早。）

③ 你怎么现在才来？我等了快半个小时了。（*你怎么现在就来？我等了快半个小时了。）

④ 春天就要来了。（*春天才要来了。）

“才”表示动作进行或完成得慢，“就”表示动作进行或完成得快。

① 从北京到上海坐火车十六七个小时才能到。（坐火车慢）
从北京到上海坐飞机两个小时就到了。（坐飞机快）

② 昨天的练习我一个小时就做完了。（昨天做得快）
今天的练习我两个小时才做完。（今天做得慢）

“才”表示动作进行或情况发展得不顺利，不容易，令人不满意。“就”表示动作或情况发展得顺利、容易，让人满意。用“就”句尾常常带“了”。用“才”句尾常常不带“了”。

① 这个语法老师讲了一遍我就懂了。（这个语法容易）
这个语法老师讲了两遍我才懂。（这个语法难）

② 我到那儿就找到他了。（很容易，很顺利）

③ 我到那儿找了半天才找到他。（不容易，不顺利）

“才”强调所说的事。

① 你说他傻，他才不傻呢。（*你说他傻，他就不傻呢。）

② 我才不信他的话呢。（*我就不信他的话呢。）（☺我就不信他的话。）

“就”表示强调事实正是如此。

这就是我想买的那本词典。（正是这本）

注意：也可以说：这才是我想买的那本词典。（但是表达的意思是：别的都不是）

“才”可以与“只有”搭配组成条件复句，表示这个条件是惟一的、必需的，不容易得到的。

① 只有经过刻苦努力才能得到这样好的成绩。（没有别的办法）

② 只有你才能说服她。（别人不行）

③ 只有找到他才能弄明白事情的原因。（只有他知道）

“就”与“只要”搭配组成条件复句，表示这个条件是必要的，基本的，比较容易得到的。

① 只要有钱就可以买到。(容易买到)

② 你们年轻，只要想学就一定能学会。(容易学会)

“就”还可以跟“要是、既然”组成假设或让步复句，“才”不能。

① 要是你想去，就跟我一起去吧。(*要是你想去，才跟我一起去吧。)

② 既然我选择了这条路，就一定走到底。(*既然我选择了这条路，才一定走到底。)

“就”表示两个动作或两种情况紧接着发生。

① 昨天我下了课就回宿舍了。(*昨天我下了课才回宿舍了。)

② 我洗了澡就睡觉。(*我洗了澡才睡觉。)(☺我洗了澡才睡觉呢。)(意思是：现在还不睡)

③ 我一吃完早饭就来教室了。(*我一吃完早饭才来教室了。)

“就”跟前面的“一”搭配还可以表示因果关系。“才”没有这个用法。

① 我一到冬天就容易感冒。(*我一到冬天才容易感冒。)

② 我一喝咖啡就睡不着觉。(*我一喝咖啡才睡不着觉。)

“就”表示宽容，“才”没有这个用法。

A：我把你的手机丢了。B：丢了就丢了，本来也是个旧手机。(*丢了才丢了，本来也是个旧手机。)

“才”和“就”都可以放在数量词前边。

① 葡萄一斤才两块钱。(☺葡萄一斤就两块钱。)(都表示葡萄便宜)

② 他结婚时才二十五岁。(☺他结婚时就二十五岁。)(都表示他结婚的年龄小)

③ 我就错了两道题。(☺我才错了两道题。)(都表示错的少，但后者显得语气没有完，还要接着往下说，如：我才错了两道题，就扣了10分。)

④ 我们班就五个日本学生。(☺我们班才五个日本学生。)(都表示我们班的日本学生少)

注意：“我们班就五个日本学生。”这个句子如果说话时有强调重音，句子的意思有变化。(“我们班”重读，“就”轻读时，表示学校的日本学生很多)

“就”和“才”如果放在数量词后边，表达的意思正好相反。

① 他二十五岁就结婚了。(说话人认为他结婚很早)

他二十五岁才结婚。（说话人认为他结婚很晚）

② 他们三个人就把这个柜子抬走了。（说话人认为人少）

他们三个人才把这个柜子抬走。（说话人认为人多）

③ 他睡了六个小时就起床了。（说话人认为时间短）

他睡了八个小时才起床。（说话人认为时间长）

173 才能[名]cáinéng ▶ 才干[名]cáigàn

词义说明 Definition

才能[ability; capability; talent] 知识和能力。

才干[ability; competence] 办事的能力。

词语搭配 Collocation

	很有～	没有～	增长～	特殊的～	施展～
才能	√	√	×	√	√
才干	√	√	√	×	√

用法说明 Usage

用法解释 Comparison

“才能”除了表示有实践能力外，还可以表示思维能力强，擅长从事科学研究，文艺创作等，“才干”主要表示办事和实践活动能力，以及领导、组织指挥的能力等。

语境示例 Examples

① 他既年轻又很有才能，所以公司董事会决定聘请他做经理。（☺他既年轻又很有才干，所以公司董事会决定聘请他做经理。）

② 从这件事的处理上就可以看出他的才干。（☺从这件事的处理上就可以看出他的才能。）

③ 他总觉得在这个单位不能施展自己的才干。（☺他总觉得在这个单位不能施展自己的才能。）

④ 在工作实践中不断增长自己的才干。（*在工作实践中不断增长自己的才能。）

⑤ 我可没有写小说的才能。（*我可没有写小说的才干。）

⑥ 口才是一个人很重要的才能。（*口才是一个人很重要的才干。）

174 财产[名]cáichǎn ▶ 财富[名]cáifù

C

词义说明 Definition

财产[property] 指拥有的金钱、物资、房产、土地等物质财富。

财富[wealth; riches] 有价值的东西。

词语搭配 Collocation

	公共～	私人～	国家的～	社会～	国有～	增加～	创造～	～权	物质～	精神～
财产	√	√	√	√	√	√	×	√	×	×
财富	×	×	√	√	×	√	√	×	√	√

用法对比 Usage

用法解释 Comparison

“财产”表达的语义比较具体，“财富”的语义比较抽象，多数情况它们不能相互替换。

语境示例 Examples

① 社会财富是人民共同创造的。(☺社会财产是人民共同创造的。)

② 要爱护公共财产。(＊要爱护公共财富。)

③ 宪法保护公民的合法财产不受侵犯。(＊宪法保护公民的合法财富不受侵犯。)

④ 这些财产都是他爸爸留下来的，他拥有继承权。(＊这些财富都是他爸爸留下来的，他拥有继承权。)

⑤ 人才是国家最宝贵的财富，一定要好好保护。(＊人才是国家最宝贵的财产，一定要好好保护。)

⑥ 他的著作是中华民族最宝贵的精神财富。(＊他的著作是中华民族最宝贵的精神财产。)

175 采取[动]cǎiqǔ ▶ 采纳[动]cǎinà ▶ 采用[动]cǎiyòng

词义说明 Definition

采取[adopt; assume or take] 采纳听取，选择施行某种方针、政策、措施、手段、形式、态度等。

采纳[accept (opinions, suggestions, requests, etc.)] 接受意见、建议、要求等。

采用[select and use; adopt] 认为合适而使用（人、技术、方法、方式等）。

C

词语搭配 Collocation

	～措施	～方针/政策	～合作态度	～大家的建议/意见	～新技术	～你的计划
采取	√	√	√	×	×	×
采纳	×	×	×	√	×	√
采用	×	×	×	×	√	√

用法对比 Usage

用法解释 Comparison

这三个词都是动词，它们涉及的对象有所不同，不能相互替换。"采取"和"采纳"的对象多为抽象事物，"采用"的对象可以是抽象事物，也可以是具体事物。

语境示例 Examples

① 要采取措施防止这类事件再次发生。（*要采纳/采用措施防止这类事件再次发生。）

② 领导要注意听取并采纳群众好的意见和建议，不断改进工作。（*领导要注意听取并采取/采用群众好的意见和建议，不断改进工作。）

③ 这项工程广泛采用了当今世界上最先进的技术。（*这项工程广泛采纳/采取了当今世界上最先进的技术。）

④ 汉语采用拉丁字母作为拼音字母。（*汉语采取/采纳拉丁字母作为拼音字母。）

⑤ 对于人民内部的问题要采取说服教育的方法来解决，决不能采取压制的办法。（☺对于人民内部的问题要采用说服教育的方法来解决，决不能采用压制的办法。）（*对于人民内部的问题要采纳说服教育的方法来解决，决不能采纳压制的办法。）

⑥ 在这个问题上男孩子要采取主动。（*在这个问题上男孩子要采用/采纳主动。）

176 彩色[名]cǎisè ▶ 颜色[名]yánsè

词义说明 Definition

彩色[multicolour; colour] 是由多种颜色搭配以后形成的状态。

颜色[colour] 光的各种现象（例如红色、棕色、桃红色、灰色、绿色、蓝色和白色等），或使人们得以区分在大小、形状或结构等方面完全相同物体的视觉或知觉现象。

词语搭配 Collocation

	红～	绿～	蓝～	各种～	～太深	～有点儿浅	～铅笔	～电视	～照片
彩色	×	×	×	×	×	×	√	√	√
颜色	√	√	√	√	√	√	×	×	×

用法对比 Usage

用法解释 Comparison

“彩色”指多种颜色，“颜色”都是单一的，例如，黄是一种颜色，但是彩色不只是黄色。“彩色”可以作定语，“颜色”不能作定语，它们不能相互替换。

语境示例 Examples

① 你昨天买的毛衣是什么颜色的？（＊你昨天买的毛衣是什么彩色的？）
② 我们家的电视是彩色的。（＊我们家的电视是颜色的。）
③ 我还是喜欢彩色照片。（＊我还是喜欢颜色照片。）
④ 这件大衣颜色有点儿深。（＊这件大衣彩色有点儿深。）
⑤ 我们这儿有各种颜色的铅笔，你随便挑吧。（＊我们这儿有各种彩色的铅笔，你随便挑吧。）

“颜色”（countenance; facial expression）还表示给人看的厉害的表情或态度，“彩色”没有这个意思。

他如果再这样无理纠缠，我要给他点儿颜色看看。（＊他如果再这样无理纠缠，我要给他点儿彩色看看。）

177 参观[动]cānguān ▶ 访问[动、名]fǎngwèn

词义说明 Definition

参观[visit; have a look around] 去一个地方看看那里的工作成

绩、事业、设施、名胜古迹等。

访问[visit; call on; interview] 有目的地去探望人并跟他谈话。

词语搭配 Collocation

	~工厂	~农村	~展览	~团	~上海	~这座城市	~科学家	~了一位专家
参观	√	√	√	√	√	√	×	×
访问	√	√	×	√	√	√	√	√

用法对比 Usage

用法解释 Comparison

"参观"和"访问"都是动词，但"参观"的宾语只能是地方，不能是人，"访问"的宾语可以是人，也可以是地方。"参观"主要是"观"（即看），不包括言语活动，而"访问"则侧重于"访"与"问"，有言语活动参与。

语境示例 Examples

① 这次我们到中国参观了北京、上海、西安等五六个城市。(☺这次我们到中国访问了北京、上海、西安等五六个城市。)(☺这次我们到中国参观访问了北京、上海、西安等五六个城市。)

② 他们在北京参观了许多名胜古迹。(＊他们在北京访问了许多名胜古迹。)

③ 你们国家主席正在我们国家进行国事访问。(＊你们国家主席正在我们国家进行国事参观。)

④ 我们访问了这位著名的作家。(＊我们参观了这位著名的作家。)

⑤ 我们去参观上海的历史博物馆。(＊我们去访问上海的历史博物馆。)

⑥ 就这个问题记者访问了有关专家。(＊就这个问题记者参观了有关专家。)

178 参加[动]cānjiā ▶ 参与[动]cānyù

词义说明 Definition

参加[join (a group, organization, etc.); take part in (an activity)] 加入某种组织或某种活动。[give (advice, suggestion, etc.)] 对某事提出自己的意见。

参与[participate in; have a hand in; involve oneself in] 参加（事务的计划、讨论、处理）。

词语搭配 Collocation

	～旅行团	～会议	～选举	～劳动	～活动	～讨论	～处理	～制定
参加	√	√	√	√	√	√	×	√
参与	×	×	×	×	√	√	√	√

C

用法对比 Usage

用法解释 Comparison

“参与”和“参加”的对象都可以是某种活动，但是“参与”的对象不能是组织或团体。“参加”口语和书面都常用，“参与”很少用于口语。

语境示例 Examples

① 他参加了这个计划的制定。(☺他参与了这个计划的制定。)
② 我们参加了一个旅行团，去中国旅行了一个月。(＊我们参与了一个旅行团，去中国旅行了一个月。)
③ 参加选举的占选民人数的95%。(＊参与选举的占选民人数的95%。)
④ 我姐姐已经大学毕业参加工作了。(＊我姐姐已经大学毕业参与工作了。)
⑤ 你们之间的事我不参与。(＊你们之间的事我不参加。)
⑥ 我正在搞一个科研计划，请你也参加点儿意见。(＊我正在搞一个科研计划，请你也参与点儿意见。)

179 参看[动]cānkàn ▶ 参阅[动]cānyuè ▶ 参照[动]cānzhào

词义说明 Definition

参看[see also; read sth. for reference; consult] 读一篇文章时，参考另一篇。文章注释用语，告诉读者看了此处再看其他有关部分。

参阅[see also; read sth. for reference; consult] 参看。

参照[consult (a method, experience, etc.) and follow suit] 参考并且仿照其方法、要求、经验等去做。

词语搭配 Collocation

	～有关图书	～资料	～论文	～参考书	～文章	～方法	～要求	～经验
参看	√	√	√	√	√	×	×	×
参阅	√	√	√	√	√	×	×	×
参照	√	×	×	×	√	√	√	√

用法对比 Usage

用法解释 Comparison

"参看"和"参阅"的对象都是具体的；"参照"的对象既可以是具体的，也可以是抽象的。

语境示例 Examples

① 我参照原文对你的翻译作了一些修改。(☺我参看/参阅原文对你的翻译作了一些修改。)

② 有些句子的意思，必须参照上下文来理解。(☺有些句子的意思，必须参看/参阅上下文来理解。)

③ 为写这篇论文我参阅/参看了大量的参考书。(*为写这篇论文我参照了大量的参考书。)

④ 这篇论文写得不错，你可以参看/参阅。(*这篇论文写得不错，你可以参照。)

⑤ 我收集的这些资料可以借给你参看/参阅。(*我收集的这些资料可以借给你参照。)

⑥ 本规定是参照国家有关法律制定出来的。(*本规定是参看/参阅国家有关法律制定出来的。)

180 残酷[形]cánkù ▶ 残忍[形]cánrěn

词义说明 Definition

残酷[cruel; brutal; ruthless] 凶狠冷酷。

残忍[cruel; ruthless] 对（人或动物）狠毒。

词语搭配 Collocation

	非常～	～的行为	～压迫	～迫害	～杀害
残酷	√	√	√	√	×
残忍	√	√	×	×	√

用法对比 Usage

用法解释 Comparison

二者都是贬义词，“残酷”既可形容人，也可形容客观环境。“残忍”只能形容人。“残忍”比“残酷”的语义更重。

C

语境示例 Examples

① 你不知道，西藏民主改革前，农奴主对农奴的剥削和压迫是多么残酷。(☺你不知道，西藏民主改革前，农奴主对农奴的剥削和压迫是多么残忍。)

② 他这么对待自己的妻子，太残忍了。(☺他这么对待自己的妻子，太残酷了。)

③ 各国都谴责恐怖主义者的残酷暴行。(＊各国都谴责恐怖主义者的残忍暴行。)

④ 劫机犯残忍地杀害了一个旅客。(＊劫机犯残酷地杀害了一个旅客。)

⑤ 没有想到你这个人这么残酷无情。(＊没有想到你这个人这么残忍无情。)

⑥ 市场竞争是十分残酷的。(＊市场竞争是十分残忍的。)

181 惭愧[形]cánkuì ▶ 羞愧[形]xiūkuì

词义说明 Definition

惭愧[ashamed] 因为自己做错了事或未尽到责任而感到不安。

羞愧[ashamed; abashed] 感到羞耻和惭愧。

词语搭配 Collocation

	很～	十分～	感到～	～得很	满脸～	～地
惭愧	√	√	√	√	×	√
羞愧	√	√	√	√	√	√

用法对比 Usage

用法解释 Comparison

“惭愧”和“羞愧”意思相近，用法也基本相同，“羞愧”比“惭愧”的程度更深一些。

语境示例 Examples

① 这次我没有考及格，感到十分惭愧。(☺这次我没有考及格，感到十分羞愧。)
② 说到这里，她羞愧地低下了头。(☺说到这里，她惭愧地低下了头。)
③ 每想起这件事我都感到十分惭愧。(*每想起这件事我都感到十分羞愧。)
④ 很惭愧，虽然学了一年汉语了，但是至今仍然张不开嘴。(*很羞愧，虽然学了好一年汉语了，但是至今仍然张不开嘴。)
⑤ 让我感到惭愧的是，大学毕业这么多年，一事无成。(☺让我感到羞愧的是，大学毕业这么多年，一事无成。)
⑥ 一提起这件事，她就满脸羞愧。(*一提起这件事，她就满脸惭愧。)

182 仓促[形]cāngcù ▶ 匆忙[形]cōngmáng

词义说明 Definition

仓促[hurried; hasty] 匆忙。
匆忙[hastily; in a hurry] 急急忙忙。

词语搭配 Collocation

	时间～	太～	～之间	临行～	～做出的决定
仓促	√	√	√	×	√
匆忙	×	√	×	√	√

用法对比 Usage

用法解释 Comparison

“仓促”有“匆忙”的意思，可以形容时间和动作，可以作谓语，但是不能重叠使用，“匆忙”一般形容动作，可以重叠。

语境示例 Examples

① 早上走得太仓促，我连大门都忘了锁。(☺早上走得太匆忙，我连大门都忘了锁。)
② 你一定要认真复习，不能仓促应考。(*你一定要认真复习，不能匆忙应考。)

③ 来的时候因为太仓促，很多该带的东西都没有买。(☺来的时候因为太匆忙，很多该带的东西都没有买。)
④ 时间太仓促，八月底恐怕完不成。(＊时间太匆忙，八月底恐怕完不成。)
⑤ 临行匆忙，没有来得及跟您告别，实在抱歉。(＊临行仓促，没有来得及跟您告别，实在抱歉。)
⑥ 我看他一下课就匆匆忙忙地走出校门去了。(＊我看他一下课就仓仓促促地走出校门去了。)

C

183 藏[动]cáng ▶ 躲[动]duǒ

词义说明 Definition

藏[hide; conceal] 到隐蔽的地方不让人看见；收存，储藏。[store; lay by] 收存，储藏。

躲[hide (oneself); avoid; dodge] 离开不利的危险的事物或不适合呆的地方；躲避。

词语搭配 Collocation

	～东西	～人	～起来	～开	～书	珍～	～雨	～汽车
藏	√	√	√	×	√	√	×	×
躲	×	√	√	√	×	×	√	√

用法对比 Usage

表示隐蔽，不让人发现的意思时，“藏”和“躲”可以通用。

他来了，你快藏起来别让他看见你。(☺他来了，你快躲起来别让他看见你。)

表示离开某个地方时，只能用“躲”，不能用“藏”。

① 车来了，快躲开！(＊车来了，快藏开！)
② 雨下大了，我们先到商店里躲一躲吧。(＊雨下大了，我们先到商店里藏一藏吧。)
③ 她不愿意见我，为了躲我，就从另一条路走了。(＊她不愿意见我，为了藏我，就从另一条路走了。)

表示收存的意思时，只能用“藏”，不能用“躲”。

① 你把我的打火机藏在什么地方了？(＊你把我的打火机躲在什么地方了？)
② 地下室很大可以藏很多东西。(＊地下室很大可以躲很多东西。)

184 操练[动]cāoliàn ▶ 训练[动]xùnliàn

C

词义说明 Definition

操练[drill; train] 训练或锻炼。

训练[train; drill] 有计划、有步骤地使具有某种特长或技能。

词语搭配 Collocation

	～部队	受过～	经过～	认真～	听说～	～班	～有素	～警犬
操练	√	×	√	√	√	×	×	×
训练	√	√	√	√	√	√	√	√

用法对比 Usage

用法解释 Comparison

"操练"和"训练"的对象有些区别，"训练"的对象可以是人也可以是动物，"操练"的对象只能是人。

语境示例 Examples

① 部队每天都要进行军事操练。(☺部队每天都要进行军事训练。)

② 语言教学要对学生的听说读写能力进行全面训练。(☺语言教学要对学生的听说读写能力进行全面操练。)

③ 国家队的运动员要在这里进行冬季训练。(＊国家队的运动员要在这里进行冬季操练。)

④ 对于学习汉语的外国留学生，一开始必须经过语音语调的严格训练。(＊对于学习汉语的外国留学生，一开始必须经过语音语调的严格操练。)

⑤ 海豚经过训练可以表演。(＊海豚经过操练可以表演。)

185 操心cāo xīn ▶ 操劳[动]cāoláo

词义说明 Definition

操心[worry; take trouble; take pains] 费心考虑和料理。

操劳[work hard] 辛辛苦苦地劳动。[take care; look after] 费心料理事务。

词语搭配 Collocation

	为国～	日夜～	～过度	～家务	请多～	～我的事	妈妈很～	～他的身体
操心	√	×	×	×	√	√	√	√
操劳	√	√	√	√	√	×	×	×

C

用法对比 Usage

用法解释 Comparison

"操心"是心理活动，通常用介词引出操心的对象；"操劳"是体力劳动，很少带宾语。"操心"是动宾词组，可以分开用；"操劳"不能。

语境示例 Examples

① 操心：这件事还请您多操心。(多考虑考虑)

操劳：这件事还请您多操劳。(多干点儿)

② 爸爸在公司工作，妈妈每天在家操劳家务。(＊爸爸在公司工作，妈妈每天在家操心家务。)

③ 母亲为这个家操劳了一辈子。(＊母亲为这个家操心了一辈子。)

④ 妈妈来信总是说，你好好学习，家里的事不用你操心。(＊妈妈来信总是说，你好好学习，家里的事不用你操劳。)

⑤ 我最操心的还是父母的健康。(＊我最操劳的还是父母的健康。)

⑥ 姐姐的婚事让父母操透了心。(＊姐姐的婚事让父母操透了劳。)

186 操纵[动]cāozòng ▶ 操作[动]cāozuò

词义说明 Definition

操纵 [operate; control] 控制、开动机械、仪器。[manipulate; rig] 用不正当的手段支配、控制。

操作 [operate; manipulate] 按照一定的程序和技术要求进行活动。[labor] 劳动；干活。

词语搭配 Collocation

	～机器	远距离～	～市场	～军队	幕后～	被坏人～	～方法	～规程
操纵	√	√	√	√	√	√	×	×
操作	√	×	×	×	×	×	√	√

用法对比 Usage

用法解释 Comparison

“操纵”和“操作”都有控制机器按照一定程序去做的意思。“操纵”还含有贬义，是用不正当手段支配、控制的意思，对象可以是人，也可以是事物。“操作”的对象只能是机器或事务。

语境示例 Examples

① 在现代化的工厂里，很多工序都是由电脑来操纵的。(☺在现代化的工厂里很多工序都是由电脑来操作的。)
② 一定要按照安全操作规程施工，不然会出事故的。(*一定要按照安全操纵规程施工，不然会出事故的。)
③ 这台机器的操作方法很简单，一学就会。(*这台机器的操纵方法很简单，一学就会。)
④ 要警惕一些不法分子操纵市场。(*要警惕一些不法分子操作市场。)
⑤ 有人幕后操纵他干坏事。(*有人幕后操作他干坏事。)
⑥ 这个建议很好，有可操作性。(*这个建议很好，有可操纵性。)

187 草地[名]cǎodì ▶ 草原[名]cǎoyuán

词义说明 Definition

草地[grassland; meadow; pasture; lawn] 长野草或铺草皮的地方；草原或种植牧草的大片土地。

草原[grassland; prairie] 半干旱地区野草丛生的大片土地。

词语搭配 Collocation

	大～	内蒙古～	一片～	保护～	热爱～	建设～
草地	×	×	√	√	×	×
草原	√	√	√	√	√	√

用法对比 Usage

用法解释 Comparison

“草地”可以是远离城市的长草的大片土地，也可以指城市里的大片的铺草皮的地方。“草原”一定是远离城市长草的大片土地，面积要比“草地”大得多，草原上有人居住，草地上没有人居住。

语境示例 Examples

① 经过绿化，不少大城市出现了大片大片的草地。（＊经过绿化，不少大城市出现了大片大片的草原。）
② 大城市里有一些草地当然好，但是，更重要的还是要多种树，像北京、上海、天津这些大城市，都应该有城市森林。（＊城市里有一些草原当然好，但是，更重要的还是要多种树，像北京、上海、天津这些大城市，都应该有城市森林。）
③ 我去过内蒙古草原，那是个非常美丽的地方。（＊我去过内蒙古草地，那是个非常美丽的地方。）
④ 作为一个从大城市来的医生，他热爱草原，热爱草原上的牧民，把自己的一生都献给了草原。（＊作为一个从大城市来的医生，他热爱草地，热爱草地上的牧民，把自己的一生都献给了草地。）
⑤ 要保护草原，建设草原，使草原生态环境能得到自然恢复。（＊要保护草地，建设草地，使草地生态环境得到能得到自然恢复。）

188 测量[动]cèliáng ▶ 测算[动]cèsuàn

词义说明 Definition

测量[survey; measure; gauge] 用仪器确定空间、时间、温度、速度、功能等的有关数据；对地形、地物的测定工作。

测算[measure and calculate] 测量计算，推算。

词语搭配 Collocation

	～水温	～地形	～流量	～面积	～速度	航空～	～污染度	～数据	反复～
测量	√	√	√	√	√	√	√	√	√
测算	×	×	√	√	√	√	×	√	√

用法对比 Usage

用法解释 Comparison

“测量”的动作行为是“量”，“测算”是“算”。“测量”的动作主体是人或测量用的仪器，“测算”的动作主体是人或计算机。

语境示例 Examples

① 我们测量一下这个房间的面积到底是多大。(☺我们测算一下这个房间的面积到底是多大。)

C

② 你大概测算一下，这次旅行需要多少钱。(*你大概测量一下，这次旅行需要多少钱。)

③ 有关部门每天都要测量城市空气的污染度。(*有关部门每天都要测算城市空气的污染度。)

④ 用温度计测量一下水温是多少。(*用温度计测算一下水温是多少。)

⑤ 这些数据经过了反复测算，是非常准确的。(*这些数据经过了反复测量，是非常准确的。)

⑥ 这张地形图是经过航空测量后绘制成的。(*这张地形图是经过航空测算后绘制成的。)

189 测试[动、名]cèshì ▶ 测验[动、名]cèyàn

词义说明 Definition

测试[test (a student's proficiency)] 考查人的知识能力。[test (a machine, meter or apparatus)] 对机械、仪器和电器等的性能进行测量。

测验[put to the test; test] 用仪器或其他办法检验。[test; quiz] 考查学习成绩等。

词语搭配 Collocation

	水平～	严格～	英语～	智力～	专业～	～仪器	～一下	～成绩
测试	√	√	√	×	√	√	√	√
测验	√	√	√	√	√	√	√	√

用法对比 Usage

用法解释 Comparison

“测试”的对象可以是学生也可以是机器、仪器，“测验”的对象只能是学生。

语境示例 Examples

① 这次你汉语测验的成绩怎么样？(☺这次你汉语测试的成绩怎

么样?)
② 这次测验我考得不太好。(☺这次测试我考得不太好。)
③ 这次歌唱比赛还增加了一项文化测试。(☺这次歌唱比赛还增加了一项文化测验。)
④ 我先测试一下这台电脑的性能怎么样。(＊我先测验一下这台电脑的性能怎么样。)
⑤ 这是一道智力测验题。(＊这是一道智力测试题。)
⑥ 产品测试合格后才能出厂。(＊产品测验合格后才能出厂。)

C

190 曾经[副]céngjīng ▶ 曾[副]céng

词义说明 Definition

曾经[(indicating that an action once happened in the past or a state once existed, the verb is usu. followed by 过) once; used to] 用在动词前面，表示某种动作、行为或情况是以前某段时间存在或发生过的并且不再延续。动词后面往往有助词“过”。

曾[(indicating that an action once happened or a state once existed) once; used to] 曾经。

词语搭配 Collocation

	～去过	～做过	～到过	～来过	～学过	不～	未～
曾经	√	√	√	√	√	×	×
曾	√	√	√	√	√	√	√

用法对比 Usage

用法解释 Comparison

“曾经”和“曾”的意思相同，否定形式都是“不曾”或“未曾”，没有“不曾经”的说法。

语境示例 Examples

① 他曾经在中国学过两年汉语。(☺他曾在中国学过两年汉语。)
② 几年前我们曾在一起工作过。(☺几年前我们曾经在一起工作过。)
③ 大学毕业后，我曾经当过两年中学老师，后来才考上研究生。(☺大学毕业后，我曾当过两年中学老师，后来才考上研究生。)
④ 我曾经给他去过一封信，可是他一直没有给我回信。(☺我曾给他去过一封信，可是他一直没有给我回信。)

⑤ 我还不曾去过厦门。(＊我还不曾经去过厦门。)

⑥ 他未曾上过大学，可是后来却成了有名的数学家和大学教授。(＊他未曾经上过大学，可是后来却成了有名的数学家和大学教授。)

C

191 曾经[副]céngjīng ▶ 已经[副]yǐjing

词义说明 Definition

曾经[(indicating that an action once happened or a state once existed, the verb is usu. followed by过) once, used to] 用在动词前面，表示某种动作、行为或情况是以前某段时间存在或发生过的并且不再延续。动词后面往往有助词“过”。

已经[already] 表示事情完成或时间过去。

词语搭配 Collocation

	～去过	～睡了	～当过	～当了	～来过	～来了	～牺牲了	～摔碎了
曾经	√	×	√	×	√	×	×	×
已经	√	√	√	√	√	√	√	√

用法对比 Usage

用法解释 Comparison

“曾经”和“已经”都是副词，都用在动词前面作状语，“已经”表示某种动作行为的发生、完成或情况的出现，而且这种动作和情况现在还可能在延续着，可以与助词“了”搭配使用，也可以与“过”搭配使用；“曾经”表示某种动作、行为或情况是以前某段时间存在或发生过的，动词后面往往有助词“过”，这种经历已成过去，现在不再继续，很少与“了”搭配使用。

语境示例 Examples

① 曾经：他曾经当过大学教师。(他现在不是大学教师)
已经：他已经当了大学教师。(现在是大学教师)

② 他已经去了北京。(说话时他还在北京)
他曾经去过北京。(说话时他不在北京)

叙述过去的事时，“曾经”和“已经”可以相互替换。

① 我曾经去过一次中国。(☺我已经去过一次中国。)

② 上大学的时候我曾经看过这本书。(☺上大学的时候我已经看过这本书。)

叙述现在和将来的事时只能用“已经”，不能用“曾经”。

① 现在别去了，已经到吃饭时间了。(＊现在别去了，曾经到吃饭时间了。)

② 等我们赶到电影院，电影已经开演了。(＊等我们赶到电影院，电影曾经开演了。)

③ 今天别去了，我们到那儿大概已经关门了。(＊今天别去了，我们到那儿大概曾经关门了。)

④ 她现在已经是博士生了。(＊她现在曾经是博士生了。)

⑤ 他已经结婚了。(＊他曾经结婚了。)

⑥ 我们俩已经十年没有见面了。(＊我们俩曾经十年没有见面了。)

⑦ 遇到困难的时候，我也曾经打过退堂鼓。(＊遇到困难的时候，我也已经打过退堂鼓。)

“曾经”不能用来表示一次性的动作行为，而“已经”不受此限。

我爷爷已经死了。(＊我爷爷曾经死了。)(＊我爷爷曾经死过。)

192 差别[名]chābié ▶ 区别[名、动]qūbié

词义说明 Definition

差别[difference; disparity] 形式或内容上的不同或不足。

区别[distinguish; differentiate; make a distinction between] 把两个以上的对象加以比较，认识它们不同的地方；分别。[difference] 彼此不同的地方。

词语搭配 Collocation

	有～	没有～	～很大	城乡～	～开来	～真假	～好坏	～对待	严格～	明显～
差别	√	√	√	√	×	×	×	×	×	×
区别	√	√	√	×	√	√	√	√	√	√

用法对比 Usage

用法解释 Comparison

“差别”强调不足，是名词，不能作谓语；“区别”强调不同，既是名词也是动词，可以作谓语。

语境示例 Examples

① 中国沿海地区农村的生活和城市没有什么差别。(☺中国沿海地区农村的生活和城市没有什么区别。)
② 北京话和普通话有什么区别?(☺北京话和普通话有什么差别?)
③ 中国东部和西部的经济发展不平衡，人民生活也有不小的差别。(*中国东部和西部的经济发展不平衡，人民生活也有不小的区别。)
④ 发展乡镇企业，建设好中小城镇，逐步缩小城乡差别，是实现现代化的重要步骤。(*发展乡镇企业，建设好中小城镇，逐步缩小城乡区别，是实现现代化的重要步骤。)
⑤ 要严格区别不同性质的矛盾，正确处理人民内部矛盾，保证和维护社会的安定团结。(*要严格差别不同性质的矛盾，正确处理人民内部矛盾，保证和维护社会的安定团结。)
⑥ 这种盗版光盘做得跟正版的差不多，要区别开来，还真不容易。(*这种盗版光盘做得跟正版的差不多，要差别开来，还真不容易。)

193 差别[名]chābié ▶ 差异[名]chāyì

词义说明 Definition

差别[difference; dissimilarity] 形式或内容上的不同或不足。

差异[difference; divergence; discrepancy; diversity] 差别，不相同。

词语搭配 Collocation

	有很大~	没有~	城乡~	缩小~	~不大	气候~
差别	√	√	√	√	√	√
差异	√	√	×	×	√	√

用法对比 Usage

用法解释 Comparison

“差别”强调不足，“差异”表示不同，“差别”比“差异”常用。

语境示例 Examples

① 中国南方和北方的气候差别很大。(☺中国南方和北方的气候差异

很大。）

② 中国东西部在经济发展方面有很大的差异。（☺中国东西部在经济发展方面有很大的差别。）

③ 他汉语的发音非常好，跟中国人几乎没有什么差别。（＊他汉语的发音非常好，跟中国人几乎没有什么差异。）

④ 现在城乡之间的差别正在逐步缩小。（＊现在城乡之间的差异正在逐步缩小。）

⑤ 你们俩在学习方面差别不大。（＊你们俩在学习方面差异不大。）

194 差错[名]chācuò ▶ 错误[名]cuòwù

词义说明 Definition

差错[mistake; error; slip] 错误。[mishap; accident] 意外的变化（多指灾祸）。

错误[wrong; mistaken; erroneous] 不正确；与客观实际不符合。[mistake; error; blunder] 不正确的事物、行为等。

词语搭配 Collocation

	出～	有～	犯～	～的想法	～的做法	～思想	～行为	改正～
差错	√	√	×	×	×	×	×	√
错误	√	√	√	√	√	√	√	√

用法对比 Usage

用法解释 Comparison

“差错”有意外灾祸的意思，“错误”没有这个意思。“错误”可以作状语、宾语和定语；“差错”只能作宾语，不能作定语和状语。

语境示例 Examples

① 她做作业很认真，很少出差错。（☺她做作业很认真，很少出错误。）

② 你们是外国留学生，说汉语出差错是难免的。（☺你们是外国留学生，说汉语出错误是难免的。）

③ 那次错误我一生都不会忘记。（☺那次差错我一生都不会忘记。）

④ 要认真计算，千万不要出差错。（☺要认真计算，千万不要出错误。）

⑤ 犯了错误只要改了就好。(＊犯了差错只要改了就好。)

⑥ 路上万一出了差错，要有应急措施。(＊路上万一出了错误，要有应急措施。)

⑦ 人一生不犯错误是不可能的。(＊人一生不犯差错是不可能的。)

⑧ 不经过调查研究，主观判断，往往会得出错误的结论。(＊不经过调查研究，主观判断，往往会得出差错的结论。)

195 查[动]chá ▶ 检查[动]jiǎnchá

词义说明 Definition

查[check; examine] 检查。[look into (a matter); investigate] 调查。[look up; consult] 翻检着看。

检查[check up; inspect; examine] 为了发现问题而用心查看。[self-criticism] 检讨自己的错误。

词语搭配 Collocation

	～身体	～词典	～地图	～资料	～一～	～问题	～票	～错误	自我～
查	√	√	√	√	√	√	√	×	×
检查	√	×	×	×	×	√	√	√	√

用法对比 Usage

用法解释 Comparison

“查”和“检查”的宾语不同，“检查”多带抽象名词作宾语，“查”没有此限。

语境示例 Examples

① 明天上午我要去医院检查身体。(☺明天上午我要去医院查体。)

② 做完的同学再认真检查一遍。(＊做完的同学再认真查一遍。)

③ 老师常常检查我们复习或预习的情况。(＊老师常常查我们复习或预习的情况。)

“查”有翻检着看的意思，“检查”没有这个意思。

① 不懂的字和词一定要查查词典。(＊不懂的字和词一定要检查检查词典。)

② 我想从互联网上查一些资料。(＊我想从互联网上检查一些资料。)

③ 查一查他们单位的电话是多少。(* 检查一检查他们单位的电话是多少。)

196 查处[动]cháchǔ ▶ 查获[动]cháhuò

C

词义说明 Definition

查处[investigate and prosecute] 查明情况;进行处理。

查获[hunt down and seize; ferret out; track down] 检查或搜查后获得罪犯、赃物、违禁品等。

词语搭配 Collocation

	严肃~	~违纪干部	~走私物品	~毒品	~罪犯	~赃物	~盗版光盘
查处	√	√	×	×	√	×	×
查获	×	×	√	√	√	√	√

用法对比 Usage

用法解释 Comparison

"查获"的对象主要是物,也可以是人,而"查处"的对象主要是人或人的违法犯罪行为、案件等。

语境示例 Examples

① 据统计,今年上半年他们查处走私案件一千多件,为国家挽回经济损失上亿元。(☺据统计,今年上半年他们查获走私案件一千多件,为国家挽回经济损失上亿元。)

② 对于贪污腐败的干部一经发现就严肃查处。(* 对于贪污腐败的干部一经发现就严肃查获。)

③ 海关查获了大量走私物品。(* 海关查处了大量走私物品。)

④ 警察查获了罪犯和他们作案的枪支、弹药以及大量赃款赃物。(* 警察查处了罪犯和他们作案的枪支、弹药以及大量赃款赃物。)

⑤ 他们在一只走私船上查获了大量走私香烟。(* 他们在一只走私船上查处了大量走私香烟。)

⑥ 他因为贪污受贿受到了查处。(* 他因为贪污受贿受到了查获。)

197 查阅[动]cháyuè ▶ 查看[动]chákàn

词义说明 Definition

C

查阅[consult (books, magazines, papers, etc.); look up](把书刊、文件等)找出来阅读有关的部分。

查看[look over; examine] 检查、观察事物的情况。

词语搭配 Collocation

	~资料	~档案	~文件	~证件	~灾情	~账目	到现场~
查阅	√	√	√	×	×	×	×
查看	√	√	√	√	√	√	√

用法对比 Usage

用法解释 Comparison

"查阅"的对象只限于文字材料,"查看"的对象不限于此。口语中,"查看"也有"查阅"的意思,但是,"查看"包含的"检查和观察事物情况"的意思是"查阅"所没有的。

语境示例 Examples

① 要详细了解这个事件,需要去档案馆查阅有关档案。(☺要详细了解这个事件,需要去档案馆查看有关档案。)

② 为了写好这篇论文,我查阅了大量的资料。(*为了写好这篇论文,我查看了大量的资料。)

③ 总理亲自到灾区去查看灾情。(*总理亲自到灾区去查阅灾情。)

④ 警察查看了事故发生的现场。(*警察查阅了事故发生的现场。)

⑤ 要掌握第一手情况必须亲自去实地查看。(*要掌握第一手情况必须亲自去实地查阅。)

198 诧异[形]chàyì ▶ 惊讶[形]jīngyà

词义说明 Definition

诧异[surprised; astonished] 觉得十分奇怪。

惊讶[surprised; amazed; astonished; astounded] 感到很奇怪;惊异。

词语搭配 Collocation

	十分～	很～	感到～	令人～	～的神色	～的目光
诧异	√	√	√	√	√	√
惊讶	√	√	√	√	√	√

C

用法对比 Usage

用法解释 Comparison

"惊讶"多用于口语，"诧异"是书面语。"诧异"多描写心理感觉或面部表情，"惊讶"除此之外，常有言语相伴随。

语境示例 Examples

① 听到这个消息，大家感到十分诧异。(☺听到这个消息，大家感到十分惊讶。)

② 看到这幅画儿，很多人都露出诧异的神情。(☺看到这幅画儿，很多人都露出惊讶的神情。)

③ 他一看见我，就惊讶地问："你不是回国了吗，怎么还在这儿呢?"(＊他一看见我就诧异地问："你不是回国了吗，怎么还在这儿呢?")

④ 北京这些年的变化让我这个老北京人都感到惊讶。(＊北京这些年的变化让我这个老北京人都感到诧异。)

⑤ 他出事的消息一传出，人们无不感到惊讶。(＊他出事的消息一传出，人们无不感到诧异。)

⑥ 我一五一十地把情况跟他一说，他惊讶地说："啊！这是真的吗?"(＊我一五一十地把情况跟他一说，他诧异地说："啊！这是真的吗?")

199 差[动、形]chà ▶ 少[动、形]shǎo

词义说明 Definition

差[differ from; fall short of] 不相同，不相合：我的汉语水平～远了。[wrong] 错误：算～了。[be less than; be short of] 欠缺：这个声调符号标～了。[not up to standard; poor] 不好，不够标准：质量太～。

少[few; little; less] 数量小(跟"多"相对)：～见多怪。[be short; lack] 不够原有或应有的数量；缺少(跟"多"相对)：

怎么～了一块钱？［lose；be missing］丢，遗失，亏欠：你看看包里东西～没～？［a little while；a moment］暂时；稍微：急什么，～待一会儿再走吧。

C

词语搭配 Collocation

	～得远	～一点儿	～一个人	～十分八点	质量～	～等一会儿	练习得～
差	√	√	√	√	√	×	×
少	×	√	√	×	×	√	√

用法对比 Usage

用法解释 Comparison

"差"和"少"表示欠缺时可以通用，其他意思不同，不能相互替换。

语境示例 Examples

① 你先借给我十块钱，我想买一本词典，还差十块钱。(☺你先借给我十块钱，我想买一本词典，还少十块钱。)
② 一班都到齐了，二班还差一个人。(☺一班都到齐了，二班还少一个人。)
③ 我和他比起来还差得远。(＊我和他比起来还少得远。)
④ 这种灯泡的质量太差。(＊这种灯泡的质量太少。)
⑤ 不会说就是因为你练习得太少。(＊不会说就是因为你练习得太差。)
⑥ 这个句子少了一个字。(＊这个句子差了一个字。)
⑦ 你少点点儿菜，我们两个吃不了那么多。(＊你差点点儿菜，我们两个吃不了那么多。)

200 差点儿［副］chàdiǎnr ▶ 几乎［副］jīhū

词义说明 Definition

差点儿［almost；nearly；on the verge of］表示某种事情接近实现或勉强实现。

几乎［almost；nearly；practically］差不多，接近于；差点儿。

词语搭配 Collocation

	～摔倒	～没摔倒	～迟到	～没迟到	～买到	～没买到
差点儿	√	√	√	√	√	√
几乎	√	×	√	×	×	×

用法对比 Usage

用法解释 Comparison

“几乎”有“差点儿”的意思，口语中多用“差点儿”。如果是说话人不希望实现的事情，说“差点儿＋动词”或“差点儿没＋动词”时，都表示事情没有实现，含有庆幸的意思。如果说话人希望实现的事情，说“差点儿＋动词”是惋惜未能实现，说“差点儿没＋动词”是庆幸终于勉强实现了。“差点儿”可以用于肯定句，也可以用于否定句。而“几乎”多用于肯定句。

语境示例 Examples

① 我今天差点儿迟到。(没迟到)(☺我今天几乎迟到。)(没迟到)

② 这件事我差点儿忘了。(没有忘)(☺这件事我几乎忘了。)(没有忘)

在否定句中常常用“差点儿”，不常用“几乎”。

① 我刚才差点儿没摔倒。(＊我刚才几乎没摔倒。)

② 今天我差点儿没有赶上学校的班车。(赶上了)(＊今天我几乎没有赶上学校的班车。)

③ 那本书我去的时候就剩最后一本了，差点儿没买到。(＊那本书我去的时候就剩最后一本了，几乎没买到。)

④ 我今天差点儿没睡到八点。(＊我今天几乎没睡到八点。)

“差点儿”可以单独用，“几乎”不能单独用。

A：你今天迟到了吗？

B：差点儿。(＊几乎。)

“几乎”有“差不多、接近于”的意思，“差点儿”没有这个意思。

① 屋子里我几乎找遍了，也没看见你的手机。(＊屋子里我差点儿找遍了，也没看见你的手机。)

② 他几乎比我高了一头。(＊他差点儿比我高了一头。)

③ 我们俩的想法几乎是一样的。(＊我们俩的想法差点儿是一样的。)

④ 我们楼里几乎每家都买了汽车。（*我们楼里差点儿每家都买了汽车。）

⑤ 爸爸的头发几乎全白了。（*爸爸的头发差点儿全白了。）

C

201 搀[动]chān ▶ 扶[动]fú

词义说明 Definition

搀[support sb. with one's hand; support sb. by the arm] 用手或胳膊扶着他人走路。

扶[support with the hand; place a hand on sb. or sth. for support] 用手支持使人、物或自己不倒。[help sb. up; straighten sth. up] 用手帮助躺着或倒下的人坐或立。[help; assist; support] 扶助。

词语搭配 Collocation

	～着他走	～着我	～他一把	～着树	～着墙	把他～起来	～贫
搀	√	√	√	×	×	√	×
扶	√	√	√	√	√	√	√

用法对比 Usage

用法解释 Comparison

“扶”的对象可以是人也可以是其他物体，“搀”的对象只能是人。“扶”还有“扶助”的意思，“搀”没有这个意思。

语境示例 Examples

① 护士把病人扶起来，给他换药。（☺护士把病人搀起来，给他换药。）

② 警察搀着一位老人过马路。（☺警察扶着一位老人过马路。）

③ 孩子走路摔倒了没关系，不要扶他，让他自己起来。（*孩子走路摔倒了没关系，不要搀他，让他自己起来。）

④ 你扶着梯子，让我上去。（*你搀着梯子，让我上去。）

⑤ 他扶着墙站了起来。（*他搀着墙站了起来。）

⑥ 老人把那棵被风刮倒的小树扶了起来。（*老人把那棵被风刮倒的小树搀了起来。）

202 缠[动]chán ▶ 绕[动]rào

词义说明 Definition

缠[twine; wind] 缠绕。[tangle; tie up; pester] 纠缠。

绕[wind; coil] 缠绕。[move round; circle; revolve] 围着转动。[make a detour; bypass; go round] 不从正面通过，从侧面或后面迂回过去。[confuse; baffle; befuddle] （问题、事情）纠缠。

词语搭配 Collocation

	～线	～身	～场一周	～道	～远儿	～行	缠～
缠	√	√	×	×	×	×	×
绕	√	×	√	√	√	√	√

用法对比 Usage

用法解释 Comparison

“缠”和“绕”的意思虽有相似的地方，但是因为涉及的对象不同，所以不能相互替换。

语境示例 Examples

① 他的头碰破了，缠了好几道绷带。（*他的头碰破了，绕了好几道绷带。）

② 我们绕了半天也没有走出这个胡同。（*我们缠了半天也没有走出这个胡同。）

③ 地球绕着太阳转。（*地球缠着太阳转。）

④ 我每天早上绕操场跑五圈。（*我每天早上缠操场跑五圈。）

⑤ 从这儿过不去，我们得绕点儿远儿。（*从这儿过不去，我们得缠点儿远儿。）

⑥ 前边修路，请行人车辆绕行。（*前边修路，请行人车辆缠行。）

⑦ 有话你就直说吧，别绕弯子了。（*有话你就直说吧，别缠弯子了。）

⑧ 晚上女儿总缠着爸爸给她讲故事。（*晚上女儿总绕着爸爸给她讲故事。）

203 产生[动]chǎnshēng ▶ 生产[动]shēngchǎn

词义说明 Definition

产生[(used with immaterial things) give rise to; bring about; evolve; emerge; come into being] 从已有的事物中生出新事物；出现。

生产[produce; manufacture] 人们使用工具来创造各种生活资料和生产资料。[give birth to a child] 生孩子。

词语搭配 Collocation

	～希望	～矛盾	～新事物	～英雄人物	～汽车	发展～	工业～	农业～
产生	√	√	√	√	×	×	×	×
生产	×	×	×	×	√	√	√	√

用法对比 Usage

用法解释 Comparison

"产生"的动作主体可以是人，也可以是其他事物，其宾语多是抽象名词，"生产"的动作主体只能是人或由人控制的系统(机器、工厂、公司等)，其宾语是具体名词，它们不能相互替换。

语境示例 Examples

① 正确的思想和认识是从实践中产生出来的。(*正确的思想和认识是从实践中生产出来的。)

② 他们厂产生的废气、废水，污染了周围的环境。(*他们厂生产的废气、废水，污染了周围的环境。)

③ 学习知识和能力是一个艰苦的过程，但是在艰苦中也产生快乐和希望。(*学习知识和能力是一个艰苦的过程，但是在艰苦中也生产快乐和希望。)

④ 好朋友之间也难免产生矛盾，有了矛盾要通过谈心来解决。(*好朋友之间也难免生产矛盾，有了矛盾要通过谈心来解决。)

⑤ 他们乡生产的无公害蔬菜已经远销欧洲。(*他们乡产生的无公害蔬菜已经远销欧洲。)

⑥ 只有发展工农业生产，才能丰富人民的物质生活。(*只有发展工农业产生，才能丰富人民的物质生活。)

⑦ 我们工厂是生产化妆品的。(*我们工厂是产生化妆品的。)

204 阐明[动]chǎnmíng ▶ 说明[动、名]shuōmíng

词义说明 Definition

阐明[expound; clarify] 讲明白道理。

说明[explain; illustrate] 解释明白；解释意义的话。[explanation; directions; caption] 解释意义的文字。[show; prove] 证明。

词语搭配 Collocation

	～道理	～自己的理论	～社会发展规律	～原因	～理由	～问题	～书	充分～
阐明	√	√	√	×	×	√	×	×
说明	√	√	√	√	√	√	√	√

用法对比 Usage

用法解释 Comparison

“阐明”的动作主体是文章、论文及其作者，是书面语，“说明”的动作主体可以是人也可以是物，口语书面都常用。“说明”还是个名词，可以作宾语，“阐明”不能作宾语。

语境示例 Examples

① 白皮书阐明了中国政府在这个问题上的原则立场。(☺白皮书说明了中国政府在这个问题上的原则立场。)

② 这篇文章阐明了加入 WTO 以后，中国经济可能遇到的问题和对策。(☺这篇文章说明了加入 WTO 以后，中国经济可能遇到的问题和对策。)

③ 展览会上的每张图片都有文字说明。(*展览会上的每张图片都有文字阐明。)

④ 你看得懂这张说明书吗？(*你看得懂这张阐明书吗？)

⑤ 二十多年经济的发展充分说明，中国选择的道路是完全正确的，应该坚持走下去。(*二十多年经济的发展充分阐明，中国选择的道路是完全正确的，应该坚持走下去。)

“说明”还有“证明”的意思，“阐明”没有此义。

他当时在外地出差，这就说明这件事不可能是他干的。(*他当时在外地出差，这就阐明这件事不可能是他干的。)

C

205 阐述[动]chǎnshù ▶ 叙述[动]xùshù

词义说明 Definition

阐述[expound; elaborate; set forth] 论述。讲的是道理，即把见解、理论及其意义说明白。

叙述[narrate (in speech or writing); recount; relate] 讲的是事情；即把事情的前后经过记载下来或说出来。

词语搭配 Collocation

	～见解	～理论	～意义	～主张	～故事	～经过	～一段话	～下来
阐述	√	√	√	√	×	×	×	×
叙述	×	×	×	×	√	√	√	√

用法对比 Usage

用法解释 Comparison

“阐述”的动作主体是论文、社论等理论性文字及其作者，或者是正式的学术报告、理论报告等，适用于严肃的场合；“叙述”的动作主体可以是叙述文字及其作者，也可以是人们口头讲述，适用于一般的随便的场合。它们不能相互替换。

语境示例 Examples

① 大会的政治报告<u>阐述</u>了未来一个时期中国发展的总目标。(*大会的政治报告<u>叙述</u>了了未来一个时期中国发展的总目标。)

② 讨论会上专家们各自<u>阐述</u>了对这个问题的立场和观点。(*讨论会上专家们各自<u>叙述</u>了对这个问题的立场和观点。)

③ 这篇论文<u>阐述</u>了他的一些新观点。(*这篇论文<u>叙述</u>了他的一些新观点。)

④ 请你把这个故事<u>叙述</u>出来。(*请你把这个故事<u>阐述</u>出来。)

⑤ 你把事情的全部经过给我们<u>叙述</u>一下。(*你把事情的全部经过给我们<u>阐述</u>一下。)

⑥ 他<u>叙述</u>得很流利也很生动。(*他<u>阐述</u>得很流利也很生动。)

206 颤动[动]chàndòng ▶ 颤抖[动]chàndǒu

词义说明 Definition

颤动[vibrate; quiver] 急促而频繁地振动。

颤抖[shake; tremble; quiver; shiver] 哆嗦，发抖。

词语搭配 Collocation

	桥身在～	嘴唇在～	冻得直～	树枝在风中～	声音有点儿～	两腿～
颤动	√	√	×	√	×	√
颤抖	×	√	√	√	√	√

用法说明 Usage

用法解释 Comparison

“颤动”既可以指物体振动，也可以指人体，“颤抖”多用来指人体在哆嗦，发抖。

语境示例 Examples

① 因为太激动了，她感到自己的心在颤抖。(☺因为太激动了，她感到自己的心在颤动。)

② 看到警察他吓得两腿直颤抖。(☺看到警察他吓得两腿直颤动。)

③ 风不停地刮，大树的枝条在风中颤动。(☺风不停地刮，大树的枝条在风中颤抖。)

④ 车过大桥，桥身有点儿颤动。(*车过大桥，桥身有点儿颤抖。)

⑤ 老师叫他回答问题，因为太紧张，他的声音有点儿颤抖。(*老师叫他回答问题，因为太紧张，他的声音有点儿颤动。)

⑥ 他冻得全身直颤抖。(*他冻得全身直颤动。)

207 长处[名]chángchu ▶ 优点[名]yōudiǎn

词义说明 Definition

长处[merit; strong point] 指某个方面的优点，特长或优势。反义词是：短处。

优点[merit; strong (or good) point; advantage; virtue] 好的地方；长处。反义词是：缺点。

词语搭配 Collocation

	有~	很多~	他的~	发扬~	学习别人的~
长处	√	√	√	×	√
优点	√	√	√	√	√

C

用法对比 Usage

用法解释 Comparison

"长处"用于口语,"优点"口语和书面语都用。

语境示例 Examples

① 这套房子的长处是冬暖夏凉。(☺这套房子的优点是冬暖夏凉。)
② 国家无论大小,都各有自己的长处和短处。(☺国家无论大小,都各有自己的优点和缺点。)
③ 人各有长处和短处,要多看别人的长处,虚心向别人学习。(☺人各有长处和短处,要多看别人的优点,虚心向别人学习。)
④ 他这个人最大的优点是脾气好。(☺他这个人最大的长处是脾气好。)

在正式场合,用"优点",不用"长处"。

希望你们发扬优点,克服缺点,在今后的工作中取得更大的成绩。(* 希望你们发扬长处,克服短处,在今后的工作中取得更大的成绩。)

208 长久[形]chángjiǔ ▶ 长远[形]chángyuǎn

词义说明 Definition

长久[long time; prolonged] 时间很长,长远。

长远[long-term; long-range] 时间很长(指未来的时间)。

词语搭配 Collocation

	很~	不~	~利益	~打算	~使用	~计划	~规划	~目标	~观点
长久	√	√	×	√	√	×	×	×	×
长远	√	√	√	√	×	√	√	√	√

用法对比 Usage

用法解释 Comparison

"长远"指未来的时间,多作定语,不作状语,"长久"可作定语，也可作状语。

语境示例 Examples

① 你自己有没有一个长久打算？（☺你自己有没有一个长远打算？）
② 趁年轻，要给自己制定一个长远的目标。（*趁年轻，要给自己制定一个长久的目标。）
③ 每个地区都有自己长远的发展规划。（*每个地区都有自己长久的发展规划。）
④ 我想他在这个公司干不长久。（*我想他在这个公司干不长远。）
⑤ 他打算在中国长久住下去。（*他打算在中国长远住下去。）

209 尝[动]cháng ▶ 吃[动]chī

词义说明 Definition

尝[taste; try the flavour of] 吃一点儿试试；经历；体验。

吃[eat; take] 把食物放到嘴里咀嚼后咽下去：~苹果。[have one's meals; eat at a place that sells food] 在某一出售食品的地方吃；按某一标准吃：~食堂。[understand; comprehend; grasp] 领会，把握：~不准她的心思。[bear; support] 承受；禁受：~不消。[bear; suffer losses] 受；挨：~苦｜~亏。[live on (or off)] 依靠某种事物来生活：靠山~山。[exhaust; be a strain on] 耗费：~力。

词语搭配 Collocation

	~~咸淡	~到了甜头/苦头	~饭	~菜	~肉	~药	~食堂	~亏	~不消
尝	√	√	×	×	×	×	×	×	×
吃	×	×	√	√	√	√	√	√	√

用法对比 Usage

用法解释 Comparison

“尝”是吃一点儿，以尝试一下味道为目的，“吃”的量要比“尝”大，以吃饱吃好为目的。“吃”还是个语素，能与其他语素组合成其他词语，“尝”没有这个用法。

语境示例 Examples

① 你们尝尝我做的饺子味道怎么样？（☺你们吃吃我做的饺子味道怎么样？）

② 在国外留学的一年，我真尝到了想家是什么滋味。（＊在国外留学的一年，我真吃到了想家是什么滋味。）
③ 我已经吃饱了，不吃了。（＊我已经尝饱了，不尝了。）
④ 吃饭的时候别看书。（＊尝饭的时候别看书。）
⑤ 一定要吃早饭，上午要上四节课，不吃早饭怎么吃得消呢？（＊一定要尝早饭，上午要上四节课，不吃早饭怎么尝得消呢？）
⑥ 我不吃肉，只吃一点儿蔬菜就行了。（＊我不尝肉，只尝一点儿蔬菜就行了。）
⑦ 他自费到国外读书，一边学习，一边打工，吃了不少苦。（＊他自费到国外读书，一边学习，一边打工，尝了不少苦。）
⑧ 因为工作忙，爱人又出国学习了，他一个人懒得做饭，常常吃食堂。（＊因为工作忙，爱人又出国学习了，他一个人懒得做饭，常常尝食堂。）

210 常[副、形]cháng ▶ 常常[副]chángcháng

词义说明 Definition

常[ordinary; common; normal] 一般；普通；平常。[constant; invariable] 不变的，经常。[frequently; often; usually] 时常，常常。

常常[frequently; often; many a time; more often than not] 表示行为、动作发生的次数多，而且时间相隔不久。

词语搭配 Collocation

	～人	～态	冬夏～青	～来～往	～见面	～通信	不～	～迟到
常	√	√	√	√	√	√	√	√
常常	×	×	×	×	√	√	×	√

用法对比 Usage

用法解释 Comparison

“常常”是“常”的重叠形式，跟“常”意思一样，由于音节不同，有时候不能相互替换。“常”还有形容词的词性，“常常”只是副词，“常”和“常常”的否定都是“不常”。

语境示例 Examples

① 刚来中国时因为不习惯这么早上课，所以我常迟到。（☺刚来中国

时因为不习惯这么早上课，所以我常常迟到。）

② 因为学习努力，成绩好，她常常受到老师的表扬。（☺因为学习努力，成绩好，她常受到老师的表扬。）

③ 毕业后我们很少见面，不过还常常保持通信联系。（☺毕业后我们很少见面，不过还常保持通信联系。）

④ 我们是好朋友，虽然不住在一起，但是常来常往。（＊我们是好朋友，虽然不住在一起，但是常常来常常往。）（☺我们是好朋友，虽然不住在一起，但是常常来往。）

⑤ 为了完成这项重大的科学研究，他吃的苦是常人难以想像的。（＊为了完成这项重大的科学研究，他吃的苦是常常人难以想像的。）

⑥ "人走茶凉"是社会常态，完全不必太在意。（＊"人走茶凉"是社会常常态，完全不必太在意。）

⑦ 礼尚往来是人之常情。（＊礼尚往来是人之常常情。）

211 常常[副]chángcháng ▶ 往往[副]wǎngwǎng

词义说明 Definition

常常[frequently; often; many a time; more often than not] 表示行为、动作发生的次数多，而且时间相隔不久。

往往[often; frequently; more often than not] 每每，表示某种情况时常存在或经常发生。

词语搭配 Collocation

	～看电影	～锻炼	～睡得很晚	～来玩吧	我～去
常常	√	√	√	√	√
往往	×	×	×	×	×

用法对比 Usage

用法解释 Comparison

从"词语搭配"可以看出，脱离语境"往往"很难与一些词语搭配，它必须出现在句子里，它的出现要有一定的条件，有必要的语境交代。"往往"多用于说明情况或事情有规律地发生，能用"往往"的句子，一般都可以用"常常"替换，但是，能用"常常"的句子，不一定能用"往往"替换。

语境示例 Examples

① 为了早日把这本书写出来，他常常工作到深夜。(☺为了早日把这本书写出来，他往往工作到深夜。)

② 这里春天常常刮大风。(☺这里春天往往刮大风。)

③ 暑假他往往要回国去度假。(条件是暑假) (☺暑假他常常回国去度假。)

④ 坚持每天都来上课的学生往往学得最好。(☺坚持每天都来上课的学生常常学得最好。)

⑤ 他常常去图书馆看书。(＊他往往去图书馆看书。) (没有说明条件，不能用“往往”)

“常常”可以用于表达主观愿望，用于将来的事，“往往”不能。

① 这个公园离学校很近，以后我们可以常常来。(＊这个公园离学校很近，以后我们可以往往来。)

② 有空儿常常来我家玩吧。(＊有空儿往往来我家玩吧。)

③ 以后我一定常常给你写信。(＊以后我一定往往给你写信。)

212 偿还[动]chánghuán 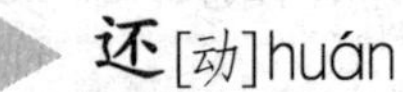 还[动]huán

词义说明 Definition

偿还[repay; pay back] 归还所欠的债。

还[go (or come) back] 返回原来的地方或恢复原来的状态。[give back; return; repay] 归还。[give or do sth. in return] 回报别人对自己的行动：～价。

词语搭配 Collocation

	～债务	～贷款	～借款	～书	～钱	～给朋友	～礼	～价	～家	～乡
偿还	√	√	√	×	×	×	×	×	×	×
还	√	√	√	√	√	√	√	√	√	√

用法对比 Usage

用法解释 Comparison

它们都有归还的意思，但是“偿还”的一般是债务(金钱)，“还”的可以是金钱也可以是其他东西，“偿还”多用于书面，“还”多用于口语。

语境示例 Examples

① 借债是要还的。(☺借债是要偿还的。)

② 今年我们就能全部偿还银行的贷款。(＊今年我们就能全部还银行的贷款。)(☺今年我们就能全部还清银行的贷款。)

③ 应该如期偿还这笔贷款。(＊应该如期还这笔贷款。)(☺应该如期还清这笔贷款。)

④ 我去图书馆还书。(＊我去图书馆偿还书。)

⑤ 我去把这些光盘还给朋友。(＊我去把这些光盘偿还给朋友。)

"还"有还价的意思,"偿还"没有这个意思和用法。

在这些商店买东西可以讨价还价。(＊在这些商店买东西可以讨价偿还价。)

213 厂家[名]chǎngjiā ▶ 厂商[名]chǎngshāng

词义说明 Definition

厂家[factory; mill] 工厂。

厂商[factory owner; factories and shops] 工厂和商店或销售其工厂产品的人。

词语搭配 Collocation

	十多个～	两家～	参展～	不法～	承包～	生产～	～的产品	～的展品
厂家	√	×	×	√	√	√	√	√
厂商	√	√	√	√	×	√	×	√

用法对比 Usage

用法解释 Comparison

"厂家"是生产单位,"厂商"是既生产又销售其产品的单位。

语境示例 Examples

① 很多厂商对这些科技新发明产生了浓厚的兴趣。(☺很多厂家对这些科技新发明产生了浓厚的兴趣。)

② 一些厂商偷税漏税,完全丧失了一个企业的基本信誉。(☺一些厂家偷税漏税,完全丧失了一个企业的基本信誉。)

③ 参加这次展销会的有来自世界各国的五百多家厂商。(＊参加这

次展销会的有来自世界各国的五百多家厂家。)

④ 不少中小厂家生产的产品达到了先进水平。（*不少中小厂商生产的产品达到了先进水平。）

⑤ 在这次经济危机中，一些中小厂家纷纷破产。（*在这次经济危机中，一些中小厂商纷纷破产。）

214 场合[名]chǎnghé ▶ 场所[名]chǎngsuǒ

词义说明 Definition

场合[occasion; situation] 指一定的时间、地点、情况。

场所[place (for an activity); venue] 活动的地方。

词语搭配 Collocation

	外交～	正式～	公开～	娱乐～	活动～	公共～	休息～
场合	√	√	√	×	×	√	×
场所	×	×	×	√	√	√	√

用法对比 Usage

用法解释 Comparison

"场合"是抽象名词，而"场所"是具体名词。

语境示例 Examples

① 公共场所禁止吸烟。(☺公共场合禁止吸烟。)

② 在外交场合一定要注意尊重各国的风俗习惯。（*在外交场所一定要注意尊重各国的风俗习惯。）

③ 供孩子们课外活动的场所太少。（*供孩子们课外活动的场合太少。）

④ 那种场合，还是穿深色的衣服比较好。（*那种场所，还是穿深色的衣服比较好。）

⑤ 学习一个句子，一定要知道是在什么场合说的，是对什么人说的。（*学习一个句子，一定要知道是在什么场所说的，是对什么人说的。）

⑥ 这句话在正式场合不能说。（*这句话在正式场所不能说。）

⑦ 这里是举行集体活动的场所。（*这里是举行集体活动的场合。）

215 唱[动]chàng ▶ 唱歌(儿)chàng gēr

词义说明 Definition

唱[sing; play] 口中发出乐音，依照乐律发出声音。

唱歌（儿）[sing a song] 按照乐谱、歌词唱。

词语搭配 Collocation

	正在～	听他～	喜欢～	～戏	独～	合～	演～	～京剧	～红脸
唱	√	√	√	√	√	√	√	√	√
唱歌	√	√	√	×	×	×	×	×	×

用法对比 Usage

用法解释 Comparison

“唱”是动词，可以带宾语；“唱歌”是个动宾词组，不能再带宾语。

语境示例 Examples

① 快看电视，她正在唱歌呢。(唱的只是歌)(☺快看电视，她正在唱呢。)(可以是歌，也可以是戏)

② 我喜欢听他唱歌。(只是歌)(☺我喜欢听他唱。)(可以是歌，也可以是戏)

③ 这是一首独唱歌曲。(*这是一首独唱歌歌曲。)

④ 他来中国以后学会了唱京剧。(*他来中国以后学会了唱歌京剧。)

⑤ 他在这出戏里唱花脸。(*他在这出戏里唱歌花脸。)

⑥ 他唱得真好！(*他唱歌得真好！)(☺他唱歌唱得真好！)

216 唱歌(儿)chàng gēr ▶ 歌唱[动]gēchàng

词义说明 Definition

唱歌[sing a song] 按照乐谱、歌词唱。

歌唱[sing] 唱歌。[praise (through songs, poems, etc.)] 用唱歌、朗诵等形式颂扬。

词语搭配 Collocation

	听她～	正在～	喜欢～	～祖国	～友谊	～爱情	～幸福生活	～家乡
唱歌	√	√	√	×	×	×	×	×
歌唱	×	×	×	√	√	√	√	√

用法对比 Usage

用法解释 Comparison

“唱歌”是个动宾词组，不能再带宾语，“歌唱”有“唱歌”的意思，是个动词，可以带宾语。

语境示例 Examples

① 昨天的晚会上有唱歌有舞蹈还有相声。(☺昨天的晚会上有歌唱有舞蹈还有相声。)
② 他从小就喜欢唱歌。(＊他从小就喜欢歌唱。)
③ 这是一首歌唱爱情的民歌。(＊这是一首唱歌爱情的民歌。)
④ 用最美的歌来歌唱我们伟大的祖国。(＊用最美的歌来唱歌我们伟大的祖国。)
⑤ 她是中国著名的女高音歌唱家。(＊她是中国著名的女高音唱歌家。)
⑥ 他唱歌唱得很好。(＊他歌唱唱得很好。)

217 抄[动]chāo ▶ 抄写[动]chāoxiě

词义说明 Definition

抄[copy; transcribe] 照着文稿写或照着别人的文稿、作业、作品等写下来当做自己的。

抄写[copy (by hand); transcribe] 照着原文写下来。

词语搭配 Collocation

	～一遍	～一～	～下来	～文件	～稿子	～作业	～在本子上
抄	√	√	√	√	√	√	√
抄写	√	×	√	√	√	√	√

用法对比 Usage

用法解释 Comparison

“抄”有“抄写”的意思，因为音节不同，口语常说“抄”，书面语多用“抄写”，“抄写”多与双音节词语搭配。

语境示例 Examples

① 请大家把课文认真抄一遍。(☺请大家把课文认真抄写一遍。)
② 请把黑板上的句子抄下来。(☺请把黑板上的句子抄写下来。)
③ 把你的笔记借给我抄抄。(*把你的笔记借给我抄写抄写。)
④ 这篇稿子写得太乱了，我要再抄一抄。(*这篇稿子写得太乱了，我要再抄写一抄写。) (☺这篇稿子写得太乱了，我要再抄写一遍。)

"抄"有抄袭的意思，"抄写"没有这个意思。

自己的作业要自己做，不能抄别人的。(*自己的作业要自己做，不能抄写别人的。)

218 钞票[名]chāopiào ▶ 钱[名]qián

词义说明 Definition

钞票[banknote; paper money] 纸币。

钱[money] 货币；钱财。[fund; sum] 款子。

词语搭配 Collocation

	一张~	多少~	一块~	一百的~	挣~	什么~	有~	没有~	车~	饭~
钞票	√	√	×	√	√	√	√	√	×	×
钱	√	√	√	×	√	√	√	√	√	√

用法对比 Usage

用法解释 Comparison

"钞票"是"钱"，但是"钱"不一定就是钞票。"钞票"不能用于正式场合，"钱"没有此限。

语境示例 Examples

① 这是一张一百元的钞票。(☺这是一张一百元的钱。)
② 我想打工挣点儿钱。(☺我想打工挣点儿钞票。)
③ A：这是哪国的钱？B：这是美元。(☺A：这是哪国的钞票？B：这是美元。)
④ 上这个大学一年需要多少钱？ (*上这个大学一年需要多少钞票？)
⑤ 我一个月的饭钱就得五百多块。(*我一个月的饭钞票就得五百

多块。)

⑥ 我想买一套房子，可是钱不够。(＊我想买一套房子，可是钞票不够。)

C

219 超过[动]chāoguò ▶ 超越[动]chāoyuè

词义说明 Definition

超过[overtake; outstrip; surpass; exceed] 从某物的后边赶到它的前面。[above; more than; exceeding] 高出……之上；比……高；在……之上。

超越[go beyond; overstep; transcend; surpass] 超出，越过。

词语搭配 Collocation

	~前面的车	~去	~前人	~30岁	~障碍	~权限	~一个小时
超过	√	√	√	√	×	×	√
超越	√	×	√	×	√	√	×

用法对比 Usage

用法解释 Comparison

"超越"常用于书面，多带抽象宾语；"超过"口语、书面语都可以用，可以带具体宾语也可以带抽象宾语。

语境示例 Examples

① 看，跑在第二位的已经超过第一个了。(☺看，跑在第二位的已经超越第一个了。)

② 这样做已经超越了人的生理极限。(＊这样做已经超过了人的生理极限。)

③ 超越时空只是科学幻想。(＊超过时空只是科学幻想。)

④ 你这次考试的成绩已经超过了上次。(＊你这次考试的成绩已经超越了上次。)

⑤ 我们这个月的生产已经超过了上个月。(＊我们这个月的生产已经超越了上个月。)

⑥ 应该九点来，你超过了一个小时。(＊应该九点来，你超越了一个小时。)

⑦ 据统计，中国人口已经超过13亿了。(＊据统计，中国人口已经超越13亿了。)

220 朝[介]cháo ▶ 向[介]xiàng

词义说明 Definition

朝[face; towards] 面对着；向；表示动作的方向。

向[to; towards; in the direction of] 对着。表示动作的方向。

词语搭配 Collocation

	～东	脸～里	坐北～南	～教室走去	～左拐	～前走	～他学习	走～胜利
朝	√	√	√	√	√	√	×	×
向	√	√	×	√	√	√	√	√

用法对比 Usage

用法解释 Comparison

"朝"和"向"都表示动作的方向，宾语可以是方位处所词，也可以是人或物体的名词，用"朝"的句子都可以用"向"替换。

语境示例 Examples

① 我们家的窗户朝南，所以光线特别好。(☺我们家的窗户向南，所以光线特别好。)

② 从这儿朝左拐，不远就到她家了。(☺从这儿向左拐，不远就到她家了。)

③ 遇到困难的时候要朝好的方面想想，增加自己的信心和勇气。(☺遇到困难的时候要向好的方面想想，增加自己的信心和勇气。)

④ 她上车后朝我挥了挥手。(☺她上车后向我挥了挥手。)

表示动作对象时只能用"向"，不能用"朝"。

① 我向玛丽借了一本语法书。(＊我朝玛丽借了一本语法书。)

② 我们应该向他学习。(＊我们应该朝他学习。)

③ 向排头看齐。(＊朝排头看齐。)

"向"可以和它的宾语一起作动词的补语，"朝"没有这个用法。

我们正从胜利走向新的胜利。(＊我们正从胜利走朝新的胜利。)

"朝"有面对着的意思，"向"没有这个意思。

天安门坐北朝南。(＊天安门坐北向南。)

221 嘲笑[动]cháoxiào ▶ 讽刺[动]fěngcì

词义说明 Definition

嘲笑[ridicule; deride; taunt; jeer at; laugh at] 用言辞笑话对方。

讽刺[satirize; ridicule; mock] 用比喻、夸张等手法对人或事进行揭露、批评或嘲笑。

词语搭配 Collocation

	爱～人	别～我	～一些人	～一下	～某些社会现象	～漫画
嘲笑	√	√	×	×	×	×
讽刺	√	√	√	√	√	√

用法对比 Usage

用法解释 Comparison

"嘲笑"多用言辞，"讽刺"可以用言辞也可以用文章、漫画等方式，"嘲笑"的对象多为自己身边的人，"讽刺"的对象要广得多，可以是身边的人或事，也可以是社会上的人或事。"嘲笑"带贬义，"讽刺"是中性词。

语境示例 Examples

① 他特爱嘲笑人。(☺他特爱讽刺人。)

② 你别嘲笑我。(☺你别讽刺我。)

③ 相声的功能就是讽刺，讽刺社会上的不良现象，讽刺某些人或事，如果不允许讽刺，相声也就没有生命力了。(*相声的功能就是嘲笑，嘲笑社会上的不良现象，嘲笑某些人或事，如果不允许嘲笑，相声也就没有生命力了。)

④ 他的讽刺漫画很受欢迎。(*他的嘲笑漫画很受欢迎。)

⑤ 因为他把头发染成了绿的，同学们都嘲笑他。(*因为他把头发染成了绿的，同学们都讽刺他。)

⑥ 把头发染成什么颜色是个人的自由，你这么嘲笑他不合适。(*把头发染成什么颜色是个人的自由，你这么讽刺他不合适。)

222 潮[形、名]cháo ▶ 潮湿[形]cháoshī

词义说明 Definition

潮[tide] 潮水。[social upsurge; current; tide] 用来比喻大规模

的社会变革或运动发展的起伏形势：高～｜低～。［moist；damp］潮湿。

潮湿［moist；damp］含有比正常状态下较多的水分。

词语搭配 Collocation

	涨～	早～	高～	低～	思～	歌如～	火柴～了	屋子里太～
潮	√	√	√	√	√	√	√	√
潮湿	×	×	×	×	×	×	×	√

用法对比 Usage

用法解释 Comparison

"潮"是形容词，也是名词，"潮湿"只是形容词。形容词"潮"和"潮湿"的意思一样，但是音节不同，用法也不尽相同。

语境示例 Examples

① 这间屋子太潮，不能住人。(☺这间屋子太潮湿，不能住人。)
② 火柴潮了，划不着。(＊火柴潮湿了，划不着。)
③ 大海涨潮了。(＊大海涨潮湿了。)
④ 一到三月，全国都掀起了植树造林的高潮。(＊一到三月，全国都掀起了植树造林的高潮湿。)
⑤ 不少国家都出现了学习汉语的热潮。(＊不少国家出现了学习汉语的热潮湿。)

223 吵［动］chǎo ▶ 吵架 chǎo jià

词义说明 Definition

吵［make a noise］声音杂乱扰人。［quarrel；wrangle；squabble］争吵。

吵架［quarrel；have a row；wrangle］剧烈争吵。

词语搭配 Collocation

	太～了	～得慌	被～醒了	～了起来	别～了	～什么	跟…～
吵	√	√	√	√	√	√	√
吵架	×	×	×	×	√	×	√

用法对比 Usage

用法解释 Comparison

"吵"是个动词，有吵架的意思，也有吵闹、噪音大的意思，口语常用。“吵架”是动宾词组，不能再带宾语。

语境示例 Examples

① 有话好好说，你们别吵了。(☺有话好好说，你们别吵架了。)
② 弟弟常跟哥哥吵架。(☺弟弟常跟哥哥吵。)
③ 他们夫妻俩经常吵架，最后离了婚。(☺他们夫妻俩经常吵，最后离了婚。)
④ 我的房间正对着马路，吵得厉害。(*我的房间正对着马路，吵架得厉害。)
⑤ 今天早上我是被外边汽车的声音吵醒的。(*今天早上我是被外边汽车的声音吵架醒的。)
⑥ 不知道为什么他们俩吵了起来。(*不知道为什么他们俩吵架了起来。)

224 吵[动]chǎo ▶ 吵闹[动]chǎonào

词义说明 Definition

吵[make a noise] 声音杂乱扰人。[quarrel; wrangle; squabble] 争吵。

吵闹[wrangle; kick up a row] 大声争吵。[harass; disturb] 扰乱，使人不安静。

词语搭配 Collocation

	~得厉害	把…~醒了	非常~	不要~	别~了	~起来	大声~
吵	√	√	√	√	√	√	√
吵闹	√	×	√	√	√	√	√

用法对比 Usage

用法解释 Comparison

“吵”和“吵闹”意思相同，音节不同，“吵”可以带宾语，“吵闹”一般不带宾语。

语境示例 Examples

① 吵：你们别吵了，大家都休息了。(吵架)
吵闹：你们别吵闹了，大家都休息了。(大声喧哗)
② 大厅里来了一群孩子，吵闹得厉害。(☺大厅里来了一群孩子，吵

得厉害。）

③ 说话声音小一点儿，别把孩子吵醒了。（＊说话声音小一点儿，别把孩子吵闹醒了。）

④ 他们又吵起来了。（＊他们又吵闹起来了。）

⑤ 他们夫妻俩从来没有吵过架。（＊他们夫妻俩从来没有吵闹过架。）

⑥ 我不喜欢这种音乐，太吵人。（＊我不喜欢这种音乐，太吵闹人。）（☺我不喜欢这种音乐，太吵闹。）

225 吵[动]chǎo ▶ 争吵[动]zhēngchǎo

词义说明 Definition

吵[make a noise] 声音杂乱扰人。[quarrel; wrangle; squabble] 争吵。

争吵[quarrel; wrangle; squabble] 因为意见不同而大声地争辩，互不相让。

词语搭配 Collocation

	别～	～什么	太～了	很～	～起来了	～得睡不着觉
吵	√	√	√	√	√	√
争吵	√	√	×	×	√	×

用法对比 Usage

用法解释 Comparison

“吵”有争吵的意思，也有声音嘈杂扰人的意思，“争吵”没有“声音嘈杂扰人”的意思。“吵”的动作主体可以是人，也可以是物；“争吵”的动作主体只能是人。

语境示例 Examples

① 结婚不久他们就整天争吵不休。（☺结婚不久他们就整天吵个不休。）

② 为解决这个问题他跟经理争吵了半天。（☺为解决这个问题他跟经理吵了半天。）

③ 争吵解决不了任何问题，咱们还是坐下来好好儿商量商量。（☺吵解决不了任何问题，咱们还是坐下来好好儿商量商量。）

④ 你们哥儿俩别吵了，快吃饭吧。（☺你们哥儿俩别争吵了，快吃

饭吧。)

⑤ 我的宿舍临近马路，太吵，我想换一个房间。(＊我的宿舍临近马路，太争吵，我想换一个房间。)

C

226 车[名]chē ▶ 车辆[名]chēliàng

词义说明 Definition

车[vehicle] 地上有轮子的交通运输工具：汽车、火车、自行车等。

车辆[vehicles] 车的总称。

词语搭配 Collocation

	一辆～	开～	学开～	汽～	火～	电～	自行～	检查～	各种～	～管理
车	√	√	√	√	√	√	√	√	√	×
车辆	×	×	×	×	×	×	×	√	√	√

用法对比 Usage

用法解释 Comparison

“车辆”是车的总称，是不可数名词，不能受数量词修饰；“车”是可数名词，量词是“辆”，可以说“一辆车”，不能说“一辆车辆”。

语境示例 Examples

① 车辆必须经过检查才能上路。(☺车必须经过检查才能上路。)

② 你会开车吗？(＊你会开车辆吗？)

③ 要加强车辆管理，防止交通事故的发生。(＊要加强车管理，防止交通事故的发生。)

④ 他刚买了一辆新车。(＊他刚买了一辆新车辆。)

⑤ 你的车是什么颜色的？(＊你的车辆是什么颜色的？)

⑥ 我有一辆新车，白的，很漂亮。(＊我有一辆新车辆，白的，很漂亮。)

227 撤[动]chè ▶ 撤退[动]chètuì

词义说明 Definition

撤[remove; take away] 拿走，拿开。[dismiss] 除去：撤职。

[withdraw; evacuate] 退。

撤退[withdraw; pull out]（军队）放弃阵地或占领的地区。

词语搭配 Collocation

	把菜~了	把酒~了	他的职务被~了	向后~	向安全地带~	~方向	安全~
撤	√	√	√	√	√	×	×
撤退	×	×	×	√	√	√	√

用法对比 Usage

用法解释 Comparison

“撤”有“撤退”的意思，但是“撤”的其他意思是“撤退”所没有的。

语境示例 Examples

① 命令部队往后撤。(☺命令部队往后撤退。)

② 赶快带领群众撤到安全地带去。(☺赶快带领群众撤退到安全地带去。)

③ 群众已经安全撤退到了大堤上。(☺群众已经安全撤到了大堤上。)

④ 把这道菜给撤了。(*把这道菜给撤退了。)

⑤ 把桌子上的盘子和碗都撤了，上水果吧。(*把桌子上的盘子和碗都撤退了，上水果吧。)

⑥ 他因为贪污被撤职查办。(*他因为贪污被撤退职查办。)

228 沉静[形]chénjìng ▶ 沉默[形]chénmò

词义说明 Definition

沉静[quiet; calm] 寂静。[calm; serene; placid]（性格、心情、神色）安静；平静。

沉默[reticent; taciturn; quiet] 不爱说笑。[silent] 不说话。

词语搭配 Collocation

	很~	~下来	性格~	保持~	~寡言	~是金
沉静	√	√	√	×	×	×
沉默	√	×	×	√	√	√

用法对比 Usage

用法解释 Comparison

“沉静”和“沉默”的意思不同，用法也不同，“沉静”可以描写人的性格、心情或神色等，也可以描写环境，“沉默”只能用来描写人。

语境示例 Examples

① 夜深了，大街小巷慢慢沉静了下来。（*夜深了，大街小巷慢慢沉默了下来。）
② 她的性格很沉静。（*她的性格很沉默。）
③ 对于这件事，他始终保持沉默。（*对于这件事，他始终保持沉静。）
④ 他是个沉默寡言的人。（*他是个沉静寡言的人。）
⑤“沉默是金”这句话有一定的道理，但是，在汉语教学的课堂上，总是沉默就不好了，应该多说，多练习。（*“沉静是金”这句话有一定的道理，但是，在汉语教学的课堂上，总是沉静就不好了，应该多说，多练习。）

229 沉重[形]chénzhòng ▶ 重[形]zhòng

词义说明 Definition

沉重[heavy; to great extent] 分量大，程度深。

重[weight] 重量；分量。[heavy; weighty; serious; important] 程度深；重要。

词语搭配 Collocation

	行李很~	东西很~	思想~	心情十分~	~的脚步	~的打击	话说得很~
沉重	×	×	√	√	√	√	×
重	√	√	×	×	×	×	√

用法对比 Usage

用法解释 Comparison

“沉重”和“重”都是形容词，意思有差异，“沉重”用来描写抽象的事物，而“重”没有此限。

语境示例 Examples

① 这次没有考好对他是个沉重的打击。(☺这次没有考好对他个很重的打击。)
② 铁的当然比木头的重。(＊铁的当然比木头的沉重。)
③ 他迈着沉重的脚步往家走去。(＊他迈着重的脚步往家走去。)
④ 出这样的错误，我的心情很沉重。(＊出这样的错误，我的心情很重。)
⑤ 这个月的工作任务很重。(＊这个月的工作任务很沉重。)
⑥ 这个箱子很重，大概有二十多公斤。(＊这个箱子很沉重，大概有二十多公斤。)
⑦ 你刚才话说得有点儿重，我怕他接受不了。(＊你刚才话说得有点儿沉重，我怕他接受不了。)
⑧ 他病得很重。(＊他病得很沉重。)
⑨ 为人民的利益而死，就比泰山还重。(＊为人民的利益而死，就比泰山还沉重。)

230 趁[动]chèn ▶ 乘[动]chéng

词义说明 Definition

趁[take advantage of (time, opportunity, etc.); avail oneself of] 利用（时间、机会）。

乘[ride] 用交通工具或牲畜代替步行；坐。[take advantage of (time, opportunity, etc.); avail oneself of] 利用（机会等）。

词语搭配 Collocation

	～机	～热吃吧	～热打铁	～车	～船	～势	～胜前进
趁	√	√	√	×	×	√	×
乘	√	×	×	√	√	√	√

用法对比 Usage

用法解释 Comparison

“趁”和“乘”都有利用时间、机会的意思，但是，“乘”还有搭乘的意思，“趁”没有这个意思。

语境示例 Examples

① 明年我要陪丈夫去北京，我想趁这个机会学学汉语。(☺明年我要

陪丈夫去北京，我想乘这个机会学学汉语。）

② 要趁热打铁，学过的语法要及时复习。（＊要乘热打铁，学过的语法要及时复习。）

③ 趁热吃吧，凉了都不好吃了。（＊乘热吃吧，凉了都不好吃了。）

④ 我们准备乘飞机去上海。（＊我们准备趁飞机去上海。）

⑤ 我想趁这次去中国出差的机会看看我的老师。（☺我想乘这次去中国出差的机会看看我的老师。）

231 称呼[动、名]chēnghu ▶ 称号[名]chēnghào

词义说明 Definition

称呼[call; address] 叫；把……叫做。[a form of address] 当面招呼用的表示彼此关系的名称，如先生，小姐，哥哥等。

称号[title; name; designation] 给予某人、某单位或某事物的名称（多用于光荣的）。

词语搭配 Collocation

	怎么～	～他叔叔	光荣～	人民科学家的～	优秀教师的～
称呼	√	√	×	×	×
称号	×	×	√	√	√

用法对比 Usage

用法解释 Comparison

“称呼”既是动词，也是名词，可以作谓语；“称号”只是名词，不能作谓语。

语境示例 Examples

① 老师这个称呼我可不敢当，你就叫我老李吧。（☺老师这个称号我可不敢当，你就叫我老李吧。）

② A：请问，怎么称呼？（＊请问，怎么称号？）B：我姓王，叫王国强。

③ 我该怎么称呼您？（＊我该怎么称号您？）

④ 他获得了人民科学家的光荣称号。（＊他获得了人民科学家的光荣称呼。）

⑤ 中国人民解放军无愧于“钢铁长城”的光荣称号。（＊中国人民解放军无愧于“钢铁长城”的光荣称呼。）

232 称赞[动]chēngzàn ▶ 赞扬[动]zànyáng

词义说明 Definition

称赞[praise; acclaim; commend] 用言语表达对人或事物优点的喜爱。

赞扬[speak highly of; praise; commend] 称赞表扬。

词语搭配 Collocation

	受到～	值得～	大加～	～好人好事
称赞	√	√	√	×
赞扬	√	√	√	√

用法对比 Usage

用法解释 Comparison

"称赞"和"赞扬"有相同的意思，但是，"赞扬"的对象要比"称赞"的对象更突出，更优秀，更好。"赞扬"用于正式场合，"称赞"用于一般场合。

语境示例 Examples

① 大家都称赞他为人善良，待人诚恳热情。(☺大家都赞扬他为人善良，待人诚恳热情。)

② 顾客都称赞这里服务态度好。(☺顾客都赞扬这里服务态度好。)

③ 他带领全村人共同致富的事迹受到了媒体的赞扬。(*他带领全村人共同致富的事迹受到了媒体的称赞。)

④ 他们在讲话中热烈赞扬两国人民之间的友谊。(*他们在讲话中热烈称赞两国人民之间的友谊。)

⑤ 她刻苦学习的精神受到了老师的称赞。(*她刻苦学习的精神受到了老师的赞扬。)

233 成就[名、动]chéngjiù ▶ 成绩[名]chéngjì

词义说明 Definition

成就[achievement; success; attainment; accomplishment] 事业上的成绩，一般用于重大事情，指建设、科技等方面获得的优异成果。[achieve; accomplish] 完成事业：～大业。

成绩[result (of work or study); achievement; success] 用于一般

事物，指工作、学习、体育运动等方面的收获。

词语搭配 Collocation

	很有～	伟大的～	很大的～	学习～	～单	～优秀	～大业	～一番事业
成就	√	√	√	×	×	×	√	√
成绩	√	√	√	√	√	√	×	×

用法对比 Usage

用法解释 Comparison

“成就”是很大的成绩，用于重大事情，如国家的建设事业或优秀的个人，它还是动词，能带宾语；“成绩”多用于一般事情，如工作、学习、体育运动等，也可以用于重大事情，它只是名词，不能带宾语。

语境示例 Examples

① 中国的改革开放事业取得了伟大的成就。(☺中国的改革开放事业取得了伟大的成绩。)

② 他们在航天科技方面取得了辉煌的成就。(☺他们在航天科技方面取得了辉煌的成绩。)

③ 这次考试的成绩怎么样？(*这次考试的成就怎么样?)

④ 她每门功课的成绩都很优秀。(*她每门功课的成就都很优秀。)

⑤ 他百米的成绩不太理想。(*他百米的成就不太理想。)

⑥ 要想成就一番事业，必须经过艰苦努力。(*要想成绩一番事业，必须经过艰苦努力。)

234 成天[副]chéngtiān ▶ 整天[名]zhěngtiān

词义说明 Definition

成天[all day long; all the time] 整天。

整天[the whole day; all day; all day long] 全天。

词语搭配 Collocation

	一～	～忙	忙了一～	～不在家	需要三个～
成天	×	√	×	√	×
整天	√	√	√	√	√

用法对比 Usage

用法解释 Comparison

"成天"是副词，不能受数量词修饰；"整天"是名词，可以受数量词修饰。

语境示例 Examples

① 他整天忙，也不知道忙些什么。（☺他成天忙，也不知道忙些什么。）
② 他成天就是工作，工作，很少有娱乐的时间。（☺他整天就是工作，工作，很少有娱乐的时间。）
③ 最近，他工作很忙，成天不在家。（☺最近，他工作很忙，整天不在家。）
④ 这个工作需要两三个整天才能完成。（*这个工作需要两三个成天才能完成。）
⑤ 昨天为朋友修了一整天电脑。（*昨天为朋友修了一成天电脑。）

235 成为[动]chéngwéi ▶ 成[动]chéng

词义说明 Definition

成为[become; turn into] 变成：他已经~著名作家了。

成[accomplish; succeed] 完成；成功（跟"败"相对）：事情办~了。[become; turn into] 成为；变成：百炼~钢。[achievement; result] 成果，成就：一事无~。

词语搭配 Collocation

	~翻译	~老师	~工程师	~了	~不了	办~	做~	干~	写~	翻译~
成为	√	√	√	√	×	×	×	×	×	×
成	√	√	√	√	√	√	√	√	√	√

用法对比 Usage

用法解释 Comparison

"成"也有"成为"的意思，但是"成"的意思要比"成为"多。"成"可以作谓语，也可以作结果补语，"成为"只能作谓语，不能作结果补语。

语境示例 Examples

① 他现在已经成为知名演员了。(☺他现在已经成知名演员了。)
② 她想考外交学院，希望将来能成为一名外交官。(☺她想考外交学院，希望将来能成一名外交官。)
③ 他办移民办成了没有？(*他办移民办成为了没有？)
④ 我想这件事成不了。(*我想这件事成为不了。)
⑤ 这本书已经翻译成英文了。(*这本书已经翻译成为英文了。)

236 成心[形]chéngxīn ▶ 故意[形]gùyì

词义说明 Definition

成心[intentionally; on purpose; deliberately] 故意地（做不好的或不应该做的事）。

故意[intentionally; wilfully; deliberately; on purpose] 有意识地那样做（不好的或不应该做的事）；明知不应该或不必这样做而这样做。

词语搭配 Collocation

	~气人	是~的	不是~的	~捣乱	~为难人	~跟我过不去	~那样做
成心	√	√	√	√	√	√	√
故意	√	√	√	√	√	√	√

用法对比 Usage

用法解释 Comparison

“成心”和“故意”都是形容词，意思也一样，但是都不能单独作谓语，常用来作状语，不能用“很”修饰，不说“很成心”或“很故意”，“成心”多用于口语，“故意”没有此限。

语境示例 Examples

① 你明明知道他不会唱歌，还一定要他唱，不是成心为难他吗？(☺你明明知道他不会唱歌，还一定要他唱，不是故意为难他吗？)
② 他这样做是成心跟我过不去。(☺他这样做是故意跟我过不去。)
③ 对不起，我不是故意的。(☺对不起，我不是成心的。)
④ 妹妹不听妈妈的话，还故意气她。(☺妹妹不听妈妈的话，还成心气她。)

⑤ 他因为一时冲动，犯了故意伤害罪。（＊他因为一时冲动，犯了成心伤害罪。）

237 呈现[动]chéngxiàn ▶ 显现[动]xiǎnxiàn

C

词义说明 Definition

呈现[present(a certain appearance);appear;emerge]显出，露出。

显现[manifest (or reveal) oneself; appear; show] 呈现，露出。

词语搭配 Collocation

	～出来	～不出来	到处～出繁荣景象
呈现	√	×	√
显现	√	√	×

用法对比 Usage

用法解释 Comparison

“呈现”的宾语可以是抽象事物，也可以是具体事物；“显现”的宾语只能是具体的、可视的事物。

语境示例 Examples

① 中国到处呈现出一派生气勃勃的繁荣景象。（＊中国到处显现出一派生气勃勃的繁荣景象。）

② 走进春天的公园，呈现在我们面前的是盛开的鲜花。（＊走进春天的公园，显现在我们面前的是盛开的鲜花。）

③ 一夜大雪，一片白色世界呈现在人们面前。（＊一夜大雪，一片白色世界显现在人们面前。）

④ 阵雨过后，天空显现出一道彩虹。（＊阵雨过后，天空呈现出一道彩虹。）

⑤ 不一会儿，相纸上便显现出人像来了。（＊不一会儿，相纸上便呈现出人像来了。）

238 诚恳[形]chéngkěn ▶ 诚挚[形]chéngzhì

词义说明 Definition

诚恳[sincere]（态度）真诚而恳切。

诚挚[sincere; cordial] 态度诚恳，感情真挚。

词语搭配 Collocation

	很～	态度～	为人～	～友好的气氛
诚恳	√	√	√	×
诚挚	×	×	×	√

用法对比 Usage

用法解释 Comparison

“诚恳”和“诚挚”是同义词，但是，“诚挚”多用于书面，“诚恳”多用于口语。

语境示例 Examples

① 他为人诚恳热情，所以有很多朋友。（＊他为人诚挚热情，所以有很多朋友。）

② 我们应该诚恳地接受顾客的批评，努力改进工作。（＊我们应该诚挚地接受顾客的批评，努力改进工作。）

③ 我看他态度诚恳，就答应了。（＊我看他态度诚挚，就答应了。）

④ 知道自己错了，就要诚恳地向人家道歉。（＊知道自己错了，就要诚挚地向人家道歉。）

⑤ 两国领导人在诚挚友好的气氛中进行了会谈。（＊两国领导人在诚恳友好的气氛中进行了会谈。）

⑥ 在此，谨向你们致以诚挚的谢意。（＊在此，谨向你们致以诚恳的谢意。）

239 诚实[形]chéngshí ▶ 老实[形]lǎoshi

词义说明 Definition

诚实[honest] 言行与内心思想一致；不虚假，不撒谎。

老实[honest; frank] 诚实；坦率、不掩饰的。[well-behaved; good] 规规矩矩，不惹事。

词语搭配 Collocation

	很～	太～	应该～	～的品质	做～人	说～话	办～事
诚实	√	√	√	√	×	×	×
老实	√	√	√	×	√	√	√

用法对比 Usage

用法解释 Comparison

"诚实"和"老实"都是形容词，意思也有相同之处，"老实"可以重叠使用，说"老老实实"，"诚实"不能重叠使用，不说"诚诚实实"。

语境示例 Examples

① 这个孩子很诚实，不说谎话。(☺这个孩子很老实，不说谎话。)
② 做人应该诚实，有一说一，有二说二。(☺做人应该老实，有一说一，有二说二。)
③ 你也太老实了，这种事怎么能告诉他本人呢？(☺你也太诚实了，这种事怎么能告诉他本人呢?)
④ 我们要老老实实地办事，老老实实地做人。(＊我们要诚诚实实地办事，诚诚实实地做人。)
⑤ 这个孩子很老实，不爱惹事。(＊这个孩子很诚实，不爱惹事。)
⑥ 说老实话，我也不想去。(＊说诚实话，我也不想去。)
⑦ 这些问题你必须老实交代，不能隐瞒。(对犯罪的人或犯严重错误的人说的话)(＊这些问题你必须诚实交代，不能隐瞒。)
⑧ 犯了错误就要老实承认，不要遮遮掩掩的。(＊犯了错误就要诚实承认，不要遮遮掩掩的。)

240 承办[动]chéngbàn ▶ 承包[动]chéngbāo

词义说明 Definition

承办[undertake] 接受办理。
承包[contract] 接受工程、订货或其他生产经营活动并且负责完成。

词语搭配 Collocation

	由谁～	共同～	～晚会	～赛事	～工程	～项目	～这座大楼	～建筑设计
承办	√	√	√	√	×	×	×	×
承包	√	√	×	×	√	√	√	√

用法对比 Usage

用法解释 Comparison

"承办"和"承包"的意思不同，涉及的对象也不同。"承办"的对象一般是会议、比赛等，"承包"的对象是工程、土地等，它们不能相互替换。

语境示例 Examples

① 本届国际艺术节由我们公司和东方电视台共同承办。（＊本届国际艺术节由我们公司和东方电视台共同承包。）

② 这次世界杯足球赛由他们两国共同承办。（＊这次世界杯足球赛由他们两国共同承包。）

③ 他们公司承包了建造这座大楼的工程。（＊他们公司承办了建造这座大楼的工程。）

④ 这个案子由经验丰富的老张负责承办。（＊这个案子由经验丰富的老张负责承包。）

⑤ 他承包了一座荒山，决心用十年的时间把它变成花果山。（＊他承办了一座荒山，决心用十年的时间把它变成花果山。）

241 承担[动]chéngdān ▶ 承受[动]chéngshòu

词义说明 Definition

承担[bear; assume; undertake; hold] 担负，担当（责任、义务、责任等）。

承受[bear; undertake; assume] 接受（损失），经受（考验、痛苦）；承担（压力）。[inherit] 继承（遗产）。

词语搭配 Collocation

	～风险	～损失	～责任	～任务	～义务	～费用	～考验	～痛苦	～压力	～遗产
承担	√	√	√	√	√	√	×	×	×	×
承受	×	×	×	×	×	×	√	√	√	√

用法对比 Usage

用法解释 Comparison

“承担”和“承受”的对象不同，它们不能相互替换。

语境示例 Examples

① 在科学研究的道路上，要创新就要准备承担风险。（＊在科学研究的道路上，要创新就要准备承受风险。）

② 他们设计院承担了这项工程的设计任务。（＊他们设计院承受了这项工程的设计任务。）

③ 我们公司这次承受了很大损失。（＊我们公司这次承担了很大

损失。)

④ 这根绳子根本承受不了那么大的重量。(＊这根绳子根本承担不了那么大的重量。)

⑤ 丈夫去世后，她承受着巨大的痛苦，整理出版了丈夫的全部著作。(＊丈夫去世后，她承担着巨大的痛苦，整理出版了丈夫的全部著作。)

⑥ 我们研究所承担着好几项国家重点科研项目。(＊我们研究所承受着好几项国家重点科研项目。)

⑦ 这种精神压力是一般人难以承受的。(＊这种精神压力是一般人难以承担的。)

⑧ 为了让这几个失学孩子重返学校，我们公司承担了他们的全部学费。(＊为了让这几个失学孩子重返学校，我们公司承受了他们的全部学费。)

242 城[名]chéng ▶ 城市[名]chéngshì

词义说明 Definition

城[(as opposed to 'the countryside or rural areas') town; city] 城市(跟"乡"相对)。

城市[town; city] 人口集中、工商业发达的地方，通常是周围地区政治、经济、文化的中心。

词语搭配 Collocation

	~墙	~区	西~	山~	进~	~里	大学~	中国~	~居民
城	√	√	√	√	√	√	√	√	×
城市	×	×	×	×	×	√	×	×	√

用法对比 Usage

用法解释 Comparison

"城"和"城市"是同义词，因为音节不同，用法自然有差别。"城"还是个语素，可以与其他词语组成新词；"城市"没有组词能力。

语境示例 Examples

① 他家住城里，不住农村。(☺他家住城市里，不住农村。)

② 昨天我进城看了一个朋友。(＊昨天我进城市看了一个朋友。)

③ 这里是大学城，十多所大学都集中在这里。（*这里是大学城市，十多所大学都集中在这里。）
④ 不少国家都有中国城。（*不少国家都有中国城市。）
⑤ 北京、上海、天津等大城市，人口都有一千万左右。（*北京、上海、天津等大城，人口都有一千万左右。）
⑥ 为解决社会经济发展不平衡的问题，中国特别注意发展中小城市。（*为解决社会经济发展不平衡的问题，中国特别注意发展中小城。）
⑦ 城市是其周围地区政治经济文化的中心。（*城是其周围地区政治经济文化的中心。）
⑧ 这几年中国的城市建设发展得很快。（*这几年中国的城建设发展得很快。）

243 乘[动]chéng ▶ 坐[动]zuò

词义说明 Definition

乘[ride] 用交通工具或牲畜代步；坐。[take advantage of; avail oneself of] 利用机会等。

坐[sit] 把臀部放在椅子、沙发或其他物体上。[take; travel by] 乘，搭。

词语搭配 Collocation

	请~	~下	~火车	~船	~飞机	~汽车	~电梯	~客	~机	~沙发	~在树下
乘	×	×	√	√	√	√	√	√	√	×	×
坐	√	√	√	√	√	√	√	×	×	√	√

用法对比 Usage

用法解释 Comparison

“乘”和“坐”都是动词，但是意思不尽相同。“乘”的对象限于交通工具，汽车、飞机、船等，“坐”没有此限。

语境示例 Examples

① 我们乘飞机去吧。（☺我们坐飞机去吧。）
② 他是坐出租来的。（☺他是乘出租来的。）
③ 乘火车去上海要多长时间？（☺坐火车去上海要多长时间？）
④ 请进！请坐！请喝茶！（*请进！请乘！请喝茶！）

⑤ 老师站着讲课，我们坐着听课。（＊老师站着讲课，我们乘着听课。）

⑥ 大家坐下谈吧。（＊大家乘下谈吧。）

"乘"还有利用机会、时间等意思，"坐"没有这个意思。

① 他们乘胜直追，一直打到104比78结束了这场比赛。（＊他们坐胜直追，一直打到104比78结束了这场比赛。）

② 南郭先生见大家不注意就乘机溜走了。（＊南郭先生见大家不注意就坐机溜走了。）

C

244 惩办[动]chéngbàn ▶ 惩罚[动]chéngfá

词义说明 Definition

惩办[punish] 对犯罪行为和罪人进行惩罚处理。

惩罚[punish; penalize] 严厉地处罚。

词语搭配 Collocation

	严加～	～坏人	～你	～自己	不能～学生	～犯罪行为	～走私	历史的～
惩办	√	√	×	×	×	√	√	×
惩罚	√	√	√	√	√	√	√	√

用法对比 Usage

用法解释 Comparison

"惩办"和"惩罚"的意思差不多，但是"惩办"的对象是犯法的人，坏人，而"惩罚"的对象可以是罪人，也可以是违反规定和纪律的人。"惩办"的手段必定要抓进监狱，"惩罚"的手段主要是罚款，罚做体力劳动，关禁闭，遭到谴责等。

语境示例 Examples

① 无论是谁，只要犯了法，都要受到惩办。（☺无论是谁，只要犯了法，都要受到惩罚。）

② 对于那些贪污腐败分子要严加惩办。（☺对于那些贪污腐败分子要严加惩罚。）

③ 玩火者必自焚，侵略者必将受到历史的惩罚。（＊玩火者必自焚，侵略者必将受到历史的惩办。）

④ 因为考得不理想，他为了惩罚自己，中午连饭也不吃了。（＊因为考得不理想，他为了惩办自己，中午连饭也不吃了。）

⑤ 学生犯了错误，要批评教育，决不允许惩罚学生。（＊学生犯了错误，要批评教育，决不允许惩办学生。）

⑥ 这次大洪水是对人类破坏自然生态的一次惩罚。（＊这次大洪水是对人类破坏自然生态的一次惩办。）

245 吃惊[形]chījīng ▶ 惊讶[形]jīngyà

词义说明 Definition

吃惊[surprised; shocked; amazed] 受惊。

惊讶[surprised; amazed; astonished; astounded] 感到奇怪，惊异。

词语搭配 Collocation

	很～	十分～	感到～	令人～	～的目光	～的样子
吃惊	√	√	√	√	√	√
惊讶	√	√	√	√	√	√

用法对比 Usage

用法解释 Comparison

“吃惊”和“惊讶”的词性和意思相同，“吃惊”还可以拆开用，常说“吃了一惊”、“大吃一惊”，“惊讶”没有“惊了一讶”和“大惊一讶”的说法。

语境示例 Examples

① 看到这种情况，我感到很吃惊。（☺看到这种情况，我感到很惊讶。）

② 因为他已经见过这种场面，所以并不显得惊讶。（☺因为他已经见过这种场面，所以并不显得吃惊。）

③ 他几乎每年都有一部长篇小说问世，这样的创作速度令人吃惊。（☺他几乎每年都有一部长篇小说问世，这样的创作速度令人惊讶。）

④ 听说他俩离婚了，我吃了一惊，他们结婚还不到一个月。（＊听说他俩离婚了，我惊了一讶，他们结婚还不到一个月。）

⑤ 听到这个消息很多人都大吃一惊。（＊听到这个消息很多人都大惊一讶。）

246 吃苦chī kǔ ▶ 受苦shòu kǔ

C

词义说明 Definition

吃苦[bear hardships] 经受痛苦和苦难。

受苦[suffer (hardships); have a rough time] 遭受痛苦。

词语搭配 Collocation

	很～	能～	～耐劳	～受累	～在前
吃苦	√	√	√	√	√
受苦	√	√	×	√	×

用法对比 Usage

用法解释 Comparison

“吃苦”和“受苦”都是动宾词组，可以分开用，但是语义不同。“吃苦”可以是主动的，情愿的，很多人为了成就某项事业甘愿吃苦，也可以是被动的，不情愿的；而“受苦”都是被动的，不情愿的。

语境示例 Examples

① 怕吃苦就干不成大事。(☺怕受苦就干不成大事。)

② 父母吃了一辈子苦，应该让他们有一个幸福的晚年。(☺父母受了一辈子苦，应该让他们有一个幸福的晚年。)

③ 他们过去吃过不少苦。(☺他们过去受过不少苦。)

④ 要想在事业上取得一定成绩，必须有能吃苦的精神。(＊要想在事业上取得一定成绩，必须有能受苦的精神。)

⑤ 中华民族历来就有吃苦耐劳的精神。(＊中华民族历来就有受苦耐劳的精神。)

⑥ 一个领导干部必须做到吃苦在前，享受在后，不然，不可能得到群众的拥护。(＊一个领导干部必须做到受苦在前，享受在后，不然，不可能得到群众的拥护。)

247 吃力[形]chīlì ▶ 费力fèi lì

词义说明 Definition

吃力[strenuous; requiring effort; tired; exhausted] 费力；疲劳，

劳累；艰难。

费力[need or exert great effort] 耗费力量。

词语搭配 Collocation

	感到～	很～	～不讨好	有点儿～	别～	白～
吃力	√	√	√	√	×	×
费力	×	√	√	×	√	√

用法对比 Usage

用法解释 Comparison

“吃力”和“费力”都是动宾结构的形容词，但意思不完全一样。“吃力”有用力的意思，还有“觉得困难”的意思，“费力”只有用力的意思。

语境示例 Examples

① 谁也不愿意干这吃力不讨好的事。(☺谁也不愿意干这费力不讨好的事。)

② 我听和说还可以，但是读和写感到有些吃力。(＊我听和说还可以，但是读和写感到有些费力。)

③ 不费力是学不好汉语的。(＊不吃力是学不好汉语的。)

④ 修了半天也没有修好，真是白费力。(＊修了半天也没有修好，真是白吃力。)

⑤ 你别费力了，还是送到修理店去修吧。(＊你别吃力了，还是送到修理店去修吧。)

⑥ 别费力去找了，丢了就再买一个吧。(＊别吃力去找了，丢了就再买一个吧。)

“费力”还是离合词，有“用很大力量”的意思，可以拆开用；“吃力”不能拆开用。

① 我费尽了全身的力(气)，才爬到山顶。(＊我吃尽了全身的力〔气〕，才爬到山顶。)

② 我费了好大的力，才把这件事办成。(＊我吃了好大的力，才把这件事办成。)

C

248 迟[形]chí ▶ 晚[形]wǎn

词义说明 Definition

迟[slow; tardy] 慢。[late] 比规定的时间或合适的时间靠后。

晚[evening; night] 晚上。[belated; delayed] 时间靠后的；比规定的时间或合适时间靠后。

词语搭配 Collocation

	～到	太～了	很～	～年	来得～	去～了	事不宜～	起～了
迟	√	√	×	×	×	×	√	×
晚	√	√	√	√	√	√	×	√

用法对比 Usage

用法解释 Comparison

“迟”和“晚”有相同的意思，但是“迟”可以重叠，“晚”不能重叠。

语境示例 Examples

① 他的病发现以后已经太迟了。(☺他的病发现以后已经太晚了。)
② 对不起，我来晚了。(＊对不起，我来迟了。)
③ 这次火车常常晚点。(＊这次火车常常迟点。)
④ 昨天晚上我睡得太晚了。(＊昨天晚上我睡得太迟了。)
⑤ 见他迟迟不来，我只好自己进去了。(＊见他晚晚不来，我只好自己进去了。)
⑥ 我的签证迟迟批不下来，所以只好等着。(＊我的签证晚晚批不下来，所以只好等着。)

249 迟到[动]chídào ▶ 晚到 wǎn dào

词义说明 Definition

迟到[be (or come, arrive) late] 到得比约定的或规定的时间晚。

晚到[(of a train, ship, etc.) late; behind schedule] 迟到；特指(车、船等)开出、运行或到达晚于规定的时间。

词语搭配 Collocation

	又～了	～了一个小时	不要～	别～	～的同学
迟到	√	√	√	√	√
晚到	√	√	×	×	√

用法对比 Usage

用法解释 Comparison

"迟到"多指上课、约会等,"晚到"除了可指上课、约会之外,一般指交通工具,如车、船、飞机误点,也说"晚点"。

语境示例 Examples

① 明天的会我可能会迟到一会儿,先跟你说一声。(☺明天的会我可能会晚到一会儿,先跟你说一声。)
② 晚到一会儿没关系。(☺迟到一会儿没关系。)
③ 这个航班晚到(晚点)了一个小时。(*这个航班迟到了一个小时。)
④ 这趟火车常常晚到(晚点)。(*这趟火车常常迟到。)
⑤ 明天早上八点我们准时集合出发,希望大家不要迟到。(*明天早上八点我们准时集合出发,希望大家不要晚到。)
⑥ 对不起,我迟到了。(*对不起,我晚到了。)

250 迟疑[动]chíyí ▶ 犹豫[形、动]yóuyù

词义说明 Definition

迟疑[hesitate] 拿不定主意,一时不能决定。

犹豫[hesitate; be irresolute] 拿不定主意,不能决定或行动。

词语搭配 Collocation

	有点儿～	～不决	～不定	～了一会儿	很～
迟疑	√	√	×	√	×
犹豫	√	√	√	√	√

用法对比 Usage

用法解释 Comparison

"迟疑"是个动词,"犹豫"既是动词又是形容词。"迟疑"多指时间,表示因为有顾虑使动作发生得慢,"犹豫"多指行动,表示一时不能决定做不做一件事或一个动作。

语境示例 Examples

① 他犹豫了一会儿，才同意跟我们一起去。(☺他迟疑了一会儿，才同意跟我们一起去。)

② 寒假去不去旅行我有点儿犹豫不决。(＊寒假去不去旅行我有点儿迟疑不决。)

③ 这件事我还在犹豫呢。(＊这件事我还在迟疑呢。)

④ 他迟疑地接过这件礼物，说了声“谢谢。”(＊他犹豫地接过这件礼物，说了声“谢谢。”)

“犹豫”可以重叠使用为“犹犹豫豫”；“迟疑”没有这种用法。

① 他呀，干什么事都犹犹豫豫的。(＊他呀，干什么事都迟迟疑疑的。)

② 你总是犹犹豫豫的，这样什么事也干不成。(＊你总是迟迟疑疑的，这样什么事也干不成。)

251 持久[形]chíjiǔ ▶ 长久[形]chángjiǔ

词义说明 Definition

持久[lasting; enduring; protracted] 保持长久。

长久[for a long time; permanently] 时间很长，长远。

词语搭配 Collocation

	～和平	～的打算	不可能～	～住下去	～干下去	不～
持久	√	√	√	×	×	×
长久	√	√	√	√	√	√

用法对比 Usage

用法解释 Comparison

“持久”和“长久”都有时间长的意思，“长久”可以用“不”否定，“持久”不能用“不”否定。

语境示例 Examples

① 要争取和维护世界持久和平，就必须有实力制止可能爆发的战争。(☺要争取和维护世界长久和平，就必须有实力制止可能爆发的战争。)

② 中国需要一个长久稳定的社会环境来发展经济，提高人民的生活水平。(☺中国需要一个持久稳定的社会环境来发展经济，提高人民的生活水平。)
③ 靠金钱维持的爱情是不可能持久的。(☺靠金钱维持的爱情是不可能长久的。)
④ 你打算在这里长久干下去吗？(＊你打算在这里持久干下去吗?)
⑤ 他在这里干不长久，很快就要回国去了。(＊他在这里干不持久，很快就要回国去了。)

252 持续[动]chíxù ▶ 继续[动]jìxù

词义说明 Definition

持续[continue; sustain] 连续不断。

继续[continue; go on]（活动）连下去，延长下去，不间断。

词语搭配 Collocation

	～高温	～干旱	～了千年	雨～下了三天	～工作	～不停
持续	√	√	√	√	×	√
继续	×	×	×	×	√	√

用法对比 Usage

用法解释 Comparison

“持续”和“继续”虽然意思相近，但是，“持续”强调的多是客观情况，非人为的，“继续”则表示人为的情况，它们不能相互替换。

语境示例 Examples

① 大雨持续了三天三夜。(＊大雨继续了三天三夜。)
② 我明年还继续在这儿学习。(＊我明年还持续在这儿学习。)
③ 持续的高温天气，使医院的病号剧增。(＊继续的高温天气，使医院的病号剧增。)
④ 我们两国的文化交流持续了一千多年了。(＊我们两国的文化交流继续了一千多年了。)
⑤ 他离开后，我又继续工作到深夜。(＊他离开后，我又持续工作到深夜。)
⑥ 无论有多难，我们也要把这项研究工作继续搞下去。(＊无论有

多难，我们也要把这项研究工作持续搞下去。)

⑦ 为了保证国民经济的可持续发展，必须采用高科技，同时要加大对环境保护的投入。(＊为了保证国民经济的可继续发展，必须采用高科技，同时要加大对环境保护的投入。)

C

253 充当[动]chōngdāng ▶ 当[动]dāng

词义说明 Definition

充当[serve as; act as; play the part of] 取得某种身份；担任某种职务。

当[work as; serve as; be] 担任；充当。[bear; accept; deserve] 承担；承受。[direct; manage; be in charge of] 掌管；主持。

词语搭配 Collocation

	～翻译	～辩护律师	～老师	～记者	～代表	～反面教员	敢做敢～	～家	～政
充当	√	√	×	×	×	√	×	×	×
当	√	√	√	√	√	√	√	√	√

用法对比 Usage

用法解释 Comparison

“充当”有“当”的意思，但是,“当”的其他意思是“充当”所没有的，“充当”的角色或身份多为短期或临时的，有时含有贬义，而“当”的角色则是长期的甚至终身的，用“充当”的句子常常可以用“当”替换，但是用“当”的句子则不一定能用“充当”替换。

语境示例 Examples

① 他们双方都请我充当调解人。(☺他们双方都请我当调解人。)

② 找不到翻译，就请你临时充当翻译吧。(☺找不到翻译，就请你临时当翻译吧。)

③ 你就充当我的辩护律师吧。(☺你就当我的辩护律师吧。)

④ 我的理想是大学毕业以后当记者。(＊我的理想是大学毕业以后充当记者。)

⑤ 在这个事件中，他充当了一个很不光彩的角色。(＊在这个事件中，他当了一个很不光彩的角色。)

⑥ 大家选他当代表。(＊大家选他充当代表。)

⑦ 你们家是爸爸当家还是妈妈当家？(＊你们家是爸爸充当家还是妈妈充当家？)

254 充分[形]chōngfèn ▶ 充足[形]chōngzú

C

词义说明 Definition

充分[full; ample; abundant] 足够（多用于抽象事物）。[to the best of one's ability; as far as possible] 尽量。

充足[adequate; sufficient; abundant; ample] 数量多，能满足需要。

词语搭配 Collocation

	理由～	经费～	光线～	雨量～	不～	很～	～证明	～利用	～协商	～发挥
充分	√	×	×	×	√	√	√	√	√	√
充足	√	√	√	√	√	√	×	×	×	×

用法对比 Usage

用法解释 Comparison

“充分”多修饰抽象的事物，“充足”没有此限。“充分”多用作状语，“充足”常用来作定语和谓语。

语境示例 Examples

① 因为准备充分，所以这次考试的成绩很好。（*因为准备充足，所以这次考试的成绩很好。）

② 她的故事充分说明，只要刻苦努力，就能学好汉语。（*她的故事充足说明，只要刻苦努力，就能学好汉语。）

③ 我要充分利用在中国的机会和良好的语言环境，提高汉语听说能力。（*我要充足利用在中国的机会和良好的语言环境，提高汉语听说能力。）

④ 今年春季雨量充足，所以夏粮获得了大丰收。（*今年春季雨量充分，所以夏粮获得了大丰收。）

⑤ 要充分发挥老教授老专家的作用。（*要充足发挥老教授老专家的作用。）

⑥ 要有充足的经费来保证这个科研项目如期完成。（*要有充分的经费来保证这个科研项目如期完成。）

⑦ 双方代表经过充分协商达成了四点共识。（*双方代表经过充足协商达成了四点共识。）

⑧ 这个房间的阳光充足。（*这个房间的阳光充分。）

255 充满[动]chōngmǎn ▶ 洋溢[动]yángyì

C

词义说明 Definition

充满[fill] 填满。[be filled with; be full of; be brimming with; be permeated (or imbued) with] 充分具有。

洋溢[be permeated with; brim with] (情绪、气氛等)充分流露。

词语搭配 Collocation

	~着	~血泪	~笑声	~信心	~力量	~着友好的气氛	~激情	热情~
充满	√	√	√	√	√	√	√	×
洋溢	√	×	×	×	×	√	×	√

用法对比 Usage

用法解释 Comparison

"充满"可以带抽象名词作宾语,也可以带具体名词作宾语;"洋溢"只能带抽象名词作宾语。

语境示例 Examples

① 这首诗充满着诗人对大自然无比热爱的情感。(☺这首诗洋溢着诗人对大自然无比热爱的情感。)

② 联欢晚会洋溢着中外师生团结友爱的气氛。(☺联欢晚会充满着中外师生团结友爱的气氛。)

③ 对于未来,我充满信心。(*对于未来,我洋溢信心。)

④ 每天和这些热情洋溢的青年人在一起,我也显得年轻了。(*每天和这些热情充满的青年人在一起,我也显得年轻了。)

⑤ 孩子们的歌声和笑声充满了假日的公园。(*孩子们的歌声和笑声洋溢了假日的公园。)

⑥ 我看到她眼里充满泪水。(*我看到她眼里洋溢泪水。)

256 重复[动]chóngfù ▶ 反复[副、名、动]fǎnfù

词义说明 Definition

重复[repeat; duplicate] 相同的东西一次又一次地出现或按原来的样子再次做。

反复[repeatedly; again and again] 一遍又一遍地,多次重复。

[back out; chop and change] 颠过来，倒过去；翻悔。[reversal; relapse] 重复的情况。

词语搭配 Collocation

C

	内容～	再～一遍	～使用	～多次	～思考	～考虑	～实践	～朗读	～练习	有～
重复	√	√	√	√	×	×	×	×	×	√
反复	×	×	√	√	√	√	√	√	√	√

用法对比 Usage

用法解释 Comparison

“反复”是副词，可以作状语，“重复”只有动词的用法。“反复”还是名词，有情况重复出现或发生的意思。“重复”没有这个意思。“重复”可以用于祈使句，“反复”不能用于祈使句。

语境示例 Examples

① 这种纸可以重复使用。(☺这种纸可以反复使用。)

② 这一段的内容和前边有点儿重复，可以删掉。(＊这一段的内容和前边有点儿反复，可以删掉。)

③ 课文要反复朗读，才能不断提高口语水平。(＊课文要重复朗读，才能不断提高口语水平。)

④ 请大家用这个词造一个句子，不能重复别人的。(＊请大家用这个词造一个句子，不能反复别人的。)

⑤ 我反复比较了一下，觉得还是这件比较合适。(＊我重复比较了一下，觉得还是这件比较合适。)

⑥ 他的病最近又有反复。(＊他的病最近又有重复。)

“反复”可以重叠，有翻悔的意思，“重复”没有这个用法。

你这个人总是反反复复的，一会儿说去，一会儿又说不去，你到底去不去？(＊你这个人总是重重复复的，一会儿说去，一会儿又说不去，你到底去不去？)

257 重新[副]chóngxīn ▶ 重[副]chóng

词义说明 Definition

重新[again; anew; afresh] 表示再一次，从头另行开始。

重[repeat; duplicate] 重复。[again; once more] 重新；再。

词语搭配 Collocation

	～写一遍	～来	买～了	旧地～游	～逢	～开始	～学习	～做
重	√	√	√	√	√	√	√	√
重新	√	√	×	×	×	√	√	√

C

用法对比 Usage

用法解释 Comparison

“重”和“重新”有相同的意思，但音节不同，用法也不同。“重”可以作补语，“重新”不能。

语境示例 Examples

① 这篇论文我要重写。(☺这篇论文我要重新写。)

② 这座古建筑都是重修过的。(☺这座古建筑都是重新修过的。)

③ 第一学期他没有怎么上课，所以，下学期还得从头重学。(☺第一学期他没有怎么上课，所以，下学期还得从头重新学。)

④ 他们是二十多年后才重逢的。（*他们是二十多年后才重新逢的。)

⑤ 这本书我买重了，给我退了吧。(*这本书我买重新了，给我退了吧。)

⑥ 要彻底改正错误，重新做人。(对罪犯说的话)(*要彻底改正错误，重做人。)

258 重新[副]chóngxīn ▶ 再[副]zài

词义说明 Definition

重新[again; anew; afresh] 表示再一次，从头另行开始。

再[(for an action yet to take place or contemplated) again; once more] 将要重复和继续（还有特指第二次的意思）：请～说一遍。[(used before adjectives) to a greater extent or degree] 更加：声音～大一点儿。[(used to indicate the continuing of a situation in conditional or suppositional clauses)] 表示如果继续下去就会怎样：～不走就要迟到了。[(indicating one action taking place ofter the completion of another) then; only then] 表示一个动作发生在另一个动作结束以后：我们先去游览长江三峡，然后～去桂林。[in addition; on top of that] 表示有所补

充：这个包里有书和词典，～就是我的随身听。

词语搭配 Collocation

	～学习	～见	～读一遍	～来一次	～高一点儿	想好～写	～不…	～做人	～婚
重新	√	×	√	√	×	×	×	√	×
再	√	√	√	√	√	√	√	×	√

用法对比 Usage

用法解释 Comparison

“重新”既可以表示已然的动作，也可以表示未然的动作；“再”只表示未然的动作行为。“重新”有以前的动作行为有误的意思，“再”不含此意。

语境示例 Examples

① 这篇作文老师说我写得不好，得重新写。(☺这篇作文老师说我写得不好，得再写。)
② 这个句子请你再说一遍。(☺这个句子请你重新说一遍。)
③ 第二册书我想重新学一遍。(☺第二册书我想再学一遍。)
④ 我们再等他一会儿吧，也许他能来。(＊我们重新等他一会儿吧，也许他能来。)
⑤ 今天去他们没开门，明天得再去。(＊今天去他们没开门，明天得重新去。)
⑥ 快点儿吧，再不快点儿就赶不上车了。(＊快点儿吧，重新不快点儿就赶不上车了。)
⑦ 我再考不及格就得留级了。(＊我重新考不及格就得留级了。)
⑧ 这件大衣的颜色再深一点儿就好了。(＊这件大衣的颜色重新深一点儿就好了。)

“再”特指第二次，“重新”没有这个限制。

第一次婚姻失败后，她不想再婚了。(＊第一次婚姻失败后，她不想重新婚了)。

259 崇拜[动]chóngbài ▶ 崇敬[动]chóngjìng

词义说明 Definition

崇拜[worship; adore] 尊敬佩服。

崇敬[esteem; respect; revere] 推崇尊敬。

词语搭配 Collocation

	英雄～	～英雄	～的心情	非常～	十分～	受～	盲目～	个人～
崇拜	√	√	√	√	√	√	√	√
崇敬	×	√	√	√	√	√	×	×

C

用法对比 Usage

用法解释 Comparison

"崇拜"比"崇敬"的程度高，而且与其他词语的搭配也有所不同。

语境示例 Examples

① 人民崇拜他，是因为他不仅是伟大的政治家，而且是伟大的思想家、军事家和诗人，他把自己的一生都献给了人民。(☺人民崇敬他，是因为他不仅是伟大的政治家，而且是伟大的思想家、军事家和诗人，他把自己的一生都献给了人民。)

② 我对我的导师非常崇拜，他二十多岁就成了世界著名的数学家。(☺我对我的导师非常崇敬，他二十多岁就成了世界著名的数学家。)

③ 我很崇拜那些为国家做出巨大贡献的科学家。(☺我很崇敬那些为国家做出巨大贡献的科学家。)

④ 人们怀着无限崇敬的心情，向无名烈士墓献了花圈。(* 人们怀着无限崇拜的心情，向无名烈士墓献了花圈。)

⑤ 那些为中国人民解放事业而英勇献身的无名英雄们将永远受到人民的崇敬。(* 那些为中国人民解放事业而英勇献身的无名英雄们将永远受到人民的崇拜。)

⑥ 要树立奴隶创造历史的观点，反对个人崇拜。(* 要树立奴隶创造历史的观点，反对个人崇敬。)

260 崇高[形]chónggāo ▶ 高尚[形]gāoshàng

词义说明 Definition

崇高[lofty; sublime; high] 最高的，最高尚的。

高尚[noble; lofty] 道德水平高。[meaningful; not in poor taste] 有意义的，不是低级趣味的。

词语搭配 Collocation

	～的理想	～的威望	～的敬意	～的人	～的品质	道德～
崇高	√	√	√	×	×	×
高尚	√	×	×	√	√	√

用法对比 Usage

用法解释 Comparison

"崇高"和"高尚"的意思差不多，但是它们修饰的对象不尽相同。"崇高"常用来作定语，"高尚"既可以作定语，也可以作谓语。

语境示例 Examples

① 无数革命先烈为了自己崇高的理想而英勇献身了，他们的精神永远值得敬仰。(☺无数革命先烈为了自己高尚的理想而英勇献身了，他们的精神永远值得敬仰。)

② 他在中国人心中有崇高的威望。(＊他在中国人心中有高尚的威望。)

③ 向日夜守卫祖国边疆的解放军战士致以崇高的敬意。(＊向日夜守卫祖国边疆的解放军战士致以高尚的敬意。)

④ 不论在什么工作岗位上，也无论职位高低，只要是全心全意为人民服务的人，都是高尚的人。(＊不论在什么工作岗位上，也无论职位高低，只要是全心全意为人民服务的人，都是崇高的人。)

⑤ 他高尚的品质受到了人民的赞扬。(＊他崇高的品质受到了人民的赞扬。)

261 仇[名]chóu ▶ 仇恨[动、名]chóuhèn

词义说明 Definition

仇[enemy; foe] 仇敌。[hatred; enmity] 仇恨。

仇恨[hate bitterly or intensely because of a conflict of interests] 因利害冲突而强烈地憎恨。[hostility; bitter or intense hatred caused by conflicts of interests] 由利害冲突而产生的强烈憎恨。

词语搭配 Collocation

	有～	结～	家～	世～	深～大恨	～敌人	民族～	报～
仇	√	√	√	√	√	×	×	√
仇恨	√	√	×	×	×	√	√	×

C

用法对比 Usage

用法解释 Comparison

"仇恨"既是名词也是动词，可以作谓语，"仇"只是名词，不能作谓语。

语境示例 Examples

① 因为这场战争，使这两个国家结下了仇恨。(☺因为这场战争，使这两个国家结下了仇。)

② 我们要为死难者报仇。(＊我们要为死难者报仇恨。)(☺我们要为死难者报仇雪恨。)

③ 消除国家与国家、民族与民族之间的仇恨，是政治家们义不容辞的责任。(＊消除国家与国家、民族与民族之间的仇，是政治家们义不容辞的责任。)

④ 我们两国人民与人民之间没有仇恨，完全能够和平相处。(＊我们两国人民与人民之间没有仇，完全能够和平相处。)

⑤ 他这个人从来不记私仇，是个深明大义的人。(＊他这个人从来不记私仇恨，是个深明大义的人。)

⑥ 这种针对平民的恐怖行动只能增加两国人民之间的仇恨，使事态恶化。(＊这种针对平民的恐怖行动只能增加两国人民之间的仇，使事态恶化。)

⑦ 人民仇恨侵略者。(＊人民仇侵略者。)

262 筹备[动]chóubèi ▶ 准备[动]zhǔnbèi

词义说明 Definition

筹备[prepare; arrange] 为了进行工作，举办事业或成立机构等事先筹划准备。

准备[prepare; get ready] 预先安排或筹划。[intend; plan] 打算，计划。

词语搭配 Collocation

	～工作	～委员会	～展览会	精神～	思想～	没有～	有～	～来	～去	～考试
筹备	√	√	√	×	×	×	×	×	×	×
准备	√	×	√	√	√	√	√	√	√	√

C

用法对比 Usage

用法解释 Comparison

"筹备"有"准备"的意思，但是涉及的对象只限于展览、工程等，"准备"涉及的对象要广一些。

语境示例 Examples

① 我们正在筹备一个大型展览会。(☺我们正在准备一个大型展览会。)

② 大会的筹备工作已经就绪。(☺大会的准备工作已经就绪。)

③ 为了开好这次大会专门成立了一个筹备委员会。(*为了开好这次大会专门成立了一个准备委员会。)

④ 一个人去国外工作会遇到意想不到的困难，你要有充分的思想准备。(*一个人去国外工作会遇到意想不到的困难，你要有充分的思想筹备。)

⑤ 我现在正在准备期末考试。(*我现在正在筹备期末考试。)

⑥ 今年暑假我准备到中国南方去旅行。(*今年暑假我筹备到中国南方去旅行。)

⑦ 你准备什么时候出发？(*你筹备什么时候出发？)

263 丑[形]chǒu ▶ 丑陋[形]chǒulòu

词义说明 Definition

丑[ugly; unsightly; hideous] 丑陋，不好看（跟"美"相对）。
[disgraceful; shameful; scandalous] 叫人厌恶或瞧不起的。

丑陋[ugly]（相貌或样子）难看。

词语搭配 Collocation

	长得～	相貌～	～态	出～	形象～	～事
丑	√	√	√	√	√	√
丑陋	√	√	×	×	√	×

用法对比 Usage

用法解释 Comparison

“丑陋”和“丑”的意思相同，但是音节不同，用法也有差别。“丑”可以用于固定格式，“丑陋”不能。

语境示例 Examples

① 她长得很丑，所以至今没有男朋友。(☺她长得很丑陋，所以至今没有男朋友。)
② 因为长相丑，找工作都遇到了很多麻烦。(☺因为长相丑陋，找工作都遇到了很多麻烦。)
③ 我根本不会唱歌，你让我在那么多人面前唱歌，不是让我出丑吗？(*我根本不会唱歌，你让我在那么多人面前唱歌，不是让我出丑陋吗？)
④ 丑媳妇总得见公婆，不论论文好坏，总得交给导师看。(*丑陋媳妇总得见公婆，不论论文好坏，总得交给导师看。)
⑤ 那些贪官以往骄横跋扈，一旦被揭露出来，就丑态百出。(*那些贪官以往骄横跋扈，一旦被揭露出来，就丑陋态百出。)

264 丑[形]chǒu ▶ 丑恶[形]chǒu'è

词义说明 Definition

丑[ugly; unsightly; hideous] 不好看（跟“美”相对）。

丑恶[ugly, repulsive; hideous] 丑陋恶劣。

词语搭配 Collocation

	很～	～事	～闻	～现象	～嘴脸	～行为	～面目	～的灵魂
丑	√	√	√	×	×	×	×	×
丑恶	√	×	×	√	√	√	√	√

用法对比 Usage

用法解释 Comparison

“丑”多用于口语，“丑恶”多用于书面语。“丑”表示相貌不好看，“丑恶”多修饰双音节词语，而且多为抽象的事物，如面目、本质、灵魂等。

语境示例 Examples

① 要消灭贪污、受贿、嫖娼、走私、吸毒这些社会丑恶现象，需要

经过长期努力。(*要消灭贪污、受贿、嫖娼、走私、吸毒这些社会丑现象，需要经过长期努力。)

② 美和丑是相对的，就像真和假，善与恶是相对的一样。(*美和丑恶是相对的，就像真和假，善与恶是相对的一样。)

③ 这件丑闻曝光以后，他只好辞职。(*这件丑恶闻曝光以后，他只好辞职。)

④ 从这个贪官临刑前的自白中，我们不难看出他的丑恶嘴脸。(*从这个贪官临刑前的自白中，我们不难看出他的丑嘴脸。)

⑤ 这篇报道揭露了黑社会头目的丑恶面目。(*这篇报道揭露了黑社会头目的丑面目。)

265 出发[动]chūfā ▶ 动身 dòng shēn

词义说明 Definition

出发 [set out; start off] 离开原来所在的地方到别处去。[proceed from; focus of attention when considering or handling an issue] 考虑或处理问题时从某一方面着眼。

动身 [go (or set out) on a journey; leave (for a distant place)] 出发，上路。

词语搭配 Collocation

	几点～	从哪儿～	～点	从长远～	从实际～	从工作～	从人民利益～
出发	√	√	√	√	√	√	√
动身	√	√	×	×	×	×	×

用法对比 Usage

用法解释 Comparison

“出发”和“动身”都表示离开原来的地方到别的地方去，“动身”多用于人，“出发”可以用于人，也可以用于车、船、马等。“出发”的意思除了“动身”以外，还表示考虑问题的着眼点。

语境示例 Examples

① 我们决定明天早上六点钟出发。(☺我们决定明天早上六点钟动身。)

② 明天他们从哪儿出发？(☺明天他们从哪儿动身？)
③ 这趟车什么时候出发？(＊这趟车什么时候动身？)
④ 执政党一定要从人民的利益出发，而不能从个人或小集团的利益出发。(＊执政党一定要从人民的利益动身，而不能从个人或小集团的利益动身。)
⑤ 要从学生未来的需要出发安排教学内容。(＊要从学生未来的需要动身安排教学内容。)
⑥ 要从实际出发，实事求是地解决问题。(＊要从实际动身，实事求是地解决问题。)

266 出境chū jìng ▶ 出国chū guó

词义说明 Definition

出境[leave the country] 离开国境。[leave a certain region] 离开某个地区。

出国[go abroad] 离开本国到外国去。

词语搭配 Collocation

	办理～手续	驱逐～	～留学	～考察	～旅游
出境	√	√	×	×	√
出国	√	×	√	√	√

用法对比 Usage

用法解释 Comparison

“出国”的“国”指祖国，“出境”的“境”指国境。正式场合只能说“出国”。

语境示例 Examples

① 现在出国旅游的人越来越多。(☺现在出境旅游的人越来越多。)
② 他已经办好了出国手续，就要去国外留学了。(＊他已经办好了出境手续，就要去国外留学了。)
③ 我们下个月要出国考察。(＊我们下个月要出境考察。)
④ 下个月他要陪同总理出国访问。(＊下个月他要陪同总理出境访问。)
⑤ 两个以收集我国情报为目的的外国特务分子，已经被我公安机关

驱逐出境。（＊两个以收集我国情报为目的的外国特务分子，已经被我公安机关驱逐出国。）

⑥ 我出过两次国。（＊我出过两次境。）

C

267 出路[名]chūlù ▶ 活路[名]huólù

词义说明 Definition

出路[a way out] 通向外边的路；比喻生存或向前发展的途径；前途。[sales outlet for commodities] 比喻销售货物的去处。

活路[workable method] 走得通的路；比喻行得通的方法。[way out, means of subsistence] 比喻能够生存下去的办法。

词语搭配 Collocation

	找～	有～	没有～	生活～	根本～	找个～	另谋～
出路	√	√	√	√	√	√	√
活路	√	√	√	×	×	√	×

用法对比 Usage

用法解释 Comparison

“出路”可以是人的，也可以是东西的，“活路”只能是人的。

语境示例 Examples

① 如果你年轻时不掌握一门专业，没有一技之长，将来是没有出路的。(☺如果你年轻时不掌握一门专业，没有一技之长，将来是没有活路的。)

② 如果他失业，全家就没有了活路。（＊如果他失业，全家就没有了出路。）

③ 失业以后，我想另谋出路，开了一个小商店。（＊失业以后，我想另谋活路，开了一个小商店。）

④ 因为修了这条公路，山里的货物有了出路。（＊因为修了这条公路，山里的货物有了活路。）

⑤ 要给这些滞销的货物找个出路。（＊要给这些滞销的货物找个活路。）

⑥ 他们进山不久就迷失了方向，找不到出路了。（＊他们进山不久就迷失了方向，找不到活路了。）

268 出名chū míng ▶ 有名yǒu míng

词义说明 Definition

出名[be famous; be well known] 有名声；名字为大家所熟知。

有名[well-known; famous; celebrated] 名字为大家所熟知；出名。

词语搭配 Collocation

	很～	～的科学家	～的球星	～的风景区	～的城市	～的地方
出名	√	√	√	√	√	√
有名	√	√	√	√	√	√

用法对比 Usage

用法解释 Comparison

"出名"和"有名"既可以形容人，也可以形容其他事物，它们都可以作谓语和定语，作定语时要带"的"。因为都是动宾结构，还可以分开用，中间可以加入其他成分。

语境示例 Examples

① 他现在已经是国际上有名的导演了。(☺他现在已经是国际上出名的导演了。)

② 他的导师是世界有名的科学家。(☺他的导师是世界出名的科学家。)

③ 她是演这个电影出的名。(☺她是演这个电影有的名。)

④ 有的人没出名的时候，千方百计地想让自己成为名人，但是出名以后，出门上街都要带墨镜，捂口罩，生怕别人认出来。(☺有的人没有名的时候，千方百计地想让自己成为名人，但是有名以后，出门上街都要带墨镜，捂口罩，生怕别人认出来。)

⑤ 桂林山水、杭州西湖、云南石林以及黄山、庐山、泰山等都是中国最有名的风景区。(☺桂林山水、杭州西湖、云南石林以及黄山、庐山、泰山等都是中国最出名的风景区。)

⑥ 人怕出名猪怕壮。(*人怕有名猪怕壮。)

269 出色[形]chūsè ▶ 优秀[形]yōuxiù

词义说明 Definition

出色[outstanding; remarkable; splendid] 特别好，超出一般的。

优秀[outstanding; excellent; splendid; fine]（品行、学问、成绩等）非常好。

词语搭配 Collocation

C

	很～	非常～	～人才	～作品	成绩～	表演～	～儿女	干得～	～地完成任务
出色	√	√	×	×	√	√	×	√	√
优秀	√	√	√	√	√	×	√	×	×

用法对比 Usage

用法解释 Comparison

“出色”和“优秀”有相同的意思，但是，“出色”可以作谓语、定语，也可以作状语和补语，而“优秀”只能作谓语和定语，不能作状语和补语。“出色”口语常用，“优秀”口语书面都用。

语境示例 Examples

① 他是一名非常出色的运动员。(☺他是一名非常优秀的运动员。)

② 去年，他们出色地完成了国家交给的任务。(＊去年，他们优秀地完成了国家交给的任务。)

③ 他干得很出色。(＊他干得很优秀。)

④ 他的优秀品质受到了大家的赞扬。(＊他的出色品质受到了大家的赞扬。)

⑤ 她在这个电影里的表演非常出色。(＊她在这个电影里的表演非常优秀。)

⑥ 她品学兼优，今年被评为优秀学生。(＊她品学兼优，今年被评为出色学生。)

270 出生[动]chūshēng ▶ 诞生[动]dànshēng

词义说明 Definition

出生[be born] 胎儿从母体里分离出来。

诞生[be born; come into being; emerge] 指人的出生，也用来比喻新事物的出现。

词语搭配 Collocation

	～在…	哪一年～的	～于…
出生	√	√	√
诞生	√	√	√

用法对比 Usage

用法解释 Comparison

“诞生”和“出生”是同义词，但是，“诞生”用来尊称名人的出生，也表示新生事物的出现和国家、政党的成立等。

语境示例 Examples

① 我们医院每天有十几个婴儿出生。(☺我们医院每天有十几个婴儿诞生。)
② 我是1982年出生的。(＊我是1982年诞生的。)
③ 他诞生在中国江南一个农村。(☺他出生在中国江南一个农村。)
④ 鲁迅1881年诞生于浙江绍兴。(☺鲁迅1881年出生于浙江绍兴。)
⑤ 1949年10月1日，中华人民共和国诞生了，中国人民从此站起来了。(＊1949年10月1日，中华人民共和国出生了，中国人民从此站起来了。)

271 出事 chū shì ▶ 有事 yǒu shì

词义说明 Definition

出事[meet with a mishap; have an accident] 发生事故。

有事[have a job; be employed; be engaged; be busy] 有事情，有工作，忙。[meet with an accident; get into trouble] 出现变故，出现意外。[(used with 心里) have sth. on one's mind; be anxious; worry] 有心事，担心，着急。

词语搭配 Collocation

	家里～了	飞机～了	他～了	～地点	～干了	心里～	我～
出事	√	√	√	√	×	×	×
有事	√	×	×	×	√	√	√

用法对比 Usage

用法解释 Comparison

这两个都是动宾词组，但是意思不同，“出事”的“事”一定不是好事，“他出事了”的意思一般是：他犯罪了，他被警察抓起来了，或者他出车祸了等。“有事”的“事”一般指工作、事情等，“他有事”常常是没有空儿或者是不愿接受邀请、约会，是不能参加某项活动的推托之词。

语境示例 Examples

① 前边围了那么多人，是不是出什么事了？（☺前边围了那么多人，是不是有什么事了？）

② 是一辆汽车出事了，撞倒了一个行人。（*是一辆汽车有事了，撞倒了一个行人。）

③ 对不起，明天我有事不能来。（*对不起，明天我出事不能来。）

④ 她心里好像有事，看上去不大高兴。（*她心里好像出事，看上去不大高兴。）

⑤ 我有事先走一步。（*我出事先走一步。）

⑥ 他开车还没有出过事。（*他开车还没有过事。）

272 出售[动]chūshòu ▶ 出卖[动]chūmài

词义说明 Definition

出售[offer for sale; sell] 卖。

出卖[offer for sale; sell] 卖；出售。[sell out; betray] 为了个人利益，做出有利于敌人的事，使国家、民族、亲友等利益受到损失。

词语搭配 Collocation

	～商品	～房屋	～劳动力	～土地	降价～	～灵魂	～民族利益	～朋友	～情报
出售	√	√	×	√	√	×	×	×	×
出卖	√	√	√	√	×	√	√	√	√

用法对比 Usage

用法解释 Comparison

“出售”和“出卖”有相同的意思，但是“出卖”还是个贬义词，指为了个人利益干有损于国家、民族和人民以及亲友的事。

语境示例 Examples

① 一到夏季，这些商品都会降价出售。(☺一到夏季，这些商品都会降价出卖。)
② 他在国内是一个医生，可是在国外却靠出卖劳动力生活。（*他在国内是一个医生，可是在国外却靠出售劳动力生活。）
③ 在有关国家主权的问题上决不能出卖原则。（*在有关国家主权的问题上决不能出售原则。）
④ 他出卖灵魂，编造谎言，昧着良心写了这样一本污蔑人民领袖的书。（*他出售灵魂，编造谎言，昧着良心写了这样一本污蔑人民领袖的书。）
⑤ 纵观中国历史，那些出卖国家和民族的利益，出卖灵魂，媚敌求荣的人，没有几个有好下场的。（*纵观中国历史，那些出售国家和民族的利益，出售灵魂，媚敌求荣的人，没有几个有好下场的。）
⑥ 他因为出卖国家机密被判处十年徒刑。（*他因为出售国家机密被判处十年徒刑。）

273 出席[动]chūxí ▶ 参加[动]cānjiā

词义说明 Definition

出席[be present (at a meeting, social gathering, etc.); attend] 参加会议；正式场合则指有发言权或表决权的成员参加会议。

参加[join (a group, organization, etc.); take part in (an activity)] 加入某种组织或活动。[give (advice, suggestion, etc.)] 提出（意见）。

词语搭配 Collocation

	～大会	～会议	～招待会	～工会	～选举	～绿化活动	～劳动	～工作	～意见
出席	√	√	√	×	×	×	×	×	×
参加	√	√	√	√	√	√	√	√	√

用法对比 Usage

用法解释 Comparison

“出席”的多为正式的会议，“参加”的范围要广得多，有组织、活动、工作、比赛等。

语境示例 Examples

① 出席国庆招待会的有来自全国各地的劳动模范和先进工作者。(☺参加国庆招待会的有来自全国各地的劳动模范和先进工作者。)

② 出席这次代表大会的代表共一千五百多人。(☺参加这次代表大会的代表共一千五百多人。)

③ 他大学一毕业就参加工作了。(＊他大学一毕业就出席工作了。)

④ 我们班参加了汉语节目表演，还得了一等奖。(＊我们班出席了汉语节目表演，还得了一等奖。)

⑤ 他们去年参加了一个旅行团，去欧洲十多个国家旅行。(＊他们去年出席了一个旅行团，去欧洲十多个国家旅行。)

⑥ 我搞了一个初步计划，你看一看，也参加点儿意见。(＊我搞了一个初步计划，你看一看，也出席点儿意见。)

274 出现[动]chūxiàn ▶ 现出 xiàn chū

词义说明 Definition

出现[appear; arise; emerge] 显露出来，产生出来。

现出[show; appear; become visible] 表露在外边，使人可以看见。

词语搭配 Collocation

	~了奇怪的景象	~在舞台上	~在银幕上	~在东方	~原形	~笑脸
出现	√	√	√	√	×	×
现出	×	×	×	×	√	√

用法对比 Usage

用法解释 Comparison

“出现”及其结果补语“在”可以带处所宾语，而“现出”是动词“现”和动词“出”组成的动补词组，不能再带补语。

语境示例 Examples

① 天边出现了红霞。(☺天边现出了红霞。)

② 他以崭新的形象出现在银幕上。(＊他崭新的形象现出在银幕上。)

③ 中国总是以维护世界和平和人类正义的大国形象出现在国际舞台上。(＊中国总是以维护世界和平和人类正义的大国形象现出在国际舞台上。)

④ 他的突然出现让大家感到意外。(＊他的突然现出让大家感到意外。)

⑤ 我看到她脸上现出不自然的神情。(＊我看到她脸上出现不自然的神情。)(☺我看到她脸上出现了不自然的神情。)

⑥ 现在不少国家出现了一股汉语热，很多大学生把汉语作为自己的第一外语。(＊现在不少国家现出了一股汉语热，很多大学生把汉语作为自己的第一外语。)

C

275 初级[形]chūjí ▶ 初步[形]chūbù ▶ 初等[形]chūděng

词义说明 Definition

初级[elementary; primary] 最低的阶段。

初步[initial; preliminary; tentative] 开始阶段的，不完备的。

初等[elementary; primary] 比较浅近的，初级。

词语搭配 Collocation

	～阶段	～小学	～中学	～读本	～形式	～成果	～意见	～解决	～方案
初级	√	√	√	√	√	×	×	×	×
初步	×	×	×	×	×	√	√	√	√
初等	×	×	×	×	×	×	×	×	×

用法对比 Usage

用法解释 Comparison

“初步”、“初级”和“初等”都是形容词，都可以作定语，但是因为它们修饰的对象不同，所以一般不能相互替换。

语境示例 Examples

① 我现在在汉语初级班学习。(＊我现在在汉语初步/初等班学习。)

② 汉语学习的初级阶段，要把主要精力放在听说能力的训练上。(＊汉语学习的初步/初等阶段，要把主要精力放在听说能力的训

练上。)

③ 请你们先拿出一个初步方案来，然后我们再讨论。(＊请你们先拿出一个初级/初等方案来，然后我们再讨论。)

④ 中国的中学阶段有五年或六年，分初级中学和高级中学。(＊中国的中学阶段有五年或六年，分初步/初等中学和高级中学。)

⑤ 教育改革已经取得了初步成果。(＊教育改革已经取得了初级/初等成果。)

⑥ 我只学过初等数学，没有学过高等数学。(＊我只学过初步/初级数学，没有学过高等数学。)

C

276 除非[连]chúfēi ▶ 只有[连]zhǐyǒu

词义说明 Definition

除非[(used correlatively with 才) only if; only when] 表示惟一的条件，常跟“才”合用，相当于“只有”：～你跟我去，我才去。[used correlatively with 才、否则、不然 or 要不然 (not)... unless]：～你跟我去，否则我不去。[(preceded by a clause with 要) must; need to] 要想了解中国的情况，～你亲自去看看。

只有[only if; alone; provided that; usu. used correlatively with 才 or 方] 表示必需的惟一的条件，下文常用“才”、“方”呼应。

用法对比 Usage

用法解释 Comparison

“除非”和“只有”表达的意思相同。“只有”是从正面提出某个惟一的条件，“除非”是从反面提出，强调不能缺少某一惟一条件。“除非”后边可以接“才、不、否则、不然、要不然”等词语，“只有”只能与“才、方”配合使用，不能和“不”搭配。

语境示例 Examples

① 除非：除非在这里修个水库，否则不能解决城市供水问题。
只有：只有在这里修个水库，才能解决城市供水问题。

② 除非他来，问题才能解决。(☺只有他来，问题才能解决。)

③ 除非努力学习，才能取得好成绩。(☺只有努力学习，才能取得好成绩。)

④ 只有努力发展经济，才能提高人民的生活水平。(☺除非努力发展经济，才能提高人民的生活水平。)
⑤ 除非你去，我才去。(☺只有你去，我才去。)
⑥ 这件事除非问他，别人都不清楚。(☺这件事只有问他，别人都不清楚。)
⑦ 只有他了解这个情况。(*除非他了解这个情况。)
⑧ 除非来车接我，要不我才不去呢。(*只有来车接我，要不我才不去呢。)(☺只有来车接我，我才去。)
⑨ 除非你期末考试及格，不然肯定毕不了业。(*只有你期末考试及格，不然肯定毕不了业。) (☺只有你期末考试及格，才能毕业。)

C

277 处罚[动]chǔfá ▶ 处分[动]chǔfèn

词义说明 Definition

处罚[punish; penalize] 依据法令规章，对犯错误或犯罪的人加以惩治，使其受到政治或经济上的损失而有所警戒。

处分[take disciplinary action against; punish; punishment] 对犯错误或犯罪的人按照情节轻重做出处罚决定；也指这种处分的决定。[handle; manage; deal with] 处理安排。

词语搭配 Collocation

	给予～	免予～	～学生	～犯罪	～很重	～太轻
处罚	√	√	√	√	√	√
处分	√	√	√	×	√	√

用法对比 Usage

用法解释 Comparison

“处罚”和“处分”的对象都是犯错误或犯罪的人，但是“处罚”有使其经济或政治上受到损失的意思。

语境示例 Examples

① 这样的处分对他是不是太重了？(☺这样的处罚对他是不是太重了？)
② 因为他能主动交代罪行，并有立功表现，所以免予刑事处分。(*因为他能主动交代罪行，并有立功表现，所以免予刑事处罚。)

③ 因为严重违反学校纪律，学校决定给他记大过的处分。（＊因为严重违反学校纪律，学校决定给他记大过的处罚。）
④ 因为偷税漏税，他受到了处罚。（＊因为偷税漏税，他受到了处分。）
⑤ 因为考试作弊，他受到了学校的处分。（＊因为考试作弊，他受到了学校的处罚。）

278 处理[动]chǔlǐ ▶ 处置[动]chǔzhì

词义说明 Definition

处理[handle; deal with; dispose of] 安排事物，解决问题；处治，惩办。[sell at reduced price] 减价出售。

处置[handle; deal with; dispose of; manage] 处理。[punish] 惩治或处罚犯罪行为或犯罪分子。

词语搭配 Collocation

	～问题	～日常事物	依法～	～品	～不当	～犯罪分子	受到～
处理	√	√	√	√	√	×	√
处置	×	×	√	×	√	√	√

用法对比 Usage

用法解释 Comparison

“处理”的对象可以是人，也可以是东西、事情、人与人之间的关系等，“处置”的对象一般是人。

语境示例 Examples

① 对那些走私贩私的不法分子要依法进行处理。(☺对那些走私贩私的不法分子要依法进行处置。)
② 对他的处理有些不当。(☺对他的处置有些不当。)
③ 处理好复杂的人事关系，简直是一门学问。（＊处置好复杂的人事关系，简直是一门学问。）
④ 日常事物都由我夫人处理，所以我可以放心搞科研。（＊日常事物都由我夫人处置，所以我可以放心搞科研。）
⑤ 把这些不用的东西统统处理掉。（＊把这些不用的东西统统处置掉。）

279 储备[动、名]chǔbèi ▶ 储存[动]chǔcún

C

词义说明 Definition

储备[store for future use; lay in; lay up]（物资）储存起来准备必要时应用。[reserve] 储备起来的东西。

储存[lay in; lay up; store; stockpile; deposit]（钱或物）存放起来，暂时不用。

词语搭配 Collocation

	外汇～	黄金～	粮食～	～过冬饲料	～战略物资	～钱	～资料	～起来
储备	√	√	√	√	√	×	×	×
储存	×	×	×	√	√	√	√	√

用法对比 Usage

用法解释 Comparison

“储备”的对象是物资，“储存”的对象除了物资还包括金钱，与它们搭配的词语也有所不同。

语境示例 Examples

① 要为牲畜储备足够的过冬饲料。（☺要为牲畜储存足够的过冬饲料。）

② 中国的外汇储备在逐年增加，人民币汇率持续保持稳定。（*中国的外汇储存在逐年增加，人民币汇率持续保持稳定。）

③ 增加黄金储备也是国家发展所必需的。（*增加黄金储存也是国家发展所必需的。）

④ 暂时不用的钱最好储存在银行里。（*暂时不用的钱最好储备在银行里。）

⑤ 为了应付可能发生的突然事件，国家必须有足够的能源和粮食储备。（*为了应付可能发生的突然事件，国家必须有足够的能源和粮食储存。）

⑥ 我把有些资料都储存在软盘上了。（*我把有些资料都储备在软盘上了。）

280 处处[副]chùchù ▶ 到处[副]dàochù

词义说明 Definition

处处[everywhere; in all respects] 各个地方，各个方面。

到处[at all places; everywhere] 各处；处处。

词语搭配 Collocation

	～关心学生	～有亲人	～是鲜花	～是人	～是自行车	～欣欣向荣	～找你
处处	√	√	√	×	×	×	×
到处	×	√	√	√	√	√	√

用法对比 Usage

用法解释 Comparison

“处处”指各个地方，或各个方面，包括具体和抽象两种处所；“到处”是各个地方，指具体的处所。

语境示例 Examples

① 九月的北京到处是鲜花。(☺九月的北京处处是鲜花。)

② 中国到处是热气腾腾的建设场面。(☺中国处处是热气腾腾的建设场面。)

③ 老师处处关心我们。(＊老师到处关心我们。)

④ 妈妈来一次很不容易，我想陪她到处看看。(＊妈妈来一次很不容易，我想陪她处处看看。)

⑤ 他处处严格要求自己。(＊他到处严格要求自己。)

⑥ 我到处找他也没找到。(＊我处处找他也没找到。)

281 触犯[动]chùfàn ▶ 违犯[动]wéifàn

词义说明 Definition

触犯[offend; violate; go against] 冒犯，冲撞，侵犯。

违犯[violate; infringe; act contrary to] 违背和触犯（法规等）。

词语搭配 Collocation

	～法律	～人民利益	～众怒	～他	～宪法
触犯	√	√	√	√	√
违犯	√	×	×	×	√

用法对比 Usage

用法解释 Comparison

"触犯"和"违反"的对象都可以是法律法规，但是"触犯"还可以涉及人民利益和某个人等，"违反"没有这个用法。

语境示例 Examples

① 因为触犯法律，他被判三年徒刑。(☺因为违犯法律，他被判三年徒刑。)

② 侵犯人权是违犯宪法的。(*侵犯人权是触犯宪法的。)

③ 他们这样做触犯了人民利益，因此受到舆论的一致谴责。(*他们这样做违犯了人民利益，因此受到舆论的一致谴责。)

④ 他这么干触犯了一些人的利益，所以这些人就反对他。(*他这么干违犯了一些人的利益，所以这些人就反对他。)

⑤ 是谁触犯你了，你发这么大火？(*是谁违犯你了，你发这么大火？)

282 传播[动]chuánbō ▶ 传送[动]chuánsòng

词义说明 Definition

传播[disseminate; propagate; spread far and wide] 广泛散布。

传送[convey; deliver] 把物品、信件、消息、声音等从一处传递到另一处。

词语搭配 Collocation

	～消息	～花粉	～疾病	～知识	～信件	～信息	～声音	～开	广泛～
传播	√	√	√	√	×	√	×	√	√
传送	√	×	×	×	√	√	√	×	×

用法对比 Usage

用法解释 Comparison

"传播"和"传送"的对象有所不同，方式也不一样。"传播”的动作主体可以是人，也可以是其他动物，如蜜蜂；“传送”的行为主体只能是人。

语境示例 Examples

C

① 现在信息传播的速度快得惊人，不管在哪个国家发生的大事，几分钟甚至几秒钟之内就传遍了全世界。(☺现在信息传送的速度快得惊人，不管在哪个国家发生的大事，几分钟甚至几秒钟之内就传遍了全世界。)

② 教师的职责不仅是传播知识，还要帮助学生树立正确的人生观和世界观。(*教师的职责不仅是传送知识，还要帮助学生树立正确的人生观和世界观。)

③ 这种疾病的病菌是靠空气传播的。(*这种疾病的病菌是靠空气传送的。)

④ 要赶快把这个情况传送下去。(*要赶快把这个情况传播下去。)

⑤ 这个消息很快就传播开了。(*这个消息很快就传送开了。)

⑥ 蜜蜂的一个重要作用是传播花粉。(*蜜蜂的一个重要作用是传送花粉。)

283 传达[动]chuándá ▶ 传送[动]chuánsòng

词义说明 Definition

传达[pass on (information, etc.); relay; transmit; communicate] 把一方的意思告诉另一方。[reception and registration of callers at a public establishment] 在学校、机关、工厂门口管理登记和引导来访人员的工作。[receptionist] 负责传达工作的人员。

传送[convey; transmit; deliver] 把物品、信件、消息、声音等从一处送到另一处。

词语搭配 Collocation

	~命令	~上级的指示	~文件	~室	~消息	~信息	~信件	~声音
传达	√	√	√	√	√	√	×	×
传送	√	√	√	×	√	√	√	√

用法对比 Usage

用法解释 Comparison

“传达”的宾语是抽象的，“传送”的宾语既可以是抽象的，也可以是具体的。“传达”的行为主体多指人，“传送”的行为主体可以是人，但多数情况是指现代化的通讯手段，如报纸、电视、广播、互联网等。它们不能相互替换。

语境示例 Examples

① 电视和广播每天都把最新的消息传送到全国和全世界。(☺电视和广播每天都把最新的消息传达到全国和全世界。)
② 我去问一问传达室，今天有没有我的信。(＊我去问一问传送室，今天有没有我的信。)
③ 要及时把上级的指示传达下去。(＊要及时把上级的指示传送下去。)
④ 今天给大家传达一个文件。(＊今天给大家传送一个文件。)
⑤ 传达一个通知，书画班的同学下午在321教室上课。(＊传送一个通知，书画班的同学下午在321教室上课。)
⑥ 通过国际互联网传送信息又快又方便。(☺通过国际互联网传达信息又快又方便。)

284 传授[动]chuánshòu ▶ 教[动]jiāo

词义说明 Definition

传授[pass on (knowledge, skill, etc. to others); impart; teach] 把学问、技艺教给别人。

教[teach; instruct] 把知识和技能传给别人。

词语搭配 Collocation

	~知识	~技能	~给他	~书	~学生	~徒弟	~我做人	~太极拳	~一~
传授	√	√	√	×	×	×	×	×	×
教	√	√	√	√	√	√	√	√	√

用法对比 Usage

用法解释 Comparison

“传授”有“教”的意思，但是“教”的宾语可以是知识、学问，也可以是人，“传授”的宾语只能是知识技能。

语境示例 Examples

① 这项技术是我师傅传授给我的。(☺这项技术是我师傅教给我的。)
② 我要把自己的技术毫无保留地教给年轻人。(☺我要把自己的技术毫无保留地传授给年轻人。)
③ 他教留学生汉语已经教了三十年了。(＊他传授留学生汉语已经

传授了三十年了。)

④ 教书育人是一个教师的职责。(＊传授书育人是一个教师的职责。)

⑤ 我不会做中国菜，想请一个师傅教教我。(＊我不会做中国菜，想请一个师傅传授传授我。)

⑥ 导师不仅教我做学问，还教我怎么做人。(＊导师不仅传授我做学问，还传授我怎么做人。)

285 创办[动]chuàngbàn ▶ 创建[动]chuàngjiàn

词义说明 Definition

创办[establish; set up] 开始办。

创建[found; establish] 开始建立。

词语搭配 Collocation

	～学校	～杂志	～工厂	～公司	～一项事业	～政党
创办	√	√	√	√	√	×
创建	√	×	×	√	×	√

用法对比 Usage

用法解释 Comparison

"创建"和"创办"的对象都可以是学校、医院、工厂、公司等，但"创建"的对象还包括政党、组织等。

语境示例 Examples

① 希望工程为这里的农村创建了一所希望小学。(☺希望工程为这里的农村创办了一所希望小学。)

② 他捐款为残疾人创建了一个康复中心。(☺他捐款为残疾人创办了一个康复中心。)

③ 他们公司为山区创办了一所医院。(☺他们公司为山区创建了一所医院。)

④ 这家公司是十年前创办的。(☺这家公司是十年前创建的。)

⑤ 他们准备创办一份中文杂志。(＊他们准备创建一份中文杂志。)

⑥ 这个党是1921年由一些先进的知识分子创建的。(＊这个党是1921年由一些先进的知识分子创办的。)

286 创立[动]chuànglì ▶ 创建[动]chuàngjiàn

C

词义说明 Definition

创立[found; initiate; establish] 初次建立。

创建[found; initiate; establish] 创立。

词语搭配 Collocation

	~新理论	~新体系	~新党	~政权	~学校	~公司
创立	√	√	√	√	×	×
创建	√	√	√	√	√	√

用法对比 Usage

用法解释 Comparison

“创立”指创造性地建立，对象是抽象的、重大的，如国家、政权、学说、体系、事业等。“创建”的对象可以是抽象的，也可以是具体的。

语境示例 Examples

① 这个党是1921年创立的。(☺这个党是1921年创建的。)

② 他们公司创立时，只有三个人，现在已经发展成上万人的跨国公司了。(☺他们公司创建时，只有三个人，现在已经发展成上万人的跨国公司了。)

③ 我们为山区创建了一所小学。(*我们为山区创立了一所小学。)

④ 创立一个新的理论体系，需要努力奋斗几十年。(☺创建一个新的理论体系，需要努力奋斗几十年。)

⑤ 马克思主义思想体系是由马克思和恩格斯共同创立的。(☺马克思主义思想体系是由马克思和恩格斯共同创建的。)

287 创造[动]chuàngzào ▶ 创作[动、名]chuàngzuò

词义说明 Definition

创造[create; produce; bring about] 想出新方法、建设新理论、做出新的成绩或东西。

创作[create; produce; write] 创造文艺作品。[creative work; creation] 指文艺作品。

词语搭配 Collocation

	～条件	～成绩	～新记录	～奇迹	新～	文艺～	～小说	～经验	伟大～
创造	√	√	√	√	√	×	×	√	√
创作	√	√	×	×	√	√	√	√	√

用法对比 Usage

用法解释 Comparison

"创作"也是一种"创造"，但是"创造"不一定是"创作"，"创作"的对象多是艺术作品、小说、绘画等，"创造"的宾语是抽象的事物，如历史、奇迹、记录等。

语境示例 Examples

① 人民，只有人民才是创造世界历史的动力。（*人民，只有人民才是创作世界历史的动力。）

② 他在这次奥运会上创造了一项新的世界记录。（*他在这次奥运会上创作了一项新的世界记录。）

③"一国两制"是中国人民政治智慧的伟大创造。（*"一国两制"是中国人民政治智慧的伟大创作。）

④ 要创造条件，改善环境，吸引投资，发展经济。（*要创作条件，改善环境，吸引投资，发展经济。）

⑤ 我们要繁荣文艺创作，满足人民群众日益增长的文化生活的需要。（*我们要繁荣文艺创造，满足人民群众日益增长的文化生活的需要。）

⑥ 他在这部小说中，创造了一个崭新的人物形象。（*他在这部小说中，创作了一个崭新的人物形象。）

⑦ 近年来，长篇小说创作出现了一个大发展的局面。（*近年来，长篇小说创造出现一个了大发展的局面。）

⑧ 文学创作要源于生活，高于生活，反映人民的呼声和时代的要求。（*文学创造要源于生活，高于生活，反映人民的呼声和时代的要求。）

288 吹[动]chuī ▶ 吹牛 chuī niú

词义说明 Definition

吹 [blow; puff] 合拢嘴唇用力出气：把蜡烛吹灭。[play (a wind instrument)]（风、气流等）流动；冲击；吹气演奏：～笛子。

[boast; brag] 说大话，夸口；吹捧。[break off; break up; fall through] (事情、交情) 破裂，不成功：这个计划～了|他们俩～了。

吹牛[boast; brag; talk big] 说大话，夸口。也说吹牛皮。

C

词语搭配 Collocation

	～一口气	风～开了窗户	～小号	别～	他俩～了	这事～了	爱～
吹	√	√	√	√	√	√	√
吹牛	×	×	×	√	×	×	√

用法对比 Usage

用法解释 Comparison

"吹"含有"吹牛"的意思，但是"吹"的其他意思是"吹牛"所没有的。

语境示例 Examples

① 你别吹，你做一个机器人给我看看。(☺你别吹牛，你做一个机器人给我看看。)
② 他就会吹，实际上什么本事都没有。(☺他就会吹牛，实际上什么本事都没有。)
③ 这个人爱吹，能把死人吹活，你千万别信他的。(☺这个人爱吹牛，能把死人吹活，你千万别信他的。)
④ 风把窗户吹开了。(*风把窗户吹牛开了。)
⑤ 这个月的计划又吹了。(*这个月的计划又吹牛了。)
⑥ 他的笛子吹得不错。(*他的笛子吹牛得不错。)
⑦ 他们俩好了两年，最近吹了。(*他们俩好了两年，最近吹牛了。)

289 春[名]chūn ▶ 春天[名]chūntiān

词义说明 Definition

春[spring; a year] 春季；还表示一年的时间。[life; vitality] 比喻生机。

春天[spring; spring season] 冬天到夏天之间的季节。中国习惯指立春到立夏的三个月时间，也指农历"正、二、三"三个月。

词语搭配 Collocation

	～天	～季	～暖花开	～来了	科学的～	～游
春	√	√	√	√	×	√
春天	×	×	×	√	√	×

用法对比 Usage

用法解释 Comparison

“春”和“春天”有相同的词义，但“春”还是个语素，有组词能力，“春天”没有组词能力。

语境示例 Examples

① 春天来了，草绿了，花开了。(☺春来了，草绿了，花开了。)
② 一年之计在于春，一日之计在于晨。(*一年之计在于春天，一日之计在于晨。)
③ 这个星期六我们跟老师一起去春游。(*这个星期六我们跟老师一起去春天游。)

“春天”还用来比喻事业发展很好的时期。

我们迎来了文学艺术的春天。(*我们迎来了文学艺术的春。)

“春”泛指一年或一岁。

她今年一十八春(岁)。(*她今年一十八春天。)

290 纯洁[形、动]chúnjié ▶ 干净[形]gānjìng

词义说明 Definition

纯洁[pure; clean and honest] 没有杂质，没有污点。

干净[clean; neat and tidy] 没有污染，没有垃圾。[complete; total] 一点儿也不剩。

词语搭配 Collocation

	很～	～的心灵	～组织	～干部队伍	打扫～	消灭～	吃得很～	洗得很～
纯洁	√	√	√	√	×	×	×	×
干净	√	×	×	×	√	√	√	√

用法对比 Usage

用法解释 Comparison

“纯洁”是形容词，也作动词用，可以带宾语，“干净”只是形容词，不能带宾语。“干净”可以作补语，“纯洁”不能作补语。

语境示例 Examples

① 孩子们的心灵是纯洁的。（*孩子们的心灵是干净的。）
② 院子里打扫得很干净。（*院子里打扫得很纯洁。）
③ 我把衣服洗干净了。（*我把衣服洗纯洁了。）

“干净”可以重叠使用，说“干干净净”，“纯洁”没有重叠形式。

① 他们把我做的几个菜吃得干干净净。（*他们把我做的几个菜吃得纯纯洁洁。）
② 这件事我忘得干干净净。（*这件事我忘得纯纯洁洁。）

“纯洁”可以作动词，有“使纯洁”的意思。

要不断通过整顿，纯洁我们的组织。（*要不断通过整顿，干净我们的组织。）

291 词[名]cí ▶ 词汇[名]cíhuì

词义说明 Definition

词[word; term] 语言里最小的、可以自由运用的单位。[words in speech, poem, article or play] 说话或诗歌、文章、戏剧中的语句。[ci, poetry written to certain tunes with strict tonal patterns and rhyme schemes, in fixed numbers of lines and words, originating in the Tang Dynasty (618—907) and fully developed in the Song Dynasty (960 - 1279)] 发源于唐代成熟于宋代的一种文学形式。

词汇[vocabulary; words and phrases] 一种语言里所使用的词的总称，如汉语词汇。

词语搭配 Collocation

	这个～	生～	新～	歌～	开幕～	宋～	汉语～	英语～	总～	常用～	～量
词	√	√	√	√	√	√	√	√	×	√	×
词汇	×	×	×	×	×	×	√	√	√	√	√

用法对比 Usage

用法解释 Comparison

“词”和“词汇”的意思不同，但是，口语里“词”和“词汇”常常通用，“词汇”也表示“词”的意义。“词”可以用数量词语修饰，“词汇”一般不受数量词语修饰。

语境示例 Examples

① 随着社会生活的发展，汉语的新词也在不断增加。(☺随着社会生活的发展，汉语的新词汇也在不断增加。)
② 汉语里也有不少外来词。(☺汉语里也有不少外来词汇。)
③ 现代汉语常用词大概有多少？(☺现代汉语常用词汇大概有多少?)
④ 这个词是什么意思？(＊这个词汇是什么意思?)
⑤ 这一课的生词太多。(＊这一课的生词汇太多。)
⑥ 这首歌的歌词写得真不错。(＊这首歌的歌词汇写得真不错。)
⑦ 这部词典一共有五万多个词。(＊这部词典一共有五万多个词汇。)
⑧ 外语学习到了一定的阶段就要注意扩大词汇量，没有一定的词汇量，阅读和写作能力就很难提高。(＊外语学习到了一定的阶段就要注意扩大词量，没有一定的词量，阅读和写作能力就很难提高。)

“词”还特指一种文学形式。

① 唐诗和宋词是中国文学史上的双子星座，是中华文化的瑰宝，它将永远闪耀着灿烂的光辉。(＊唐诗和宋词汇是中国文学史上的双子星座，是中华文化的瑰宝，它将永远闪耀着灿烂的光辉。)
② 毛泽东的诗词作品虽然不多，但是却在中国文学史上树起了一座巍峨的丰碑。(＊毛泽东的诗词汇作品虽然不多，但是却在中国文学史上树起了一座巍峨的丰碑。)

292 慈爱[形]cí'ài ▶ 慈祥[形]cíxiáng

词义说明 Definition

慈爱[love (of an older person for a younger one) affection; kindness] (年长者对年幼者) 仁慈怜爱。

慈祥[kindly] (老年人的态度、神色) 和善安详。

词语搭配 Collocation

	很～	～的目光	～的母亲	～的老人	～的微笑	～的面容
慈爱	√	√	√	√	√	√
慈祥	√	√	×	×	√	√

用法对比 Usage

用法解释 Comparison

“慈爱”描写长辈、老人、领导者等内在的感情，“慈祥”着重描写老人外表的神色、面容和态度等。

语境示例 Examples

① 这位老人慈祥的面容使我想起了我的祖母。(☺这位老人慈爱的面容使我想起了我的祖母。)
② 照片上祖母那慈祥的目光，总让我感到温暖。(☺照片上祖母那慈爱的目光，总让我感到温暖。)
③ 总理说完，慈祥地望着我们。(☺总理说完，慈爱地望着我们。)
④ 听了我的话，奶奶脸上露出了慈祥的微笑。(☺听了我的话，奶奶脸上露出了慈爱的微笑。)
⑤ 慈爱的母亲去世了，留给我的是无尽的怀念。(* 慈祥的母亲去世了，留给我的是无尽的怀念。)

293 此刻[名]cǐkè ▶ 此时[名]cǐshí

词义说明 Definition

此刻[this moment; now; at present] 这一刻；这时候。

此时[this moment; right now] 这个时候。

词语搭配 Collocation

	～风停了	～正是八点	～我已经睡下了	～他正在做什么呢
此刻	√	√	√	√
此时	√	√	√	√

用法对比 Usage

用法解释 Comparison

“此刻”指这一时刻，比“此时”所指的时间要短，它们都是前边说到或前文提到的某一时刻或时间，有时还合用为“此时此刻”。

语境示例 Examples

① 此刻风停了，雨住了，西边天空出现了一道美丽的彩虹。(☺此时风停了，雨住了，西边天空出现了一道美丽的彩虹。)
② 我此刻的心情是无法用语言来表达的。(☺我此时的心情是无法用语言来表达的。)

③ 夜已经很深了，我翻来覆去睡不着，我想此刻他是不是也跟我一样呢？（☺夜已经很深了，我翻来覆去睡不着，我想此时他是不是也跟我一样？）

④ 我的家乡此时正是百花盛开的季节，而北国还是一片冰天雪地。（＊我的家乡此刻正是百花盛开的季节，而北国还是一片冰天雪地。）

⑤ 去年此时我还是个留学生呢，而今年我也成了一名教师。（＊去年此刻我还是个留学生呢，而今年我也成了一名教师。）

294 此外[连]cǐwài ▶ 另外[连、代、副]lìngwài

词义说明 Definition

此外[besides; in addition; moreover] 指除了上面所说的事物或情况以外的。

另外[in addition; besides; different; other] 在说过的以外，此外。

词语搭配 Collocation

	～两个	～的事	～再	～还	～又	～买	～做
此外	×	×	√	√	√	×	×
另外	√	√	√	√	√	√	√

用法对比 Usage

用法解释 Comparison

“此外”和“另外”的意思一样，但是，“此外”只是连词，只能用在第二个分句前边，不能作定语，“另外”还是代词和副词，可以作定语和状语。

语境示例 Examples

① 我有两本英语词典，此外还有一本汉语词典。（☺我有两本英语词典，另外还有一本汉语词典。）

② 昨天上街我买了一件大衣，此外还买了一件衬衫。（☺昨天上街我买了一件大衣，另外还买了一件衬衫。）

③ 这件给你，另外一件给妹妹。（＊这件给你，此外一件给妹妹。）

④ 我看屋子里有两个人，一个我认识，另外一个人我没有见过。（＊我看屋子里有两个人，一个我认识，此外一个人我没有见过。）

⑤ 我有一个随身听，我想另外再买一个送给弟弟。（＊我有一个随身听，我想此外再买一个送给弟弟。）
⑥ 他只去过一次日本，此外没有去过别的国家。（＊他只去过一次日本，另外没有去过别的国家。）

295 次[量]cì ▶ 回[量]huí

词义说明 Definition

次[occurrence; time] 用于反复出现或可能反复出现的事情。
回[time; occasion] 表示事情、动作的次数。

词语搭配 Collocation

	初～	第一～	两～事	来过一～	看过两～	打了一～	见过一～面	一～会谈
次	√	√	×	√	√	√	√	√
回	×	√	√	√	√	√	√	×

用法对比 Usage

用法解释 Comparison

“次”和“回”都表示事情和动作的数量，但是，“回”只用于口语，“次”既用于口语，也用于书面语。

语境示例 Examples

① 我以前没有来过中国，这是第一次。(☺我以前没有来过中国，这是第一回。)
② 他出国后给我来过几次信。(☺他出国后给我来过几回信。)
③ 有一次我在地铁里遇见了他。(☺有一回我在地铁里遇见了他。)
④ 我们是在一次国际学术讨论会上认识的。（＊我们是在一回国际学术讨论会上认识的。)
⑤ 这个电影反映的是第二次世界大战时期的事。（＊这个电影反映的是第二回世界大战时期的事。)
⑥ 你跟我说的不是一回事，是两回事。（＊你跟我说的不是一次事，是两次事。)
⑦ 你告诉我，这到底是怎么一回事？（＊你告诉我，这到底是怎么一次事？)
⑧ 原来是这么一回事。（＊原来是这么一次事。)

296 匆忙[形]cōngmáng ▶ 匆匆[形]cōngcōng

C

词义说明 Definition

匆忙[hastily; in a hurry] 急急忙忙。

匆匆[hurried; in a hurry] 急急忙忙的样子。

词语搭配 Collocation

	很～	～地走了	来去～	走得太～
匆忙	√	√	×	√
匆匆	×	√	√	×

用法搭配 Usage

用法解释 Comparison

“匆忙”可以作状语，也可以作谓语和补语；“匆匆”只能作状语，不能作谓语和补语。

语境示例 Examples

① 一下课，他就匆忙地走了。(☺一下课，他就匆匆地走了。)

② 他回到家匆忙地吃了几口饭，又出去了。(☺他回到家匆匆地吃了几口饭，又出去了。)

③ 因为时间匆忙，我来不及跟大家告别了，请你向朋友说一声。(*因为时间匆匆，我来不及跟大家告别了，请你向朋友说一声。)

④ 走得太匆忙，连照相机都忘带了。(*走得太匆匆，连照相机都忘带了。)

⑤ 他每天来去匆匆的，不知道在干什么，我很少在学校见到他。(*他每天来去匆忙的，不知道在干什么，我很少在学校见到他。)

⑥ 就这样，一年时间就匆匆地过去了。(*就这样，一年时间就匆忙地过去了。)

297 从[介]cóng ▶ 离[介]lí

词义说明 Definition

从[from (a time, a place, or a point of view)] 起于，“从……”

表示时间或空间的起点。[through, or past (a place)] 经过(时间、地点)。

离[from] 表示时空的距离或间隔。

词语搭配 Collocation

	~北京到广州	~这儿往右	~八点开始	~桥上过	~学校很近	~开学还有三天
从	√	√	√	√	×	×
离	×	×	×	×	√	√

用法对比 Usage

用法解释 Comparison

介词"从"和"离"都可以和它们的宾语组成介词词组放在动词前作状语，但是意思和用法都不同，"从"表示起点，"从……时间起/地点起/开始"的意思，而"离"表示两地之间的距离或两个时点之间的间隔时间。

语境示例 Examples

① 从北京到上海坐火车大概要多长时间？（*离北京到上海坐火车大概要多长时间？）

② 从这儿数第三个门就是我家。（*离这儿数第三个门就是我家。）

"从"有"经过"的意思，"离"没有这个意思。

从北京坐火车到上海去，一定要从长江大桥过。（*从北京坐火车到上海去，一定要离长江大桥过。）

"离"表示时间或空间的距离。

① 北京离天津不远。（☺天津离北京不远。）

② 北京离天津有多远？（*北京从天津有多远？）

③ 我住的地方离学校不远。（*我住的地方从学校不远。）

④ 现在离电影开演的时间还早呢，我们去喝点儿什么吧。（*现在从电影开演的时间还早呢，我们去喝点儿什么吧。）

298 从不[副]cóngbù ▶ 从没[副]cóngméi

词义说明 Definition

从不[never] 从来不……

从没[never] 从来没……

词语搭配 Collocation

	～抽烟	～喝酒	～喜欢	～去过	～见过	～听说过
从不	√	√	√	×	×	×
从没	×	×	×	√	√	√

用法对比 Usage

用法解释 Comparison

"从"是"从来"的意思，"从不"表示从过去到现在不做、不想做或不愿做，"从没"表示从过去到现在没有做过，常与动态助词"过"搭配使用。

语境示例 Examples

① 从不：他从不考虑这件事的后果。（现在也如此）
从没：他从没考虑过这件事的后果。（过去是这样）

② 这位伟大的科学家，从不考虑个人的得失，一心一意地为发展祖国的科学事业贡献着自己的智慧。（☺这位伟大的科学家，从没考虑过个人的得失，一心一意地为发展祖国的科学事业贡献着自己的智慧。）

③ 我从不抽烟。（＊我从没抽烟。）（☺我从没抽过烟。）

④ 我从不喜欢跟这种人打交道。（＊我从没喜欢跟这种人打交道。）

⑤ 这种事我以前从没听说过。（＊这种事我以前从不听说过。）

⑥ 这种样子的，我从没见过，这是第一次。（＊这种样子的，我从不见过，这是第一次。）

299 从来[副]cónglái ▶ 一向[副、名]yíxiàng

词义说明 Definition

从来［from the past till the present; always; at all times; all along］从过去到现在。

一向［consistently; all along］表示从过去某时到现在；表示从上次见面到现在。［earlier on; lately］过去的某一段时间。

词语搭配 Collocation

	～这样	～如此	～不吸烟	～没听说过	～可好	～好客	～抠门	～节俭
从来	√	√	√	√	×	√	√	√
一向	√	√	×	×	√	√	√	√

用法对比 Usage

用法解释 Comparison

用于肯定句时它们可以互换，不过，比较起来，“从来”多用于否定词前，“一向”多用于肯定句中。“一向”还是个名词，“从来”没有名词的用法。

语境示例 Examples

① 父母从来节俭。(☺父母一向节俭。)

② 这人从来怕老婆。(☺这人一向怕老婆。)

③ 他从来不吸烟。(＊他一向不吸烟。)

④ 他要结婚的事我从来没听他说过。(＊他要结婚的事我一向没听他说过。)

“一向”还有名词的词性，“从来”没有这种用法。

① 前一向这里下了几场雨。(＊前从来这里下了几场雨。)

② 这一向你身体怎么样？(＊这从来你身体怎么样？)

300 从前[名]cóngqián ▶ 以前[名]yǐqián

词义说明 Definition

从前[before; formerly; in the past] 过去的时候，以前。

以前[before; formerly; previously] 现在或所说某时之前的时间。

词语搭配 Collocation

	～是职员	～的事	～的生活	～的遭遇	上大学～	来中国～	很久～	回国～
从前	√	√	√	√	×	×	×	×
以前	√	√	√	√	√	√	√	√

用法对比 Usage

用法解释 Comparison

“从前”和“以前”都可以作状语和定语，但是“以前”可以单用，也可以附在其他词语后边表示一个具体的时间，“从前”不能这么用。

语境示例 Examples

① 这个地方从前是一块荒地，现在变成了一个美丽的公园。(☺这个

地方以前是一块荒地，现在变成了一个美丽的公园。）
② 妈妈总爱给我讲从前的事情。(☺妈妈总爱给我讲以前的事情。)
③ 以前我俩是同事，后来他出国了，就失去了联系。(☺从前我俩是同事，后来他出国了，就失去了联系。)
④ 来中国留学以前我是公司职员。（＊来中国留学从前我是公司职员。）
⑤ 两年以前我去中国旅行过。(＊两年从前我去中国旅行过。)
⑥ 不久以前他来看过我。(＊不久从前他来看过我。)

C

301 从未[副]cóngwèi ▶ 从不[副]cóngbù

词义说明 Definition

从未[never] 从来没有；不曾做过。

从不[never] 从来不做；不想做或不愿做。

词语搭配 Collocation

	～说过	～见过	～听说过	～喝酒	～喜欢	～看	～吃	～想	～愿意
从未	√	√	√	×	×	×	×	×	×
从不	×	×	×	√	√	√	√	√	√

用法对比 Usage

用法解释 Comparison

“从未”和“从不”都是副词，多用在否定句中作状语，不过，“从未”否定说话以前的动作和情况，常与“过”搭配使用，而“从不”表示对意愿的否定，除了否定说话以前的动作和情况以外，还可以否定说话时的。

语境示例 Examples

① 从不：他从不干这种事。（从过去到现在都不干，不想干，不愿干）

从未：他从未干过这种事。(从过去到现在没有干过)

② 来中国以前我从未学过汉语。(＊来中国以前我从不学过汉语。)
③ 这是我第一次喝白酒，以前从未喝过。(＊这是我第一次喝白酒，以前从不喝过。)
④ 我从未听他说过这种事。(＊我从不听他说过这种事。)
⑤ 他从不抽烟。(＊他从未抽烟。)
⑥ 他从不干那样的事。(＊他从未干那样的事。)

302 凑巧[形]còuqiǎo ▶ 恰巧[副]qiàqiǎo

C

词义说明 Definition

凑巧[luckily; fortunately; as luck would have it] 正是时候或正遇到所希望或所不希望的事情。恰巧。

恰巧[by chance] 凑巧，碰巧；正好赶上。

词语搭配 Collocation

	～他在	～他来了	～他不在	～下雨了	真不～	太不～了
凑巧	√	√	√	√	√	√
恰巧	√	√	√	√	×	×

用法对比 Usage

用法解释 Comparison

“凑巧”是形容词，可以受程度副词修饰，“恰巧”不能。例如，可以说“很凑巧”，不能说“很恰巧”。

语境示例 Examples

① 我去找她的时候，他恰巧在宿舍。(☺我去找她的时候，她凑巧在宿舍。)
② 事故发生时，恰巧我在现场。(☺事故发生时，凑巧我在现场。)
③ 赛球的那一天，凑巧赶上个好天气。(☺赛球的那一天，恰巧赶上个好天气。)
④ 今天我在书店买书，交款时一算还少几块钱，正在我不知道怎么办时，凑巧遇见我们班的玛丽。(☺今天我在书店买书，交款时一算还少几块钱，正在我不知道怎么办时，恰巧遇见我们班的玛丽。)
⑤ 我正要去找她，恰巧她来了。(☺我正要去找她，凑巧她来了。)
⑥ 真不凑巧，刚要出门就下起雨来了。(*真不恰巧，刚要出门就下起雨来了。)
⑦ 太不凑巧了，你来以前五分钟他才走。(*太不恰巧了，你来以前五分钟他才走。)

303 促[动]cù ▶ 促进[动]cùjìn

词义说明 Definition

促[(of time) short; hurried; urgent] 时间短。[urge; promote]

催；推动。

促进[promote；advance；accelerate] 促使前进；推动使发展。

词语搭配 Collocation

	急～	短～	～一～他	相互～	～经济发展	～改革开放	～生产
促	√	√	√	×	×	×	√
促进	×	×	×	√	√	√	√

用法对比 Usage

用法解释 Comparison

“促”的对象可以是人，也可以是工作和事业，“促进”的对象一般是事业，不是人。“促”还表示时间短，“促进”没有这个意思，“促”用于口语，“促进”口语书面都用。

语境示例 Examples

① 经济发展和社会稳定是相互促进的，社会稳定保证了经济发展，而经济越发展，社会也会越稳定。（*经济发展和社会稳定是相互促的，社会稳定保证了经济发展，而经济越发展，社会也会越稳定。）

② 改革开放促进了中国各项事业的发展。（*改革开放促了中国各项事业的发展。）

③ 大力促进农村教育事业的发展，使中国教育面临的重要的任务。（*大力促农村教育事业的发展，使中国教育面临的重要的任务。）

④ 民间交往的频繁，必将促进两国关系的发展。（*民间交往的频繁，必将促两国关系的发展。）

⑤ 生产必须安全，安全促进生产。（*生产必须安全，安全促生产。）

⑥ 你要促一促他，让他按时把稿子交上来。（*你要促进一促进他，让他按时把稿子交上来。）

304 促进[动]cùjìn ▶ 促使[动]cùshǐ

词义说明 Definition

促进[promote；advance；accelerate] 促使前进；推动使发展。

促使[impel；urge；spur] 推动使达到一定目的。

词语搭配 Collocation

	～学习	～工作	～生产	～发展	～经济	～教育	～他回国
促进	√	√	√	√	√	√	×
促使	×	×	×	×	×	×	√

C

用法对比 Usage

用法解释 Comparison

"促进"和"促使"的宾语不同,"促进"的宾语是工作、学习、事业等,"促使"的宾语是人或由人组成的组织、公司等。

语境示例 Examples

① 中国经济的改革必然促使中国政治不断改革和进步。(☺中国经济的改革必然促进中国政治不断改革和进步。)

② 正是这件事促使他放弃了学医,改学文艺。(*正是这件事促进他放弃了学医,改学文艺。)

③ 政局稳定,经济发展和社会进步,促使很多外国企业到中国投资。(*政局稳定,经济发展和社会进步,促进很多外国企业到中国投资。)

④ 发展教育当然能促进经济的发展,更重要的是能促进社会进步和国民素质的提高。(*发展教育当然能促使经济的发展,更重要的是能促使社会进步和国民素质的提高。)

305 催[动]cuī ▶ 催促[动]cuīcù

词义说明 Definition

催[urge; hurry; press] 叫人赶快行动或做某事。[hasten; expedite; speed up] 使事物的产生或变化加快。

催促[urge; hasten; hurry] 催。

词语搭配 Collocation

	～～他	～一～她	～他快走	一再～	～还书	～他动身	～眠
催	√	√	√	√	√	√	√
催促	√	×	√	√	×	√	×

用法对比 Usage

用法解释 Comparison

这两个词都有使赶快进行某事或使某事的进程加快的意思，但是因为音节不同，使用范围也就不同，“催促”是书面语，比较郑重，“催”是口语。

语境示例 Examples

① 领导来电话催促你们快点儿出发。（☺领导来电话催你们快点儿出发。）
② 我一再催促他把那盘磁带还我，可是到现在也没有还回来。（☺我一再催他把那盘磁带还我，可是到现在也没有还回来。）
③ 你催一催他，赶快把那张光盘还回来。（*你催促一催促他，赶快把那张光盘还回来。）
④ 小王，图书馆催你还书呢。（*小王，图书馆催促你还书呢。）
⑤ 你不要催了好不好，你越催，我越着急。（*你不要催促了好不好，你越催促，我越着急。）
⑥ 一场春雨就把地里的麦苗都催起来了。（*一场春雨就把地里的麦苗都催促起来了。）

306 摧毁[动]cuīhuǐ ▶ 摧残[动]cuīcán

词义说明 Definition

摧毁 [smash; wreck; destroy with great force] 用强大的力量破坏。

摧残 [wreck; destroy; devastate; wreak severe damage to (politics, economy, culture, body, mind, etc.)] 使（政治、经济、文化、身体、精神等）蒙受严重损失。

词语搭配 Collocation

	严重～	～民主	～据点	～国家机器	～政权	意志被～	～家园	～健康
摧毁	×	×	√	√	√	√	√	×
摧残	√	√	×	×	×	×	×	√

用法对比 Usage

用法解释 Comparison

“摧残”是贬义词，“摧毁”是中性词。“摧残”的行为主体都是坏人，反动统治者等，对象可以是有生命的东西，也可以是文化、艺术、经济、政治等。“摧毁”的对象一般指建筑物、国家、制度、政权、势力等，有时也可以指意志、精神等。“摧毁”可以分开用，“摧残”不能分开用。

语境示例 Examples

① 地震摧毁了我们的家园，但是摧不毁我们的意志。（*地震摧残了我们的家园，但是摧不残我们的意志。）
② 疾病并没有摧毁她的精神，病中她顽强地完成了这本学术专著。（*疾病并没有摧残她的精神，病中她顽强地完成了这本学术专著。）
③ 山洪把这座大桥摧毁了。（*山洪把这座大桥摧残了。）
④ 一阵猛烈的炮火把敌人的阵地摧毁了。（*一阵猛烈的炮火把敌人的阵地摧残了。）
⑤ 当时他们曾经对科学和科学家进行过无情的摧残。（*当时他们曾经对科学和科学家进行过无情的摧毁。）
⑥ 这场病使他的健康受到严重摧残。（*这场病使他的健康受到严重摧毁。）

307 存[动]cún ▶ 存放[动]cúnfàng

词义说明 Definition

存[store; keep] 储存，保存：～粮。[deposit] 储蓄：～钱。[leave with; check] 寄存。保留：～行李。[accumulate; collect] 聚集，蓄积：书库里～有几十万册书。[cherish; harbour] 心里有某种想法：不～幻想。[reserve; retain] 保留：心里～不住话。

存放[leave with; leave in sb.'s care] 寄存；交付照管。[deposit] 储存。

词语搭配 Collocation

	～钱/款	～行李	～在银行	～车	～车处	～在这儿	～疑
存	√	√	√	√	√	√	√
存放	×	√	√	√	×	√	×

用法对比 Usage

用法解释 Comparison

“存”的宾语可以是具体的事物也可以是抽象的，“存放”的宾语只能是具体的事物。

语境示例 Examples

① 先把行李存放在你这儿，过几天我来取。(☺先把行李存在你这儿，过几天我来取。)

② 你有什么话就说出来，不要存在心里。(☺你有什么话就说出来，不要存放在心里。)

③ 爸爸给我寄的钱我都存在银行里了，根本没有动。(☺爸爸给我寄的钱我都存放在银行里了，根本没有动。)

④ 这笔钱你存活期还是存定期。(＊这笔钱你存放活期还是存放定期。)

⑤ 把自行车放在存车处吧。(＊把自行车放在存放车处吧。)

⑥ 她还心存一线希望，希望他能重新回到自己身边。(＊她还心存放一线希望，希望他能重新回到自己身边。)

308 措施[名]cuòshī ▶ 办法[名]bànfǎ

词义说明 Definition

措施[measure; step] 针对某种情况而采取的处理办法（用于较大的事情）。

办法[way; means; measure] 办事或解决问题的方法。

词语搭配 Collocation

	采取～	想～	没～	安全～	保安～	制定～	～不力	～很好	重大～
措施	√	×	√	√	√	√	√	√	√
办法	√	√	√	√	×	√	×	√	×

用法对比 Usage

用法解释 Comparison

“措施”指处理重大问题的办法，“办法”泛指解决一切问题的方法。

语境示例 Examples

① 由于采用这些措施才保证了这项工作的顺利完成。(☺由于采用这些办法才保证了这项工作的顺利完成。)

② 这么大一项工程，一定要有严格的安全措施。(＊这么大一项工

程，一定要有严格的安全办法。）

③ 如果没有得力的措施，就完不成这项任务。（＊如果没有得力的办法，就完不成这项任务。）

④ 要赶快想办法找到那份材料。（＊要赶快想措施找到那份材料。）

⑤ 这个人很有办法。（＊这个人很有措施。）

⑥ 办经济特区是改革开放初期采取的一项重大措施。（＊办经济特区是改革开放初期采取的一项重大办法。）

C

309 错[形、名]cuò ▶ 错误[名]cuòwù

词义说明 Definition

错[wrong; mistaken; erroneous] 不正确，不对：你打～（电话）了。[fault; demerit] 过错，错处：这是我的～儿。[(used in the negative) bad; poor] 差、坏（用于否定式）：收入不～。

错误[wrong; mistaken; erroneous] 不正确，与客观实际不符合：～思想。[mistake; error; blunder] 不正确的事物、行为等：犯～；改正～。

词语搭配 Collocation

	～事	～字	～句	写～	说～	看～	打～电话	～行为	～思想	犯～	改正～
错	√	√	√	√	√	√	√	×	×	√	×
错误	×	×	×	×	×	×	×	√	√	√	√

用法对比 Usage

用法解释 Comparison

“错”和“错误”都是不正确的意思，但是因为词性不完全相同，加上音节的关系，用法也不同，“错”修饰单音节词，“错误”只能修饰双音节词语。“错”可以作定语，也可以作状语和补语，“错误”只能作主语、定语和宾语。

语境示例 Examples

① 现在才明白我以前很多想法是错误的。（☺现在才明白我以前很多想法是错的。）

② 人一生哪有不犯错误的呢？（☺人一生哪有不犯错的呢？）

③ 对不起，我打错电话了。（＊对不起，我打错误电话了。）

④ 这个汉字你写错了。(*这个汉字你写错误了。)

⑤ 做错事说错话是常有的事，改了就行了。(*做错误事说错误话是常有的事，改了就行了。)

⑥ 刚开始学习汉语的时候，常常写错字。(*刚开始学习汉语的时候，常常写错误字。)

C

D

310 答应[动]dāying ▶ 同意[动]tóngyì

词义说明 Definition

答应[answer; reply; respond] 应声回答。[promise; agree; comply with] 同意，允许。

同意[agree with; approve; consent] 对某种主张或看法表示相同的意见。赞成，允许。

词语搭配 Collocation

	不～	～他的要求	～他的意见	～一下
答应	√	√	×	√
同意	√	√	√	×

用法对比 Usage

用法解释 Comparison

“答应”有同意的意思，还有“应答”的意思，“同意”没有“应答”的意思。

语境示例 Examples

① 领导答应了我的要求。(☺领导同意了我的要求。)

② 他同意跟我们一起去。(☺他答应跟我们一起去。)

③ 有人在楼下叫你，快答应一下。(＊有人在楼下叫你，快同意一下。)

④ 我叫了半天门，里边也没有人答应。(＊我叫了半天门，里边也没有人同意。)

“同意”还有“赞成”的意思。“答应”没有这个意思。

① 我同意你的意见。(＊我答应你的意见。)

② 父母不同意我出国留学。(＊父母不答应我出国留学。)

311 达[动]dá ▶ 到[动]dào

词义说明 Definition

达[extend] 通：四通八～。[reach；attain；amount to] 达到：不～目的决不罢休。[understand thoroughly] 懂得透彻：通情～理。[express；communicate] 表达：传～|转～。

到[arrive；reach] 达于某地、某时或某一点：火车～站了|我们从八点～十二点上课。[go to；leave for] 往：我要～中国去学习汉语。[used as a verb complement to show the result of an action] 用在动词后边做结果补语，表示动作有了结果：看～|买得～|吃不～。[thoughtful；considerate] 周到：不～之处，请多原谅。

词语搭配 Collocation

	到～	达～	词不～意	直～北京	通情～理	～站	时间～	八点～	办得～	说～做～
达	✓	✗	✓	✓	✓	✗	✗	✗	✗	✗
到	✗	✓	✗	✓	✗	✓	✓	✓	✓	✓

用法对比 Usage

用法解释 Comparison

“达”有“到”的意思，用于书面，“到”口语书面都常用。“到”可以作补语，“达”不能作补语，它们不能相互替换。

语境示例 Examples

① 一个月内，参观这个展览的已达二十万人次。(＊一个月内，参观这个展览的已到二十万人次。)
② 他们在一起相处达十年之久。(＊他们在一起相处到十年之久。)
③ 他是个通情达理的人，只要你讲清楚，就能得到他的谅解。(＊他是个通情到理的人，只要你讲清楚，就能得到他的谅解。)
④ 不达目的，誓不罢休。(＊不到目的，誓不罢休。)
⑤ 从上海来的火车已经到站了。(＊从上海来的火车已经达站了。)
⑥ 今天到了几个人？(＊今天达了几个人？)
⑦ 昨天晚上我看影碟一直看到一点。(＊昨天晚上我看影碟一直看达一点。)
⑧ 请问，到中关村怎么走？(＊请问，达中关村怎么走？)
⑨ 这是一本老书，现在已经买不到了。(＊这是一本老书，现在已

经买不达了。)

⑩ 有什么照顾不到的地方，请多多原谅。(＊有什么照顾不达的地方，请多多原谅。)

312 达到[动]dádào ▶ 到达[动]dàodá

D

词义说明 Definition

达到[achieve; attain; reach] 到。

到达[arrive; get to; reach] 到了(某一地点、某一阶段)。

词语搭配 Collocation

	～目的	～先进水平	～中级	～上海	～北京	～机场
达到	√	√	√	×	×	×
到达	×	×	×	√	√	√

用法对比 Usage

用法解释 Comparison

“达到”带抽象名词作宾语，如：目的、理想、水平、标准等，“到达”带处所宾语，如：上海、山顶、目标等，它们不能相互替换。

语境示例 Examples

① 只要努力学习，两年后你的汉语达到 HSK 中级水平没有问题。(＊只要努力学习，两年后你的汉语到达 HSK 中级水平没有问题。)

② 这项技术已经达到了国际先进水平。(＊这项技术已经到达了国际先进水平。)

③ 外贸代表团预定明天上午到达北京。(＊外贸代表团预定明天上午达到北京。)

④ 他们是昨天夜里十点到达上海的。(＊他们是昨天夜里十点达到上海的。)

“达到”的可能式是“达得到”和“达不到”，“到达”没有可能式。

我们研制的机器人还达不到这个水平。(＊我们研制的机器人还到不达这个水平。)

313 答[动]dá ▶ 答案[名]dá'àn

D

词义说明 Definition

答[reply; answer; respond] 回答，应对。[return (a visit, etc.); reciprocate] 受了别人的好处，还报别人。

答案[answer; solution; key] 对问题所做的解答。

词语搭配 Collocation

	对~	一问一~	~非所问	~谢	~得不对	正确~	两个~
答	√	√	√	√	√	×	×
答案	√	×	×	×	×	√	√

用法对比 Usage

用法解释 Comparison

"答"是动词，可以带宾语；"答案"是名词，不能带宾语。

语境示例 Examples

① 老师，这个题我答得对不对？（*老师，这个题我答案得对不对？）（☺老师，这个题我的答案对不对？）

② 这本教材的后边有部分练习的参考答案。（*这本教材的后边有部分练习的参考答。）

③ 这是考试的标准答案，请按照这个改卷子。（*这是考试的标准答，请按照这个改卷子。）

314 答复[动、名]dáfù ▶ 回答[动、名]huídá

词义说明 Definition

答复[answer] 对问题和要求给以口头或书面的回答，也指回答的话。

回答[answer; reply; response] 对问题给以解释，对要求表示意见。

词语搭配 Collocation

	~读者	~你	给你~	~不出来	满意的~
答复	√	√	√	×	√
回答	√	√	√	√	√

用法对比 Usage

用法解释 Comparison

“答复”的对象是请示、要求、咨询等，“回答”的对象是问题、提问等。“回答”用于口语，“答复”一般用于书面和正式场合。

语境示例 Examples

① 这个问题我们研究以后再答复你。(☺这个问题我们研究以后再回答你。)

② 我们一定给读者一个满意的回答。(☺我们一定给读者一个满意的答复。)

③ 既然他来信询问，我们应该给人家一个答复。(*既然他来信询问，我们应该给人家一个回答。)

④ 老师提的问题，我都会回答。(*老师提的问题，我都会答复。)

⑤ 这个问题我回答不出来。(*这个问题我答复不出来。)

⑥ 我问你呢，你怎么不回答？(*我问你呢，你怎么不答复？)

315 打败 dǎ bài ▶ 大败 dà bài

词义说明 Definition

打败 [defeat; win over] 战胜敌人或对方。[suffer a defeat; be defeated] 在战争或竞赛中被对方战胜。

大败 [defeat completely; put to rout] 把敌人或对方打败：～敌人。[suffer a crushing defeat; heavy defeat] 在竞争和军事对抗中遭受惨重的失败。

词语搭配 Collocation

	～敌人	～对手	～侵略者	我们～了	敌人～	辽宁队～了北京队	红队～蓝队
打败	√	√	√	√	×	√	×
大败	√	√	√	×	√	×	√

用法对比 Usage

用法解释 Comparison

“打败”是动补词组，“大败”是状动词组。“打败”后面可以带“了”，“大败”后边不能带“了”，但是可以带宾语。“大败”和“打败了”如果带宾语，是宾语败了，如果不带宾语，是动作主体败了。“打败”可以用祈使句，“大败”只能用于陈述句，不用于祈使句。

语境示例 Examples

① 打败：这场比赛我们打败了北京队。(我们赢了)
这场比赛我们打败了。(我们输了)
大败：这场比赛我们大败北京队。(我们赢了)
这场比赛我们大败。(我们输了)

② 昨晚的女子排球赛，中国队3:0大败美国队。(☺昨晚的女子排球赛，中国队3:0打败了美国队。)

③ 我们一定要打败对手。(＊我们一定要大败对手。)

④ 这一场比赛红队大败。(＊这一场比赛红队打败。)(☺这一场比赛红队打败了。)

⑤ 这次我们如果打败了，就没有进入决赛的机会了。(＊这次我们如果大败了，就没有进入决赛的机会了。)

316 打扮[动、名]dǎban ▶ 装扮[动]zhuāngbàn

词义说明 Definition

打扮[dress up; make up; deck out] 使容貌和衣着好看，装饰。[way or style of dressing] 打扮出来的样子。

装扮[dress up; attire; deck out] 打扮。[disguise; masquerade] 化装；假装。

词语搭配 Collocation

	很会～	～得很漂亮	学生～	～成商人	～成男的
打扮	√	√	√	√	√
装扮	√	√	×	√	√

用法对比 Usage

用法解释 Comparison

“打扮”和“装扮”都有化装的意思，但是“装扮”有假装的意思，“打扮”没有这个意思。

语境示例 Examples

① 工人们把节日的天安门广场打扮得分外壮丽。(☺工人们把节日的天安门广场装扮得分外壮丽。)

② 他曾装扮成毒品贩子打入贩毒集团内部，一举打掉了这个作恶多年的犯罪团伙。(☺他曾打扮成毒品贩子打入贩毒集团内部，一举打掉了这个作恶多年的犯罪团伙。)

③ 古代女英雄花木兰打扮成男子，替父从军，卫国杀敌的事迹在中国家喻户晓。(☺古代女英雄花木兰装扮成男子，替父从军，卫国杀敌的事迹在中国家喻户晓。)

④ 她很会打扮，穿着得体，化妆也朴素典雅。(*她很会装扮，穿着得体，化妆也朴素典雅。)

"打扮"还有名词的用法，"装扮"没有。

① 他虽然已经是老师了，可以仍然是一身学生打扮。(*他虽然已经是老师了，可以仍然是一身学生装扮。)

② 他这身打扮看起来像个华侨。(*他这身装扮看起来像个华侨。)

317 打发[动]dǎfa ▶ 派[动]pài

词义说明 Definition

打发[send; dispatch] 派人去办事。[dismiss; send away] 使离去。[while away (one's time)] 消磨时间。

派[send; dispatch; appoint] 安排人去办事。派遣、委派。

词语搭配 Collocation

	～人去	～留学生	～老师	～干部去	～走	～时间	～日子
打发	√	×	×	×	√	√	√
派	√	√	√	√	√	×	×

用法对比 Usage

用法解释 Comparison

"打发"是个口语词，不能用于正式场合，"派"口语书面都常用，可以用于正式场合。"打发"的宾语可以是人，也可以是时间、日子等，"派"的宾语只能是人。

语境示例 Examples

① 我已经打发人去叫他了。(☺我已经派人去叫他了。)

② 今年教育部要向国外派五千多名留学生。(*今年教育部要向国外打发五千多名留学生。)

③ 他把别的客人打发走以后，才坐下来跟我谈。(*他把别的客人派走以后，才坐下来跟我谈。)

④ 退休后，爸爸每天用看书、看报、练书法打发时间。（＊退休后，爸爸每天用看书、看报、练书法派时间。）
⑤ 要解决那个地方的问题，必须派得力的干部去。（＊要解决那个地方的问题，必须打发得力的干部去。）
⑥ 公司准备派我去中国出差。（＊公司准备打发我去中国出差。）

D

318 打交道 dǎ jiāodào ▶ 来往[动、名] láiwǎng

词义说明 Definition

打交道[come into (or make) contact with; make dealings with] 个人、组织或国家之间来往，交际，联系。

来往[come and go] 来和去。[contact; dealings; intercourse; have contact or dealings] 与人联系、交往或接触。

词语搭配 Collocation

	跟他～	有～	没有～	禁止车辆～
打交道	√	×	×	×
来往	√	√	√	√

用法对比 Usage

用法解释 Comparison

“打交道”不限于人与人，也可以是人与物发生联系，“来往”只用于表达人与人之间的联系和交往。

语境示例 Examples

① 他们两家经常来往。(☺他们两家经常打交道。)
② 我从不跟这种人打交道。(☺我从不跟这种人来往。)
③ 他这个人不太擅长跟人打交道。(☺他这个人不太擅长跟人来往。)
④ 你最近跟他有来往吗？（＊你最近跟他有打交道吗？）(☺你最近跟他打过交道吗？)
⑤ 我爸爸是渔民，跟大海打了一辈子交道。（＊我爸爸是渔民，跟大海来往了一辈子。）

“来往”还有“来和去”的意思，可以重叠。“打交道”没有这种用法。

大街上来往的车辆像流水一样。(☺大街上来来往往的车辆像流水一样。)

319 打量[动]dǎliang ▶ 看[动]kàn

词义说明 Definition

打量[measure with the eye; look sb. up and down; size up] 仔细地、从上到下地看（人的衣着、外貌）。

看[see; look at; watch] 使视线接触人或物：～电视。[read (silently)] 阅读：～书|～报。[think; consider] 观察并作出判断等意思：你～怎么样？[see or consult (a doctor); treat (a patient or an illness)] 诊治：去医院～病。[call on; visit; see] 访问：～了一个朋友。[depend on] 依据，根据（某种情况）决定：～情况再决定吧。

词语搭配 Collocation

	上下～	～了一下	去～他	～书/报	～电视/电影	～见了	没～见	～不见
打量	√	√	×	×	×	×	×	×
看	√	√	√	√	√	√	√	√

用法对比 Usage

用法解释 Comparison

“打量”的对象只能是人，“看”的对象不限于人，还可以是物。“看”的其他意思是“打量”所没有的。

语境示例 Examples

① 多年没见面，我们两个互相打量了半天才认出来。（☺多年没见面，我们两个互相看了半天才认出来。）

② 她上下打量着我，好像不认识一样。（*她上下看着我，好像不认识一样。）

③ 一个朋友从国内来，晚上我去看看他。（*一个朋友从国内来，晚上我去打量打量他。）

④ 我不常看电视，也很少看电影。（*我不常打量电视，也很少打量电影。）

⑤ 我每天都看中文报。（*我每天都打量中文报。）

⑥ 你看他们两国会不会打起来？（*你打量他们两国会不会打起来？）

⑦ 请大家看黑板。（*请大家打量黑板。）

320 打扫[动]dǎsǎo ▶ 收拾[动]shōushi

词义说明 Definition

打扫[sweep; clean] 用扫帚、刷子清扫垃圾灰尘。

收拾[put in order; tidy; clear away] 整理；布置；整顿：～屋子。[get things ready; pack] 准备：～行李。[settle with; punish] 整治：把这个坏蛋～～。[repair; mend] 修理：～一下自行车。

词语搭配 Collocation

	～房间	～院子	～马路	～卫生	～录音机	～你	～行李
打扫	√	√	√	√	×	×	×
收拾	√	√	×	×	√	√	√

用法对比 Usage

用法解释 Comparison

“打扫”是用扫帚、刷子清扫垃圾灰尘，“收拾”包括打扫，整理，修理，整治等，比“打扫”的内容要多。

语境示例 Examples

① 打扫：你把盘子里的菜打扫打扫吧。(吃完)
收拾：你把盘子里的菜收拾收拾吧。(收起来)

② 今天朋友要来，我得把屋子打扫一下。(☺今天朋友要来，我得把屋子收拾一下。)

③ 院子打扫得很干净。(☺院子收拾得很干净。)

④ 你把桌子上书和报纸收拾起来。(＊你把桌子上书和报纸打扫起来。)

⑤ 大家都在外边打扫积雪呢。(＊大家都在外边收拾积雪呢。)

⑥ 录音机坏了，我去收拾收拾。(＊录音机坏了，我去打扫打扫。)

⑦ 你的行李收拾好了吗？(＊你的行李打扫好了吗？)

321 打算[动、名]dǎsuan ▶ 计划[动、名]jìhuà

词义说明 Definition

打算[plan; intend] 考虑、计划、行动方向、方法等的想法：我

～再延长一年|你有什么～？

计划[plan; project; programme]工作或行动以前预先制订的具体内容和步骤：工作～。[map out; plan]做计划：暑假～去旅行。

词语搭配 Collocation

	初步～	有什么～	今年的～	没有～	～学半年	～好了	定～	学习～	科研～
打算	√	√	√	√	√	√	×	×	×
计划	√	√	√	√	√	√	√	√	√

用法对比 Usage

用法解释 Comparison

“打算”和“计划”的词性相同，但是“打算”是个口语词，“计划”可以用于口语，也可以用于书面语。“计划”能充当动词“做”、“制定”的宾语，“打算”不能。

语境示例 Examples

① 这个寒假你有什么打算？(☺这个寒假你有什么计划？)

② 我今年的打算是去中国旅行一次。(☺我今年的计划是去中国旅行一次。)

③ 要做一个科研计划，有了计划，科研工作就有了明确的目标。(* 要做一个科研打算，有了打算，科研工作就有了明确的目标。)

④ 你计划计划，留学一年需要多少钱。(* 你打算打算，留学一年需要多少钱。)

⑤ 计划好了再开始做。(* 打算好了再开始做。)

⑥ 中国的国民经济已经实行了多少个五年计划了？(* 中国的国民经济已经实行了多少个五年打算了？)

322 打听[动]dǎting ▶ 问[动]wèn

词义说明 Definition

打听[inquire about; ask about] 探问消息信息。

问[ask; inquire] 请人解答不知道或不明白的事情或道理：～路。[ask after; inquire after] 为表示关心而询问，慰问：向王老师～好。

词语搭配 Collocation

	～一下	～～	～消息	～他的电话	～路	～好	～问题	～事处
打听	√	√	√	√	×	×	×	×
问	√	√	√	√	√	√	√	√

D

用法对比 Usage

用法解释 Comparison

“打听”有“问”的意思，但是宾语限于消息、人等，“问”的意思要比“打听”多。

语境示例 Examples

① 劳驾，我打听一下，去北京大学怎么走？(☺劳驾，我问一下，去北京大学怎么走？)

② 我向您打听一个人，不知道您认识不认识？(☺我向您问一个人，不知道您认识不认识？)

③ 有不懂的地方就问老师。(＊有不懂的地方就打听老师。)

“问”可以带双宾语，“打听”不能。

① 我想去问老师一个问题。(＊我想去打听老师一个问题。)

② 他在信里问您好。(＊他在信里打听您好。)

323 打招呼 dǎ zhāohu ▶ 招呼 [动] zhāohu

词义说明 Definition

打招呼 [greet sb.; say hello] 见面时用语言或动作表示问候；相互致意。[notify; let sb. know] 就某事或某个问题给以通知，加以关照。

招呼 [call] 呼唤：有人～你。[hail; say hello to; greet] 用语言或动作表示问候。相互致意：热情地～朋友。[notify; tell] 吩咐：～他快点儿来。[take care of] 关照：来了几个客人，你去～一下。

词语搭配 Collocation

	跟他～	～他一下	～我一声	用汉语怎么～
打招呼	√	×	×	√
招呼	√	√	√	×

用法对比 Usage

用法解释 Comparison

"打招呼"是个动宾词组，不能再带宾语，"招呼"可以带宾语。

语境示例 Examples

① 你放心去吧，我已经给他们打过招呼了，你到那儿他们会关照你的。(☺你放心去吧，我已经给他们招呼过了，你到那儿他们会关照你的。)

② 你走的时候招呼我一声。(*你走的时候打招呼我一声。)

③ 中国人见面打招呼常用"去哪儿了"、"吃了吗"等。(*中国人见面招呼常用"去哪儿了"、"吃了吗"等。)

④ 我一到，同学们都围了上来，我不知道招呼谁好了。(*我一到，同学们都围了上来，我不知道打招呼谁好了。)

⑤ 那边好像有人招呼你。(*那边好像有人打招呼你。)

⑥ 快招呼大家进教室，该上课了。(*快打招呼大家进教室，该上课了。)

324 大半[名、副]dàbàn ▶ 多半[名、副]duōbàn

词义说明 Definition

大半[more than half; the greater part; most; more often than not] 过半数，大部分。[most probably; most likely] 表示较大的可能性。

多半[the greater part; most; more often than not] 超过半数，大半。[most probably; very likely] 大概。

词语搭配 Collocation

	～个	～天	～是年轻人	～不来了	～又晚点了	～不会同意	～回国了
大半	√	√	√	√	√	√	√
多半	√	√	√	√	√	√	√

用法对比 Usage

用法解释 Comparison

"大半"和"多半"意思和用法相同，都可以作定语和中心语，副词“大半”和“多半”都可以作状语。不同的是，“大半”的反义词是“小半”，“多半”的反义词是“少半”。

语境示例 Examples

① 我们班多半是女学生。（☺我们班大半是女学生。）
② 今天上课，学生只来了一大半，其他人不知道为什么没来。（☺今天上课，学生只来了一多半，其他人不知道为什么没来。）
③ 这个苹果我只吃了一大半。（☺这个苹果我只吃了一多半。）
④ 喜欢迪斯科的大半是年轻人。（☺喜欢迪斯科的多半是年轻人。）
⑤ 他现在不来，多半就不来了，我们别等了。（☺他现在不来，大半就不来了，我们别等了。）
⑥ 这次火车多半要晚点。（☺这次火车大半要晚点。）
⑦ 我要告诉爸爸妈妈去中国留学，他们多半不会同意，所以只好先瞒着他们，等办完手续再说。（☺我要告诉爸爸妈妈去中国留学，他们大半不会同意，所以只好先瞒着他们，等办完手续再说。）

325 大胆[形]dàdǎn ▶ 勇敢[形]yǒnggǎn

词义说明 Definition

大胆[bold; daring; audacious] 有勇气，不害怕。

勇敢[brave; courageous] 有胆量，不怕危险和困难。

词语搭配 Collocation

	很～	～的人	～地说	～探索	～改革	～前进	～面对困难	～精神
大胆	√	√	√	√	√	√	√	×
勇敢	√	√	√	√	√	√	√	√

用法对比 Usage

用法解释 Comparison

“大胆”和“勇敢”意义相近，用法也有相同之处，但是“大胆”多用于口语，而“勇敢”没有此限。

语境示例 Examples

① 一个人一生不可能一帆风顺，遇到困难就要勇敢面对，想办法去克服。（☺一个人一生不可能一帆风顺，遇到困难就要大胆面对，想办法去克服。）

② 要勇敢地探索新的知识领域。(☺要大胆地探索新的知识领域。)
③ 在这次捉拿逃犯的战斗中，他表现得很勇敢。(＊在这次捉拿逃犯的战斗中，他表现得很大胆。)
④ 学习外语就要有勇敢精神，不要怕说错。(＊学习外语就要有大胆精神，不要怕说错。)
⑤ 你也太大胆了，一个人去那么远的地方旅行。(＊你也太勇敢了，一个人去那么远的地方旅行。)

326 大都[副]dàdū ▶ 大多[副]dàduō

词义说明 Definition

大都[for the most part; mostly] 大多。

大多[for the most part; mostly] 大部分，大多数。

词语搭配 Collocation

	～是	～难以欣赏	～能及格	～参加	～看不懂	～很好
大都	√	√	√	√	√	√
大多	√	√	√	√	√	√

用法对比 Usage

用法解释 Comparison

"大都"和"大多"意思差不多,都可以作状语,"大都"更常用。

语境示例 Examples

① 参加这次汉语节目表演的大都是高年级的留学生。(☺参加这次汉语节目表演的大多是高年级的留学生。)
② 这些现代派的画我大都看不懂它们表现的是什么。(☺这些现代派的画我大多看不懂它们表现的是什么。)
③ 这次考试我们班的学生大多考得很好。(☺这次考试我们班的学生大都考得很好。)
④ 他的小说我大都看过。(☺他的小说我大多看过。)
⑤ 他创作的歌曲大都很好听。(☺他创作的歌曲大多很好听。)

327 大方[形]dàfang ▶ 自然[形、副]zìrán/zìran

D

词义说明 Definition

大方[generous; liberal] 对于财物不计较、不吝啬：他很～。[natural and poised; easy; unaffected]（言谈、举止等）自然；无拘束：他举止～。[in good taste; tasteful]（式样、颜色）不俗气：这种窗帘很～。

自然[naturally; in the ordinary course of events]（读 zìrán）不经人力干预，自由发展：这种病不用吃药，休息几天～就好了。[at ease; natural; free from affectation]（读 zìran）不勉强，不拘束，不呆板：他是第一次登台演出，但表演得很～。[of course; naturally]（读 zìrán）表示当然：只要努力～会取得好成绩。

词语搭配 Collocation

	态度～	举止～	演得很～	～会明白	～能考好
大方	√	√	√	×	×
自然	√	×	√	√	√

用法对比 Usage

"大方"和"自然"都是形容词。都有举止行为无拘束，不俗气的意思。

① 这次你表演得很<u>大方</u>。(☺这次你表演得很<u>自然</u>。)

② 她性格活泼，举止<u>大方</u>，是个招人喜欢的姑娘。(＊她性格活泼，举止<u>自然</u>，是个招人喜欢的姑娘。)

"大方"有穿着得体的意思，"自然"没有这个意思。

你穿这件衣服显得很<u>大方</u>。(＊你穿这件衣服显得很<u>自然</u>。)

"大方"有不吝啬，不计较的意思，"自然"没有这个意思。

① 他这个人很<u>大方</u>，不会计较这些。(＊他这个人很<u>自然</u>，不会计较这些。)

② 旅行时到过中国的一个农村，村里的人很<u>大方</u>，邀请我去他们家，还用好酒好菜招待我。(＊旅行时到过中国一个农村，村里的人很<u>自然</u>，邀请我去他们家，还用好酒好菜招待我。)

"自然"还有"当然"的意思，"大方"没有这个意思。

只要多听多说，你的听说能力<u>自然</u>会越来越好。(＊只要多听多说，你的听说能力<u>大方</u>会越来越好。)

328 大概[名、副]dàgài ▶ 大约[副]dàyuē

词义说明 Definition

大概[general idea; broad outline] 大致的内容或情况。[general; rough; approximate] 对时间、数量的估计不十分精确或不十分详尽。[probably; most likely; presumably] 副词，有很大的可能性，表示推测。

大约[approximately; about] 表示估计。在数量或时间上不是十分精确（句子中常出现数字）。[probably] 表示有很大的可能性。

词语搭配 Collocation

	~五点	~二十多个	~不在家	~的意思	~的情况	~的印象	知道个~
大概	√	√	√	√	√	√	√
大约	√	√	√	×	×	×	×

用法对比 Usage

用法解释 Comparison

“大概”既是副词又是名词，“大约”只是副词。“大概”能作动词的补语，“大约”不能。“大概”还能作定语，“大约”不能。名词“大概”是指大致的内容或情况。

语境示例 Examples

① A：我忘带表了，现在几点了？B：我也没带，大概六点多了吧。(☺我也没带，大约六点多了吧。)

② 昨天参加宴会的大约有一百多人。(☺昨天参加宴会的大概有一百多人。)

③ 你说这件皮大衣大约得多少钱？（☺你说这件皮大衣大概得多少钱?)

④ A：他什么时候能回来？B：大约下个星期能回来。(☺大概下个星期能回来。)

⑤ A：你了解这个公司的详细情况吗？B：详细情况我不了解，只知道个大概。(＊详细情况我不了解，只知道个大约。)

⑥ 请你把这个学校大概的情况给我介绍一下。(＊请你把这个学校大约的情况给我介绍一下。)

⑦ 那天我没有仔细看，只是有一个大概的印象。（＊那天我没有仔细看，只是有一个大约的印象。）
⑧ 我得把生词和课文大概预习一下。（＊我得把生词和课文大约预习一下。）

D

329 大伙儿[代]dàhuǒr ▶ 大家[代]dàjiā

词义说明 Definition

大伙儿[we all; you all; everybody] 大家。
大家[all; everybody] 指一定范围内所有的人。

词语搭配 Collocation

	我们～	咱们～	～的帮助	告诉～	～的事	给～说说
大伙儿	√	√	√	√	√	√
大家	√	√	√	√	√	√

用法对比 Usage

用法解释 Comparison

“大伙儿”和“大家”是同义词，“大伙儿”用于口语和一般场合，“大家”没有此限。

语境示例 Examples

① 请大家安静，现在开会。（用于庄重的，人数较多的场合）（☺请大伙儿安静，现在开会。（用于一般的，人数较少的场合）
② 大家的事大家办。（☺大伙儿的事大伙儿办。）
③ 告诉大家一个好消息。（☺告诉大伙儿一个好消息。）
④ 咱们大家再努把力，争取今天把这些活干完。（☺咱们大伙儿再努把力，争取今天把这些活干完。）
⑤ 你把这里的情况给大家介绍介绍吧。（☺你把这里的情况给大伙儿介绍介绍吧。）
⑥ 今天我们大家研究一下公司的人事安排。（＊今天我们大伙儿研究一下公司的人事安排。）

330 大量[形]dàliàng ▶ 大批[形]dàpī

词义说明 Definition

大量[large number; great quantity] 数量多。[generous;

magnanimous］气量大，能容忍。

大批［large quantities（or numbers，amounts）of］数量多。

词语搭配 Collocation

	～资料	～财富	～生产	～事实	～人才	～干部	～学生	～货物	宽宏～
大量	√	√	√	√	√	√	√	√	√
大批	√	√	√	×	√	√	√	√	×

用法对比 Usage

用法解释 Comparison

"大批"和"大量"都表示数量多，都可以作状语和定语，但是与之搭配的词语有所不同。

语境示例 Examples

① 现在这种东西已经能大量生产了。（☺现在这种东西已经能大批生产了。）

② 一百多年来，这所大学为国家培养了大量优秀人才。（☺一百多年来，这所大学为国家培养了大批优秀人才。）

③ 每年都有大批科学工作者下乡向农民普及科学知识。（☺每年都有大量科学工作者下乡向农民普及科学知识。）

④ 这里每年都吸引大批国内外游客来参观游览。（☺这里每年都吸引大量国内外游客来参观游览。）

⑤ 为了写这本书他做了大量的调查研究工作。（*为了写这本书他做了大批的调查研究工作。）

⑥ 大量史料证明，西藏自古就是中国领土不可分割的一部分。（*大批史料证明，西藏自古就是中国领土不可分割的一部分。）

"大量"还表示气量大，"大批"没有这个意思。

在这个问题上他表现得宽宏大量，赢得了朋友们的赞扬。（*在这个问题上他表现得宽宏大批，赢得了朋友的赞扬。）

331 大体［名、副］dàtǐ ▶ 大致［形、副］dàzhì

词义说明 Definition

大体［cardinal principle；general interest］重要的道理。［roughly；more or less；on the whole；by and large；approximately］大概；基本上；就多数情况或主要方面来说。

大致[roughly; approximately; more or less] 就主要方面说；大体上。[about; general] 大概；大约，用来表示不十分精确地估计。

词语搭配 Collocation

D

	识～	～上	～相同	～需要两年	～的数量	～方向	～情况
大体	√	√	√	×	×	×	×
大致	×	√	√	√	√	√	√

用法对比 Usage

用法解释 Comparison

“大体”和“大致”都是副词，但“大体”还是名词，可以作宾语，“大致”还是形容词，不能作宾语。

语境示例 Examples

① 我们俩的情况大体相同，都是辞职来中国学习汉语的。(☺我们俩的情况大致相同，都是辞职来中国学习汉语的。)
② 这个月的收支大体平衡。(☺这个月的收支大致平衡。)
③ 这项工程大致两年可以完成。(☺这项工程大体两年可以完成。)
④ 中国地形大致的走向是西高东低。(☺中国地形大体的走向是西高东低。)
⑤ 我大体上同意他的看法。(☺我大致上同意他的看法。)
⑥ 母亲是个识大体的人，我一说要给希望工程捐钱，她很快就同意了。(* 母亲是个识大致的人，我一说要给希望工程捐钱，她很快就同意了。)

332 大意[形]dàyi ▶ 粗心[形]cūxīn

词义说明 Definition

大意[careless; negligent; inattentive] 不注意，不仔细，粗心。
粗心[careless; thoughtless] 不细心；不注意。

词语搭配 Collocation

	粗心～	太～	不要～	别～	一时～
大意	√	√	√	√	√
粗心	×	√	√	√	√

用法对比 Usage

用法解释 Comparison

"大意"和"粗心"意思相同，而且常合用为"粗心大意"。

语境示例 Examples

① 工作上大意必然出差错。(☺工作上粗心必然出差错。)
② 你也太粗心了，考卷上连名字都忘写了。(☺你也太大意了，考卷上连名字都忘写了。)
③ 你怎么这么大意，出去连门也没有锁。(☺你怎么这么粗心，出去连门也没有锁。)
④ 我一时大意把提包丢在出租车上了。(☺我一时粗心把提包丢在出租车上了。)

"大意"可以与"麻痹"组成四字格，"粗心"不能。

你们看守的是国家的重要物资，要提高警惕，千万不能麻痹大意。(＊你们看守的是国家的重要物资，要提高警惕，千万不能麻痹粗心。)

333 大众[名]dàzhòng ▶ 群众[名]qúnzhòng

词义说明 Definition

大众[masses; common people; the public; the broad masses of people] 群众，民众。

群众[masses] 人民大众。[rank and file; grass-roots] 指不担任领导职务的人。

词语搭配 Collocation

	人民～	劳苦～	～观点	～路线	～运动	～团体	～组织	～关系	～工作
大众	√	√	×	×	×	×	×	×	×
群众	√	√	√	√	√	√	√	√	√

用法对比 Usage

用法解释 Comparison

"大众"和"群众"是同义词，但是"群众"比"大众"常用。

语境示例 Examples

① 一个政党只有代表最广大人民群众的最根本的利益，才能赢得信

任，取得胜利。(☺一个政党只有代表最广大人民大众的最根本的利益，才能赢得信任，取得胜利。)

② 在中国，工会、共青团等都是群众组织。(＊在中国，工会、共青团等都是大众组织。)

③ 走群众路线，遇事同群众商量，这是做好工作的重要保证。(＊走大众路线，遇事同大众商量，这是做好工作的重要保证。)

④ 他的群众关系好，大家都拥护他当领导。(＊他的大众关系好，大家都拥护他当领导。)

⑤ 我虽然只是一个普通群众，但也希望国家一天天变好。(＊我虽然只是一个普通大众，但也希望国家一天天变好。)

334 代[动]dài ▶ 代替[动]dàitì

词义说明 Definition

代[take the place of; be in place of] 代替。[acting] 代理。

代替[replace; substitute for; take the place of] 以甲换乙，起乙的作用。

词语搭配 Collocation

	～我去	～课	～笔	～销	～理	～省长	不可～	～进口产品
代	√	√	√	√	√	√	×	×
代替	√	×	×	×	×	×	√	√

用法对比 Usage

用法解释 Comparison

"代"有"代替"的意思，还有"代理"的意思，"代替"没有"代理"的意思。

语境示例 Examples

① 下午的会你代我去开吧。(☺下午的会你代替我去开吧。)

② 这些国产品完全能够代替进口产品。(＊这些国产品完全能够代进口产品。)

③ 你这次真是代人受过。(＊你这次真是代替人受过。)

④ 他在我们公司的作用是别人无法代替的。(＊他在我们公司的作用是别人无法代的。)

⑤ 王老师病了，我今天给他代课。（＊王老师病了，我今天给他代替课。）

335 代办[动、名]dàibàn ▶ 代理[动、名]dàilǐ

D

词义说明 Definition

代办[do sth. for sb.; act on sb.'s behalf] 替人办理：这件事请你～吧。[charge d'affaires] 大使不在职时，委派使馆高级人员做使馆临时负责人，称“临时代办”。

代理[act on behalf of sb. in a responsible position] 短时间代人担任某单位的负责职务。[act as an agent (or proxy, procurator)] 受当事人委托代表他进行某种活动，如贸易、诉讼、签订合同等。

词语搭配 Collocation

	～签证	～托运	临时～	业务～	～总经理	～人	～诉讼
代办	√	√	√	√	×	×	×
代理	×	×	√	√	√	√	√

用法对比 Usage

用法解释 Comparison

动词“代理”可以带兼语，“代办”不能。

语境示例 Examples

① 我出国期间，这些事就请你代办吧。(☺我出国期间，这些事就请你代理吧。)

② 我们公司是这家跨国公司在中国的业务总代理。(☺我们公司是这家跨国公司在中国的业务总代办。)

③ 旅行社可以代办签证。(＊旅行社可以代理签证。)

④ 请律师代理我处理这件事。(＊请律师代办我处理这件事。)

⑤ 大使回国述职去了，使馆工作由临时代办主持。(＊大使回国述职去了，使馆工作由临时代理主持。)

⑥ 他现在是我们省的代理省长。(＊他现在是我们省的代办省长。)

336 代表[名、动]dàibiǎo ▶ 代替[动]dàitì

词义说明 Definition

代表[deputy; delegate; representative] 选举出来替选举人办事或表达意见的人：人民～|双方～；受委托或指派代替个人、团体、政府办事或表达意见的人：全权～|常驻～。[represent; stand for] 人或事物表示某种意思或象征某种概念；显示同一类共同特征的人或事物：～作品|～时代精神。[on behalf of; in the name of] 代替个人或集体办事或表达意见：～学校表示感谢。

代替[replace; substitute for; take the place of] 用甲换乙，并起乙的作用。

词语搭配 Collocation

	人民～	全权～	～人物	～作品	～一个时代	优秀～	～他去	～国家	～学校
代表	√	√	√	√	√	√	√	√	√
代替	×	×	×	×	×	×	√	×	×

用法对比 Usage

用法解释 Comparison

"代表"既是动词又是名词，可以作宾语，"代替"只是动词，不能作宾语。

语境示例 Examples

① 选你当代表就是要你代表大家说话办事的。(☺选你当代表就是要你代替大家说话办事的。)

② 你要是参加不了，可以让副部长代替你去。(☺你要是参加不了，可以让副部长代表你去。)

③ 他是我们这个地区的人大代表。(*他是我们这个地区的人大代替。)

④ 小说《阿Q正传》是鲁迅先生的代表作。(*小说《阿Q正传》是鲁迅先生的代替作。)

⑤ 他现在是常驻联合国代表。(*他现在是常驻联合国代替。)

⑥ 他代表中国政府发表了一个声明。(*他代替中国政府发表了一个声明。)

337 带领[动]dàilǐng ▶ 率领[动]shuàilǐng

词义说明 Definition

带领[lead; guide] 在前带头使后边的人跟随着；领导或指挥很多人进行集体活动。

率领[lead; head; command] 带领（队伍或集体）。

词语搭配 Collocation

	～大家唱歌	～同学	～代表团	～队伍	～旅游团旅游	～参观团参观
带领	√	√	×	×	√	√
率领	×	×	√	√	×	×

用法对比 Usage

用法解释 Comparison

“带领”和“率领”的意思一样，但是使用场合不同。“率领”用于正式场合，对象多为军队或政治性团体，“带领”可以用于一般场合。

语境示例 Examples

① 他带领一个考察团去欧洲考察了。(☺他率领一个考察团去欧洲考察了。)

② 你带领大家唱个歌吧。(*你率领大家唱个歌吧。)

③ 你带领他们去见校长。(*你率领他们去见校长。)

④ 国务院总理率领了一个庞大的代表团出国访问。(*国务院总理带领了一个庞大的代表团出国访问。)

⑤ 王老师带领同学们去参观博物馆了。(*王老师率领同学们去参观博物馆了。)

338 逮捕[动]dàibǔ ▶ 逮[动]dǎi

词义说明 Definition

逮捕[arrest; take into custody] 捉拿（罪犯）。

逮[capture; catch] 捉。

词语搭配 Collocation

	被～了	～住了	～老鼠	～罪犯	～归案
逮捕	√	×	×	√	√
逮	√	√	√	√	×

D

用法对比 Usage

用法解释 Comparison

"逮"的对象可以是动物，也可以是人；"逮捕"的对象只能是逃犯或犯罪嫌疑人。

语境示例 Examples

① 经过十多天追捕，警察终于把他逮捕归案。（*经过十多天追捕，警察终于把他逮归案。）
② 他被警察逮住了。（*他被警察逮捕住了。）（☺他被警察逮捕了。）
③ 猫逮了一只老鼠。（*猫逮捕了一只老鼠。）
④ 你真是狗逮耗子——多管闲事。（*你真是狗逮捕耗子——多管闲事。）
⑤ 便衣警察在公共汽车上逮了一个小偷儿。（*便衣警察在公共汽车上逮捕了一个小偷儿。）

339 戴[动]dài ▶ 带[动]dài

词义说明 Definition

戴[put on; wear sth. on the head, face, neck, chest, arm, etc.] 把东西放在头上、脖子上、脸上、肩上、胸上等处，直接与皮肤接触。

带[take; bring; carry] 随身拿着：～照相机。[have sth. hidden inside] 包含有：～DVD的电脑。[do sth. incidentally] 捎带：你去邮局时给我～几张邮票回来。[lead; head] 领导，引导，指挥：今天谁～队去？[look after; bring up; raise] 抚养，照看：妈妈帮我～孩子。[show; bear; have] 显出，呈现：面～微笑。

词语搭配 Collocation

	～帽子	～项链	～耳环	～手表	～眼镜	～花儿	～照相机	～孩子	～路	～词典
戴	√	√	√	√	√	√	×	×	×	×
带	×	×	×	×	×	√	√	√	√	√

用法对比 Usage

用法解释 Comparison

这两个词的发音相同，意义和用法各异，区别在于："戴"的对象都附着在人体的各个部位，贴着皮肤，"带"的对象一般不贴着人的身体。

语境示例 Examples

① 她头上戴着一顶红帽子，脖子上戴着项链，还戴着一副眼镜。(＊她头上带着一顶红帽子，脖子上带着项链，还带着一副眼镜。)
② 我们带束花儿去看她吧。(＊我们戴束花儿去看她吧。)
③ 我忘带钱包了。(＊我忘戴钱包了。)
④ 我请了一个阿姨帮我带孩子。(＊我请了一个阿姨帮我戴孩子。)
⑤ 请你给我们带路吧。(＊请你给我们戴路吧。)
⑥ 我没有戴手表，现在几点了？(＊我没有带手表，现在几点了？)
⑦ 他带留学生去参观了。(＊他戴留学生去参观了。)
⑧ 她面带微笑地给我们讲，让人感到很亲切。(＊她面戴微笑地给我们讲，让人感到很亲切。)

340 担负[动]dānfù ▶ 担任[动]dānrèn

词义说明 Definition

担负[bear; shoulder; take on; be charged with] 承当（责任、工作、费用）。

担任[assume the office of; hold the post of] 担当某种职务或工作。

词语搭配 Collocation

	～责任	～领导工作	～警卫任务	～重要职务	～主席	～部长	～使命
担负	√	√	√	×	×	×	√
担任	×	√	×	√	√	√	×

用法对比 Usage

用法解释 Comparison

"担负"的宾语是责任、工作、任务等，一般不和具体职务相搭配，“担任”的宾语是职务名称。

语境示例 Examples

① 他们部队担负这次大会的警卫任务。（＊他们部队担任这次大会的警卫任务。）
② 要勇敢地担负起自己的责任。（＊要勇敢地担任起自己的责任。）
③ 大会推举他担任主席。（＊大会推举他担负主席。）
④ 他生前一直担任政府的重要领导工作。（＊他生前一直担负政府的重要领导职务。）
⑤ 他现在担任公司的总经理。（＊他现在担负公司的总经理。）

D

341 担心 dān xīn ▶ 担忧 [动] dānyōu

词义说明 Definition

担心 [worry oneself about; be anxious about] 不放心。
担忧 [worry about; be anxious] 感到发愁；忧虑和不安。

词语搭配 Collocation

	～他的身体	～出事	～不安全	～生病	为…～	不要～	不必～
担心	√	√	√	√	√	√	√
担忧	√	×	×	×	√	√	√

用法对比 Usage

用法解释 Comparison

“担心”是离合词，可以分开用，“担忧”是个动词，不能分开用。“担忧”比“担心”的语义要重。

语境示例 Examples

① 要经常给父母写信，免得他们为你担心。（☺要经常给父母写信，免得他们为你担忧。）
② 母亲整天为我的病担忧。（☺母亲整天为我的病担心。）
③ 成语“杞人忧天”的故事是说，古代杞国有个人整天为天会突然掉下来而担忧。（☺成语“杞人忧天”的故事是说，古代杞国有个人整天为天会突然掉下来而担心。）
④ 妈妈，我在中国生活学习都很好，你不要为我担心。（＊妈妈，我在中国生活学习都很好，你不要为我担忧。）
⑤ 我总担心他开车会出事。（＊我总担忧他开车会出事。）

⑥ 别担心，不会有什么问题。（＊别担忧，不会有什么问题。）
⑦ 儿行千里母担忧。（＊儿行千里母担心。）
⑧ 我担心这次考试考不好。（＊我担忧这次考试考不好。）
⑨ 你不知道他为你担多大的心。（＊你不知道他为你担多大的忧。）

342 单独[形]dāndú ▶ 独自[副]dúzì

D

词义说明 Definition

单独 [alone; by oneself; on one's own; singlehanded; independent] 独自一个人；不跟别的合在一起。

独自 [alone; by oneself] 只有自己一个人。

词语搭配 Collocation

	～行动	～工作	～去旅行	～谈话	～玩儿	～在家	～决定
单独	√	√	√	√	×	×	×
独自	√	×	√	×	√	√	√

用法对比 Usage

用法解释 Comparison

“单独”是形容词，“独自”是副词，都可以作状语，但“独自”只能指人，“单独”既可指人，也可指物。

语境示例 Examples

① 离开家乡，他单独一个人去了国外。（☺离开家乡，他独自一个人去了国外。）
② 他喜欢单独行动，不愿意跟大家一起去。（☺他喜欢独自行动，不愿意跟大家一起去。）
③ 寒假我是独自一个人去云南旅行的。（☺寒假我是单独一个人去云南旅行的。）
④ 这件事我独自决定不了，得跟家里商量商量。（☺这件事我单独决定不了，得跟家里商量商量。）
⑤ 生病期间每天都是我一个人独自在家躺着。（＊生病期间每天都是我一个人单独在家躺着。）

“单独”还有不跟别的事物合在一起的意思，“独自”没有这个意思。

① 这个问题需要单独开一次会研究。（＊这个问题需要独自开一次

会研究。)

② 我想跟你单独谈谈。(＊我想跟你独自谈谈。)

③ 这种东西要单独放，不要跟别的东西放在一起。(＊这种东西要独自放，不要跟别的东西放在一起。)

D

343 单独[形]dāndú ▶ 孤独[形]gūdú

词义说明 Definition

单独[alone; by oneself; on one's own; singlehanded; independent] 独自一个人；不跟别的合在一起。

孤独[lonely; solitary] 独自一个人；孤单，寂寞无助的感觉。

词语搭配 Collocation

	～行动	～去旅行	～作业	～谈话	感到～	非常～	～得很
单独	√	√	√	√	×	×	×
孤独	×	×	×	×	√	√	√

用法对比 Usage

用法解释 Comparison

“单独”表示人的存在状态，即只一个人，“孤独”表示人的感觉。它们意思不同，用法也不同，不能相互替换。

语境示例 Examples

① 老人的一双儿女都不在身边，老伴去世后，一个人过着孤独的生活。(＊老人的一双儿女都不在身边，老伴去世后，一个人过着单独的生活。)

② 一个人过当然有一个人过的好处，但是，最难耐的就是孤独和寂寞。(＊一个人过当然有一个人过的好处，但是，最难耐的就是单独和寂寞。)

③ 他喜欢单独干，不愿意和别人合作。(＊他喜欢孤独干，不愿意和别人合作。)

④ 这项设计是他单独完成的。(＊这项设计是他孤独完成的。)

⑤ 他是个性情孤独的人，几乎没有什么朋友。(＊他是个性情单独的人，几乎没有什么朋友。)

⑥ 看到老人那远去的孤独的身影，我不由得想起了年迈的父亲。(＊看到老人那远去的单独的身影，我不由得想起了年迈的

父亲。)

⑦ 你一个人在国外生活和学习，会感到孤独的。（＊你一个人在国外生活和学习，会感到单独的。)

⑧ 这次来中国留学是我第一次单独出远门，以前我从未一个人出过国。(＊这次来中国留学是我第一次孤独出远门，以前我从未一个人出过国。)

344 耽误[动]dānwu ▶ 耽搁[动]dānge

词义说明 Definition

耽误[delay; hold up] 由于某种原因而未能赶上，未能做好，未能完成，或使过程延长，误了事。

耽搁[stop over; stay] 停留。[delay] 耽误；拖延。

词语搭配 Collocation

	～时间	～工作	太～事	～了两天	～学习	～治病	把病～了
耽误	√	√	√	√	√	√	√
耽搁	√	X	X	√	X	√	√

用法对比 Usage

用法解释 Comparison

口语中多用“耽误”，“耽搁”用得较少。“耽搁”所表达的“拖延”有时候是正当的，“耽误”是不应该的。

语境示例 Examples

① 再忙也不能耽误治病。(☺再忙也不能耽搁治病。)

② 你千万不要把孩子的病耽误了。(☺你千万不要把孩子的病耽搁了。)

③ 因为读博士把婚姻大事也耽搁了，三十岁的人了，连个男/女朋友也没有。(☺因为读博士把婚姻大事也耽误了，三十岁的人了，连个男/女朋友也没有。)

④ 这台计算机老出毛病，太耽误事了。（＊这台计算机老出毛病，太耽搁事了。)

⑤ 因为有些事情还没办完，我得在中国耽搁几天。（＊因为有些事情还没办完，我得在中国耽误几天。)

⑥ 妈妈不想耽误我的学习，所以不让我陪她去旅行。（＊妈妈不想

耽搁我的学习，所以不让我陪她去旅行。）

⑦ 你快去快回，别耽误工作。（＊你快去快回，别耽搁工作。）

345 胆怯[形]dǎnqiè ▶ 胆小 dǎn xiǎo

D

词义说明 Definition

胆怯[timid; cowardly] 胆小；畏缩。

胆小[timid; cowardly] 胆量小。

词语搭配 Collocation

	很～	～心理	～鬼	有点儿～
胆怯	√	√	×	√
胆小	√	×	√	√

用法对比 Usage

用法解释 Comparison

“胆怯”和“胆小”是同义词，口语常用的是“胆小”，“胆小”是主谓结构，可以分开用，可以说“她胆很小”，“胆怯”不能分开用。

语境示例 Examples

① 我用汉语跟中国人说话时总有点儿胆怯。（☺我用汉语跟中国人说话时总有点儿胆小。）

② 学习外语，一定要克服胆怯心理，不要怕说错。（＊学习外语，一定要克服胆小心理，不要怕说错。）

③ 这孩子胆小，一个人肯定不敢去。（＊这孩子胆怯，一个人肯定不敢去。）

④ 你什么都怕，真是个胆小鬼。（＊你什么都怕，真是个胆怯鬼。）

⑤ 你怎么这么胆小怕事？（＊你怎么这么胆怯怕事？）

346 但[连、副]dàn ▶ 但是[连]dànshì

词义说明 Definition

但[but; yet; still; nevertheless] 但是。[only; merely; just] 只：～愿人长久。

但是[（used to introduce the next part of a sentence and indicate unexpectedness or exception) but; yet; still; nevertheless] 用在后半句里表示转折，往往与“虽然、尽管”等呼应。

用法对比 Usage

用法解释 Comparison

“但”有“但是”的意思，常用于书面，“但是”没有此限，“但”还是个副词，有“只”的意思。“但是”后面可以停顿，“但”后面不能停顿。

语境示例 Examples

① 尽管学习汉语很难，但我觉得很有意思。(☺尽管学习汉语很难，但是我觉得很有意思。)

② 虽然同学们认识的时间不长，但是大家互相帮助，互相关心，像兄弟姐妹一样。(☺虽然同学们认识的时间不长，但大家互相帮助，互相关心，像兄弟姐妹一样。)

③ 他很聪明，但是不太努力。(☺他很聪明，但不太努力。)

④ 这件大衣贵是贵，但是质量很好。(☺这件大衣贵是贵，但质量很好。)

⑤ 但愿今年暑假我妈妈也能来中国看看。(＊但是愿今年暑假我妈妈也能来中国看看。)

⑥ 辽阔的海面上，但见白帆点点。(＊辽阔的海面上，但是见白帆点点。)

347 但是[连]dànshì ▶ 可是[连]kěshì

词义说明 Definition

但是[but; yet; still; nevertheless] 用在后半句，表示转折，往往与“虽然、尽管”等呼应。

可是[but; yet; however] 表示转折，常和前面的“虽然”相呼应。[(used for emphasis) really; truly; indeed] 真是；实在是。

用法对比 Usage

用法解释 Comparison

“但是”和“可是”是同义词，“可是”多用于口语，“但是”口语和书面都常用。

语境示例 Examples

① 虽然我也很喜欢这个笔记本电脑，但是我还是把它送给弟弟了。(☺虽然我也很喜欢这个笔记本电脑，可是我还是把它送给弟弟了。)

② 这里的冬天虽然很冷，可是屋子里很暖和。(☺这里的冬天虽然很冷，但是屋子里很暖和。)

③ 他虽然很聪明，但是不努力，常常不来上课，所以学得并不好。(☺他虽然很聪明，可是不努力，常常不来上课，所以学得并不好。)

④ 离了婚，你们虽然不再是夫妻了，但是也不要成为仇人。(☺离了婚，你们虽然不再是夫妻了，可是也不要成为仇人。)

"可是"还是词组，表示强调，有"实在是、真是"的意思，"但是"没有这个意思和用法。

① 要说起她，那可是一个好姑娘。(＊要说起她，那但是一个好姑娘。)

② 他可是我们班的尖子。(＊他但是我们班的尖子。)

348 但是[连]dànshì ▶ 却[副]què

词义说明 Definition

但是[but; yet; still; nevertheless] 用在后半句，表示转折，往往与"虽然、尽管"等呼应。

却[(weaker than 但是 or 可) but; yet] 表示转折，比"倒"和"可"的语气略轻。

词语搭配 Collocation

	虽然…～…	尽管…～…	～很好	～他很努力
但是	√	√	√	√
却	√	√	√	×

用法对比 Usage

用法解释 Comparison

"却"和"但是"都表示转折，"却"比"但是"的语气轻一些。"但是"可以用在后半句的开头，也可放在主语前边；而

"却"只能用在主语后边，不能用在主语之前。

语境示例 Examples

① 但是：虽然那里是大沙漠，但是地下水非常丰富。
却：虽然那里是大沙漠，地下水却非常丰富。

② 我们大家都在等他，但是他不知道跑到什么地方去了。（*我们大家都在等他，却他不知道跑到什么地方去了。）

③ 我有很多话要跟他说，一见面却说不出来了。（*我有很多话要跟他说，一见面但是说不出来了。）（☺我有很多话要跟他说，但是一见面却说不出来了。）

④ 这篇课文很长，生词却不多。（*这篇课文很长，生词但是不多。）

"却"还可以与"但是"一起用，一起用时"却"要跟在"但是"的后边。

他很聪明，虽然不怎么努力，但是成绩却不错。（*他很聪明，虽然不怎么努力，却成绩不错。）

349 当代[名]dāngdài ▶ 现代[名]xiàndài

词义说明 Definition

当代[the present age; the contemporary era] 当前这个时代。

现代[modern times; the contemporary age] 现在这个时代。[modern; contemporary] 在中国历史分期上多指 1919 年五四运动到现在的时期，有时专指 1919 年五四运动到 1949 年新中国成立前的时期。

词语搭配 Collocation

	～文学	～英雄	～作家	～生活	～化	～题材	～史	～派
当代	√	√	√	√	×	√	×	×
现代	√	×	√	√	√	√	√	√

用法对比 Usage

用法解释 Comparison

"当代"和"现代"所指的时期不同，所以即使能在句子中相互替换，表达的意思也不同。

语境示例 Examples

① 当代：中国当代作家中你最喜欢谁的作品？（指 1949 年新中国成

立后的作家，他们大都还健在）

现代：中国现代作家中你最喜欢谁的作品？（指1919年以后的作家，他们中的大多数已经去世）

② 中国的现代史是中国人民觉醒并为国家的独立富强而英勇奋斗的历史。（*中国的当代史是中国人民觉醒并为国家的独立富强而英勇奋斗的历史。）

③ 我们的文艺应该更多地反映当代人民的生活。（*我们的文艺应该更多地反映现代人民的生活。）

④ 说实在的，我对现代派的艺术一点儿也欣赏不了。（*说实在的，我对当代派的艺术一点儿也欣赏不了。）

350 当然[副、形]dāngrán

▶ 自然[名、形、副]zìrán/zìran

词义说明 Definition

当然[naturally; it goes without saying] 应该这样。[without doubt; certainly; of course; to be sure] 合乎事理或情理，没有疑问。

自然[natural world; nature]（读zìrán）自然界。[natural]（读zìran）不勉强，不呆板：拍照时～一些。[naturally; in the ordinary course of events]（读zìrán）自由发展，不经人力干预。[naturally; of course]（读zìrán）理所当然：第一次表演～会紧张。[at ease; natural; free from affectation]（读zìran）不拘束：态度很～|演得很～。

词语搭配 Collocation

	～喜欢	～买	理所～	很～	非常～	演得～	大～	热爱～
当然	√	√	√	×	×	×	×	×
自然	√	√	×	√	√	√	√	√

用法对比 Usage

用法解释 Comparison

“当然”和“自然”都有形容词的词性，都可以作状语和定语，“自然”可以作谓语和宾语，“当然”不能作谓语和宾语。

语境示例 Examples

① 只要你努力，当然能做到。(☺只要你努力，自然能做到。)
② 我们是朋友，你有困难，我当然要帮你。(☺我们是朋友，你有困难，我自然要帮你。)
③ 因为这是一场侵略战争，理所当然地遭到了全世界爱好和平人民的反对。(*因为这是一场侵略战争，理所自然地遭到了全世界爱好和平人民的反对。)
④ 这次出访，部长是当然的代表团团长。(*这次出访，部长是自然的代表团团长。)
⑤ 你们的节目很有意思，表演也非常自然。(*你们的节目很有意思，表演也非常当然。)
⑥ 打太极拳时，动作要自然一些，不要太紧张。(*打太极拳时，动作要当然一些，不要太紧张。)
⑦ 我们家乡的自然环境很好。(*我们家乡的当然环境很好。)
⑧ 中药的原料都取自大自然。(*中药的原料都取自大当然。)

351 当时[名]dāngshí ▶ 那时[代]nàshí

词义说明 Definition

当时[then; at that time] 指过去发生某件事情的时候。

那时[then; at that time; in those days] 指前边提到的事件发生的时间；已经过去的那段时间。

词语搭配 Collocation

	~不知道	~年龄小	~很生气	~刚参加工作	~不想买
当时	√	√	√	√	√
那时	√	√	√	√	√

用法对比 Usage

用法解释 Comparison

“当时”是个名词，可以带定语；“那时”是个代词，不能带定语。

语境示例 Examples

① 这篇小说是他上个世纪 50 年代写成的，当时他才十九岁。(☺这

篇小说是他上个世纪50年代写成的，那时他才十九岁。)

② 当时，我从他手里接过这个失而复得的钱包，感动得不知道说什么好。(☺那时，我从他手里接过失而复得的钱包，感动得不知道说什么好。)

③ 当时我没有买，现在有点儿后悔。(☺那时我没有买，现在有点儿后悔。)

④ 事情发生的当时我并不在场。(＊事情发生的那时我并不在场。)

"那时"可以说"那时候"，"当时"不能说"当时候"。

我五年前来过一次，那时候这里还是一些破旧的房屋，现在已经变成高楼了。(＊我五年前来过一次，当时候这里还是一些破旧的房屋，现在已经变成高楼了。)

注意：汉语还有一个副词"当时"。读：dàngshí，[right away；at once；immediately] 意思是"就在那个时候；立刻；马上"：

① 他一听说母亲病重，当时就赶回去了。

② 她听到这个消息当时就晕倒了。

352 当心[动]dāngxīn ▶ 小心[形、动]xiǎoxīn

词义说明 Definition

当心[take care；be careful；watch out] 小心，留神。

小心[take care；be careful；be cautious] 注意，留心，谨慎。

词语搭配 Collocation

	千万～	要～	不～	很～	～谨慎	～火车
当心	√	√	×	×	×	√
小心	√	√	√	√	√	√

用法对比 Usage

用法解释 Comparison

"小心"既是动词也是形容词，"当心"只是动词。动词"当心"和"小心"用法基本一样，"当心"没有形容词的用法，不能受否定副词修饰。

语境示例 Examples

① 过马路要当心！(☺过马路要小心！)

② 跟这种人打交道你千万要小心。(☺跟这种人打交道你千万要

当心。)

③ 路上车多人多，开车要当心。(☺路上车多人多，开车要小心。)

④ 刚下过雪，小心路滑。(☺刚下过雪，当心路滑。)

⑤ 路上很滑，一不小心摔了一跤。(＊路上很滑，一不当心摔了一跤。)

⑥ 他办事很小心。(＊他办事很当心。)

353 当选[动]dāngxuǎn ▶ 选[动]xuǎn

词义说明 Definition

当选[be elected; win an election] 选举时被选上。

选[select; choose; pick] 挑选：～一个饭馆，我们聚一聚。[elect] 选举：～代表。

词语搭配 Collocation

	～总统	～代表	～主席	～干部	～教材	～课文	～新鲜的	不～	没～	～不出来
当选	√	√	√	×	×	×	×	×	√	×
选	√	√	√	√	√	√	√	√	√	√

用法对比 Usage

用法解释 Comparison

“当选”的动作主体是被动的；“选”的动作主体是主动的，“当选”不能带宾语，“选”可以带宾语。

语境示例 Examples

① 在这次代表大会上他当选为主席。(＊在这次代表大会上他选为主席。)(☺在这次代表大会上他被选为主席。)

② 我们选他当代表。(＊我们当选他当代表。)

③ 他这次没有当选。(＊他这次没有选。)

④ 我不会选这种人的。(＊我不会当选这种人的。)

“选”还有挑选，选择等意思，“选”的对象除了人以外，还可以是物，“当选”没有这种用法。

① 我想选一篇文章给学生阅读。(＊我想当选一篇文章给学生阅读。)

② 我选了半天也没有选出来。(＊我当选了半天也没有当选出来。)

③ 我们班选玛丽参加朗诵比赛。(＊我们班当选玛丽参加朗诵比赛。)

354 当中[名]dāngzhōng ▶ 其中[名]qízhōng

词义说明 Definition

当中[in the middle; in the centre; among] 中间，之内，正中。

其中[among; of; in] 那里面，那中间。

D

词语搭配 Collocation

	院子～	广场～	我们～	同学～	大学～	～有他	～之一	乐在～
当中	√	√	√	√	√	×	×	×
其中	×	×	×	×	×	√	√	√

用法对比 Usage

用法解释 Comparison

“当中”和“其中”的意思不同，用法也不同，它们不能相互替换。

语境示例 Examples

① 我家院子当中有一个枣树。（*我家院子其中有一个枣树。）

② 人民英雄纪念碑在天安门广场正当中。（*人民英雄纪念碑在天安门广场正其中。）

③ 我们班选了五个同学参加比赛，我是其中之一。（*我们班选了五个同学参加比赛，我是当中之一。）

④ 全班学生当中，玛丽学习最刻苦。（*全班学生其中，玛丽学习最刻苦。）

⑤ 北京有很多公园，其中颐和园最漂亮。（*北京有很多公园，当中颐和园最漂亮。）

⑥ 天天练习打太极拳虽然很辛苦，可是也乐在其中。（*天天练习打太极拳虽然很辛苦，可是也乐在当中。）

355 挡[动]dǎng ▶ 拦[动]lán

词义说明 Definition

挡[keep off; ward off; block] 拦住；抵挡：～住去路｜～风。

[block; get in the way of] 遮蔽：～阳光。

拦[bar; block; hold back] 不让通过；阻挡：别～他，让他走吧。

词语搭配 Collocation

	～风	～雨	～道	～车	～路虎	～河坝	～住他	～回去	～得/不住
挡	√	√	√	×	×	×	√	√	√
拦	×	×	×	√	√	√	√	√	√

用法对比 Usage

用法解释 Comparison

“挡”和“拦”的不同在于，“拦”的动作主体既可以是人的主观行为，也可以是物体，而“挡”的动作主体主要是物体。

语境示例 Examples

① 他要下决心干什么事，谁也拦不住他。(☺他要下决心干什么事，谁也挡不住他。)
② 你去拦住他，别让他走。(＊你去挡住他，别让他走。)
③ 我们拦一辆出租车吧。(＊我们挡一辆出租车吧。)
④ 你那辆车往边上靠靠，别挡道儿。(＊你那辆车往边上靠靠，别拦道儿。)
⑤ 你穿这么一点儿可挡不住山上的寒气。(＊你穿这么一点儿可拦不住山上的寒气。)
⑥ 愚公家门前面有两座大山，正好挡住他家的出路。(＊愚公家门前面有两座大山，正好拦住他家的出路。)

356 当[动]dàng ▶ 以为[动]yǐwéi

词义说明 Definition

当[treat as; regard as; take for; think] 当做，作为，以为，认为。

以为[think; believe; consider] 认为。

词语搭配 Collocation

	我～是谁呢	～是小王	～错了	～对了	～你不来了	不～苦	不～然	我～很好
当	√	×	×	×	√	×	×	×
以为	√	√	√	√	√	√	√	√

用法对比 Usage

用法解释 Comparison

当已经知道自己想的不符合实际情况时用“以为”，表示自己的想法是不对的，与事实不符。“当”表达“以为”的意思时，可以与“以为”互换，多用于口语。“当”还有当做、看成的意思，“以为”没有这个意思和用法。

语境示例 Examples

① 我当你回国了呢，原来还在学校。(☺我以为你回国了呢，原来还在学校。)

② 我当是谁呢，原来是你呀。(☺我以为是谁呢，原来是你呀。)

③ 我当你不来呢，没想到你来得比我还早。(☺我以为你不来呢，没想到你来得比我还早。)

④ 你当别人都是傻瓜吗？(☺你以为别人都是傻瓜吗？)

“以为”有认为的意思，“当”没有这个意思。

不要总以为你自己了不起。(* 不要总当你自己了不起。)

“当”有“当做，看成”的意思，“以为”没有这个用法。

① 我们都把她当小妹妹看待。(* 我们都把她以为小妹妹看待。)

② 对不起，我看错了，我把你的词典当成我的了。(* 对不起，我看错了，我把你的词典以为成我的了。)

357 当做[动] dàngzuò ▶ 看做[动] kànzuò

词义说明 Definition

当做[treat as; regard as; look upon as] 认为，作为，看成。

看做[look upon as; regard as] 当做：你不要把我～外人。

词语搭配 Collocation

	把 A～B	不把 A～B	没把 A～B
当做	√	√	√
看做	√	√	√

用法对比 Usage

用法解释 Comparison

“当做”和“看做”多用于把字句（间或也用于被字句），意思是把 A 作为 B 来看待或对待。不同的是，“当做”含有要去行动的意思，“看做”可能仅仅是“看”，未必行动。

语境示例 Examples

① 不少外国朋友把中国人民的建设事业当做他们自己的事业。(☺不

少外国朋友把中国人民的建设事业看做他们自己的事业。)

② 他把玛丽当做自己学习的榜样。(☺他把玛丽看做自己学习的榜样。)

③ 你就把我当做你的姐姐吧。(☺你就把我看做你的姐姐吧。)

④ 把一个国家或民族的价值观当做人类应该普遍遵守的价值观，是根本行不通的。(☺把一个国家或民族的价值观看做人类应该普遍遵守的价值观，是根本行不通的。)

⑤ 他把这些孤儿当做自己亲生的孩子。(☺他把这些孤儿看做自己亲生的孩子。)

⑥ 不要把我们的忍让看做软弱可欺。(*不要把我们的忍让当做软弱可欺)。

D

358 倒霉 dǎo méi ▶ 糟糕 [形] zāogāo

词义说明 Definition

倒霉 [have bad luck; be out of luck; be down on one's luck] 遇到不利的情况，有不好的遭遇。

糟糕 [how terrible; what bad luck; too bad] 事情或情况很不好。

词语搭配 Collocation

	真~	很~	非常~	~透了	~极了
倒霉	√	√	√	√	√
糟糕	√	√	√	√	√

用法对比 Usage

用法解释 Comparison

“倒霉”和“糟糕”都表示情况不好，不利，但是“倒霉”的主观色彩更浓一些，“糟糕”一般用于对事情的客观描述。

语境示例 Examples

① 真倒霉，因为下雪路滑，刚出门就摔了一跤，把眼镜也摔碎了。(☺真糟糕，因为下雪路滑，刚出门就摔了一跤，把眼镜也摔碎了。)

② 今天糟糕透了，我们出门时天气好好的，刚到长城就下起了大雨，一个个淋得像落汤鸡似的。(☺今天倒霉透了，我们出门时天

气好好的，刚到长城就下起了大雨，一个个淋得像落汤鸡似的。）

③ 糟糕！我把钥匙锁到屋里了。（＊倒霉！我把钥匙锁到屋里了。）

④ 这次考得比我想得还要糟糕。（＊这次考得比我想得还要倒霉。）

“倒霉”是离合词，可以分开使用，可以说“倒了霉，倒了大霉”。“糟糕”不能分开使用，不说“糟了大糕”。

他这次可是倒了大霉，连护照都被偷走了。（＊他这次可是糟了大糕，连护照都被偷走了。）

359 到[动]dào ▶ 到达[动]dàodá

词义说明 Definition

到[arrive; reach; up until; up to] 达于某地，某时或某一点：火车～站了|我们从八点～十二点上课。[go to; leave for] 往：我要～中国去学习汉语。[used as a verb complement to show the result of an action] 用在动词后边作结果补语，表示动作有了结果：看～|买得～|吃不～。

到达[arrive; get to; reach] 到了某一地点或某一阶段。

词语搭配 Collocation

	～香港去	～了北京	～了	从8点～12点	说～做～	想不～	没想～
到	√	√	√	√	√	√	√
到达	×	×	√	×	×	×	×

用法对比 Usage

用法解释 Comparison

“到”有“到达”的意思，二者都可以带处所宾语。“到达”是书面语，“到”书面口语都用。“到”的其他意思是“到达”所没有的。

语境示例 Examples

① 她今天上午到北京，我要去机场接她。（☺她今天上午到达北京，我要去机场接她。）

② 外贸代表团已于昨天到达上海。（☺外贸代表团已于昨天到上海。）

“到”的宾语可以是时点词，“到达”的宾语不能是时点词。

我们从八点到十二点上课。（＊我们从八点到达十二点上课。）

“到”有“往”的意思，“到达”没有这个意思。

我想到图书馆去借本书。(＊我想到达图书馆去借本书。)

"到"可以用在动词后边作结果补语,"到达"不能作结果补语。

① 你要的书我已经给你买到了。(＊你要的书我已经给你买到达了。)

② 说到一定要做到,不能失信。(＊说到达一定要做到达,不能失信。)

③ 想不到你汉语说得这么好。(＊想不到达你汉语说得这么好。)

360 到底[副]dàodǐ ▶ 终于[副]zhōngyú

词义说明 Definition

到底[at last; in the end; finally] 表示经过种种变化或较长过程最后出现某种结果;终于。[(used in a question for emphasis) after all] 用于疑问句,表示深究;究竟:你~去不去? [after all; in the final analysis] 强调原因或特点;毕竟:~是专家,一看就知道问题出在哪里。

终于[at (long) last; in the end; finally] 表示经过种种变化或等待之后出现某种结果。

词语搭配 Collocation

	~成功了	~来了	~实现了	~去不去	~来不来	~想干什么	~是新手
到底	√	√	√	√	√	√	√
终于	√	√	√	×	×	×	×

用法对比 Usage

用法解释 Comparison

"到底"多用于口语,"终于"常用于书面。"到底"修饰的动词或动词词组必带"了","终于"没有此限。

语境示例 Examples

① 经过三年的刻苦学习他到底获得了硕士学位。(☺经过三年的刻苦学习他终于获得了硕士学位。)

② 妈妈早就想来看看长城,今天这个愿望终于实现了。(☺妈妈早就想来看看长城,今天这个愿望到底实现了。)

③ 我的理想终于实现了,心里有说不出的高兴。(☺我的理想到底实现了,心里有说不出的高兴。)

"到底"还表示追问，"终于"没有这个用法。

① 你昨天说去，今天又说不去了，你到底去不去？（＊你昨天说去，今天又说不去了，你终于去不去？）

② 你到底想干什么？（＊你终于想干什么？）

"到底"还有说明原因和理由的意思，相当于"毕竟"，"终于"没有这个意思。

① （爬山）到底还是年轻人爬得快。（＊终于还是年轻人爬得快。）

② 北方到底是北方，天冷得真早。（＊北方终于是北方，天冷得真早。）

注意：汉语还有一个动宾词组"到底"[to the end; to the finish]是"到最后"的意思，"终于"没有这个意思。

无论遇到多大困难，我们都要坚持到底。（＊无论遇到多大困难，我们都要坚持终于。）

361 盗[动]dào ▶ 偷[动]tōu

词义说明 Definition

盗[steal; rob] 偷。[thief; robber] 强盗。

偷[steal; pilfer] 私下拿走别人的东西。[stealthily; secretly; on the sly] 瞒着人。

词语搭配 Collocation

	被～	～版	～伐	～用	～盗	～看	～听	～税	～渡
盗	√	√	√	√	×	×	×	×	×
偷	√	×	√	×	√	√	√	√	√

用法对比 Usage

用法解释 Comparison

"偷"和"盗"的不同在于"偷"用于口语，"盗"用于书面。"偷"有瞒着人干事的意思，"盗"没有这个意思。

语境示例 Examples

① 昨天晚上我们公司的仓库被盗了。（☺昨天晚上我们公司的仓库被偷了。）

② 我刚买的自行车就被小偷偷走了。（＊我刚买的自行车就被小偷盗走了。）

③ 这是一本盗版书，所以卖得这么便宜。（＊这是一本偷版书，所以卖得这么便宜。）
④ 要严厉打击偷税漏税的犯罪行为。（＊要严厉打击盗税漏税的犯罪行为。）
⑤ 考试时他因为偷看别人的考卷，被取消了考试资格，还记大过一次。（＊考试时他因为盗看别人的考卷，被取消了考试资格，还记大过一次。）

"偷"可以重叠，重叠后变成副词"偷偷"，"盗"没有这个用法。

他趁别人不注意就偷偷地溜走了。（＊他趁别人不注意就盗盗地溜走了。）

D

362 道路[名]dàolù ▶ 路[名]lù

词义说明 Definition

道路[road; way; path] 地面上供人或车辆通行的地方。两地之间的通道，也用来比喻事物发展或为人处世所遵循的途径。

路[road; path; way] 道路：这条～一直通向山顶。[journey; distance] 路程：～远不远？[way; means] 门路：无～可走。[route] 路线：331～公共汽车。

词语搭配 Collocation

	～宽阔	人生～	水～	大～	同～	八千里～	生～	375～	～费
道路	√	√	×	×	×	×	×	×	×
路	×	√	√	√	√	√	√	√	√

用法对比 Usage

用法解释 Comparison

"道路"和"路"的意思一样，既可以表示具体的意义也可以表示抽象的意义，但是音节不同，用法也有不同。"道路"多用于书面，"路"用于口语。"路"还是个语素，有组词能力，"道路"没有组词能力。

语境示例 Examples

① 这条道路的两边都是绿地和鲜花。（☺这条路的两边都是绿地和鲜花。）

② 生活的道路不会是一帆风顺的。(☺生活的路不会是一帆风顺的。)
③ 人生的道路是宽阔的，不要为这点儿小事想不开。(☺人生的路是宽阔的，不要为这点儿小事想不开。)
④ 这几年，这个城市的道路建设发展得很快。(＊这几年，这个城市的路建设发展得很快。)
⑤ 从我们学校到你们大学这段路非常直。(＊从我们学校到你们大学这段道路非常直。)
⑥ 我也去上海，咱们同路。(＊我也去上海，咱们同道路。)
⑦ 坐 331 路汽车就能到圆明园。(＊坐 331 道路汽车就能到圆明园。)
⑧ 从北京去香港需要多少路费？ (＊从北京去香港需要多少道路费?)

D

363 得到 dé dào ▶ 获得 [动] huòhé

词义说明 Definition

得到 [get; obtain; gain; receive] 事物为自己所有，获得（东西、机会、同意、允许等）。

获得 [gain; obtain; acquire; win; achieve] 取得，得到（经验、知识、好评、奖励、成绩等抽象事物）。

词语搭配 Collocation

	～机会	～奖励	～表扬	～经验	～知识	～允许	～同意	～她	～一件毛衣
得到	√	√	√	√	√	√	√	√	√
获得	√	√	√	√	√	√	√	×	×

用法对比 Usage

用法解释 Comparison

“获得”和“得到”的区别主要在于：“获得”的对象是抽象事物；“得到”的对象既可以是抽象事物，也可以是具体事物。

语境示例 Examples

① 因为学习努力，成绩优秀，她得到了学校的奖励。(☺因为学习努力，成绩优秀，她获得了学校的奖励。)
② 这一年的留学生活，不仅使我获得了知识，还获得了不少人生的经验。(☺这一年的留学生活，不仅使我得到了知识，还得到了不少人生的经验。)

③ 得到这次留学的机会很不容易，我一定要好好珍惜。(☺获得这次留学的机会很不容易，我一定要好好珍惜。)

④ 这个电影获得了百花奖。(☺这个电影得到了百花奖。)

⑤ 我的申请已得到批准。(☺我的申请已获得批准。)

⑥ 这次乒乓球比赛，他得了冠军，还得到了一辆汽车。(*这次乒乓球比赛，他得了冠军，还获得了一辆汽车。)

⑦ 我太爱她了，只要能得到她，让我干什么都行。(*我太爱她了，只要能获得她，让我干什么都行。)

“得到”不是一个词，是个动补词组，可以分开用，它的反义词是“得不到”，“获得”是一个词，它的反义词是“失去”，不能说“获不得”。

我一点儿也得不到他的消息，心里很着急。(*我一点儿也获不得他的消息，心里很着急。)

D

364 得意[形]déyì ▶ 高兴[动、形]gāoxìng

词义说明 Definition

得意[proud of oneself; pleased with oneself; complacent] 感到非常满意，并且表现出来。

高兴[glad; happy; cheerful] 愉快而兴奋。[be willing to; be happy to] 喜欢，带着愉快的心情去做某件事。

词语搭配 Collocation

	很～	非常～	～扬扬	～忘形	～～	不～去	别～	别～得太早了
得意	√	√	√	√	×	×	√	×
高兴	√	√	×	×	√	√	×	√

用法对比 Usage

用法解释 Comparison

“得意”也有“高兴”的意思，但常常带贬义。

语境示例 Examples

① 这次考试的成绩不错，她很得意。(☺这次考试的成绩不错，她很高兴。)

② 赢了也不要太得意，输了也不能太丧气，比赛的输赢是常事，要赢得起也要输得起。(☺赢了也不要太高兴，输了也不能太丧气，

比赛的输赢是常事，要赢得起也要输得起。）

③ 能见到你我很高兴。（＊能见到你我很得意。）

"高兴"可以重叠，"得意"不能。

我把成绩单给爸爸妈妈寄回去，让他们也高兴高兴。（＊我把成绩单给爸爸妈妈寄回去，让他们也得意得意。）

"高兴"还有愿意做某事的意思，"得意"没有这个意思和用法。

① 很高兴认识你。（＊很得意认识你。）

② 你身体不舒服，不高兴去就别去了。（＊你身体不舒服，不得意去就别去了。）

365 的[助]de ▶ 地[助]de ▶ 得[助]de

词义说明 Definition

的[used after an attribute when the attribute modifies the noun or indicates possession] 用在定语后，名词前，表示词与词或短语之间的修饰关系或领属关系：北京～建筑｜我～词典｜老师～书。[used to form a noun phrase or nominal expression] 附着在词或短语之后，构成"的"字词组，代替所指的人或物：卖菜～｜吃～｜喝～。[used after a verb or between a verb and its object to stress the subject, time, venue, way, etc. of an action] 用在谓语动词后面，强调这动作的施事者或过去动作的时间、地点、方式等：谁干～好事？｜他是九月来～。[used at the end of a declarative sentence for emphasis] 用在陈述句的末尾，表示肯定的语气。如：这件事儿我是知道～。

地[used after an adverbial] 用在状语和中心词之间：愉快～生活着｜幸福～笑了。

得[used to link a verb or an adjective to a complement which describes the manner or degree] 用在动词、形容词和补语之间，表示状态程度和结果：高兴～笑了｜冷～直发抖。[used after a verb or an adjective to express possibility or capability] 用在动词和补语之间表示可能：他去～，你也去～。否定式是"不得"：去不～｜哭不～。[inserted between a verb and its complement to express possibility or capability] 用在动词和补语中间表示可能：吃～完｜做～了。否定式是把"得"换成"不"：吃不完｜做不了。

词语搭配 Collocation

	我～本子	老师～	红～	很好～朋友	高兴～说	学～很好	买～到	来～了
的	√	√	√	√	×	×	×	×
地	×	×	×	×	√	×	×	×
得	×	×	×	×	×	√	√	√

D

用法对比 Usage

用法解释 Comparison

“的”、“地”和“得”这三个词都是结构助词，“的”是定语的标志，用在名词或代词之前，“地”是状语的标志，用在动词之前，“得”是补语的标志，用在动词之后。因为它们发音相同，用法的不同主要表现在书面上，所以，书写时要特别注意。

语境示例 Examples

“的”的后边一定是名词或代词。表示定语和中心词之间的领属关系。

① 北京的建筑越来越现代化了。（*北京地/得建筑越来越现代化了。）

② 这是我的书。（*这是我地/得书。）

③ 我希望你们能用汉语讲讲自己的故事。（*我希望你们能用汉语讲讲自己地/得故事。）

④ 刚刚十五岁的他，遇到这种事，一时不知道该怎么办。（*刚刚十五岁地/得他，遇到这种事，一时不知道该怎么办。）

“的”能附着在词或短语之后，构成“的”字词组，代替所指的人或物，“地”和“得”不能这么用。

我哥哥是搞建筑的。（*我哥哥是搞建筑地/得。）

“的”可以用在陈述句的末尾，表示肯定的语气，“地”和“得”没有这种用法。

要掌握一门外语是不容易的。（*要掌握一门外语是不容易地/得。）

“的”表示词与词或短语之间的修饰关系，“地”和“得”没有这个用法。

我有一辆红色的汽车，很漂亮。（*我有一辆红色地/得汽车，很漂亮。）

“的”可以组成“是……的”结构，强调过去动作发生的时间、地点、方式等，“地”和“得”没有这种用法。

① 我是去年九月来的北京。（*我是去年九月来地/得北京。）

② 我们是坐飞机来的。（*我们是坐飞机来地/得。）

③ 他是从纽约来的。（*他是从纽约来地/得。）

"地"是状语的标志词，它的后边一定是动词或介词。

① 电话里，妻子高兴地对我说："女儿考上了北京大学。"（*电话里，妻子高兴的/得对我说："女儿考上了北京大学。"）

② 他听我这么一说，就生气地走了。（*他听我这么一说，就生气的/得走了。）

D

"得"是补语的标志词，用在动词的后边，表示动作的状态、结果和程度。

① 我笑得肚子都疼了。（*我笑的/地肚子都疼了。）

② 我在中国过得很愉快。（*我在中国过地/的很愉快。）

③ 玛丽汉语说得很流利，汉字也写得很漂亮。（*玛丽汉语说的/地很流利，汉字也写的/地很漂亮。）

"得"用在动词和补语中间，表示可能。

① 你放心吧。这些东西我拿得了。（*你放心吧。这些东西我拿地/的了。）

② 这么小的地方，坐得下一百多人吗？（*这么小的地方，坐的/地下一百多人吗？）

"得"用在动词后面，表示能够或可以，"的"和"地"没有这种用法。

① 这件事可马虎不得，一定要认真对待。（*这件事可马虎不的/地，一定要认真对待。）

② 她能去，我为什么去不得？（*她能去，我为什么去不的/地？）

366 得[助动]děi ▶ 必须[助动、副]bìxū

词义说明 Definition

得[need] 需要：这件大衣～五百多块。[must; have to] 表示意志和事实上的必要。必须：要想升级就～考及格。[certainly will; be sure to] 表示推测的必然：再不快走，～迟到了。

必须[must; have to] 一定要；加强命令的语气。

词语搭配 Collocation

	～多少钱	～几天	～努力学习	～练习发音	～写汉字	～来	～去	～做手术
得	√	√	√	√	√	√	√	√
必须	×	×	√	√	√	√	√	√

用法对比 Usage

用法解释 Comparison

“得”和“必须”的意思差不多，在句子中常常互换，但是，“得”用于口语，后边可以跟数量词，“必须”还是个副词，口语和书面都常用，但不能用在数量词前边，只能用在动词或形容词前边。

语境示例 Examples

① 一个国家要发展就得对外开放。(☺一个国家要发展就必须对外开放。)
② 要取得好成绩就得努力学习。(☺要取得好成绩就必须努力学习。)
③ 要学好汉语，就得先练好发音。(☺要学好汉语，就必须先练好发音。)
④ 要真正把汉语学好，得四五年时间。(*要真正把汉语学好必须四五年时间。)
⑤ 买这么一辆车得多少钱？(*买这么一辆车必须多少钱？)

“得”还可以表示推测，有“一定会”的意思，“必须”没有这个意思。

要不快点儿，我们就得迟到了。(*要不快点儿，我们就必须迟到了。)

367 灯[名]dēng ▶ 灯火[名]dēnghuǒ

词义说明 Definition

灯[lamp; lantern; light] 照明或做其他用途的发光的器具。

灯火[lights] 泛指亮着的灯。

词语搭配 Collocation

	电～	彩～	～节	～具	～谜	～泡	～通明	万家～	～辉煌
灯	√	√	√	√	√	√	×	×	×
灯火	×	×	×	×	×	×	√	√	√

用法对比 Usage

用法解释 Comparison

“灯”有“灯火”的意思，但是，因为音节不同，它们的用法也不同。“灯”还是个语素，可与其他语素组成新词，“灯火”无组词能力。

语境示例 Examples

① 把灯开开吧，屋子里太暗了。（* 把灯火开开吧，屋子里太暗了。）

② 元宵节又叫灯节，因为这一天夜里，中国人有观灯的习惯，各种各样的灯把节日的夜晚装点得分外漂亮。（* 元宵节又叫灯火节，因为这一天夜里，中国人有观灯火的习惯，各种各样的灯火把节日的夜晚装点得分外漂亮。）

③ 猜灯谜是春节晚会上一项很受欢迎的活动。（* 猜灯火谜是春节晚会上一项很受欢迎的活动。）

④ 节日的广场，灯火辉煌。（* 节日的广场，灯辉煌。）

⑤ 大厅里灯火通明，人们在狂欢，人们在歌唱。（* 大厅里灯通明，人们在狂欢，人们在歌唱。）

⑥ 国庆之夜，如果你站在高处，只见万家灯火，火树银花，城市的夜景是那样迷人。（* 国庆之夜，如果你站在高处，只见万家灯，火树银花，城市的夜景是那样迷人。）

368 登[动]dēng ▶ 爬[动]pá

词义说明 Definition

登 [ascend; mount; scale (a height)]（人）由低处向高处走：～山。[publish; record; enter] 刊登或记载：我的文章～出来了。[step on] 踩；踏：～在椅子上。

爬 [crawl; creep] 昆虫或爬行动物的行动或人用手或脚一起着地向前移动。[climb; clamber; scramble] 抓着东西往上去；攀登：～山。[get up] 由倒卧而坐起或站起（多指起床）：从床上～起来就走了。

词语搭配 Collocation

	～山	～上去	～起来	～树	会～了	～在椅子上	～报	～广告
登	√	√	√	×	×	√	√	√
爬	√	√	√	√	√	×	×	×

用法对比 Usage

用法解释 Comparison

“登”和“爬”都是动词，都有向上走的意思，但是，“登”偏重于脚的动作，而“爬”既有脚的动作也有手的动作，是手脚并用。其他的意思它们相去甚远。

语境示例 Examples

① 我终于登上了万里长城。(☺我终于爬上了万里长城。)
② 星期天我们几个常常去爬山。(☺星期天我们几个常常去登山。)
③ 你登着椅子上去吧。(*你爬着椅子上去吧。)
④ 哪里跌倒就从哪里爬起来。(*哪里跌倒就从哪里登起来。)
⑤ 她儿子十个月了，已经会爬了。(*她儿子十个月了，已经会登了。)
⑥ 我们公司在报上登了招聘广告。(*我们公司在报上爬了招聘广告。)

369 等[动]děng ▶ 等待[动]děngdài

词义说明 Definition

等[wait; await] 等候、等待：~车。[when; till] 等到：~做完作业再看电视。

等待[wait; await] 不行动，直到想见到的人、事物或情况出现：~时机。

词语搭配 Collocation

	~车	~人	~一会儿	~一~	~两天再说	~时机	~机会	耐心~	~批准
等	√	√	√	√	√	√	√	√	√
等待	×	×	×	×	×	√	√	√	√

用法对比 Usage

用法解释 Comparison

“等”和“等待”同义。“等待”为书面语，宾语是抽象名词，而且是双音节词语。“等”不受此限。

语境示例 Examples

① 现在还不到八点，我想他一定会来，我们再耐心等一会儿吧。(☺现在还不到八点，我想他一定会来，我们再耐心等待一会儿吧。)
② 他一直在等待出国学习的机会。(☺他一直在等出国学习的机会。)
③ 车站上不少人在等车。(*车站上不少人在等待车。)
④ 我们等了一会儿车就来了。(*我们等待了一会儿车就来了。)

⑤ 请稍等一下，他马上就回来。（＊请稍等待一下，他马上就回来。）
⑥ 我在这儿等一个朋友。（＊我在这儿等待一个朋友。）
⑦ 我正等你的电话呢。（＊我正等待你的电话呢。）
⑧ 你等了多久了？（＊你等待了多久了？）

D

370 等待[动]děngdài ▶ 等候[动]děnghòu

词义说明 Definition

等待[wait; await] 不采取行动，直到所期望的人、事物或情况出现。

等候[wait; await; expect] 等待（多用于具体的对象）。

词语搭配 Collocation

	～时机	不能～	～命令	～朋友	耐心～
等待	√	√	√	×	√
等候	×	×	√	√	√

用法对比 Usage

用法解释 Comparison

“等待”和“等候”的意思相同，不过，“等待”的对象既可以是具体的，也可以是抽象的，“等候”的对象一般是具体的。口语都可以说“等”。

语境示例 Examples

① 大会准备工作已经就绪，我们正热切等待着各国代表的到来。（☺大会准备工作已经就绪，我们正热切等候着各国代表的到来。）
② 我们正在等候命令，只要上级一声令下，就马上行动。（☺我们正在等待命令，只要上级一声令下，就马上行动。）
③ 您再耐心等待一会儿，院长马上就来。（☺您再耐心等候一会儿，院长马上就来。）
④ 不能这么消极等待下去，要主动地去争取机会。（＊不能这么消极等候下去，要主动地去争取机会。）
⑤ 他正在等待对方的邀请信。（＊他正在等候对方的邀请信。）

371 低劣[形]dīliè ▶ 低下[形]dīxià

词义说明 Definition

低劣[（of quality）inferior；low-grade]（质量）很不好。

低下[（of living standards or economic status）low；lowly]（生产水平、经济地位等）在一般标准之下；（品质、格调等）低俗。

D

词语搭配 Collocation

	品质～	质量～	水平～	地位～
低劣	√	√	×	×
低下	√	×	√	√

用法对比 Usage

用法解释 Comparison

“低劣”形容产品质量不好，“低下”形容人的品行和社会地位很低，它们不能相互替换。

语境示例 Examples

① 这种低劣的产品只能在地摊上出售。（＊这种低下的产品只能在地摊上出售。）

② 决不能让质量低劣的假冒伪劣产品进入市场，坑害消费者。
（＊决不能让质量低下的假冒伪劣产品进入市场，坑害消费者。）

③ 如果企业的生产技术水平低下，肯定不能保证产品质量。（＊如果企业的生产技术水平低劣，肯定不能保证产品质量。）

④ 不要只看人的社会地位，在社会地位低下的人群中，往往会出现奇才。（＊不要只看人的社会地位，在社会地位低劣的人群中，往往会出现奇才。）

⑤ 这个人人格太低下，千万不要和他打交道。（＊这个人人格太低劣，千万不要和他打交道。）

372 的确[副]díquè ▶ 确实[副、形]quèshí

词义说明 Definition

的确[indeed；really] 完全确实；实在；真的。

确实[true；reliable] 真实可靠；肯定客观情况的真实性。[really; indeed] 的确，实在。

词语搭配 Collocation

	～是	～不是	～的	～的消息	～不错	～很好
的确	√	√	×	×	√	√
确实	√	√	√	√	√	√

D

用法对比 Usage

用法解释 Comparison

“确实”是副词也是形容词，既可以用在动词或形容词前面作状语，也可以作定语和谓语，而“的确”是副词，只能作状语。

语境示例 Examples

① 我的确不知道他去哪儿了。(☺我确实不知道他去哪儿了。)
② 你这辆车的确不错。(☺你这辆车确实不错。)
③ 这件事的的确确不是他干的。(☺这件事确确实实不是他干的。)
④ 这确实是个很好的建议。(☺这的确是个很好的建议。)
⑤ 他说的情况确实吗？(＊他说的情况的确吗？)
⑥ 这是一个确实的消息。(＊这是一个的确的消息。)

373 敌[名、动]dí ▶ 敌人[名]dírén

词义说明 Definition

敌[enemy; foe] 有利害冲突不能相容的；敌人。[oppose; fight; resist] 对抗；抵挡。[match; equal in strength]（力量）相等的。

敌人[enemy; foe] 敌对的人；敌对的方面。

词语搭配 Collocation

	～对	～意	与人为～	不能～	～不过	消灭～	势均力～	寡不～众	分清～我
敌	√	√	√	√	√	×	√	√	√
敌人	×	×	×	×	×	√	×	×	×

用法对比 Usage

用法解释 Comparison

“敌”含有“敌人”的意思，但是“敌”还是个动词，“敌人”只是名词。“敌”还是个语素，能与其他语素组成固定格式，

“敌人”不能这么用。

语境示例 Examples

① 这两个队势均力敌，这场比赛谁输谁赢还很难说。（*这两个队势均力敌人，这场比赛谁输谁赢还很难说。）
② 战争的一个基本原则就是消灭敌人，保存自己。（*战争的一个基本原则就是消灭敌，保存自己。）
③ 军民团结如一人，试看天下谁能敌。（*军民团结如一人，试看天下谁能敌人。）
④ 既要以和为贵，多交友，少树敌，发展同世界各国人民的友好关系，争取时间发展我们自己，又要坚持原则，主持正义，不屈服于霸权主义的威胁。（*既要以和为贵，多交友，少树敌人；发展同世界各国人民的友好关系，争取时间发展我们自己，又要坚持原则，主持正义，不屈服于霸权主义的威胁。）
⑤ 国内外的敌对势力从来没有放弃过搞乱中国的企图。（*国内外的敌人对势力从来没有放弃过搞乱中国的企图。）

374 抵达[动]dǐdá ▶ 到达[动]dàodá

词义说明 Definition

抵达[arrive; reach] 到达，来到。

到达[arrive; get to; reach] 到了某一地点或某个阶段。

词语搭配 Collocation

	～北京	准时～	～目的地	于下午三时～	不能～
抵达	√	√	√	√	√
到达	√	√	√	√	√

用法对比 Usage

用法解释 Comparison

“抵达”和“到达”的意思一样，都是书面语，但是，“抵达”一般用于正式场合或重大场合，“到达”多用于一般场合。

语境示例 Examples

① 乘飞机上午十一点就可以抵达上海。（☺乘飞机上午十一点就可以到达上海。）
② 中国国家主席及其一行于昨天下午三点抵达巴黎，开始为期五天的正式访问。（*中国国家主席及其一行于昨天下午三点到达巴

黎，开始为期五天的正式访问。）

③ 中国代表团乘飞机于今日上午抵达莫斯科。（＊中国代表团乘飞机于今日上午到达莫斯科。）

④ 顺着这条路，走半个小时就可以到达颐和园。（＊顺着这条路，走半个小时就可以抵达颐和园。）

⑤ 天津离北京不远，开车两个小时就可以到达。（＊天津离北京不远，开车两个小时就可以抵达。）

⑥ 我们今天晚上坐上火车，明天早上就能到达承德。（＊我们今天晚上坐上火车，明天早上就能抵达承德。）

375 抵抗[动]dǐkàng ▶ 反抗[动]fǎnkàng

词义说明 Definition

抵抗[resist; stand up to] 用力量制止对方的进攻。

反抗[revolt; resist] 用行动反对；抵抗。

词语搭配 Collocation

	坚决～	奋起～	～侵略	～压迫	～精神	～力	～领导	～父母
抵抗	√	√	√	×	×	√	×	×
反抗	√	√	√	√	√	×	√	√

用法对比 Usage

用法解释 Comparison

“抵抗”和“反抗”的对象有所不同，“抵抗”的对象是敌人、侵略者或病菌，“反抗”不包括“病菌”，除了可以说反抗敌人、反抗侵略之外，还可以包括其他人，例如，反抗领导、反抗父母等。

语境示例 Examples

① 如果有外敌入侵，中国人民一定会众志成城，奋起抵抗。（☺如果有外敌入侵，中国人民一定会众志成城，奋起反抗。）

② 反抗侵略，维护国家主权和领土完整，争取民族独立，这是世界上被压迫民族最可宝贵的品格。（☺抵抗侵略，维护国家主权和领土完整，争取民族独立，这是世界上被压迫民族最可宝贵的品格。）

③ 哪里有压迫，哪里就有反抗。（＊哪里有压迫，哪里就有抵抗。）

④ 领导并不都代表真理，当一个单位或部门的领导站在了广大人民

群众的对立面时，我们拿起法律的武器，团结群众，反抗领导，保卫国家和人民的利益，是完全正义的行动。（*领导并不都代表真理，当一个单位或部门的领导站在了广大人民群众的对立面时，我们拿起法律的武器，团结群众，抵抗领导，保卫国家和人民的利益，是完全正义的行动。）

⑤ 要好好静养一段时间，让身体慢慢增加抵抗力。（*要好好静养一段时间，让身体慢慢增加反抗力。）

D

376 地带[名]dìdài ▶ 地区[名]dìqū

词义说明 Definition

地带[district; region; zone; belt] 具有某种性质或范围的一片地方。

地区[large area; district; region] 较大范围的地方。

词语搭配 Collocation

	沙漠～	森林～	危险～	草原～	北京～	干旱～	西部～	广大～
地带	√	√	√	√	×	×	×	×
地区	√	√	√	√	√	√	√	√

用法对比 Usage

用法解释 Comparison

“地区”和“地带”都表示一片较大的地方，“地区”还表示行政区划，可以被专用名词修饰，如“上海地区”，“地带”不能受地名修饰，不能说“上海地带”。

语境示例 Examples

① 这里是事故多发地带。（☺这里是事故多发地区。）

② 森林地带气候湿润，空气清新。（☺森林地区气候湿润，空气清新。）

③ 据说沙漠地带距离北京只有不到二百公里了。（☺据说沙漠地区距离北京只有不到二百公里了。）

④ 这一地带常年积雪。（☺这一地区常年积雪。）

⑤ 北京地区今年以来干旱少雨。（*北京地带今年以来干旱少雨。）

⑥ 西部地区资源丰富，但是交通还欠发达。（*西部地带资源丰富，但是交通还欠发达。）

377 地点[名]dìdiǎn ▶ 地方[名]dìfang

D

词义说明 Definition

地点[place; site; locale] 所在的地方。

地方[a certain region, place; space; room] 某一区域；空间的一部分。[part] 部位。

词语搭配 Collocation

	集合的～	会面的～	什么～的人	有～	没有～	这个～	好的～	对的～
地点	√	√	×	×	×	√	×	×
地方	√	√	√	√	√	√	√	√

用法对比 Usage

用法解释 Comparison

"地点"多指一个点，"地方"可以指一个点也可以指一个面，范围比"地点"大。"地点"是具体名词，"地方"既是具体名词又是抽象名词。

语境示例 Examples

① 我们在什么地点会面？(☺我们在什么地方会面？)

② 明天早上集合的地点在哪儿？(☺明天早上集合的地方在哪儿？)

③ 你是什么地方的人？(＊你是什么地点的人？)

④ 屋子里已经没有地方了，坐不下了。(＊屋子里已经没有地点了，坐不下了。)

⑤ 他说的有对的地方，也有不对的地方。(＊他说的有对的地点，也有不对的地点。)

⑥ 那个地方的风景很美。(＊那个地点的风景很美。)

378 地势[名]dìshì ▶ 地形[名]dìxíng

词义说明 Definition

地势[physical features of a place; relief; terrain] 地面高低起伏的形势。

地形[topography; terrain] 地球表面的形态；分布在地面上的固定性物体，例如：道路、居民点、工程建筑等。

词语搭配 Collocation

	～险要	～平坦	～复杂	～优越	～测量	侦察～	～图
地势	√	√	√	×	×	×	×
地形	√	√	√	√	√	√	√

用法对比 Usage

用法解释 Comparison

"地势"和"地形"有相同的意思，但是"地形"包括地面上的建筑物，"地势"没有这个意思。

语境示例 Examples

① 中国的地势是西高东低。(☺中国的地形是西高东低。)
② 这一带地形非常复杂。(☺这一带地势非常复杂。)
③ 这里地势险要，历来是兵家必争之地。(☺这里地形险要，历来是兵家必争之地。)
④ 从北京往南是华北大平原，地势非常平坦。(＊从北京往南是华北大平原，地形非常平坦。)
⑤ 要把那一带的地形测量清楚。(＊要把那一带的地势测量清楚。)
⑥ 从地形图上可以看得很清楚，那里是一片大草原。(＊从地势图上可以看得很清楚，那里是一片大草原。)

379 弟兄[名]dìxiong ▶ 兄弟[名]xiōngdì/xiōngdi

词义说明 Definition

弟兄[brothers] 弟弟和哥哥；也用做朋友之间的称呼。

兄弟[brothers; fraternal; brotherly] 哥哥和弟弟；泛称意气相投，志同道合的人。[younger brother; (familiar form of address for a man younger than oneself) brother] 弟弟；称呼年龄比自己小的男子。[used by a man, usu. in a public speech] 男子跟年龄相同的人或众人说话时的自称。

词语搭配 Collocation

	亲～	没有～	一个～	～二人	～单位	～民族	～学校	～情谊	～我	好～
弟兄	√	√	√	√	×	×	×	×	×	√
兄弟	√	√	√	√	√	√	√	√	√	√

用法对比 Usage

① 他是我兄弟。(他是我弟弟)

他是我弟兄。(他是我的好朋友)
② 我没有弟兄，只有一个妹妹。(我是哥哥或姐姐)(☺我没有兄弟，只有一个妹妹。(我是哥哥或姐姐)
③ 他是我生死与共的好兄弟。(好朋友)(☺他是我生死与共的好弟兄。(好朋友)
④ 他们俩是亲兄弟。(☺他们俩是亲弟兄。)
⑤ 他就弟兄一个。(他是男子，没有哥哥和弟弟)(*他就兄弟一个。)

"兄弟"可以用于男子自称(只能用于一般场合，一般是没有文化的人这么说)。"弟兄"没有这个用法。

兄弟我有点儿事先走一步。(*弟兄我有点儿事先走一步。)

"兄弟"可以用于比喻关系亲密的单位、学校、部队、工厂等，"弟兄"没有这个用法。

① 我们有五十多个兄弟民族。(指中国的少数民族)(*我们有五十多个弟兄民族。)
② 要和周围兄弟单位搞好关系。(*要和周围弟兄单位搞好关系。)
③ 我们还邀请了兄弟院校的代表来参加这个大会。(*我们还邀请了弟兄院校的代表来参加这个大会。)

380 典型[名、形]diǎnxíng ▶ 典范[名]diǎnfàn

词义说明 Definition

典型[typical case (or example); model; type] 具有代表性的人物或事件。[typical; representative] 有代表性的。

典范[model; example; paragon] 可以作为效仿标准的人或事物。

词语搭配 Collocation

	很~	特别~	~的例子	抓~	树立~	是个~	~作品	~人物
典型	√	√	√	√	√	√	√	√
典范	×	×	×	×	√	√	√	×

用法对比 Usage

用法解释 Comparison

"典型"既是名词，也是形容词，可以受副词修饰，"典范"只是名词，不能受副词修饰。

语境示例 Examples

① 玛丽是我们班刻苦学习的典型，开始她的困难最大，发音不好，

汉字不会写，可是她坚持每天上课，最后成了全班学得最好的。(☺玛丽是我们班刻苦学习的典范，开始她的困难最大，发音不好，汉字不会写，可是她坚持每天上课，最后成了全班学得最好的。)

② 这个例子很典型，它告诉我们坚持上课对学好汉语的重要性。(* 这个例子很典范，它告诉我们坚持上课对学好汉语的重要性。)

③ 不少课文都是典范文章，只要把课文读熟，就一定能提高你的口语水平。(* 不少课文都是典型文章，只要把课文读熟，就一定能提高你的口语水平。)

④ 这种症状是典型的流行性感冒。(* 这种症状是典范的流行性感冒。)

⑤ 阿Q是鲁迅先生塑造的一个典型人物。(* 阿Q是鲁迅先生塑造的一个典范人物。)

⑥ 文艺作品所描写的生活应该比现实生活更典型。(* 文艺作品所描写的生活应该比现实生活更典范。)

381 点燃[动]diǎnrán ▶ 点[动]diǎn

词义说明 Definition

点燃[light; cause to burn; ignite] 引着火，使燃烧。

点[light a fire] 引着火。

词语搭配 Collocation

	~火	~火把	~蜡烛	~香	~灯	~爆竹	~希望之火	一~就着
点燃	×	√	√	×	×	√	√	×
点	√	√	√	√	√	√	√	√

用法对比 Usage

用法解释 Comparison

“点”有“点燃”的意思，但是“点燃”是书面语，多带双音节名词作宾语，“点”多用于口语，“点”的宾语可以是单音节词也可以是双音节词，可以是抽象名词，也可以是具体名词。

语境示例 Examples

① 把电灯关了，我们点上蜡烛，这样更有气氛。(☺把电灯关了，我们点燃蜡烛，这样更有气氛。)

② 是老师点燃了他心中的希望之火。(☺是老师点着了他心中的希望之火。)
③ 爆竹刚一点就爆了，把他的手崩伤了。(☺爆竹刚一点燃就爆了，把他的手崩伤了。)
④ 我点个火，抽支烟。(＊我点燃个火，抽支烟。)
⑤ 他是个火暴性子，一点就着。(＊他是个火暴性子，一点燃就着。)

382 点钟[名]diǎnzhōng ▶ 小时[名]xiǎoshí

词义说明 Definition

点钟[time of day; o'clock] 计时点的单位；一昼夜24个小时的起点按顺序分别叫做：一～、两～、三～、……十二～等。

小时[hour] 计算时间量的单位，一个平均太阳日有24小时，一小时是60分钟。

词语搭配 Collocation

	一～	一个～	现在几～	八～上课	八个～	一～60分钟	一天24个～
点钟	√	×	√	√	×	×	×
小时	√	√	×	×	√	√	√

用法对比 Usage

用法解释 Comparison

“小时”是表示时段的名词和量词，一般用在动词后边作时量补语，“点钟”是表示时点的量词，表示一昼夜中时间的某一点，一般用在动词前面作时间状语，口语中常常把“钟”省掉，它们不能相互替换。

语境示例 Examples

① 现在几点（钟）？现在十一点（钟）。(＊现在几小时？现在十一小时。)
② 我每天六点钟起床。(＊我每天六小时起床。)
③ 我们每天八点钟上课，十二点钟下课。(＊我们每天八小时上课，十二小时下课。)
④ 我每天睡八个小时就够了。(＊我每天睡八个点钟就够了。)
⑤ 每天晚上我差不多要学习三个小时。(＊每天晚上我差不多要学

习三个点钟。)

⑥ 他回来的时候正好十点钟。(* 他回来的时候正好十小时。)

⑦ 从北京到上海坐飞机只需要两个多小时。(* 从北京到上海坐飞机只需要两个多点钟。)

383 点子[名]diǎnzi ▶ 办法[名]bànfǎ

词义说明 Definition

点子[key point] 关键的地方。[idea; way (of doing sth.)] 主意、办法。

办法[way; means; measure] 处理事情或解决问题的方法。

词语搭配 Collocation

	有~	出~	想~	好~	坏~	说到~上了	~多	没~
点子	√	√	√	√	√	√	√	×
办法	√	×	√	√	×	×	√	√

用法对比 Usage

用法解释 Comparison

"点子"有办法的意思，还表示关键的地方，"办法"没有这个意思，"点子"用于口语，"办法"口语和书面都常用。

语境示例 Examples

① 这件事请你帮我想想办法。(☺这件事请你帮我想想点子。)

② 他这个人点子多。(☺他这个人办法多。)

③ 她想出了一个好办法。(☺她想出了一个好点子。)

④ 我帮你出个点子吧。(* 我帮你出个办法吧。)

⑤ 遇到这样的情况，实在没有办法。(* 遇到这样的情况，实在没有点子。)

⑥ 你刚才的话算说到点子上了。(* 你刚才的话算说到办法上了。)

384 惦记[动]diànjì ▶ 惦念[动]diànniàn

词义说明 Definition

惦记[remember with concern; be concerned about; keep thinking about] (对人或事) 心里总想着；放心不下。

惦念[keep thinking about; be anxious about; worry about] 常想着并常说起。

词语搭配 Collocation

	常常～	～着	～着这件事	～您	我～他
惦记	√	√	√	√	√
惦念	√	√	×	√	√

用法对比 Usage

用法解释 Comparison

“惦记”和“惦念”意思相同，不同的是，“惦记”只是心理活动，“惦念”是心与口共同的活动。“惦记”涉及的对象可以是人也可以是事，“惦念”涉及的对象多是人。

语境示例 Examples

① 弟弟出国留学了，母亲常常惦记着他。(☺弟弟出国留学了，母亲常常惦念着他。)

② 妈妈，我在这里一切都很好，你不要惦记我。(☺妈妈，我在这里一切都很好，你不要惦念我。)

③ 我心里总惦记着这件事。(*我心里总惦念着这件事。)

④ 这点小事儿，还让您惦记着。(*这点小事儿，还让您惦念着。)

⑤ 出门在外要注意照顾好自己，不要惦记家里。(*出门在外要注意照顾好自己，不要惦念家里。)

385 掉[动]diào ▶ 落[动]là ▶ 落[动]luò

词义说明 Definition

掉[fall; drop; shed] 落：～眼泪。[fall behind] 落在后边：别～队。[lose; be missing] 遗失，遗漏：这个字～了一个点儿。[reduce; drop] 减少；降低。[turn] 回：我把车～一下头(同“调”)。

落(读 là) [leave out; be missing] 遗漏：这里～了一个字。[leave behind; forget to bring] 把东西放在一个地方，忘记拿走。[lag (or fall, drop) behind] 因为跟不上而被丢在后面：～了课。

落(读 luò) [fall; drop] 物体因失去支持而下来：感动得～泪。[go down; set] 下降：太阳～山了。[lower] 使下降：把窗帘往下～～。[lag behind；fall behind] 遗留在后边：～在同学们的后边。[leave behind；stay behind] 停留；留下：～脚。[fall onto；rest with] 归属：这个任务～在了我们肩上。

词语搭配 Collocation

	～泪	～在水里了	～队	钱包～了	车～一下头	～了一个字	～车上了	～在后边
掉	√	√	√	√	√	√	√	√
落(là)	×	×	×	×	×	√	√	√
落(luò)	√	√	×	×	×	×	×	√

用法对比 Usage

用法解释 Comparison

“掉”和“落（là）”都有丢失的意思，是人的自主动作（掉了钱包，落了三课）。“落（luò）”没有丢失的意思，可以是自主动作（落下窗帘），也可以是非自主动作（太阳落了）。

语境示例 Examples

① 急急忙忙的，我把钥匙掉家里了。（☺急急忙忙的，我把钥匙落〔là〕家里了。）（＊急急忙忙的，我把钥匙落〔luò〕家里了。）

② 想家的时候我也常常偷偷地掉泪。（☺想家的时候我也常常偷偷地落〔luò〕泪。）（＊想家的时候我也常常偷偷地落〔là〕泪。）

③ 树上掉下来了一个苹果。（☺树上落〔luò〕下来了一个苹果。）（＊树上落〔là〕下来了一个苹果。）

④ 因为我写得慢，听写时常常落（luò）在别人后边。（☺因为我写得慢，听写时常常掉/落〔là〕在别人后边。）

⑤ 我把车掉下头。（＊我把车落〔là〕/落〔luò〕下头。）

⑥ 太阳快要落（luò）山了。（＊太阳快要掉/落〔là〕山了。）

⑦ 刮了一夜大风，树叶差不多都落（luò）光了。（☺刮了一夜大风，树叶差不多都掉光了。）（＊刮了一夜大风，树叶差不多都落〔là〕光了。）

⑧ 后边的同学快跟上，别掉队了。（＊后边的同学快跟上，别落〔là〕/落〔luò〕队了。）

386 丢[动]diū ▶ 失[动]shī ▶ 丢失[动]diūshī

词义说明 Definition

丢[lose; mislay] 失去，遗失：钱包～了。[throw; cast; toss] 扔：把果皮～在果皮箱里。[put (or lay) aside] 搁置，放：～在脑后。

失[lose] 失掉（跟“得”相对）：～去信心|～望。[miss; let slip] 失去：莫～良机。[not act according to; neglect; violate] 违背；背约：～信。[lose control of] 没有把握住：～手。

丢失[lose] 失去；遗失：～行李。

词语搭配 Collocation

	钱包～了	～了工作	～给我	～了行李	文件～了	～去	～去信心	走～了
丢	√	√	√	√	√	×	×	√
失	×	×	×	×	×	√	√	√
丢失	√	√	×	√	√	×	×	×

用法对比 Usage

用法解释 Comparison

“丢”和“丢失”都带具体名词作宾语，“失”是个语素，可以与其他语素组成固定格式，如“失信于民、失而复得”等。“丢”和“丢失”没有这个用法。

语境示例 Examples

① 昨天上街我把钱包丢了。)(☺昨天上街我把钱包丢失了。(*昨天上街我把钱包失了。)

② 我的手冻得都失去了知觉。(*我的手冻得都丢了知觉。)(*我的手冻得都丢失了知觉。)

③ 他对学习已经失去了信心。(*他对学习已经丢/丢失去了信心。)

④ 我电脑中的文件怎么丢失了？(☺我电脑中的文件怎么丢了?)(*我电脑中的文件怎么失了?)

⑤ 我的包裹寄丢了。(*我的包裹寄失/丢失了。)

⑥ 钱包失而复得，他很高兴。(*钱包丢/丢失而复得，他很高兴。)

“丢”可以是主动行为，“失”和“丢失”都不是主动的行为。

① 不要把果皮丢在地上。(*不要把果皮失/丢失在地上。)

② 把垃圾丢进垃圾箱里去。(*把垃圾丢失/失进垃圾箱里去。)

387 东[名]dōng ▶ 东边[名]dōngbian

词义说明 Definition

东[east] 四个主要方向之一，太阳出来的一边。

东边[east] 东方。四个主要方向之一，太阳出来的一方。

词语搭配 Collocation

	～面	～方	～部	～北	～南	～风	～城	城～	在～	往～拐	面向～
东	√	√	√	√	√	√	√	√	×	√	√
东边	×	×	×	×	×	×	×	√	√	√	√

用法对比 Usage

用法解释 Comparison

“东”和“东边”在表示方向时意思一样，但是，“东”只表示方向，不能单独表示处所，“东边”可以单独表示处所。

语境示例 Examples

① 我家住城东。(☺我家住城东边。)

② 过了桥往东一直走，不远就是图书城。(☺过了桥往东边一直走，不远就是图书城。)

③ 邮局就在东边。(＊邮局就在东。)

④ 东边是什么地方？(＊东是什么地方？)

⑤ 东边是图书馆。(＊东是图书馆。)

⑥ 我们学校东边是一个公园。(＊我们学校东是一个公园。)

388 东方[名]dōngfāng(Dōngfāng) ▶ 东边[名]dōngbian

词义说明 Definition

东方[east] 太阳升起的方向；面朝北时的右方。[the East; the Orient] 指亚洲（习惯上也包括埃及）。

东边[east] 东方。四个主要方向之一，太阳出来的一方。

词语搭配 Collocation

	～艺术	～文化	世界～	在～	学校～	～的商店	路～
东方	√	√	√	√	×	×	×
东边	×	×	×	√	√	√	√

用法对比 Usage

用法解释 Comparison

"东方"表示方向，"东边"既表示方向，也表示方位，"东方"还指亚洲，"东边"没有这个意思。

语境示例 Examples

① 太阳从东方升起。(☺太阳从东边升起。)
② 这本书是在学校东边的书店买的。(＊这本书是在学校东方的书店买的。)
③ 中国银行就在马路东边。(＊中国银行就在马路东方。)
④ 东方和西方的文化差异是客观存在的。(＊东边和西方的文化差异是客观存在的。)
⑤ 古代东方曾产生过一些闻名世界的思想家。(＊古代东边曾产生过一些闻名世界的思想家。)
⑥ 东方和西方的生活方式很不一样。(＊东边和西方的生活方式很不一样。)

389 冬[名]dōng ▶ 冬天[名]dōngtiān

词义说明 Definition

冬[winter] 一年四季中秋春之间的季节，农历十月到十二月。

冬天[winter] 一年中的最后一季。中国习惯指立冬到立春的三个月时间，也指农历"十、十一、十二"三个月。

词语搭配 Collocation

	～天	～泳	～季	～的时候	～的气候	～很冷
冬	√	√	√	×	×	×
冬天	×	×	×	√	√	√

用法对比 Usage

用法解释 Comparison

"冬"和"冬天"的音节不同，有不同的用法，"冬"作定语可以不带“的”，“冬天”作定语要带“的”。

语境示例 Examples

① 四季的名称分别是：春、夏、秋、冬。(☺四季的名称分别是：春天、夏天、秋天、冬天。)

② 很多中国人喜欢冬泳，参加冬泳的既有七八岁的孩子，也有七八十岁的老人。(＊很多中国人喜欢冬天泳，参加冬泳的既有七八岁的孩子，也有七八十岁的老人。)

③ 北京的冬天很冷，可以屋子里很暖和。(＊北京的冬很冷，可以屋子里很暖和。)

④ 我要去商店买冬装，你跟我一起去吧。(＊我要去商店买冬天装，你跟我一起去吧。)

⑤ 本届冬奥会（冬季奥运会）在哪个城市举行？(＊本届冬天奥会在哪个城市举行？)

390 懂[动]dǒng ▶ 明白[动、形]míngbai

词义说明 Definition

懂[understand; know] 知道，了解：～汉语。

明白[clear; obvious; plain] 清楚，明确；内容、意思等使人容易了解：老师讲得很～。[open; unequivocal; explicit] 公开的，不含糊的：你把道理给他讲～。[sensible; reasonable] 聪明；懂道理：你是个～人。[understand; realize; know] 知道，了解：我忽然～了。

词语搭配 Collocation

	～了	不～	～不～	很～	十分～	～人	～道理	～事
懂	√	√	√	√	×	×	√	√
明白	√	√	√	√	√	√	√	×

用法对比 Usage

用法解释 Comparison

“懂”和“明白”作为动词，用相同的用法，但是，“明白”还是形容词，可以作状态补语，“懂”没有这个用法。

语境示例 Examples

① A：我刚才讲的你明白了吗？B：明白了。(☺A：我刚才讲的你

懂了吗？B：懂了。）

② 我真不懂，你为什么要这样做。（☺我真不明白，你为什么要这样做。）

③ 这个语法老师讲得很明白。（＊这个语法老师讲得很懂。）

④ A：你懂法语吗？B：不懂。（＊A：你明白法语吗？B：不明白。）

⑤ 他是一个明白人，这些道理不用多说。（＊他是一个懂人，这些道理不用多说。）

⑥ 你是怎么想的，我心里十分明白。（＊你是怎么想的，我心里十分懂。）

⑦ 他懂电脑。（＊他明白电脑。）

391 懂得[动]dǒngde ▶ 知道[动]zhīdào

词义说明 Definition

懂得[understand; know; grasp] 知道意义和做法等。

知道[know; realize; be aware of] 对于事实和道理有认识，懂得。

词语搭配 Collocation

	～了	不～	～道理	～很多	我～他	～你的意思
懂得	√	√	√	√	×	√
知道	√	√	√	√	√	√

用法对比 Usage

用法解释 Comparison

“懂得”和“知道”有相同的意思，但是“知道”的宾语可以是人，也可以是事，而“懂得”的宾语只能是事。

语境示例 Examples

① 你懂得这个词的意思和用法吗？（☺你知道这个词的意思和用法吗？）

② 学习汉语只懂得词句的意思是不行的，还要懂得它们的用法。（☺学习汉语只知道词句的意思是不行的，还要知道它们的用法。）

③ 老师讲的我已经懂得了。（☺老师讲的我已经知道了。）

④ 教师不仅要教书还要教学生懂得做人的道理。（☺教师不仅要教书

还要教学生知道做人的道理。)
⑤ 你知道他的电话号码吗?(＊你懂得他的电话号码吗?)
⑥ 我知道他，但是没有见过面。(＊我懂得他，但是没有见过面。)
⑦ 我不知道去图书大厦的路，你告诉我怎么走吧。(＊我不懂得去图书大厦的路，你告诉我怎么走吧。)

D

392 动人[形]dòngrén ▶ 感人[形]gǎnrén

词义说明 Definition

动人[moving; touching] 感动人；让人心动。

感人[touching; moving] 感动人。

词语搭配 Collocation

	很～	十分～	～的事迹	～的故事	～的歌声	～心弦	～至深	生动～	美丽～
动人	√	√	√	√	√	√	×	×	√
感人	√	√	√	√	×	×	√	√	√

用法对比 Usage

用法解释 Comparison

“动人”和“感人”的意思相同，用法也差不多，不同的是与其他词语的搭配上。

语境示例 Examples

① 《梁山伯与祝英台》是一个美丽动人的爱情故事。(☺《梁山伯与祝英台》是一个美丽感人的爱情故事。)
② 我们正在湖边漫步，不知从什么地方传来一阵动人的歌声。(＊我们正在湖边漫步，不知从什么地方传来一阵感人的歌声。)
③ 他治病救人的事迹感人至深。(＊他治病救人的事迹动人至深。)
④ 我听过一个中国民族音乐演唱会，那优美的歌声和乐曲动人心弦。(＊我听过一个中国民族音乐演唱会，那优美的歌声和乐曲感人心弦。)
⑤ 他的先进事迹十分感人。(＊他的先进事迹十分动人。)
⑥ 这个电影的故事生动感人。(＊这个电影的故事生动动人。)

393 都[副]dōu ▶ 也[副]yě

词义说明 Definition

都[all] 表示总括：全家～是当教师的。[used with 是 to show the cause] 跟“是”合用，说明理由：～是因为下雨才没有去成。[even] 甚至：这件事他连父母～没有告诉。[already] 已经：～三十多了还没有结婚。

也[also; too; as well; either] 同样：你不去，我～不去|我学习汉语，我妹妹～学习汉语。 [used correlatively with 连 for emphasis] 表示强调（常跟上文的“连”字呼应）：这个道理连孩子～明白。 [used correlatively with 虽然，即使，etc., indicating aversion or concession] 表示转折或让步（常跟上文的“虽然”、“即使”呼应）：你即使不说我～知道。[used in a hesitant or guarded statement] 表示委婉：他汉语说得～还可以。

词语搭配 Collocation

	～来了	～很好	一点儿～不/没	连…～…	～十二点了	～是你…
都	√	√	√	√	√	√
也	√	√	√	√	×	√

用法对比 Usage

用法解释 Comparison

“都”和“也”的基本义并不相同，“都”表示总括，还有“甚至”和“已经”的意思，“都”作状语时，其句子的主语一般为复数。“也”表示同样，作状语时句子的主语没有单数或复数的限制，只要与上文对应即可，“也”还表示强调，转折或让步等，有“甚至”的意义。

语境示例 Examples

① 都：他爸爸妈妈都是教师。(他爸爸是教师，他妈妈也是教师)
也：他爸爸妈妈也是教师。（前文可能是“我爸爸妈妈是教师”，后面才说“他爸爸妈妈也是教师”）

② 我现在一点儿都不想吃。(☺我现在一点儿也不想吃。)

③ 一年来，他一次也没有迟到过。（☺一年来，他一次都没有迟到过。）

④ 我怎么也想不起来把钥匙放在什么地方了。(☺我怎么都想不起来把钥匙放在什么地方了。)
⑤ 刚来中国时，我连一句汉语都不会说。(☺刚来中国时，我连一句汉语也不会说。)
⑥ 几年没见，你一点儿都没变。(☺几年没见，你一点儿也没变。)
⑦ 你不说我也知道。(☺你不说我都知道。)
⑧ 只要我想学，什么困难也难不倒我。(☺只要我想学，什么困难都难不倒我。)
⑨ 天闷得厉害，树叶一动也不动。(☺天闷得厉害，树叶一动都不动。)
⑩ 他接过照片，看也不看就扔在了桌子上。(☺他接过照片，看都不看就扔在了桌子上。)
⑪ 我爸爸是大夫，我妈妈也是大夫。(*我爸爸是大夫，我妈妈都是大夫。)
⑫ 我学习汉语，我妹妹也学习汉语。(*我学习汉语，我妹妹都学习汉语。)
⑬ 你高兴我也高兴。(*你高兴我都高兴。)
⑭ 去可以，不去也可以。(*去可以，不去都可以。)(☺去不去都可以。)
⑮ 他会说英语，也会说法语。(*他会说英语，都会说法语。)(☺他英语法语都会说。)
⑯ 我们班有中国学生，也有外国学生。(*我们班有中国学生，都有外国学生。)(☺我们班中国学生外国学生都有。)
⑰ 你去我也去，你不去我也不去。(*你去我都去，你不去我都不去。)

“都”轻读时表示“已经”，“也”没有这个意思。

① 都十二点了，该睡觉了。(*也十二点了，该睡觉了。)
② 都大学生了，还不懂这个道理。(*也大学生了，还不懂这个道理。)

“都”和“是”合用，说明理由，有抱怨的意味。

① 都是你，害得我白跑一趟。(*也是你，害得我白跑一趟。)
② 都是你一个劲儿地催，急得我连书都忘带了。(☺都是你一个劲儿地催，急得我连书也忘带了。)(*也是你一个劲儿地催，急得我连书都忘带了。)

“也”表示委婉的语气。

① 他英语说得也还可以。(＊他英语说得都还可以。)
② 这件大衣也就一百多块钱。(＊这件大衣都就一百多块钱。)

394 读[动]dú ▶ 念[动]niàn

D

词义说明 Definition

读[read; read aloud] 看着文字念出声音；阅读：我还不能～中文报。[attend school] 上学：我准备大学毕业后～研究生。

念[think of; miss] 想念：我爸爸老～着您。[read aloud] 读：把这段文章～给爷爷听听。[attend school] 上学：孙子刚～小学。[thought; idea] 念头，想法：有杂～。

词语搭配 Collocation

	～课文	～报	～书	～信	～大学	～研究生	～博士	～者	宣～	一～之差
读	√	√	√	√	√	√	√	√	√	×
念	√	√	√	√	√	√	√	×	×	√

用法对比 Usage

用法解释 Comparison

“读”和“念”是同义词，“念”一定出声，“读”可以出声也可以不出声，它们与其他词语的搭配也不尽相同。

语境示例 Examples

① 请你读一遍课文。(☺请你念一遍课文。)
② 你把这封信给奶奶念念。(☺你把这封信给奶奶读读。)
③ 他只念过中学，后来通过自学，成了著名的数学家。(☺他只读过中学，后来通过自学，成了著名的数学家。)
④ 我弟弟正在读研究生。(☺我弟弟正在念研究生。)
⑤ 课文要读熟，才能不断提高口语能力。(☺课文要念熟，才能不断提高口语能力。)
⑥ 老师要求我们每课课文要读十遍。(☺老师要求我们每课课文要念十遍。)
⑦ 我现在还不能读《人民日报》。 (＊我现在还不能念《人民日报》。)
⑧ 明天下午开论文答辩会，我要宣读论文。(＊明天下午开论文答辩会，我要宣念论文。)

395 堵[动]dǔ ▶ 堵塞[动]dǔsè

D

词义说明 Definition

堵[stop up; block up] 堵塞。[stifled; suffocated; oppressed] 闷；憋气。

堵塞[stop up; block up] 阻塞（洞、穴）使不通。

词语搭配 Collocation

	～洞	～漏洞	鼻子～了	别把门～上	交通～	路～上了
堵	√	√	√	√	×	√
堵塞	×	√	×	×	√	×

用法对比 Usage

用法解释 Comparison

“堵”和“堵塞”都有“阻塞使不通”的意思，“堵塞”的宾语只能是双音节名词，“堵”没有此限。“堵”还有闷、憋气的意思，“堵塞”没有这个意思。

语境示例 Examples

① 前面一辆大卡车坏了，把路堵住了。(☺前面一辆大卡车坏了，把路堵塞住了。)

② 一场大雪造成很多道路交通堵塞。(＊一场大雪造成很多道路交通堵。)

③ 要想办法堵塞工作上的漏洞。(＊要想办法堵工作上的漏洞。)

④ 窗户的玻璃破了，先用塑料布堵上。(＊窗户的玻璃破了，先用塑料布堵塞上。)

⑤ 我感到胸口堵得慌。(＊我感到胸口堵塞得慌。)

396 赌[动]dǔ ▶ 赌博[动]dǔbó

词义说明 Definition

赌[gamble] 赌博。[bet] 泛指争输赢。

赌博[gamble] 用打牌、掷色子等形式，拿财物做赌注比赛输赢。

词语搭配 Collocation

	～输赢	～钱	打～	～场	禁止～	打击～
赌	√	√	√	√	×	×
赌博	×	×	×	×	√	√

D

用法对比 Usage

用法解释 Comparison

“赌”和“赌博”有相同的意思，不过，“赌”是及物动词，可以带宾语，“赌博”是不及物动词，不能带宾语。“赌”还有争输赢的意思，“赌博”没有这个意思。

语境示例 Examples

① 因为爱赌博，他被搞得倾家荡产。(☺因为爱赌，他被搞得倾家荡产。)

② 聚众赌博在中国是非法的。(＊聚众赌在中国是非法的。)

③ 昨天他们赌了一个通宵。(＊昨天他们赌博了一个通宵。)

④ 我敢打赌，这次他们队肯定赢。(＊我敢打赌博，这次他们队肯定赢。)

⑤ 玩牌可以，但是不能赌钱。(＊玩牌可以，但是不能赌博钱。)(☺玩牌可以，但是不能赌博。)

397 度过[动]dùguò ▶ 过[动]guò

词义说明 Definition

度过[spend; pass] 让时间在工作、生活、娱乐、休息中消失。

过[cross; spend (time); pass (time); pass through] 从一个地点或时间移到另一个地点或时间。[celebrate] 庆祝，欢庆：～春节|～生日。

词语搭配 Collocation

	～一生	～假期	～难关	～河	～桥	～年	～节	～日子	好～
度过	√	√	×	×	×	×	×	×	×
过	√	√	√	√	√	√	√	√	√

用法对比 Usage

用法解释 Comparison

“度过”和“过”有相同的意思，但是“度过”要求双音节词语作宾语，“过”没有这个限制。“度过”的对象是时间，“过”的对象除时间以外还包括空间。

语境示例 Examples

① 我在中国度过了二十岁生日。(☺我在中国过了二十岁生日。)
② 今天暑假我和全家是在海边度过的。(☺今天暑假我和全家是在海边过的。)
③ 他在写作中度过了一生。(☺他在写作中过了一生。)
④ 我一定要过这个难关。(＊我一定要度过这个难关。)
⑤ 现在农民的日子越来越好过。(＊现在农民的日子越来越好度过。)
⑥ 我在北京过得很好，你们就放心吧。(＊我在北京度过得很好，你们就放心吧。)
⑦ 过了那座立交桥再走不远就是外贸大厦。(＊度过了那座立交桥再走不远就是外贸大厦。)
⑧ 中国人说的过年实际上是过春节。(＊中国人说的过年实际上是度过春节。)

398 端详[动]duānxiang ▶ 看[动]kàn

词义说明 Definition

端详[look sb. up and down] 仔细地看。

看[see; look at; watch] 使视线接触人或物：～电影。[read (silently)] 阅读：～报纸。[think; consider] 观察并且判断：你～这样办好不好？[depend on] 依据：到那里～情况再说吧。[call on; visit; see] 访问，看望：我去～朋友。[see or consult (a doctor); treat (a patient or an illness)] 诊治：～病。[look upon; regard] 认为；视为；看作：就把我～做你的姐姐吧。[used in exclamations to express surprise or rebuke, esp. in the phrase 看你 or 你看你] 用来表示提醒或抱怨：你看，水都烧干了｜你～你，把衣服都弄脏了。[(used after a reduplicated verb or a verb phrase) try and see (what happens)] 用在动词或动词词组后面，表示试一试（前面的动词常用重叠式）：想想～｜穿穿～｜

你先做几天～。

词语搭配 Collocation

	仔细～	～了半天	～电影	～电视	～书	～报	～朋友	你～怎么样
端详	√	√	×	×	×	×	×	×
看	√	√	√	√	√	√	√	√

D

用法对比 Usage

用法解释 Comparison

“端详”是仔细认真地看，“端详”的对象是人，“看”的对象可以是人，也可以是其他事物。“看电影、看电视、看书、看报、看朋友、去医院看病”等用法都不能用“端详”替换。

语境示例 Examples

① 我们已经二十多年没有见面了，一见面她上下端详了半天才认出我。(☺我们已经二十多年没有见面了，一见面她上下看了半天才认出我。)

② 你看看这件衣服怎么样？(* 你端详端详这件衣服怎么样?)

③ 晚上我常常看电视。(* 晚上我常常端详电视。)

④ 有病就要赶快去看，不能拖。 (* 有病就要赶快去端详，不能拖。)

⑤ 我去看了个朋友，所以回来晚了。(* 我去端详了个朋友，所以回来晚了。)

⑥ 我看这个人还比较实在。(* 我端详这个人还比较实在。)

399 短促[形]duǎncù ▶ 短暂[形]duǎnzàn

词义说明 Definition

短促[of very short duration; very brief]（时间）极短，急促。

短暂[of short duration; transient; brief]（时间）短。

词语搭配 Collocation

	很～	时间～	生命～	呼吸～	～的一生	～的休息
短促	√	√	√	√	√	×
短暂	√	√	√	×	√	√

用法对比 Usage

用法解释 Comparison

"短促"和"短暂"都形容时间短，"短促"更短。

语境示例 Examples

① 舒伯特的一生是短促的，但是却留下了六百多首乐曲。(☺舒伯特的一生是短暂的，但是却留下了六百多首乐曲。)

② 他的一生是短暂而伟大的。(☺他的一生是短促而伟大的。)

③ 和大自然比起来，人的生命是十分短暂的，所以应该特别珍爱。(☺和大自然比起来，人的生命是十分短促的，所以应该特别珍爱。)

④ 他们夫妻只在一起度过了短暂的时间，后来就分开了。(*他们夫妻只在一起度过了短促的时间，后来就分开了。)

⑤ 我和他只有过一段短暂的接触，对他的情况不是很了解。(*我和他只有过一段短促的接触，对他的情况不是很了解。)

⑥ 代表团只在这里做短暂停留，然后就去北京访问。(*代表团只在这里做短促停留，然后就去北京访问。)

400 短期[名]duǎnqī ▶ 短暂[形]duǎnzàn

词义说明 Definition

短期[short-term] 短时间。

短暂[brief; of short duration; transient] 动作持续的时间短。

词语搭配 Collocation

	～学习	～训练	～班	～培训	～停留	～的接触	～的休息	时间～
短期	√	√	√	√	×	×	×	×
短暂	×	×	×	×	√	√	√	√

用法对比 Usage

用法解释 Comparison

"短暂"是形容词，可以作谓语；"短期"是名词，不能作谓语。它们不能相互替换。

语境示例 Examples

① 他的伤短期内不可能恢复。(*他的伤短暂内不可能恢复。)

② 我只在中国待过一个月，时间很短暂。（*我只在中国待过一个月，时间很短期。）
③ 我在短期班学过三个月汉语。（*我在短暂班学过三个月汉语。）
④ 双方只有短暂的相持，红队很快就把白队超过去了。（*双方只有短期的相持，红队很快就把白队超过去了。）
⑤ 他们在北京只做短暂停留，然后就去上海考察。（*他们在北京只做短期停留，然后就去上海考察。）

401 对[动、介]duì ▶ 对待[动]duìdài

词义说明 Definition

对 [answer; reply] 回答：无言以～。[treat; cope with; counter] 对待，对付：中国队～美国队。[be trained on; be directed at] 向着，对着：～着镜子照照。[mutual; face to face] 二者相对，彼此相对：～饮。[opposite; opposing] 对面的，敌对的：～岸。[bring (two things) into contact; fit one into the other] 使两个东西配合或接触：～个火儿。[compare; check; identify] 把两个东西放在一起互相比较，看是否符合：～号码。[suit; agree; get along] 投合，适合：越说越～劲儿。[set; adjust] 调整使符合一定标准：～镜头。[mix; add] 掺和（多指液体）：茶太浓了，再～点儿水吧。[with regard to; concerning to] 指示动作的对象。

对待 [treat; approach; handle] 以某种态度或行为处理人或事。

词语搭配 Collocation

	～事	～人	～老师	～学生	～朋友	～工作	～学习	～着	～脾气
对	√	√	√	√	√	√	√	√	√
对待	×	×	√	√	√	√	√	×	×

用法对比 Usage

用法解释 Comparison

"对"是动词和介词，"对待"是动词，可以作谓语；介词"对"不能作谓语，只能和它的宾语一起作动词的状语。

语境示例 Examples

① 他对朋友很真诚。（☺他对待朋友很真诚。）

② 对学生她总是满腔热情。(☺对待学生她总是满腔热情。)
③ 王老师对工作非常认真负责。(☺王老师对待工作非常认真负责。)
④ 我们对王老师很尊敬。(*我们对待王老师很尊敬。)
⑤ 要正确对待大家的批评。(*要正确对大家的批评。)
⑥ 大家对这件事的看法很不同。(*大家对待这件事的看法很不同。)

动词“对”所表示的“掺和，接触，正确，调整，投合”等意思，都是“对待”所没有的。

① 今天晚上是上海队对广东队。
② 劳驾，对个火儿。
③ 茶太浓了，我要再对点儿水。
④ 几点了，我对一下表。
⑤ 这个菜很对我的口味。

D

402 对[介]duì ▶ 对于[介]duìyú

词义说明 Definition

对[with regard to; concerning; to; for] 引进动作的对象或事物的关系者。

对于[with regard to; concerning to] 引进动作的对象或事物的关系者。

词语搭配 Collocation

	~人	~事	~朋友	~这个问题	~汉语语法	~汉字
对	√	√	√	√	√	√
对于	×	×	×	√	√	√

用法对比 Usage

用法解释 Comparison

“对”多用于口语，“对于”多用于书面，它们都用来引入对象。能用“对于”的地方都可以换成“对”，但是，“对”的动词性较强，能用“对”的句子，有时不能用“对于”来替换。“对”直接引入的对象可以是人，而“对于”不能直接引入。

语境示例 Examples

① 大家对这个问题的看法并不一致。(☺大家对于这个问题的看法并

不一致。)

② 对他刻苦学习的精神我很佩服。(☺对于他刻苦学习的精神我很佩服。)

③ 对于一个老师来说，看到自己的学生有进步就是最大的幸福。(☺对一个老师来说，看到自己学生有进步就是最大的幸福。)

④ 我对美术作品没有什么鉴赏力。(☺我对于美术作品没有什么鉴赏力。)

⑤ 我想从心里对老师说一声：敬爱的老师，谢谢您！(＊我想从心里对于老师说一声：敬爱的老师，谢谢您！)

⑥ 他对人很热情。(＊他对于人很热情。)

403 对[介]duì ▶ 跟[介]gēn ▶ 给[介]gěi

词义说明 Definition

对[with regard to; concerning; to; for] 引进动作的对象或事物的关系者。

跟[(used to indicate accompaniment, relationship, involvement, etc.) with] 引进动作对象，同：这事儿～我没有关系。[used to introduce the recipient of an action] 引进动作对象；向：我～你商量一件事。[used to show comparison] 引进比较的对象：这儿～我们那儿一样热。

给[used after a verb to introduce its object, same as 向] 引进动作的对象，同“向”：你把这封信交～他。[for the benefit of; for the sake of; for] 引进服务对象：你来～我当翻译吧。[used to introduce the recipient of an action] 引进动作行为的对象：我～你道个歉。[used in a passive sentence to introduce either the doer of the action or the action if the doer is not mentioned, same as 让 or 叫] 表示被动，同“让、叫”：衣服～风吹跑了。

词语搭配 Collocation

	～我说	～他商量	～你一样	～妈妈很像	～他当翻译	送～你	～孩子看病
对	√	×	×	×	×	×	×
跟	√	√	√	√	×	×	×
给	√	×	×	×	√	√	√

用法对比 Usage

用法解释 Comparison

"对"、"跟"和"给"都是介词，都能组成介词词组作状语，但是，"给"可以用于被动句，有"被"的意思，"对"和"跟"没有这个用法。

语境示例 Examples

跟：我跟他借了一本书。(书是他的)

给：我给他借了一本书。(书不是我的，也不是他的，而是别人的或图书馆的)

对：*我对他借了一本书。

对

① 把你的想法对老师谈谈。(☺把你的想法跟老师谈谈。)(*把你的想法给老师谈谈。)

② 有什么困难你尽管对我说，能帮的一定帮你解决。(☺有什么困难你尽管给/跟我说，能帮的一定帮你解决。)

③ 对这个问题大家有不同的看法。(*跟/给这个问题大家有不同的看法。)

④ 学生们对他反映很好。(*学生们给/跟他反映很好。)

⑤ 我送了他一件礼物，对他表示感谢。(*我送了他一件礼物，跟/给他表示感谢。)

跟

① 这件事我看还是跟他商量商量再说。(*这件事我看还是对/给他商量商量再说。)

② 我的心情跟你的一样。(*我的心情对/给你的一样。)

③ 你这台电脑跟我那个牌子不一样。(*你这台电脑给/对我那台牌子不一样。)

④ 我是跟朋友一起来的。(*我是对/给朋友一起来的。)

⑤ 你别管，这件事跟你一点儿关系也没有。(*你别管，这件事对/给你一点儿关系也没有。)

给

① 一个外贸代表团要去上海参观访问，我去给他们当翻译。(*一个外贸代表团要去上海参观访问，我去对/跟他们当翻译。)

② 大夫一会儿就来给你看病。(*大夫一会儿就来对/跟你看病。)

③ 我差点儿把这件事给忘了。(*我差点儿把这件事跟/对忘了。)

④ 地上的雪都被风给吹跑了。(*地上的雪都被风跟/对吹跑了。)

D

404 对[介]duì ▶ 向[介]xiàng

词义说明 Definition

对[with regard to; concerning; to; for] 引进动作的对象或事物的关系者。

向[to; toward; in the direction of] 表示动作的方向。

词语搭配 Collocation

	～他说	～这个问题	～我不满意	～你学习	～东看	～西走	～左拐	走～胜利
对	√	√	√	×	×	×	×	×
向	√	×	×	√	√	√	√	√

用法对比 Usage

用法解释 Comparison

“对”和“向”都是介词，“对”引进动作对象或相关者，“向”除了引进动作对象（人）以外，还表示动作的方向。

语境示例 Examples

① 我对老师谈了我的看法。(☺我向老师谈了我的看法。)

② 你们有什么意见可以对我说。(☺你们有什么意见可以向我说。)

③ 我们应该向他学习。(＊我们应该对他学习。)

④ 同学们对这个学校的教学很满意。(＊同学们向这个学校的教学很满意。)

⑤ 你对这个问题有什么看法？(＊你向这个问题有什么看法？)

⑥ 到了红绿灯那儿向右拐，走不远就是我们大学。(＊到了红绿灯那儿对右拐，走不远就是我们大学。)

⑦ 我们学校的大门向东。(＊我们学校的大门对东。)

405 对比[动、名]duìbǐ ▶ 对照[动]duìzhào

词义说明 Definition

对比[contrast; balance]（两种事物或一事物的两个方面）相对比较。[ratio] 比例。

对照[contrast; compare] 相互对比参照；(人或事物）对比。

词语搭配 Collocation

	～一下	～过去	～原文	～自己	鲜明的～	今昔～	～检查	力量～
对比	√	√	×	×	√	√	×	√
对照	√	√	√	√	√	×	√	×

用法对比 Usage

用法解释 Comparison

“对比”既是动词又是名词，可以作宾语，“对照”只是动词，不能作宾语。

语境示例 Examples

① 跟刚来时对比，你的汉语进步还是很大的。(☺跟刚来时对照，你的汉语进步还是很大的。)

② 我们家乡的现在和过去形成了鲜明的对比。(＊我们家乡的现在和过去形成了鲜明的对照。)

③ 拿这个标准对照一下，看你够不够条件。(＊拿这个标准对比一下，看你够不够条件。)

④ 他正在进行中西方文化对比研究。(＊他正在进行中西方文化对照研究。)

“对照”有“照着做”的意思，“对比”没有这个意思。

请对照原文把这篇译文再校对一下。(＊请对比原文把这篇译文再校对一下。)

“对比”有“比例”的意思，“对照”没有这个意思。

我们班男女生人数的对比是一比二。(＊我们班男女生人数的对照是一比二。)

406 对不起 duì bu qǐ ▶ 抱歉 [形] bàoqiàn

词义说明 Definition

对不起 [excuse me; I'm sorry; pardon me; I beg your pardon] 用来表示抱歉的客套话。[let sb. down; be unworthy of; be unfair to] 辜负。

抱歉 [be sorry; feel apologetic; regret] 心中不安，觉得对不起别人；请求原谅。

词语搭配 Collocation

	真~	很~	我~你	~老师	~父母
对不起	√	√	√	√	√
抱歉	√	√	×	×	×

D

用法对比 Usage

用法解释 Comparison

"对不起"是可能补语结构，可以带宾语，"抱歉"因为是动宾结构，不能再带宾语。

语境示例 Examples

① 真对不起，我来晚了。(☺真抱歉，我来晚了。)
② 很对不起，我不该说那样的话。(☺很抱歉，我不该说那样的话。)
③ 第一学期我根本没有上什么课，觉得对不起老师。(＊第一学期我根本没有上什么课，觉得抱歉老师。)
④ 父母省吃俭用送我来留学，要是学习不好，对不起他们。(＊父母省吃俭用送我来留学，要是学习不好，抱歉他们。)

请求帮助时也常说"对不起"，有"劳驾"的意思，"抱歉"没有这种用法。

对不起，请把窗户关上，好吗？ (＊抱歉，请把窗户关上，好吗？)

407 对话[动]duìhuà ▶ 会话[动]huìhuà

词义说明 Definition

对话[dialogue] 两个或更多的人之间的谈话；两方或几方之间的接触或谈判。

会话[conversation (as in a language course)] 两个或更多的人之间的谈话（多用于学习别种语言或方言时）。

词语搭配 Collocation

	进行~	两国进行~	南北~	练习~	通过~解决
对话	√	√	√	√	√
会话	√	×	×	√	×

用法对比 Usage

用法解释 Comparison

“对话”和“会话”是同义词，但是使用场合不同，“会话”指语言学习的一种练习方法，“对话”指双方或多方为探讨或解决重大问题而进行谈话，还指小说或戏剧中人物的谈话。

语境示例 Examples

① 汉语课堂上老师常常让我们进行会话练习。(☺汉语课堂上老师常常让我们进行对话练习。)

② 两国为了解决历史遗留问题已经开始进行对话。(＊两国为了解决历史遗留问题已经开始进行会话。)

③ 国与国之间的争端应该通过对话解决，不能使用武力或以武力相威胁。(＊国与国之间的争端应该通过会话解决，不能使用武力或以武力相威胁。)

④ 这次南北对话是积极的，富有成效的。(＊这次南北会话是积极的，富有成效的。)

⑤ 这篇小说的人物对话写得非常生动。(＊这篇小说的人物会话写得非常生动。)

408 对立[动]duìlì ▶ 对抗[动]duìkàng

词义说明 Definition

对立[oppose; set sth. against; be antagonistic to] 两种事物或一种事物中的两个方面之间的相互排斥，相互矛盾，相互斗争。

对抗[antagonism; confrontation] 对立起来相持不下，抵抗。

词语搭配 Collocation

	～面	～起来	～情绪	～统一	～赛	～敌人	武装～	～性矛盾
对立	√	√	√	√	×	×	×	×
对抗	×	×	√	×	√	√	√	√

用法对比 Usage

用法解释 Comparison

“对抗”可以带宾语，“对立”不能带宾语，它们不能相互替换。

语境示例 Examples

① 科学和迷信永远是对立的。(＊科学和迷信永远是对抗的。)
② 对于这个问题的看法，他总站在我的对立面。(＊对于这个问题的看法，他总站在我的对抗面。)
③ 人民纷纷拿起武器对抗侵略者。(＊人民纷纷拿起武器对立侵略者。)
④ 世界上的事物都是对立统一的，比如男和女，生与死等。(＊世界上的事物都是对抗统一的，比如男和女，生与死等。)
⑤ 高校足球对抗赛第一场就是我们和北大。(＊高校足球对立赛第一场就是我们和北大。)

409 兑换[动]duìhuàn ▶ 换[动]huàn

词义说明 Definition

兑换[exchange; convert] 用证券换取现金或用一种钱换另一种钱：把美元～成人民币。

换[exchange; barter; trade] 给人东西同时从他那里取得别的东西。[exchange; convert] 兑换。[change] 变换，更换：～衣服|～车。

词语搭配 Collocation

	～人民币	～美元	～欧元	～钱	～车	～衣服	～人	～教材	～一～
兑换	√	√	√	√	×	×	×	×	×
换	√	√	√	√	√	√	√	√	√

用法对比 Usage

用法解释 Comparison

“兑换”的使用范围很窄，只限于金融领域，而“换”的使用范围较广。

语境示例 Examples

① 我想把这些美元兑换成人民币。(☺我想把这些美元换成人民币。)
② 今天一美元兑换多少人民币？(☺今天一美元换多少人民币？)
③ 这件衣服有点儿肥，能不能换一件瘦一点儿的？(＊这件衣服有点儿肥，能不能兑换一件瘦一点儿的？)
④ 你先等我一会儿，我换换衣服。(＊你先等我一会儿，我兑换兑

换衣服。)

⑤ 咱们换一下坐位，好吗？(＊咱们兑换一下坐位，好吗？)

410 顿时[副]dùnshí ▶ 立刻[副]lìkè

D

词义说明 Definition

顿时[suddenly; immediately; at once] 很快地，一下子。

立刻[immediately; at once; right away] 表示紧接着某个时候，马上。

词语搭配 Collocation

	~欢呼起来	~沸腾了	~停了	~停下来	~到外边去	~给他回电话
顿时	√	√	√	×	×	×
立刻	√	√	√	√	√	√

用法对比 Usage

用法解释 Comparison

“顿时”和“立刻”都有在很短的时间内动作很快地开始或结束的意思。但是“顿时”只用于描述过去发生的事情，“立刻”没有此限。“顿时”不能用于祈使句，“立刻”可以。

语境示例 Examples

① 听到这个好消息，欢呼声、锣鼓声，顿时在全城响起。(☺听到这个好消息，欢呼声、锣鼓声，立刻在全城响起。)

② 申奥成功的消息传来，中国顿时沸腾了。(☺申奥成功的消息传来，中国立刻沸腾了。)

③ 老师一走进教室，大家立刻安静了下来。(☺老师一走进教室，大家顿时安静了下来。)

④ 我们必须立刻出发，不然就来不及了。(＊我们必须顿时出发，不然就来不及了。)

⑤ 请同学们立刻到教室去。(＊请同学们顿时到教室去。)

⑥ 只要一到那里，我就立刻给你发电子邮件(e-mail)。(＊只要一到那里，我就顿时给你发电子邮件。)

411 多[形、副、数]duō ▶ 多么[副]duōme

D

词义说明 Definition

多[（as opposed to 'few'）many; much; more] 数量大（跟"少"相对）：～年|～种～样。[have（a specified amount）too more or too much] 超出原有或应有的数目，比原来的数目有所增加（跟"少"相对）：怎么～了一块钱？[excessive; overly] 过分的，不必要的：太～疑了。[over; odd; more]（用在数词后边）表示零头：五十～岁。[have sth. in abundance] 表示相差的程度大，有比较的意味：北京春天～风。[（used in questions）to what extent] 与积极性的形容词一起构成疑问句，用来询问程度。这些形容词包括：大、高、长、远、宽、粗、深、厚等：你～大年纪？|天安门有～高？ [used in exclamations to express a specified extent] 用于感叹句表示程度很高：这儿的风景～美啊！[to an unspecified extent] 指某种程度：无论～难，我也不怕。

多么[（used in questions, often replaced by 多 in spoken language）to what extent; how] 用在疑问句中，问程度：他～大年纪？[（used in exclamations to indicate a high degree）what; how] 用于感叹句表示程度很高：～好看啊！[to a great extent] 表示较高的程度：不论～冷，他都坚持锻炼。

词语搭配 Collocation

	很～	～了一个	一万～	～心了	高～了	～大了	～远	～高	不管～难	～美啊
多	√	√	√	√	√	√	√	√	√	√
多么	×	×	×	×	×	×	√	√	√	√

用法对比 Usage

用法解释 Comparison

"多"是形容词、副词和数词，"多么"只是副词。"多么"主要用于感叹句，其他用法不如"多"广。

语境示例 Examples

① 这里的风景多美啊！（☺这里的风景多么美啊！）

② 以前，我对中国的一切是多么不了解啊！（☺以前，对中国的一切

是多不了解啊！）

③ 看，你穿上这件衣服显得多精神啊！（☺看，你穿上这件衣服显得多么精神啊！）

④ 不管多么难，他都没有灰心过。（☺不管多难，他都没有灰心过。）

⑤ 不论多贵我都要买。（☺不论多么贵我都要买。）

"多"常用来表示疑问，"多么"不常这么用。

① 你有多高？（☺但不常说：你有多么高？）

② 这个房间是多大？（☺但不常说：这个房间是多么大？）

③ 海南岛离北京有多远？（☺但不常说：海南岛离北京有多么远？）

"多"表示概数，"多么"没有这种用法。

① 他身高有一米八多。（*他身高有一米八多么。）

② 这件大衣一千多块。（*这件大衣一千多么块。）

"多"可以用来作动词的补语或状语，还有表示多余、过分的意思，"多么"没有这个意思和用法。

① 他今天晚上喝多了。（*他今天晚上喝多么了。）

② 你刚才的话说多了。（说了不该说的）（*你刚才的话说多么了。）

③ 你刚才的话多说了。（说了也没有作用）（*你刚才的话多么说了。）

412 多亏[动、副]duōkuī ▶ 幸亏[副]xìngkuī

词义说明 Definition

多亏[thanks to; luckily] 表示因别人的帮助或某种有利因素，避免了不幸或得到了好处，有感谢之意。

幸亏[fortunately; luckily] 表示能够免除困难的有利情况。

词语搭配 Collocation

	～您了	～你来得及时	～你当时不在	～是白天	～我没有吃	～我没有坐飞机
多亏	√	√	×	×	×	×
幸亏	×	√	√	√	√	√

用法对比 Usage

用法解释 Comparison

"多亏"和"幸亏"有意义相近的地方，但"多亏"的功能是表示感谢，"幸亏"的功能是表示"庆幸"。"多亏"能作谓语，可带宾语；幸亏只能作状语。

语境示例 Examples

① 今天多亏遇到你，要不我真不知道怎么办才好。(☺今天幸亏遇到你，要不我真不知道怎么办才好。)
② 那天幸亏你不在那辆车上，要不也得出事。（＊那天多亏不在那辆车上，要不也得出事。)
③ 多亏警察的帮助，我才找到了丢失的提包。（＊幸亏警察的帮助，我才找到了丢失的提包。)
④ 多亏您了，真不知道怎么感谢才好！（＊幸亏您了，真不知道怎么感谢才好！)
⑤ 那顿饭幸亏她没有吃，要不也得食物中毒。（＊那顿饭多亏她没有吃，要不也得食物中毒。)

413 夺取[动]duóqǔ ▶ 夺得[动]duódé

词义说明 Definition

夺取[capture; seize; wrest] 用强力取得。[strive for] 努力争取得到。

夺得[contend for; compete for; strive for] 获取，得到。

词语搭配 Collocation

	～胜利	～冠军	～丰收	～政权	～决赛权	～奖杯	～金牌
夺取	√	√	√	√	√	√	√
夺得	√	√	√	√	√	√	√

用法对比 Usage

用法解释 Comparison

“夺取”和“夺得”的意思一样，“夺得”用于口语，可带具体宾语也可带抽象宾语，“夺取”口语和书面都常用，一般带抽象宾语。

语境示例 Examples

① 今年农业又夺取了大丰收。(☺今年农业又夺得了大丰收。)
② 昨天的足球赛我们队夺得了冠军。(☺昨天的足球赛我们队夺取了冠军。)

③ 中国人民经过二十多年的浴血奋斗才夺取了全国解放的胜利。(☺中国人民经过二十多年的浴血奋斗才夺得了全国解放的胜利。)

④ 让我们再接再厉夺取新的更大的胜利。(☺让我们再接再厉夺得新的更大的胜利。)

⑤ 这支足球队又一次夺得了世界杯比赛的入场券。(*这支足球队又一次夺取了世界杯比赛的入场券。)

414 躲避[动]duǒbì ▶ 躲藏[动]duǒcáng

词义说明 Definition

躲避[hide (oneself)] 为了不遇到某人或某种情况，故意离开或隐蔽起来。[avoid; elude; dodge] 离开对自己不利的地方或情况。

躲藏[hide (or conceal) oneself; go into hiding; avoid; dodge] 把身体隐蔽起来不让别人看见。

词语搭配 Collocation

	~我	~他	~困难	~风雨	~敌人	~在屋子里	~起来
躲避	√	√	√	√	√	×	√
躲藏	×	×	×	×	×	√	√

用法对比 Usage

用法解释 Comparison

“躲避”可以带宾语，“躲藏”不能带宾语。

语境示例 Examples

① 快躲藏起来，别让她看见我们。(☺快躲避起来，别让她看见我们。)

② 现在雨太大，我们先进商场躲避一下吧。(*现在雨太大，我们先进商场躲藏一下吧。)

③ 他最近总有意躲避我，不愿见我。(*他最近总有意躲藏我，不愿意我。)

④ 遇到困难不应该躲避，应该想办法克服。(*遇到困难不应该躲藏，应该想办法克服。)

⑤ 这几天总看不到你，你躲藏到哪儿去了？(*这几天总看不到你，你躲避到哪儿去了？)

E

E

415 儿童[名]értóng ▶ 孩子[名]háizi

词义说明 Definition

儿童[(younger than 'juveniles') children; kids] 较幼小的未成年人（年龄比“少年”小）。

孩子[child; baby] 儿童。[son or daughter; child] 儿女。

词语搭配 Collocation

	男～	女～	小～	大～	我的～	两个～	～时代	～节	～杂志	～读物
儿童	×	×	×	×	×	√	√	√	√	√
孩子	√	√	√	√	√	√	×	×	×	×

用法对比 Usage

用法解释 Comparison

“儿童”不受“大”、“小”等形容词修饰，“孩子”可以，“孩子”还有子女的意思，“儿童”没有这个意思。

语境示例 Examples

① 希望工程让几百万失学的孩子重新回到了校园。(☺希望工程让几百万失学的儿童重新回到了校园。)

② 我有两个孩子，儿子上大学了，女儿还在读高中。(＊我有两个儿童，儿子上大学了，女儿还在读高中。)

③ “六·一”是国际儿童节。(＊“六·一”是国际孩子节。)

④ 你家孩子今年多大了？(＊你家儿童今年多大了？)

⑤ 儿童时代不知道什么是忧愁。(＊孩子时代不知道什么是忧愁。)

⑥ 他是搞儿童文学创作的。(＊他是搞孩子文学创作的。)

416 而且[连]érqiě ▶ 并且[连]bìngqiě

词义说明 Definition

而且[and; but also] 表示进一步，前半句往往有“不但、不仅”

跟它呼应。

并且[(used between two verbs or verb phrases, indicating two actions that are carried out at the same time or successively) and] 用在两个动词或动词性词组之间，表示两个动作同时或先后进行。[(used in the second half of a compound sentence, indicating increased degree) besides; moreover; furthermore] 用在复合句后一半里，表示更进一层的意思。

用法对比 Usage

用法解释 Comparison

“而且”一般不能用来连接两个动词或动词性词组，“并且”不受这个限制。

语境示例 Examples

① 他不但会学习，而且会玩儿。(☺他不但会学习，并且会玩儿。)
② 这件毛衣不但质量好，而且价钱也便宜。(☺这件毛衣不但质量好，并且价钱也便宜。)
③ 留学期间，他不仅取得了博士学位，并且还获得了总统颁发的科学奖。(☺留学期间，他不仅取得了博士学位，而且还获得了总统颁发的科学奖。)
④ 他不但战胜了疾病，而且事业上也取得了成功。(☺他不但战胜了疾病，并且事业上也取得了成功。)
⑤ 大会讨论并且通过了这个报告。(*大会讨论而且通过了这个报告。)
⑥ 历史已经证明并且将继续证明，正义的事业是注定要胜利的。(*历史已经证明而且将继续证明，正义的事业是注定要胜利的。)

417 二[数]èr ▶ 两[数]liǎng

词义说明 Definition

二[two] 数词，一加一的和。汉字分大小写，小写为“二”，大写为“贰”。

两[(used before measure words and before 百，千，万 or 亿) two] 数目，两。[both (sides); either (side)] 双方：~利。[a few; some] 表示概数：你拿~个尝尝。

词语搭配 Collocation

	一、~、三	第~	三分之~	零点~	~百	二百~十~	~斤	~件	~天
二	√	√	√	√	√	√	√	×	×
两	×	×	×	×	√	×	√	√	√

用法对比 Usage

E

数数时要说“二”，不说“两”。

一、二、三、四、五……（*一、两、三、四、五……）

小数和分数只说“二”，不说“两”。

① 0.2 要说零点二。（*零点两。）

② 2/3 要说三分之二。（*三分之两。）

表示序数时要说“二”，不说“两”。

① 我回家要坐二路公共汽车。（*我回家要坐两路公共汽车。）

② 王老师住二楼。（*王老师住两楼。）

③ 他是我二哥。（*他是我两哥。）

在“第”后边要说“二”，不说“两”。

① 第一、第二、第三、第四、第五……（*第一、第两、第三、第四、第五……）

② 这是我第二次来中国。（*这是我第两次来中国。）

与十位数和百位数连用时要说“二”，不说“两”。

例如：12、20、22、212、220、222。要说：十二、二十、二十二、二百一十二、二百二十、二百二十二。（*〔12〕十两、〔20〕两十、〔22〕两十两、〔212〕两百一十两、〔222〕两百两十两。）

在多位数中，百、十、个位说“二”不说“两”。

(512) 五百一十二（*五百一十两。）

在“千、万、亿”前时，“二”或“两”一般都可用。

二万五千里长征（☺两万五千里长征）

“千”在“亿”、“万”后，一般说“二”。

① 这个国家有两亿二千万人。（*这个国家有两亿两千万人。）

② 这是三万二千本。（*这是三万两千本。）

和量词连用时要说“两”，不说“二”。

两个学生　两本书　两件毛衣　两家人　两辆车　两把椅子……（*二个学生　二本书　二件毛衣　二家人　二辆车　二把椅子……）

“两”可以直接放在一些名词前面做定语，还可以与其他词语组成固定格式，“二”不能这么用。

两国　两校　两厂　两家　两眼　两全其美　两相情愿……

（*二国　二校　二厂　二家　二眼　二全其美　二相情愿……）

在新的度量衡单位前一般用“两”不用“二”。

两吨重，两公里长（*二吨重，二公里长）

“两”还表示概数，“二”没有这个用法。

① 我想回两天家，看看我母亲。（*我想回二天家，看看我母亲。）

② 你等一下儿，我给你说两句话。（*你等一下儿，我给你说二句话。）

“两”表示双方，“二”没有这个用法。

① 明天你去不去两可。（*明天你去不去二可。）

② 这是一件两全其美的事。（*这是一件二全其美的事。）

E

F

418 发布[动]fābù ▶ 发表[动]fābiǎo

词义说明 Definition

发布[issue; release] 宣布（命令、指示、新闻）等。

发表[publish; issue; express one's opinions] 在报刊上登载文章、绘画、歌曲等；向集体或社会表达意见；宣布。

词语搭配 Collocation

	～消息	～新闻	～命令	新闻～会	～文章	～小说	～谈话	～论文	～意见	～声明
发布	√	√	√	√	×	×	×	×	×	×
发表	×	×	×	×	√	√	√	√	√	√

用法对比 Usage

用法解释 Comparison

“发表”和“发布”的意义和用法都不同，它们不能相互替代。

语境示例 Examples

① 昨天外交部举行了新闻发布会。（*昨天外交部举行了新闻发表会。）

② 各国政府纷纷发表声明，强烈谴责国际恐怖主义。（*各国政府纷纷发布声明，强烈谴责国际恐怖主义。）

③ 今天军委主席发布命令，授予解放军某连队为“抗洪英雄连”的光荣称号。（*今天军委主席发表命令，授予解放军某连队为“抗洪英雄连”的光荣称号。）

④ 他在报上发表了一篇文章。（*他在报上发布了一篇文章。）

⑤ 请您对这个问题发表意见。（*请您对这个问题发布意见。）

⑥ 稿件一经发表即付稿酬。（*稿件一经发布即付稿酬。）

419 发愁 fā chóu ▶ 愁[动]chóu

词义说明 Definition

发愁[worry; be anxious] 因为没有主意和办法而感到心中着急，苦闷。

愁[worry; be anxious; sorrow] 忧虑，担心。

词语搭配 Collocation

	很～	正～呢	～什么呢	不用～	为学费～	为工作～	不～吃	不～喝	乡～
发愁	√	√	×	√	√	√	×	×	×
愁	√	√	√	√	√	√	√	√	√

用法对比 Usage

用法解释 Comparison

“发愁”是动宾词组，可以分开用，但不能再带宾语。“愁”是动词，可以带宾语和补语。

语境示例 Examples

① 这点儿小事你发什么愁？(☺这点儿小事你愁什么？)

② 他正为找不到工作发愁呢。(☺他正为找不到工作愁呢。)

③ 你不用发愁，这个问题很快就会解决的。(☺你不用愁，这个问题很快就会解决的。)

④ 孩子的学费让我愁死了。(☺孩子的学费让我发愁死了。)

⑤ 别发愁了，我们慢慢想办法。(☺别愁了，我们慢慢想办法。)

⑥ 姐姐三十多了，还没有结婚，爸爸妈妈很为她发愁。(＊姐姐三十多了，还没有结婚，爸爸妈妈很为她愁。)

⑦ 他的头发都愁白了。(＊他的头发都发愁白了。)

“愁”作定语不用加“的”，“发愁”作定语要加“的”。

工作上有很多愁事。(＊工作上有很多发愁事。)(☺工作上有很多发愁的事。)

420 发达[形]fādá ▶ 发展[动、名]fāzhǎn

词义说明 Definition

发达[developed; flourishing]（事物）已有充分发展；（事业）兴

盛。[promote; develop] 使充分发展。

发展[develop; expand; grow] 事物由小到大、由简单到复杂、由低级到高级的变化。[recruit; admit] 扩大（组织、规模等）。

词语搭配 Collocation

	很～	工业～	交通～	经济～	～经济	～工业	～教育	～中国家	～国家	～事业
发达	√	√	√	√	×	×	×	×	√	×
发展	×	×	×	×	√	√	√	√	×	√

F

用法对比 Usage

用法解释 Comparison

“发达”是个形容词，不能带宾语，而“发展”是动词和名词，可以带宾语。

语境示例 Examples

① 这个地区的交通十分发达。（＊这个地区的交通十分发展。）
② 必须把发展经济放在首位。（＊必须把发达经济放在首位。）
③ 要发展经济就必须发展教育。（＊要发达经济就必须发达教育。）
④ 中国是世界上最大的发展中国家。（＊中国是世界上最大的发达中国家。）
⑤ 他们公司准备向中国的西部发展。（＊他们公司准备向中国的西部发达。）
⑥ 要学习西方发达国家先进的科学技术和管理经验。（＊要学习西方发展国家先进的科学技术和管理经验。）

421 发动[动]fādòng ▶ 发起[动]fāqǐ

词义说明 Definition

发动[start; launch] 使开始。使行动起来。使机器运转。[call into action; mobilize; arouse] 使行动起来；动员。

发起[initiate; sponsor]倡议（做某件事情）。[start; launch]发动。

词语搭配 Collocation

	～战争	～机器	～群众	～大家	～人	～单位	～募捐
发动	√	√	√	√	×	×	×
发起	×	×	×	×	√	√	√

用法对比 Usage

用法解释 Comparison

"发动"的对象可以是人也可以是事，"发起"的对象是行动，不能是人。"发动"的动作主体可以是人，也可以是机器等，"发起"的动作主体只能是人。

语境示例 Examples

① 这部词典是由十几位专家发起编写的。（＊这部词典是由十几位专家发动编写的。）
② 要完成这项任务，必须发动大家一起干。（＊要完成这项任务，必须发起大家一起干。）
③ 因为天气太冷，汽车发动不起来。（＊因为天气太冷，汽车发起不起来。）
④ 这项活动是什么人最先发起的？（＊这项活动是什么人最先发动的？）
⑤ 希望工程是由中国青少年发展基金会发起的。（＊希望工程是由中国青少年发展基金会发动的。）
⑥ 他们发动的这场战争是侵略战争，所以遭到了全世界各国人民的反对。（＊他们发起的这场战争是侵略战争，所以遭到了全世界各国人民的反对。）

422 发抖[动]fādǒu ▶ 哆嗦[动]duōsuo

词义说明 Definition

发抖[shiver; shake; tremble] 由于害怕、生气或受到寒冷等原因而身体颤抖。

哆嗦[tremble; shiver] 因受外界的刺激而身体不由自主地颤动。

词语搭配 Collocation

	直～	冻得～	气得～	吓得～	打～	浑身～
发抖	√	√	√	√	×	√
哆嗦	√	√	√	√	√	√

用法对比 Usage

用法解释 Comparison

"发抖"和"哆嗦"是同义词，"哆嗦"用于口语，"发抖"

口语书面都可以用。“哆嗦”可以重叠，说“哆哆嗦嗦”，“发抖”不能重叠。

语境示例 Examples

① 他冻得浑身直发抖。(☺他冻得浑身直哆嗦。)
② 我一看见蛇就吓得浑身哆嗦。(☺我一看见蛇就吓得浑身发抖。)
③ 这么高，我害怕得直哆嗦，根本不敢往下看。(☺这么高，我害怕得直发抖，根本不敢往下看。)
④ 刚用毛笔练习书法时，我的手总发抖。(☺刚用毛笔练习书法时，我的手总哆嗦。)
⑤ 他激动得嘴唇直打哆嗦，说不出话来。(＊他激动得嘴唇直打发抖，说不出话来。)

423 发挥[动]fāhuī ▶ 发扬[动]fāyáng

词义说明 Definition

发挥[bring into play; give play to; give free rein to] 把内在的能力表现出来。[develop (an idea, a theme, etc.); elaborate] 把意思或道理充分表达出来。

发扬[develop; carry on (or forward)] 发展和提倡（优良作风、传统等）；发挥。

词语搭配 Collocation

	～聪明才智	～作用	～积极性	～水平	～不出来	～民主	～光荣传统	～革新精神
发挥	√	√	√	√	√	×	×	×
发扬	×	×	×	×	×	√	√	√

用法对比 Usage

用法解释 Comparison

“发挥”和“发扬”的意义和用法都不同，不能相互替换。

语境示例 Examples

① 外语在国际交往中发挥着桥梁的作用。(＊外语在国际交往中发扬着桥梁的作用。)
② 这次比赛他们发挥出了自己的水平。(＊这次比赛他们发扬出了自己的水平。)

③ 这个作文题目不一定都按照老师说的去写，你们可以根据自己的情况尽量发挥。（＊这个作文题目不一定都按照老师说的去写，你们可以根据自己的情况尽量发扬。）
④ 这次旅游希望大家发扬团结互助的精神。（＊这次旅游希望大家发挥团结互助的精神。）
⑤ 要把大家的积极性充分发挥出来。（＊要把大家的积极性充分发扬出来。）
⑥ 要继承和发扬我们民族的优良传统。（＊要继承和发挥我们民族的优良传统。）

F

424 发火 fā huǒ ▶ 发脾气 fā píqi

词义说明 Definition

发火[get angry; flare up; lose one's temper] 发脾气。

发脾气[lost one's temper; vent one' s spleen on sb. or sth.] 因事情不如意而吵闹或骂人。

词语搭配 Collocation

	别～	爱～	直～	冲我～
发火	√	√	√	√
发脾气	√	√	√	√

用法对比 Usage

用法解释 Comparison

“发火”和“发脾气”都是动宾词组，意思和用法也差不多，可以互换。

语境示例 Examples

① 他遇事太不冷静，总爱发火。（☺他遇事太不冷静，总爱发脾气。）
② 这事不是我干的，你冲我发什么火！（☺这事不是我干的，你冲我发什么脾气！）
③ 谁招你惹你了，你动不动就发脾气。（☺谁招你惹你了，你动不动就发火。）
④ 有话好好说，别发火。（＊有话好好说，别发脾气。）

“发脾气”前面可以加“大”，“发火”不能。

为这件事，他冲我大发脾气。（＊为这件事，他冲我大发火。）

425 发明[动、名]fāmíng ▶ 发现[动、名]fāxiàn

词义说明 Definition

发明[invent] 原来世界上没有的东西通过发明创造出来：~指南针。[invention] 创造出的新事物和新方法：四大~。

发现[discover; find out] 经过研究和探索等，看到或找到了前人没有看到的事物或规律。[discovery; find] 看到或找到的事物或规律。[find; realize; perceive; notice] 发觉。

F

词语搭配 Collocation

	~了他	~了飞碟	~了一种新植物	~了一颗新星	~了一种机器
发明	×	×	×	×	√
发现	√	√	√	√	×

用法对比 Usage

用法解释 Comparison

“发明”是创造了原来世界上没有的东西，“发现”是看到或找到了世界本来就有的事物或规律。

语境示例 Examples

① 发现：他发现这种机器人可以和人对话。(他看到了机器人和人对话的情况)

发明：他发明的这种机器人可以和人对话。(这种机器人是他发明的，以前没有过)

② 他发明了一种机器还申请了专利。(＊他发现了一种机器还申请了专利。)

③ 这座古代陵墓是去年考古的新发现。(＊这座古代陵墓是去年考古的新发明。)

④ 科学家又发现了一颗新星。(＊科学家又发明了一颗新星。)

⑤ 据说是哥伦布发现了美洲大陆。(＊据说是哥伦布发明了美洲大陆。)

426 发热 fā rè ▶ 发烧 fā shāo

词义说明 Definition

发热[have (or run) a fever; have (or run) a temperature] 体温升高到正常水平之上。[be hotheaded; be impetuous] 比喻头脑不冷静，不清醒。

发烧[have (or run) a fever; have (or run) a temperature] 体温不正常，超过 37.5℃。

词语搭配 Collocation

	有点儿～	不～	发光～	头脑～	脸上～
发热	√	√	√	√	√
发烧	√	√	×	×	√

用法对比 Usage

用法解释 Comparison

“发烧”是一种病态，而“发热”不一定有病，“发热”的行为主体可以是人（或动物），也可以是其他无生命的物体，如机器等，“发烧”的行为主体只能是人或动物。

语境示例 Examples

① 我感到身上有点儿发热。(☺我感到身上有点儿发烧。)

② 一句话说得她脸上直发热。(☺一句话说得她脸上直发烧。)

③ 太阳发光又发热。(* 太阳发光又发烧。)

④ 我一连三天发烧 38℃ 多。(* 我一连三天发热 38℃ 多。)

⑤ 上项目应当经过科学论证，不能头脑发热，盲目蛮干。(* 上项目应当经过科学论证，不能头脑发烧，盲目蛮干。)

⑥ 这种石头握在手里可以发热。(* 这种石头握在手里可以发烧。)

427 发烧 fā shāo ▶ 烧[动] shāo

词义说明 Definition

发烧[have (or run) a fever; have (or run) a temperature] 体温不正常，超过 37.5℃。

烧[burn] 使东西着火。[cook; heat] 加热使物体起变化。[run a fever; have a temperature] 体温超过正常度数。

词语搭配 Collocation

	不～	～了	～得厉害	退～了	～退了	～水	～饭	～火	～了一个洞
发烧	√	√	×	×	×	×	×	×	×
烧	√	√	√	√	√	√	√	√	√

用法对比 Usage

用法解释 Comparison

"发烧"是人的体温不正常，"烧"有"发烧"的意思，但是还有其他意思是"发烧"所没有的。

语境示例 Examples

① 他一连发烧了三天。(☺他一连烧了三天。)

② 他烧得很厉害，39℃。(☺他发烧很厉害，39℃。)

③ 现在发烧不发烧？(☺现在烧不烧？)

④ 今天早上烧已经退了。(＊今天早上发烧已经退了。)

"烧"有加热物体和做饭做菜的用法，"发烧"没有这个意思。

我给你们烧两个菜。(＊我给你们发烧两个菜。)

"烧"有"燃着"的意思，"发烧"没有这个用法。

① 城里人做饭都烧煤气。(＊城里人做饭都发烧煤气。)

② 吸烟不小心，裤子上烧了一个洞。(＊吸烟不小心，裤子上发烧了一个洞。)

428 发生[动]fāshēng ▶ 产生[动]chǎnshēng

词义说明 Definition

发生[happen; occur; take place] 原来没有的事情出现了；产生。

产生[(used with immaterial things) give rise to; bring about; evolve; emerge; come into being] 从已有的事物中形成新事物；出现。

词语搭配 Collocation

	～事故	～变化	～关系	～矛盾	～新的物质	～新政府	～新领导	～英雄人物
发生	√	√	√	√	×	×	×	×
产生	×	√	×	√	√	√	√	√

用法对比 Usage

用法解释 Comparison

“发生”和“产生”都可以作谓语，带抽象名词作宾语。

语境示例 Examples

① 改革开放以来中国社会发生了巨大的变化。(☺改革开放以来中国社会产生了巨大的变化。)
② 我来中国以前就对汉字书法发生了兴趣。(☺我来中国以前就对汉字书法产生了兴趣。)
③ 旧的矛盾解决了，还会产生新的矛盾。(☺旧的矛盾解决了，还会发生新的矛盾。)

“发生”与“产生”在与其他词语的搭配上有所不同。

① 今晨七时二十分中国台湾岛以东地区发生强烈地震。(*今晨七时二十分中国台湾岛以东地区产生强烈地震。)
② 这个故事发生在去年秋天。(*这个故事产生在去年秋天。)
③ 昨天这里发生了一起交通事故。(*昨天这里产生了一起交通事故。)
④ 通过选举产生了新一届政府。(*通过选举发生了新一届政府。)
⑤ 中国历史上产生过许多优秀人物。(*中国历史上发生过许多优秀人物。)

429 发现[动、名]fāxiàn ▶ 发觉[动]fājué

词义说明 Definition

发现[discover; find] 经过研究、探索等看到或找到前人没有看到的事物或规律。[find; realize; perceive; notice] 发觉。

发觉[sense; realize; discover] 开始知道（隐藏的或以前没有注意的事）。

词语搭配 Collocation

	～了	没有～	～新大陆	～问题	重大～	～他不在	～腿受伤了
发现	√	√	√	√	√	√	√
发觉	√	√	×	×	×	√	√

用法对比 Usage

用法解释 Comparison

“发现”是看到了或观察到了，行为主体是视觉器官，既是动词也是名词，可以作宾语。“发觉”是由于事物刺激感觉器官而觉察到，行为主体包括视觉、听觉、嗅觉、触觉等，它只是动词，不能作宾语。

语境示例 Examples

① 他进来半天了，你都没有发现。（☺他进来半天了，你都没有发觉。）

② 跑完一万米下来，他才发觉自己的腿受伤了。（☺跑完一万米下来，他才发现自己的腿受伤了。）

③ 选好了要买的东西，交钱的时候我才发现没有带钱包。（☺选好要买的东西，交钱的时候我才发觉没有带钱包。）

④ 我发现他最近情绪有点儿不大对头。（＊我发觉他最近情绪有点儿不大对头。）

“发现”还表示“首先见到或找到前人没有看到的事物或规律”，“发觉”没有这个用法。

① 据说美洲是1492年发现的。（＊据说美洲是1492年发觉的。）

② 最近西北地区的石油勘探又有重大发现。（＊最近在西北地区的石油勘探又有重大发觉。）

430 发展[动、名]fāzhǎn ▶ 开展[动]kāizhǎn

词义说明 Definition

发展[develop; expand; grow] 事物从小到大、从简单到复杂、从低级到高级的变化。[recruit; admit] 扩大（组织、规模等）。

开展[develop; launch; unfold] 使从小向大发展，使展开。[open-minded] 开朗。

词语搭配 Collocation

	～经济	～生产	～工业	～农业	～科教	～组织	～活动	～革新
发展	√	√	√	√	√	√	×	×
开展	×	√	×	×	×	×	√	√

用法对比 Usage

用法解释 Comparison

这两个词的意义和用法都不同，它们不能相互替代。

语境示例 Examples

① 中国正在全力以赴发展经济，特别需要一个和平安定的国际环境。（＊中国正在全力以赴开展经济，特别需要一个和平安定的国际环境。）
② 随着经济的发展，人民的生活水平正在不断提高。（＊随着经济的开展，人民的生活水平正在不断提高。）
③ 我们大学跟世界很多国家的大学都开展了学术交流活动。（＊我们大学跟世界很多国家的大学都发展了学术交流活动。）
④ 学校开展了各种各样的课外活动，丰富了学生的业余文化生活。（＊学校发展了各种各样的课外活动，丰富了学生的业余文化生活。）
⑤ 小学生们开展了“做地球小主人”的环保活动。（＊小学生们发展了“做地球小主人”的环保活动。）

F

431 法律[名]fǎlǜ ▶ 法令[名]fǎlìng

词义说明 Definition

法律[law; statute] 由立法机关制定，国家政权保证执行的行为准则。

法令[laws and decrees; decree] 政权机关所颁布的命令、指示、决定等的总称。

词语搭配 Collocation

	制定～	颁布～	～制裁	～根据	～手续	～保护	～地位	～面前	遵守～
法律	√	√	√	√	√	√	√	√	√
法令	√	√	×	×	×	×	×	×	√

用法对比 Usage

用法解释 Comparison

“法律”和“法令”表示不同的意思，用法也不尽相同，常用的是“法律”。

语境示例 Examples

① 公民要遵守国家的法律。（☺公民要遵守国家的法令。）
② 法律面前人人平等。（＊法令面前人人平等。）

③ 这些犯罪分子受到了法律的严厉制裁。（＊这些犯罪分子受到了法令的严厉制裁。）
④ 处理这个案件目前还找不到法律根据。（＊处理这个案件目前还找不到法令根据。）
⑤ 正当合法的经营受国家法律保护。（＊正当合法的经营受国家法令保护。）
⑥ 领养子女要办理必要的法律手续。（＊领养子女要办理必要的法令手续。）

F

432 法则[名]fǎzé ▶ 法规[名]fǎguī

词义说明 Definition

法则[rule; law] 规律。

法规[laws and regulations; statutes] 法律、法令、条理、规则、章程等的总称。

词语搭配 Collocation

	自然～	经济～	交通～	按～办事	执行～	违反～
法则	√	√	×	√	×	√
法规	×	√	√	√	√	√

用法对比 Usage

用法解释 Comparison

“法则”是客观存在的，不以人的意志为转移，“法规”是人为制定的。

语境示例 Examples

① 人谁都会老，这是自然法则。（＊人谁都会老，这是自然法规。）
② 保护生态环境一定要按照自然法则办事，不能只凭主观愿望。（＊保护生态环境一定要按照自然法规办事，不能只凭主观愿望。）
③ 违背自然法则必将受到自然的惩罚。（＊违背自然法规必将受到自然的惩罚。）
④ 要自觉遵守交通法规，不要酒后开车。（＊要自觉遵守交通法则，不要酒后开车。）
⑤ 经济运行有一定的法则，不能随心所欲。（＊经济运行有一定的

法规，不能随心所欲。）

⑥ 制定经济法规是为了保证有一个良好的经济秩序。（＊制定经济法则是为了保证有一个良好的经济秩序。）

433 翻译[动、名]fānyì ▶ 译[动]yì

词义说明 Definition

翻译[translate; interpret] 把一种语言文字的意义用另一种语言文字表达出来（包括方言与民族共同语，方言与方言，古代语与现代语）；把代表语言文字的符号或数码用语言文字表达出来。[translator; interpreter] 做翻译工作的人。

译[translate; interpret] 翻译。

词语搭配 Collocation

	当～	～工作	～小说	～外文资料	～密码	口～	笔～	直～	音～	意～	～文
翻译	√	√	√	√	√	×	×	×	×	×	×
译	×	×	√	√	√	√	√	√	√	√	√

用法对比 Usage

用法解释 Comparison

“翻译”和“译”的意义相同，因为音节不同，用法上也有所不同，“译”还是个语素，有组词能力，“翻译”没有组词能力。

语境示例 Examples

① 这个句子怎么翻译？（☺这个句子怎么译？）

② 翻译外国小说不仅需要外语能力，还需要很高的文化修养。（☺译外国小说不仅需要外语能力，还需要很高的文化修养。）

③ 我学好汉语以后，希望当翻译。（＊我学好汉语以后，希望当译。）

④ 他最近翻译出版了一本中国小说。（＊他最近译出版了一本中国小说。）

⑤ 他的口译能力很强。（＊他的口翻译能力很强。）

⑥ 地名、人名等专名一般都采用音译。（＊地名、人名等专名一般都采用音翻译。）

⑦ 你这篇译文还应该再对照原文仔细推敲推敲。（＊你这篇翻译文还应该再对照原文仔细推敲推敲。）

434 凡[副、形]fán ▶ 凡是[副]fánshì

词义说明 Definition

凡[all; every; any] 凡是。[commonplace; ordinary] 平凡，一般。[altogether; in all] 总共，大概。

凡是[every; any; all] 总括所指范围内的一切。

F

词语搭配 Collocation

	不～	～人	～年满18岁…	～留学生都…
凡	√	√	√	√
凡是	×	×	√	√

用法对比 Usage

用法解释 Comparison

"凡"是副词，也是形容词，可以作定语，"凡是"只是副词，不能作定语，"凡是"与副词"凡"用法相同。

语境示例 Examples

① 在中国，凡年满十八岁的公民都有选举权和被选举权。(☺在中国，凡是年满十八岁的公民都有选举权和被选举权。)

② 传统文化中凡属优秀的东西，我们都应该继承和发扬。(☺传统文化中凡是属于优秀的东西，我们都应该继承和发扬。)

③ 凡做什么事，多想想再做会比较好一些。(☺凡是做什么事，多想想再做会比较好一些。)

④ 我是个凡人，不可能做出惊天动地的事来。(*我是个凡是人，不可能做出惊天动地的事来。)

⑤ 他在自己平凡的岗位上做出了不凡的业绩。(*他在自己平凡的岗位上做出了不凡是的业绩。)

435 烦闷[形]fánmèn ▶ 烦恼[名、形]fánnǎo

词义说明 Definition

烦闷[unhappy; depressed; moody] 心里不愉快。

烦恼[vexed; worried] 烦闷苦恼，不高兴。

词语搭配 Collocation

	很～	没有～	不必～	自寻～
烦闷	√	×	√	×
烦恼	√	√	√	√

用法对比 Usage

用法解释 Comparison

“烦闷”和“烦恼”描写的都是人的情绪和心情，这两种情绪产生的原因不尽相同，“烦闷”是因心烦而感到苦闷，憋闷，“烦恼”是因心烦而感到苦恼。

语境示例 Examples

① 烦闷的时候我就听听音乐或者找好朋友聊聊天。(☺烦恼的时候我就听听音乐或者找好朋友聊聊天。)

② 何必为这么一点儿小事烦恼呢？（＊何必为这么一点儿小事烦闷呢?)

③ 一连下了好几天雨，哪儿也去不了，真叫人感到烦闷。（＊一连下了好几天雨，哪儿也去不了，真叫人感到烦恼。)

④ 生活中遇到烦恼的时候，一定要注意调适自己的心情。（＊生活中遇到烦闷的时候，一定要注意调适自己的心情。)

⑤ 最近为女朋友的事搞得他很烦恼。（＊最近为女朋友的事搞得他很烦闷。)

⑥ 其实你误会了她的意思，完全是自寻烦恼。（＊其实你误会了她的意思，完全是自寻烦闷。)

436 繁华[形]fánhuá ▶ 繁荣[动、形]fánróng

词义说明 Definition

繁华[flourishing; bustling; busy] 城镇、集市繁荣热闹，顾客行人众多。

繁荣[flourishing; prosperous; blooming] 经济或事业蓬勃发展；昌盛。[make prosper; promote] 使繁荣。

词语搭配 Collocation

	～的街道	很～	～经济	经济～	～市场	～文化事业	～富强	～昌盛
繁华	√	√	×	×	×	×	×	×
繁荣	×	√	√	√	√	√	√	√

用法对比 Usage

用法解释 Comparison

“繁荣”和“繁华”都是形容词，“繁荣”可以形容市场、集市，也可以形容国家、社会以及经济、文化、科学、事业等抽象的事物。“繁华”多形容具体的城市、街面、集市等。“繁荣”还是动词，可以带宾语和补语，“繁华”不能带宾语。

语境示例 Examples

① 使中国走向繁荣富强，这是全世界炎黄子孙的共同愿望。（＊使中国走向繁华富强，这是全世界炎黄子孙的共同愿望。）

② 北京的王府井是一条繁华的大街。（＊北京的王府井是一条繁荣的大街。）

③ 要把中国建设成一个经济繁荣，政治民主，社会文明的国家。（＊要把中国建设成一个经济繁华，政治民主，社会文明的国家。）

④ 要让农村市场繁荣起来。（＊要让农村市场繁华起来。）

⑤ 在繁荣经济的同时，也要繁荣文化事业。（＊在繁华经济的同时，也要繁华文化事业。）

⑥ 要繁荣文艺创作，满足人民不断增长的对于文化生活的需求。（＊要繁华文艺创作，满足人民不断增长的对于文化生活的需求。）

437 繁重[形]fánzhòng ▶ 沉重[形]chénzhòng

词义说明 Definition

繁重[（of work or task） heavy；strenuous；onerous]（工作、任务）多而重。

沉重[heavy；to a great extent；serious；critical] 分量大；程度深。

词语搭配 Collocation

	很~	非常~	任务~	工作~	~的劳动	~的脚步	心情~	~的打击
繁重	√	√	√	√	√	×	×	×
沉重	√	√	×	×	×	√	√	√

用法对比 Usage

用法解释 Comparison

"繁重"修饰的名词有限,"沉重"多修饰抽象名词。

语境示例 Examples

① 这次失恋使她精神上受到了沉重的打击。(*这次失恋使她精神上受到了繁重的打击。)

② 现在我们工厂已经实现了自动化,机械化代替了以往繁重的劳动。(*现在我们工厂已经实现了自动化,机械化代替了以往沉重的劳动。)

③ 造成这次工作上的失误,我的心情很沉重。(*造成这次工作上的失误,我的心情很繁重。)

④ 他迈着沉重的脚步往家里走去。(*他迈着繁重的脚步往家里走去。)

⑤ 为了保证爸爸的科研工作,妈妈承担了繁重的家务劳动。(*为了保证爸爸的科研工作,妈妈承担了沉重的家务劳动。)

⑥ 繁重的家庭作业压得孩子喘不过气来。(*沉重的家庭作业压得孩子喘不过气来。)

438 反而[副]fǎn'ér ▶ 但是[连]dànshì

词义说明 Definition

反而[on the contrary; instead] 表示跟上文的意思相反或出乎意料和常情。

但是[but; yet; still; nevertheless] 用在后半句,表示转折的语气,往往与"虽然、尽管"呼应。

用法对比 Usage

用法解释 Comparison

"反而"和"但是"都用在后半句,它们的意思不同,"反而"是副词,"但是"是连词。"反而"使用的语境是:按照上文,下文应该出现情况 A，但是 A 没有出现，却出现了与 A 相反的情况 B，B 的出现是不合情理或意想不到的，这时在 B 前用“反而”。“但是”表示转折。“反而”可以用在主语后面，“但是”不能。

语境示例 Examples

① 他的家离这儿最远，他反而到得最早。(☺他的家离这儿最远，但是他到得最早。)

② 春天了，天气该暖和了，反而下起雪来了。(＊春天了，天气该暖和了，但是下起雪来了。)

③ 雨不但没有停，反而越下越大了。(＊雨不但没有停，但是越下越大了。)

④ 中国北方的冬天，外边虽然很冷，但是屋子里很暖和。(＊中国北方的冬天，外边虽然很冷，反而屋子里很暖和。)

⑤ 我不解释还好，我一解释他反而更生气了。(＊我不解释还好，我一解释他但是更生气了。)

⑥ 尽管我知道他很喜欢我，但是我对他一点儿感觉也没有。(＊尽管我知道他很喜欢我，反而我对他一点儿感觉也没有。)

439 反应[动、名]fǎnyìng ▶ 反映[动、名]fǎnyìng

词义说明 Definition

反应[response; reaction] 有机体受到体内或体外的刺激而引起相应的活动。[react; respond] 事情所引起的意见、态度和行动。[reaction] 化学反应；打针或吃药所引起的不适的感觉，如呕吐、头疼等。

反映[reflect; mirror] 反照。比喻把客观事物的实质表现出来。[report; make known] 把情况、意见等告诉上级或有关部门。

词语搭配 Collocation

	化学～	过敏～	药物～	有～	很大的～	～现实	～给领导	～到中央	～很强烈
反应	√	√	√	√	√	×	×	×	√
反映	×	×	×	×	×	√	√	√	√

用法对比 Usage

用法解释 Comparison

这两个词的发音相同，但是意思、用法和书写形式都不同，它们不能相互替换。

语境示例 Examples

① 他的事迹在大学生中引起了强烈的反应。（＊他的事迹在大学生中引起了强烈的反映。）

② 这种药我吃后有过敏反应。（＊这种药我吃后有过敏反映。）

③ 很多人写信向上边反映他的问题，才引起了领导的注意。（＊很多人写信向上边反应他的问题，才引起了领导的注意。）

④ 这是一部反映中国农村现实生活的影片，很有意思。（＊这是一部反应中国农村现实生活的影片，很有意思。）

⑤ 根据广大观众的反映和要求，电视台决定重播这部电视剧。（＊根据广大观众的反应和要求，电视台决定重播这部电视剧。）

⑥ 报纸、电视代表社会的良知，要客观准确地反映社情民意。（＊报纸、电视代表社会的良知，要客观准确地反应社情民意。）

440 犯法 fàn fǎ ▶ 犯罪 fàn zuì

词义说明 Definition

犯法[violate (or break) the law] 违反法律、法令。

犯罪[commit a crime or an offence]做出犯法的、应受处罚的事。

词语搭配 Collocation

	～行为	～团伙	～集团	～分子
犯法	√	×	×	×
犯罪	√	√	√	√

用法对比 Usage

用法解释 Comparison

“犯法”和“犯罪”是同义词，但是“犯罪”也指不良行为，这些不良行为不一定是犯法行为，例如“浪费粮食简直就是犯罪”。

语境示例 Examples

① 他犯法了，被判五年徒刑。（☺他犯罪了，被判五年徒刑。）

② 贪污分子大都知道贪污是犯法的行为，可是他们还是疯狂地贪。（☺贪污分子大都知道贪污是犯罪的行为，可是他们还是疯狂地贪。）

③ 如果不清除这种贪污腐败分子就是对人民的犯罪。（＊如果不清

除这些贪污腐败分子就是对人民的犯法。)

④ 如此铺张浪费简直是犯罪行为。(*如此铺张浪费简直是犯法行为。)

⑤ 要严厉打击那些黑社会性质的犯罪团伙。(*要严厉打击那些黑社会性质的犯法团伙。)

441 饭店[名]fàndiàn ▶ 饭馆(儿)[名]fànguǎnr

词义说明 Definition

饭店[hotel (equipped with good facilities)] 较大而且设备好的旅馆，可以住宿。饭馆。

饭馆[(small) restaurant; eating house] 比较小的出售饭菜的店铺，不能住宿。

词语搭配 Collocation

	五星级～	大～	小～	住～	去～吃饭
饭店	√	√	√	√	√
饭馆	×	√	√	×	√

用法对比 Usage

用法解释 Comparison

“饭店”主要指规模较大的旅馆，可以就餐也可以住宿，“饭馆”是小的店铺，不能住宿，只能就餐，但是口头交际中也常把饭馆叫做饭店。

语境示例 Examples

① 中午我们去饭店吃饭吧。(☺中午我们去饭馆吃饭吧。)

② 这个饭店的饭菜味道不错，服务也很周到。(☺这个饭馆的饭菜味道不错，服务也很周到。)

③ 这是一家五星级饭店。(*这是一家五星级饭馆。)

④ 他在北京住的是高级饭店。(*他在北京住的是高级饭馆。)

⑤ 住五星级饭店的人一般都不是自己掏钱。(*住五星级饭馆的人一般都不是自己掏钱。)

⑥ 这家饭店在国际上很有名。(*这家饭馆在国际上很有名。)

442 范畴[名]fànchóu ▶ 范围[名]fànwéi

词义说明 Definition

范畴[category] 人的思维对客观事物普遍本质的概括和反映。各门科学都有自己的一些基本范畴。[type; scope] 类型；范围。

范围[limits; scope; range] 周围的界限。

词语搭配 Collocation

	哲学～	经济学～	语言学～	工作～	活动～	讨论的～	涉及的～
范畴	√	√	√	×	×	×	×
范围	×	×	×	√	√	√	√

用法对比 Usage

用法解释 Comparison

“范畴”和“范围”的意义有相近之处，但是用法不同，“范畴”多用于学术论文，口语很少用，“范围”没有此限，它们一般不能相互替换。

语境示例 Examples

① 我研究的课题是网络经济，既属于经济学范畴，又与计算机网络有联系。(＊我研究的课题是网络经济，既属于经济学范围，又与计算机网络有联系。)

② 形式与内容，现象与本质，都是属于哲学范畴的概念。(＊形式与内容，现象与本质，都是属于哲学范围的概念。)

③ 汉字属于表意文字的范畴。(＊汉字属于表意文字的范围。)

④ 大熊猫的活动范围就在四川和陕西交界处。(＊大熊猫的活动范畴就在四川和陕西交界处。)

⑤ 有问题你尽管说，只要是我工作范围以内的，我一定帮你解决。(＊有问题你尽管说，只要是我工作范畴以内的，我一定帮你解决。)

⑥ 这次考试的内容不超出这本书的范围，只要大家把这本书复习好，考试就没有问题。(＊这次考试的内容不超出这本书的范畴，只要大家把这本书复习好，考试就没有问题。)

443 方式[名]fāngshì ▶ 方法[名]fāngfǎ

词义说明 Definition

方式[way; fashion; pattern] 说话做事所采取的方法或形式。一般是固定的不容易改变的。

方法[method; way; means] 解决思想、说话、行动等问题的门路、步骤和手段等。

F

词语搭配 Collocation

	学习~	工作~	生活~	思想~
方式	×	√	√	×
方法	√	√	×	√

用法对比 Usage

用法解释 Comparison

“方式”和“方法”都是名词,“方式”一般是固定的不易改变的,与“生活、工作”等搭配;“方法”多与“思想、学习、训练”等搭配使用。

语境示例 Examples

① 批评一定要注意方式,要让对方能够接受。(☺批评一定要注意方法,要让对方能够接受。)

② 我觉得他的思想方法有问题。(*我觉得他的思想方式有问题。)

③ 我爸爸妈妈长期生活在农村,不习惯城市的生活方式。(*我爸爸妈妈长期生活在农村,不习惯城市的生活方法。)

④ 学习什么都要注意学习方法。(*学习什么都要注意学习方式。)

⑤ 你记生词有没有什么好方法?(*你记生词有没有什么好方式?)

⑥ 要用科学方法管理公司。(*要用科学方式管理公司。)

444 防守[动]fángshǒu ▶ 防护[动]fánghù

词义说明 Definition

防守[defend; guard] 守卫,在战争或比赛中防备对方进攻。

防护[protect; shelter] 防备和保护。

词语搭配 Collocation

	～不严	严加～	～一座城市	～严密	～大门	～林	～堤	～栏
防守	√	√	√	√	√	×	×	×
防护	×	√	×	×	×	√	√	√

用法对比 Usage

用法解释 Comparison

"防守"的对象是大门、城市、堤坝等，"防护"的是人的身体、生活用品及环境，它们不能相互替换。

语境示例 Examples

① 因为防守不严，让对方踢进了一个球。（*因为防护不严，让对方踢进了一个球。）

② 防洪大堤上一天二十四小时都有人防守。（*防洪大堤上一天二十四小时都有人防护。）

③ 要加强防守，决不能让洪水漫过大堤。（*要加强防护，决不能让洪水漫过大堤。）

④ 北京以北地区种植了大片防护林。（*北京以北地区种植了大片防守林。）

⑤ 这批药品在运输过程中要注意防护，不要让雨淋了。（*这批药品在运输过程中要注意防守，不要让雨淋了。）

⑥ 汛期到来之前我们就加固了防护堤。（*汛期到来之前我们就加固了防守堤。）

445 妨碍[动]fáng'ài ▶ 影响[动、名]yǐngxiǎng

词义说明 Definition

妨碍[hinder; hamper; impede; obstruct] 使事情不能顺利进行。

影响[influence; effect] 对别人的思想或行动起作用。[affect; influence] 对人或事物所起的作用。

词语搭配 Collocation

	～交通	～走路	～别人	～学习	～工作	受老师的～	不受～	积极～	消极～
妨碍	√	√	√	√	√	×	×	×	×
影响	√	√	√	√	√	√	√	√	√

用法对比 Usage

用法解释 Comparison

“妨碍”是一个贬义词，“影响”既含褒义，也含贬义。“影响”既是动词又是名词，可以作宾语，“妨碍”只是动词，不能作宾语。

语境示例 Examples

① 这辆车停在这里妨碍交通。(☺这辆车停在这里影响交通。)

② 把电视的声音调小一点儿，别妨碍孩子复习功课。(☺把电视的声音调小一点儿，别影响孩子复习功课。)

③ 他在中国文艺界很有影响。(＊他在中国文艺界很有妨碍。)

④ 我喜欢京剧是受我汉语老师的影响，他是一个京剧迷。(＊我喜欢京剧是受我汉语老师的妨碍，他是一个京剧迷。)

⑤ 父母应该用自己好的言行去影响孩子。(＊父母应该用自己好的言行去妨碍孩子。)

⑥ 受天气的影响，飞机推迟了一个小时才起飞。(＊受天气的妨碍，飞机推迟了一个小时才起飞。)

446 房间(屋子)[名]fángjiān(wūzi)

房子[名]fángzi

词义说明 Definition

房间（屋子）[room] 房子内隔成的各个部分。

房子[house; building] 有墙、顶、门、窗，供人居住或做其他用途的建筑物。

词语搭配 Collocation

	一个～	一座～	一套～	～里
房间（屋子）	√	×	×	√
房子	×	√	√	√

用法对比 Usage

用法解释 Comparison

“房子”包括很多“房间（屋子）”，而“房间（屋子）”不能包括“房子”。“房子”的量词是“套”、“间”、“座”，“房间（屋子）”的量词是“个”。

语境示例 Examples

① 我想买一套房子。(＊我想买一套房间〔屋子〕。)
② 这套房子的客厅很大。(＊这套房间〔屋子〕的客厅很大。)
③ 这个房间隔壁是卫生间。(＊这个房子隔壁是卫生间。)
④ 这套房子一共有六个房间。(＊这套房间一共有六个房子。)
⑤ 我家房子前边是一个小花园。(＊我家房间前边是一个小花园。)
⑥ 这个四合院里有好多间房子呢。(＊这个四合院里有好多间房间呢。)

447 仿佛[动]fǎngfú ▶ 好像[动]hǎoxiàng

词义说明 Definition

仿佛[seemingly; as if] 好像。 [be more or less the same; be alike] 像，类似。

好像[seem; be like] 有些像，仿佛。

词语搭配 Collocation

	～是个孩子	～花一样	～亲兄弟	相～	～真的
仿佛	√	√	√	√	√
好像	√	√	√	×	√

用法对比 Usage

用法解释 Comparison

“仿佛”也有“好像”的意思，都表示判断和感觉（有不太肯定的语气），但是“仿佛”多用于书面，“好像”常用于口语。

语境示例 Examples

① 看！这天仿佛要下雪。(☺看！这天好像要下雪。)
② 这个人我好像在哪儿见过。(☺这个人我仿佛在哪儿见过。)
③ 她们俩好像亲姐妹一样。(☺她们俩仿佛亲姐妹一样。)
④ 看到这种情景我仿佛回到了十年前。(☺看到这种情景我好像回到了十年前。)
⑤ 听到这个消息他高兴得好像是个孩子。(☺听到这个消息他高兴得

仿佛是个孩子。)

"仿佛"还表示二者差不多，前面可以加"相"，"好像"没有这个用法。

这两种衣服的样式相仿佛。(＊这两种衣服的样式相好像。)

448 放弃[动]fàngqì ▶ 丢掉diū diào

F

词义说明 Definition

放弃[abandon; give up; renounce] 丢掉（原来的打算、权利、意见等）。

丢掉[lose] 遗失。[throw away; cast away; discard] 抛弃，扔掉。

词语搭配 Collocation

	～权利	～原来的打算	～这次机会	～了	不想～	～幻想	～工作
放弃	√	√	√	√	√	×	√
丢掉	√	×	√	√	√	√	√

用法对比 Usage

用法解释 Comparison

"放弃"一般是动作主体自愿做出的，其宾语是抽象名词，"丢掉"在表示"抛弃"的意思时，是主动的，宾语是抽象事物，在表示"遗失"时，是被动的，不情愿的，宾语是具体名词。

语境示例 Examples

① 放弃：他放弃了对这笔财产的继承权。(主动的)
丢掉：他丢掉了对这笔财产的继承权。(被动的)

② 我不愿意放弃这个锻炼自己的好机会。(☺我不愿意丢掉这个锻炼自己的好机会。)

③ 这次出国进修的机会是我主动放弃的。(＊这次出国进修的机会是我主动丢掉的。)

④ 她不会再回到你身边了，你要丢掉幻想，开始新的生活。(＊她不会再回到你身边了，你要放弃幻想，开始新的生活。)

⑤ 这双皮鞋不能穿了，把它丢掉吧。(＊这双皮鞋不能穿了，把它放弃吧。)

449 放松[动]fàngsōng ▶ 轻松[形]qīngsōng

词义说明 Definition

轻松[light; relaxed] 感到没有负担、不紧张。

放松[relax; slacken; loosen] 使注意力或精神由紧张变得轻松。

词语搭配 Collocation

	~~	~一下	很~	~的生活	~肌肉	~的音乐	工作~
放松	√	√	√	×	√	×	×
轻松	√	√	√	√	×	√	√

用法对比 Usage

用法解释 Comparison

“放松”是动词，可以带宾语，“轻松”是形容词，不能带宾语。

语境示例 Examples

① 工作一天了，听听音乐放松放松吧。(☺工作一天了，听听音乐轻松轻松吧。)

② 打太极拳时，你全身一定要放松，要自然一些。(＊打太极拳时，你全身一定要轻松，要自然一些。)

③ 今天没有作业，很轻松。(＊今天没有作业，很放松。)

④ 我现在退休了，不工作了，每天都过得很轻松。(＊我现在退休了，不工作了，每天都过得很放松。)

⑤ 我现在的工作很轻松。(＊我现在的工作很放松。)

⑥ 天下并不太平，我们不能轻松警惕。(＊天下并不太平，我们不能轻松警惕。)

450 非…不可 fēi…bùkě ▶ 一定[形]yídìng

词义说明 Definition

非…不可[must; have to; will inevitably; be bound to] 必须，一定；必然要。

一定[fixed; specified; definite; regular] 规定的，确定的：每天上课的时间是~的。[certainly; surely; necessarily] 固定不变；必然；坚决或确定：我的理想~能实现 | 明天~不要迟到。

[given; particular; certain] 特定的：达到了～程度|需要～的条件。[proper; fair; due] 相当的，有往小里说的意味。

用法对比 Usage

用法解释 Comparison

"非……不可"是个双重否定结构，有强调的语气，也是"必须、一定"的意思，"非"可以放在谓语前，也可以放在主语前，放在谓语前和放在主语前强调的方面不同。"一定"是副词，也是形容词。

F

语境示例 Examples

① 我一定要把汉语学好。(☺我非把汉语学好不可。)
② 这件事非你做不可。(＊这件事一定你做。)
③ 他这么干，早晚非出事不可。(☺他这么干，早晚一定出事。)
④ 要学好中文非下苦功夫不可。(☺要学好中文一定要下苦功夫。)

以下"一定"的用法，都不能用"非……不可"替代。

① 要学好汉语需要一定的时间，着急是不行的。
② A：他今天来吗？B：不一定。(不能肯定他来或者不来)
③ 他现在的汉语已经达到了一定的水平。
④ 从一定意义上说，学习一种外语，就是要接受以这种语言为载体的文化。
⑤ 爸爸每天上下班的时间是一定的，今天不知道为什么到现在还没有回来。
⑥ 他一定是有什么事了，你打个电话问问，要不他不会到现在还不来。

451 非常[副、形]fēicháng ▶ 十分[副]shífēn

词义说明 Definition

非常[extraordinary; unusual; special] 不同寻常的；不平常的，特别的：～事件。[very; extremely; highly] 十分；极：～重要|～抱歉。

十分[very; fully; utterly; extremely] 很，非常：～高兴|～难过。

词语搭配 Collocation

	～好	～便宜	～同意	～满意	～高兴	～努力	～认真	～时期	～行动	～会议
非常	√	√	√	√	√	√	√	√	√	√
十分	√	√	√	√	√	√	√	×	×	×

用法对比 Usage

用法解释 Comparison

"非常"和"十分"作状语时可以互换。"非常"还是个形容词，可以作定语，表示不寻常的，"十分"没有这个用法。"十分"可用"不"否定，"非常"不能。

语境示例 Examples

① 学校领导非常重视同学们的建议。(☺学校领导十分重视同学们的建议。)
② 我对这次考试的成绩非常满意。(☺我对这次考试的成绩十分满意。)
③ 她学习非常刻苦。(☺她学习十分刻苦。)
④ 听到弟弟考上大学的消息我非常高兴。(☺听到弟弟考上大学的消息我十分高兴。)
⑤ 联合国召开非常会议讨论这次事件。(＊联合国召开十分会议讨论这次事件。)
⑥ 警察采取了非常行动，把这些犯罪分子全部抓获了。(＊警察采取了十分行动，把这些犯罪分子全部抓获了。)
⑦ 这个句子不十分恰当。(＊这个句子不非常恰当。)

F

452 非常[副、形]fēicháng ▶ 很[副]hěn

词义说明 Definition

非常 [very; extremely; highly] 十分；极：～必要|～清楚。[extraordinary; unusual; special] 不同寻常的；不平常的，特别的：～事件。

很 [very; very much; quite] 非常，达到一个很高的程度或达到一个相当的范围。

词语搭配 Collocation

	～同意	～满意	～高兴	～努力	～了解	好得～	～不错	～时期	～行动	～会议
非常	√	√	√	√	√	×	×	√	√	√
很	√	√	√	√	√	√	√	×	×	×

用法对比 Usage

用法解释 Comparison

"非常"和"很"意义相同，用法也有相同的地方，但是，

"很"可以作程度补语，"非常"不能。"非常"还是个形容词，可以作定语，"很"一般不作定语。（"很中国"，不是规范的用法），"很"可以受"不"修饰，"非常"不能。

语境示例 Examples

① 我跟她见过一面，她是个非常热情的人。(☺我跟她见过一面，她是个很热情的人。)

② 我很清楚你心里是怎么想的。(☺我非常清楚你心里是怎么想的。)

③ 我知道要取得汉语硕士学位对一个外国留学生来说难得很，但是我非要努力争取不可。（＊我知道要取得汉语硕士学位对一个外国留学生来说难得非常，但是我非要努力争取不可。）

④ 这条小吃街上热闹得很。(＊这条小吃街上热闹得非常。)

⑤ 爸爸最近身体不很好。(＊爸爸最近身体不非常好。)

⑥ 在非常情况下我们不得不这么办。（＊在很情况下我们不得不这么办。）

F

453 废品[名]fèipǐn ▶ 废物[名]fèiwù/fèiwu

词义说明 Definition

废品[waste product; reject] 不合格的产品。[scrap; waste] 破的、旧的或失去原有使用价值的物品。

废物[waste material; trash] 失去原有使用价值之物。[good-for-nothing] 比喻没有用的人。(读 fèiwu)

词语搭配 Collocation

	出～	收购～	～收购站	～利用	真是～
废品	√	√	√	×	×
废物	×	×	×	√	√

用法对比 Usage

用法解释 Comparison

"废品"和"废物"的意思不同，不能相互替换。

语境示例 Examples

① 要加强质量管理，保证不出废品。（＊要加强质量管理，保证不出废物。）

② 把这些东西都送到废品收购站去吧。（＊把这些东西都送到废物

收购站去吧。)

③ 这些旧书报都卖给收<u>废品</u>的得了。(＊这些旧书报都卖给收<u>废物</u>的得了。)

④ <u>废物</u>利用大有可为。(＊<u>废品</u>利用大有可为。)

还有一个词“废物”(读 fèiwu),是用来比喻没有用的、笨的人。他干什么都干不好,简直就是一个<u>废物</u>。(＊他干什么都干不好,简直就是一个<u>废品</u>。)

454 分辨[动]fēnbiàn ▶ 分辩[动]fēnbiàn

词义说明 Definition

分辨[distinguish; differentiate; tell] 辨别;分清事物的区别、真伪、好坏等。

分辩[defend oneself (against a charge); offer an explanation] 辩解,辩白;说自己没有错。

词语搭配 Collocation

	不能~	不容~	~好坏	~真假	~是非	~不清	~不出来	不想~	无需~
分辨	√	×	√	√	√	√	√	×	×
分辩	×	√	×	×	×	×	×	√	√

用法对比 Usage

用法解释 Comparison

“分辨”和“分辩”是两个同音词,意思不同,用法也不同,书写时要注意。

语境示例 Examples

① 孩子还小,还不能<u>分辨</u>这件事的是非。(＊孩子还小,还不能<u>分辩</u>这件事的是非。)

② 要培养青少年<u>分辨</u>是非好坏的能力。(＊要培养青少年<u>分辩</u>是非好坏的能力。)

③ 他们俩谁是哥哥,谁是弟弟,还真不容易<u>分辨</u>。(＊他们俩谁是哥哥,谁是弟弟,还真不容易<u>分辩</u>。)

④ 他根本不容我<u>分辩</u>,就把我训了一通,其实这事跟我一点儿关系都没有。(＊他根本不容我<u>分辨</u>,就把我训了一通,其实这事跟

我一点儿关系都没有。)

⑤ 对这些无聊的造谣中伤，你根本不用去理，你要是分辩，反倒上了他们的当。（*对这些无聊的造谣中伤，你根本不用去理，你要是分辨，反倒上了他们的当。)

⑥ 事实很清楚，用不着我去分辩。（*事实很清楚，用不着我去分辨。)

F

455 分别[动]fēnbié ▶ 告别[动]gàobié

词义说明 Definition

分别[part; leave; say goodbye to each other] 离别。

告别 [leave; part from] 离别，辞别。[bid farewell to; say goodbye to each other] 告诉自己离别的消息。

词语搭配 Collocation

	跟朋友～	已经～三年了
分别	√	√
告别	√	×

用法对比 Usage

用法解释 Comparison

“分别”和“告别”都有离别的意思，但是，动词“告别”是及物动词，可以带宾语，“分别”是不及物动词，不能带宾语。“告别”可以分开用，“分别”不能。

语境示例 Examples

① 我依依不舍地告别了在一起学习和生活了一年的同学，回到了家乡。（*我依依不舍地分别了在一起学习和生活了一年的同学，回到了家乡。)

② 就要回国了，这几天我忙着向朋友们告别。（*就要回国了，这几天我忙着向朋友们分别。)

③ 我去向老师告个别。（*我去向老师分个别。)

“分别”可以带时量补语，“告别”不能带时量补语。

① 我们已经分别三年了。（*我们已经告别三年了。)

② 分别不到一年又见面了。（*告别不到一年又见面了。)

456 分别[动、副]fēnbié ▶ 各别[形]gèbié

词义说明 Definition

分别[distinguish; differentiate] 辨别。[difference] 不同。[separately; respectively] 分头，各自。

各别[distinct; different] 各不相同；有分别。[out of the ordinary; peculiar; odd; eccentric; funny] 特别（含贬义），与众不同。

词语搭配 Collocation

	～好坏	～真假	～善恶	没有～	～对待	～处理	～会见	～代表	很～	真～
分别	√	√	√	√	√	√	√	√	×	×
各别	×	×	×	×	√	√	×	×	√	√

用法对比 Usage

用法解释 Comparison

“分别”是动词也是副词，而“各别”是形容词；它们都可以作谓语或状语，但“各别”还表示特别，有贬义。“分别”无此用法。

语境示例 Examples

① 对这两个问题要分别处理。（*对这两个问题要各别处理。）

② 盗版音像制品和正版的很难分别。（*盗版音像制品和正版的很难各别。）

③ 盗版的和正版的还是有分别的，只要仔细分别还是可以分别出来的。（*盗版的和正版的还是有各别的，只要仔细各别还是可以各别出来的。）

④ 国家主席和总理分别会见了他。（*国家主席和总理各别会见了他。）

⑤ 这个人的性格真各别。（*这个人的性格真分别。）

457 分别[动]fēnbié ▶ 离别[动]líbié

词义说明 Definition

分别[part; leave; say goodbye to each other] 离别。

离别[part (for a longish period); leave; bid farewell] 比较长时间地跟熟悉的人或地方分开。

词语搭配 Collocation

	跟大家～	～家人	～亲人	～父母	～家乡	～祖国
分别	√	×	×	×	×	×
离别	√	√	√	√	√	√

用法对比 Usage

F

用法解释 Comparison

“离别”和“分别”都是动词。不同的是，“离别”是及物动词，可以带宾语，宾语可以是人、也可以是地方。例如“离别妻子、离别家乡”。“分别”只指人和人的离别，是不及物动词，不能带宾语，不能说“分别朋友”，要说“跟朋友分别”。

语境示例 Examples

① 我们就要分别了。(☺我们就要离别了。)
② 我就要离别母校走上工作岗位了。(＊我就要分别母校走上工作岗位了。)
③ 离别家乡已经有十年了，这是第一次回来。(＊分别家乡已经有十年了，这是第一次回来。)
④ 他们分别不久就又见面了。(＊他们离别不久就又见面了。)
⑤ 离别家乡，离别亲人，一个人在国外学习和生活的滋味真不好受。(＊分别家乡，分别亲人，一个人在国外学习和生活的滋味真不好受。)
⑥ 离别中国和母校已经三年多了，非常想念老师和同学们。(＊分别中国和母校已经三年多了，非常想念老师和同学们。)

458 分明[形]fēnmíng ▶ 明明[副]míngmíng

词义说明 Definition

分明 [clear; distinct; unmistakable] 清楚，明白，显然。[clearly; evidently; obviously] 明明。

明明[obviously; plainly; undoubtedly] 显然如此；确实（下文意思往往转折）。

词语搭配 Collocation

	黑白～	是非～	～知道	～说过	～去了	～是…
分明	√	√	√	√	√	√
明明	×	×	√	√	√	√

用法对比 Usage

用法解释 Comparison

“分明”是形容词，“明明”是副词，“明明”和“分明”有相同的意义和用法。但是，“明明”在句子中作状语，表示显然如此或确实如此，下文意思往往转折，有不满或责怪的意味。“明明”不能作补语和谓语，“分明”可以作补语和谓语。

语境示例 Examples

① 你明明知道为什么说不知道呢？（☺你分明知道为什么说不知道呢？）

② 这话你明明说过为什么不敢承认呢？（☺这话你分明说过为什么不敢承认呢？）

③ 他分明知道这么干的后果，可是还坚持这么干。（☺他明明知道这么干的后果，可是还坚持这么干。）

④ 分明是你做错了，为什么怪别人呢？（☺明明是你做错了，为什么怪别人呢？）

⑤ 这件事谁是谁非大家都看得很分明。（＊这件事谁是谁非大家都看得很明明。）

⑥ 做人就要是非分明。（＊做人就要是非明明。）

459 分钟[名]fēnzhōng ▶ 分[名、量]fēn

词义说明 Definition

分钟[minute] 时间单位，等于1/60小时或60秒。

分[minute] 时间单位：一小时等于60～｜一～为60秒。[express fractions and percentages] 表示分数：三～之一｜百～之五十。[point; mark] 评定成绩：连得两～｜考了100～。[branch (of an organization)] 分支，部分：～社｜～店｜～行｜～册。

词语搭配 Collocation

	六十～	八点十～	踢了九十～	考了一百～	百～之一	三～之二
分钟	√	×	√	×	×	×
分	√	√	×	√	√	√

用法对比 Usage

用法解释 Comparison

"分"和"分钟"都可以表示时间，但"分"另有其他用法。

语境示例 Examples

① 一个小时是60分钟。(☺一个小时是60分。)
② 我们每天八点上课，我七点五十分到教室。(＊我们每天八点上课，我七点五十分钟到教室。)
③ 现在是八点十分。(＊现在是八点十分钟。)

"分"还表示成绩，分支等意思，"分钟"没有这个意思，"分"的以下用法都不能用"分钟"替代。

① 这次考试我得了90分。
② 我们班男生只占三分之一。
③ 5号投篮投得真准，他一个人就得了25分。
④ 我们银行在中国开设有分行。
⑤ 这家公司在中国设有分公司。

460 吩咐[动]fēnfù ▶ 嘱咐[动]zhǔfù

词义说明 Definition

吩咐[tell; instruct] 口头指派或命令；嘱咐。

嘱咐[enjoin; tell] 告诉对方记住应该怎样，不应该怎样。

词语搭配 Collocation

	听他～	请您～	再三～	～孩子	～他
吩咐	√	√	√	√	√
嘱咐	√	×	√	√	√

用法对比 Usage

用法解释 Comparison

"吩咐"一般用于上级对下级，长辈对晚辈，"嘱咐"除了有

"吩咐"的用法外，也用于同学、同事和同辈之间。

语境示例 Examples

① 这件事我已经吩咐他去办了。(☺这件事我已经嘱咐他去办了。)
② 老师吩咐我要好好照顾你。(☺老师嘱咐我要好好照顾你。)
③ 我再三嘱咐他不要去，他就是不听。（*我再三吩咐他不要去，他就是不听。）
④ 我该干什么，请您吩咐。(*我该干什么，请您嘱咐。)
⑤ 我不会忘记父母对我的嘱咐。(*我不会忘记父母对我的吩咐。)

F

461 纷纷[形]fēnfēn ▶ 连续[动]liánxù

词义说明 Definition

纷纷[(of opinions, falling objects, etc.) numerous and confused]（言论、往下落的东西等）多而杂乱。[one after another; in succession]（许多人或事物）接二连三地。

连续[continuously; successively; in a row] 一个接一个。

词语搭配 Collocation

	乱~的	~议论	议论~	~下落	~提意见	~不断	电视~剧
纷纷	√	√	√	√	√	×	×
连续	×	×	×	√	√	√	√

用法对比 Usage

用法解释 Comparison

"纷纷"是形容词，"连续"是动词，它们的意思和用法都不同，不能相互替换。

语境示例 Examples

① 秋深了，一阵风吹来，树叶纷纷飘落。(*秋深了，一阵风吹来，树叶连续飘落。)
② 对这件事大家都议论纷纷。(*对这件事大家都议论连续。)
③ 大家纷纷举手要求发言。(*大家连续举手要求发言。)
④ 这篇小说我连续看了三个晚上。（*这篇小说我纷纷看了三个晚上。）
⑤ 学外语最好连续学，不要时断时续。（*学外语最好纷纷学，不要时断时续。）

⑥ 这家航空公司连续几十年没出过事故。(*这家航空公司纷纷几十年没出过事故。)

462 分外[副、名]fènwài ▶ 特别[副、形]tèbié

词义说明 Definition

分外[particularly; especially] 超出平常，特别，格外。[not one's job or duty] 本分以外：~的工作。

特别[special; particular; out of the ordinary] 与众不同，不普通，不一般。[especially; particularly] 格外。[for a special purpose; specially] 特地；特意；尤其。

词语搭配 Collocation

	~高兴	~香甜	~明亮	~的事	~聪明	~关心	~指出	很~	~场合
分外	√	√	√	√	√	√	×	×	×
特别	√	√	√	√	√	√	√	√	√

用法对比 Usage

用法解释 Comparison

"分外"是副词也是名词，"特别"既是副词也是形容词，作为副词，它们的用法基本相同，其他词性的用法不同。

语境示例 Examples

① 知道姐姐要从国外回来了，爸爸妈妈这几天分外高兴。(☺知道姐姐要从国外回来了，爸爸妈妈这几天特别高兴。)

② 中秋之夜，月亮显得分外明亮。(☺中秋之夜，月亮显得特别明亮。)

③ 服务员对外国客人显得分外热情。(☺服务员对外国客人显得特别热情。)

④ 这套衣服是在特别场合才穿的。(*这套衣服是在分外场合才穿的。)

⑤ 北京四季分明，特别是秋季，不冷不热，是一年中最好的季节。(*北京四季分明，分外是秋季，不冷不热，是一年中最好的季节。)

⑥ 应该特别指出的是，文化有异同，但没有优劣之分，不同文化之间要相互学习和借鉴。(*应该分外指出的是，文化有异同，但

没有优劣之分，不同文化之间要相互学习和借鉴。)
“分外”有名词的用法。“特别”没有这个用法。
干工作他从来不分分内分外。(＊干工作他从来不分分内特别。)

463 奋斗[动]fèndòu ▶ 斗争[动、名]dòuzhēng

词义说明 Definition

奋斗[struggle; fight; strive; work hard] 为了达到一定的目的而努力干。

斗争[struggle; fight; combat] 矛盾的双方互相冲突，一方力求战胜另一方。[censure; condemn] 用说理、揭发、控诉等方式打击敌对分子或坏分子。[strive for; fight for] 努力奋斗。

词语搭配 Collocation

	～目标	～到底	努力～	艰苦～	为…而～	思想～	阶级～
奋斗	√	√	√	√	√	×	×
斗争	×	√	×	×	√	√	√

用法对比 Usage

用法解释 Comparison

“奋斗”和“斗争”都有为达到一定的目的努力去干的意思，但“斗争”的对象一般为恶劣环境、困难和敌人以及坏人坏事等。“奋斗”不含这个意思。“斗争”可以带宾语，“奋斗”不能。

语境示例 Examples

① 他为世界和平事业英勇奋斗了一生。(☺为世界和平事业英勇斗争了一生。)

② 罢工是工人同资本家斗争的重要手段。(＊罢工是工人同资本家奋斗的重要手段。)

③ 最好在年轻的时候找到自己人生的奋斗目标。(＊最好在年轻的时候找到自己人生的斗争目标。)

④ 这些青年人都在为实现自己的理想而努力奋斗。(＊这些青年人都在为实现自己的理想而努力斗争。)

⑤ 艰苦奋斗是我们事业成功的重要条件。(＊艰苦斗争是我们事业成功的重要条件。)

⑥ 大学毕业以后，是来中国留学还是参加工作，当时我曾经有过激烈的思想斗争。（＊大学毕业以后，是来中国留学还是参加工作，当时我曾经有过激烈的思想奋斗。）

464 愤恨[形、动]fènhèn ▶ 仇恨[动、名]chóuhèn

F

词义说明 Definition

愤恨[indignantly resent；furiously detest] 愤怒痛恨。

仇恨[hate bitterly or intensely becaccse of a conflict of interests] 因利害冲突而强烈憎恨。[hatred；enmity；hostility] 因利害冲突而产生的恨。

词语搭配 Collocation

	令人～	十分～	～敌人	民族～	没有～	～如山	满腔～
愤恨	√	√	×	×	×	×	×
仇恨	×	√	√	√	√	√	√

用法对比 Usage

用法解释 Comparison

“愤恨”是不及物动词，也是形容词，“仇恨”是及物动词也是名词，“愤恨”要比仇恨的程度低，不能带宾语，“仇恨”可以带宾语，它们不能相互替换。

语境示例 Examples

① 一些官员的贪污腐败行为引起了人民的普遍愤恨。（＊一些官员的贪污腐败行为引起了人民的普遍仇恨。）

② 这种破坏自然，污染环境的行为实在令人愤恨。（＊这种破坏自然，污染环境的行为实在令人仇恨。）

③ 这两国人民之间的仇恨是因为领土的争端引起的。（＊这两国人民之间的愤恨是因为领土的争端引起的。）

④ 侵略者种下的仇恨是不会轻易消除的。（＊侵略者种下的愤恨是不会轻易消除的。）

⑤ 你们之间没有根本的利害冲突，不应该互相仇恨。（＊你们之间没有根本的利害冲突，不应该互相愤恨。）

465 愤怒[形]fènnù ▶ 发怒fā nù

词义说明 Definition

愤怒[indignation; anger; wrath] 因为非常气愤而发怒。

发怒[get angry; flare up; lose one's temper] 非常生气。

词语搭配 Collocation

	很～	无比～	～的群众	～声讨	不要～	别～
愤怒	√	√	√	√	×	×
发怒	×	×	√	×	√	√

用法对比 Usage

用法解释 Comparison

"愤怒"是形容词，"发怒"是动宾词组；"发怒"可以分开用，"愤怒"不能。

语境示例 Examples

① 愤怒的群众烧了警察的汽车。(☺发怒的群众烧了警察的汽车。)

② 不必为这么一件微不足道的事发怒。(＊不必为这么一件微不足道的事愤怒。)

③ 人民纷纷上街游行示威，愤怒声讨侵略者的暴行。(＊人民纷纷上街游行示威，发怒声讨侵略者的暴行。)

④ 他性格太暴躁，遇到一点儿不高兴的事就发怒。(＊他性格太暴躁，遇到一点儿不高兴的事就愤怒。)

⑤ 愤怒的烈火在他胸中燃烧。(＊发怒的烈火在他胸中燃烧。)

466 愤怒[形]fènnù ▶ 恼怒[形、动]nǎonù

词义说明 Definition

愤怒[indignation; anger; wrath] 因极度不满而情绪激动。

恼怒[angry; resentful; enrage] 生气，发怒；使恼怒；触怒。

词语搭配 Collocation

	很～	十分～	非常～	～极了	～的人群	～的吼声	让他～	～了他
愤怒	√	√	√	√	√	√	√	×
恼怒	√	√	√	√	×	×	√	√

用法对比 Usage

用法解释 Comparison

“愤怒”和“恼怒”的意思不尽相同，“愤怒”可以描绘个人情绪，也可以是集体行为，而“恼怒”说的只是个人的情绪和行为。另外，“恼怒”有动词的用法，可以带宾语，“愤怒”不能带宾语。

语境示例 Examples

① 听到这些谣言，她感到十分愤怒。(☺听到这些谣言，她感到十分恼怒。)

② 一句话恼怒了她，于是她再也不理我了。(*一句话愤怒了她，于是她再也不理我了。)

③ 示威的群众愤怒地高呼口号“要和平，不要战争”。(*示威的群众恼怒地高呼口号“要和平，不要战争”。)

⑤ 在群众集会上，他愤怒地发言，声讨侵略者的罪行。(*在群众集会上，他恼怒地发言，声讨侵略者的罪行。)

⑥ 游行队伍愤怒的口号声响彻城市上空。(*游行队伍恼怒的口号声响彻城市上空。)

467 丰富[形、动]fēngfù ▶ 多[形、动]duō

词义说明 Definition

丰富[rich; abundant; plentiful]（物质财富，学识经验等）种类多或数量大。[enrich] 使丰富。

多[many; much; more] 数量大（跟“少”和“寡”相对）。[have (a specified amount) too many or too much] 比原有的数目有所增加（跟“少”相对）。

词语搭配 Collocation

	很～	～多彩	物产～	知识～	内容～	～业余生活	～生活经验	～了
丰富	√	√	√	√	√	√	√	√
多	√	×	×	√	√	×	×	√

用法对比 Usage

用法解释 Comparison

“丰富”包括种类多和数量多两层意思；“多”只是数量大，

不一定丰富。“丰富”可以修饰双音节词语，“多”不能。“多”和“丰富”都可带宾语。

语境示例 Examples

① 丰富：这本书的内容很丰富。（有各种各样的内容）
多：这本书的内容很多。（内容的量大）
② 今天宴会上的菜很丰富。（☺今天宴会上的菜很多。）
③ 老人有丰富的生活经验。（＊老人有多的生活经验。）（☺老人有很多的生活经验。）
④ 当翻译需要有丰富的知识。（＊当翻译需要有多的知识。）（☺当翻译需要有很多的知识。）
⑤ 开展文娱活动，丰富学生们的业余文化生活。（＊开展文娱活动，多学生们的业余文化生活。）
⑥ 今天我们班多了一个人。（＊今天我们班丰富了一个人。）

468 丰盛[形]fēngshèng ▶ 丰富[形、动]fēngfù

词义说明 Definition

丰盛［(of materials) rich; abundant; sumptuous］（物质方面）丰富。

丰富［(of material wealth, learning, experience, etc.) rich; abundant; plentiful］（物质财富、学识经验等）种类多或数量大。［enrich］使丰富。

词语搭配 Collocation

	非常～	～的宴席	饭菜～	知识～	资源～	资料～	～的经验	～自己	～业余生活
丰盛	√	√	√	×	×	×	×	×	×
丰富	√	×	×	√	√	√	√	√	√

用法对比 Usage

用法解释 Comparison

“丰盛”多形容食品酒菜等，“丰富”可以修饰物质的东西也可以修饰精神的东西，例如物产、书籍、知识、经验、感情、内容、节目等，还可以作动词用。

语境示例 Examples

① 昨天的宴会非常丰盛。（＊昨天的宴会非常丰富。）

② 这本书的内容非常丰富。（＊这本书的内容非常丰盛。）
③ 中国的水力资源非常丰富，只是还没有充分开发和利用。（＊中国的水力资源非常丰盛，只是还没有充分开发和利用。）
④ 他在商海已经闯荡十几年了，有着丰富的经商经验。（＊他在商海已经闯荡十几年了，有着丰盛的经商经验。）
⑤ 我想多参加一些社会活动，丰富自己的阅历和经验。（＊我想多参加一些社会活动，丰盛自己的阅历和经验。）
⑥ 要开展多种多样的文化活动，丰富职工的业余文化生活。（＊要开展多种多样的文化活动，丰盛职工的业余文化生活。）

469 丰收[动]fēngshōu ▶ 丰产[动]fēngchǎn

词义说明 Definition

丰收[bumper harvest] 收成好，产量高；作品很多的情况。
丰产[high yield; bumper crop] 农业上指比一般产量高。

词语搭配 Collocation

	～经验	～田	大～	～年	粮食～了
丰收	√	×	√	√	√
丰产	√	√	×	×	×

用法对比 Usage

用法解释 Comparison

“丰收”的可以是具体事物（如小麦、西瓜等），也可以是抽象事物（思想、创作等），“丰产”的对象只能是具体事物（庄稼、蔬菜等）。

语境示例 Examples

① 今年农业又获得了大丰收。（＊今年农业又获得了大丰产。）
② 这是一块丰产田，他们种植的优质西瓜获得了高产。（＊这是一块丰收田，他们种植的优质西瓜获得了高产。）
③ 今年我们种植的一万亩小麦获得了大丰收。（＊今年我们种植的一万亩小麦获得了大丰产。）
④ 今年雨水充足，庄稼长势很好，丰收在望。（＊今年雨水充足，庄稼长势很好，丰产在望。）
⑤ 近年来长篇小说创作获得了丰收。（＊近年来长篇小说创作获得了丰产。）

470 风格[名]fēnggé ▶ 风度[名]fēngdù

词义说明 Definition

风格[style; manner; mode] 气度，作风；一个时代、一个民族、一个流派或一个人的艺术作品所表现的主要的思想特点和艺术特点。

风度[graceful demeanour; elegant bearing] 美好的举止姿态。

F

词语搭配 Collocation

	～独特	～高尚	艺术～	民族～	很有～	没有～	～大方
风格	√	√	√	√	√	√	×
风度	×	×	×	×	√	√	√

用法对比 Usage

用法解释 Comparison

"风格"指事物，也指人，"风度"指人，不能指事物。

语境示例 Examples

① 风格：他是一个很有风格的作家。（指他的作品有鲜明的个人特点）

风度：他是一个很有风度的作家。（指他本人的行为举止美好高雅）

② 一个作家需要多年的创作实践才能形成自己的风格。（*一个作家需要多年的创作实践才能形成自己的风度。）

③ 这是一座具有十八世纪建筑风格的楼房。（*这是一座具有十八世纪建筑风度的楼房。）

④ 这种服装富有民族风格。（*这种服装富有民族风度。）

⑤ 你穿上这套西服显得很有风度。（*你穿上这套西服显得很有风格。）

471 风光[名]fēngguāng ▶ 风景[名]fēngjǐng

词义说明 Definition

风光[scenery; scene; sight; view] 风景；景物。

风景[scenery; landscape] 由山水、树木、花草、建筑以及某些自然现象形成的可供观赏的景象。

词语搭配 Collocation

	好～	自然～	北国～	～区	～点	～宜人	美丽的～
风光	√	√	√	×	×	√	√
风景	√	√	×	√	√	√	√

用法对比 Usage

用法解释 Comparison

"风景"和"风光"是同义词，用法的不同在与其他词语的搭配上。

语境示例 Examples

① 云南昆明是一座风景美丽的城市。(☺云南昆明是一座风光美丽的城市。)

② 西湖的风景非常美。(☺西湖的风光非常美。)

③ 中国很多自然风光是世界上少有的。(☺中国很多自然风景是世界上少有的。)

④ 中国各地都有自己独具特点的风景点。(*中国各地都有自己独具特点的风光点。)

⑤ 中国著名的风景区太多了，像桂林山水，云南石林，杭州西湖，山东泰山，长江三峡，万里长城等，都世界闻名。(*中国著名的风光区太多了，像桂林山水，云南石林，杭州西湖，山东泰山，长江三峡，万里长城等，都世界闻名。)

⑥ 新建的这几栋楼真是大煞风景。(*新建的这几栋楼真是大煞风光。)

472 风趣[名、形]fēngqù ▶ 有趣[形]yǒuqù

词义说明 Definition

风趣[(of speech or writing) humour; wit]（说话或文章）幽默或诙谐的趣味。

有趣[interesting; fascinating; amusing] 有意思，有趣味。

词语搭配 Collocation

	很～	～的故事	有～	没有～
风趣	√	×	√	√
有趣	√	√	×	×

用法对比 Usage

用法解释 Comparison

"风趣"既是形容词也是名词，形容词"风趣"多修饰人或语言等；"有趣"只是个形容词，修饰人，也修饰故事、书籍、影视作品等。

语境示例 Examples

① 这篇小说的语言幽默风趣，很有可读性。(☺这篇小说的语言幽默有趣，很有可读性。)
② 他是个很风趣的人。(☺他是个很有趣的人。)
③ 他说话很有风趣，常常逗得大家发笑。(*他说话很有有趣，常常逗得大家发笑。)
④ 这是一本有趣的书，孩子们一定喜欢。(*这是一本风趣的书，孩子们一定喜欢。)
⑤ 这个电脑游戏很有趣。(*这个电脑游戏很风趣。)

473 风尚[名]fēngshàng ▶ 风气[名]fēngqì

词义说明 Definition

风尚[prevailing custom (or practice, habit)] 一个时期社会上流行的风气和习惯。

风气[general mood; atmosphere; common (or established) practice]社会上或某个集体中流行的爱好或习惯。

词语搭配 Collocation

	时代～	社会～	不良～	现代～
风尚	√	√	×	√
风气	×	√	√	×

用法对比 Usage

用法解释 Comparison

"风气"是中性名词，有好有坏，"风尚"是个褒义词，指大家崇尚、尊重的风气。

语境示例 Examples

① 努力促进社会风气向着健康文明的方向转变。(☺努力促进社会风

尚向着健康文明的方向转变。)

② 要树立和培养良好的社会风尚。(☺要树立和培养良好的社会风气。)

③ 铺张浪费是一种不良的风气。(*铺张浪费是一种不良的风尚。)

④ 奋发有为,奉献社会是应该提倡的风尚。(*奋发有为,奉献社会是应该提倡的风气。)

⑤ 这个服装展示会体现了现代风尚。(*这个服装展示会体现了现代风气。)

F

474 风险[名]fēngxiǎn ▶ 危险[形、名]wēixiǎn

词义说明 Definition

风险[risk; hazard; danger] 可能发生的损失,损害。

危险[dangerous; perilous] 有遭到失败、损害、甚至死亡的可能或情况。

词语搭配 Collocation

	担~	冒着~	有~	没~	太~了	~品	~时期	~区	预防~
风险	√	√	√	√	×	×	×	×	×
危险	×	×	√	√	√	√	√	√	√

用法对比 Usage

用法解释 Comparison

“危险”是名词也是形容词,“风险”只是名词,“危险”可以作谓语,“风险”不能作谓语。

语境示例 Examples

① 这样做会有风险吗?(☺这样做会有危险吗?)

② 炒股票是要冒风险的。(*炒股票是要冒危险的。)

③ 高收入的工作也意味着高风险。(*高收入的工作也意味着高危险。)

④ 酒后开车太危险了。(*酒后开车太风险了。)

⑤ 危险品的运输和保存有严格的安全措施。(*风险品的运输和保存有严格的安全措施。)

⑥ 前边的道路比较危险,行车一定要小心。(*前边的道路比较风险,行车一定要小心。)

⑦ 严禁携带危险品上车。(*严禁携带风险品上车。)

475 否定[动]fǒudìng ▶ 否决[动]fǒujué ▶ 否认[动]fǒurèn

词义说明 Definition

否定[(as opposed to 'affirm' or 'uphold') negate; deny; negative] 否认事物存在或事物的真实性（跟"肯定"相对）；表示否认的，反面的（跟"肯定"相对）。

否决[(proposal) reject; vote down; veto; overrule] 否定（议案）。

否认[deny; disavow; repudiate] 不承认。

词语搭配 Collocation

	不能～	～一切	全盘～	～权	～议案	～了我的计划	～事实	一口～
否定	√	√	√	×	×	√	×	√
否决	√	×	×	√	√	√	×	×
否认	√	×	×	×	×	×	√	√

用法对比 Usage

用法解释 Comparison

"否认"的动作主体是个人或组织；"否决"的动作主体一定是组织或会议，不能是个人；"否定"没有此限，它的反义词是"肯定"。

语境示例 Examples

① 联合国大会否决了少数几个国家的提案。（*联合国大会否定/否认了少数几个国家的提案。）

② 这些事实是不能否认的。（*这些事实是不能否定/否决的。）

③ 如果他们把这个议案提交大会，我们将行使否决权。（*如果他们把这个议案提交大会，我们将行使否定/否认权。）

④ 我对这个问题的回答是否定的。（*我对这个问题的回答是否认/否决的。）

⑤ 我不否认抽烟对身体有害，但是，就是戒不掉。（*我不否定/否决抽烟对身体有害，但是，就是戒不掉。）

⑥ 历史事实就是历史事实，不是一本历史教科书就能随便否认/否定得了的。（*历史事实就是历史事实，不是一本历史教科书就能随便否决得了的。）

476 否则[连]fǒuzé ▶ 不然[连]bùrán

用法对比 Usage

否则[otherwise; or else; if not] 如果不是这样，就……

不然[not so; or else; otherwise; if not] 如果不是上文所说的情况，就发生或可能发生下文所说的情况。

用法对比 Usage

F

用法解释 Comparison

"不然"和"否则"都用在复句的第二个分句前，都有"如果不这样的话，就……"的意思。"否则"多见于书面，"不然"多用于口语。

语境示例 Examples

① 要先预习好生词和语法，否则上课就听不懂老师的话。(☺要先预习好生词和语法，不然上课就听不懂老师的话。)

② 必须马上送医院抢救，否则会有生命危险。(☺必须马上送医院抢救，不然会有生命危险。)

③ 她一定是遇到什么事了，不然不会到现在还不来。(☺她一定是遇到什么事了，否则不会到现在还不来。)

④ 我们快点走吧，不然就来不及了。(*我们快点走吧，否则就来不及。)

"不然"还有"不是这样"的意思。"否则"没有这个意思。

有的学生想，学习汉语只练习口语就行了，不用学汉字；其实不然，不学汉字肯定学不好汉语。(*有的学生想，学习汉语只练习口语就行了，不用学汉字；其实否则，不学汉字肯定学不好汉语。)

477 夫妇[名]fūfù ▶ 夫妻[名]fūqī

词义说明 Definition

夫妇[husband and wife] 丈夫和妻子。

夫妻[husband and wife] 丈夫和妻子。

词语搭配 Collocation

	~二人	新婚~	我们~	他们~	~店	结发~
夫妇	√	√	×	√	×	×
夫妻	√	√	√	√	√	√

用法对比 Usage

用法解释 Comparison

"夫妇"和"夫妻"同义，"夫妻"可以自称，但"夫妇"只能用于他称，不能自称。

语境示例 Examples

① 他们夫妇俩最近正在闹离婚呢。（☺他们夫妻俩最近正在闹离婚呢。）
② 他们是一对环保夫妻，把自己的一生都献给了环保事业。（☺他们是一对环保夫妇，把自己的一生都献给了环保事业。）
③ 夫妻之间应该相互信任和理解。（*夫妇之间应该相互信任和理解。）
④ 我们夫妻一直感情很好。（*我们夫妇一直感情很好。）
⑤ 这个饺子店是一家夫妻店，生意做得很红火。（*这个饺子店是一家夫妇店，生意做得很红火。）

478 敷衍[动]fūyǎn ▶ 应付[动]yìngfù

词义说明 Definition

敷衍[act in a perfunctory manner; go through the motions] 做事不负责或待人不诚恳，只做表面上的应付：不能～别人。[barely get by; just manage] 勉强维持：一个月一千块完全可以～。

应付[deal with; cope with; handle] 对人对事采取措施、办法：难于～。[do sth. perfunctorily; do sth. after a fashion] 敷衍了事：～一下。[make do] 将就；凑合：他的英语还能～。

词语搭配 Collocation

	～领导	～检查	～考试	～过去	～了事	～一下	～差事	～突然事件	～不了	难～
敷衍	√	√	√	√	√	√	×	×	√	√
应付	√	√	√	√	×	√	√	√	√	√

用法对比 Usage

用法解释 Comparison

"敷衍"是个贬义词，不常带宾语；"应付"是个中性词，常带宾语。

语境示例 Examples

① 对工作不能采取敷衍的态度。(☺对工作不能采取应付的态度。)
② 他们做的都是表面工作，目的是为了应付上级检查。(☺他们做的都是表面工作，目的是为了敷衍上级检查。)
③ 作业要认真做，不能敷衍了事。（*作业要认真做，不能应付了事。)
④ 这里的冬天一点儿都不冷，有这件毛衣就应付过去了。（*这里的冬天一点儿都不冷，有这件毛衣就敷衍过去了。)
⑤ 这几天的事太多，我一个人应付不过来，你来帮帮我吧。（*这几天的事太多，我一个人敷衍不过来，你来帮帮我吧。)
⑥ 他的能力很强，才来一年多，对工作就能应付自如了。（*他的能力很强，才来一年多对，工作就能敷衍自如了。)

479 服[动]fú ▶ 服从[动]fúcóng

词义说明 Definition

服[be convinced; obey] 服从，信服；使信服。

服从[obey; submit (oneself) to; be subordinated to] 遵照，听从。

词语搭配 Collocation

	不～	心～口～	～众	以理～人	～命令	少数～多数	～领导
服	√	√	√	√	×	×	×
服从	√	×	×	×	√	√	√

用法对比 Usage

用法解释 Comparison

“服”和“服从”的意思和用法不同，它们不能相互替换。

语境示例 Examples

① 要让人家服，只能说服，不能压服。（*要让人家服从，只能说服从，不能压服从。)
② 要以理服人，不能以势压人。（*要以理服从人，不能以势压人。)
③ 民主的原则之一就是少数服从多数。（*民主的原则之一就是少

数服多数。)

④ 他的一番话说得大家心服口服。(＊他的一番话说得大家心服从口服从。)

⑤ 军人以服从命令为天职。(＊军人以服命令为天职。)

⑥ 冬泳爱好者冒着零下十几度的严寒，在河里自由自在地游，我真是服了。(＊冬泳爱好者冒着零下十几度的严寒，在河里自由自在地游，我真是服从了。)

480 服装[名]fúzhuāng ▶ 衣服[名]yīfu

词义说明 Definition

服装[dress; clothing; costume] 衣服鞋帽的总称。

衣服[clothing; clothes] 穿在身上遮蔽身体和御寒的东西。

词语搭配 Collocation

	～店	民族～	～整齐	～设计	一件～	洗～	穿上～
服装	√	√	√	√	×	×	×
衣服	×	×	×	×	√	√	√

用法对比 Usage

用法解释 Comparison

“服装”是衣服的总称，是不可数名词，“衣服”是可数名词，它的量词是“件”。

语境示例 Examples

① 中国少数民族的服装，五彩斑斓，非常漂亮。(☺中国少数民族的衣服，五彩斑斓，非常漂亮。)

② 朋友开了一家服装店，生意挺红火。(＊朋友开了一家衣服店，生意挺红火。)

③ 她是在意大利学的服装设计。(＊她是在意大利学的衣服设计。)

④ 我要去商店买一件衣服。(＊我要去商店买一件服装。)

⑤ 下午我去找她的时候，她正在洗衣服。(＊下午我去找她的时候，她正在洗服装。)

⑥ 等一下，我回去换一件衣服。(＊等一下，我回去换一件服装。)

481 抚摸[动]fǔmō ▶ 摸[动]mō

词义说明 Definition

抚摸[stroke] 用手轻轻地按着并来回移动。

摸[feel; stroke; touch] 用手接触物体或接触后轻轻地移动。[feel for; grope for; fumble] 用手探取。[try to find out; feel out; sound out] 试着了解，试着做。[grope one's way on a dark night] 在黑暗中行动，在认不清的道路上行走。

F

词语搭配 Collocation

	～了一下	～一～	～了～	～着她的头	～出	～到床前	～鱼
抚摸	√	×	×	√	×	×	×
摸	√	√	√	√	√	√	√

用法对比 Usage

用法解释 Comparison

"摸"的对象可以是人，也可以是物，"抚摸"的对象只能是人。

语境示例 Examples

① 老师抚摸着他的头说："这孩子很聪明，就是贪玩儿。"(☺老师摸着他的头说："这孩子很聪明，就是贪玩儿。")

② 我摸了摸他的额头，觉得有点儿热。(＊我抚摸了抚摸他的额头，觉得有点儿热。)

③ 你摸摸，这是不是真丝的。(＊你抚摸抚摸，这是不是真丝的。)

④ 他摸了半天才从口袋里摸出一张票来。(＊他抚摸了半天才从口袋里抚摸出一张票来。)

⑤ 你先去摸摸那儿的情况。(＊你先去抚摸抚摸那儿的情况。)

⑥ 屋子里太黑，我摸了半天才找到电灯开关。(＊屋子里太黑，我抚摸了半天才找到电灯开关。)

482 抚养[动]fǔyǎng ▶ 抚育[动]fǔyù

词义说明 Definition

抚养[foster; raise; rear; bring up] 爱护并供给衣、食、住等生

活必需品使健康成长。

抚育[foster; nurture; tend] 照料并教育儿童，使健康成长。照管动植物，使很好地生长。

词语搭配 Collocation

	～孤儿	～子女	～成人	～成材	～花草	～熊猫幼崽
抚养	√	√	√	×	×	×
抚育	√	√	×	√	√	√

用法对比 Usage

用法解释 Comparison

"抚养"的对象只能是人，"抚育"的对象可以是人，也可以是动植物。

语境示例 Examples

① 她一个人抚养了四五个孤儿。(☺她一个人抚育了四五个孤儿。)

② 父母对子女有抚养教育的义务。(＊父母对子女有抚育教育的义务。)

③ 这三个孤儿在她的抚育下，如今都长大成才了。(＊这三个孤儿在她的抚养下，如今都长大成才了。)

④ 老师们辛勤抚育我们成长，我们永远不会忘记老师的教导。(＊老师们辛勤抚养我们成长，我们永远不会忘记老师的教导。)

⑤ 这个动物园繁殖抚育成功了十多只大熊猫。(＊这个动物园繁殖抚养成功了十多只大熊猫。)

483 辅导[动、名]fǔdǎo ▶ 指导[动、名]zhǐdǎo

词义说明 Definition

辅导[coach; give guidance in study or training] 帮助和指导。

指导[guide; direct] 指示教导；指点引导。[coach] 体育运动的教练员。

词语搭配 Collocation

	课外～	～数学	～～	～学生	～员	～学生做实验	～写论文	场外～	王～
辅导	√	√	√	√	√	×	×	×	×
指导	√	×	√	√	√	√	√	√	√

用法对比　Usage

用法解释 Comparison

“辅导”是教学行为，“辅导”的动作主体是老师，“指导”的动作主体可以老师，也可以是教练、领导等。

语境示例 Examples

① 我想请老师课外给我辅导辅导。（☺我想请老师课外给我指导指导。）

② 我请了一个家教给孩子辅导数学。（＊我请了一个家教给孩子指导数学。）

③ 今天物理课老师指导我们做实验。（＊今天物理课老师辅导我们做实验。）

④ 导师指导我写论文。（＊导师辅导我写论文。）

⑤ 在外籍教练的指导下，这支球队的水平有所提高。（＊在外籍教练的辅导下，这支球队的水平有所提高。）

“指导”可以用于称呼，“辅导”不能。

这位是我们体操队的田指导。（＊这位是我们体操队的田辅导。）

484 腐败[形]fǔbài ▶ 腐化[形、动]fǔhuà

词义说明　Definition

腐败[rotten; putrid; decayed] 物体腐烂。[corrupt; rotten] 行为堕落；（制度、组织、机构、措施等）混乱、黑暗。

腐化[degenerate; corrupt; dissolute or depraved] 思想行为变坏，过分贪图享乐。[rot; decay; decompose] 使腐化。

词语搭配　Collocation

	～分子	政治～	防止～	生活～	贪污～	～了	～的制度	～干部
腐败	√	√	√	√	√	√	√	×
腐化	√	×	×	√	√	√	×	√

用法对比　Usage

用法解释 Comparison

“腐败”是形容词，不能带宾语，“腐化”既是形容词也是动词，可以带宾语。

语境示例 Examples

① 人民群众对贪污腐败非常痛恨。(☺人民群众对贪污腐化非常痛恨。)
② 绝对的权利必然导致绝对的腐败。(*绝对的权利必然导致绝对的腐化。)
③ 要健全制度，从根本上防止国家公务员利用职权贪污受贿的腐败行为。(*要健全制度，要从根本上防止国家公务员利用职权贪污受贿的腐化行为。)
④ 反腐败是各级政权机构的一项长期工作。(*反腐化是政权机构的一项长期工作。)
⑤ 生活上腐化必然导致政治上腐败。(*生活上腐败必然导致政治上腐化。)
⑥ 这个走私分子利用金钱美色腐化了不少领导干部。(*这个走私分子利用金钱美色腐败了不少领导干部。)

F

485 父亲[名]fùqin ▶ 爸爸[名]bàba

词义说明 Definition

父亲[father] 有子女的男子是子女的父亲。

爸爸[father; dad] 父亲。

词语搭配 Collocation

	我~	他~	你~	朋友的~	~节
父亲	√	√	√	√	√
爸爸	√	√	√	√	×

用法对比 Usage

用法解释 Comparison

“父亲”和“爸爸”同义，“父亲”一般用于背称或当面对第三者称呼自己的爸爸时用，“爸爸”既可以用于面称，也可用于背称。

语境示例 Examples

① 我介绍一下，这是王老师，这是我爸爸。(☺我介绍一下，这是王老师，这是我父亲。)
② 你爸爸做什么工作？(☺你父亲做什么工作？)

③ 他爸爸是一家公司的经理。(☺他父亲是一家公司的经理。)
④ 有母亲节，有没有父亲节？(＊有母亲节，有没有爸爸节？)
⑤ 爸爸，你最近身体怎么样？(＊父亲，你最近身体怎么样？)
⑥ 爸爸，我想去中国留学。(＊父亲，我想去中国留学。)

"爸爸"还可以自称，"父亲"不能这么用。

爸爸希望你好好学习。(对女儿/儿子)(＊父亲希望你好好学习。)

F

486 付出[动]fùchū ▶ 贡献[动、名]gòngxiàn

词义说明 Definition

付出[pay; expend] 交出（钱、代价、力量、智慧等）。

贡献[contribute; dedicate; devote] 拿出物资、能力、技术等给国家或公众。[contribution; dedication; devotion] 给国家或公众所做的有益的事。

词语搭配 Collocation

	～代价	～金钱	～劳动	～了很多	～力量	做出～	新的～	很大～	～给人民
付出	√	√	√	√	√	×	×	×	×
贡献	×	×	×	√	√	√	√	√	√

用法对比 Usage

用法解释 Comparison

"付出"是个动补结构，不能再带补语，"贡献"既是动词也是名词，可以带补语。

语境示例 Examples

① 这些年来他为这项研究工作付出了很多。(☺这些年来他为这项研究工作贡献了很多。)
② 他为建设三峡付出了自己宝贵的青春。(☺他为建设三峡贡献了自己宝贵的青春。)
③ 中国应该为人类的进步和发展做出自己应有的贡献。(＊中国应该为人类的进步和发展做出自己应有的付出。)
④ 这些大学毕业生表示，要把自己的青春和力量贡献给祖国和人民。(＊这些大学毕业生表示，要把自己的青春和力量付出给祖国和人民。)

⑤ 他为中国航天事业的发展做出了不可磨灭的贡献。(＊他为中国航天事业的发展做出了不可磨灭的付出。)

⑥ 他为培养这些运动员付出了辛勤的努力。(＊他为培养这些运动员贡献了辛勤的努力。)

487 负责[动、形]fùze ▶ 管[动]guǎn

词义说明 Definition

负责[be responsible for; be in charge of] 担负责任。[conscientious] 工作尽到应尽的责任。

管[manage; run; control; take care of; be in charge of] 管理。担负工作：～工业。[discipline (children or students)] 管教：～孩子。[have jurisdiction over; administer] 管辖，控制。[be concerned about; care about; bother about; intervene] 过问，干预。[provide; guarantee] 负责供应：～饭。

词语搭配 Collocation

	～人	很～	～教育工作	由我～	～钱	～闲事	～吃	～住	不想～	～不了
负责	√	√	√	√	√	×	√	√	√	√
管	√	×	√	√	√	√	√	√	√	√

用法对比 Usage

用法解释 Comparison

“负责”既是动词又是形容词，动词“负责”有“管”的某些意思，但是“管”的意思要比“负责”多。

语境示例 Examples

① 你们这里的卫生工作由谁负责？(☺你们这里的卫生工作由谁管？)

② 我们负责接待新生。(☺我们管接待新生。)

③ 我不想管这件事。(☺我不想负责这件事。)

④ 他对工作一向很负责。(＊他对工作一向很管。)

⑤ 这个孩子我实在管不了，太不听话了。(＊这个孩子我实在负责不了，太不听话了。)

⑥ 我是老师，我要对我的学生负责。(＊我是老师，我要对我的学生管。)

⑦ 别管他，他爱干什么就干什么吧。（＊别负责他，他爱干什么就干什么吧。）

⑧ 你怎么这么爱管闲事？（＊你怎么这么爱负责闲事？）

488 附带[动]fùdài ▶ 附加[动]fùjiā

词义说明 Definition

附带[in passing] 另外有所补充的，顺便。[subsidiary; supplementary] 不是主要的。

附加[add; attach] 附带加上；额外加上。[additional; attached; appended] 附带的，额外的。

词语搭配 Collocation

	～说明	～条件	～税
附带	√	√	×
附加	√	√	√

用法对比 Usage

用法解释 Comparison

“附带”可以作状语，不能作定语，“附加”不能作状语，可以作定语。

语境示例 Examples

① 中国向这些国家提供的援助不附带任何政治条件。（☺中国向这些国家提供的援助不附加任何政治条件。）

② 我附带说一下，明天的活动希望大家都能参加，因为这是语言实践课。（＊我附加说一下，明天的活动希望大家都能参加，因为这是语言实践课。）

③ 要发展农副产品深加工，增加产品的附加值。（＊要发展农副产品深加工，增加产品的附带值。）

④ 你不用跑一趟了，我正好要去那儿，附带给你捎去就行了。（＊你不用跑一趟了，我正好要去那儿，附加给你捎去就行了。）

⑤ 除运输费用还要附加手续费。（＊除运输费用还要附带手续费。）

⑥ 文件后面还附加了一份说明。（＊文件后面还附带了一份说明。）

489 附近[名]fùjìn ▶ 周围[名]zhōuwéi

词义说明 Definition

附近[nearby; neighboring; in the vicinity of; close to] 靠近某地的；离得不远的地方。

周围[around; round; about] 环绕某地的四周。

词语搭配 Collocation

	在～	～有商店	～地区	～居民	学校～	住在公园～
附近	√	√	√	√	√	√
周围	√	√	√	√	√	×

用法对比 Usage

用法解释 Comparison

"附近"和"周围"所表达的处所和范围不同，"附近"指的是点，而"周围"指的则是线。

语境示例 Examples

① 周围：公园周围都是树。(公园的四周)
附近：公园附近都是树。(离公园近的地方)

② 我们学校附近有书店、商店、银行和邮局，非常方便。(☺我们学校周围有书店、商店、银行和邮局，非常方便。)

③ 你们学校周围的环境怎么样？(☺你们学校附近的环境怎么样？)

④ A：医院离学校远吗？B：不远，就在学校附近。(*不远，就在学校周围。)

⑤ 他就住在大学附近。(*他就住在大学周围。)

⑥ 学校附近那座大楼就是博物馆。(*学校周围那座大楼就是博物馆。)

⑦ 请问，附近有没有修车的？(*请问，周围有没有修车的？)

"周围"有抽象的意思，"附近"没有。

要和周围的同学搞好团结。(*要和附近的同学搞好团结。)

490 附近[名]fùjìn ▶ 旁边[名]pángbiān

词义说明 Definition

附近[nearby; neighboring; in the vicinity of; close to] 靠近某地的，离得不远的地方。

旁边[side] 左右两边，靠近的地方。

词语搭配 Collocation

	公园～	～地区	在～	住在～	马路～	坐在我～	睡在～	你～是谁	～的屋子
附近	√	√	√	√	√	×	×	×	√
旁边	√	×	√	×	√	√	√	√	√

用法对比 Usage

用法解释 Comparison

"附近"离说话人所在地的距离要比"旁边"远。

语境示例 Examples

① 那个公园就在我们学校附近。(☺那个公园就在我们学校旁边。)
② 我们就住在那个大学附近。(☺我们就住在那个大学旁边。)
③ 工厂附近是一条小河。(☺工厂旁边是一条小河。)
④ 今天晚上，你就睡在旁边的屋子里吧。(*今天晚上，你就睡在附近的屋子里吧。)
⑤ 你旁边的座位是谁的？(*你附近的座位是谁的？)
⑥ 站在玛丽旁边的那个学生叫什么名字？(*站在玛丽附近的那个学生叫什么名字？)

491 富余[动]fùyu ▶ 富裕[形]fùyù

词义说明 Definition

富余[have more than needed; have enough and to spare] 足够而有剩余。

富裕[(of property) prosperous; well-to-do; well off]（财物）充裕丰富，使富裕。

词语搭配 Collocation

	～的钱	有～	没有～	～一万块	～人员	～很多	很～	～人家	～的农村	～起来
富余	√	√	√	√	√	√	×	×	×	×
富裕	×	×	×	×	×	×	√	√	√	√

用法对比 Usage

用法解释 Comparison

"富余"和"富裕"是两个词性和用法不同的词，不能相互替换。

语境示例 Examples

① 中国农村正在富裕起来，购买力会越来越高。（＊中国农村正在富余起来，购买力会越来越高。）
② 我这个月的钱还有富余，你需要的话可以借给你一点儿。（＊我这个月的钱还有富裕，你需要的话可以借给你一点儿。）
③ 富余的钱最好存银行。（＊富裕的钱最好存银行。）
④ 因为他们自己开了一个小商店，所以日子过得比较富裕。（＊因为他们自己开了一个小商店，所以日子过得比较富余。）
⑤ 这次考试的内容很容易，两个小时有富余。（＊这次考试的内容很容易，两个小时有富裕。）

F

492 覆盖[动]fùgài ▶ 盖[动]gài

词义说明 Definition

覆盖[cover] 遮盖。

盖[put a cover on] 由上而下地遮掩。 [affix (a seal)] 打上(印)：～章。[build] 建筑（房屋）。

词语搭配 Collocation

	～着	～大地	～物	～住	～一下	～被子	～锅	～房子
覆盖	√	√	√	√	√	×	×	×
盖	√	×	×	√	√	√	√	√

用法对比 Usage

用法解释 Comparison

“覆盖”和“盖”都有遮掩的意思。“覆盖”用于书面，“盖”用于口语。

语境示例 Examples

① 昨天下了一夜，地上覆盖了一层厚厚的白雪。（☺昨天下了一夜，地上盖了一层厚厚的白雪。）
② 把锅盖儿盖上。（＊把锅盖儿覆盖上。）
③ 由于乱砍滥伐，地面上没有了覆盖物，造成水土大量流失。（＊由于乱砍滥伐，地面上没有了盖物，造成水土大量流失。）
④ 可以用同样的软件重装，把原来的文件覆盖一下。（＊可以用同

样的软件重装，把原来的文件盖一下。）

⑤ 你盖上被子，小心着凉。（*你覆盖上被子，小心着凉。）

“盖”有“建筑”的意思。“覆盖”没有这个意思。

这里要盖一座教学楼。（*这里要覆盖一座教学楼。）

F

G

493 该[助动、动]gāi ▶ 应该[助动]yīnggāi

词义说明 Definition

该[ought to be; should be] 应当。[be one's turn, duty, or lot] 轮到；应当是，应当（由…来做）[must; should; ought to] 根据情理或经验推测必然的或可能的结果：～谁了？[used in exclamatory sentences for emphasis] 有强调的语气：要是你也能来～多好啊！

应该[should; ought to; must] 理所当然。

词语搭配 Collocation

	～休息了	不～	～我了	活～	～多好啊	～生气了	～的	～保护	～照顾
该	√	√	√	√	√	√	×	√	√
应该	√	√	×	×	×	×	√	√	√

用法对比 Usage

用法解释 Comparison

“该”和“应该”意义差不多，但是“该”还是个动词，“应该”只是个助动词；“应该”多用于书面语，“该”常用于口语。

语境示例 Examples

① 快十二点了，该休息了。(☺快十二点了，应该休息了。)

② 刚才你不该那么说。(☺刚才你不应该那么说。)

③ 天冷了，该放暖气了。(☺天冷了，应该放暖气了。)

④ 野生动植物应该受到人类的保护。(☺野生动植物该受到人类的保护。)

⑤ 我年轻，帮您做这点儿事是应该的。(＊我年轻，帮您做这点儿事是该的。)

“该”可以带宾语，“应该”不能。

下一个该你了。(＊下一个应该你了。)

单独用时，表达不同的语义和态度。“该”和“活该”表示应该这样，一点儿也不委屈，有不值得怜惜的意思，含有幸灾乐祸的意味。

① A：你说我们应该这么做吗？B：应该！（＊该！）

② A：我的腿摔破了。B：该！谁让你不听话，非要上树。（＊应该！谁让你不听话，非要上树。）

③ A：听说他的车被偷走了。B：活该！（＊应该！）

"该"用来表示感叹，有强调的意味。"应该"没有这个用法。

要是能到月球上去看看该多好啊！（＊要是能到月球上去看看应该多好啊！）

494 改[动]gǎi ▶ 改变[动、名]gǎibiàn

词义说明 Definition

改[change; transform] 改变，更改：～名字。[correct; rectify; put right] 改正：～错。[alter; revise] 修改：～作文。

改变[change; alter; transform] 事物发生变化，跟原来不一样；改换，更动。

词语搭配 Collocation

	～名	～了	～文章	～错	～一～	有～	～计划	～样式	～做法	～主意
改	√	√	√	√	√	×	√	√	√	√
改变	×	√	×	×	×	√	√	√	√	√

用法对比 Usage

用法解释 Comparison

"改"有改正和修改的意思，"改变"没有这些意思。"改"多用于口语，"改变"口语书面都常用。

语境示例 Examples

① 人的性格是很难改的。(☺人的性格是很难改变的。)

② 我想改变一下发型。(☺我想改一下发型。)

③ 你这个习惯能不能改一改？（＊你这个习惯能不能改变一改变？）

④ 这篇文章我已经改过了，你再看看。（＊这篇文章我已经改变过了，你再看看。）

⑤ 他们为改变家乡贫穷落后的面貌贡献了自己的力量。（＊他们为改家乡贫穷落后的面貌贡献了自己的力量。）

⑥ 我决定改变原来的计划，提前到中国去。（＊我决定改原来的计划，提前到中国去。）

495 改革[动、名]gǎigé ▶ 改进[动、名]gǎijìn

词义说明 Definition

改革[reform] 把旧的、不合理的部分变成新的，更合理完善的。

改进[improve; make better] 改变旧的情况，使其有所进步。

词语搭配 Collocation

	经济～	政治～	文字～	～旧体制	进行～	深化～	～工作	～技术	有所～
改革	√	√	√	√	√	√	×	×	√
改进	×	×	×	×	×	×	√	√	√

用法对比 Usage

用法解释 Comparison

二者都有“改变旧的，使其进步”的意思，但“改革”的对象多为大的方面，如经济、政治、社会等，而“改进”的对象比较小，如技术、工作等。“改革”有名词的用法，可以作主语。“改进”没有这种用法。

语境示例 Examples

① 我们厂改革了原来那些落后的工艺和技术，大大提高了生产力。(☺我们厂改进了原来那些落后的工艺和技术，大大提高了生产力。)

② 改革开放政策使中国的面貌发生了巨大的变化。(*改进开放政策使中国的面貌发生了巨大的变化。)

③ 要解决我们目前遇到的问题，就必须深化改革。(*要解决我们目前遇到的问题，就必须深化改进。)

④ 简化字的推行是中国文字改革的一个伟大功绩。(*简化字的推行是中国文字改进的个伟大功绩。)

⑤ 要逐步改革旧体制，使之适应社会经济发展的需要。(*要逐步改进旧体制，使之适应社会经济发展的需要。)

⑥ 要努力改进各级政府机关的工作作风，更好地为人民服务。(*要努力改革各级政府机关的工作作风，更好地为人民服务。)

496 改良[动、名]gǎiliáng ▶ 改善[动、名]gǎishàn

词义说明 Definition

改良[improve; ameliorate] 去掉事物的某些缺点，使之更适合要求。[reform] 改善。

改善[improve; ameliorate] 使原来的情况变得好些。

词语搭配 Collocation

	～品种	政治～	～主义	～生活	～环境	～关系	～条件
改良	√	√	√	×	×	×	×
改善	×	×	×	√	√	√	√

G

用法对比 Usage

用法解释 Comparison

“改良”和“改善”的对象不同，“改良”的对象仅限于土壤、品种等；“改善”的对象是关系、条件、环境、生活等，它们不能相互替代。

语境示例 Examples

① 要提高产量就必须不断改良品种。（*要提高产量就必须不断改善品种。）

② 通过种植这种作物，他们大大改良了这里的土壤。（*通过种植这种作物，他们大大改善了这里的土壤。）

③ 经济的发展使人民的生活得到了很大改善。（*经济的发展使人民的生活得到了很大改良。）

④ 种树、种花、种草改善了我们的居住环境。（*种树、种花、种草改良了我们的居住环境。）

⑤ 近年来两国的关系有了很大改善。（*近年来两国的关系有了很大改良。）

⑥ 这些学生公寓的建成将大大改善大学生们的住宿条件。（*这些学生公寓的建成将大大改良大学生们的住宿条件。）

497 干净[形]gānjìng ▶ 清洁[形]qīngjié

词义说明 Definition

干净[clean; neat and tidy] 清洁，没有灰尘、杂质等。[completely; total] 完全地，一点儿不剩。

清洁[clean] 干净，没有尘土、脏物等。

词语搭配 Collocation

	很～	不～	～卫生	～剂	～工	打扫～	擦～	吃～	消灭～
干净	√	√	×	×	×	√	√	√	√
清洁	√	√	√	√	√	×	×	×	×

用法对比 Usage

用法解释 Comparison

“干净”和“清洁”都是形容词，“干净”可以重叠使用，可以说“干干净净”；“清洁”不能重叠。“干净”可以作补语，“清洁”不能。

语境示例 Examples

① 计算机房要保持清洁。(☺计算机房要保持干净。)
② 用清洁剂洗一下显得很干净。(＊用干净剂洗一下显得很干净。)
③ 请把桌子擦干净。(＊请把桌子擦清洁。)
④ 屋子虽然不大，但是打扫得很干净。(＊屋子虽然不大，但是打扫得很清洁。)
⑤ 昨天包了五十多个饺子他们两个一下子就吃干净了。(＊昨天的包了五十多个饺子他们两个一下子就吃清洁了。)
⑥ 衣服洗得干干净净的。(＊衣服洗得清清洁洁的。)
⑦ 我把这件事忘得干干净净。(＊我把这件事忘得清清洁洁。)

498 干扰[动]gānrǎo ▶ 打扰[动]dǎrǎo

词义说明 Definition

干扰[disturb; interfere; obstruct] 扰乱，打扰。[interference; jam] 妨碍无线电设备正常接收信号的电磁振荡。

打扰[disturb; trouble] 扰乱，搅乱；婉辞，指接受招待。

词语搭配 Collocation

	信号受到～	～别人	防～	抗～	～您了	请勿～
干扰	√	√	√	√	×	×
打扰	×	√	×	×	√	√

用法对比 Usage

用法解释 Comparison

"干扰"和"打扰"有相同的意思，不同的是，"干扰"有时是非人为的，例如无线电波受到干扰，"打扰"是人为的。

G

语境示例 Examples

① 不要干扰别人的工作和休息。(☺不要打扰别人的工作和休息。)
② 由于信号受到干扰，电视总是不清楚。（＊由于信号受到打扰，电视总是不清楚。)
③ 这种仪器具有很强的抗干扰性能。（＊这种仪器具有很强的抗打扰性能。)
④ 打扰您半天，实在对不起。(＊干扰您半天，实在对不起。)
⑤ 正在休息，请勿打扰。(＊正在休息，请勿干扰。)

499 干涉[动]gānshè ▶ 干预[动]gānyù

词义说明 Definition

干涉 [interfere; intervene; meddle] 过问或制止，多指不应该管硬管。

干预 [intervene; interpose; meddle] 过问别人的事，并施加影响。

词语搭配 Collocation

	不要～	不能～	互不～内政	～别人	不便～
干涉	√	√	√	√	√
干预	√	√	×	×	√

用法对比 Usage

用法解释 Comparison

"干涉"和"干预"都是动词，但是感情色彩不同，"干涉"

是贬义词，“干预”是中性词。

语境示例 Examples

① 婚姻是你们两个人的事，即使父母也不能干涉。(☺婚姻是你们两个人的事，即使父母也不能干预。)

② 虽然是好朋友，但是这件事完全是她的私事，我不便干预。(☺虽然是好朋友，但是这件事完全是她的私事，我不便干涉。)

③ 决不允许任何外来势力干涉我们的内政。(*决不允许任何外来势力干预我们的内政。)

④ 干涉公民的人身自由是不道德的也是违法的。(*干预公民的人身自由是不道德的也是违法的。)

⑤ 他们希望政府有关部门干预这件事。(*他们希望政府有关部门干涉这件事。)

G

500 赶快[副]gǎnkuài ▶ 赶紧[副]gǎnjǐn

词义说明 Definition

赶快[at once; quickly] 抓紧时间，加快速度。

赶紧[with haste; without delay] 抓紧时间，不拖延。

词语搭配 Collocation

	～走	～跑	～治疗	～行动	～藏起来	～躲开	～上车
赶快	√	√	√	√	√	√	√
赶紧	√	√	√	√	√	√	√

用法对比 Usage

用法解释 Comparison

“赶快”和“赶紧”意思一样，“赶紧”多用于口语，“赶快”口语和书面都常用。

语境示例 Examples

① 他病得很厉害，得赶快送医院。(☺他病得很厉害，得赶紧送医院。)

② 我想赶快把今天的作业做完，晚上好跟朋友一起去看电影。(☺我想赶紧把今天的作业做完，晚上好跟朋友一起去看电影。)

③ 离开车的时间还有十分钟，你们赶紧上车吧。(☺离开车的时间还

有十分钟，你们赶快上车吧。）

④ 赶紧走吧，要不该迟到了。（☺赶快走吧，要不该迟到了。）

⑤ 听见爸爸回来了，小家伙赶紧躲在门后边。（☺听见爸爸回来了，小家伙赶快躲在门后边。）

⑥ 发现坏人要赶快打 110 报警。（☺发现坏人要赶紧打 110 报警。）

⑦ 赶快行动起来，积极参加春季义务植树活动。（☺赶紧行动起来，积极参加春季义务植树活动。）

501 赶快[副]gǎnkuài ▶ 赶忙[副]gǎnmáng

G

词义说明 Definition

赶快[at once; quickly] 抓紧时间，加快速度。

赶忙[hurriedly; hastily] 在很短的时间内很快决定做，连忙。

词语搭配 Collocation

	~出发	~上飞机	~走	~跑	~让座	~站起来	~起床	~治疗	~离开
赶快	√	√	√	√	×	√	√	√	√
赶忙	×	×	×	×	√	√	√	×	√

用法对比 Usage

用法解释 Comparison

“赶快”和“赶忙”的意思差不多，不同的是，“赶快”可以用于陈述句，也可以用于祈使句，表示轻微的命令，“赶忙”不能用于祈使句，只能用于陈述句。

语境示例 Examples

① 一下课大家就赶快往食堂跑。（☺一下课大家就赶忙往食堂跑。）

② 一回到家我就赶忙打开火做饭。（☺一回到家我就赶快打开火做饭。）

③ 一看表已经七点多了，我赶忙起床。（☺一看表已经七点多了，我赶快起床。）

④ 看到王教授进来，大家赶忙站起来。（☺看到王教授进来，大家赶快站起来。）

⑤ 赶快跑，要不就迟到了。（＊赶忙跑，要不就迟到了。）

⑥ 我们赶快出发吧，不要等他了。（＊我们赶忙出发吧，不要等他了。）

502 敢[助动]gǎn ▶ 勇敢[形]yǒnggǎn

词义说明 Definition

敢[brave; courageous; daring] 有勇气，有胆量做某事。[have the confidence to; be certain; be sure] 表示有把握做某种判断。

勇敢[brave; courageous] 不怕危险和困难；有胆量。

词语搭配 Collocation

	～想	～说	～干	不～	不～肯定	～前进	～战斗	机智～	非常～	～的人
敢	√	√	√	√	√	×	×	×	×	×
勇敢	×	×	×	√	×	√	√	√	√	√

用法对比 Usage

“敢”和“勇敢”的词性不同，用法也不同。“敢”可以与动词结合作谓语，“勇敢”可以放在动词前边作状语，单音节动词前一般要加“地”。

① 敢：学习任何外语都要敢说，不要怕说错。

勇敢：学习任何外语都要勇敢地说，不要怕说错。

② 他敢玩“过山车”的游戏。(*他勇敢玩“过山车”的游戏。)

③ 这座小木桥太窄，我不敢过。(*这座小木桥太窄，我不勇敢过。)

“勇敢”能作定语，“敢”不能。

他是个非常勇敢的人。(*他是个非常敢的人。)

“勇敢”能作状态补语，“敢”不能。

这次抢险救灾中他表现得非常勇敢。(*这次抢险救灾中他表现得非常敢。)

“敢”表示有把握做某事，“勇敢”没有这个意思和用法。

① 我敢肯定他今天不来了。(*我勇敢肯定他今天不来了。)

② 我明年还来不来，现在还不敢说。(*我明年还来不来，现在还不勇敢说。)

③ 我敢打赌，山本一定能通过这次 HSK 考试。(*我勇敢打赌，山本一定能通过这次 HSK 考试。)

503 感到[动]gǎndào ▶ 觉得[动]juéde ▶ 感觉[动、名]gǎnjué

词义说明 Definition

感到[feel; sense] 人体受到刺激后的反应；觉得。

觉得[feel] 产生某种感觉。[think] 认为（语气不太肯定）。

感觉[sense; perception; sensation; feeling] 事物的个性特征在人脑中引起的反应，如苹果作用于我们的感官时，通过视觉可以看到它的颜色，通过味觉可以感到它的味道。感觉是最简单的心理过程，是形成各种复杂心理过程的基础。[feel; perceive; become aware of] 觉得；认为。

词语搭配 Collocation

	有～	没有～	我的～	～怎么样	～遗憾	～高兴	～累	～不对	～很好	～有点儿冷
感到	×	×	×	×	√	√	√	√	√	√
觉得	×	×	×	√	√	√	√	√	√	√
感觉	√	√	√	√	√	√	√	√	√	√

用法对比 Usage

用法解释 Comparison

“感到”和“觉得”都是动词，都可以带宾语，而“感觉”既是动词，也是名词，可以作宾语，“感到”和“觉得”不能作宾语。

语境示例 Examples

① 游了一个泳，感到很舒服。（☺游了一个泳，觉得/感觉很舒服。）

② 大家一起游览，一点儿也不感到累。（☺大家一起游览，一点儿也不觉得/感觉累。）

③ 我感到有点儿头晕。（☺我感觉/觉得有点儿头晕。）

④ 在这里生活，她感到心情很舒畅。（☺在这里生活，她感觉/觉得心情很舒畅。）

⑤ 听了他的话让我感到很惭愧。（☺听了他的话让我觉得/感觉很惭愧。）

⑥ 我觉得听说还比较容易，读写很难。（☺我感到/觉得听说还比较容易，读写很难。）

⑦ 我不是病了，就是感到有点儿疲劳。（☺我不是病了，就是觉得/

感觉有点儿疲劳。)

⑧ 这里的环境给我的感觉很好。(*这里的环境给我的感到/觉得很好。)

⑨ 手冻得一点儿感觉也没有了。(*手冻得一点儿觉得/感到也没有了。)

504 感动[形、动]gǎndòng ▶ 激动[形]jīdòng

词义说明 Definition

感动[be moved by external events; be touched] 思想感情受外界影响而激动，引起同情或向往。[move; touch] 使感动。

激动[excite] 感情受刺激而冲动；不冷静。[move] 使感情冲动。

词语搭配 Collocation

	很~	太~了	过于~	不要~	~得流泪	~人	~人心	情绪~	受~	令人~
感动	√	√	×	×	√	√	×	×	√	√
激动	√	√	√	√	√	×	√	√	×	√

用法对比 Usage

用法解释 Comparison

“激动”表示由于受到刺激而感情冲动，是形容词；形容词“感动”表示受到外界影响而产生感情上的共鸣，动词“感动”是使他人产生感情的共鸣。使人感动的一定是好人或好事，使人激动的不一定是好人和好事。

语境示例 Examples

① 感动：他感动得说不出话来了。(受了好的影响而产生感情震荡和共鸣)

激动：他激动得说不出话来了。(受到刺激内心情绪波动)

② 看了这个电影我很受感动。(*看了这个电影我很受激动。)

③ 他助人为乐的精神感动了大家。(*他助人为乐的精神激动了大家。)

④ 他越说越激动，一下子大哭起来。(*他越说越感动，一下子大哭起来。)

⑤ 我还没有见过这么激动人心的场面。(*我还没有见过这么感动人心的场面。)

⑥ 他获得了奥运会冠军，激动得流下了眼泪。（＊他获得了奥运会冠军，感动得流下了眼泪。）

“激动”可以用于祈使句，“感动”不能。

别激动，冷静点儿，有话慢慢说。（＊别感动，冷静点儿，有话慢慢说。）

505 感受[动、名]gǎnshòu ▶ 感觉[动、名]gǎnjué

词义说明 Definition

感受[be affected by] 受到影响，体会：～风寒。[experience; feel] 接触外界事物受到的影响；接受：生活～。

感觉[sense; perception; sensation; feeling] 事物的个性特征在人脑中引起的反应，如苹果作用于我们的感官时，通过视觉可以看到它的颜色，通过味觉可以感到它的味道。感觉是最简单的心理过程，是形成各种复杂心理过程的基础。[feel; perceive; become aware of] 觉得。

词语搭配 Collocation

	有～	没有～	生活～	实际～	～很深	～幸福	什么～	～有点儿热
感受	√	√	√	√	√	√	√	×
感觉	√	√	×	×	×	√	√	√

用法对比 Usage

用法解释 Comparison

“感受”和“感觉”词性一样，但是意思不同。“感受”是内心的活动，“感觉”除了内心的活动以外，还有感觉器官的活动。

语境示例 Examples

① 出国学习这一年使我实际感受到了独立生活的不易。（☺出国学习这一年使我实际感觉到了独立生活的不易。）

② 学了一年的汉语，对学外语的酸甜苦辣感受很深。（＊学了一年的汉语，对学外语的酸甜苦辣感觉很深。）

③ 我感觉有点儿冷，得再穿一件毛衣。（＊我感受有点儿冷，得再穿一件毛衣。）

④ 你对这个人的感觉怎么样？（＊你对这个人的感受怎么样？）

⑤ 你没有感觉到他对你很有好感吗？（＊你没有感受到他对你很有好感吗？）

⑥ 我对她一点儿感觉也没有。(＊我对她一点儿感受也没有。)

506 感想[名]gǎnxiǎng ▶ 体会[动、名]tǐhuì

词义说明 Definition

感想[impressions; reflections; thoughts] 由接触外界事物引起的思想反应。

体会[know (or learn) from experience; realize; knowledge; understand] 体验认识。

词语搭配 Collocation

	有什么～	没有～	～怎样	～到	自己的～	能～
感想	√	√	√	×	√	×
体会	√	√	√	√	√	√

用法对比 Usage

用法解释 Comparison

"体会"是通过自己的体验领会到的，是名词也是动词，可以带宾语；"感想"只是个名词，不能带宾语。名词"体会"和"感想"的用法相当。

语境示例 Examples

① 来中国生活学习快一年了，有什么感想？(☺来中国生活学习快一年了，有什么体会？)

② 来中国一年我有很多感想。(☺来中国一年我有很多体会。)

③ 请给我们谈谈你学习汉语的体会。(☺请给我们谈谈你学习汉语的感想。)

④ 我现在才体会到学好一门外语真不是一件容易的事。(＊我现在才感想到学好一门外语真不是一件容易的事。)

⑤ 没有亲身经历，体会不到拍电影的辛苦。(＊没有亲身经历，感想不到拍电影的辛苦。)

⑥ 我对中国人的热情和善良深有体会。(＊我对中国人的热情和善良深有感想。)

G

507 感谢[动]gǎnxiè ▶ 感激[动]gǎnjī

词义说明 Definition

感谢[thank; be grateful] 对接受别人给予的或提供的方便、恩惠、帮助等，用言行表示谢意。

感激[feel grateful; be thankful; feel indebted] 因为别人的好意或帮助而对他有好感。

词语搭配 Collocation

	非常～	表示～	～不尽	～涕零	～地说	～你	衷心～	不必～
感谢	√	√	×	×	×	√	√	√
感激	√	×	√	√	√	√	×	×

用法对比 Usage

用法解释 Comparison

“感谢”和“感激”都是及物动词，不过“感激”是书面语，表示感谢他人的一种心情，偏重于心理活动，“感谢”是口语，侧重用言语或行动对他人表达谢意。

语境示例 Examples

① 我对他的帮助是很感谢的。(☺我对他的帮助是很感激的。)

② 感谢大家来参加我的生日晚会。(*感激大家来参加我的生日晚会。)

③ 在我最困难的时候，他帮了我，真让我感激不尽。(*在我最困难的时候，他帮了我，真让我感谢不尽。)

④ 接过大伙儿捐给他的这些钱，他感激涕零。(*接过大伙儿捐给他的这些钱，他感谢涕零。)

“感谢”可以作“表示”的宾语，“感激”不能。

临别时，我们每个同学都送给王老师一张照片，向他表示感谢。(*临别时，我们每个同学都送给王老师一张照片，向他表示感激。)

“感激”可以用来作定语和状语，“感谢”不能。

我在给王老师的信里表达了自己感激的心情。(*我在给王老师的信里表达了自己感谢的心情。)

508 干部[名]gànbù ▶ 领导[动、名]lǐngdǎo

词义说明 Definition

干部[cadre] 指国家各机关的公务员和公务员中担任一定领导工作和管理工作的人员。

领导[lead; exercise leadership] 带领并引导朝一定方向前进。[leadership; leader] 担任领导工作的人。

词语搭配 Collocation

	当～	国家～	学生～	集体～	领导～	一般～	～大家	～一个公司
干部	√	√	√	×	√	√	×	×
领导	√	√	×	√	×	√	√	√

用法对比 Usage

用法解释 Comparison

“干部”是名词，“领导”既是名词也是动词。作为名词，它们的区别在于：“干部”不一定是“领导”，但“领导”一定是“干部”。

语境示例 Examples

① 干部：国家各级干部的惟一宗旨就是为人民服务。(包括担任领导或不担任领导的公务员)

领导：国家各级领导的惟一宗旨就是为人民服务。(担负领导的人员)

② 他是我们单位的主要领导。(*他是我们单位的主要干部。)

③ 中国任何一级组织或单位都实行集体领导。(*中国任何一级组织或单位都实行集体干部。)

④ 上级决定由他担任我们单位的领导。(*上级决定由他担任我们单位的干部。)

⑤ 他领导了这次卫星发射工作。(*他干部了这次卫星发射工作。)

509 刚(刚)[副]gāng(gāng) ▶ 刚才[名]gāngcái

词义说明 Definition

刚(刚) [just; exactly] 恰好，不大不小。[only a short while ago; just now] 表示动作行为或情况发生在不久之前。相当于“刚才”。[barely; only; just] 表示勉强达到某种程度或某个范围，相当于“仅仅”、“只”。

刚才[a moment ago; just now] 指刚过去不久的时间。

词语搭配 Collocation

	～好	～合适	～能看见	～走	～来	～…就…	～的事儿	～那个人
刚（刚）	√	√	√	√	√	√	×	×
刚才	×	×	×	×	×	×	√	√

用法对比 Usage

用法解释 Comparison

“刚（刚）”是副词，“刚才”是表示时间的名词，“刚”只能用在动词前作状语，不能作定语，“刚才”可以作定语。“刚”作状语时表示动作发生的时间可以是说话前几分钟，也可以是前几年。

语境示例 Examples

① 刚走的那个人是谁？（☺刚才走的那个人是谁？）

② 对不起，我把你刚才说的电话号码忘了，你再说一遍。（☺对不起，我把你刚说的电话号码忘了，你再说一遍。）

③ 他刚走，你快点儿说不定能赶上他。（＊他刚才走，你快点儿说不定能赶上他。）

④ 这双鞋我穿不大不小，刚合适。（＊这双鞋我穿不大不小，刚才合适。）

⑤ 这个教室刚能坐下二十个人，多一个也坐不下了。（＊这个教室刚才能坐下二十个人，多一个也坐不下了。）

⑥ 我刚来中国一年，汉语说得还不太好。（＊我刚才来中国一年，汉语说得还不太好。）

“刚”可以用在复句里，后面用“就”等相呼应，表示两件事紧接着进行[as soon as]。“刚才”没有这种用法。

早上我刚进教室，上课铃就响了。（＊早上我刚才进教室，上课铃就响了。）

“刚才”可以作定语，“刚”不能。

他把刚才的事儿忘了。（＊他把刚的事儿忘了。）

“刚才”后边可以用否定词，“刚”后边不能有否定词。

① 你刚才不在的时候，玛丽给你来电话了。（＊你刚不在的时候，玛丽给你来电话了。）

② 你刚才怎么不告诉我？（*你刚怎么不告诉我？）

"刚才"可以用在动词前，也可以用在主语前，"刚"不能用在主语前边。

刚才他还在这儿，怎么一转眼就不见了。（*刚他还在这儿，怎么一转眼就不见了。）

510 纲领[名]gānglǐng ▶ 纲要[名]gāngyào

G

词义说明 Definition

纲领[programme; guiding principle] 政府、政党、社团根据自己在一定时期内的任务而规定的奋斗目标和行动步骤。

纲要[outline; sketch] 提纲。[（used in book titles or document names）essentials; compendium] 概要。

词语搭配 Collocation

	基本～	最高～	最低～	～性文件	农业发展～	语法～	论文～
纲领	√	√	√	√	×	×	×
纲要	×	×	×	×	√	√	√

用法对比 Usage

用法解释 Comparison

"纲领"表示政府或政党的行动目标，"纲要"多用做书名或文件名。它们多用于书面语，口语一般不用，不能相互替换。

语境示例 Examples

① 这是一个规划中国未来发展的纲领性文件。（*这是一个规划中国未来发展的纲要性文件。）

② 大会通过了《中国可持续发展纲要》。（*大会通过了《中国可持续发展纲领》。）

③ 我已经把论文纲要列出来了，正准备动手写。（*我已经把论文纲领列出来了，正准备动手写。）

④ 那本书的名字叫《现代汉语语法纲要》。（*那本书名字的叫《现代汉语语法纲领》。）

⑤ 中国共产党的最高纲领是实现共产主义。（*中国共产党的最高纲要是实现共产主义。）

511 港[名]gǎng ▶ 港口[名]gǎngkǒu

词义说明 Definition

港[port; harbour] 港湾。

港口[port; harbour] 在河、海等的岸边设有码头，便于船只停泊、旅客上下或货物装卸的地方。

词语搭配 Collocation

	天然良~	不冻~	停靠~	沿海~	~吞吐量	~税
港	√	√	√	×	×	×
港口	×	×	√	√	√	√

G

用法对比 Usage

用法解释 Comparison

“港”是词也是语素，有组词能力，“港口”没有组词能力。

语境示例 Examples

① 港：上海港的货物吞吐量比去年增加三成。(专指上海港)

港口：上海港口的货物吞吐量比去年增加三成。（包括上海地区的海港和空港）

② 这艘船的停靠港口是大连。(☺这艘船的停靠港是大连。)

③ 这里是天然良港。(＊这里是天然良港口。)

④ 中国沿海港口的货物吞吐量在逐年增加。（＊中国沿海港的货物吞吐量在逐年增加。)

“港”还是香港的简称。

港币和人民币的比价一直是稳定的。（＊港口币和人民币的比价一直是稳定的。)

512 高档[形]gāodàng ▶ 高级[形]gāojí

词义说明 Definition

高档[high (or top) grade; superior quality] 质量好，价格较高的商品。

高级[senior; high-ranking; high-level; high] （阶段、级别）达到一定高度的。[high-grade; high-quality; advanced] （质量、

水平等）超过一般的。

词语搭配 Collocation

	～商品	～服装	～染料	～化妆品	～水平	～宾馆	～官员	～将领
高档	√	√	√	√	×	√	×	×
高级	√	√	√	√	√	√	√	√

用法对比 Usage

用法解释 Comparison

“高档”和“高级”有相同的意思，但是“高级”可以表示达到一定高度的级别和阶段，“高档”没有这个用法。

语境示例 Examples

① 这个商店卖的都是进口的高档化妆品。（☺这个商店卖的都是进口的高级化妆品。）

② 他不讲究穿高档名牌服装。（☺他不讲究穿高级名牌服装。）

③ 每次回国出差他必定要住高档饭店。（☺每次回国出差他必定要住高级饭店。）

④ 他能见到政府的高级官员。（*他能见到政府的高档官员。）

⑤ 我想今年通过 HSK 高级考试。（*我想今年通过 HSK 高档考试。）

513 高低[名、副]gāodī ▶ 高度[名、形]gāodù

词义说明 Definition

高低[height] 高低的程度：声调的～。[relative superiority or inferiority] 高下：不分～。[sense of propriety; discretion] 深浅轻重：不知～。[on any account; just; simply] 无论如何。

高度[altitude; height] 高低的程度：飞行～。[high degree] 很高的程度：～评价。

词语搭配 Collocation

	量～	争个～	楼的～	～赞扬	～现代化	～重视	～不去	～不听
高低	√	√	√	×	×	×	√	√
高度	√	×	√	√	√	√	×	×

用法对比 Usage

用法解释 Comparison

名词"高低"和"高度"意思一样，但是"高低"是个口语词，"高度"用于书面语。副词"高低"是"无论如何"的意思，"高度"没有这个意思。

语境示例 Examples

① 你量一量这个房间的高低。(☺你量一量这个房间的高度。)
② 我总掌握不好汉语第二声的高低。(☺我总掌握不好汉语第二声的高度。)
③ 珠穆朗玛峰的高度是8844.43米。(＊珠穆朗玛峰的高低是8844.43米。)
④ 舆论高度评价这次科学实验成功的意义。(＊舆论高低评价这次科学实验成功的意义。)
⑤ 我劝了他半天，他高低不听。(＊我劝了他半天，他高度不听。)
⑥ 你明天高低到我这里来一下。(＊你明天高度到我这里来一下。)

"高低"还有输赢的意思，"高度"没有这个意思。

他们队非要跟我们队争个高低不可。(＊他们队非要跟我们队争个高度不可。)

514 高明[形]gāomíng ▶ 英明[形]yīngmíng

词义说明 Definition

高明[brilliant; wise] 见解技能高超。[wise person] 高明的人。
英明[outstanding and wise; brilliant] 明智而有远见。

词语搭配 Collocation

	很~	技术~	医术~	主意~	~的领导	~的决策
高明	√	√	√	√	√	×
英明	√	×	×	×	√	√

用法对比 Usage

用法解释 Comparison

"高明"和"英明"都是形容词，"英明"用于称颂杰出的人物及其所做出的决定，对一般人不用。

语境示例 Examples

① 中国二十多年的发展充分说明改革开放政策的英明。(☺中国二十

多年的发展充分说明改革开放政策的高明。)

② 中国人民在毛泽东的英明领导下获得了翻身解放。(* 中国人民在毛泽东的高明领导下获得了翻身解放。)

③ 他的医术十分高明,治好了很多病人。(* 他的医术十分英明,治好了很多病人。)

④ 他给我们出了一个很高明的主意。(* 他给我们出了一个很英明的主意。)

"高明"有时还作名词用,指高明的人,"英明"没有这种用法。

如果你们不相信我,就另请高明。(* 如果你们不相信我,就另请英明。)

G

515 高烧[名]gāoshāo ▶ 高温[名]gāowēn

词义说明 Definition

高烧[high fever] 人体温度在39℃以上叫高烧。

高温[high temperature] 较高的温度,在不同的情况下所指的具体数值不同。

词语搭配 Collocation

	发~	持续~	~40℃	~天气
高烧	√	√	√	×
高温	×	√	×	√

用法对比 Usage

用法解释 Comparison

"高烧"是疾病引起的人的体温升高,"高温"指的是较高的温度,它们不能相互替换。

语境示例 Examples

① 他连续三天高烧不退。(* 他连续三天高温不退。)

② 昨天他高烧到40℃。(* 昨天他高温到40℃。)

③ 天气预报说这种高温天气可能还要持续两天。(* 天气预报说这种高烧天气可能还要持续两天。)

④ 连日来,天气持续高温,真让人受不了。(* 连日来,天气持续高烧,真让人受不了。)

516 高速[形]gāosù ▶ 快速[形]kuàisù

词义说明 Definition

高速[high-speed] 高速度。

快速[fast; quick; high-speed] 速度快的，迅速。

词语搭配 Collocation

	～发展	～前进	～行军	～炼钢	～公路	～照相
高速	√	√	×	×	√	×
快速	√	√	√	√	×	√

G

用法对比 Usage

用法解释 Comparison

“高速”和“快速”是同义词，但是“高速”比“快速”更快，用法也不尽相同。

语境示例 Examples

① 要保持经济高速健康可持续发展，必须高度重视环境保护。(☺要保持经济快速健康可持续发展，必须高度重视环境保护。)

② 中国高速公路的总里程已经位居世界第二。(*中国快速公路的总里程已经位居世界第二。)

③ 汽车快速转弯时很容易出事故，一定要注意。(*汽车高速转弯时很容易出事故，一定要注意。)

④ 这个练习不仅训练学生的理解能力，还训练他们快速反应能力。(*这个练习不仅训练学生的理解能力，还训练他们高速反应能力。)

⑤ 后边的同学请快速跑步，跟上前边的同学。(*后边的同学请高速跑步，跟上前边的同学。)

⑥ 高速陨落的流星，会产生高温，大多数都在宇宙中烧毁了，落到地球上的可能性是很小的。(*快速陨落的流星，会产生高温，大多数都在宇宙中烧毁了，落到地球上的可能性是很小的。)

517 高兴[形、动]gāoxìng ▶ 兴奋[形、动]xīngfèn

词义说明 Definition

高兴[glad; happy; cheerful] 愉快而兴奋。[be willing to; be

happy to] 喜欢，带着愉快的心情去做某事。

兴奋[be excited; very happy; excitation] 振奋，激动，使兴奋。

词语搭配 Collocation

	非常～	～得很	～～	～起来	～不起来	服用～剂	～做	～看
高兴	√	√	√	√	√	×	√	√
兴奋	√	√	√	√	√	√	×	×

用法对比 Usage

用法解释 Comparison

"高兴"可以重叠使用，可以说"高高兴兴"（形容词重叠），也可以说"高兴高兴"（动词重叠），"兴奋"不能说"兴兴奋奋"，但可以说"兴奋兴奋"。

语境示例 Examples

① 听到这个好消息，她高兴得睡不着觉。(☺听到这个好消息，她兴奋得睡不着觉。)

② 我要把这个消息告诉她，让她也高兴高兴。(*我要把这个消息告诉她，让她也兴奋兴奋。)

③ 你有点儿困了，喝杯咖啡兴奋兴奋吧。(*你有点儿困了，喝杯咖啡高兴高兴吧。)

④ 晚上喝了一杯咖啡，兴奋得一夜没有睡好。(*晚上喝了一杯咖啡，高兴得一夜没有睡好。)

⑤ 已经检查出有三个运动员服用了兴奋剂。(*已经检查出有三个运动员服用了高兴剂。)

"高兴"有"喜欢做"的意思，"兴奋"没有这个意思。

① 我高兴一个人去旅行。(*我兴奋一个人去旅行。)

② 她就高兴吃甜食，把牙全吃坏了。(*她就兴奋吃甜食，把牙全吃坏了。)

518 高兴[动、形]gāoxìng ▶ 愉快[形]yúkuài

词义说明 Definition

高兴[glad; happy; cheerful] 愉快而兴奋。[be willing to; be happy to] 喜欢，带着愉快的心情去做某事。

愉快[happy; joyful; cheerful] 高兴快乐，心情舒畅。

词语搭配 Collocation

	很～	非常～	心情～	玩得很～	～的寒假	～～	生日～
高兴	√	√	√	√	×	√	×
愉快	√	√	√	√	√	×	√

用法对比 Usage

用法解释 Comparison

"高兴"是动词也是形容词，"愉快"只是形容词；"高兴"可以重叠使用，"愉快"没有重叠形式。

G

语境示例 Examples

① 昨天是我二十岁生日，过得非常高兴。(☺昨天是我二十岁生日，过得非常愉快。)
② 祝你节日愉快！(＊祝你节日高兴！)
③ 认识你很高兴！(＊认识你很愉快！)
④ 我看你不太高兴，怎么了？(＊我看你不太愉快，怎么了？)
⑤ 我跟朋友一起学习，一起玩，一起聊天，生活得很愉快。(＊我跟朋友一起学习，一起玩，一起聊天，生活得很高兴。)
⑥ 听了我的话她脸上露出愉快的笑容。(＊听了我的话她脸上露出高兴的笑容。)
⑦ 一到周末，同学们都高高兴兴地到外边去玩了，宿舍里很少有人。(＊一到周末，同学们都愉愉快快地到外边去玩了，宿舍里很少有人。)

"高兴"有"喜欢做"的意思，"愉快"没有这种意思。

你不高兴去就不要去了。(＊你不愉快去就不要去了。)

519 搞[动]gǎo ▶ 弄[动]nòng

词义说明 Definition

搞[do; carry on; be engaged in] 做；干；从事：～语言调查。[make; produce; work out] 进行，开展。[set up; start; organize] 成立；组织；建立：～个实验室。[(follow by a complement) produce a certain effect or result; cause to become] 使变成怎么样：把问题～清楚。[get; get hold of; secure] 想办法获得：给我～点儿吃的来。

弄[play with; fool with] 手拿着玩儿。[make; do; manage; handle; get sb. or sth. into a specified condition] 做，干，搞，办。[get; fetch] 想办法得到：~点儿水喝。[enjoy; play] 玩弄；耍。

词语搭配 Collocation

	~语言的	~工作	~点儿酒来	~票	~坏了	~清楚	~活	~鬼	~~	~虚作假
搞	√	√	√	√	√	√	√	√	√	×
弄	×	×	√	√	√	√	×	√	√	√

用法对比 Usage

用法解释 Comparison

“弄”和“搞”是两个常用的“代动词”，它们的意思随宾语的不同而不同，“弄”比“搞”更口语化，“搞”可以用于书面，“弄”只用于口语。

语境示例 Examples

① 我给你搞到一张足球票。(想办法得到，可能是买来的，也可能是朋友送的)(☺我给你弄到一张足球票。)

② 这个语法一定要搞清楚。(意思是：学习、理解、研究等)(☺这个语法一定要弄清楚。)

③ 我的电脑让弟弟给搞坏了。(代替不太清楚的动作)(☺我的电脑让弟弟给弄坏了。)

④ 我去搞两个菜来，咱们今天晚上喝两杯。(做)(☺我去弄两个菜来，咱们今天晚上喝两杯。)

⑤ 他是搞工业设计的。(＊他是弄工业设计的。)

⑥ 小王正在跟小李搞对象呢。(＊小王正在跟小李弄对象呢。)

⑦ 你是怎么搞的？这么大的事为什么不告诉我？(＊你是怎么弄的？这么大的事为什么不告诉我？)

⑧ 我不想从政，我还是想搞我的专业。(＊我不想从政，我还是想弄我的专业。)

520 稿[名]gǎo ▶ 稿子[名]gǎozi

词义说明 Definition

稿[draft; sketch] 稿子。

稿子[draft；sketch] 诗文、图画等的草稿。[manuscript；contribution] 写成的诗文。

词语搭配 Collocation

	写~	定~	投~	发~	~纸	~约	~酬	~费	一篇~
稿	√	√	√	√	√	√	√	√	√
稿子	√	×	×	×	×	×	×	×	√

用法对比 Usage

用法解释 Comparison

"稿子"和"稿"是同义词，但是"稿子"没有组词能力，而"稿"可以与其他词组成相关的词语。

语境示例 Examples

① 很多报刊杂志都接收用电子邮件（e-mail）发的稿。（☺很多报刊杂志都接收用电子邮件发的稿子。）

② 我给《北京晚报》写了一篇稿。（☺我给《北京晚报》写了一篇稿子。）

③ 现在我写稿基本都用电脑，很少用稿纸。（*现在我写稿子基本都用电脑，很少用稿子纸。）

④ 这篇文章得了五百块钱的稿费。（*这篇文章得了五百块钱的稿子费。）

⑤ 这篇论文还没有定稿，你看看给提提意见。（*这篇论文还没有定稿子，你看看给提提意见。）

521 告别 gào bié ▶ 告辞 gào cí

词义说明 Definition

告别[leave；part from]（打个招呼或说几句话告诉别人）离别，分手。[bid farewell to；say goodbye to] 告诉别人要分别。

告辞[take leave (of one's host)]（向主人）辞别。

词语搭配 Collocation

	~家乡	~亲人	~朋友	向他~	我~了	最后的~
告别	√	√	√	√	×	√
告辞	×	×	×	√	√	×

用法对比 Usage

用法解释 Comparison

"告别"和"告辞"的意思有差别，"告别"是离开所在地到远方去时的动作行为，"告辞"是离开某一个临时待的地方回到住处或别处，不是去远方。"告别"可以带宾语，"告辞"不能带宾语。

语境示例 Examples

① 告别：他很有礼貌地向在座的朋友告别。（要离开此地，到远方去）

告辞：他很有礼貌地向在座的朋友告辞。（要离开宴会或朋友的住处，回到自己的住地）

② 我依依不舍地告别家乡和亲人来到中国。（*我依依不舍地告辞家乡和亲人来到中国。）

③ 对不起，我还有点儿事，先告辞了。（*对不起，我还有点儿事，先告别了。）

④ 我是来向你告别的，我明天就要回国了。（*我是来向你告辞的，我明天就要回国了。）

⑤ 今天晚上，大使要举行告别宴会。（*今天晚上，大使要举行告辞宴会。）

"告别"还有离开工作岗位的意思，"告辞"没有这个意思。

① 今天晚上是她的告别演出。（*今天晚上是她的告辞演出。）

② 他告别舞台已经十几年了。（*他告辞舞台已经十几年了。）

"告别"有和死者见最后一面的意思，"告辞"没有这个意思。

大家默默地向这位伟大的教育家做最后的告别。（*大家默默地向这位伟大的教育家做最后的告辞。）

522 告诉[动]gàosu ▶ 通知[动、名]tōngzhī

词义说明 Definition

告诉[tell; let know] 说给人，使人知道。

通知[notify; inform; give notice] 把事情告诉人知道。[notice; circular] 通知事项的文字或口信。

词语搭配 Collocation

	～大家	请～他	～我一声	把～发下去	贴一个～	～书	～单
告诉	√	√	√	×	×	×	×
通知	√	√	√	√	√	√	√

用法对比 Usage

用法解释 Comparison

"告诉"和"通知"都有把消息说给他人的意思，"告诉"用于口语，"通知"多用于书面。"通知"还是个名词，可以作主语和宾语，"告诉"只是个动词，不能作主语和宾语。

语境示例 Examples

① 这件事请你告诉小王。(☺这件事请你通知小王。)
② 请你告诉她，明天我们六点出发。(☺请你通知她，明天我们六点出发。)
③ 请通知大家，明天上午三四节在大教室上课。(☺请告诉大家，明天上午三四节在大教室上课。)
④ 我告诉你一个好消息。(＊我通知你一个好消息。)
⑤ 把这个通知贴出去。(＊把这个告诉贴出去。)
⑥ 他接到了北京大学的录取通知书。(＊他接到了北京大学的录取告诉书。)
⑦ 这张通知单上写的是什么？(＊这张告诉单上写的是什么？)

523 哥(哥)[名]gē(ge) ▶ 兄[名]xiōng

词义说明 Definition

哥(哥) [elder brother] 同父母（只同父或只同母）而年龄比自己大的男子。[a friendly term of address for older male acquaintances] 称呼和自己年龄差不多的男子（有亲热的意味）。

兄 [elder brother] 哥哥；亲戚中同辈而年龄比自己大的男子。[a courteous form of address between male friends] 对男性朋友的尊称。

词语搭配 Collocation

	我~	你~	他~	有一个~	表~	亲~	~弟	老~	学~
哥(哥)	√	√	√	√	√	√	×	√	×
兄	×	×	×	×	√	×	√	√	√

用法对比 Usage

用法解释 Comparison

"哥（哥）"和"兄"意思相同。"哥（哥）"可以用于面称。"兄"不能单独用于面称。

语境示例 Examples

① 他不是我的亲哥，是表哥，是我舅舅的孩子。（☺他不是我的亲哥，是表兄，是我舅舅的孩子。）

② 陈兄，好久不见了。（☺陈哥，好久不见了。）

③ 我有一个哥（哥）。（＊我有一个兄。）

④ 你哥（哥）大学毕业了没有？（＊你兄大学毕业了没有？）

⑤ 他们俩是亲兄弟。（＊他们俩是亲哥弟。）

⑥ 他是我的学兄。（＊他是我的学哥。）

"兄"还可以用于书面，尊称和自己年龄相仿（不一定比自己大）但不属兄弟之列的男人。

赠建国兄，请教正。（用于向他人赠送自己写的书时）（＊赠建国哥，请教正。）

524 搁[动]gē ▶ 放[动]fàng

词义说明 Definition

搁[put] 使处于一定的位置：把箱子~在屋子里。[put in; add] 加进去：牛奶里~不~糖？[put aside; leave over; shelve] 搁置：这件事先~一~再说。

放[let go; set free; release] 使自由：把鸟儿~了。[have a holiday or vacation; have a day off] 一定的时间内停止工作或学习：~假|~工。[put; place; lay] 使处于一定的位置：把词典~在书架上。[lay aside; store away (for future use); keep] 搁置：这事~~再说吧。 [put in; add] 加进去：~酱油。[show (a film, etc.); play (a record, etc.)] 放映，放送：~电影|~录音。[make larger or longer; let out; enlarge] 放大：~大照片。

词语搭配 Collocation

	~在	~下	~得下	~不下	~一~	~糖	~进去	~大	~假	~电影	~学
搁	√	√	√	√	√	√	√	×	×	×	×
放	√	√	√	√	√	√	√	√	√	√	√

用法对比 Usage

用法解释 Comparison

"搁"与"放"某些义项相同，但是"放"的意思和用法要比"搁"多，"搁"只用于口语，"放"没有此限。

语境示例 Examples

① 你先把东西搁在屋子里。(☺你先把东西放在屋子里。)
② 箱子太小，放不下这么多东西。(☺箱子太小，搁不下这么多东西。)
③ 咖啡里要不要放糖？(☺咖啡里要不要搁糖？)
④ 这件事暂时放一放再说。(☺这件事暂时搁一搁再说。)

以下"放"的用法都是"搁"不能替代的。

① 今天晚上礼堂放电影，你去不去？
② 我们下个星期就放寒假了。
③ 这张照片照得真好，像油画一样，应该再放大一下。
④ 放学以后马上回家，不要在路上玩，听见了没有？

525 歌手[名]gēshǒu ▶ 歌星[名]gēxīng

词义说明 Definition

歌手[singer] 擅长唱歌的人。

歌星[singing star] 有名的歌唱演员。

词语搭配 Collocation

	流行~	有名的~	著名~	~比赛	想当~
歌手	√	√	√	√	√
歌星	√	√	√	×	√

用法对比 Usage

用法解释 Comparison

"歌手"和"歌星"的不同是，"歌手"没有"歌星"有名，

"歌星"是有名的歌手，当然成名的"歌星"也可以称"歌手"。

语境示例 Examples

① 他是一个很受欢迎的歌星。(☺他是一个很受欢迎的歌手。)
② 有些歌星的表现很令他的歌迷失望。(☺有些歌手的表现很令他的歌迷失望。)
③ 她的理想是当歌星。(☺她的理想是当歌手。)
④ 观众当然爱护自己喜欢的歌星，歌星也要知道怎么爱护自己。(☺观众当然爱护自己喜欢的歌手，歌手也要知道怎么爱护自己。)
⑤ 在青年歌手电视大奖上她得了第一名。(＊在青年歌星电视大奖上她得了第一名。)

G

526 歌颂[动]gēsòng ▶ 赞颂[动]zànsòng

词义说明 Definition

歌颂[sing the praises of; extol; eulogize] 用诗歌颂扬，泛指用言语文字等赞美。

赞颂[extol; eulogize; sing the praises of] 称赞颂扬。

词语搭配 Collocation

	～祖国	～大好河山	～英雄	～好人好事	～真善美
歌颂	√	√	√	√	√
赞颂	√	√	√	√	√

用法对比 Usage

用法解释 Comparison

"歌颂"和"赞颂"都有用言语文字表达赞美的意思，但是，"歌颂"还表示用诗歌颂扬，而"赞颂"则不一定用诗歌。

语境示例 Examples

① 这是一支深情歌颂祖国的歌。(☺这是一支深情赞颂祖国的歌。)
② 我们的文艺应该满腔热情地歌颂人民创造性的劳动，歌颂我们这个时代的英雄。(☺我们的文艺应该满腔热情地赞颂人民创造性的劳动，赞颂我们这个时代的英雄。)
③ 歌颂真善美，鞭挞假恶丑是文艺作品和文艺工作者义不容辞的职责。(☺赞颂真善美，鞭挞假恶丑是文艺作品和文艺工作者义不容辞的职责。)

④ 他助人为乐的精神受到了大家的赞颂。（＊他助人为乐的精神受到了大家的歌颂。）

⑤ 这里美丽的山水、热情周到的服务赢得了各国游人的赞颂。（＊这里美丽的山水、热情周到的服务赢得了各国游人的歌颂。）

527 格外[副]géwài ▶ 分外[副、形]fènwài

词义说明 Definition

格外[especially; particularly; all the more] 超过寻常，不一般：今天的夕阳～红。[additionally] 额外，另外：给他～买了这张画。

分外[particularly; especially] 超过平常，特别：～好看。[beyond one's job or duty] 本分以外：～的工作。

词语搭配 Collocation

	～小心	～香	～高兴	～亲热	～漂亮	～壮观	～感兴趣	～准备一些	分内～
格外	√	√	√	√	√	√	√	√	×
分外	√	√	√	√	√	√	√	×	√

用法对比 Usage

用法解释 Comparison

“格外”和“分外”都是副词，都可以放在动词或形容词前边作状语，用于陈述句时它们的用法基本一样；但“格外”可以用于祈使句，“分外”不能。

语境示例 Examples

① 一到国庆节，天安门广场就显得分外壮丽。(☺一到国庆节，天安门广场就显得格外壮丽。)

② 他对京剧的脸谱格外感兴趣。(☺他对京剧的脸谱分外感兴趣。)

③ 老同学久别重逢，大家都分外高兴。(☺老同学久别重逢，大家都格外高兴。)

④ 你今天打扮得格外漂亮。(☺你今天打扮得分外漂亮。)

⑤ 这些你都吃了吧，我再格外给你爸爸做。（＊这些你都吃了吧，我再分外给你爸爸做。）

⑥ 下雪了，路滑，开车要格外小心。（＊下雪了，路滑，开车要分外小心。）

"分外"还是形容词，可以作定语，"格外"不能作定语。

① 自己分内的工作一定要做好，分外的事你少管。（* 自己分内的工作一定要做好，格外的事你少管。）

② 不能把帮助别人看成是分外的事。（* 不能把帮助别人看成是格外的事。）

528 隔离[动]gélí ▶ 隔绝[动]géjué

词义说明 Definition

隔离［keep apart; segregate; isolate］使断绝往来，不让聚在一起。

隔绝［cut off; separate; obstruct］隔断（联系、音信、信息等）。

词语搭配 Collocation

	～起来	～审查	～治疗	～病房	完全～	音信～	与世～	～空气	与外界～
隔离	√	√	√	√	√	×	×	×	×
隔绝	×	×	×	×	√	√	√	√	√

用法对比 Usage

用法解释 Comparison

"隔离"和"隔绝"都是动词，但是他们涉及的对象不同，不能相互替换。

语境示例 Examples

① 这种病传染，必须实行隔离治疗。（* 这种病传染，必须实行隔绝治疗。）

② 实行种族隔离政策，受到歧视和伤害的自然是有色人种。（* 实行种族隔绝政策，受到歧视和伤害的自然是有色人种。）

③ 这几年我在国外过着几乎与世隔绝的生活。（* 这几年我在国外过着几乎与世隔离的生活。）

④ 多年来我和他音信隔绝，谁也不知道谁的情况。（* 多年来我和他音信隔离，谁也不知道谁的情况。）

⑤ 救火的根本办法是隔绝空气。（* 救火的根本办法是隔离空气。）

529 给[动、介]gěi ▶ 送[动]sòng

词义说明 Definition

给[give; grant] 使对方得到某些东西或某种遭遇：～我一枝笔用。[(used after a verb) pass; pay] 用在动词后边作补语，表示交与，付出：我的论文已经交～老师了。[for the benefit of; for the sake of; for] 为：一会儿老师～我辅导。[used to introduce the recipient of an action] 引进动作对象：我～老师鞠了一个躬。[used in a passive sentence to introduce either the doer of the action or the action if the doer is not mentioned] 让；叫：他们队～我们打败了。

送[deliver; carry] 把东西运去或拿去给人：～信。[give as a present; give] 赠给：朋友～我一本词典。[see sb. off or out; accompany; escort] 陪着离去的人一起走：去机场～朋友。

词语搭配 Collocation

	～她礼物	～朋友	～到车站	～她当翻译	送～	赠～	传～
给	√	√	×	√	√	√	√
送	√	√	√	×	×	√	√

用法对比 Usage

"给"有动词和介词两种词性，"送"只是动词，表示馈赠时它们可以相互替换。

朋友送我一张电影票。(☺朋友给我一张电影票。)

"送"表示把东西拿去/来给人，"给"没有这个用法。

① 今天送信的来了没有？(＊今天给信的来了没有？)

② 我在国外读书时还送过报。(＊我在国外读书时还给过报。)

表示递交时只能用"给"。

给我一块面包。(＊送我一块面包。)

表示陪同离去的人时只能用"送"。

我把他送到了机场。(＊我把他给到了机场。)

"给"可作结果补语，"送"不能。

① 请把那本杂志递给我。(＊请把那本杂志递送我。)

② 请帮我把这封信交给老师。(＊请帮我把这封信交送老师。)

介词"给"表示被动，相当于"被、叫、让"，"送"没有这个用法。

① 他给车撞伤了。(＊他送车撞伤了。)
② 我一不小心把花瓶给打破了。(＊我一不小心把花瓶送打破了。)

530 根本[名、形]gēnběn ▶ 基本[形]jīběn

词义说明 Definition

根本[foundation; base] 事物的根源或最重要的部分。[basic; fundamental; essential; cardinal] 主要的；重要的。[(used in the negative) at all; simply] 始终，全然，从头到尾（多用于否定句）。[radically; thoroughly] 彻底；本来；从来。

基本[foundation] 根本；事物的本源：人民是国家的～。[basic; fundamental; elementary] 根本的：～原理。[main; essential] 主要的：～条件。[basically; in the main; on the whole; by and large] 大致；大体上：～完成了。

词语搭配 Collocation

	～问题	～矛盾	～条件	～词汇	～同意	～不同意	～解决	问题的～	～合格	～完成
根本	√	√	×	×	×	√	√	√	×	×
基本	√	√	√	√	√	×	√	×	√	√

用法对比 Usage

用法解释 Comparison

二者都可以作状语，但“根本”可以作主语和宾语，“基本”常作定语，很少作主语和宾语。

语境示例 Examples

① 根本：要艰苦奋斗，争取在三五年内根本改变我们这里贫穷落后的面貌。(彻底改变)
基本：要艰苦奋斗，争取在三五年内基本改变我们这里贫穷落后的面貌。(大体改变)
② 提高人民生活水平的根本途径是发展经济。(☺提高人民生活水平的基本途径是发展经济。)
③ 这件事我根本不知道。(＊这件事我基本不知道。)
④ 你的意见我根本不同意。(＊你的意见我基本不同意。)
⑤ 诚信是做人的根本，千万丢不得。(＊诚信是做人的基本，千万丢不得。)

⑥ 制约中国经济发展的根本是人口问题。（＊制约中国经济发展的基本是人口问题。）
⑦ 要把汉语学好，初步达到能听懂、会说，最少要掌握五千多个基本词汇。（＊要把汉语学好，初步达到能听懂、会说，最少要掌握五千多个根本词汇。）
⑧ 到明年底这项工程能基本完成。（＊到明年底这项工程能根本完成。）
⑨ 他说的情况基本属实。（＊他说的情况根本属实。）

G

531 根据[动、名]gēnjù ▶ 按照[介]ànzhào

词义说明 Definition

根据[on the basis of; according to; in light of; in line with] 把某种事物作为语言行动或得出结论的前提：～天气预报，今天下午有雨。[basis; grounds; foundation] 作为根据的事物：说话要有～。

按照[according to; in accordance with; in light of; on the basis of] 依据；根据。

词语搭配 Collocation

	～情况	～天气预报	～大家的意见	～事实	～计划	～指示	有～	没有～
根据	√	√	√	√	√	√	√	√
按照	√	√	√	√	√	√	×	×

用法对比 Usage

用法解释 Comparison

“按照”是介词，“根据”既是介词，也是名词。介词“按照”和“根据”的用法基本相同，“按照”没有名词的用法，不能作宾语，“根据”可以作宾语。

语境示例 Examples

① 要按照学校的有关规定办事。(☺要根据学校的有关规定办事。)
② 历史是按照客观规律向前发展的。(☺历史是根据客观规律向前发展的。)
③ 根据天气预报，今天下午有雷阵雨。（＊按照天气预报，今天下午有雷阵雨。）

④ 可以根据卫星云图推测天气变化的情况。(*可以按照卫星云图推测天气变化的情况。)
⑤ 说话要有根据，不能胡说。(*说话要有按照，不能胡说。)
⑥ 你说这事是他干的，有什么根据吗？(*你说这事是他干的，有什么按照吗?)

532 跟[动、介、连]gēn ▶ 和[形、介、连]hé ▶ 同[介、连、形、动]tóng

词义说明 Definition

跟[follow] 在后边紧接着向同一方向行动；随：~我来。[(of a woman) marry sb.] 嫁给某人：我才不~这样的人呢。[from] 从：我~他借了一枝笔。[(used to indicate accompaniment, relationship, involvement, etc.) with] 和：这事~我没有关系。[(used to show comparison) as] 引进比较异同的对象；同：~去年相比，今年的雨水多得多。[(used to introduce the recipient of an action) with] 同：有事~大家商量。[and] 表示联合关系，相当于“和、与”：桌子上放着笔~纸。

和[gentle; mild; kind] 温和，柔和，和气：~风细雨。[peace] 和平，和解：讲~。[draw; tie] (下棋或赛球) 不分胜负：~棋|双方握手言~。[(indicating relationship, comparison, etc.) with] 跟：他~这件事没有关系。[and; with] 介词，向，对：老师~学生。

同[same; alike; similar] 一样，相同：~一年级。[be the same as] 跟……一样：~前。[together; in common] 共同；一齐(从事)：~游。[(used to indicate accompaniment, relationship, involvement, etc.) with] 引进动作对象，跟“跟”相同：我~你一起去。[(used to show comparison) as...as] 引进比较事物，跟“跟”相同：我的车~你的一样。[and; with] 表示并列，跟“和”一样：我~老师。

词语搭配 Collocation

	~我来/去	~你一样	~我说	书~本子	~来~往	~心	~风	~级
跟	√	√	√	√	×	×	×	×
和	√	√	√	√	×	×	√	×
同	√	√	√	√	√	√	×	√

用法对比 Usage

用法解释 Comparison

连词和介词“跟”、“和”、“同”的用法基本相同，不同的是它们与其他词语的搭配上。作介词时，口语常用“跟”，书面语多用“同”。作连词时，“和”比“跟”更常用，“同”不常用。

G

语境示例 Examples

① 跟：你跟我来吧。（我为主，你为从；我在前，你在后）
和：你和我一起去吧。（不分主从）
同：你同我一起去吧。（不分主从，更加书面）

② 跟：我跟他借了一张光盘。（光盘是他的）
和：我和他借了一张光盘。（两个人借了一张光盘）（ * 我同他借了一张光盘。）

介词“跟”、“同”、“和”常常可以通用。

① 这件事跟你没有什么关系。（☺这件事同/和你没有什么关系。）
② 这辆汽车跟那辆颜色一样。（☺这辆汽车和/同那辆颜色一样。）
③ 弟弟跟我一样高。（☺弟弟同/和我一样高。）
④ 我有件事想跟你商量商量。（☺我有件事想同/和你商量商量。）
⑤ 这次考试的方法跟上次不一样。（☺这次考试的方法同/和上次不一样。）
⑥ 我打算跟男朋友一起去中国学习汉语。（☺我打算同/和男朋友一起去中国学习汉语。）
⑦ 你要留学的事跟父母商量了没有？（☺你要留学的事和/同父母商量了没有？）
⑧ 湖面跟镜子一样。（☺湖面和/同镜子一样。）
⑨ 那个箱子里是几件衣服和一些日用品。（☺那个箱子里是几件衣服跟/同一些日用品。）
⑩ 我去同朋友们告个别。（☺我去跟/和朋友们告个别。）

⑪ 同去年相比，国民生产总值增加了7%。（☺跟/和去年相比，国民生产总值增加了7%。）

⑫ 这些苹果和梨一共花了多少钱？（*这些苹果同/跟梨一共花了多少钱？）

⑬ 有问题要多跟老师请教。（*有问题要多和/同老师请教。）

⑭ 我跟你打听一个人，您知道王伟国老师住几号楼吗？（*我和/同你打听一个人，您知道王伟国老师住几号楼吗？）

"跟"有动词的用法，"同"和"和"没有这个用法：

① 你跟着他去吧。（*你同/和着他去吧。）

② 你慢点儿走，快了后边跟不上。（*你慢点儿走，快了后边和/同不上。）

"和"有比赛不分输赢的意思，"跟"和"同"没有这个意思。

两个队全场比分是1比1，握手言和。（*两个队全场比分是1比1，握手言跟/同。）

"同"用共同的意思，"和"和"跟"没有这个意思。

① 她们俩像亲姐妹一样，常常同来同往。（*她们俩像亲姐妹一样，常常跟来跟往。）（*她们俩像亲姐妹一样，常常和来和往。）

② 我们是同班同学。（*我们是跟/和班同学。）

③ 他俩的兴趣完全不同。（*他俩的兴趣完全不跟/和。）

④ 我们俩在语言大学同过一年学。（*我们俩在语言大学跟/和过一年学。）

533 跟[动、介]gēn ▶ 随[动、介]suí

词义说明 Definition

跟[follow] 在后边紧接着向同一方向行动；随：～我来。[(of a woman) marry sb.] 嫁给某人：我才不～这样的人呢。[from] 从：我～他借了一本书。[(used to indicate accompaniment, relationship, involvement, etc.) with] 和：这件事～我有关系。[(used to show comparison) as] 引进比较异同的对象；同：～上学期相比，他有很大进步。[(used to introduce the recipient of an action) with] 同：有事～老师谈谈。[and] 表示联合关系，相当于"和、与"：书架上放着书～杂志。

随[follow; come and go along with] 跟。[comply with; adapt to]

依从，顺从。[let (sb. do as he likes)] 任凭。[along with (some other action)] 顺便。

词语搭配 Collocation

	~着	~我来	~他一起去	~以前一样	~你的便	~手关门	~意	~风飘扬
跟	√	√	√	√	×	×	×	×
随	√	√	√	×	√	√	√	√

用法对比 Usage

“随”和“跟”都是动词，后边都常带“着”。

G

① 请大家跟着往前走。(☺请大家随着往前走。)

② 我爸爸在大使馆工作，我是跟着他来中国的。(*我爸爸在大使馆工作，我是随着他来中国的。)

③ 前面走得慢一点儿，后边跟不上了。(*前面走得慢一点儿，后边随不上了。)

“随”有“依从、顺从”的意思，“跟”没有这个意思。

① 你愿意去哪儿就去哪儿，我随你。(*你愿意去哪儿就去哪儿，我跟你。)

② 广场上的红旗随风飘扬。(*广场上的红旗跟风飘扬。)

“跟”有“嫁给”的意思，“随”没有这个意思。

让你跟着我受苦了。(*让你随着我受苦了。)

“随”带“着”常用来作状语，放在前一个分句之首，“跟着”没有这个用法。

① 随着城市的现代化，北京的胡同和四合院越来越少了。(*跟着城市的现代化，北京的胡同和四合院越来越少了。)

② 随着汉语水平的提高，我学习汉语的兴趣也越来越浓了。(*跟着汉语水平的提高，我学习汉语的兴趣也越来越浓了。)

“跟”常和“一样/不一样”组成“跟……一样/不一样”，用来表示比较。“随”没有这个用法。

我的电脑跟你的一样。(*我的电脑随你的一样。)

“随”有任凭的意思，“跟”没有这个意思。

你想去就去，不想去就别去，随你的便。(*你想去就去，不想去就别去，跟你的便。)

“随”有“顺便”的意思，“跟”没有这个意思。

随手关门。(*跟手关门。)

534 跟随[动]gēnsuí ▶ 跟踪[动]gēnzōng

词义说明 Definition

跟随[follow] 在后边紧接着向同一个方向前进。

跟踪[follow the tracks of] 紧紧跟随在后面（追赶、监视）。

词语搭配 Collocation

	~老师去	~大家	~他	~追击	~监视	~报道
跟随	√	√	√	×	×	×
跟踪	×	×	√	√	√	√

用法对比 Usage

用法解释 Comparison

“跟随”和“跟踪”的意思用法都不同，它们不能相互替换。

语境示例 Examples

① 他从小就跟随父亲学武术。（*他从小就跟踪父亲学武术。）

② 电视台对这一事件进行了跟踪报道。（*电视台对这一事件进行了跟随报道。）

③ 这帮歹徒向西逃跑了，警察紧紧跟踪追击。（*这帮歹徒向西逃跑了，警察紧紧跟随追击。）

④ 他十几岁就跟随红军参加了两万五千里长征。（*他十几岁就跟踪红军参加了两万五千里长征。）

⑤ 他发现后边有人跟踪，就连忙躲进一个商店里。（*他发现后边有人跟随，就连忙躲进一个商店里。）

535 更改[动]gēnggǎi ▶ 更换[动]gēnghuàn

词义说明 Definition

更改[change; alter] 改换；改动。

更换[change; replace] 变换；替换。

词语搭配 Collocation

	~名称	~时间	~航线	~路线	~位置	~衣服	~演员	~领导
更改	√	√	√	√	×	×	×	×
更换	√	√	√	√	√	√	√	√

用法对比 Usage

用法解释 Comparison

“更换”的对象可以是人也可以是物，是具体名词，而“更改”的对象只能是计划、时间、安排等抽象名词。

语境示例 Examples

① 恐怖分子用民航飞机撞击大楼的事件发生后，各航空公司纷纷更改航线。(☺恐怖分子用民航飞机撞击大楼的事件发生后，各航空公司纷纷更换航线。)

② 因为老师病了，明天下午的课要更改一下时间。(☺因为老师病了，明天下午的课要更换一下时间。)

③ 这个学校已经更改了名称，原来叫“北京语言学院”，现在叫“北京语言大学”。(☺这个学校已经更换了名称，原来叫“北京语言学院”，现在叫“北京语言大学”。)

④ 公司的大部分领导都更换了。(＊公司的大部分领导都更改了。)

⑤ 这个展览馆的展品好多都更换了。(＊这个展览馆的展品好多都更改了。)

⑥ 因为建设资金的问题，甲方要求更改设计。(＊因为建设资金的问题，甲方要求更换设计。)

536 更新[动]gēngxīn ▶ 更正[动]gēngzhèng

词义说明 Definition

更新[replace] 去掉旧的，换上新的。

更正[make corrections (of errors in published statements or articles)] 改正已发表的文章或谈话中的有关内容或字句上的错误。

词语搭配 Collocation

	～观念	～设备	～教具	～教材	～一下	～一句话	～一个字	～如下	万象～
更新	√	√	√	√	√	×	×	×	√
更正	×	×	×	×	√	√	√	√	×

用法对比 Usage

用法解释 Comparison

“更新”是把旧的换成新的，“更正”是把错的改成对的，

"更新"带抽象宾语，例如：更新观念，更新设备等，"更正"带具体宾语，例如：更正一个字，更正一条消息。它们不能相互替换。

语境示例 Examples

① 改革开放以来，人们的观念在不断更新。（*改革开放以来，人们的观念在不断更正。）
② 今年我们学校更新了教材。（*今年我们学校更正了教材。）
③ 这些教具都太陈旧了，需要更新。（*这些教具都太陈旧了，需要更正。）
④ 教学设备也在不断更新。（*教学设备也在不断更正。）
⑤ 晚报对昨天发表的一条消息做了更正。（*晚报对昨天发表的一条消息做了更新。）
⑥ 课本第十一页第五行需要更正一个字。（*课本第十一页第五行需要更新一个字。）

537 更[副]gèng ▶ 更加[副]gèngjiā

词义说明 Definition

更[more; still more; even more] 更加：～努力地学习。[further; furthermore; what is more] 再，又：～上一层楼。

更加[more; still more; even more] 表示程度上又深了一层或数量上进一步增加或减少。

词语搭配 Collocation

	～好	～新	～努力地	～上一层楼	～爱护	～关心	～难过	～冷了
更	√	√	√	√	√	√	√	√
更加	×	×	√	×	√	√	√	√

用法对比 Usage

用法解释 Comparison

"更"和"更加"同义，都放在形容词前作状语。因为音节的关系，用法上有差别，书面语一般用"更加"，口语多用"更"。在双音节形容词前，用"更加"和"更"都可以，但是在单音节形容词前一般用"更"，不用"更加"，例如：更新、更好、更贵，不常说：更加新、更加好、更加贵。

语境示例 Examples

① 来中国以后，我更感到当初选择汉语作为自己的专业是正确的。(☺来中国以后，我更加感到当初选择汉语作为自己的专业是正确的。)
② 你穿上这件衣服显得更加漂亮了。(☺你穿上这件衣服显得更漂亮了。)
③ 学校对家庭贫困的同学更加关心、爱护。(☺学校对家庭贫困的同学更关心、爱护。)
④ 今后我要更加努力地学习。(☺今后我要更努力地学习。)
⑤ 进入一月，北京的天气更加冷了。(☺进入一月，北京的天气更冷了。)
⑥ 这儿的风景更美。(＊这儿的风景更加美。)
⑦ 北京冷，哈尔滨比北京更冷。（＊北京冷，哈尔滨比北京更加冷。)
⑧ 你今年的成绩不错，明年要争取更上一层楼。(＊你今年的成绩不错，明年要争取更加上一层楼。)

538 工夫(功夫)[名]gōngfu ▶ 时间[名]shíjiān

词义说明 Definition

工夫[time] 做事所费的精力和时间（也作“功夫”）。
[workmanship; art; skill] 本领；造诣。[effort; skill of Chinese boxing and sword play] 武术和武术技能。

时间[time] 由过去、现在和将来构成的连绵不断的系统；是物质运动、变化持续性、顺序性的表现。

词语搭配 Collocation

	有～	很有～	没～	～怎么样	到～了	什么～	多长～	练～	花～	下～
工夫	√	√	√	√	×	√	×	√	√	√
时间	√	×	√	√	√	√	√	×	√	×

用法对比 Usage

用法解释 Comparison

“时间”既表示时段（有起点和终点的一段时间），又表示时点（时间里的某一点：八点十五分、五号、一月等），“工夫”只能表示时段，不表示时点。

语境示例 Examples

① 我准备用三年工夫学习汉语。(☺我准备用三年时间学习汉语。)

② 学习外语不花工夫是学不好的。(☺学习外语不花时间是学不好的。)

③ 他在学习上肯下工夫，所以学得很好。(＊他在学习上肯下时间，所以学得很好。)

④ 现在的时间是八点三十五分。(＊现在的工夫是八点三十五分。)

⑤ 今天寒假放多长时间？(＊今天寒假放多长工夫？)

⑥ 你回国的时间定了没有？(＊你回国的工夫定了没有？)

“工夫（功夫）”还表示学问、本领、技能和武功的意思，“时间”没有此义。

① 他在英美文学研究方面很有工夫。(＊他在英美文学研究方面很有时间。)

② 他这一身工夫是用十几年才练出来的。(＊他这一身时间是用十几年才练出来的。)

539 工作[动、名]gōngzuò ▶ 事业[名]shìyè

词义说明 Definition

工作[work; operate] 从事体力或脑力劳动。[job; work] 职业；业务，任务。

事业[cause; undertaking; career] 人所从事的，有一定目标、规模和系统的对社会发展有影响的经常活动。[institution] 指由国家经费开支，不进行经济活动的文化、教育、卫生等单位，与“企业”相对。

词语搭配 Collocation

	有～	没有～	找～	～单位	积极～	开始～	科学研究～	教学～	教育～	～心	～量
工作	√	√	√	√	√	√	√	√	√	×	√
事业	√	√	×	√	×	×	√	×	√	√	×

用法对比 Usage

用法解释 Comparison

“事业”是书面语，“工作”口语和书面都常用，名词“工作”有时可以和“事业”通用，但是“工作”可以作谓语，“事业”不能作谓语。

语境示例 Examples

① 这项工作关系着我们国家未来经济的发展，所以必须做好。(☺这项事业关系着我们国家未来经济的发展，所以必须做好。)
② 改革开放是一项改变中国面貌的伟大事业。(*改革开放是一项改变中国面貌的伟大工作。)
③ 大桥的修建工作开始了。(*大桥的修建事业开始了。)

“事业”有时还有“个人的成就”的意思，“工作”没有这个意思。

① 研究生毕业后，他立志要做出一番事业来。(*研究生毕业后，他立志要做出一番工作来。)
② 他这个人很有事业心。(*他这个人很有工作心。)
③ 他每天的工作量很大。(*他每天的事业量很大。)

“工作”有“职业”的意思，“事业”没有这个意思。

① 他找到工作没有？(*他找到事业没有？)
② 你爸爸是做什么工作的？(*你爸爸是做什么事业的？)

“工作”还是动词，“事业”只是名词。

计算机正在工作。(*计算机正在事业。)

“事业” [facilities] 还指经费由国家开支，不进行经济活动的文化、教育、卫生等单位，与“企业”相对。“工作”没有这个用法。

他们单位是一个事业单位。(*他们单位是一个工作单位。)

540 公布[动]gōngbù ▶ 公告[名]gōnggào

词义说明 Definition

公布[promulgate; announce; publish; make public] 公开发布政府的法律、命令、文告或社会团体的通知等。

公告[announcement; proclamation; notice] 政府、团体向公众发出的希望大家都知道的消息。如通告、通知等。

词语搭配 Collocation

	～新宪法	～法律	～于众	～一下	～一次	发表～	政府～	大会～
公布	√	√	√	√	√	×	×	×
公告	×	×	×	×	×	√	√	√

用法对比 Usage

用法解释 Comparison

"公布"是动词，"公告"是名词，二者的意思也不同，不能相互替换。

语境示例 Examples

① 中国政府已将事实真相向全世界公布。（＊中国政府已将事实真相向全世界公告。）
② 这次考试的成绩什么时候公布？（＊这次考试的成绩什么时候公告？）
③ 教务处已经公布了对该生的处分决定。（＊教务处已经公告了对该生的处分决定。）
④ 今天全国人民代表大会发表了第一号公告。（＊今天全国人民代表大会发表了第一号公布。）
⑤ 大会公布了主席团名单。（＊大会公告了主席团名单。）
⑥ 把学生会这个月的活动公告张贴出去。（＊把学生会这个月的活动公布张贴出去。）

541 公民[名]gōngmín ▶ 人民[名]rénmín

词义说明 Definition

公民[citizen] 具有或取得某国国籍，并根据该国法律规定享受有关权利和承担义务的人。

人民[people] 以劳动群众为主体的社会基本成员。

词语搭配 Collocation

	中国～	～权	～代表	～群众	～政府	～英雄	～警察	～军队	～法院	～们
公民	√	√	×	×	×	×	×	×	×	√
人民	√	×	√	√	√	√	√	√	√	×

用法对比 Usage

用法解释 Comparison

"公民"使用的范围很小，只限于法律范围，"人民"很常用。"公民"前可以加小数目的词，如"一个公民"；"人民"前不能加小数目的词，但是可以加大数目的词，不说"一个人民"，可以说“亿万人民”。

语境示例 Examples

① 按照中国宪法，公民有权监督各级政府官员。(☺按照中国宪法，人民有权监督各级政府官员。)
② 年满十八岁的中国公民都有选举权和被选举权。(＊年满十八岁的中国人民都有选举权和被选举权。)
③ 从护照看，他是韩国公民。(＊从护照看，他是韩国人民。)
④ 中华人民共和国的一切权力属于人民。(＊中华人民共和国的一切权力属于公民。)
⑤ 没有一支人民的军队，就没有人民的一切。(＊没有一支公民的军队，就没有公民的一切。)
⑥ 全心全意为人民服务是这支军队的惟一宗旨。(＊全心全意为公民服务是这支军队的惟一宗旨。)

542 公平[形]gōngpíng ▶ 公正[形]gōngzhèng ▶ 公道[形]gōngdao

词义说明 Definition

公平[fair; just; impartial; equitable] 处理事情合情合理，不偏袒哪一方。

公正[just; fair; impartial; fair-minded] 公平正直，没有偏私。

公道[fair; just; reasonable; impartial] 公平，合理。

词语搭配 Collocation

	很～	～合理	～执法	为人～	～的评价	社会～	价钱～	办事～	处事～
公平	√	√	×	×	×	×	×	√	√
公正	√	√	√	√	√	√	×	√	√
公道	√	√	×	×	×	×	√	√	√

用法对比 Usage

用法解释 Comparison

这三个词都是褒义词，都可以用来形容人或人的处事风格，可以作状语和谓语，它们的不同在于与其他词语的搭配上。

语境示例 Examples

① 要比较公平合理地分配社会财富，才能保证社会稳定。(☺要比较公正/公道合理地分配社会财富，才能保证社会稳定。)
② 一定要彻底清除司法腐败，公正执法。(＊一定要彻底清除司法腐败，公平/公道执法。)
③ 我们的报纸代表着社会公正，一定要替最广大的人民群众说话。(＊我们的报纸代表着社会公平/公道，一定要替最广大的人民群众说话。)
④ 对他的一生应该给以公正的评价。(＊对他的一生应该给以公道/公平的评价。)
⑤ 要维护市场秩序，维护公平交易，决不允许任何人欺行霸市。(＊要维护市场秩序，维护公正/公道交易，决不允许任何人欺行霸市。)

"公道"可以修饰价格，"公正"和"公平"不能。

这里的商品质量好，价钱也公道，所以吸引了很多顾客。(＊这里的商品质量好，价钱也公平/公正，所以吸引了很多顾客。)

"公道"可以作定语，"公正"和"公平"不能。

① 他是个公道人，把事情交给他办，完全可以放心。(＊他是个公正/公平人，把事情交给他办，完全可以放心。)
② 说句公道话，警察维持交通秩序也不容易，大家应该自觉遵守交通规则。(＊说句公正/公平话，警察维持交通秩序也不容易，大家应该自觉遵守交通规则。)

543 公务[名]gōngwù ▶ 公事[名]gōngshì

词义说明 Definition

公务[public affairs; official business] 关于国家或集体的事务。

公事[public affairs; official business (or duties)] 公家的事；集体的事（区别于"私事"）。

词语搭配 Collocation

	执行～	～人员	～护照	～员	～公办	办～
公务	√	√	√	√	×	√
公事	×	×	×	×	√	√

用法对比 Usage

用法解释 Comparison

"公务"可以作宾语，也可以作定语，"公事"不能作定语，只作宾语。

语境示例 Examples

① 我们先办完公事，然后再办私事。(☺我们先办完公务，然后再办私事。)
② 因公出国一般持公务护照。(＊因公出国一般持公事护照。)
③ 国家公务员的职责是执行国家的法令法规，全心全意地为人民服务。(＊国家公事员的职责是是执行国家的法令法规，全心全意地为人民服务。)
④ 不要妨碍警察执行公务。(＊不要妨碍警察执行公事。)
⑤ 一定分清公事还是私事，不能假公济私。(＊一定分清公务还是私事，不能假公济私。)
⑥ 要公事公办，不能徇私舞弊。(＊要公务公办，不能徇私舞弊。)

544 公用[动]gōngyòng ▶ 共用 gòng yòng

词义说明 Definition

公用[for public use; public; communal] 大家都可以使用。

共用[together; for public use] 大家共同使用。一共使用（的数量）。

词语搭配 Collocation

	～电话	～一个	～一个浴场	～一个更衣室	～车
公用	√	×	×	×	√
共用	×	√	√	√	×

用法对比 Usage

用法解释 Comparison

"公用"的意思是大家都可以享用，像电话、浴场、公园、公共交通工具等，"共用"是状动词组，既可表示很多人使用一个，也可表示一个人使用很多，它的行为主体既可是人，也可以是其他事物。"共用"常作谓语，可带宾语，"公用"常作定语，不常带宾语。

语境示例 Examples

① 中国有五十六个民族，有些少数民族还有自己的语言，但是汉语是全中国所有民族共用的语言。(☺中国有五十六个民族，有些少数民族还有自己的语言，但是汉语是全中国所有民族公用的语言。)
② 城市的大街小巷都有公用电话，打电话非常方便。(*城市的大街小巷都有共用电话，打电话非常方便。)
③ 这套房子是我们两个人共用的。(☺这套房子是我们两个人公用的。)
④ 这么多人共用一台电脑太不方便了。(*这么多人公用一台电脑太不方便了。)
⑤ 办公室里有几台公用电脑。(*办公室里有几台共用电脑。)
⑥ 建这座桥共用钢铁一千五百多吨。(*建这座桥公用钢铁一千五百多吨。)

545 功绩[名]gōngjì ▶ 功劳[名]gōngláo

词义说明 Definition

功绩[merits and achievements; contribution] 功业与劳绩。

功劳[contribution; meritorious service; credit] 对事业的贡献。

词语搭配 Collocation

	有～	没有～	～很大	～卓著	汗马～	立～	不可磨灭的～
功绩	√	√	√	√	×	×	√
功劳	√	√	√	×	√	√	√

用法对比 Usage

用法解释 Comparison

“功绩”指伟大的业绩，一般的人或事业不能用，“功劳”没有此限，口语常用。

语境示例 Examples

① 他为中国人民的解放事业建立了不可磨灭的功绩。(☺他为中国人民的解放事业建立了不可磨灭的功劳。)

② 他的功绩是发明了电脑激光照排技术。(☺他的功劳是发明了电脑激光照排技术。)

③ 我取得这项科研成果，其中也有我妻子的功劳。(*我取得这项科研成果，其中也有我妻子的功绩。)

④ 不能把功劳都归于自己，把错误都推给别人。(*不能把功绩都归于自己，把错误都推给别人。)

⑤ 他为这项研究的成功立下了汗马功劳。(*他为这项研究的成功立下了汗马功绩。)

G

546 功能[名]gōngnéng ▶ 功效[名]gōngxiào

词义说明 Definition

功能[function] 事物或方法所发挥的有利的作用，效能。

功效[efficacy; effect] 效率，功能。

词语搭配 Collocation

	~很多	~齐全	发挥~	~显著	很见~	~很好	立见~
功能	√	√	√	×	×	√	×
功效	×	×	√	√	√	√	√

用法对比 Usage

用法解释 Comparison

“功能”说的是一个东西有什么用处，“功效”表示一个东西用后是什么效果。

语境示例 Examples

① 这台新机器的功能怎么样？(☺这台新机器的功效怎么样？)

② 这个软件有什么功能？(*这个软件有什么功效？)

③ 这种感冒药很好，吃了立见功效。(*这种感冒药很好，吃了立见功能。)

④ 这种手机的功能很多，还可以接收和发送电子邮件（e-mail）。(*这种手机的功效很多，还可以接收和发送电子邮件。)

⑤ 要充分发挥各种群众组织的功能。(*要充分发挥各种群众组织的功效。)

⑥ 最近我肠胃功能紊乱，大小便不正常。(*最近我肠胃功效紊乱，大小便不正常。)

547 供给[动]gōngjǐ ▶ 供应[动]gōngyìng

词义说明 Definition

供给[supply; provide; furnish] 把生活中必需的物资、钱财、资料等给需要的人使用。

供应[supply] 用物资（或人力）满足需要。

词语搭配 Collocation

	保障～	保证～	满足～	免费～	～食品	物资～	～充足	～市场
供给	√	√	×	√	√	√	√	×
供应	√	√	√	√	√	√	√	√

用法对比 Usage

用法解释 Comparison

“供应”可包括人力，“供给”不包括人力；“供应”的宾语可以是“工业”、“农业”、“市场”等表行业、处所的词，“供给”一般不能带这类词作宾语。

语境示例 Examples

① 只有经济发展了才能保障供给。（☺只有经济发展了才能保障供应。）

② 在这个暑期少年活动站，孩子们的午餐是免费供给的。（☺在这个暑期少年活动站，孩子们的午餐是免费供应的。）

③ 食物是给人体活动供应能量的，不吃饭怎么行？（*食物是给人体活动供给能量的，不吃饭怎么行？）

④ 人民日常生活用品都能满足供应。（*人民日常生活用品都能满足供给。）

⑤ 他们公司每年生产几十万辆汽车供应国内外市场。（*他们公司每年生产几十万辆汽车供给国内外市场。）

⑥ 保证人民生活必需品的供应，就能维护社会的安定。（☺保证人民生活必需品的供给，就能维护社会的安定。）

548 贡献[动、名]gòngxiàn ▶ 奉献[动、名]fèngxiàn

词义说明 Definition

贡献[contribute; dedicate; devote] 拿出物资、力量、经验等献

给国家或公众。[(valuable things done to the country or the public) contribution; dedication; devotion] 对国家或公众所做的有益的事。

奉献 [devote; dedicate; present with respect; offer as a tribute] 恭敬地献给。[contribution; dedication] 奉献出的东西;贡献。

词语搭配 Collocation

	~给祖国	~自己的力量	做出~	新的~	无私~	很大的~
贡献	√	√	√	√	√	√
奉献	√	√	√	√	√	×

G

用法对比 Usage

用法解释 Comparison

"贡献"可以作谓语,也可以作宾语,"奉献"不常作宾语。

语境示例 Examples

① 从事科学研究需要一个人贡献出自己毕生的精力。(☺从事科学研究需要一个人奉献出自己毕生的精力。)

② 这些年轻的志愿者把自己的知识和智慧无私地奉献给了山区的教育事业。(☺这些年轻的志愿者把自己的知识和智慧无私地贡献给了山区的教育事业。)

③ 为了祖国的繁荣富强,我们愿意贡献自己的青春和力量。(☺为了祖国的繁荣富强,我们愿意奉献自己的青春和力量。)

④ 他为中国石油工业的发展做出了巨大的贡献。(*他为中国石油工业的发展做出了巨大的奉献。)

⑤ 占人类总数四分之一的中国人民应该为人类做出较大的贡献。(*占人类总数四分之一的中国人民应该为人类做出较大的奉献。)

549 构思[动]gòusī ▶ 构想[动]gòuxiǎng

词义说明 Definition

构思 [(of a writer or artist) work out the plot of a story or the composition of a painting] 做文章或制作艺术品时的思维活动。

构想 [idea; conception; concept] 对未来的规划或设想。[conceived idea] 形成的想法。

词语搭配 Collocation

	～作品	巧妙的～	～精巧	改革的～	对未来的～	正在～	提出自己的～	艺术～
构思	√	√	√	×	×	√	√	√
构想	×	×	×	√	√	×	√	×

用法对比 Usage

用法解释 Comparison

"构思"多指艺术或文学创作时的思维活动，"构想"常用于大的、宏观的、事关国家未来的设想或计划。它们不能相互替代。

语境示例 Examples

① 他正在构思一部新的长篇小说。（＊他正在构想一部新的长篇小说。）

② 这件工艺品构思巧妙，制作精细。（＊这件工艺品构想巧妙，制作精细。）

③ 香港和澳门顺利回归中国，实现了"一国两制"的伟大构想。（＊香港和澳门顺利回归中国，实现了"一国两制"的伟大构思。）

④ 有关部门提出了关于中国体制改革的构想。（＊有关部门提出了关于中国体制改革的构思。）

⑤ 这个情节是怎么构思出来的？（＊这个情节是怎么构想出来的？）

⑥ 他们正在为这项工程构想一个方案。（＊我们正在为这项工程构思一个方案。）

550 购买[动]gòumǎi ▶ 购[动]gòu ▶ 买[动]mǎi

词义说明 Definition

购买[purchase; buy] 买。

购[purchase; buy] 买。

买[buy; purchase] 拿钱换东西（跟"卖"相对）。

词语搭配 Collocation

	～债券	～图书	～汽车	～力	～书	～报	～票	～东西	～房	～物
购买	√	√	√	√	×	×	×	×	×	×
购	√	×	×	×	√	×	×	×	√	√
买	√	√	√	×	√	√	√	√	√	×

用法对比 Usage

用法解释 Comparison

"购买"、"购"和"买"都是动词，意思也一样，但是，"购买"和"购"用于书面，"买"用于口语。"购买"的宾语一般是双音节词语，而"买"的宾语单、双音节都可以。"购"只能和少量的名词搭配使用。

G

语境示例 Examples

① 我想去购买一些年货。(☺我想去买一些年货。)(*我想去购一些年货。)

② 这些句子都是你们买东西时用得着的，应该记住。(☺这些句子都是你们购买东西时用得着的，应该记住。)(*这些句子都是你们购东西时用得着的，应该记住。)

③ 下了课，我想去书店买一本词典。(*下了课，我想去书店购买/购一本词典。)

④ 现在农村的购买力也大大提高了。(*现在农村的购/买力也大大提高了。)

⑤ 我已经买好飞机票了。(*我已经购买/购好飞机票了。)

⑥ 你把购物发票放好，需要退换时，要带购物发票。(*你把购买/买物发票放好，需要退换时，要带购买/买物发票。)

⑦ 这个超市的购物环境非常好。(*这个超市的购买/买物环境非常好。)

551 够[形、动]gòu ▶ 足[形]zú

词义说明 Definition

够[enough; sufficient; adequate] 数量上可以满足需要：这个月的钱～不～用？[reach or be up to (a certain extent or standard); sufficiently] 达到某一点或某种程度：～格。[(of a hand) stretch to a certain place] (用手等) 伸向不易达到的地

方去接触或拿来：～不着。[hard to bear] 表示超过一定限度，无法承受下去：这菜我吃～了，再也不想吃了。[quite, rather] 很，非常：真～便宜的。

足[enough；ample；sufficient] 充足；数量多：大家学习的劲头很～。[fully；as much as] 达到某种数量或程度：我～～等了一个小时他才来。[(used in the negative) enough；sufficiently] 足以（多用于否定）：不～为凭|微不～道。

词语搭配　Collocation

	钱不～	不～用	～贵的	～不着	～得着	～了	很～	～有一百斤	～够	～呛
够	√	√	√	√	√	√	×	×	×	√
足	√	×	×	×	×	×	√	√	√	×

用法对比　Usage

用法解释 Comparison

“足”是形容词，“够”既是形容词又是动词。“足”不能带宾语，“够”能带宾语。

语境示例 Examples

① 冰箱里的东西够我们俩吃一个星期的。(＊冰箱里的东西足我们俩吃一个星期的。)(☺冰箱里的东西足够我们俩吃一个星期的。)

② 我现在当翻译还不够条件。(＊我现在当翻译还不足条件。)

③ 我总觉得时间不够用。(＊我总觉得时间不足用。)

④ 我才喝了一杯，还没有喝够呢。(＊我才喝了一杯，还没有喝足呢。)

⑤ 一件大衣一千多块，真够贵的。(＊一件大衣一千多块，真足贵的。)

⑥ 这个大西瓜足有十公斤重。(＊这个大西瓜够有十公斤重。)

⑦ 同学们学习的劲头很足。(＊同学们学习的劲头很够。)

⑧ 这个东西要放在孩子够不着的地方。(＊这个东西要放在孩子足不着的地方。)

552 姑娘[名]gūniang ▶ 小姐[名]xiǎojiě

词义说明　Definition

姑娘[girl] 未婚的女子。[daughter] 女儿。

小姐[miss] 对年轻女子的称呼，也可用于名字之后。

词语搭配 Collocation

	那位～	这位～	～，请问…	你的～	王～
姑娘	√	√	×	√	×
小姐	√	√	√	×	√

用法对比 Usage

用法解释 Comparison

“姑娘”和“小姐”都可以用于称呼年轻女子，但是在公共场合常用“小姐”，在非公共场合，多用“姑娘”。

语境示例 Examples

① 她是谁家的姑娘？长得真漂亮。（＊她是谁家的小姐？长得真漂亮。）
② 你姑娘今年是不是该上大学了？（＊你小姐今年是不是该上大学了？）
③ 小姐，请问，经理办公室在哪儿？（＊姑娘，请问，经理办公室在哪儿？）
④ 这位是我们的翻译张小姐。（＊这位是我们的翻译张姑娘。）
⑤ 这家航空公司的空中小姐服务热情周到。（＊这家航空公司的空中姑娘服务热情周到。）

553 孤独[形]gūdú ▶ 孤单[形]gūdān

词义说明 Definition

孤独[lonely; solitary; live alone] 独自一个人；孤单。

孤单[live alone and feel lonely] 一个人没有依靠，感到寂寞。[(of force) weak]（力量）小。

词语搭配 Collocation

	很～	太～了	～的老人	～一人	力量～
孤独	√	√	√	×	×
孤单	√	√	√	√	√

用法对比 Usage

用法解释 Comparison

“孤独”和“孤单”都可以作谓语和宾语，但是“孤单”还表示力量小，“孤独”没有这个意思。“孤单”只形容人，“孤独”除了形容人之外，有时可以形容其他事物，如房屋、树木。

语境示例 Examples

① 一个人在国外工作或学习，最大的问题是太孤独。(☺一个人在国外工作或学习，最大的问题是太孤单。)
② 儿女都不在身边，老人感到很孤独。(☺儿女都不在身边，老人感到很孤单。)
③ 也有人愿意享受孤独，认为它能使人冷静地思考或写作。(*也有人愿意享受孤单，认为它能使人冷静地思考或写作。)
④ 你孤单一人要完成这项工作是不可能的。(*你孤独一人要完成这项工作是不可能的。)
⑤ 他这个人性情孤独，很少有朋友跟他来往。(*他这个人性情孤单，很少有朋友跟他来往。)
⑥ 山坡上只有一座孤独的小庙。(*山坡上只有一座孤单的小庙。)

554 古代[名]gǔdài ▶ 古典[形、名]gǔdiǎn

词义说明 Definition

古代[period in Chinese history from remote antiquity down until the mid-19th century] 过去距离现代较远的时代（区别于近代、现代），在中国历史分期上多指19世纪中叶以前。[age of slave society; ancient times; antiquity] 特指奴隶社会时代（有时也包括原始社会时代）。

古典[classical allusion; classical] 古代流传下来的，在一定时期认为正宗或典范的；典故。

词语搭配 Collocation

	～史	在～	中国～	～哲学	～文学	～音乐	～作品
古代	√	√	√	√	√	√	√
古典	×	×	×	√	√	√	√

用法对比 Usage

用法解释 Comparison

“古代”是名词，“古典”既是形容词，又是名词。“古代”指的是时间，“古典”指的是事物及其价值。多数情况下，二者不能相互替换。

语境示例 Examples

①《白蛇传》的故事来自中国古代神话传说。(☺《白蛇传》的故事来自中国古典神话传说。)
② 我对中国古代史很感兴趣。(＊我对中国古典史很感兴趣。)
③ 中国古代是指1840年以前的时代。(＊中国古典是指1840年以前的时代。)
④ 你喜欢古典音乐还是现代音乐？(＊你喜欢古代音乐还是现代音乐?)
⑤ 我父亲是研究中国古典文学的。(＊我父亲是研究中国古代文学的。)
⑥ 古希腊、古罗马文学以及中国古代传统文学被称为古典文学。(＊古希腊、古罗马文学以及中国古代传统文学被称为古代文学。)

555 古怪[形]gǔguài ▶ 奇怪[形]qíguài

词义说明 Definition

古怪[eccentric; odd; strange] 跟一般情况很不相同，使人觉得诧异的；生疏罕见的。

奇怪[strange; surprising; odd] 跟平常的不一样。[feel surprised; wonder] 出乎意料，难以理解。

词语搭配 Collocation

	样子~	脾气~	性格~	行为~	~的动物	~的事情	真~	觉得~	不~
古怪	√	√	√	√	√	×	√	√	√
奇怪	√	×	×	×	√	√	√	√	√

用法对比 Usage

用法解释 Comparison

“奇怪”修饰的范围比“古怪”要广，是中性词，形容人和自然现象等。“古怪”一般修饰样子、脾气、衣着、性格等少量的词语，含贬义。

语境示例 Examples

① 在海底可以看到了很多奇怪的动植物。(☺在海底可以看到了很多

古怪的动植物。)

② 真奇怪！我记得刚才把钥匙放在这儿了，怎么不见了？(＊真古怪！我记得刚才把钥匙放在这儿了，怎么不见了?)

③ 她能考这么好，一点儿也不奇怪，因为她比我们都学得努力。(＊她能考这么好，一点儿也不古怪，因为她比我们都学得努力。)

④ 这种奇怪的自然现象叫海市蜃楼。(＊这种古怪的自然现象叫海市蜃楼。)

⑤ 对于飞碟（UFO）这种奇怪的现象，现在还很难做出科学的解释。（＊对于飞碟这种古怪的现象，现在还很难做出科学的解释。)

⑥ 吉尼斯世界记录中有很多奇奇怪怪的项目。(＊吉尼斯世界记录中有很多古古怪怪的项目。)

G

556 鼓吹[动]gǔchuī ▶ 鼓动[动]gǔdòng

词义说明 Definition

鼓吹[advocate] 宣传提倡。[preach; advertise; play up] 吹嘘。

鼓动[agitate; arouse; instigate; incite] 用语言、文字等激发人们的情绪，使他们行动起来。

词语搭配 Collocation

	～革命	～歪理邪说	～自己	宣传～	～群众	～闹事	～暴乱
鼓吹	√	√	√	×	×	×	×
鼓动	√	×	×	√	√	√	√

用法对比 Usage

用法解释 Comparison

“鼓吹”的是言论，宾语多为“思想、学说、理论”等；“鼓动”是让他人去干，宾语是“革命、闹事”等。

语境示例 Examples

① 早年他曾经写过不少鼓吹革命的文章。(☺早年他曾经写过不少鼓动革命的文章。)

② 一个以敛财为目的的骗子，鼓吹自己是无所不能的超人，竟然还有人信他的胡说八道，真是不可思议。(＊一个以敛财为目的的

骗子，鼓动自己是无所不能的超人，竟然还有人信他的胡说八道，真是不可思议。)

③ 我们的文艺要为中华民族的复兴做好宣传鼓动工作。(＊我们的文艺要为中华民族的复兴做好宣传鼓吹工作。)

④ 在一个人民当家做主的国家里，决不允许邪教组织鼓吹歪理邪说。(＊在一个人民当家做主的国家里，决不允许邪教组织鼓动歪理邪说。)

⑤ 鼓动群众闹事，不利于社会的安定团结。(＊鼓吹群众闹事，不利于社会的安定团结。)

G

557 鼓动[动]gǔdòng ▶ 煽动[动]shāndòng

词义说明 Definition

鼓动[agitate; arouse; instigate; incite] 用语言、文字等激发人们的情绪，使他们行动起来。

煽动[instigate; incite; stir up; whip up] 鼓动别人去做坏事。

词语搭配 Collocation

	宣传～	～大家去斗争	～闹事	～叛乱	～群众	在…的～下	受人～
鼓动	√	√	√	√	√	√	√
煽动	×	×	√	√	√	√	√

用法对比 Usage

用法解释 Comparison

“鼓动”和“煽动”的意思差不多，但“鼓动”是个中性词，让别人干好事干坏事都可以用，“煽动”是贬义词，意思是鼓动别人去干坏事。

语境示例 Examples

① 鼓动：这件事是谁鼓动你们去干的？(这件事可能是好事也可能是坏事)

煽动：这件事是谁煽动你们去干的？(这件事一定是坏事)

② 在少数人的鼓动下，群众开始上街游行。(☺在少数人的煽动下，群众开始上街游行。)

③ 不要受坏人的煽动。(＊不要受坏人的鼓动。)

④ 宣传鼓动工作很重要，通过宣传鼓动，人民明白了道理，就会为

着一个共同的目标而团结奋斗。(＊宣传煽动工作很重要，通过宣传煽动，人民明白了道理，就会为着一个目标而团结奋斗。)

⑤ 恐怖分子到处煽动暴乱，制造血案。(＊恐怖分子到处鼓动暴乱，制造血案。)

558 鼓励[动、名]gǔlì ▶ 鼓舞[动、名]gǔwǔ

词义说明 Definition

鼓励[encourage; urge] 用言行对别人产生影响，使别人更好地工作或学习。

鼓舞[inspire; encourage; hearten] 使振作起来，增强信心和勇气。

词语搭配 Collocation

	很受～	受到～	～他	～我	很大的～	～人心	～士气	～人民	令人～
鼓励	×	√	√	√	√	×	×	×	×
鼓舞	√	√	√	√	√	√	√	√	√

用法对比 Usage

用法解释 Comparison

“鼓舞”和“鼓励”都是动词和名词，不同的是，“鼓舞”的动作主体是事，“鼓励”的动作主体人和事都可以，“鼓舞”和“鼓励”作动词用时可以带小句作宾语。

语境示例 Examples

① 这个好消息对我们是一个很大的鼓舞。(☺这个好消息对我们是一个很大的鼓励。)

② 这是一个令人鼓舞的好消息。(＊这是一个令人鼓励的好消息。)

③ 老师总是鼓励我们，学习汉语要多听多说，不要怕说错。(＊老师总是鼓舞我们，学习汉语要多听多说，不要怕说错。)

④ 谢谢你对我的鼓励。(＊谢谢你对我的鼓舞。)

⑤ 听了他的话我很受鼓舞。(＊听了他的话我很受鼓励。)

⑥ 申办奥运成功的消息鼓舞着全中国人民。(＊申办奥运成功的消息鼓励着全中国人民。)

559 故乡[名]gùxiāng ▶ 家乡[名]jiāxiāng

词义说明 Definition

故乡[old home; native place; birthplace] 出生或长期居住过的地方，现在已经不在那里居住了。

家乡[hometown; native place] 自己家庭世代居住的地方，自己现在可以居住在那里，也可能不住那里。

词语搭配 Collocation

G

	热爱～	建设～	第二～	～话	～菜	～人	思念～
故乡	√	√	√	×	×	√	√
家乡	√	√	×	√	√	√	√

用法对比 Usage

用法解释 Comparison

“故乡”和“家乡”是同义词，“故乡”多用于书面，“家乡”常用于口语。

语境示例 Examples

① 鲁迅先生的故乡是浙江绍兴。(☺鲁迅先生的家乡是浙江绍兴。)

② 北京已经成了我的第二故乡。(＊北京已经成了我的第二家乡。)

③“床前明月光，疑是地上霜。举头望明月，低头思故乡。”李白这首诗是我刚学汉语时，老师教我的，我一下子就记住了。(＊“床前明月光，疑是地上霜，举头望明月，低头思家乡。”李白这首诗是我刚学汉语时，老师教我的，我一下子就记住了。)

④ 离开家乡已经三十多年了，但是家乡口音还是改不了。(＊离开家乡已经三十多年了，但是故乡口音还是改不了。)

⑤ 我最爱看的还是家乡戏。(＊我最爱看的还是故乡戏。)

560 故意[形]gùyì ▶ 有意[动]yǒuyì

词义说明 Definition

故意 [consciously; intentionally; wilfully; deliberately; on purpose] 有意识地（那样做）；明知不应该或不必这样做而这样做。

有意［have a mind to；be inclined（or disposed）to］有心思。［take a fancy to sb.；be attracted sexually］男女之间有爱慕之心。［intentionally；deliberately；purposely］故意。

词语搭配 Collocation

	～捣乱	～找茬	～不理他	～跟我作对	～大声说话	～帮他	对她～	对你～
故意	√	√	√	√	√	×	×	×
有意	√	√	×	√	×	√	√	√

用法对比 Usage

二者都表示有意识地、存心地，都可以作状语。

① 他不是故意的，请你原谅。（☺他不是有意的，请你原谅。）

② 他这样做是故意跟我作对。（☺他这样做是有意跟我作对。）

③ 我不会唱歌你非让我唱，这不是故意为难我吗？（☺我不会唱歌你非让我唱，这不是有意为难我吗？）

④ 我伤了他的心，所以后来他见了我，都装作没有看见，故意不理我。（＊我伤了他的心，所以后来他见了我，都装作没有看见，有意不理我。）

“有意”还有产生爱慕之心的意思，可以作谓语。“故意”没有这个意思和用法。

我看她对你有意，你可不要错过机会。（＊我看她对你故意，你可不要错过机会。）

“有意”还表示有打算，有心思，“故意”没有这个意思。

我知道他需要帮助，也有意帮帮他，但又怕他产生误会。（＊我知道他需要帮助，也故意帮帮他，但又怕他产生误会。）

561 故障［名］gùzhàng ▶ 毛病［名］máobìng

词义说明 Definition

故障［hitch；breakdown；stoppage；trouble］（机械、仪器等）发生的不能顺利运转的情况。

毛病［trouble；mishap；breakdown］指器物发生的损伤或故障，也比喻工作中的失误。［defect；shortcoming；fault；mistake］缺点。［bad habit］坏习惯。

词语搭配 Collocation

	有～	没有～	坏～	出～了	排除～
故障	√	√	×	√	√
毛病	√	√	√	√	×

用法对比 Usage

"故障"只能出自物，"毛病"既可出自物，也可出自人。

① 洗衣机好像出故障了，怎么这么大的声音？(☺洗衣机好像出毛病了，怎么这么大的声音？)

② 机器的故障已经排除了。(＊机器的毛病已经排除了。)

"毛病"有缺点，坏习惯的意思，"故障"没有这个意思。

① 他有一个坏毛病，就是睡觉打呼噜。(＊他有一个坏故障，就是睡觉打呼噜。)

② 你要改掉抽烟这个坏毛病，她就嫁给你。(＊你要改掉抽烟这个坏故障，她就嫁给你。)

"毛病"有疾病的意思，"故障"没有这个意思。

① 我胃有毛病，不敢吃冷的东西。(＊我胃有故障，不敢吃冷的东西。)

② 他的眼睛好像有点儿毛病，总是一眨一眨的。(＊他的眼睛好像有点儿故障，总是一眨一眨的。)

562 挂[动]guà ▶ 吊[动]diào

词义说明 Definition

挂[hang; put up] 借助于绳子、钩子、钉子等使物体附着于某处的一点或几点：墙上～着一张中国地图。[hang up; ring off] 打电话或把电话耳机放在电话机上使电话断开：～机。[call (or phone, ring) up; put sb. through to] 打电话：往北京～个电话。

吊[hang; suspend] 悬挂：～针。[lift up or let down with a rope, etc.] 用绳子等系着向上提或向下放：～上去。

词语搭配 Collocation

	～在墙上	～起来	～着	～上去	～下去	～个电话	别～	～钟	～灯
挂	√	√	√	√	×	√	√	√	×
吊	√	√	√	√	√	×	×	×	√

用法对比 Usage

用法解释 Comparison

“挂”和“吊”都表示一个动作或动作结束后呈现的一种状态，但“吊”着的东西是悬空的，“挂”着的东西可以是悬空的，也可以不是悬空的，依靠在墙上、门上等。它们涉及的对象也不尽相同。

语境示例 Examples

① 请把这个灯笼挂起来。(☺请把这个灯笼吊起来。)

② 在外国，只要看到门口挂着大红灯笼，就知道是中国饭店。(☺在外国，只要看到门口吊着大红灯笼，就知道是中国饭店。)

③ 这几个大吊灯真漂亮。(*这几个大挂灯真漂亮。)

④ 屋子的墙上有一个挂钟。(*屋子的墙上有一个吊钟。)

⑤ 房间的墙上挂着两张地图，一张中国地图，一张世界地图。(*房间的墙上吊着两张地图，一张中国地图，一张世界地图。)

⑥ 把大衣挂在衣架上吧。(*把大衣吊在衣架上吧。)

⑦ 我先给他挂个电话告诉他一声。(*我先给他吊个电话告诉他一声。)

⑧ 你说完以后，(电话)先不要挂，我跟他说句话。(*你说完以后，(电话)先不要吊，我跟他说句话。)

563 怪不得 guài bu de ▶ 难怪 [动、连] nánguài

词义说明 Definition

怪不得 [not to blame] 不能责怪，别见怪。[no wonder; so that's why; that explains why] 表示明白了原因，不再觉得奇怪。

难怪 [no wonder] 怪不得；表示明白了原因，表示不觉得奇怪。[understandable; pardonable] 可以原谅，不应该责怪。

词语搭配 Collocation

	~他	很~	~他说得这么好	~他没/不来
怪不得	√	×	√	√
难怪	√	√	√	√

用法对比 Usage

用法解释 Comparison

这两个词的意思基本相同，表示“明白了原因，不觉得奇怪或不必责怪”的意思时，“怪不得”更加口语化。“难怪”是状动结构，作谓语时可以带宾语，也可以不带宾语，“怪不得”是动补结构，作谓语时，要带宾语。

语境示例 Examples

① 怪不得他汉语说得那么好，原来他爸爸是中国人。(☺难怪他汉语说得那么好，原来他爸爸是中国人。)

② 怪不得昨天他没来上课，原来他感冒了。(☺难怪昨天他没来上课，原来他感冒了。)

③ 昨天的事怪不得他，主要是我没有告诉他。(☺昨天的事难怪他，主要是我没有告诉他。)

④ 怪不得表不走了，原来电池没电了。(☺难怪表不走了，原来电池没电了。)

⑤ 这也难怪，两个青年男女在一起学习，在一起玩儿，时间长了很容易产生感情。(＊这也怪不得，两个青年男女在一起学习，在一起玩儿，时间长了很容易产生感情。)

⑥ 她刚来中国，生活还不习惯，语言又不通，想家也难怪。(＊她刚来中国，生活还不习惯，语言又不通，想家也怪不得。)

564 关怀[动]guānhuái ▶ 关心[动]guānxīn

词义说明 Definition

关怀[show loving care for; show solicitude for] 关心。

关心 [be concerned about; show solicitude for; care for; be interested]（把人和事情）常放在心上，表示重视和爱护。

词语搭配 Collocation

	~他人	~青年人的成长	~群众生活	亲切~	非常~	请多~	不~
关怀	×	√	×	√	√	×	×
关心	√	√	√	×	√	√	√

用法对比 Usage

用法解释 Comparison

"关怀"的对象常由介词及其宾语引出，放在"关怀"前边作状语。"关怀"的对象只能是他人，"关心"的宾语可以是人也可以是事。"关怀"用于上级对下级或长辈对晚辈，"关心"没有此限。

语境示例 Examples

① 政府和社会非常关怀青年一代的成长。(☺政府和社会非常关心青年一代的成长。)

② 感谢各级领导对我们残疾人的关怀。(☺感谢各级领导对我们残疾人的关心。)

③ 学校领导对同学们很关怀。(☺学校领导对同学们很关心。)

④ 各级领导都应该关心群众生活，时刻把他们的冷暖放在心上。(*各级领导都应该关怀群众生活，时刻把他们的冷暖放在心上。)

⑤ 我对这些事从来不关心。(*我对这些事从来不关怀。)

⑥ 父母最关心的，还是我的健康和安全。(*父母最关怀的，还是我的健康和安全。)

565 关于[介]guānyú ▶ 有关[动、介]yǒuguān

词义说明 Definition

关于[about; on; concerning; with regard to] 介词，引进某种行为的关系者，组成介词结构作状语或作定语。

有关[have sth. to do with; have a bearing on; relate to; concern] 有关系。[related; concerned; relevant; pertinent] 涉及到（与"无关"相对）。

词语搭配 Collocation

	~语法的书	~环境保护	~方面	~领导	~报道	~情况	~人员	跟…~
关于	√	√	×	×	×	×	×	×
有关	√	√	√	√	√	√	√	√

用法对比 Usage

用法解释 Comparison

“关于”是介词，引进某种行为的关系者，与之组成介词结构作状语或定语；“有关”是动词和介词，表示涉及到的（人或事）。“有关”还有“跟……有关系”的意思。（与“无关”相对）。

G

语境示例 Examples

① 关于：关于这个大学的资料，我从网上查到了。
有关：我从网上查到了有关这个大学的资料。

② 关于：关于HSK的问题，我们请考试办公室的老师给大家介绍一下儿。
有关：我们请考试办公室的老师给大家介绍一下儿有关HSK的问题。

③ 要认真贯彻中央政府关于农村工作的方针和政策。(☺要认真贯彻中央政府有关农村工作的方针和政策。)

④ 关于这个问题，我们今天就讲到这儿。(☺有关这个问题，我们今天就讲到这儿。)

⑤ 他这次没考好，跟他病了一个月没上课有关。(*他这次没考好，跟他病了一个月没上课关于。)

⑥ 这件事跟你有关。(*这件事跟你关于。)

⑦ 这次流感跟天气突然变冷有关。(*这次流感跟天气突然变冷有关于。)

⑧ 这是那个公司的有关情况。(*这是那个公司的关于情况。)

566 关照[动]guānzhào ▶ 照顾[动]zhàogù

词义说明 Definition

关照［(often used in asking or thanking sb. for help) look after; keep an eye on］关心照顾。［notify by word of mouth; tell］口

头通知。

照顾 [give consideration to; show consideration for; make allowance(s) for] 考虑到；注意到。[look after; care of; attend to] 由于某种原因而特别优待；照顾经管。

词语搭配 Collocation

	请多～	～全局	～他	～老人	～病人	～孩子	～行李	～一下	～一声
关照	√	×	√	×	×	×	×	√	√
照顾	×	√	√	√	√	√	√	√	×

用法对比 Usage

用法解释 Comparison

"关照"就是关心照顾的意思，"照顾"的对象可以是人也可以是物，"关照"的对象只能是人。

语境示例 Examples

① 非常感谢您对我的关照。(☺非常感谢您对我的照顾。)
② 领导考虑问题当然要照顾到各个方面。(*领导考虑问题当然要关照到各个方面。)
③ 护士对病人照顾得非常周到。(*护士对病人关照得非常周到。)
④ 我去买票，你照顾一下行李。(*我去买票，你关照一下行李。)
⑤ 虽然震灾很严重，但是老人和孩子都得到了很好的照顾。(*虽然震灾很严重，但是老人和孩子都得到了很好的关照。)

"关照"多用来表示客套，"照顾"不这么用。

我初来乍到，人生地不熟，请您多关照。(*我初来乍到，人生地不熟，请您多照顾。)

"关照"还有招呼交代的意思，"照顾"没有这个用法。

① 我已经关照他们给你留一个房间。(*我已经照顾他们给你留一个房间。)
② 你走的时候请关照一声。(*你走的时候请照顾一声。)

567 观察[动]guānchá ▶ 观测[动]guāncè

词义说明 Definition

观察 [observe; watch; survey] 仔细察看（事物和现象）。

观测 [observe and survey] 观察并测量（天文、地理、气象、方向等）。

词语搭配 Collocation

	～地形	～动静	～问题	～风力	～能力	～天气	～～	仔细～
观察	√	√	√	×	√	√	√	√
观测	×	×	×	√	√	√	√	√

用法对比 Usage

用法解释 Comparison

"观察"的目的是看和发现情况，"观测"的目的除了看和发现情况以外，还要测量计算出有关数据等。

G

语境示例 Examples

① 这种望远镜可以观察到离地球很远的星球。(☺这种望远镜可以观测到离地球很远的星球。)

② 他用十几年的时间观察野外大熊猫的生活情况，写成了这本书。(＊他用十几年的时间观测野外大熊猫的生活情况，写成了这本书。)

③ 要培养孩子对事物的观察能力。(＊要培养孩子对事物的观测能力。)

④ 他们每天都对城市大气污染情况进行观测。(＊他们每天都对城市大气污染情况进行观察。)

⑤ 通过电子显微镜可以观察到这种病菌。(＊通过电子显微镜可以观测到这种病菌。)

⑥ 由于他对社会有着深刻的观察力，所以他的作品对人物的刻画非常真实生动。(＊由于他对社会有着深刻的观测力，所以他的作品对人物的刻画非常真实生动。)

⑦ 现在很多科学观测任务都是通过人造卫星完成的。(＊现在很多科学观察任务都是通过人造卫星完成的。)

568 观察[动]guānchá ▶ 看[动]kàn

词义说明 Definition

观察[observe; watch; survey] 仔细察看（事物和现象）。

看[see; look at; watch] 使视线接触人或物：～电影｜～电视。[read] 阅读：～报。[think; consider] 观察并加以判断：我～他很聪明。[call on; visit; see] 探望；问候：我明天去～

你。[see or consult (a doctor); treat (a patient or an illness)] 诊治：大夫把他的病～好了。

词语搭配 Collocation

	～情况	～动静	～问题	～病	～朋友	～书	～电视	～电影	仔细～	据～
观察	√	√	√	×	×	×	×	×	√	√
看	√	√	√	√	√	√	√	√	√	×

用法对比 Usage

用法解释 Comparison

“观察”是“认真看并且思考和研究”的意思，是书面语，“看”是口语。“观察”的义项比“看”少。

语境示例 Examples

① 我曾细心地观察过兔子生产的情况。(☺我曾细心地看过兔子生产的情况。)
② 据我一年来对中国的观察，发现西方国家的报纸和电视对中国的报道是很不全面的。(＊据我一年来对中国的看，发现西方国家的报纸和电视对中国的报道是很不全面的。)
③ 他的病还没有确诊，正在住院观察。(＊他的病还没有确诊，正在住院看。)
④ 我下午要去医院看她，你跟我一起去吧。(＊我下午要去医院观察她，你跟我一起去吧。)
⑤ 她喜欢看电影。(＊她喜欢观察电影。)
⑥ 我每天都要坚持看一个多小时中文报纸。(＊我每天都要坚持观察一个多小时中文报纸。)
⑦ 我观察他很久了，我认为他是一个诚实可靠的人。(＊我看他很久了，我认为他是一个诚实可靠的人。)
⑧ 这本书借给我看看，好吗？(＊这本书借给我观察观察，好吗？)

569 观光[动]guānguāng ▶ 游览[动]yóulǎn

词义说明 Definition

观光[go sightseeing; visit; tour] 参观外国或外地的风景名胜。

游览[go sightseeing; tour; visit] 从容行走，观看风景名胜。

词语搭配 Collocation

	～了名胜古迹	～长城	～故宫	～客	～团	去～	～了一下
观光	×	×	×	√	√	√	×
游览	√	√	√	×	×	√	√

用法对比 Usage

用法解释 Comparison

"观光"是动宾词组，不能再带宾语，"游览"可以带宾语。

语境示例 Examples

G

① 我最大的愿望是能到世界各地去观光。(☺我最大的愿望是能到世界各地去游览。)

② 他们这次到上海、杭州等地去游览了一下。(＊他们这次到上海、杭州等地去观光了一下。)

③ 昨天我们游览了长城和十三陵。（＊昨天我们观光了长城和十三陵。）

④ 北京的颐和园、故宫、长城、杭州的西湖、安徽的黄山、云南的石林、广西的桂林、四川的乐山、九寨沟等地是观光常去的地方。(☺北京的颐和园、故宫、长城、杭州的西湖、安徽的黄山、云南的石林、广西的桂林、四川的乐山、九寨沟等地是游览常去的地方。)

⑤ 长城和故宫每天都要接待成千上万来自全国和全世界的观光客。(＊长城和故宫每天都要接待成千上万来自全国和全世界的游览客。)

570 观看[动]guānkàn ▶ 观察[动]guānchá

词义说明 Definition

观看[watch; view] 特意地看，参观，观察。

观察[observe; watch; survey] 仔细察看（事物和现象）。

词语搭配 Collocation

	～球赛	～景物	～动静	～表演	～情况	～现象	仔细～	～了很久
观看	√	√	×	√	×	×	√	√
观察	×	×	√	×	√	√	√	√

用法对比 Usage

用法解释 Comparison

“观看”的动作主体是眼睛，“观察”除了用眼睛之外，还要用心思索并发现问题或情况。“观看”的对象是有形的事物，如表演、球赛等，“观察”的对象除了有形的事物，还可以是抽象的，无形的。例如“情况、动静”等。这两个词都用于书面。

语境示例 Examples

① 孩子们在仔细观察鱼产卵的情况。(☺孩子们在仔细观看鱼产卵的情况。)

② 要认真观察那里的情况。(＊要认真观看那里的情况。)

③ 他喜欢观看足球比赛。(＊他喜欢观察足球比赛。)

④ 我们借助望远镜观看了月蚀。(＊我们借助望远镜观察了月蚀。)

⑤ 我们观看了留学生的汉语节目表演。(＊我们观察了留学生的汉语节目表演。)

⑥ 观看这个芭蕾舞剧简直是一种美的享受。(＊观察这个芭蕾舞剧简直是一种美的享受。)

571 观赏[动]guānshǎng ▶ 欣赏[动]xīnshǎng

词义说明 Definition

观赏[view and admire; enjoy the sight of] 以愉快的心情看。

欣赏[appreciate; enjoy; admire; like] 享受美好的事物；觉得好，喜欢，以喜爱的态度看或听。

词语搭配 Collocation

	～名花	～表演	～热带鱼	～工艺品	～名画	～音乐	～美景	～雪景	很～
观赏	√	√	√	√	√	×	√	√	×
欣赏	×	√	×	×	√	√	√	√	√

用法对比 Usage

用法解释 Comparison

“观赏”是以愉快的心情看，用的是视觉；“欣赏”是愉快的心情看或听，用的是视觉、听觉、嗅觉、味觉等感觉器官，对象不限于看得见的东西，还包括音乐、美术、美味、美好的思想感情等，“欣赏”还有认为好，喜爱，表示肯定的意思。

语境示例 Examples

① 昨天晚上我们观赏了精彩的杂技表演。(☺昨天晚上我们欣赏了精彩的杂技表演。)
② 我喜欢坐在游船上，一边聊着天，一边观赏河两岸美丽的景色。(☺我喜欢坐在游船上，一边聊着天，一边欣赏河两岸美丽的景色。)
③ 一到秋天，北京人就成群结队地去香山观赏红叶。(☺一到秋天，北京人就成群结队地去香山欣赏红叶。)
④ 在水族馆可以观赏到各种各样的海底动物。(*在水族馆可以欣赏到各种各样的海底动物。)
⑤ 我欣赏不了这个画家的画。(*我观赏不了这个画家的画。)
⑥ 导师特别欣赏他的才华，很希望他能留在国外工作。(*导师特别观赏他的才华，很希望他能留在国外工作。)
⑦ 我很欣赏他在这个话剧里的表演。(*我很观赏他在这个话剧里的表演。)
⑧ 他休息的方式是欣赏古典音乐。(*他休息的方式是观赏古典音乐。)

572 管[动]guǎn ▶ 管理[动]guǎnlǐ

词义说明 Definition

管[manage; run; take care of; be in charge of] 管理，看管：～图书。[have jurisdiction over; administer] 管辖：这个市～着郊区几个县。[discipline (children or students)] 管教：～孩子。[be in charge of; provide] 负责：～体育。[be concerned about; care about; bother about] 照顾，关心：别只～自己，不～别人。

管理[manage; run; administer; take care of; govern] 负责某项工作使顺利进行保管和料理。[control (people or animals)] 照管并约束：～犯人。

词语搭配 Collocation

	～闲事	～吃～住	～财务	～国家	～图书	～教学	教学～	不～	别～
管	√	√	√	×	√	√	×	√	√
管理	×	×	√	√	√	√	√	×	×

用法对比 Usage

用法解释 Comparison

“管理”和“管”有相同的意思，“管”的意思比“管理”多，用于口语，“管理”口语和书面都常用；因为音节的关系，“管理”的宾语不能是单音节词语，“管”不受此限。

语境示例 Examples

① 外事处负责管理留学生，有问题可以找他们。(☺外事处负责管留学生，有问题可以找他们。)
② 他负责管理图书资料。(☺他负责管图书资料。)
③ 你去不去我不管，反正我要去旅行。(＊你去不去我不管理，反正我要去旅行。)
④ 这事跟你一点儿关系都没有，所以你别管。(＊这事跟你一点儿关系都没有，所以你别管理。)
⑤ 旅行社管给客人办签证，买机票等。(＊旅行社管理给客人办签证，买机票等。)

573 光辉[名、形]guānghuī

光芒[名]guāngmáng

词义说明 Definition

光辉[radiance; brilliance; glory] 闪烁耀眼的光。[brilliant; magnificent; glorious] 光明，灿烂。

光芒[rays of light; brilliant rays; radiance] 向四方发射的强烈光线。

词语搭配 Collocation

	太阳的～	～形象	～榜样	～典范	～的一生	～万丈	～四射	永放～
光辉	√	√	√	√	√	×	×	√
光芒	√	×	×	×	×	√	√	√

用法对比 Usage

用法解释 Comparison

“光辉”既是名词又是形容词，“光芒”只是名词，“光辉”

常常用来作定语，“光芒”不能作定语。

语境示例 Examples

① 太阳的光辉普照大地。(☺太阳的光芒普照大地。)
② 艰苦奋斗的精神永放光芒。(☺艰苦奋斗的精神永放光辉。)
③ 他光辉的一生给中国人民留下了宝贵的精神财富。(＊他光芒的一生给中国人民留下了宝贵的精神财富。)
④ 雷锋全心全意为人民服务的精神为我们树立了光辉的榜样。(＊雷锋全心全意为人民服务的精神为我们树立了光芒的榜样。)
⑤ 他的光辉形象永远活在中国人民的心里。(＊他的光芒形象永远活在中国人民的心里。)

G

574 光明[形]guāngmíng

▶ 光亮[形、名]guāngliàng

词义说明 Definition

光明[light] 亮光。[bright; promising] 明亮；比喻正义的或有希望的。[openhearted; guileless] 没有私心。

光亮[bright; luminous; shiny; light] 明亮。

词语搭配 Collocation

	～大道	前景～	～正大	前途～	一点儿～	一线～
光明	√	√	√	√	×	√
光亮	×	×	×	×	√	√

用法对比 Usage

用法解释 Comparison

“光明”多用来修饰抽象名词，“光亮”修饰具体名词，“光明”可以作谓语，而“光亮”不能作谓语。

语境示例 Examples

① 只要你能把汉语学好，我想会有光明的前途。(＊只要你能把汉语学好，我想会有光亮的前途。)
② 每天坐在光亮的教室里上课，心情十分愉快。(＊每天坐在光明的教室里上课，心情十分愉快。)
③ 山洞里很黑，看不到一点儿光亮。(＊山洞里很黑，看不到一点

儿光明。)

④ 公司的发展现在遇到一些困难，但是应该看到，我们开发的是高科技产品，市场前景是非常光明的。(＊公司的发展现在遇到一些困难，但是应该看到，我们开发的是高科技产品，市场前景是非常光亮的。)

⑤ 做事要光明正大，经得起时间考验。(＊做事要光亮正大，经得起时间考验。)

⑥ 前途是光明的，道路是曲折的。(＊前途是光亮的，道路是曲折的。)

G

575 光荣[形、名]guāngróng ▶ 荣誉[名]róngyù

词义说明 Definition

光荣[honourable; honoured; glorious] 由于做了有利于人民的和正义的事情而被公认为值得尊敬的。[honour; glory; credit] 荣誉。

荣誉[honour; credit; glory] 光荣的名誉。

词语搭配 Collocation

	很～	～感	～归于祖国	～之家	～传统	～称号	集体～	～牺牲
光荣	√	√	√	√	√	√	×	√
荣誉	×	√	√	×	×	√	√	×

用法对比 Usage

用法解释 Comparison

“光荣”是形容词，也是名词，“荣誉”只是名词；“光荣”可以作谓语和状语，“荣誉”不能。

语境示例 Examples

① 体育健儿们在这次奥运会上为祖国和人民赢得了荣誉。(☺体育健儿们在这次奥运会上为祖国和人民赢得了光荣。)

② 获得这项国家大奖不仅是我个人的荣誉，也是我们这个集体的荣誉。(☺获得这项国家大奖不仅是我个人的光荣，也是我们这个集体的光荣。)

③ 他获得了“人民艺术家”的光荣称号。(☺他获得了“人民艺术

家”的荣誉称号。)

④ 由于对北京市环境保护工作所做的突出贡献，这位外国科学家被授予北京“荣誉市民”的称号。(＊由于对北京市环境保护工作所做的突出贡献，这位外国科学家被授予北京“光荣市民”的称号。)

⑤ 在这次营救人质的战斗中，两名警察光荣牺牲。(＊在这次营救人质的战斗中，两名警察荣誉牺牲。)

⑥ 由于在科学研究上的卓越贡献，他光荣地获得了“五一劳动奖章”。(＊由于在科学研究上的卓越贡献，他荣誉地获得了“五一劳动奖章”。)

576 广大[形]guǎngdà ▶ 广阔[形]guǎngkuò

词义说明 Definition

广大[(of an area or space) vast; wide; extensive] 面积和空间宽阔：～农村。[large-scale; widespread] (范围、规模) 很大。[(of people) numerous] 人数很多：～人民群众。

广阔[vast; wide; broad] 空间和面积广大宽阔：视野～。

词语搭配 Collocation

	～地区	～群众	～读者	～的田野	～的农村	～天地	视野～
广大	√	√	√	×	×	×	×
广阔	×	×	×	√	√	√	√

用法对比 Usage

用法解释 Comparison

“广大”修饰人或抽象事物的范围，“广阔”修饰的对象有限，如农村、田野、土地、胸怀等。

语境示例 Examples

① 昨天黄河以北的广大地区都下了中到大雨。(＊昨天黄河以北的广阔地区都下了中到大雨。)

② 这份杂志面向广大青年读者。(＊这份杂志面向广阔青年读者。)

③ 应广大观众要求，这个电视剧将在下周同一时间重播，欢迎到时收看。(＊应广阔观众要求，这个电视剧将在下周同一时间重播，

欢迎到时收看。）

④ 地球上最广阔的地方是海洋，比海洋还要广阔的是我们的胸膛。（＊地球上最广大的地方是海洋，比海洋还要广大的是我们的胸膛。）

⑤ 中国西部是一片广阔的天地，有远见的企业家应该在西部开发中大显身手。（＊中国西部是一片广大的天地，有远见的企业家应该在西部开发中大显身手。）

⑥ 我们乘坐的火车在广阔的草原上奔驰。（＊我们乘坐的火车在广大的草原上奔驰。）

G

577 广阔[形]guǎngkuò ▶ 广泛[形]guǎngfàn

词义说明 Definition

广阔[wide; broad; vast] 空间和面积广大宽阔：视野～。

广泛[broad; extensive; wide-ranging; widespread] 涉及的方面广，范围大；普遍。

词语搭配 Collocation

	～的平原	～的海洋	～天地	视野～	内容～	题材～	～听取意见	～联系读者
广阔	√	√	√	√	×	×	×	×
广泛	×	×	×	×	√	√	√	√

用法对比 Usage

用法解释 Comparison

“广阔”和“广泛”的意义和用法都不同，不能相互替换。

语境示例 Examples

① 广阔的海洋蕴藏着人类需要的新能源。（＊广泛的海洋蕴藏着人类需要的新能源。）

② 在中国的大中城市，电脑的使用非常广泛。（＊在中国的大中城市，电脑的使用非常广阔。）

③ 我们公司跟客户已经建立了广泛的联系。（＊我们公司跟客户已经建立了广阔的联系。）

④ 我们是青年报，就应该广泛联系青年读者和作者。（＊我们是青年报，就应该广阔联系青年读者和作者。）

⑤ 这些科学研究成果都已经广泛地应用到了人们的日常生活中。(*这些科学研究成果都已经广阔地应用到了人们的日常生活中。)
⑥ 青年施展自己才能的天地是广阔的。(*青年施展自己才能的天地是广泛的。)
⑦ 要广泛征求读者的意见，把杂志办得更好。(*要广阔征求读者的意见，把杂志办得更好。)
⑧ 他的兴趣非常广泛。(*他的兴趣非常广阔。)

G

578 广阔[形]guǎngkuò ▶ 辽阔[形]liáokuò

词义说明 Definition

广阔[wide; broad; vast] 广大宽阔。
辽阔[vast; extensive] 辽远广阔。

词语搭配 Collocation

	~的田野	~的海洋	~的前景	~天地	国土~	幅员~	视野~
广阔	√	√	√	√	×	×	√
辽阔	√	√	×	×	√	√	×

用法对比 Usage

用法解释 Comparison

“广阔”可以修饰具体名词，如田野、土地等，也可以描写抽象名词，如胸怀、前景等。“辽阔”修饰的词语只限于国土、田野、海洋等具体名词。

语境示例 Examples

① 我所了解的中国，土地广阔，山河美丽，人民勤劳善良，热爱和平。(☺我所了解的中国，土地辽阔，山河美丽，人民勤劳善良，热爱和平。)
② 中国幅员辽阔，有960万平方公里的陆地面积，还有470多万平方公里的海洋面积。(*中国幅员广阔，有960万平方公里的陆地面积，还有470多万平方公里的海洋面积。)
③ 中国农村是一个广阔的市场。(*中国农村是一个辽阔的市场。)
④ 一个优秀的企业家必须视野广阔，不仅熟悉国内市场的情况，也要对国际市场了如指掌。(*一个优秀的企业家必须视野辽阔，

不仅熟悉国内市场的情况，也要对国际市场了如指掌。)

⑤ 开发这项高科技产品的前景是非常广阔的。(＊开发这项高科技产品的前景是非常辽阔的。)

579 逛[动]guàng ▶ 游[动]yóu

词义说明 Definition

逛[stroll; ramble; roam] 自由自在地外出散步，游览。

游[swim] 人和动物在水里行动。[rove around; saunter; stroll; tour; travel] 各处从容地行走；闲逛；游览；游玩。[moving about; roving; floating] 不固定的；经常移动的。

词语搭配 Collocation

	～～	～大街	～马路	～商店	～书店	闲～	～泳	～园	～人	～客	～玩	～历
逛	√	√	√	√	√	√	×	×	×	×	×	×
游	√	×	×	×	×	×	√	√	√	√	√	√

用法对比 Usage

用法解释 Comparison

“逛”和“游”不是同义词，虽然都含有自由行走，游览游玩的意思，但是涉及的处所不同。

语境示例 Examples

① 游：我已经游了一个多小时了。(在水里游泳)

逛：我已经逛了一个多小时了。(在街上、商店、书店等地方边走边看)

② 我喜欢逛旧书店。(＊我喜欢游旧书店。)

③ 女人一般都喜欢逛商店。(＊女人一般都喜欢游商店。)

④ 这个星期天我们去逛公园吧。(＊这个星期天我们去游公园吧。)

⑤ 北京每天都有来自全国和全世界的游人。(＊北京每天都有来自全国和全世界的逛人。)

⑥ 他用十几年的时间，游遍了中国的名山大川，才写成这部巨著。(＊他用十几年的时间，逛遍了中国的名山大川，才写成这部巨著。)

“游”和“逛”还可组成四字格，如“游山逛水”、“东游西逛”。

① 他最喜欢游山逛水。
② 没事帮我干点儿活，别整天东游西逛的。

580 规定[动、名]guīdìng ▶ 规范[名、动、形]guīfàn

词义说明 Definition

规定[stipulate; provide; prescribe] 对某一事物做出关于方式、方法或数量、质量的决定。[rule; regulation; stipulation] 指所规定的内容。

规范[standards; norms] 约定俗成或明文规定的标准；[with in the given standards; normal] 合乎规范；[standardize; normalize] 使合乎规范。

G

词语搭配 Collocation

	有~	没~	学校的~	按照~	~日期	~动作	语音~	道德~	~行为	很~	不~
规定	√	√	√	√	√	√	×	×	×	×	×
规范	√	√	×	√	×	√	√	√	√	√	√

用法对比 Usage

用法解释 Comparison

"规定"和"规范"的意义和用法不同，它们不能相互替换。

语境示例 Examples

① 怎样处分考试作弊行为，学校有明确的规定。（*怎样处分考试作弊行为，学校有明确的规范。）
② 这些规定的目的就是要规范每个学生的考试行为。（*这些规定的目的就是要规定每个学生的考试行为。）
③ 按照校历的规定，今年一月二十号放寒假。（*按照校历的规范，今年一月二十号放寒假。）
④ 我们应该遵守学校的规定。（*我们应该遵守学校的规范。）
⑤ 汉语拼音方案是学习汉语普通话的语音规范。（*汉语拼音方案是学习汉语普通话的语音规定。）
⑥ 这套太极拳的规定动作是二十四个。（*这套太极拳的规范动作是二十四个。）

581 规划[动、名]guīhuà ▶ 计划[动、名]jìhuà

词义说明 Definition

规划[programme; plan] 比较全面的长远的发展计划。[make a programme; draw up a plan] 做规划。

计划[plan; project; programme] 工作或行动以前预先拟订的具体内容和步骤。[map out; make a plan] 做计划。

词语搭配 Collocation

	制订～	做～	全面～	长远～	发展～	科研～	五年～	学习～	～蓝图
规划	√	√	√	√	√	√	√	×	√
计划	√	√	×	√	√	√	√	√	√

用法对比 Usage

用法解释 Comparison

“规划”和“计划”的语义不完全一致，“规划”是长远的全面的计划，多用于书面语，“计划”可以用于书面，也常用于口语。

语境示例 Examples

① 国家制订了今后十年的国民经济发展规划。(☺国家制订了今后十年的国民经济发展计划。)
② 这是小区建设的规划蓝图。(☺这是小区建设的计划蓝图。)
③ 要发展科研就要有个长远的规划。(☺要发展科研就要有个长远的计划。)
④ 我计划在中国学习四年。(＊我规划在中国学习四年。)
⑤ 暑假你有什么计划?(＊暑假你有什么规划?)
⑥ 我计划到中国西部去旅行。(＊我规划到中国西部去旅行。)
⑦ 中国实行计划生育政策。(＊中国实行规划生育政策。)
⑧ 中国正由计划经济体制逐步向市场经济发展。(＊中国正由规划经济体制逐步向市场经济发展。)

582 规律[名、形]guīlǜ ▶ 规则[名、形]guīzé

词义说明 Definition

规律[law; regular pattern] 规定事物发展趋势的法则，它是客观存在的，不以人们的意志为转移，但是人们可以通过实践或科学实验来认识它、利用它。

规则[rule; regulation] 规定出来供大家共同遵守的制度和章程：交通～；规律，法则：造字～。[regular]（在形状、结构或分布上）合乎一定的方式；整齐：～四边形。

词语搭配 Collocation

	自然～	客观～	发展～	交通～	管理～	按～办事	掌握～	很～	不～
规律	√	√	√	×	×	√	√	√	√
规则	×	×	×	√	√	√	√	√	√

G

用法对比 Usage

用法解释 Comparison

"规律"是客观存在的，"规则"是人为制定的。形容词"规则"表示整齐，形容词"规律"的意思是：事物按照一定的时间出现或人按照一定的时间做事。

语境示例 Examples

① 新生事物代替旧事物，这是事物发展的客观规律。（*新生事物代替旧事物，这是事物发展的客观规则。）

② 要认识事物发展的客观规律，并利用客观规律为人类谋福利。（*要认识事物发展的客观规则，并利用客观规则为人类谋福利。）

③ 要制定一套科学完善的管理规则，一个没有科学管理的企业是不可能生存下去的。（*要制定一套科学完善的管理规律，一个没有科学管理的企业是不可能生存下去的。）

④ 自然规律是不能违背的，谁违背了谁就会受到自然的惩罚。（*自然规则是不能违背的，谁违背了谁就会受到自然的惩罚。）

⑤ 他退休后的生活很规律，每天都按时作息，按时吃饭、按时读书看报，按时锻炼。（*他退休后的生活很规则，每天都按时作息，按时吃饭、按时读书看报，按时锻炼。）

⑥ 为了你和家人的幸福，请遵守交通规则。（*为了你和家人的幸福，请遵守交通规律。）

583 规则[名、形]guīzé ▶ 规章[名]guīzhāng

词义说明 Definition

规则[rule; regulation] 规定大家共同遵守的制度或章程；规律、

法则。［regular］在形状、结构或分布上合乎一定的方式；整齐。

规章［rules and regulations］规则、章程。

词语搭配 Collocation

	~制度	交通~	管理~	借书~	使用~	不~	很~	制订~	违犯~
规则	×	√	√	√	√	√	√	√	√
规章	√	√	√	×	×	×	×	√	√

用法对比 Usage

用法解释 Comparison

“规则”既有名词的用法，也有形容词的用法，“规章”只是名词。

语境示例 Examples

① 要严格遵守交通规则。(☺要严格遵守交通规章。)

② 按照中国的交通规则，行人要靠右走，车辆靠右行驶。(☺按照中国的交通规章，行人要靠右走，车辆靠右行驶。)

③ 对违反规则吹黑哨的裁判员一定要严加惩处。(☺对违反规章吹黑哨的裁判员一定要严加惩处。)

④ 只有遵守各项规章制度，才能保证安全生产。(*只有遵守各项规则制度，才能保证安全生产。)

⑤ 这张图画得不规则。(*这张图画得不规章。)

⑥ 这是规则的平行四边形。(*这是规章的平行四边形。)

584 贵姓 guìxìng ▶ 姓[动、名] xìng ▶ 名(字)[名] míng(zi)

词义说明 Definition

贵姓［your name］初次见面时打听对方姓名时的敬语。

姓［surname; family name］表明家族的字。

名（字）［name］用一个或几个字，跟前边的姓合在一起，用来代表一个人，区别于别的人。

词语搭配 Collocation

	您～	您～什么	叫什么～	我～王	我的～	他的～	这个～
贵姓	√	×	×	×	×	×	×
姓	×	√	×	√	√	√	√
名(字)	×	×	√	×	√	√	√

用法对比 Usage

用法解释 Comparison

“贵姓”是敬语，用于第一次见面询问对方姓名时；“姓”是表明家族的字，中国人的姓大多数是一个汉字，少数是两个汉字；“名字”多数是一个字或两个字。中国人的姓名是姓在前，名字在后。例如“王伟国”。“王”是姓，“伟国”是名（字）。口语中“名字”包括姓和名，例如，问：你叫什么名字？答：我叫王伟国。

语境示例 Examples

① A：请问，您贵姓？（＊请问，您姓？/请问，您名字？）
B：我姓王。（＊我贵姓王。）

② A：你叫什么名字？（＊你叫什么贵姓/姓？）B：我叫王伟国。

③ 请在这儿填上你的国籍、姓名和护照号。（☺请在这儿填上你的国籍、名字和护照号。）（＊请在这儿填上你的国籍、姓/贵姓和护照号。）

④ 你这个姓很少见。（＊你这个贵姓/名字很少见。）

⑤ 我姓张，名叫大海。（＊我贵姓张，名字叫大海。）

585 国[名]guó ▶ 国家[名]guójiā

词义说明 Definition

国[country; nation; state] 国家。[of the state; national] 代表或象征国家的：～徽｜～旗｜～歌。[of our country; Chinese] 中国的：～画。

国家[country; nation; state] 长期占有固定领土，有政府、军队、警察、法庭、监狱等组成管理社会和人民的政治实体；也指一个国家的整个区域。

词语搭配 Collocation

	哪～人	中～	外～	～旗	～歌	～徽	～画	～机关	发展中～	发达～	一个～
国	√	√	√	√	√	√	√	×	×	×	×
国家	×	×	×	×	×	×	×	√	√	√	√

用法对比 Usage

用法解释 Comparison

“国”和“国家”同义，但是因为音节不同，用法也有所不同。

语境示例 Examples

① 你是哪国人？（*你是哪国家人？）（☺你是哪个国家的人？）
② 我是法国人。（*我是法国家人。）
③ 世界各国，无论大小贫富，都是国际社会的一员，应该和平共处，平等相待。（☺世界各个国家，无论大小贫富，都是国际社会的一员，应该和平共处，平等相待。）
④ 中国银行是国家的银行，你把钱存在那里完全可以放心。（*中国银行是国的银行，你把钱存在那里完全可以放心。）
⑤ 我曾在很多国家居住过，最喜欢的还是这里。（*我曾在很多国居住过，最喜欢的还是这里。）
⑥ 中国的国旗是五星红旗。（*中国的国家旗是五星红旗。）
⑦ 东西方国家的文化有很大的差异。（*东西方国的文化有很大的差异。）

586 过分[形]guòfèn ▶ 过度[形]guòdù ▶ 过火[形]guòhuǒ

词义说明 Definition

过分［excessive; undue; over the limit］说话、做事超过一定的程度或限度。

过度［excessive; undue; over the limit］超过适当的限度。

过火［go too far; go to extremes; overdo］说话办事超过适当的分寸或限度。

词语搭配 Collocation

	太~了	有点儿~	~兴奋	~疲劳	疲劳~	~行为	别~	做得~
过分	√	√	×	×	×	×	√	√
过度	×	√	√	√	√	×	√	√
过火	√	√	×	×	×	√	√	√

用法对比 Usage

用法解释 Comparison

这三个词是同义词，不同的是在与其他词语的搭配上。

G

语境示例 Examples

① 说话做事都要实事求是，留有余地，不能过分，过分了就不好了。(☺说话做事都要实事求是，留有余地，不能过度/过火，过度/过火了就不好了。)

② 不能因为考试就开夜车开得很晚，要注意休息，如果过度疲劳的话，也考不好。(＊不能因为考试就开夜车开得很晚，要注意休息，如果过火/过分疲劳的话，也考不好。)

③ 他这个人是不太诚实，但说他是骗子，也有点儿过分。(☺他这个人是不太诚实，但说他是骗子，也有点儿过火/过度。)

④ 他这么对待你也太过分了。(☺他这么对待你也太过火了。)(＊他这么对待你也太过度了。)

⑤ 你刚才的话说得太过火了。(☺你刚才的话说得太过分了。)(＊你刚才的话说得太过度了。)

⑥ 喝了一杯咖啡，因为过度兴奋，一个晚上没有睡好觉。(＊喝了一杯咖啡，因为过分/过火兴奋，一个晚上没有睡好觉。)

587 过来 guò lái ▶ 过去 guò qù

词义说明 Definition

过来 [come over; come up] 从另一个地点向说话人（或叙述的对象）所在地来：车~了。[used after a verb plus 得 or 不 to indicate the sufficiency or insufficiency of time, capability or quantity] 用在动词后（多跟“得”或“不”连用），表示时间、能力、数量充分：干得~ | 忙不~。[used after a verb to indicate a movement towards the speaker] 用在动词后，表示来

到自己所在的地方：前边开～一辆出租车。[used after a verb to indicate a return to the normal state] 用在动词后，表示回到原来的、正常的状态：醒～了。[used after a verb to indicate sth. facing oneself] 用在动词后，表示正面对着自己：他转过脸来对我说。

过去[go over; pass by] 离开或经过说话人（或叙述对象）所在地向另一个地点去：车刚～。[used after a verb to indicateloss of a motion away from the speaker] 用在动词后，表示离开或经过自己所在的地方：一辆车从我身边开～了。[used after a verb to indicate turning the back of sth. towards the speaker] 用在动词后，表示反面对着自己：你翻～我看看那一面。[used after a verb to indicate loss of a normal or original state] 用在动词后，表示失去原来的，正常的状态：他昏～了。[used after a verb to indicate success of an action] 用在动词后，表示通过：南郭先生看这次混不～了，就偷偷溜走了。[used after an adjective plus 得 or 不 to indicate superiority or inferiority] 用在形容词后表示超过（多跟“得”或“不”连用）：北京再冷也冷不过哈尔滨去。

用法对比 Usage

“过来”和“过去”可以用来表达趋向，“过”是动词，“来”和“去”都是它的趋向补语，“过来”表示向着说话人所在的位置和地方来，“过去”表示离开或经过说话人所在的位置去。

① 你过来吧。(说话人在这边，“你”在那边)
   你过去吧。(说话人和“你”都在这边)

② 他过桥去了。(说话人在桥这边，“他”离开说话人到桥那边去)
   他过桥来了。(说话人在桥这边，“他”向着说话人来)

“过来”和“过去”还常用来作其他动词的补语。组成带复合趋向补语的句子，除了表达动作趋向的意义以外，还表达动作行为的某种结果。

① 我到了车站，一辆车刚开过去。(车离开车站而去)
   我到了车站，一辆车刚开过来。(车向着车站开来)

② 他们从桥上跑过来了。(“他们”到了桥这边说话人所在的位置)
   他们从桥上跑过去了。(“他们”到了桥那边，背着说话人所在的位置)

③ 她转过身来看着我。(面对着我)

她转过身去不再看我。(背对着我)

④ 你可以用传真给我发过来。

我可以用传真给你发过去。

⑤ 他喝得有点儿多，醉过去了。(失去了正常状态)

直到今天早上他才醒过来。(恢复了正常状态)

⑥ 病人又昏过去了。(失去正常状态)

病人醒过来了。(恢复正常状态)

在动词和“过来”或“过去”中间加上“不”或“得”，组成可能补语，表示动作能否实现或达到某种结果，很多时候是表示某种引申义。

G

① 河上没有桥，我过不去。(我不能到河那边去)

河上没有桥，他过不来。(他不能到河这边来)

② 要是有船我们就过得去。(说话人在河这边)

要是有船他们就过得来。(说话人在河这边)

③ 他醉成这个样子，一时半会儿醒不过来。(*他醉成这个样子，一时半会儿醒不过去。)

④ 你借这么多书，看得过来吗？(*你借这么多书，看得过去吗？)

⑤ 工作太多，我一个人实在忙不过来。(*工作太多，我一个人实在忙不过去。)

⑥ 她这种打扮实在让人看不过去。(看着不舒服)(*她这种打扮实在让人看不过来。)

⑦ 我这次无论如何得去看看他，再不去实在说不过去。(不合礼仪，不应该)(*我这次无论如何得去看看他，再不去实在说不过来。)

⑧ 这次你要是考 80 多分还说得过去，要是考不及格就说不过去了。(说得过去=让人比较满意；说不过去=让人不满意)(*这次你要是考 80 多分还说得过来，要是考不及格就说不过来了。)

H

588 还[副]hái ▶ 再[副]zài

词义说明 Definition

还[still; yet] 表示现象继续存在或动作继续进行；仍然。[also; too; as well; in addition] 也，而且，另外：不但要做，～要做好。[even more; still more] 表示增加或补充：你～要什么？[even]（用在上半句话里，表示陪衬，下半句表示推论，多用反问的语气）尚且：你～不会呢，我怎么会？[passable; fairly] 用在形容词前边，表示程度勉强过得去（一般是往好的方面说）：～好|～可以。[expressing realization or discovery] 表示对某件事情，没想到如此，而居然如此：他～真去了。

再[（for an action yet to take place or contemplated）again; once more; further] 表示事情或行为将要重复（但是还没有重复）：你～说一遍。[（used before adjectives）to a greater extent or degree] 表示更，更加：～便宜一点儿就好了。[indicating what will happen if such is allowed to continue] 表示如果继续下去就会出现的结果：～不快走就得迟到了。[indicating one action taking place after the completion of another] 表示一个动作发生在另一个动作结束以后：你吃了饭～走吧。[indicating additional information] 表示另外有所补充：书包里有词典、书、本子，～就是我的钱包。[（followed by a negative expression）no matter how … still（not）] 用在否定副词"不"、"没"前边，表示动作无用，徒劳：你～说，他也不听。

词语搭配 Collocation

	～来	～买	～年轻	比…～冷	～好	～可以	～算好	～真行	～见	～不	～高一点儿
还	√	√	√	√	√	√	√	√	×	×	√
再	√	√	×	×	×	×	×	×	√	√	√

用法对比 Usage

"还"和"再"都是副词，都很常用，但是它们的基本语义不同，"还"表示动词持续进行，而"再"表示动作将要重复进行。即使可以互换，句子所表达的语气也不同。

① 我今天已经去看过她了，明天再去。(☺我今天已经去看过她了，明天还去。)

② 你还要点儿什么？(☺你再要点儿什么？)

③ 希望你们以后再来。(☺希望你们以后还来。)

④ 我做完作业还要预习明天的生词和课文。(*我做完作业再要预习明天的生词和课文。)

"还"常用在问句中，"再"不能。

① 你怎么还不走？(*你怎么再不走？)

② 都九点多了，你怎么还睡呢？(*都九点多了，你怎么再睡呢？)

③ 你明天还去医院吗？(*你明天再去医院吗？)

④ 你明年还在这儿学习吗？(*你明年再在这儿学习吗？)

"还"表示动作持续进行或状态继续存在，"再"没有这个意思。

① 已经很晚了，他还在学习。(*已经很晚了，他再在学习。)

② 我们五六年没有见了，你还这么年轻。(*我们五六年没有见了，你再这么年轻。)

"还没有……呢"表示动作没有发生或完成，但暗示即将发生或完成。"再"没有这个意思。

① 我今天的作业还没有做呢。(*我今天的作业再没有做呢。)

② 他们还没有到呢，我们等一会儿吧。(*他们再没有到呢，我们等一会儿吧。)

"还"表示勉强，过得去的意思。"再"没有这个意思。

A：你最近怎么样？B：还好/还可以。(*再好/再可以。)

"还"有尚且的意思，"再"没有这个意思。

有的汉字中国学生还不认识呢，别说我们留学生了。(*有的汉字中国学生再不认识呢，别说我们留学生了。)

"还"表示结果是没有想到的，"再"没有这个意思。

你还真行！这本书一个暑假就翻译完了。(*你再真行！这本书一个暑假就翻译完了。)

"还"常用于比字句中，表示"更、更加"的意思，"再"没有这个用法。

今天比昨天还冷。(*今天比昨天再冷。)

"再"表示动作将要重复发生，"还"没有这个意思。

① 今天去不了了，我们明天再去吧。(*今天去不了了，我们明天还去吧。)

② 你再检查一遍。(*你还检查一遍。)

③ 老师，这个句子的语法我还不太明白，您再给我讲讲好吗？（*老师，这个句子的语法我还不太明白，您还给我讲讲好吗？）

"再"表示另外有所补充，"还"没有这个用法。

① 我已经买了一本了，想再给我弟弟买一本。（*我已经买了一本了，想还给我弟弟买一本。）

② 你再不努力，考试就要不及格了。（*你还不努力，考试就要不及格了。）

"再"表示"更"、"更加"，"还"没有这个意思。

① 这件大衣的颜色再深一点儿就好了。（*这件大衣的颜色还深一点儿就好了。）

② 再便宜一点儿怎么样？（*还便宜一点儿怎么样？）

"再"表示"然后"，"还"没有这个用法。

① 不用着急，我们吃了饭再去吧。（*不用着急，我们吃了饭还去吧。）

② 你最好想好了再决定。（*你最好想好了还决定。）

589 还是[连]háishi ▶ 或者[连]huòzhě

词义说明 Definition

还是[(used in a question to express selection among several choices, placed before each choice except the first where it is optional) or] 用在选择问句中，表示选择，放在每一个选择项目的前边：你去～他去？

或者[(used in a narrative sentence to express a choice) or; either ... or ...] 用在陈述句中，表示选择：晚上我常常看书～写东西。

词语搭配 Collocation

	喝咖啡～喝茶？	咖啡～茶都行。
还是	√	×
或者	×	√

用法对比 Usage

用法解释 Comparison

这两个词都是连词，但是语义不同，由于英语都可以翻译成

"or",就成了外国学生学习汉语的一个难点。

语境示例 Examples

"还是"用在选择问句中。

① A:今天晚上你看电视还是看电影?B:我看电影。
② A:你喝咖啡还是喝茶?B:我喝咖啡。
③ A:你学法律还是学经济?B:我学经济。

"或者"用在陈述句中,表示从两种或两种以上的事物中选择一种。

① A:星期六和星期日你常做什么?B:我在家休息或者跟朋友一起去公园玩。(*我在家休息还是跟朋友一起去公园玩。)
② 晚上我看看书,听听音乐,或者跟朋友聊聊天。(*晚上我看看书,听听音乐,还是跟朋友聊聊天。)
③ 那儿离学校不远,你们骑车去或者坐车去都可以。(*那儿离学校不远,你们骑车去还是坐车去都可以。)

590 还是[副]háishi ▶ 仍然[副]réngrán

词义说明 Definition

还是[still; yet] 表示现象继续存在或动作继续发生,仍然,照样:今天~雨天|她~那么年轻。[(expressing hope) had better] 经过比较以后的选择,表示希望,有"这么做比较好"的意思,用于建议和劝告:寒假我们~去海南岛吧。

仍然[still; yet] 情况持续不变或恢复原来的样子:昨天阴天,今天~是阴天。

词语搭配 Collocation

	~那么年轻	~坚持上课	~有雨	病~不好	~坐车去吧
还是	√	√	√	√	√
仍然	√	√	√	√	√

用法对比 Usage

用法解释 Comparison

"还是"和"仍然"都是副词,都有表示某种情况持续不变的意思,修饰动词、形容词。"仍然"多用于书面,口语中多用"还是"。

语境示例 Examples

① 今天老师还是给我们讲把字句的用法。(☺今天老师仍然给我们讲

把字句的用法。)

② 多年不见，你还是这么年轻。(☺多年不见，你仍然这么年轻。)

③ 下班以后他仍然在考虑工作中的问题。(☺下班以后他还是在考虑工作中的问题。)

④ 天气预报说今天仍然有雨。(☺天气预报说今天还是有雨。)

⑤ 他虽然病了，但仍然坚持上课。(☺他虽然病了，但还是坚持上课。)

⑥ 老师又讲了一遍，我仍然不懂。(☺老师又讲了一遍，我还是不懂。)

"还是"后边可以跟名词和代词，"仍然"不行。

今年还是王老师教我们。(＊今年仍然王老师教我们。)(☺今年仍然是王老师教我们。)

"还是"表示建议和劝告，"仍然"没有这个用法。

好像要变天，你还是带上雨衣吧。(＊好像要变天，你仍然带上雨衣吧。)

"还是"也表示"比较后的选择"，有"最好是"的意思。

① A：我想去中国留学，你说去北京好呢还是去天津好？B：还是去北京吧。(＊仍然去北京吧。)

注意："仍然去北京吧。"这个句子的语境是：原来打算去北京，后来改变了主意想去别的地方，最后考虑比较以后还是选择去北京时，这时才说："仍然去北京吧。"

② A：那件蓝的也不错，你说呢？B：还是买这件红的吧。(＊仍然买这件红的吧。)

591 孩子[名]háizi ▶ 儿子[名]érzi

词义说明 Definition

孩子[child] 儿童：小～|男～|女～。[son or daughter; child]儿子和女儿：他有两个～。

儿子[son] 父母的男孩子。

词语搭配 Collocation

	小～	大～	好～	男～	女～	两个～
孩子	√	√	√	√	√	√
儿子	√	√	√	×	×	√

用法对比 Usage

用法解释 Comparison

“孩子”有儿童的意思，还有子女的意思，“儿子”对父母来说只是男孩子。

语境示例 Examples

① 孩子：这个孩子很聪明。（可以是自己的孩子也可以是别人的，男女不限）

儿子：这个儿子很聪明。（自己孩子中的一个男孩子）

② 我有两个孩子，一个儿子，一个女儿。（＊我有两个儿子，一个儿子，一个女儿。）

③ 他只有一个女孩子。（＊他只有一个女儿子。）

④ 他二儿子正在上大学。（＊他二孩子正在上大学。）

⑤ 这个孩子是谁家的？（＊这个儿子是谁家的？）

⑥ 男孩子大都喜欢踢足球。（＊男儿子大都喜欢踢足球。）

H

592 害怕[动]hàipà ▶ 怕[动、副]pà

词义说明 Definition

害怕[be afraid; be scared] 遇到困难、危险时心中不安和发慌。

怕[fear; dread; be afraid of] 害怕：老鼠～猫。[be afraid of; be worried; feel anxious about; feel concerned for or about] 担心，恐怕：她～胖，早上不吃饭。[(expressing supposition, judgment, estimation, etc.) I am afraid (that); I suppose; perhaps] 表示估计；也许：他现在～早到家了。[cannot stand; will be affected by] 不能经受：这种手表不～水。

词语搭配 Collocation

	很～	不～	～蛇	不～困难	～晒	～你不来	～有一百多人
害怕	√	√	√	√	×	×	×
怕	√	√	√	√	√	√	√

用法对比 Usage

用法解释 Comparison

“怕”有“害怕”的意思，但“怕”还有“担心”、“估计”的意思，“害怕”没有这些意思。“害怕”只是动词，不能作状语；“怕”是动词也是副词，能作状语。

语境示例 Examples

① 你一个人住这么大的屋子，夜里害怕不害怕？(☺你一个人住这么大的屋子，夜里怕不怕？)
② 遇到任何困难都不要害怕。(☺遇到任何困难都不要怕。)
③ 很多人都害怕蛇。(☺很多人都怕蛇。)
④ 我很害怕老师提问，一问我就发慌。(☺我很怕老师提问，一问我就发慌。)

“怕”还表示担心和估计，“害怕”没有这种用法。

① 我怕八点钟到不了机场，我们还是早点儿出发吧。
② 我怕你太累，所以没有叫你帮忙。
③ 我怕他今天来不了。
④ 这篇课文怕有一千多字。
⑤ A：现在几点了？B：我也没戴表，怕有十点多了。
⑥ 这个西瓜这么大，怕有十公斤。

593 含糊[形]hánhu ▶ 模糊[形]móhu

词义说明 Definition

含糊[ambiguous; vague] 不明确，不清楚。[careless; perfunctory] 不认真，马虎。

模糊[blurred; indistinct; dim; vague] 不清楚；难以辨认。

词语搭配 Collocation

	很～	不～	景物～	字迹～	认识～	～的思想	～的印象
含糊	√	√	×	×	×	×	×
模糊	√	√	√	√	√	√	√

用法对比 Usage

用法解释 Comparison

“含糊”和“模糊”都有不清楚的意思，但是，“含糊”说的是言语或表达的意思不清楚，让人不明其义；“模糊”既可表示物体的影像不清楚，诉诸于人的视觉，让人看不清楚，也可表示人的听觉不易辨别某种声音，可形容“感觉、印象、记忆、认识”等，它们不能相互替换。

语境示例 Examples

① 他刚才说得很含糊，我根本不明白他的意思。(＊他刚才说得很

模糊，我根本不明白他的意思。)

② 你说话总是含含糊糊的，叫人摸不着头脑。(＊你说话总是模模糊糊的，叫人摸不着头脑。)

③ 这些字写得太模糊，看不清楚。(＊这些字写得太含糊，看不清楚。)

④ 雨中的西湖，远山近树模模糊糊的，真像一幅水墨画。(＊雨中的西湖，远山近树含含糊糊的，真像一幅水墨画。)

⑤ 这篇论文概念模糊，不知道作者要说什么。(＊这篇论文概念含糊，不知道作者要说什么。)

⑥ 他对这个问题的认识很模糊。(＊他对这个问题的认识很含糊。)

“模糊”重叠作状语，也可以表示不清楚的意思，“含糊”没有这个用法。

① 睡梦中，我模模糊糊地听见有人敲门。(＊睡梦中，我含含糊糊地听见有人敲门。)

② 这个人我还模模糊糊记得。(＊这个人我还含含糊糊记得。)

“含糊”有马虎的意思，“模糊”没有这个意思。

这件事很重要，只能办好，不能办坏，可不要含糊。(＊这件事很重要，只能办好，不能办坏，可不要模糊。)

594 罕见[形]hǎnjiàn ▶ 少见shǎojiàn

词义说明 Definition

罕见[seldom seen; rare] 难得见到，很少见到。

少见[(a form of greeting) see little of sb.] 客套话：~，你最近怎么样？[seldom seen; infrequent; rare] 难得见到，罕见。

词语搭配 Collocation

	很~	人迹~	~的奇迹	~的病例	~的现象	~多怪
罕见	√	√	√	√	√	×
少见	√	×	√	√	√	√

用法对比 Usage

用法解释 Comparison

“罕见”比“少见”程度高，表示“更少见”。

语境示例 Examples

① 这种病十分罕见。(☺这种病十分少见。)

② 在无边的沙漠里有这么一大片绿洲真是罕见。(☺在无边的沙漠里

有这么一大片绿洲真是少见。)

③ 能够在这么短的时间内取得这么大的成绩，这在世界上是罕见的。(☺能够在这么短的时间内取得这么大的成绩，这在世界上是少见的。)

④ 这里人迹罕见，只有一些野兽出没。(＊这里人迹少见，只有一些野兽出没。)

⑤ 你真是少见多怪，这种花儿在我们家乡多的是。(＊你真是罕见多怪，这种花儿在我们家乡多的是。)

"少见"是客套话，用于朋友之间，"罕见"没有这个用法。

A：少见，你最近忙什么呢？(＊罕见，你最近忙什么呢？) B：我出了一趟差，到外地去了一个多月。

H

595 喊[动]hǎn ▶ 叫[动]jiào

词义说明 Definition

喊[shout; cry out; yell] 大声叫：把嗓子都～哑了。[call (a person)] 叫(人)：我～了他一声。

叫[cry; shout] 人或动物发出的声音，表示某种情绪、感觉或欲望：大～一声。[call; greet] 招呼；呼唤：楼下有人～你。[name; call] 称为，名称是：你就～我小王吧。[hire; order] 告诉某人(多为服务行业)送来所需要的东西：～车｜～一杯咖啡。[call; name] (名称)是；称为。

词语搭配 Collocation

	大～	～人	～口号	～我一声	有人～你	狗～	～好	～车	我～田芳	这～对联
喊	√	√	√	√	√	×	×	×	×	×
叫	√	√	×	√	√	√	√	√	√	√

用法对比 Usage

用法解释 Comparison

"喊"有大声叫的意思，只限于人的声音，"叫"大声小声都可以，不限于人的声音。

语境示例 Examples

① 楼下有人喊你，你答应一声。(☺楼下有人叫你，你答应一声。)

② 把老王叫来，我们一起商量一下。(☺把老王喊来，我们一起商量一下。)

③ 请明天早上六点叫我起床。(☺请明天早上六点喊我起床。)
④ 早上五点多树上的鸟就叫起来了，鸟一叫就把我吵醒了。(＊早上五点多树上的鸟就喊起来了，鸟一喊就把我吵醒了。)
⑤ 请问，你叫什么名字？(＊请问，你喊什么名字？)
⑥ 门上贴的这个东西叫什么？——叫对联。(＊门上贴的这个东西喊什么？——喊对联。)
⑦ 请帮我叫一辆出租车。(＊请帮我喊一辆出租车。)
⑧ 他叫我开车去机场接他。(＊他喊我开车去机场接他。)

"叫好"表示（对精彩表演的）赞扬，"喊"没有这个用法。

她一唱就引起一阵叫好声。(＊她一唱就引起一阵喊好声。)

H

596 汉语[名]Hànyǔ ▶ 中文[名]Zhōngwén

词义说明 Definition

汉语[Chinese (language)] 原义是汉族的语言，实际上是中国各民族的共同语言。现代汉语的标准语是普通话。汉语是构成汉藏语族的一个分支，其口语形式差别很大，但有共同的以形象符号直接体现词义而与发音不相联系的文字体系，即汉字。

中文[Chinese] 中国的语言文字，特指汉语的语言文字。

词语搭配 Collocation

	～教材	～课	～书	～杂志	～广播	教/学～	用～写	用～说	用～打字	～拼音
汉语	√	√	√	√	√	√	√	√	×	√
中文	√	√	√	√	√	√	√	×	√	×

用法对比 Usage

用法解释 Comparison

"汉语"既有口语形式也包含其文字形式，"中文"主要指记载汉语的文字形式。在有些国家和地区还把汉语叫做"华语、中国语"等。

语境示例 Examples

① 我女儿正在中国学习汉语。(☺我女儿正在中国学习中文。)
② 他是我们大学中文系的学生。(☺他是我们大学汉语系的学生。)

注意：中文系的全称是中国语言文学系，教学内容包括文学与汉语语言学等。汉语系的教学内容主要是汉语语言学。

③ 这本书的中文部分是我翻译的。(☺这本书的汉语部分是我翻译的。)
④ 他很想把这本书翻译成中文。(☺他很想把这本书翻译成汉语。)
⑤ 我现在读中文报还有困难。(*我现在读汉语报还有困难。)
⑥ 你的电脑里有没有中文软件。(*你的电脑里有没有汉语软件。)
⑦ 我们国家的电影院很少放映中文电影。(*我们国家的电影院很少放映汉语电影。)
⑧ 我希望汉语教材的课文都注上汉语拼音。(*我希望汉语教材的课文都注上中文拼音。)

597 航空[名]hángkōng ▶ 航天[名]hángtiān

H

词义说明 Definition

航空[aviation; air navigarion] 飞机在空中飞行；与航空有关的。

航天[space flight] 指人造卫星，宇宙飞船等在地球附近空间或太阳系空间飞行。

词语搭配 Collocation

	~事业	~公司	~母舰	~港	~飞机	~技术	民用~	~信
航空	√	√	√	√	×	√	√	√
航天	√	×	×	×	√	√	×	×

用法对比 Usage

用法解释 Comparison

"航空"和"航天"的意义不同，二者不能相互替换。

语境示例 Examples

① 他研究生毕业以后就被一家航空公司录用了。(*他研究生毕业以后就被一家航天公司录用了。)
② 中国的民用航空事业发展得很快。(*中国的民用航天事业发展得很快。)
③ 昨天，航天飞机把几个宇航员送上了太空站。(*昨天，航空飞机把几个宇航员送上了太空站。)
④ 一艘航空母舰可以装载多少架飞机？(*一艘航天母舰可以装载多少架飞机？)
⑤ 我要寄一封航空信。(*我要寄一封航天信。)

598 毫不 háo bù ▶ 毫无 háo wú

词义说明 Definition

毫不[nothing; not at all] 一点儿也不。

毫无[without any] 一点也没有。

词语搭配 Collocation

	~犹豫	~奇怪	~介意	~可惜	~顾及	~顾虑	~疑问	~二心	~准备	~用处
毫不	√	√	√	√	√	×	×	×	×	×
毫无	×	×	×	×	×	√	√	√	√	√

H

用法对比 Usage

用法解释 Comparison

“毫不”和“毫无”都不能单独用，必须下接其他词语组成四字格才能进入句子。不同的是：“毫不”下接的一般是动词或形容词，“毫无”下接的是名词或动名词。它们不能相互替换。

语境示例 Examples

① 平时不来上课，考试不及格是毫不奇怪的。（＊平时不来上课，考试不及格是毫无奇怪的。）

② 看到有孩子落水，他毫不犹豫跳下水去救人。（＊看到有孩子落水，他毫无犹豫跳下水去救人。）

③ 他是一个想干什么就一定要干的人，毫不顾及别人说什么。（＊他是一个想干什么就一定要干的人，毫无顾及别人说什么。）

④ 她对你毫无二心，这样好的女孩子到哪儿找去？（＊她对你毫不二心，这样好的女孩子到哪儿找去？）

⑤ 毫无疑问，留学生觉得最值得信赖的是自己的老师。（＊毫不疑问，留学生觉得最值得信赖的是自己的老师。）

⑥ 他对这次工作调动毫无思想准备。（＊他对这次工作调动毫不思想准备。）

599 好[连] hǎo ▶ 以便[连] yǐbiàn

词义说明 Definition

好[be better to; in order to; so that] 以便，便于，为了。

以便[so that; so as to; in order to; with the aim of; for the purpose of] 用在下半句的开头，表示使下文所说的目的容易实现。

用法对比 Usage

用法解释 Comparison

连词“好”和“以便”的意思相同，但是，“好”在句子中一般放在动词的前边，而“以便”要放在下半句的开头，要放在主语前面。“好”用于口语，“以便”用于书面。

语境示例 Examples

① 好：带上伞吧，下雨好用。
以便：带上伞吧，以便下雨用。

② 你先把菜洗出来，我下班回来好做。(☺你先把菜洗出来，以便我下班回来做。)

③ 你最好快点儿把论文交给我，我好早点儿给你看。(☺你最好快点儿把论文交给我，以便我早点儿给你看。)

④ 你把护照给我，我好给你买机票。(☺你把护照给我，以便我给你买机票。)

⑤ 把你的电子邮箱（e-mail）地址给我，以后我好跟你联系。(☺把你的电子邮箱地址给我，以便我以后跟你联系。)

⑥ 今天晚上早点儿睡，明天好早起赶火车。(☺今天晚上早点儿睡，以便明天早起赶火车。

600 好(不)容易[副]hǎo(bù)róngyi

很不容易hěn bù róngyi

词义说明 Definition

好(不)容易[not at all easy; very difficult; have a hard time (doing sth.)] 很不容易（才做到某事）。

很不容易[not easy; difficult] 很难，很艰苦。

词语搭配 Collocation

	～才得到	～才找到	～才买到	～才及格	～做	～办	～学
好(不)容易	√	√	√	√	×	×	×
很不容易	√	√	√	√	√	√	√

H

用法对比 Usage

用法解释 Comparison

“好不容易”和“好容易”意思都是“很不容易”，但是用法与“很不容易”不同。“好(不)容易”侧重于表达主观感受，“很不容易”用于客观描述和评价。“好(不)容易”一般只能放在动词前边作状语，常与“才”搭配，不能作谓语；“很不容易”一般作谓语，也可以作状语，但较少用。

语境示例 Examples

① 这次考试很难，我好不容易才考及格。(及格了)(☺这次考试很难，我很不容易才考及格。(及格了))
② 我去了好几家书店，好(不)容易才买到这本画册。(☺我去了好几家书店，很不容易才买到这本画册。)
③ 好(不)容易才得到这个机会，所以我很珍惜。(☺很不容易才得到这个机会，所以我很珍惜。)
④ 要学好汉语很不容易。(＊要学好汉语好不容易。)(＊要学好汉语好容易。)
⑤ 他一个人在国外生活也很不容易。(＊他一个人在国外生活也好不容易。)
⑥ 因为他父亲很早就去世了，所以他们家的日子过得很不容易。(＊因为他父亲很早就去世了，所以他们家的日子过得好不容易。)

601 好处[名]hǎochu ▶ 长处[名]chángchu

词义说明 Definition

好处[good; benefit; advantage] 对人或事物有利的因素。[gain; profit] 使人有所得而感到满意的事物。

长处[good quality; strong point] 优点，特长。

词语搭配 Collocation

	有～	没有～	得到～	～很多	一个～	什么～	给人～	学习别人的～
好处	√	√	√	√	√	√	√	×
长处	√	√	×	√	√	√	×	√

用法对比 Usage

用法解释 Comparison

“好处”的反义词是“坏处”，“长处”的反义词是“短处”。

"好处"有实惠、利益的意思，"长处"没有这个意思。

语境示例 Examples

① 这种洗衣机的好处是省水省电。（☺这种洗衣机的长处是省水省电。）
② 布衣服的好处是穿着舒服。（☺布衣服的长处是穿着舒服。）
③ 他这个人的长处就是脾气好。（☺他这个人的好处就是脾气好。）
④ 要学习别人的长处。（＊要学习别人的好处。）
⑤ 国家不论大小，各有各的长处。（＊国家不论大小，各有各的好处。）
⑥ 我知道抽烟对身体没有好处，可就是戒不掉。（＊我知道抽烟对身体没有长处，可就是戒不掉。）
⑦ 发展庭院经济，使农民得到不少好处。（＊发展庭院经济，使农民得到不少长处。）

602 好看［形］hǎokàn ▶ 美丽［形］měilì

词义说明 Definition

好看［good-looking；look nice］美观；看着舒服。［interesting］有趣，有意思：这个电视剧很～。

美丽［beautiful］使人看了产生快感的；好看。

词语搭配 Collocation

	很～	长得～	风景很～	～的衣服	～的花	～的家乡	～的姑娘	～的小伙子
好看	√	√	√	√	√	×	√	√
美丽	√	×	√	×	√	√	√	×

用法对比 Usage

用法解释 Comparison

"好看"多用于口语，"美丽"没有此限。"好看"还表示"有趣，有意思"，"美丽"没有此义。

语境示例 Examples

① 中国各地都有美丽的风景。（☺中国各地都有好看的风景。）
② 好看的姑娘千千万，但是我只爱她一个。（☺美丽的姑娘千千万，但是我只爱她一个。）
③ 你穿上这件衣服很好看。（＊你穿上这件衣服很美丽。）

④ 我们热爱伟大美丽的祖国。（＊我们热爱伟大好看的祖国。）
⑤ 昨天晚上的电影很好看，可惜你没去。（＊昨天晚上的电影很美丽，可惜你没去。）
⑥ 这本小说好看不好看？（＊这本小说美丽不美丽？）

603 好像[动]hǎoxiàng ▶ 像[动、名]xiàng

词义说明 Definition

好像[seem; be like] 有些像；仿佛（像）。

像[be like; resemble; take after] 形象上相同或有某些共同点：她长得～母亲。 [look as if; seem] 好像：～亲姐妹一样。[such as; like] 比如；如：～足球、游泳等运动。 [likeness (of sb.); portrait; picture] 比照人物制作的形象：画～。

词语搭配 Collocation

	～见过	～认识	～要下雨	～妈妈	～大熊猫	长得很～	画～	铜～	塑～
好像	√	√	√	√	√	×	×	×	×
像	×	×	√	√	√	√	√	√	√

用法对比 Usage

用法解释 Comparison

“好像”和“像”有相同的意义，但是用法不尽相同，“像”还是个名词，而“好像”只是动词，“好像”常用在动词前面作状语，“像”常作谓语，“像”还可以作补语，“好像”不能作补语。

语境示例 Examples

① 他看上去好像有病。（☺他看上去像有病。）
② 这个人我好像在什么地方见过。（☺这个人我像在什么地方见过。）
③ 天阴得这么重，好像要下雨。（☺天阴得这么重，像要下雨。）
④ 她们俩好像亲姐妹一样。（☺她们俩像亲姐妹一样。）
⑤ 他屋子里没有亮灯，好像不在家。（＊他屋子里没有亮灯，像不在家。）
⑥ 我跟我爸爸长得很像。（＊我跟我爸爸长得很好像。）
⑦ 他们哥儿俩长得不像。（＊他们哥儿俩长得不好像。）
⑧ 英雄家乡的人民为了纪念他，为他铸了铜像。（＊英雄家乡的人民为了纪念他，为他铸了铜好像。）

604 号[名]hào ▶ 日[名]rì

词义说明 Definition

号[date] 特指一个月里的日子：十月一～是中国的国庆节。[name] 名称：年～。[mark; sign; signal] 标志；信号：记～|问～。[number] 排定的次序；次序：挂～。[size] 表示大小或等级：大～|小～。

日[sun] 太阳。[daytime; day] 从天亮到天黑的一段时间；白天(与“夜”相对)。[day] 地球自转一周的时间；天。[daily; everyday] 每天：天气～见暖和。[time] 泛指一段时间或某一天：秋～。

H

词语搭配 Collocation

	几～	十月一～	今～	生～	休息～	～出	～夜	～报	记～	问～	挂～	大～
号	√	√	×	×	×	×	×	×	√	√	√	√
日	√	√	√	√	√	√	√	√	×	×	×	×

用法对比 Usage

用法解释 Comparison

只有在表示日期时“号”和“日”才能相互替换，其他用法不能相互替换。

语境示例 Examples

① 十月一号是中国的国庆节。(☺十月一日是中国的国庆节。)
② 你的生日是几月几号？(☺你的生日是几月几日？)
③ 我二十岁生日是在中国过的。(＊我二十岁生号是在中国过的。)
④《中国青年报》是不是日报？(＊《中国青年报》是不是号报？)

下边“号”的用法，不能用“日”代替。

① 你穿多大号的鞋？
② 这个星期六是几号？
③ 我先去医院挂号。
④ 问句后边应该加上问号。

下边“日”的用法，不能用“号”代替。

① 站在我家的阳台上可以看到日出。
② 我每天都写日记。
③ 中国有哪些纪念日？
④ 这个问题我们改日再谈吧。

605 好[动]hào ▶ 喜欢[动]xǐhuan

词义说明 Definition

好[like; love; be fond of] 喜爱（跟“恶”wù相对）。[be liable to] 常常容易发生某种事：~感冒。

喜欢[like; love; be fond of; be keen on] 对人或事物有好感或感兴趣。[happy; elated; filled with joy] 愉快，高兴。

词语搭配 Collocation

	~学	~发脾气	~吹牛	~玩	~打球	~文学	~照相	~跳舞	~感冒
好	√	√	√	√	√	×	√	√	√
喜欢	√	√	√	√	√	√	√	√	×

用法对比 Usage

用法解释 Comparison

“好”和“喜欢”意思相近，但“好”的宾语一般是动词或动宾词组，而“喜欢”既可以带动词和动宾词组作宾语，也可以直接带名词或代词作宾语。

语境示例 Examples

① 他很好学，所以进步很快。(☺他很喜欢学，所以进步很快。)
② 我好游泳，不好爬山。(☺我喜欢游泳，不喜欢爬山。)
③ 受爸爸影响，他从小就好踢足球。(☺受爸爸影响，他从小就喜欢踢足球。)
④ 我喜欢唱歌，但是唱得不太好。(☺我好唱歌，但是唱得不太好。)
⑤ 他既不好喝酒也不好抽烟。(☺他既不喜欢喝酒也不喜欢抽烟。)
⑥ 他喜欢文学，特别喜欢古典文学。(*他好文学，特别好古典文学。)
⑦ 她又聪明又漂亮，我很喜欢她。(*她又聪明又漂亮，我很好她。)

“好”有“容易发生”的意思，“喜欢”没有这个意思。

我一到冬天就好感冒。(*我一到冬天就喜欢感冒。)

606 耗费[动]hàofèi ▶ 浪费[动]làngfèi

词义说明 Definition

耗费[consume; expend] 消耗，用掉。

浪费[waste; squander; be extravagant] 对人力、财物、时间等用得不当或没有节制。

词语搭配 Collocation

	～能源	～煤气	～水电	～时间	～人力	～物力	～金钱	反对～	不能～	很～
耗费	√	√	√	√	√	√	√	×	×	×
浪费	√	√	√	√	√	√	√	√	√	√

用法对比 Usage

用法解释 Comparison

"耗费"是动词，是"使用和消费"的意思，其结果是有价值的，值得的，对象可以是时间，精力，某些物质材料等。"浪费"也是动词，意思是"不必要地使用或丢掉"，对象可以是时间，精力，金钱，资源等，"浪费"还是形容词。

语境示例 Examples

① 耗费：修这个水库耗费了一百多亿元。(一共用了一百多亿元)
浪费：修这个水库浪费了一百多亿元。(不应该地多用了一百多亿元)

② 为研究这个课题他耗费了十几年的时间，终于取得了成功。(＊为研究这个课题他浪费了十几年的时间，终于取得了成功。)

③ 来中国的第一年我常常不上课，什么也没有学到，白白浪费了一年时间。(＊来中国的第一年我常常不上课，什么也没有学到，白白耗费了一年时间。)

④ 买来的机器不能用，白白浪费了几十万。(＊买来的机器不能用，白白耗费了几十万。)

⑤ 我们国家大，人口多，底子薄，干什么事都要提倡节约，反对浪费。(＊我们国家大，人口多，底子薄，干什么事都要提倡节约，反对耗费。)

607 喝[动]hē ▶ 饮[动、名]yǐn

词义说明 Definition

喝[drink] 把液体咽下去。

饮[drink] 喝。有时特指喝酒。[drinks] 可以喝的东西：～料|冷～。

词语搭配 Collocation

	~水	~酒	~茶	~咖啡	~牛奶	~料	~食	冷~	~醉	好~	爱~
喝	√	√	√	√	√	×	×	×	√	√	√
饮	√	√	√	×	×	√	√	√	×	×	×

用法对比 Usage

用法解释 Comparison

动词“喝”和“饮”同义，但是“饮”是书面语，口语不用，“喝”口语常用。

语境示例 Examples

① 我喜欢喝茶。(☺我喜欢饮茶。)
② 这里的自来水能不能喝？(＊这里的自来水能不能饮？)
③ 晚上我们一起去喝两杯怎么样？（＊晚上我们一起去饮两杯怎么样？）
④ 前边就是冷饮店，我们进去喝杯饮料吧。（＊前边就是冷饮店，我们进去饮杯饮料吧。）
⑤ 我每天早上喝一杯牛奶。(＊我每天早上饮一杯牛奶。)
⑥ 昨天晚上他喝醉了。(＊昨天晚上他饮醉了。)
⑦ 这种葡萄酒很好喝。(＊这种葡萄酒很好饮。)
⑧ 要不要喝点儿汤？(＊要不要饮点儿汤？)

608 合适[形]héshì ▶ 适合[动]shìhé

词义说明 Definition

合适[suitable; appropriate; right] 适合实际情况或客观要求。
适合[suit; fit] 符合实际情况或客观要求。

词语搭配 Collocation

	很~	不~	正~	大小~	~的工作	~这里的情况	~当翻译	~她的口味
合适	√	√	√	√	√	×	×	×
适合	√	√	×	×	×	√	√	√

用法对比 Usage

用法解释 Comparison

“合适”和“合适”虽然意思差不多，但是词性不同，“适合”可以带宾语，“合适”不能带宾语。

语境示例 Examples

① 这双鞋我穿大小正合适。(*这双鞋我穿大小正适合。)
② 你的性格适合当老师。(*你的性格合适当老师。)
③ 这次医院要选举护士长，你认为选谁合适?(*这次医院要选举护士长，你认为选谁适合?)
④ 这件衣服你穿着合适不合适?(*这件衣服你穿着适合不适合?)
⑤ 这是我特意为你烧的几个菜，你尝尝适合不适合你的口味?(*这是我特意为你烧的几个菜，你尝尝合适不合适你的口味?)

"合适"还有合乎情理，令人满意的意思，"适合"没有这个用法。

我觉得你这样做不合适。(*我觉得你这样做不适合。)

H

609 合作[动、名]hézuò ▶ 协作[动、名]xiézuò

词义说明 Definition

合作[cooperate; collaborate; work together] 互相配合做某事或共同完成某项任务。

协作[cooperate; coordinate; combine (in efforts)] 一些人或一些单位互相配合来完成某项任务。

词语搭配 Collocation

	技术~	两人~	分工~	互相~	大~	密切~	加强~
合作	√	√	√	√	×	√	√
协作	√	×	×	√	√	√	√

用法对比 Usage

用法解释 Comparison

"合作"的行为主体多为两个人或两个单位，参加者没有主次之分，"协作"的行为主体不限于此，常常表示多人或多个单位共同做某事。

语境示例 Examples

① 我们公司和当地政府合作为山区建了一所中学。(☺我们公司和当地政府协作为山区建了一所中学。)
② 这次合作很愉快，希望我们今后继续合作。(☺这次协作很愉快，希望我们今后继续协作。)

③ 在技术方面我们两家可以互相合作。(☺在技术方面我们两家可以互相协作。)

④ 这个工厂是我们跟外商合作办起来的。(＊这个工厂是我们跟外商协作办起来的。)

⑤ 这个剧本是我和导演合作写成的。(＊这个剧本是我和导演协作写成的。)

⑥ 这项工程所以能又快又好的完成，完全是全国众多单位大协作的结果。(＊这项工程所以能又快又好的完成，完全是全国众多单位大合作的结果。)

610 何必[副]hébì ▶ 不必[副]búbì

词义说明 Definition

何必[(use in rhetorcal questions) there is no need; why] 用反问的语气表示不必。

不必[need not; not have to] 表示事理上或情理上不需要。

词语搭配 Collocation

	～做	～去	～买	大可～	完全～	～这样	～生气	～不干呢	～呢
何必	√	√	√	×	×	√	√	√	√
不必	√	√	√	√	√	√	√	×	×

用法对比 Usage

用法解释 Comparison

“何必”和“不必”都是“没有必要，不需要”的意思，但是“何必”用于反问句，语气比较强烈。“不必”用于陈述句，语气比较舒缓。用“何必”的句子句尾常常带“呢”，用“不必”的句子不能带“呢”。

语境示例 Examples

① 不必：他是跟你开玩笑的，你不必生气。(表示劝慰)
何必：他是跟你开玩笑的，你何必生气呢？(表示不满和批评)

② 这种衣服附近的商店就有，不必进城去买。(☺这种衣服附近的商店就有，何必进城去买？)

③ 你的病很快就会好的，不必担心。(＊你的病很快就会好的，何必担心？)

"何必"表示劝止。"不必"表示拒绝，制止。

① A：我真想说他几句。（意思是批评他几句。）B：算了吧。何必呢？（意思是不必这样）（*不必呢？）

② A：把那个箱子给我，我帮你拿吧。B：不必了。我自己拿得了。（*何必了。我自己拿得了。）

"何必"后边可以跟否定句，"不必"后边不能跟否定句。

① 这件事我觉得还有希望，你何必不争取争取呢？（*这件事我觉得还有希望，你不必不争取争取呢？）

② 这么好的机会，我们何必不争取呢？（*这么好的机会，我们不必不争取呢？）

H

611 何必[副]hébì ▶ 何苦[副]hékǔ

词义说明 Definition

何必[there is no need; why] 用反问的语气表示不必。

何苦[why bother; is it worth the trouble] 何必自寻苦恼，用反问的语气表示不值得。

词语搭配 Collocation

	~生气	~自寻烦恼	~麻烦别人	~呢	~坐飞机去	~去这么早	~不去
何必	√	√	√	√	√	√	√
何苦	√	√	√	√	×	×	×

用法对比 Usage

用法解释 Comparison

"何必"和"何苦"都表示没有必要、不值得，但"何苦"比"何必"的语气更重些。"何苦"一般都可以换成"何必"，但是"何必"不一定能换成"何苦"。

语境示例 Examples

① 不行就跟他吹了得了，何必自寻烦恼呢？（☺不行就跟他吹了得了，何苦自寻烦恼呢？）

② 何必为这点儿小事生气呢？（☺何苦为这点儿小事生气呢？）

③ 他不愿意去，你何必非要他去呢？（☺他不愿意去，你何苦非要他去呢？）

④ 打个电话人家就给你送来了，你何必要自己跑一趟呢？（☺打个电

话人家就给你送来了，你何苦要自己跑一趟呢？）

⑤ 坐公共汽车很方便，车上也有座位，何必打的呢？（＊坐公共汽车很方便，车上也有座位，何苦打的呢？）

⑥ 把孩子丈夫丢在家里，一个人到国外去，你是何苦呢？（＊把孩子丈夫丢在家里，一个人到国外去，你是何必呢？）

⑦ 电影七点才开演呢，何必去这么早呢？（＊电影七点才开演呢，何苦去这么早呢？）

⑧ 孩子们要你们去国外住一段时间，你们何必不去散散心呢？（＊孩子们要你们去国外住一段时间，你们何苦不去散散心呢？）

H

612 何等[副]héděng ▶ 多么[副]duōme

词义说明 Definition

何等[what kind] 什么样的：他是～人物？[(used in exclamations to express ‘extraordinary’) what; how] 用感叹的语气，表示不一般：～高超的技艺。

多么[(used in questions, often replaced by 多 in spoken language) to what extent] 用在疑问句里询问程度：新疆离北京有多么远？（口语常说：新疆离北京有多远？）[used in exclamations to indicate high degree] 用在感叹句里，表示程度很高：今天的天气～好啊！[to a great extent] 表示较深的程度：不管～困难，我都不会放弃。

词语搭配 Collocation

	～人物	～雄伟	～巧妙	～艰难	～好啊	不管～难
何等	√	√	√	√	√	×
多么	×	√	√	√	√	√

用法对比 Usage

用法解释 Comparison

“何等”与“多么”都是书面语，用在感叹句中表示程度高，“多么”与“多”的用法基本相同，只是“多么”常用于感叹句中，口语常说“多……啊”。例如“多么高啊！”可以说成“多高啊！”“多么好啊！”可以说成“多好啊！”“何等”没有这种省略的用法，“何等的辉煌啊！”不能说成“何辉煌啊！”“何等”

要与双音节形容词搭配使用，“多么”没有此限。

语境示例 Examples

① 这些古老的建筑是何等的雄伟壮观啊！(☺这些古老的建筑是多么的雄伟壮观啊！)

② 你不知道，对于一个西方学生来说，汉字是多么难啊！（＊你不知道，对于一个西方学生来说，汉字是何等难啊！）

③ 这儿的风景多么美啊！（＊这儿的风景何等美啊！）

④ 你知道他是何等人物？（＊你知道他是多么人物？）

⑤ 不管有多么难，他都没有退缩过。（＊不管有何等难，他都没有退缩过。）

H

613 和[连]hé ▶ 与[连]yǔ

词义说明 Definition

和[and] 表示联合，跟，与。

与[and] 和。

词语搭配 Collocation

	我～他	老师～学生	丈夫～妻子	书～本子	工业～农业	个人～国家
和	√	√	√	√	√	√
与	√	√	√	√	√	√

用法对比 Usage

用法解释 Comparison

最常用的是“和”，“与”多用于书面语。它们可以相互替换。值得注意的是，它们不能连接分句，也不连接两个动词或形容词词组。不能说“我学习汉语和打太极拳。”“这里的春天很干燥与刮很大的风。”

语境示例 Examples

① 他和妻子都是这个大学的老师。(☺他与妻子都是这个大学的老师。)

② 老师和学生都去参观了。(☺老师与学生都去参观了。)

③ 要使工业和农业协调发展。(☺要使工业与农业协调发展。)

④ 他把钱包和护照都丢了。(☺他把钱包与护照都丢了。)
⑤ 航天飞机发生事故与此有关。(＊航天飞机发生事故和此有关。)

614 和蔼[形]hé'ǎi ▶ 和气[形]héqi

词义说明 Definition

和蔼[kindly; affable; amiable] 态度温和，容易接近。

和气[gentle; friendly; polite; amiable] 态度温和。[harmonious; friendly] 和睦。[friendship] 和睦的感情。

词语搭配 Collocation

	很～	～可亲	态度～	说话～	伤～	～生财
和蔼	√	√	√	×	×	×
和气	√	×	√	√	√	√

用法对比 Usage

用法解释 Comparison

"和蔼"多形容面部所表现出的温和性情，"和气"主要表示人的言语及态度。"和气"可以重叠，"和蔼"不能重叠。

语境示例 Examples

① 每次我回答错了的时候，王老师总是和蔼地说："没关系。"(☺每次我回答错了的时候，王老师总是和气地说："没关系。")
② 先生对我们的态度是非常和蔼的。(☺先生对我们的态度是非常和气的。)
③ 看到她和蔼的笑容，我感到就像见到了自己的外祖母。(＊看到她和气的笑容，我感到就像见到了自己的外祖母。)
④ 朋友之间有问题要摆在桌面上，不能彼此猜疑，这样最容易伤和气。(＊朋友之间有问题要摆在桌面上，不能彼此猜疑，这样最容易伤和蔼。)
⑤ 常言说，家和万事兴，一家人和和气气的，就是幸福美满的生活。(＊常言说，家和万事兴，一家人和和蔼蔼的，就是幸福美满的生活。)
⑥ 好的服务态度出经济效益，老话说的"和气生财"是有道理的。(＊好的服务态度出经济效益，老话说的"和蔼生财"是有道理的。)

615 河流[名]héliú ▶ 河[名]hé

词义说明 Definition

河流[rivers] 地球表面较大的天然水流（江、河等）的总称。

河[river] 天然的或人工的大水道。

词语搭配 Collocation

	很多～	黄～	大～	小～	江～	运～	内～	护城～	～水	～床	一条～
河流	√	×	×	×	×	×	×	×	×	×	×
河	√	√	√	√	√	√	√	√	√	√	√

H

用法对比 Usage

用法解释 Comparison

“河流”是“河”的总称，书面语，不可数名词，“河”是可数名词，也是个语素，可以组成很多与河有关的词语，“河流”一词没有这个功能。

语境示例 Examples

① 中国最大的河有长江、黄河、珠江、澜沧江、黑龙江。(☺中国最大的河流有长江、黄河、珠江、澜沧江、黑龙江。)

② 我家的旁边就是一条小河。(＊我家的旁边就是一条小河流。)

③ 很多城市都有一条护城河。(＊很多城市都有一条护城河流。)

④ 中国人把黄河叫做母亲河。(＊中国人把黄河叫做母亲河流。)

⑤ 长江是世界第三大河。(＊长江是世界第三大河流。)

616 核心[名]héxīn ▶ 中心[名]zhōngxīn

词义说明 Definition

核心[nucleus; core; kernel] 中心；事物的主要部分。

中心[center; heart; core; hub] 跟四周的距离相等的位置；事物的主要部分，在某个方面占重要位置的城市或地区；设备、技术力量等比较完备的机构和单位（多为单位名称）。

词语搭配 Collocation

	领导～	政治～	文化～	信息～	研究～	～作用	～力量	～思想	～问题
核心	√	×	×	×	×	√	√	×	√
中心	×	√	√	√	√	×	×	√	√

用法对比 Usage

用法解释 Comparison

“核心”属于一个事物，“中心”既可属于一个事物，也可以属于多个事物。

语境示例 Examples

① 计算机的核心部分是处理器。(☺计算机的中心部分是处理器。)
② 人民英雄纪念碑就在天安门广场的中心。(＊人民英雄纪念碑就在天安门广场的核心。)
③ 小到一个单位，大到一个国家，只要领导核心是团结的，事情就好办了。(＊小到一个单位，大到一个国家，只要领导中心是团结的，事情就好办了。)
④ 北京是中国政治、经济和文化的中心。(＊北京是中国政治、经济和文化的核心。)
⑤ 我们大学有一个对外汉语教学研究中心。(＊我们大学有一个对外汉语教学研究核心。)

617 宏伟[形]hóngwěi ▶ 宏大[形]hóngdà

词义说明 Definition

宏伟[magnificent; grand]（规模、计划等）雄壮伟大。
宏大[grand; great] 巨大，宏伟。

词语搭配 Collocation

	很～	气势～	规模～	～的志愿	～的蓝图	场面～	～的建筑	～的计划
宏伟	√	√	×	√	√	×	√	√
宏大	√	√	√	√	×	√	√	√

用法对比 Usage

用法解释 Comparison

“宏伟”和“宏大”都修饰抽象名词，只是所修饰的对象有所不同。

语境示例 Examples

① 中国人民有一个宏伟的目标，那就是要把中国建设成一个富强、民主、文明的社会主义现代化国家。(☺中国人民有一个宏大的目标，那就是要把中国建设成一个富强、民主、文明的社会主义现代化国家。)
② 这首词表现了诗人壮志凌云、气吞山河的宏伟气魄。(☺这首词表现了诗人壮志凌云、气吞山河的宏大气魄。)
③ 这幅油画气势宏大，寓意深刻。(☺这幅油画气势宏伟，寓意深刻。)
④ 这座宏伟的建筑就是国家大剧院。(☺这座宏大的建筑就是国家大剧院。)
⑤《国民经济发展纲要》为中国的未来勾画出了一幅宏伟的蓝图。(＊《国民经济发展纲要》为中国的未来勾画出了一幅的宏大的蓝图。)
⑥ 这么宏大的场面我从来没有见过。(＊这么宏伟的场面我从来没有见过。)

618 喉咙[名]hóulong ▶ 嗓子[名]sǎngzi

词义说明 Definition

喉咙[throat] 咽部和喉部的统称。
嗓子[throat] 喉咙。[voice] 嗓音。

词语搭配 Collocation

	～疼	～好	放开～唱
喉咙	√	×	√
嗓子	√	√	√

用法对比 Usage

用法解释 Comparison

“嗓子”既有具体义，又有抽象义，“喉咙”只有具体义。

语境示例 Examples

① 我喉咙疼得厉害。(☺我嗓子疼得厉害。)
② 喊了一个多小时，我的喉咙都喊哑了。(☺喊了一个多小时，我的嗓子都喊哑了。)

③ 这里没有人，你就放开嗓子高声唱吧。(☺这里没有人，你就放开喉咙高声唱吧。)
④ 她的嗓子真好，我很喜欢听她的歌。(＊她的喉咙真好，我很喜欢听她的歌。)
⑤ 她天生一副好嗓子，是个唱歌的材料。(＊她天生一副好喉咙，是个唱歌的材料。)

619 后[名、形]hòu ▶ 后面[名]hòumian ▶ 后边[名]hòubian

H

词义说明 Definition

后[behind; back; rear] 在背面的（指空间，跟“前”相对）。[later; after; afterwards] 未来的，较晚的。(指时间，跟“前”、“先”相对)。[last] 次序靠近末尾的（跟“前”相对）：～排。

后面[at the back; in the rear; behind] 空间和位置靠后的部分。次序靠后的部分。

后边[at the back; in the rear; behind] 后面。

词语搭配 Collocation

	～门	～屋	在～	毕业～	结婚～	～代	～年	～天	～的座位	～的问题
后	√	√	×	√	√	√	√	√	×	×
后面	×	×	√	×	×	×	×	×	√	√
后边	×	×	√	×	×	×	×	×	√	√

用法对比 Usage

用法解释 Comparison

形容词“后”，可以直接作名词的定语，“后边/后面”作定语时要加“的”。名词“后”跟在其他词语之后既可以表示时间，也可以表示方位处所，“后面”和“后边”可以单用，表示处所，也可以跟在其他词语后表示处所，但是不能表示时间。“后边”和“后面”还可以单独作句子的主语，“后”不能单独作句子的主语。

语境示例 Examples

① 我家房后有一个小花园。(☺我家房后面/后边有一个小花园。)

② 请大家往后面/后边走，后面还有坐位。(☺请大家往后走，后面还有坐位。)
③ 后边/后面的练习我都会做。(＊后的练习我都会做。)
④ 昨天听讲座我去晚了，坐在后排。(＊昨天听讲座我去晚了，坐在后面/后边排。)(☺昨天听讲座我去晚了，坐在后边/后面。)
⑤ 毕业后我想当汉语老师。(＊毕业后面/后边我想当汉语老师。)
⑥ 春节过后就该开学了。(＊春节过后面/后边就该开学了。)

620 后悔[动]hòuhuǐ ▶ 悔恨[动]huǐhèn

词义说明 Definition

后悔[regret; repent] 为了过去的作为或为了没有做到的事而感到懊悔。

悔恨[regret deeply; remorse] 对过去的事后悔，怨恨。

词语搭配 Collocation

	很～	非常～	感到～	别～了	真～	～没来
后悔	√	√	√	√	√	√
悔恨	√	√	√	×	√	×

用法对比 Usage

用法解释 Comparison

“悔恨”的情况要比“后悔”的情况严重一些，一般的事情用“后悔”。

语境示例 Examples

① 年轻的时候不好好学习，以后后悔就晚了。(☺年轻的时候不好好学习，以后悔恨就晚了。)
② 那些贪官被抓起来以后，才表示悔恨不已，可惜已经晚了。(☺那些贪官被抓起来以后，才表示后悔不已，可惜已经晚了。)
③ 昨天没有答应他，我很后悔。(＊昨天没有答应他，我很悔恨。)
④ 那套房子当初还是应该买下来，现在有点儿后悔。(＊那套房子当初还是应该买下来，现在有点儿悔恨。)
⑤ 我很后悔当初没有听爸爸的话，把外语学好。(＊我很悔恨当初没有听爸爸的话，把外语学好。)

621 后悔[动]hòuhuǐ ▶ 懊悔[形]àohuǐ

词义说明 Definition

后悔[regret; repent] 为了过去的作为或为了没有做到的事而感到心情懊悔。

懊悔[feel remorse; repent; regret] 因为做错了事或说错了话，心里觉得不该这样而感到不愉快。

词语搭配 Collocation

	很～	非常～	别～了	感到～	～极了	～没有买
后悔	√	√	√	√	√	√
懊悔	√	√	×	√	√	×

H

用法对比 Usage

用法解释 Comparison

"懊悔"比"后悔"的程度深，但不常用，常用的是"后悔"。

语境示例 Examples

① 昨天我对他态度很不好，现在感到很后悔。(☺昨天我对他态度很不好，现在感到很懊悔。)

② 当初真不应该拒绝他，现在感到有点儿后悔。(☺当初真不应该拒绝他，现在感到有点儿懊悔。)

③ 这件大衣买了以后我就后悔了，颜色有点儿浅。(*这件大衣买了以后我就懊悔了，颜色有点儿浅。)

④ A：今天真不该来看这个破电影。
B：别后悔了，看了就看了。(*别懊悔了，看了就看了。)

⑤ 当初，她非要跟那个外国男人结婚不可，没想到那个男人已经结过婚了，还有一个孩子，现在后悔也晚了。(*当初，她非要跟那个外国男人结婚不可，没想到那个男人已经结过婚了，还有一个孩子，现在懊悔也晚了。)

622 后来[名]hòulái ▶ 以后[名]yǐhòu

词义说明 Definition

后来[afterward; later] 指在过去某一时间之后的时间；后来的，

后到的。

以后[after; afterward; later; hereafter] 现在或所说时间之后的时间。

词语搭配 Collocation

	～的事情	～的情况	～者	毕业～	开学～	暑假～	从今～	一年～
后来	√	√	√	×	×	×	×	×
以后	√	√	×	√	√	√	√	√

用法对比 Usage

用法解释 Comparison

"后来"只能单用，"以后"可以单用，也可以跟在名词、动词或小句后边表示具体时间。单用时这两个词可以互换，"以后"可以指过去的时间，也可以指将来的时间，"后来"只能指过去的时间。

语境示例 Examples

① 我和男朋友在大学是同班同学，后来他出国了。(☺我和男朋友在大学是同班同学，以后他出国了。)

② 你男朋友后来的情况怎么样了？(☺你男朋友以后的情况怎么样了？)

③ 他给我来过几封信，我都没有回，后来联系就断了。(☺他给我来过几封信，我都没有回，以后联系就断了。)

④ 离开家以后才知道还是家里好。(＊离开家后来才知道还是家里好。)

⑤ 来中国以后遇到了很多有意思的人和事。(＊来中国后来遇到了很多有意思的人和事。)

"以后"可以指将来，"后来"没有这个意思。

① 别看他们现在关系不错，以后怎么样还很难说。(＊别看他们现在关系不错，后来怎么样还很难说。)

② 正是因为以后的事情是未知的，人生才充满魅力和希望。(＊正是因为后来的事情是未知的，人生才充满魅力和希望。)

③ 学了汉语以后你想干什么工作？(＊学了汉语后来你想干什么工作？)

④ 我现在学习汉语，以后干什么还不知道。(＊我现在学习汉语，后来干什么还不知道。)

623 后面[名]hòumian ▶ 后头[名]hòutou

词义说明 Definition

后面[at the back; in the rear; behind] 空间和位置靠后的部分；

次序靠后的部分。

后头[at the back; in the rear; behind] 后面。

词语搭配 Collocation

	在～	靠～	坐在～	～有山	山～	教室～	～的部分	～的同学
后面	√	√	√	√	√	√	√	√
后头	√	√	√	√	√	√	√	√

用法对比 Usage

用法解释 Comparison

“后面”和“后头”意思和用法相同，可以相互替换，不过“后头”只用于口语，“后面”没有此限。

语境示例 Examples

① 他一来就坐在教室后面。(☺他一来就坐在教室后头。)
② 我家楼后头是一个森林公园。(☺我家楼后面是一个森林公园。)
③ 这个问题我后面还要讲到。(☺这个问题我后头还要讲到。)
④ 每课后面的练习很重要，希望同学们都要做一做。(☺每课后头的练习很重要，希望同学们都要做一做。)
⑤ 后面的同学请坐到前边来。(☺后头的同学请坐到前边来。)
⑥ 我所以能够排除万难，完成这个任务，是因为我后面站着的是伟大的祖国。(＊我所以能够排除万难，完成这个任务，是因为我后头站着的是伟大的祖国。)

624 忽略[动]hūlüè ▶ 忽视[动]hūshì

词义说明 Definition

忽视[ignore; overlook; neglect] 不注意，不重视。

忽略[neglect; overlook; lose sight of] 没有注意到；疏忽了。

词语搭配 Collocation

	～安全	～锻炼	不应～	不可～	不要～	可以～	～了	不能～
忽视	√	√	√	√	√	×	√	√
忽略	×	×	√	√	√	√	√	√

用法对比 Usage

用法解释 Comparison

"忽视"和"忽略"都表示"没有注意到"的意思，但"忽略"还有"略而不计"的意思，"忽视"没有这个意思。

语境示例 Examples

① 对这一情况我们忽视了。(☺对这一情况我们忽略了。)
② 忽视产品质量，一定要受到市场的惩罚。(☺忽略产品质量，一定要受到市场的惩罚。)
③ 决不能只顾生产，而忽视安全。(*决不能只顾生产，而忽略安全。)
④ 妇女是一支不可忽视的伟大力量。(*妇女是一支不可忽略的伟大力量。)
⑤ 不能忽视社会弱势群体的困难。(*不能忽略社会弱势群体的困难。)
⑥ 小数点后边的第三位数可以忽略不计。(*小数点后边的第三位数可以忽视不计。)

625 忽然[副]hūrán ▶ 突然[形]tūrán

词义说明 Definition

忽然[suddenly; all of a sudden; quickly and unexpectedly] 动作、行为的发生或情况的变化来得迅速又出乎意料地。

突然[sudden; abrupt; unexpected] 表示发生得很快。在短时间内发生的，出乎意料的。

词语搭配 Collocation

	很~	非常~	~发生	~来了	~刮起了大风	~停电了	~事件
突然	√	√	√	√	√	√	√
忽然	×	×	√	√	√	√	×

用法对比 Usage

用法解释 Comparison

"突然"和"忽然"用在动词前时一般可以相互替换，但

“突然”比“忽然”更显得情况发生得迅速和出人意料。“突然”是形容词，可以作定语和补语，“忽然”没有这种用法。

语境示例 Examples

① 我们玩得正高兴的时候，突然下起雨来了。（☺我们玩得正高兴的时候，忽然下起雨来了。）

② 他说着说着，忽然大笑起来。（☺他说着说着，突然大笑起来。）

③ 这件事发生得很突然，大家都没有想到。（＊这件事发生得很忽然，大家都没有想到。）

④ 他病得太突然了。（＊他病得太忽然了。）

⑤ 这种突然事件，是很难预料的。（＊这种忽然事件，是很难预料的。）

⑥ 听到这个消息，我感到非常突然。（＊听到这个消息，我感到非常忽然。）

626 忽视[动]hūshì ▶ 轻视[动]qīngshì

词义说明 Definition

忽视[neglect; ignore; overlook] 不注意，不重视。

轻视[belittle; look down on; underrate] 不重视，不认真对待；小看。

词语搭配 Collocation

	～安全	～健康	～群众的要求	～劳动	～锻炼	受人～	～别人	不能～
忽视	√	√	√	×	√	×	×	√
轻视	√	×	√	√	×	√	√	√

用法对比 Usage

用法解释 Comparison

“轻视”是主观上故意地不重视，“忽视”因疏忽而未重视。“轻视”比“忽视”的程度深。“轻视”的对象主要是人，也可以是事；“忽视”的对象一般指事物。

语境示例 Examples

① 组织学生外出旅游决不能忽视安全。（☺组织学生外出旅游决不能轻视安全。）

② 只顾工作，长时期忽视体育锻炼，结果病倒了。（＊只顾工作，长时期轻视体育锻炼，结果病倒了。）

③ 任何时候都不能轻视劳动，轻视劳动人民。（＊任何时候都不能忽视劳动，忽视劳动人民。）
④ 忽视群众的要求，对群众的疾苦不闻不问，必然出问题。（＊轻视群众的要求，对群众的疾苦不闻不问，必然出问题。）
⑤ 受人轻视的滋味是最不好受的。（＊受人忽视的滋味是最不好受的。）
⑥ 在我们国家，轻视妇女的思想根深蒂固。（＊在我们国家，忽视妇女的思想根深蒂固。）

627 糊涂[形]hútu ▶ 马虎[形]mǎhu

词义说明 Definition

糊涂[muddled; confused; bewildered] 不明事理；对事物的认识模糊或混乱。

马虎[careless; casual] 做事粗心大意，不认真，不细心。

词语搭配 Collocation

	太～	真～	不～	不能～	～虫	～观念	装～	～了事
糊涂	√	√	√	×	√	√	√	×
马虎	√	√	√	√	×	×	×	√

用法对比 Usage

用法解释 Comparison

“糊涂”和“马虎”的意思不同，“马虎”的重叠形式是“马马虎虎”，“糊涂”的重叠形式是“糊里糊涂”。

语境示例 Examples

① 糊涂：他这个人可糊涂了。（脑子不清楚）
马虎：他这个人可马虎了。（做事不认真，常忘事）
② 我真糊涂，又把钥匙锁到屋里了。（☺我真马虎，又把钥匙锁到屋里了。）
③ 他越讲我越糊涂。（＊他越讲我越马虎。）
④ 对把字句的用法我到现在都糊里糊涂。（＊对把字句的用法我到现在都马马虎虎。）
⑤ 你的作业做得太马虎了。（＊你的作业做得太糊涂了。）
⑥ 不少农民还有多子多福的糊涂观念，所以，农村计划生育工作的难度很大。（＊不少农民还有多子多福的马虎观念，所以，农村计划生育工作的难度很大。）

628 互相[副]hùxiāng ▶ 相互[形]xiānghù

词义说明 Definition

互相[mutually; each other] 表示两个或两个以上的人或单位彼此同样对待的关系。

相互[mutual; reciprocal] 两个相对的。[mutually; reciprocally; each other] 彼此，互相。

词语搭配 Collocation

	～帮助	～支持	～影响	～关心	～促进	～作用	～利用	～关系	～结合
互相	√	√	√	√	√	×	√	×	√
相互	√	√	√	√	√	√	√	√	√

H

用法对比 Usage

用法解释 Comparison

"互相"是副词，"相互"是形容词。它们的意思差不多，都可以放在动词前面作状语，但是"相互"可以作定语，可以加"的"组成"的"字词组，"互相"不能。

语境示例 Examples

① 我们都是来学习汉语的，要互相帮助。(☺我们都是来学习汉语的，要相互帮助。)

② 朋友之间就应该互相关心，互相支持。(☺朋友之间就应该相互关心，相互支持。)

③ 国与国之间是相互依存的关系，任何一个国家都不可能把自己封闭起来，孤立起来。(☺国与国之间是互相依存的关系，任何一个国家都不可能把自己封闭起来，孤立起来。)

④ 两国领导人经常互访，保持接触，增进了相互之间的了解。(＊两国领导人经常互访，保持接触，增进了互相之间的了解。)

⑤ 我们两国人民之间的援助是相互的，我们援助了你们，同样你们也援助了我们。(＊我们两国人民之间的援助是互相的，我们援助了你们，同样你们也援助了我们。)

⑥ 我们两国之间的相互关系很好。(＊我们两国之间的互相关系很好。)

629 华侨[名]huáqiáo ▶ 华人[名]huárén

词义说明 Definition

华侨[overseas Chinese] 旅居国外的中国人。

华人[Chinese] 中国人。[foreign citizens of Chinese descent] 取得所在国国籍的中国血统的外国公民。

词语搭配 Collocation

	他是~	海外~	美籍~	爱国~
华侨	√	√	×	√
华人	√	√	√	√

H

用法对比 Usage

用法解释 Comparison

“华侨”是长期居住在外国的中国人，“华人”包括居住在中国国内或国外，有中国国籍或已经取得外国国籍但有中国血统的人。

语境示例 Examples

① 海外华侨时刻关心着祖国的建设。(☺海外华人时刻关心着祖国的建设。)

② 改革开放以后，越来越多的中国人侨居海外，成了华侨。(＊改革开放以后，越来越多的中国人侨居海外，成了华人。)

③ 这些华人，虽然加入了外国国籍，但是，他们仍然不忘自己根在中国。(＊这些华侨，虽然加入了外国国籍，但是，他们仍然不忘自己根在中国。)

④ 无论在战争年代还是在现代化建设时期，华侨都为祖国做出了巨大的贡献。(＊无论在战争年代还是在现代化建设时期，华人都为祖国做出了巨大的贡献。)

⑤ 当今世界，可以说只要有人群的地方就有华人。(＊当今世界，可以说只要有人群的地方就有华侨。)

630 怀疑[动]huáiyí ▶ 疑问[名]yíwèn ▶ 疑心[动、名]yíxīn

词义说明 Definition

怀疑[doubt; suspect] 有疑问，不相信。

疑问 [query; question; doubt; doubtful question] 有怀疑或不理解的问题。

疑心 [suspicion; doubt] 怀疑的想法。怀疑。

词语搭配 Collocation

	有～	～他	不～别人	很大的～	起～	～很重
疑问	√	×	×	√	×	×
怀疑	×	√	√	×	×	×
疑心	√	√	√	√	√	√

用法对比 Usage

用法解释 Comparison

"怀疑"是动词，不能作宾语；"疑问"是名词，不能作谓语；"疑心"既是动词又是名词，可以作谓语也可以作宾语。

语境示例 Examples

① 我怀疑这件事是他干的。(☺我疑心这件事是他干的。)(＊我疑问这件事是他干的。)

② 不要随便怀疑/疑心别人。(＊不要随便疑问别人。)

③ 有什么疑问可以提出来，我给大家解答。(＊有什么怀疑/疑心可以提出来，我给大家解答。)

④ 老师，对这篇课文我有个疑问。(＊老师，对这篇课文我有个怀疑/疑心。)

⑤ 这是一个疑问句。(＊这是一个怀疑/疑心句。)

⑥ 这件事最好不要告诉她，免得她起疑心。(＊这件事最好不要告诉她，免得她起怀疑/疑问。)

⑦ 疑心大的人很难交到知心朋友。(＊怀疑/疑问大的人很难交到知心朋友。)

⑧ 这个案件还有很多疑问，还需要进一步调查。(＊这个案件还有很多怀疑/疑心，还需要进一步调查。)

631 欢乐 [形] huānlè ▶ 欢喜 [形] huānxǐ

词义说明 Definition

欢乐 [happy; joyous; gay] 快乐。

欢喜 [joyful; happy; delighted] 快乐，高兴；喜欢；喜爱。

词语搭配 Collocation

	很~	~的场面	~的歌声	~的笑声	满心~	~若狂
欢乐	√	√	√	√	×	×
欢喜	√	×	×	×	√	√

用法对比 Usage

用法解释 Comparison

"欢乐"和"欢喜"都可以作状语，也都可以作定语，"欢乐"的行为主体一般是很多人，"欢喜"没有此限。另外，"欢乐"和"欢喜"修饰的词语也有不同。

语境示例 Examples

① 每次看到这张照片，我就会想起在中国和朋友们一起欢欢喜喜过春节的情景。(☺每次看到这张照片，我就会想起在中国和朋友们一起欢欢乐乐过春节的情景。)

② 每年一到这时候，全家人就都欢欢乐乐地准备着过圣诞节。(☺每年一到这时候，全家人就都欢欢喜喜地准备着过圣诞节。)

③ 我满心欢喜地等待着男朋友的到来，可是他却打电话说，因为考试不来了。(＊我满心欢乐地等待着男朋友的到来，可是他却打电话说，因为考试不来了。)

④ 北京申奥成功的那天晚上，中国人民载歌载舞，欢喜若狂的场面让人难忘。(＊北京申奥成功的那天晚上，中国人民载歌载舞，欢乐若狂的场面让人难忘。)

⑤ 广场上传来一阵阵欢乐的歌声。(＊广场上传来一阵阵欢喜的歌声。)

⑥ 节日之夜，全城到处是欢乐的人群。(＊节日之夜，全城到处是欢喜的人群。)

632 欢迎[动]huānyíng ▶ 迎[动]yíng

词义说明 Definition

欢迎[welcome; greet] 很高兴地迎接（来访者）。[readily accept] 乐于接受。

迎[go to meet; greet; welcome; receive] 迎接。[against; towards] 对着；冲着。

词语搭配 Collocation

	~光临	~~	~你们	~大会	~贵宾	受到~	~批评	~新会	~面	~风	~春
欢迎	√	√	√	√	√	√	√	×	×	×	×
迎	×	×	×	×	√	×	×	√	√	√	√

用法对比 Usage

用法解释 Comparison

“欢迎”和“迎”都有迎接的意思，但是因为音节不同，用法也不同，不能相互替换。

语境示例 Examples

H

① 欢迎，欢迎，请进，请坐。（*迎，迎，请进，请坐。）
② 欢迎朋友们来我们学校参观访问。（*迎朋友们来我们学校参观访问。）
③ 我代表语言大学对朋友们的到来表示热烈欢迎。（*我代表语言大学对朋友们的到来表示热烈迎。）
④ 中国艺术团受到了当地人民的热烈欢迎。（*中国艺术团受到了当地人民的热烈迎。）
⑤ 这是我们厂研制的新产品，欢迎大家试用并提出宝贵意见。（*这是我们厂研制的新产品，迎大家试用并提出宝贵意见。）
⑥ 贵宾一下飞机，两个孩子就迎上去献花。（*贵宾一下飞机，两个孩子就欢迎上去献花。）
⑦ 广场上五星红旗迎风飘扬。（*广场上五星红旗欢迎风飘扬。）
⑧ 每年新生入学以后，都要举行迎新会。（*每年新生入学以后，都要举行欢迎新会。）

633 缓缓[副]huǎnhuǎn ▶ 缓慢[形]huǎnmàn

词义说明 Definition

缓缓[slowly; unhurriedly] 慢慢地。

缓慢[slow] 慢，不快地。

词语搭配 Collocation

	很~	~升起	~地流动	~前进	进展~	速度~	行动~	~地走着	步子~
缓缓	×	√	√	√	×	×	×	×	×
缓慢	√	√	√	√	√	√	√	√	√

用法对比 Usage

用法解释 Comparison

“缓缓”和“缓慢”都是不快，慢的意思，但“缓缓”是副词，“缓慢”是形容词，“缓缓”只能作状语，“缓慢”可以作状语也可以作谓语、定语和补语。

语境示例 Examples

① 一轮红日缓缓升起。(☺一轮红日缓慢地升起。)

② 小河的水在缓缓地流着。(☺小河的水在缓慢地流着。)

③ 因为资金不到位，工程的进展非常缓慢。(＊因为资金不到位，工程的进展非常缓缓。)

④ 老人迈着缓慢的步子向车站走去。(＊老人迈着缓缓的步子向车站走去。)

⑤ 因为疲劳，队伍前进得很缓慢。(＊因为疲劳，队伍前进得很缓缓。)

634 幻想[动、名]huànxiǎng ▶ 梦想[动、名]mèngxiǎng ▶ 空想[动、名]kōngxiǎng

词义说明 Definition

幻想[imagine; dream] 以社会或个人的理想和愿望为依据，对还没有实现的事物有所想像。[fancy; illusion; fantasy] 以社会或个人的理想和愿望为依据，对还没有实现的事物的想像。

梦想[vain hope; wishful thinking] 幻想；妄想。[vainly hope; dream of] 渴望。

空想[indulge in fantasy; daydream] 无根据地设想。[unrealistic thought; fantasy; daydream] 不切实际的想法。

词语搭配 Collocation

	科学～	美丽的～	充满～	～当演员	不要～
幻想	√	√	√	×	√
梦想	×	√	×	√	√
空想	×	×	×	×	√

用法对比 Usage

用法解释 Comparison

“幻想”和“空想”都是不可能实现的想法，“梦想”既可以是不能实现的，与“空想”和“幻想”同义，又有可以实现的意思，与“理想”同义，所以有“梦想成真”的说法。

语境示例 Examples

① 没有科学依据的幻想永远变不成现实。(☺没有科学依据的空想/梦想永远变不成现实。)

② 你不能生活在幻想的世界里，要回到现实中来。(☺你不能生活在梦想/空想的世界里，要回到现实中来。)

③ 在飞机发明之前，人类想在天上飞行只是一个美丽的幻想。(☺在飞机发明之前，人类想在天上飞行只是一个美丽的梦想。)(*在飞机发明之前，人类想在天上飞行只是一个美丽的空想。)

④ 这是一部科学幻想小说。(*这是一部科学梦想/空想小说。)

⑤ 他从小就梦想当飞行员，现在这个愿望终于实现了，能不高兴吗？(*他从小就幻想/空想当飞行员，现在这个愿望终于实现了，能不高兴吗？)

635 荒谬[形]huāngmiù ▶ 荒唐[形]huāngtáng

词义说明 Definition

荒谬[absurd; preposterous] 非常错误。

荒唐[absurd; fantastic; preposterous] (思想、言行)错误到使人觉得奇怪的程度。[dissipated; loose; intemperate] 行为放荡。

词语搭配 Collocation

	十分~	~的理论	~的邪说	~绝伦	~的行为
荒谬	√	√	√	√	×
荒唐	√	√	×	×	√

用法对比 Usage

用法解释 Comparison

“荒谬”指言论不合理，不科学，“荒唐”既可指言论也可指行动不合常理。

语境示例 Examples

① 如此荒谬的说法你也相信?(☺如此荒唐的说法你也相信?)
② 这篇文章论点荒谬，逻辑混乱，不值一读。(☺这篇文章论点荒唐，逻辑混乱，不值一读。)
③ 这种荒谬绝伦的所谓理论不值一驳。(*这种荒唐绝伦的所谓理论不值一驳。)
④ 再让他这样荒唐下去，会葬送他的一生。(*再让他这样荒谬下去，会葬送他的一生。)
⑤ 不婚而孕尽管有点儿荒唐，但是孩子毕竟是爱情的结晶。(*不婚而孕尽管有点儿荒谬，但是孩子毕竟是爱情的结晶。)

H

636 慌乱[形]huāngluàn ▶ 慌忙[形]huāngmáng

词义说明 Definition

慌乱[flurried; alarmed and bewildered] 慌张而混乱。

慌忙[in a great rush; in a flurry; hurriedly] 急忙，紧张的样子。

词语搭配 Collocation

	很~	~中	~的脚步声	不要~
慌乱	√	√	√	√
慌忙	√	√	×	√

用法对比 Usage

用法解释 Comparison

“慌忙”描写人的动作，可以重叠，说“慌慌忙忙”，“慌乱”描写某种场面或人的内心世界，不能重叠。

语境示例 Examples

① 遇事不要慌乱，一慌乱就容易出错。(☺遇事不要慌忙，一慌忙就容易出错。)
② 出发前就要做好一切准备，免得到时慌乱。(☺出发前就要做好一切准备，免得到时慌忙。)
③ 今天早上起晚了，慌忙中，把袜子都穿反了。(*今天早上起晚了，慌乱中，把袜子都穿反了。)

④ 刚躺下就听见一阵慌乱的脚步声，不知道出了什么事。（＊刚躺下就听见一阵慌忙的脚步声，不知道出了什么事。）
⑤ 你慌慌忙忙地干什么去？（＊你慌慌乱乱地干什么去？）
⑥ 别慌忙，电影还有半个钟头才开演呢，慢慢走也来得及。（＊别慌乱，电影还有半个钟头才开演呢，慢慢走也来得及。）
⑦ 突然地震了，大楼轻微地晃了一下，人们就一片慌乱。（＊突然地震了，大楼轻微地晃了一下，人们就一片慌忙。）
⑧ 遇到再大的事，心里也不要慌乱，一慌乱就没主意了。（＊遇到再大的事，心里也不要慌忙，一慌忙就没主意了。）

H

637 灰心huī xīn ▶ 泄气xiè qì

词义说明 Definition

灰心[lose heart; be discouraged]（因遭到困难、失败）意志消沉，不想再继续做。

泄气[lose heart; feel discouraged; be disheartened]放弃希望，不想继续干，没有干劲。

词语搭配 Collocation

	很～	不要～	～丧气	真～	别说～话
灰心	√	√	√	√	×
泄气	√	√	×	√	√

用法对比 Usage

用法解释 Comparison

“灰心”和“泄气”的意思相同，“泄气”可以分开用，说“泄某某人的气”，“灰心”不能这么用。

语境示例 Examples

① 这次实验虽然失败了，但是我们大家都没有灰心，决心再继续干下去。（☺这次实验虽然失败了，但是我们大家都没有泄气，决心再继续干下去。）
② 创业一定会遇到很多困难，但是遇到困难时，千万不要灰心。（☺创业一定会遇到很多困难，但是遇到困难时，千万不要泄气。）
③ 他们队一次又一次地输球，连队长都有点儿泄气了。（☺他们队一次又一次地输球，连队长都有点儿灰心了。）

④ 你这么说，不是泄大家的气吗？（＊你这么说，不是灰大家的心吗？）
⑤ 不要说这些泄气话，泄大家的气。（＊不要说这些灰心话，灰大家的心。）

638 辉煌[形]huīhuáng ▶ 光辉[形、名]guānghuī

词义说明 Definition

辉煌[brilliant; splendid; glorious] 光辉灿烂。

光辉[radiance; brilliant; glory] 闪烁耀眼的光。[bright; brilliant; magnificent; splendid] 光明，灿烂。

词语搭配 Collocation

	灯火～	战果～	～的成就	太阳的～	～形象	～著作	～榜样	～典范	～的一生
辉煌	√	√	√	×	×	×	×	×	×
光辉	×	×	√	√	√	√	√	√	√

用法对比 Usage

用法解释 Comparison

“辉煌”可以形容战果、成绩等抽象名词，也可以形容灯火、建筑物等具体名词，可以单独作谓语。“光辉”只用来修饰思想、形象、旗帜、道路、榜样等抽象事物，多用来作定语，不单独作谓语。“光辉”还是名词，“辉煌”没有名词的用法。

语境示例 Examples

① 改革开放以来，中国的各项建设事业都取得了辉煌的成就。（☺改革开放以来，中国的各项建设事业都取得了光辉的成就。）
② 国庆之夜，长安街灯火辉煌，美丽的景色让游人流连忘返。（＊国庆之夜，长安街灯火光辉，美丽的景色让游人流连忘返。）
③ 这座宏伟的建筑，巍峨雄伟，金碧辉煌。（＊这座宏伟的建筑，巍峨雄伟，金碧光辉。）
④ 雷锋只是一名普通的解放军战士，但是，几十年来，他一直是中国人民心中光辉的榜样。（＊雷锋只是一名普通的解放军战士，但是，几十年来，他一直是中国人民心中辉煌的榜样。）
⑤ 邓小平理论是一面光辉的旗帜，指引着中国人民努力创造美好的未来。（＊邓小平理论是一面辉煌的旗帜，指引着中国人民努力创造美好的未来。）

⑥ 乌云遮不住太阳的光辉，正义的事业是不可战胜的。(＊乌云遮不住太阳的辉煌，正义的事业是不可战胜的。)

639 回答[动、名]huídá ▶ 答案[名]dá'àn

词义说明 Definition

回答[answer; reply; response] 对问题给以解释，对要求表示意见。

答案[answer; solution; key] 对问题所做的解答。

词语搭配 Collocation

	不～	没有～	～不了	～读者	～网友	标准～	～正确	参考～	不给～
回答	√	√	√	√	√	×	√	×	√
答案	×	√	×	×	×	√	√	√	√

用法对比 Usage

用法解释 Comparison

"回答"既是动词，也是名词，可以作谓语也可以作宾语，"答案"只是一个名词，只能作宾语，不能作谓语。

语境示例 Examples

① 放心吧，一个月后我一定给你个满意的回答。(☺放心吧，一个月后我一定给你个满意的答案。)

② 我问你呢，你怎么不回答？(＊我问你呢，你怎么不答案？)

③ 这个问题我回答不了，你还是问问经理吧。(＊这个问题我答案不了，你还是问问经理吧。)

④ 这次的考试题有没有标准答案？(＊这次的考试题有没有标准回答？)

⑤ 对有些记者提的那些无聊的问题，你想回答就回答，不想回答可以不回答。(＊对有些记者提的那些无聊的问题，你想答案就答案，不想答案可以不答案。)

⑥ 汉语课堂上要积极回答老师的问题，这样才能练习自己的听说能力和快速反应能力。(＊汉语课堂上要积极答案老师的问题，这样才能练习自己的听说能力和快速反应能力。)

⑦ 这几个练习，书后都附有参考答案。(＊这几个练习，书后都附有参考回答。)

640 回顾[动]huígù ▶ 回忆[动、名]huíyì

词义说明 Definition

回顾[review; look back; retrospect] 回过头去看。

回忆[call to mind; recall; reminisce; recollect] 回想。

词语搭配 Collocation

	~过去	~以往	~往事	~起来	~不起来	童年的~	母亲的~
回顾	√	√	√	×	×	×	×
回忆	√	√	√	√	√	√	√

H

用法对比 Usage

用法解释 Comparison

“回顾”本来的意思是回过头去看，比喻回想过去，内容除了自己经历的事情以外，还包括国家、社会的重大事件，多用于书面。“回忆”书面口语都用，内容是自己经历的事。“回忆”有名词的用法，能作中心语，“回顾”没有名词的用法，不能作中心语。

语境示例 Examples

① 我们回顾历史，是为了更好地创造未来。(☺我们回忆历史，是为了更好地创造未来。)

② 回顾中国改革开放二十多年走过的路程，我们心中充满无限的豪情。(＊回忆中国改革开放二十多年走过的路程，我们心中充满无限的豪情。)

③ 这张发黄的照片激起了我对童年的回忆。(＊这张发黄的照片激起了我对童年的回顾。)

④ 你说的这件事，我一点儿也回忆不起来了。(＊你说的这件事，我一点儿也回顾不起来了。)

⑤ 在北京留学的一年，给我留下了非常美好的回忆。(＊在北京留学的一年，给我留下了非常美好的回顾。)

⑥ 回忆当年，一桩桩，一件件往事都浮现在了眼前。(＊回顾当年，一桩桩，一件件往事都浮现在了眼前。)

641 回忆[动、名]huíyì ▶ 回想[动]huíxiǎng

词义说明 Definition

回忆[call (or bring) to mind; recollect; recall] 回想以往的事。

回想[think back; recollect; recall] 想过去的事情。

词语搭配 Collocation

	~过去	~往事	~母亲	~录	童年的~	~不起来	不愿~	喜欢~
回忆	√	√	√	√	√	√	√	√
回想	√	√	×	×	×	√	√	√

H

用法对比 Usage

用法解释 Comparison

“回忆”是动词也是名词，可以作宾语，“回想”只是动词，不能作宾语。

语境示例 Examples

① 回忆自己一生走过的路，既充满艰难与困苦，也时有幸福与欢乐。(☺回想自己一生走过的路，既充满艰难与困苦，也时有幸福与欢乐。)

② 爸爸上了年纪，喜欢回忆过去。(☺爸爸上了年纪，喜欢回想过去。)

③ 不要再回想那些令人心酸的往事了。(☺不要再回忆那些令人心酸的往事了。)

④ 我对中国的云南有着美好的回忆。(*我对中国的云南有着美好的回想。)

⑤ 这是一本关于第二次世界大战的回忆录。(*这是一本关于第二次世界大战的回想录。)

⑥ 在中国这一年的生活，给我留下许多美好的回忆。(*在中国这一年的生活，给我留下许多美好的回想。)

642 会[名]huì ▶ 会议[名]huìyì

词义说明 Definition

会[meeting; gathering; party; conference] 有一定目的的集会。

会议 [meeting; conference; congress] 有组织有领导的、商谈事情的集会；一种经常商讨并处理重要事务的常设机构或组织。

词语搭配 Collocation

	开～	举行～	～中心	～纪要	～后	协商～	重要～	大～	小～	～室	～场
会	√	×	×	×	√	√	×	√	√	×	√
会议	×	√	√	√	×	√	√	×	×	√	×

用法对比 Usage

用法解释 Comparison

因为音节不同，用法也不同，“会议”多与双音节词语搭配，“会”多与单音节词搭配。“会”用于一般场合和口语中，在正式场合和书面语中常用“会议”。

语境示例 Examples

① 这是中国现代历史上一次十分重要的会议。(☺这是中国现代历史上一次十分重要的会。)

② 今天下午我要参加个会，可能回来得晚一点儿。(☺今天下午我要参加个会议，可能回来得晚一点儿。)

③ 这次会议的日程安排得很紧。(☺这次会的日程安排得很紧。)

④ 今天礼堂举行新年联欢会，你去参加吗？(＊今天礼堂举行新年联欢会议，你去参加吗？)

⑤ 今天下午全国运动会在广州开幕。(＊今天下午全国运动会议在广州开幕。)

⑥ 全国人民代表大会是中国最高的权力机构。(＊全国人民代表大会议是中国最高的权力机构。)

⑦ 总经理正在会议室开会，请您稍等一会儿。(＊总经理正在会室开会议，请您稍等一会儿。)

⑧ 联合国大会一致同意了这项决议。(＊联合国大会议一致同意了这项决议。)

⑨ 会场上彩旗飘扬，歌声嘹亮，成千上万的群众兴高采烈地集会，欢迎为国争光的体育健儿们凯旋。(＊会议场上彩旗飘扬，歌声嘹亮，成千上万的群众兴高采烈地集会，欢迎为国争光的体育健儿们凯旋。)

643 会[动、助动]huì ▶ 能[助动]néng

词义说明 Definition

会[know] 熟悉，通晓：～英语。[can; be able to] 表示懂得怎么做或有能力做（多指需要学习的事情）：我～开车。[be good at; be skilful in] 表示擅长：～修电脑。[be likely to; be sure to] 表示有可能实现：他～来吗？

能[able; capable] 有能力的。[can; be able to; be capable of] 能够：这本书什么时候～出版？[(expressing possibility) can possibly] 表示有可能实现：他～答应吗？[used between 不……不 to express obligation, certainty or great probability] 跟“不……不”组成双重否定，表示必须：我不～不去。[(used negatively or interrogatively) may; can; have permission to] 用在疑问句或否定句中：——这儿～停车吗？——不～。

词语搭配 Collocation

	～汉语	～说英语	～开车	不～吸烟	不～上课	不～来
会	√	√	√	√	√	√
能	×	√	√	√	√	√

用法对比 Usage

“会”和“能”都是助动词，但是“会”还是动词。用在动宾词组前面，表示有某种技能时，可以用“能”也可以用“会”。

① 你会说汉语吗？(☺你能说汉语吗？)
② 我不会开车。(☺我不能开车。)
③ 他会用电脑编程（编制程序）了。(☺他能用电脑编程了。)

“会”也是动词，可以直接带名词作宾语，也可以作动词的补语，“能”没有这种用法。

① 他会英语，不会汉语。(＊他能英语，不能汉语。)
② 你会电脑吗？(＊你能电脑吗？)
③ 我学会包饺子了。(＊我学能包饺子了。)

学会某种技能，可以用“能”也可以用“会”，表示恢复某种能力时用“能”，不用“会”。

① 学了两个月，他会开车了。(☺学了两个月，他能开车了。)
② 伤口已经不疼了，现在他能下地活动了。（＊伤口已经不疼了，现在他会下地活动了。）

③ 病好以后他能工作了。(＊病好以后他会工作了。)

表示达到某种效率时，用“能”不用“会”。

① 她一分钟能打二百多个汉字。(＊她一分钟会打二百多个汉字。)

② 我一次能游一千多米。(＊我一次会游一千多米。)

“会”表示估计或推测有某种可能性。

① 妈，你放心吧，我会考好的。(☺妈，你放心吧，我能考好的。)

② 我看这天不会下雨，不用带伞。(＊我看这天不能下雨，不用带伞。)

“能”还表示主客观条件允许的意思。“会”没有这个用法。

① 你晚上能不能来？(＊你晚上会不会来？)

② 对不起，我晚上有事，不能跟你一起去。(＊对不起，我晚上有事，不会跟你一起去。)

③ 老师，麦克感冒了，今天不能来上课。(＊老师，麦克感冒了，今天不会来上课。)

④ 他会开车，可是刚才喝酒了，现在不能开。(＊他会开车，可是刚才喝酒了，现在不会开。)

⑤ 对不起，这里不能停车。(＊对不起，这里不会停车。)

⑥ 这里水不干净不能游泳。(＊这里水不干净不会游泳。)

“不能不”表示必须，一定，“不会不”表示肯定。

我们已经约好的，他不会不来。(他肯定来)

今天晚上是老同学聚会，你不能不来。(你必须来)

如果用于疑问句都表示可能。

今天晚上他不能不来吧？(可能来)(☺今天晚上他不会不来吧？)(可能来)

“能”和“会”前边都可以用“很”。但是有时意思有所不同。

① 小王很能写文章，已经发表好多篇了。(☺小王很会写文章，已经发表好多篇了。)

② 他很会表演，演什么像什么。(☺他很能表演，演什么像什么。)

③ 他很会吃。(他知道什么东西好吃，要求菜的味道好。)

他很能吃。(他吃得多。)

644 会见[动、名]huìjiàn ▶ 接见[动]jiējiàn

词义说明 Definition

会见[meet with sb. (esp. a foreign visitor)] 跟别人相见。

接见[receive sb.; grant an interview to] 跟来的人见面，一般是对级别较低的人会见。

词语搭配 Collocation

	～朋友	～亲友	～记者	～外宾	受到～	～与会代表	友好的～	亲切地～
会见	√	√	√	√	×	√	√	√
接见	×	×	×	×	√	√	√	√

用法对比 Usage

用法解释 Comparison

“会见”和“接见”都用于正式场合，“会见”表示跟别人见面，一般是与地位相同的人相见，也可以用于上对下。“接见”多用于上对下，表示跟级别比较低的人相见，但是，在外事活动中，为了尊重被接见的一方，即使对方级别低，也用“会见”，不用“接见”。

H

语境示例 Examples

① 会后，国家领导人接见了与会的全体代表。(☺会后，国家领导人会见了与会的全体代表。)

② 今天下午，中国总理会见了前来出席中非论坛年会的各国政要。(*今天下午，中国总理接见了前来出席中非论坛年会的各国政要。)

③ 下午三点，中国国家主席和美国总统共同会见了记者。(*中国国家主席和美国总统共同接见了记者。)

④ 今天下午国家主席在人民大会堂会见了来华访问的美国参议员泰森。(*今天下午国家主席在人民大会堂接见了来华访问的美国参议员泰森。)

⑤ 我下午两点要去会见一位外宾。(*我下午两点要去接见一位外宾。)

⑥ 这次在北京开会期间，我们受到了国家领导人的接见。(*这次在北京开会期间，我们受到了国家领导人的会见。)

645 会谈[动、名]huìtán ▶ 会晤[动]huìwù

词义说明 Definition

会谈[talks] 双方或多方共同商谈。

会晤[meet; meet with] 相见，会面谈话。

词语搭配 Collocation

	进行～	重开～	～纪要	两国～	两国领导人～	～总统	～贸易界人士
会谈	√	√	√	√	√	×	×
会晤	×	×	×	×	√	√	√

用法对比 Usage

用法解释 Comparison

“会谈”和“会晤”都用于正式场合，是书面语，“会晤”可以带宾语，涉及的对象是人，“会谈”不能带宾语。

语境示例 Examples

① 会谈是在亲切友好的气氛中进行的。(☺会晤是在亲切友好的气氛中进行的。)

② 两国领导人进行了友好的会谈。(☺两国领导人进行了友好的会晤。)

③ 两国政府代表进行了会谈并发表了会谈纪要。(＊两国政府代表进行了会晤并发表了会晤纪要。)

④ 国家主席今天下午在华盛顿分别会晤了美国众参两院主席。(＊国家主席今天下午在华盛顿分别会谈了美国众参两院主席。)

⑤ 中国总理在他下榻的饭店会晤了经济界知名人士。(＊中国总理在他下榻的饭店会谈了经济界知名人士。)

646 浑身[名]húnshēn ▶ 全身[名]quánshēn

词义说明 Definition

浑身[from head to foot; all over] 全身。

全身[the whole body; all over (the body)] 整个身体。

词语搭配 Collocation

	～疼	～湿透了	～上下	用尽了～的力气	～是汗	～是胆	～是土	～解数
浑身	√	√	√	×	√	√	√	√
全身	√	√	√	√	√	×	√	×

用法对比 Usage

用法解释 Comparison

“全身”和“浑身”同义，“浑身”更口语化。

语境示例 Examples

① 轻易不干活，干了一点儿活就累得浑身疼。(☺轻易不干活，干了一点儿活就累得全身疼。)
② 淋得全身都湿透了，简直像一只落汤鸡。(☺淋得浑身都湿透了，简直像一只落汤鸡。)
③ 冷得我全身发抖。(☺冷得我浑身发抖。)
④ 我用尽了全身的力气才把这个箱子扛上来。(*我用尽了浑身的力气才把这个箱子扛上来。)
⑤ 这次大夫把我全身各个部件都检查了一遍，没有发现任何问题。(*这次大夫把我浑身各个部件都检查了一遍，没有发现任何问题。)
⑥ 我使出了浑身解数才把你的电脑修好。(*我使出了全身解数才把你的电脑修好。)

H

647 活儿[名]huór ▶ 工作[动、名]gōngzuò

词义说明 Definition

活儿[usu. physical work] 工作，一般指体力劳动。[product; finished product] 产品；制成品。

工作[job, work] 从事体力劳动或脑力劳动。也泛指机器、工具受人操纵而发挥生产作用。职业。

词语搭配 Collocation

	重～	轻～	干～	积极～	正在～	找～	介绍～	科研～	教学～	工会～
活儿	√	√	√	×	×	√	√	×	×	×
工作	×	×	√	√	√	√	√	√	√	√

用法对比 Usage

用法解释 Comparison

“活儿”是个名词，用于口语，“工作”是名词也是动词，口语书面都可以用。“活儿”偏重于体力劳动，“工作”没有此限。“工作”一词的使用频率要比“活儿”高。

语境示例 Examples

① 这个月的活儿很重。(☺这个月的工作很重。)
② 你今天的工作干完了没有？(☺你今天的活儿干完了没有？)

③ 他现在正到处找工作。(☺他现在正到处找活儿。)
④ 干了一天活儿，累得晚上连电视也不想看。(☺干了一天工作，累得晚上连电视也不想看。)
⑤ 下午我们开了一个工作会议，研究部署了下一阶段的任务。(＊下午我们开了一个活儿会议，研究部署了下一阶段的任务。)
⑥ 我的电脑不工作了。(＊我的电脑不活儿了。)
⑦ 他大学一毕业就参加工作了。(＊他大学一毕业就参加活儿了。)
⑧ 你爸爸是做什么工作的？(＊你爸爸是做什么活儿的？)

648 活动[动、名]huódòng ▶ 运动[动、名]yùndòng

词义说明 Definition

活动[move about; exercise]（肢体）运动：～～。[activity; manoeuvre] 为某种目的而行动：体育～。[shaky; unsteady] 动摇，不稳定。[movable; mobile; flexible] 不固定；灵活。[use personal influence or irregular means] 指钻营、说情、行贿等。

运动[motion; movement] 物体位置不断改变的现象；还指宇宙间发生的一切变化和过程。[sports; athletics; exercise] 体育活动：足球～。[(political) movement; campaign; drive] 政治、文化、生产等方面有组织、有目的的声势浩大的群众性活动：五四～。

词语搭配 Collocation

	～一下	牙～了	～～	～房屋	政治～	体育～	文娱～	野外～	四处～	天体～
活动	√	√	√	√	√	√	√	√	√	×
运动	√	×	√	×	√	√	×	×	×	√

用法对比 Usage

用法解释 Comparison

“活动”用于一般场合，“运动”多用于正式场合（“体育运动”用于一般场合）。

语境示例 Examples

① 你喜欢参加什么体育活动？(☺你喜欢参加什么体育运动？)
② A：哎呀，我的腿都坐麻了。B：快站起来活动活动。(＊快站起来运动运动。)
③ 我的一颗牙已经活动了，大夫建议我拔掉。(＊我的一颗牙已经

运动了，大夫建议我拔掉。)

④ 我喜欢野外活动，不愿整天待在城里。（＊我喜欢野外运动，不愿整天待在城里。)

⑤ 我们大学经常开展丰富多彩的文体活动。（＊我们大学经常开展丰富多彩的文体运动。)

⑥ 星期五我们学校举行春季运动会。（＊星期五我们学校举行春季活动会。)

⑦ 五四运动是中国现代史上一次重要的爱国学生运动。（＊五四活动是中国现代史上一次重要的爱国学生活动。)

⑧ 他正在四处活动，想出国去工作。（＊他正在四处运动，想出国去工作。)

H

649 活泼[形]huópo ▶ 活跃[形、动]huóyuè

词义说明 Definition

活泼[lively; vivacious; vivid and natural] 生动自然；不呆板：～可爱的姑娘。

活跃[brisk; active; dynamic] 行动活泼而积极：他是工会的～分子。[enliven; animate; invigorate] 使活跃：～气氛。

词语搭配 Collocation

	性格～	～的孩子	文字～	很～	～分子	～起来	～业余生活	～经济
活泼	√	√	√	√	×	×	×	×
活跃	×	×	×	√	√	√	√	√

用法对比 Usage

用法解释 Comparison

“活泼”只是形容词，“活跃”既是形容词，又是动词。“活跃”可以带宾语，“活泼”不能带宾语。

语境示例 Examples

① 自由发言，自由讨论，这次学术会议开得非常活泼。(☺自由发言，自由讨论，这次学术会议开得非常活跃。)

② 这篇小说的文字很活泼。(＊这篇小说的文字很活跃。)

③ 联欢会的气氛很活跃。(☺联欢会的气氛很活泼。)

④ 这孩子天真活泼，能歌善舞。(＊这孩子天真活跃，能歌善舞。)

⑤ 他是我们班的活跃分子，什么活动都是他出面组织。（＊他是我们班的活泼分子，什么活动都是他出面组织。)

⑥ 只要他一出场，气氛就会立即活跃起来。（*只要他一出场，气氛就会立即活泼起来。）
⑦ 我们要开展丰富多彩的文体活动，活跃学生的业余文化生活。（*我们要开展丰富多彩的文体活动，活泼学生的业余文化生活。）
⑧ 活跃农村市场，是促进农村经济不断发展的重要一环。（*活泼农村市场，是促进农村经济不断发展的重要一环。）

650 伙伴[名]huǒbàn ▶ 伙计[名]huǒji

词义说明 Definition

伙伴[partner; companion] 共同参加某种组织或从事某种活动的人。

伙计[partner; fellow; mate] 合伙的人（多用来当面称呼对方）。

词语搭配 Collocation

	好~	我的~	~关系	合作~	事业上的~
伙伴	√	√	√	√	√
伙计	√	√	×	×	×

用法对比 Usage

用法解释 Comparison

“伙伴”可以是人，也可以是一个组织、公司，可以说“他们公司是我们的合作伙伴”，而“伙计”只能指人。

语境示例 Examples

① 他是和我共事多年的好伙伴。（☺他是和我共事多年的好伙计。）
② 我们两家公司是伙伴关系。（*我们两家公司是伙计关系。）
③ 这家外国公司正想在中国寻找合作伙伴。（*这家外国公司正想在中国寻找合作伙计。）
④ 她是我生活的伴侣，也是我事业上的伙伴。（*她是我生活的伴侣，也是我事业上的伙计。）

“伙计”可以用于称呼自己熟悉的人——朋友或同事，“伙伴”不能。

伙计，我有件事想求你帮帮忙。（*伙伴，我有件事想求你帮帮忙。）

651 或许[副]huòxǔ ▶ 也许[副]yěxǔ

词义说明 Definition

或许[perhaps; maybe] 可能；也许。

也许[perhaps; maybe; probably] 不很肯定。

词语搭配 Collocation

	~病了	~能来	~能及格	~能找到	~清楚	~知道	~没看见	~听得懂	~忘了
或许	√	√	√	√	√	√	√	√	√
也许	√	√	√	√	√	√	√	√	√

H

用法对比 Usage

用法解释 Comparison

“或许”和“也许”词性和意思相同，都表示猜测、估计、含有不很肯定的语气。不同的是，“也许”的使用频率比“或许”高，“或许”多用于书面，口语常用“也许”。

语境示例 Examples

① 你先别生气，也许是他误会了。（☺你先别生气，或许是他误会了。）

② 我们听听试试，或许能听懂。（☺我们听听试试，也许能听懂。）

③ 今天他又没来上班，也许真的病了。（☺今天他又没来上班，或许真的病了。）

④ 你们坐出租车去或许能赶上他。（☺你们坐出租车去也许能赶上他。）

⑤ 已经九点多了，也许他不来了，我们别等了。（☺已经九点多了，或许他不来了，我们别等了。）

⑥ 到现在还不来，也许他把这件事忘了。（☺到现在还不来，或许他把这件事忘了。）

652 货[名]huò ▶ 货物[名]huòwù

词义说明 Definition

货[goods; commodity] 货物；商品。[money] 货币；钱：通~。

货物[goods; commodity; merchandise] 供出售的物品。

词语搭配 Collocation

	通~	中国~	百~	定~会	~真价实	售~员	~运输
货	√	√	√	√	√	√	×
货物	×	√	×	×	×	×	√

用法对比 Usage

用法解释 Comparison

"货"和"货物"有相同的意思，但是音节不同，用法就不同，"货"有组词能力，而"货物"没有组词能力。

语境示例 Examples

① 运输大宗货物大都用这种集装箱。（☺运输大宗货大都用这种集装箱。）
② 在世界各国都可以买到中国货。（＊在世界各国都可以买到中国货物。）
③ 我们将派人参加下个月在北京召开的订货会。（＊我们将派人参加下个月在北京召开的订货物会。）
④ 通货紧缩和通货膨胀一样，都不利于经济的健康发展。（＊通货物紧缩和通货物膨胀一样，都不利于经济的健康发展。）
⑤ 我母亲是一家商店的售货员。（＊我母亲是一家商店的售货物员。）

H

653 获取[动]huòqǔ ▶ 获得[动]huòdé

词义说明 Definition

获取[procure; obtain; gain; reap] 取得，猎取。

获得[gain; obtain; acquire; win; achieve] 得到，取得。

词语搭配 Collocation

	~信息	~情报	~知识	~利润	~丰收	~好评	~经验	~好成绩	~证书
获取	√	√	√	√	×	×	×	×	×
获得	√	√	√	√	√	√	√	√	√

用法对比 Usage

用法解释 Comparison

"获取"的宾语为抽象名词，"获得"的宾语没有此限。

语境示例 Examples

① 经营公司当然都希望获取利润，但是，一定要遵纪守法，照章纳税。(☺经营公司当然都希望获得利润，但是，一定要遵纪守法，照章纳税。)
② 可以通过国际互联网获取有关信息。(☺可以通过国际互联网获得有关信息。)
③ 这次运动会我们学校获得了三项冠军。(＊这次运动会我们学校获取了三项冠军。)
④ 他的工作获得了群众的一致好评。(＊他的工作获取了群众的一致好评。)
⑤ 只要不懈努力，就一定能获得成功。(＊只要不懈努力，就一定能获取成功。)
⑥ 今年农业又获得了大丰收。(＊今年农业又获取了大丰收。)

654 饥饿[形]jī'è ▶ 饿[动、形]è

词义说明 Definition

饥饿[hungry; starved] 饿。

饿[hungry] 肚子空，想吃东西（跟“饱”相对）。 [cause to starve; starve] 使饥饿。

词语搭配 Collocation

	很～	～难忍	～死了	别～着他	～了	～不～	忍饥挨～
饥饿	×	√	×	×	×	×	×
饿	√	×	√	√	√	√	√

用法对比 Usage

用法解释 Comparison

“饿”是形容词也是动词，“饥饿”只是形容词，“饿”可以带结果补语，“饥饿”不能。

语境示例 Examples

① 我饿了，我们去吃点儿什么吧。（＊我饥饿了，我们去吃点儿什么吧。）
② 妈，饭做好吗？饿死我了。（＊妈，饭做好了吗？饥饿死我了。）
③ 我每天不吃早饭，不到中午就饿了。（＊我每天不吃早饭，不到中午就饥饿了。）
④ 饥饿和贫困同样是人类的敌人。（＊饿和贫困同样是人类的敌人。）
⑤ 挨饿的滋味很不好受。（＊挨饥饿的滋味很不好受。）（☺饥饿的滋味很不好受。）

655 机会[名]jīhuì ▶ 机遇[名]jīyù ▶ 时机[名]shíjī

词义说明 Definition

机会[chance; opportunity] 恰好的时候，时机。

机遇［favourable circumstance; opportunity］境遇，时机，机会（有利的）。

时机［opportunity; opportune moment］具有时间性的客观条件（好的、有利的）；机会。

词语搭配 Collocation

	寻找～	把握～	难得的～	错过～	有～	没有～	～很好	利用～	发展～	有利的～
机会	√	√	√	√	√	√	√	√	√	√
机遇	√	√	√	√	√	√	√	×	√	√
时机	√	√	√	√	×	×	√	√	√	√

用法对比 Usage

用法解释 Comparison

这是三个同义词，“机遇”强调恰好遇到的、好的、有利的情况或时机，“时机”表示与时间有关的好机会，“机会”是希望遇到的时机。

语境示例 Examples

① 中国经济的发展遇到了千载难逢的大好机会。（☺中国经济的发展遇到了千载难逢的大好时机/机遇。）

② 我想利用跟丈夫一起去中国生活的机会把汉语学好。（*我想利用跟丈夫一起去中国生活的机遇/时机把汉语学好。）

③ 这是一次难得的机遇，你一定要把握住。（☺这是一次难得的机会/时机，你一定要把握住。）

④ 上次那套房子很好，我犹豫了一下没有买，结果错过了时机/机会。（*上次那套房子很好，我犹豫了一下没有买，结果错过了机遇。）

⑤ 一个人能否成功，除了自身的条件以外，机遇/机会也很重要。（*一个人能否成功，除了自身的条件以外，时机也很重要。）

⑥ 再给他一次改正错误的机会吧。（*再给他一次改正错误的时机/机遇吧。）

⑦ 现在两国建交的时机已经成熟。（*现在两国建交的机会/机遇已经成熟。）

“机会”可以作“有”或“没有”的宾语，“时机”和“机遇”不能。

如果有机会我一定去中国的长城看看。（*如果有时机/机遇我一定去中国的长城看看。）

656 机灵[形]jīling ▶ 聪明[形]cōngming

词义说明 Definition

机灵[clever; smart; sharp; intelligent] 聪明伶俐；机智。

聪明[intelligent; bright; clever] 智力发达，记忆和理解能力强。

词语搭配 Collocation

	很~	非常~	真~	~的眼睛	~能干
机灵	√	√	√	√	×
聪明	√	√	√	×	√

用法对比 Usage

用法解释 Comparison

"聪明"和"机灵"是同义词，"聪明"多指脑子好用，"机灵"可以指脑子好，也常指动作灵活，"聪明"比"机灵"常用。

语境示例 Examples

① 这个孩子很聪明，就是不用功。（☺这个孩子很机灵，就是不用功。）

② 要找一个机灵的人去办这件事。（☺要找一个聪明的人去办这件事。）

③ 她长着一双机灵的大眼睛。（*她长着一双聪明的大眼睛。）

④ 他很聪明，十六岁就上大学了。（*他很机灵，十六岁考上大学了。）

⑤ 他聪明能干，所以公司领导很重视他。（*他机灵能干，所以公司领导很重视他。）

657 机密[形、名]jīmì ▶ 秘密[名、形]mìmì

词义说明 Definition

机密[secret; classified; confidential] 重要而秘密。[secret] 机密的事。

秘密[as opposed to 'public' secret; clandestine; confidential] 有所隐蔽，不让人知道的（跟"公开"相对）。[sth. secret] 秘密的事情。

词语搭配 Collocation

	非常~	很~	~文件	国家~	军事~	最高~	保守~	~来往	~报告
机密	√	√	√	√	√	√	√	×	√
秘密	√	√	√	×	√	×	√	√	√

用法对比 Usage

用法解释 Comparison

“机密”和“秘密”同义，“机密”用于正式场合，“秘密”可以用于正式场合也可以用于一般场合。“机密”属于国家或团体，不属于个人，“秘密”既可以属于国家和团体，也可以属于个人。

J

语境示例 Examples

① 这是一份机密文件，一定要好好保管。(☺这是一份秘密文件，一定要好好保管。)

② 他里通外国，把国家最高军事机密泄露了出去。(☺他里通外国，把国家最高军事秘密泄露了出去。)

③ 他的间谍活动虽然非常秘密，但是还是被公安部门侦破了。(＊他的间谍活动虽然非常机密，但是还是被公安部门侦破了。)

④ 要保守国家的机密。(＊要保守国家的秘密。)

⑤ 我告诉你一个秘密，小王有男朋友了。(＊我告诉你一个机密，小王有男朋友了。)

⑥ 他们双方举行了多次秘密会谈。(＊他们双方举行了多次机密会谈。)

“秘密”可以作状语，“机密”不能作状语。

他们已经秘密来往一年多了。(＊他们已经机密来往一年多了。)

658 机智[形]jīzhì ▶ 机灵[形]jīling

词义说明 Definition

机智[nimble-minded; capacity to adapt oneself to changed situation] 脑筋灵活，能随机应变。

机灵[smart; intelligent] 聪明伶俐，机智。

词语搭配 Collocation

	十分～	很～	挺～的	～勇敢	～地	～的大眼睛
机智	√	√	√	√	√	×
机灵	√	√	√	×	√	√

用法对比 Usage

用法解释 Comparison

"机灵"可以形容人也可以形容动物，"机智"只能形容人。"机灵"多作定语和谓语，也可以作补语，"机智"常用来作状语和补语。

语境示例 Examples

① 在这次"扫黑"（扫除黑社会势力）行动中，我公安战士表现得非常机智。（☺在这次"扫黑"行动中，我公安战士表现得非常机灵。）

② 这小家伙机灵着呢，你一点他就明白。（*这小家伙机智着呢，你一点他就明白。）

③ 猴子真机灵，看见人来就伸手要吃的。（*猴子真机智，看见人来就伸手要吃的。）

④ 他机智勇敢地打进了贩毒集团内部卧底，最后里应外合，一举端掉了这个犯罪团伙。（*他机灵勇敢地打进了贩毒集团内部卧底，最后里应外合，一举端掉了这个犯罪团伙。）

⑤ 狼是很机灵的动物，如果你不伤害它，它是不会轻易攻击人的。（*狼是很机智的动物，如果你不伤害它，它是不会轻易攻击人的。）

659 积累[动、名]jīlěi ▶ 积蓄[动、名]jīxù

词义说明 Definition

积累[accumulate] 事物逐渐聚集。[accumulation (for expanded reproduction)] 国民收入中用于扩大再生产的部分。

积蓄[put aside; save; accumulate] 积存。[savings] 积存的钱。

词语搭配 Collocation

	~资金	~资料	~经验	~起来	~过多	没有~	有~	~一点儿	~力量
积累	√	√	√	√	√	×	×	√	×
积蓄	×	×	×	×	×	√	√	√	√

用法对比 Usage

用法解释 Comparison

动词"积累"的对象可以是金钱，也可以是其他事物，"积蓄"的对象主要指金钱。名词"积蓄"是指积攒的钱，"积累"既可以是钱，也可以是其他东西，如"生活积累"。

语境示例 Examples

① 我正在积累资料准备写毕业论文。（*我正在积蓄资料准备写毕业论文。）
② 他多年从事这项工作，积累了丰富的经验。（*他多年从事这项工作，积蓄了丰富的经验。）
③ 把这些资金积累起来，用于发展教育事业。（*把这些资金积蓄起来，用于发展教育事业。）
④ 他们两个都工作，又没有孩子，所以每个月都有一些积蓄。（*他们两个都工作，又没有孩子，所以每个月都有一些积累。）
⑤ 这些积蓄是为孩子将来上大学准备的。（*这些积累是为孩子将来上大学准备的。）
⑥ 这个作家的生活积累很丰厚。（*这个作家的生活积蓄很丰厚。）

660 激烈[形]jīliè ▶ 热烈[形]rèliè

词义说明 Definition

激烈[（of movement; language）intense]（动作、言行）剧烈；[（of temperament, emotion）uplifting; unyielding]（性情、情怀）刚烈。

热烈[warm; enthusiastic; animated] 兴奋激动，热情的。

词语搭配 Collocation

	言行~	很~	不~	~的运动	~欢迎	发言~	~鼓掌	气氛~	~响应
激烈	√	√	√	√	×	×	×	×	×
热烈	×	√	√	×	√	√	√	√	√

用法对比 Usage

用法解释 Comparison

"激烈"和"热烈"都是形容词，但是"激烈"含有贬义，"热烈"是褒义词。

语境示例 Examples

① 热烈欢迎新同学。(*激烈欢迎新同学。)
② 中国艺术代表团受到了维也纳群众的热烈欢迎。(*中国艺术代表团受到了维也纳群众的激烈欢迎。)
③ 春节晚会的气氛很热烈。(*春节晚会的气氛很激烈。)
④ 学术讨论会上，大家的发言很热烈。(*学术讨论会上，大家的发言很激烈。)
⑤ 游行示威的群众情绪很激烈，放火烧了警察的汽车。(*游行示威的群众情绪很热烈，放火烧了警察的汽车。)
⑥ 刚吃过饭不要做激烈运动。(*刚吃过饭不要做热烈运动。)

661 及格 jí gé ▶ 合格 [形] hégé

词义说明 Definition

及格 [pass a test, examination, etc.; pass] (考试成绩) 达到规定的最低标准。

合格 [qualified; up to standard] 符合标准。

词语搭配 Collocation

	不～	～了	刚～	60分～	产品～	质量～	～的大夫
及格	√	√	√	√	×	×	×
合格	√	√	√	×	√	√	√

用法对比 Usage

用法解释 Comparison

"及格"只是达到了最低的标准，而"合格"则是高标准。"及格"和"合格"的意思和用法都不同，它们不能相互替换。

语境示例 Examples

① 我这次考试刚刚及格。(*我这次考试刚刚合格。)
② 考试不及格的可以补考吗？(*考试不合格的可以补考吗？)

③ 中国的学校规定60分及格。(＊中国的学校规定60分合格。)
④ 要成为一个合格的大夫，除了书本知识以外，还要有丰富的实践经验。(＊要成为一个及格的大夫，除了书本知识以外，还要有丰富的实践经验。)
⑤ 这些产品的质量经过检验都合格。(＊这些产品的质量经过检验都及格。)
⑥ 不能让不合格的商品进入市场。(＊不能让不及格的商品进入市场。)

662 及早[副]jízǎo ▶ 趁早[副]chènzǎo

词义说明 Definition

及早[at an early date; as soon as possible; before it is too late] 趁早。

趁早[as early as possible; before it is too late; at the first opportunity] 抓紧时机或提前行动。

词语搭配 Collocation

	～动身	～动手	～去看看	～做完	～通知	～改正
及早	√	√	√	√	√	√
趁早	√	√	√	√	×	×

用法对比 Usage

用法解释 Comparison

“及早”可以用于祈使句，“趁早”不能。“趁早”只用于口语，“及早”口语书面都可以用。

语境示例 Examples

① 觉得什么地方不舒服要及早去医院，不要拖。(☺觉得什么地方不舒服要趁早去医院，不要拖。)
② 我们趁早动身，争取天黑以前赶到。(☺我们及早动身，争取天黑以前赶到。)
③ 发现问题要及早报告。(＊发现问题要趁早报告。)
④ 一有消息请及早通知我。(＊一有消息请趁早通知我。)
⑤ 既然已经决定去中国留学，就要及早做准备。(＊既然已经决定去中国留学，就要趁早做准备。)

⑥ 明年的工作安排要及早研究部署。（＊明年的工作安排要趁早研究部署。）

663 极端[名、形]jíduān ▶ 极度[副、名]jídù

词义说明 Definition

极端[extreme] 事物发展达到了顶点。[extreme; exceeding] 达到极点的。

极度[extremely; exceedingly; to the utmost] 表示程度极深的。[limit; extreme; utmost] 极点。

词语搭配 Collocation

	走～	很～	～热情	～(不)负责任	～兴奋	～困难	～疲劳	到了～
极端	√	√	√	√	√	√	√	√
极度	×	×	×	×	√	√	√	×

用法对比 Usage

用法解释 Comparison

形容词"极端"和副词"极度"都可以作状语，但修饰的词语有所不同。

语境示例 Examples

① 这个地区群众的生活极端贫困。（☺这个地区群众的生活极度贫困。）

② 连续工作了两天两夜，大家已经极度疲劳了。（☺连续工作了两天两夜，大家已经极端疲劳了。）

③ 发展农村和边远山区教育事业极端困难。（☺发展农村和边远山区教育事业极度困难。）

④ 他对工作极端负责，对人民群众极端热情。（＊他对工作极度负责，对人民群众极度热情。）

"极端"可以作宾语，"极度"不常作宾语。

① 事物发展到了极端，就要向相反的方向转化。（＊事物发展到了极度，就要向相反的方向转化。）

② 看问题要全面，做事要留有余地，不能走极端。（＊看问题要全面，做事要留有余地，不能走极度。）

664 即使[连]jíshǐ ▶ 即便[连]jíbiàn ▶ 就是[连]jiùshì

词义说明 Definition

即使[(expressing supposition) even; even if; even though] 表示假设的让步。[The condition indicated by this conjunction may be either sth. that has not happened or sth. that is opposite to the actual situation.]"即使"所表示的条件，可以是还没有实现的事情，也可以是与既成事实相反的事情。

即便[even; even if; even though] 即使。

就是[(used correlatively with 也) even if] 表示假设的让步，与"也"合用。

J

用法对比 Usage

用法解释 Comparison

这三个连词的意思相同，都表示假设，常和"也"搭配使用。不同的是，"即使"多用于书面；"就是"用于口语；"即便"和"就是"一样，但使用频率不高。

语境示例 Examples

① 即使你当时在这里也没有办法。(你当时不在)(☺就是/即便你当时在这里也没有办法。)(你当时不在)

② 即使你不跟我去，我一个人也要去。(☺就是/即便你不跟我去，我一个人也要去。)

③ 即使将来出不了国，学习一门外语也没有什么坏处。(☺就是/即便将来出不了国，学习一门外语也没有什么坏处。)

④ 即使遇到比这再大的困难我也不怕。(☺就是/即便遇到比这再大的困难我也不怕。)

⑤ 就是中国学生也有不认识的汉字吧。(☺即使/即便中国学生也有不认识的汉字吧。)

665 急[形]jí ▶ 着急 zháo jí

词义说明 Definition

急[impatient; anxious] 想要马上达到某种目的而激动不安；

着急。[worry] 使着急：～死了。 [ill-tempered; quick-tempered] 急躁，容易生气：～脾气。 [urgent; pressing] 紧急，急迫：～病。 [fast; rapid; violent] 很快而且急促：水流很～。[urgent; pressing] 紧急严重的事情：告～。

着急[get worried; get excited; feel anxious] 急噪不安：不要～。

词语搭配 Collocation

	很～	～着走	水流很～	～事	～件	告～	救～	～性子	别～
急	√	√	√	√	√	√	√	√	√
着急	√	√	×	×	×	×	×	×	√

用法对比 Usage

用法解释 Comparison

“急”可以形容人也可以描写物，“着急”只用于描写人的行为和情绪，“着急”还能分开用，可以说“着什么急”。

语境示例 Examples

① 别急，有话慢慢说。(☺别着急，有话慢慢说。)
② 他急着要走。(☺他着急着要走。)
③ 你怎么这么爱急？(☺你怎么这么爱着急？)
④ 急什么，在这儿玩两天再走吧。(☺着急什么，在这儿玩两天再走吧。)(☺着什么急，在这儿玩两天再走吧。)
⑤ 刚下了一场大雨，河水流得很急。(＊刚下了一场大雨，河水流得很着急。)
⑥ 这件事很急，你一定得帮我想想办法。(＊这件事很着急，你一定得帮我想想办法。)

666 急忙[形]jímáng ▶ 匆忙[形]cōngmáng

词义说明 Definition

急忙[in a hurry; in haste; hurriedly; hastily] 心里着急，行动加快。

匆忙[hasty; in a hurry] 急急忙忙。

词语搭配 Collocation

	很～	～决定	～往家走	走得～	临行～
急忙	×	√	√	×	×
匆忙	√	√	×	√	√

用法对比 Usage

用法解释 Comparison

"急忙"和"匆忙"都是形容词，都可以重叠使用，但是，"急忙"多表示动作主体因为主观上"急"而"忙"，"匆忙"偏重于对客观情况的描述。"急忙"不能再受程度副词修饰，不能说"很急忙"，"匆忙"可以。"急忙"常用来作状语，不作动词的补语，"匆忙"可以作状语，也可以作补语。

语境示例 Examples

① 一下课他就匆匆忙忙地回家去了。(☺一下课他就急急忙忙地回家去了。)

② 她急急忙忙吃了点儿饭就和同学看电影去了。(☺她匆匆忙忙吃了点儿饭就和同学看电影去了。)

③ 我看他走得很匆忙，不知道去哪儿了。(＊我看他走得很急忙，不知道去哪儿了。)

④ 我走得太匆忙，也没有向大家告别，真是抱歉。(＊我走得太急忙，也没有向大家告别，真是抱歉。)

⑤ 听说妈妈住院了，我急忙赶到医院去看望。(＊听说妈妈住院了，我匆忙赶到医院去看望。)

⑥ 因为情况发生得突然，是很匆忙做出的决定，所以难免考虑不周。(＊因为情况发生得突然，是很急忙做出的决定，所以难免考虑不周。)

667 急忙[形]jímáng ▶ 急切[形]jíqiè

词义说明 Definition

急忙[in a hurry; in haste; hurriedly; hastily] 心里着急，行动加快。

急切[eager; impatient] 迫切。[in a hurry; in haste] 急忙。

词语搭配 Collocation

	很～	～赶到	～出发	～需要	～的目光	～地盼望	～间
急忙	×	√	√	×	×	×	×
急切	√	×	×	√	√	√	√

用法对比 Usage

用法解释 Comparison

"急忙"形容人的行动，"急切"可以形容人的行为，也可以形容事情。"急忙"可以重叠，"急切"不能重叠，它们不能相互替换。

语境示例 Examples

① 一接到你的电话我就急忙跑来了。（*一接到你的电话我就急切跑来了。）
② 一下课，我就急急忙忙往家赶。（*一下课，我就急急切切往家赶。）
③ 你急急忙忙的，要干什么去？（*你急急切切的，要干什么去？）
④ 看她那急切的目光，我连忙放下饭碗，拿起急救包跟她去了。（*看她那急忙的目光，我连忙放下饭碗，拿起急救包跟她去了。）
⑤ 我急切地盼望着这一天的到来。（*我急忙地盼望着这一天的到来。）
⑥ 医院来了一个被蛇咬伤的病人，急切需要解蛇毒的药。（*医院来了一个被蛇咬伤的病人，急忙需要解蛇毒的药。）

668 疾病[名]jíbìng ▶ 病[名、动]bìng

词义说明 Definition

疾病[disease; illness] 病的总称。

病[disease; illness; sickness] 生理上或心理上发生的不正常的状态：心脏～|心～。[ill; sick] 生理上或心理上发生不正常状态：～了三天。[fault; defect] 缺点，错误：通～|语～。

词语搭配 Collocation

	预防～	防治～	～了	有～	没有～	～人	～友
疾病	√	√	×	×	×	×	×
病	×	×	√	√	√	√	√

用法对比 Usage

用法解释 Comparison

"疾病"和"病"有相同的意思，但是因为音节不同，用法也不同。"疾病"是名词，是病的总称，"病"既是名词，也是动词，可以带了、着、过。"病"还是个语素，可以组成新词，"疾病"没有组词能力。

语境示例 Examples

① 这种病目前医学上还没有办法根治。(☺这种疾病目前医学上还没有办法根治。)
② 对疾病最重要的是预防为主。(＊对病最重要的是预防为主。)
③ 心理疾病比身体疾病还难治。(＊心理病比身体病还难治。)
④ 我病了半个月。(＊我疾病了半个月。)
⑤ 请你们小声点儿，病人需要安静。(＊请你们小声点儿，疾病人需要安静。)
⑥ 他得的是白血病，最好的办法是采用骨髓移植。(＊他得的是白血疾病，最好的办法是采用骨髓移植。)

J

669 集合[动]jíhé ▶ 集中[动、形]jízhōng

词义说明 Definition

集合[gather; assemble; muster; call together] 分散的人或物聚集到一起。

集中[concentrate; centralize; focus; amass; put together] 把分散的人、事物、力量等聚集起来。把分散的意见和经验等归纳起来。

词语搭配 Collocation

	～起来	～队伍	～在一起	～精力	～资金	～兵力	精神～
集合	√	√	√	×	×	×	×
集中	√	×	√	√	√	√	√

用法对比 Usage

用法解释 Comparison

"集合"的宾语只能是人，"集中"的宾语可以是人，也可以是其他事物，例如：意见、精神等。

语境示例 Examples

① 大家集合一下，我讲个事情。(☺大家集中一下，我讲个事情。)
② 明天春游我们在什么地方集合上车？(＊明天春游我们在什么地

方集中上车?)

③ 去参观历史博物馆的同学，明天早上七点在楼前集合。(＊去参观历史博物馆的同学，明天早上七点在楼前集中。)

④ 上课时一定要集中精神听老师讲。(＊上课时一定要集合精神听老师讲。)

⑤ 要把大家的力量和智慧集中起来，才能完成这项任务。(＊要把大家的力量和智慧集合起来，才能完成这项任务。)

⑥ 他现在正集中精力复习功课，准备考研究生。(＊他现在正集合精力复习功课，准备考研究生。)

670 集体[名]jítǐ ▶ 团体[名]tuántǐ

J

词义说明 Definition

集体[collective] 许多人合起来的有组织的整体（跟“个体”相对）。

团体[organization; group; team] 有共同目的、志趣的人所组成的集体。

词语搭配 Collocation

	～生活	～领导	～利益	～经济	～企业	～荣誉	人民～	群众～	～活动	～操
集体	√	√	√	√	√	√	×	×	√	×
团体	×	×	×	×	×	×	√	√	√	√

用法对比 Usage

用法解释 Comparison

“集体”和“团体”是同义词，都可以作定语和中心语。“集体”比“团体”更常用。

语境示例 Examples

① 他不太喜欢参加集体活动，总是自己行动。(☺他不太喜欢参加团体活动，总是自己行动。)

② 我们这个班集体很好，同学们来自世界各国，大家互相学习，互相帮助，像一个大家庭一样。(＊我们这个班团体很好，同学们来自世界各国，大家互相学习，互相帮助，像一个大家庭一样。)

③ 很多年轻人希望参加集体婚礼。(＊很多年轻人希望参加团体婚礼。)

④ 全国运动会开幕式表演了大型团体操《青春中国》。（＊全国运动会开幕式表演了大型集体操《青春中国》。）
⑤ 他们又一次夺得了世乒赛团体冠军。（＊他们又一次夺得了世乒赛集体冠军。）
⑥ 这次夏令营活动注意培养学生的集体主义和团队意识。（＊这次夏令营活动注意培养学生的团体主义和团队意识。）

671 几[代]jǐ ▶ 多少[代]duōshao

词义说明 Definition

几[how many (with a small number anticipated)] 询问数量（估计数目不大，如在十以内）：现在～点？ [a few; several; some] 表示大于一到小于十的不定的数目：你儿子～岁了？ [expressing an unspecified amount or number] 表示不定的数量：我想休息～天。

多少[how many; how much] 问数量：你们班有～学生？ [expressing an unspecified amount or number] 表示不定的数量：不论遇到～困难，我都不会后退的。

词语搭配 Collocation

	～口人	～个学生	买～斤	十～岁	～十个	～钱一个	用～	买～	电话号码是～
几	√	√	√	√	√	×	×	×	×
多少	×	√	√	×	×	√	√	√	√

用法对比 Usage

"几"和"多少"都是疑问代词，用来询问数量，用"多少"询问时可以不带量词，用"几"提问时必须带量词。

你们班有多少（个）学生？（☺你们班有几个学生？）

询问者估计所问的数量在 1～10 之间时，要用"几"，不用"多少"。

① 你家有几口人？（＊你家有多少口人？）
② 你们家有几辆车？（＊你们家有多少辆车？）
③ 你能吃几个馒头？（＊你能吃多少个馒头？）

询问者估计所问数量在十个以上或无法估计时用"多少"。

① 你一分钟能写多少（个）汉字？（＊你一分钟能写几个汉字？）
② 你换多少钱？（＊你换几个钱？）

③ 这种大衣多少钱一件？（＊这种大衣几钱一件？）
④ 暑假放多少天？（＊暑假放几天？）
⑤ 你的电话号码是多少？（＊你的电话号码是几？）

“多少”和“几”还可以表示不定的数量，但用法不同。

① 你想要多少都可以。（＊你想要几都可以。）（☺你想要几个都可以。）
② 你能干多少就干多少，别累着。（＊你能干几就干几，别累着。）
③ 我看见他们几个正在办公室忙着。（＊我看见他们多少个正在办公室忙着。）
④ 校门口的一块大石头上刻着“北京语言大学”几个大字。（＊校门口的一块大石头上刻着“北京语言大学”多少个大字。）

“几”可以用在“个、十、百、千、万、十万、百万、千万”等位数前，“多少”只能用在“亿、万”和“个”前面。

① 学校的礼堂能坐几千人？（＊学校的礼堂能坐多少千人？）
② 这本书大概有五十几万字。（＊这本书大概有五十多少万字。）

“几”前可以用疑问代词“哪”，“多少”不能。

这些歌里你喜欢哪几首？（＊这些歌里你喜欢哪多少首？）

“几”可以表示概数，“多少”没有这个用法。

① 最近太累了，我想休息几天。（＊最近太累了，我想休息多少天。）
② 我去买几个本子。（＊我去买多少个本子。）

“多少”还表示“很多”，用于感叹，“几”没有这个意思。

① 你看这棵树上结了多少苹果啊！（＊你看这棵树上结了几苹果啊！）
② 多少人都盼着这一天呢！（＊几人都盼着这一天呢！）

672 挤［动、形］jǐ ▶ 拥挤［动、形］yōngjǐ

词义说明 Definition

挤［jam；squeeze；press closely together；handle many things at the same time］（人和物）紧紧靠拢在一起：～满了。（事情）集中在同一时间内：事情～在一起了。［squeeze (into, out, through)；elbow one's way (into, out, through)］在拥挤的环境用身体排开人和物：～不进去。［exert pressure to get sth. out］用压力使从空隙里出来：～牛奶。

J

拥挤[(of people, vehicles, ships, etc.) push or squeeze (together)] (人或车船等) 挤在一起。[(of people, vehicles, ships, etc.) be crowded; be packed] 地方相对小而人或车船等相对地多。

词语搭配 Collocation

	很~	~得很	不要~	~在一起	~满了	~不上去	~不进去	~牙膏	~时间
挤	√	√	√	√	√	√	√	√	√
拥挤	√	√	√	√	×	×	×	×	×

用法对比 Usage

用法解释 Comparison

"挤"和"拥挤"都是动词和形容词，但是"挤"可以带宾语，"拥挤"不能。"挤"又是一个语素，有组词能力，"拥挤"没有组词能力。

语境示例 Examples

① 上下班高峰时间公共汽车上挤得厉害。(☺上下班高峰时间公共汽车上拥挤得厉害。)
② 别挤，一个上了另一个再上。(☺别拥挤，一个上了另一个再上。)
③ 房间不大，东西又多，显得很拥挤。(☺房间不大，东西又多，显得很挤。)

"挤"可以带宾语和补语，"拥挤"不能带宾语和补语。

① 屋里已经挤满了人。(*屋里已经拥挤满了人。)
② 车已经满了，挤不上去了。(*车已经满了，拥挤不上去了。)
③ 因为有工作，所以只能挤业余时间学。(*因为有工作，所以只能拥挤业余时间学。)

673 计划[动、名]jìhuà ▶ 策划[动、名]cèhuà

词义说明 Definition

计划[plan; programe or scheme for making, doing or arranging sth.] 工作或行动之前预先拟定的具体内容和步骤。[make a plan] 做计划。

策划[plan; plot; scheme] 筹划；谋划。

词语搭配 Collocation

	五年～	科研～	宏伟的～	开发～	经济～	～一下	有～地	幕后～	阴谋～
计划	√	√	√	√	√	√	√	×	×
策划	×	×	×	×	×	√	×	√	√

用法对比 Usage

用法解释 Comparison

“计划”使用频率很高，“策划”原来常带贬义，多与阴谋、事件、方案等搭配，现在多指进行总体设计和担任总体设计的人。

语境示例 Examples

① 中国已经胜利完成了第十个五年计划。（＊中国已经胜利完成了第十个五年策划。）
② 要做好明年的科研计划。（＊要做好明年的科研策划。）
③ 他计划去中国进修一年汉语。（＊他策划去中国进修一年汉语。）
④ 他是这个大型电视剧的总策划。（＊他是这个大型电视剧的总计划。）
⑤ 他们正在紧锣密鼓地策划一场新的战争。（＊他们正在紧锣密鼓地计划一场新的战争。）
⑥ 这一事件是一个恐怖组织幕后策划的。（＊这一事件是一个恐怖组织幕后计划的。）

674 计算[动]jìsuàn ▶ 算计[动]suànji

词义说明 Definition

计算[count; calculate; compute] 根据已知量算出未知量。[consider; plan] 运算；考虑筹划。

算计[calculate; reckon] 计算数目。[consider; plan] 考虑；合计。[expect; figure] 猜测；估计。[scheme; plot] 暗中谋划损害他人。

词语搭配 Collocation

	不会～	～～	～一下	～人数	～收入	～方法	～机	被人～	好好～
计算	√	√	√	√	√	√	√	×	√
算计	√	√	√	×	√	×	×	√	√

用法对比 Usage

用法解释 Comparison

"计算"和"算计"同素逆序，"计算"的对象涉及数目，"算计"既涉及数目，也涉及其他事物；"计算"涉及的数目可大可小，也可以涉及精确的数目，"算计"涉及的数目都是较小的，不涉及精确庞大的数目。

语境示例 Examples

① 你计算一下，这么多人得买多少肉。(☺你算计一下，这么多人得买多少肉。)

② 你算计一下，这些钱够不够。(☺你计算一下，这些钱够不够。)

③ 这些数据要再认真计算一下。(*这些数据要再认真算计一下。)

"算计"有考虑，合计的意思，"计算"没有这个用法。

这件事要好好算计算计。(*这件事要好好计算计算。)

"算计"表示估计，"计算"没有这个用法。

我算计着你今天能来。(对来人说)(*我计算着你今天能来。)

"算计"有暗中谋划损害别人的意思，"计算"没有这个意思。

这小子爱算计人，你少跟他打交道。(*这小子爱计算人，你少跟他打交道。)

675 记得 jì de ▶ 记忆[动、名] jìyì

词义说明 Definition

记得[remember; not forget] 想得起来；没有忘记。

记忆[remember; recall] 记住或想起。[memory] 脑子里对过去事物的印象。

词语搭配 Collocation

	还~	不~了	有~	没有~	~起来了	~不起来了	~力	~犹新	失去~	恢复~
记得	√	√	×	×	×	×	×	×	×	×
记忆	×	×	√	√	√	√	√	√	√	√

用法对比 Usage

用法解释 Comparison

"记忆"是动词也是名词，"记得"是个动补结构，"记忆"

可以带补语还可以作宾语，“记得”不能带补语也不能作宾语。它们不能相互替换。

语境示例 Examples

① 学习外语需要记忆，不记单词就听不懂，也不会说。（＊学习外语需要记得，不记单词就听不懂，也不会说。）
② 你还记得吗？这个地方我们来过。（＊你还记忆吗？这个地方我们来过。）
③ 你刚才说的这些，我一点儿也不记得了。（＊你刚才说的这些，我一点儿也不记忆了。）
④ 爸爸的记忆力很好。（＊爸爸的记得力很好。）
⑤ 经过大夫精心治疗，他失去的记忆正在慢慢恢复。（＊经过大夫精心治疗，他失去的记得正在慢慢恢复。）
⑥ 这件事我至今还记忆犹新（清清楚楚地记得）。（＊这件事我至今还记得犹新。）

J

676 记录[动、名]jìlù ▶ 记载[动]jìzǎi

词义说明 Definition

记录［take notes; keep the minutes; record］把听到的话或发生的事写下来。［minutes; notes; record］记下来的话或事。［note-taker］做记录的人。［record］在一定时期和范围内记载下来的最好成绩。(也可写成“纪录”)

记载［put down in writing; record］把事情写下来。［record; account］记录事情的文字。

词语搭配 Collocation

	做～	会议～	最好的～	打破～	世界～	新～	～下来	有～	没有～
记录	√	√	√	√	√	√	√	√	√
记载	×	×	×	×	×	×	√	√	√

用法对比 Usage

用法解释 Comparison

“记录”是用文字把事情、报告等写在纸上、本子上，“记载”是用文字把事件等写进书里。“记录”还可以用作中心语，“记载”很少用作中心语。

语境示例 Examples

① 关于兵马俑，中国历史上竟然找不到文字记载。(☺关于兵马俑，中国历史上竟然找不到文字记录。)
② 这本书把他当年的经历记载了下来。(☺这本书把他当年的经历记录了下来。)
③ 对这件事情的处理意见，可以查当时会议的记录。(*对这件事情的处理意见，可以查当时会议的记载。)
④ 我把他讲演的主要内容都记录下来了。(*我把他讲演的主要内容都记载下来了。)
⑤ 这次会议要作记录吗？(*这次会议要作记载吗？)
⑥ 你来作记录吧。(*你来作记载吧。)
⑦ 据史书记载，这个地方曾经发生过地震。(*据史书记录，这个地方曾经发生过地震。)

"记录"表示最好成绩，"记载"没有这个意思。

他打破了百米跑的世界记录。(*他打破了百米跑的世界记载。)

677 技巧[名]jìqiǎo ▶ 技能[名]jìnéng

词义说明 Definition

技巧[skill; technique; craftsmanship] 表现在艺术、工艺、体育等方面的巧妙的技能；指技巧运动。

技能[technical ability; mastery of a skill or technique] 指掌握并能运用专门技术的能力。

词语搭配 Collocation

	有～	没有～	绘画～	熟练的～	基本～	掌握～	～很低	表演～	～比赛	专业～
技巧	√	√	√	√	√	√	×	√	√	×
技能	√	√	√	√	√	√	√	×	×	√

用法对比 Usage

用法解释 Comparison

掌握某种"技能"之后，将这一技能提高到较高水平，使其得以更好的发挥叫“技巧”，有技能，不一定有发挥技能的技巧。

语境示例 Examples

① 要达到这样的水平需要一定的雕刻技能。(☺要达到这样的水平需要一定的雕刻技巧。)
② 写作技巧是通过不断的写作练出来的。(☺写作技能是通过不断的写作练出来的。)
③ 这幅画的绘画技巧很高。(＊这幅画的绘画技能很高。)
④ 要趁年轻的时候，学习和掌握一门专业技能。(＊要趁年轻的时候，学习和掌握一门专业技巧。)
⑤ 听说读写是学习外语必须掌握的四项基本技能。(＊听说读写是学习外语必须掌握的四项基本技巧。)
⑥ 干什么都有技巧，只有通过不断的学习和实践才能掌握。(＊干什么都有技能，只有通过不断的学习和实践才能掌握。)

J

678 寂静[形]jìjìng ▶ 安静[形]ānjìng

词义说明 Definition

寂静[quiet; still; silent] 没有声音。

安静[quiet; peaceful] 没有声音，没有吵闹。[calm; undisturbed] 安稳平静。[quiet down] 使安静。

词语搭配 Collocation

	很～	～的环境	～的山林	睡得很～
寂静	√	×	√	×
安静	√	√	×	√

用法对比 Usage

用法解释 Comparison

“寂静”多用于描写环境，“安静”可以描写人，也可以描写环境；“安静”可以重叠，“寂静”不能重叠；“安静”可以用于祈使句，“寂静”不能用于祈使句。

语境示例 Examples

① 清晨，大街上很寂静。(☺清晨，大街上很安静。)
② 山谷里寂静无声。(＊山谷里安静无声。)

③ 我住的地方周围很安静，没有汽车的噪音，也没有来往的人群。（*我住的地方周围很寂静，没有汽车的噪音，也没有来往的人群。）
④ 请不要大声说话，病人需要安静。（*请不要大声说话，病人需要寂静。）
⑤ 这里空气好，安安静静的，很适合写作。（*这里空气好，寂寂静静的，很适合写作。）
⑥ 阅览室里很干净也很安静。（*阅览室里很干净也很寂静。）
⑦ 请大家安静一下，我讲一下明天参观的事。（*请大家寂静一下，我讲一下明天参观的事。）
⑧ 大幕一拉开，观众顿时安静了下来。（*大幕一拉开，观众顿时寂静了下来。）

679 寂静[形]jìjìng ▶ 沉静[形]chénjìng

词义说明 Definition

寂静[quiet; still; silent] 没有声音，很静。

沉静[quiet; calm] 寂静。[（of temperament, mood and facial expression）calm; serene; placid]（性格、心情、神色）安静；平静，不爱多说话。

词语搭配 Collocation

	～无声	～的山林	～的深夜	～的神色	打破～	～下来	性格～
寂静	√	√	√	×	√	×	×
沉静	×	×	×	√	√	√	√

用法对比 Usage

用法解释 Comparison

“寂静”形容环境很静，“沉静”多用来形容人不爱说话，喜静的性格。

语境示例 Examples

① 夜深了，大街上没有车来车往的声音，周围一片寂静。（*夜深了，大街上没有车来车往的声音，周围一片沉静。）
② 她一个人沉静地坐在沙发上想着心事。（*她一个人寂静地坐在沙发上想着心事。）

③ 姑娘的性格很沉静，不爱多说话。（＊姑娘的性格很寂静，不爱多说话。）

④ 一个人走夜路，越是寂静，心里越不安宁。（＊一个人走夜路，越是沉静，心里越不安宁。）

⑤ 看他神色是那么的沉静，我的胆子也壮了起来。（＊看他神色是那么的寂静，我的胆子也壮了起来。）

680 寂寞[形]jìmò ▶ 孤独[形]gūdú

词义说明 Definition

寂寞[lonely; lonesome] 冷清孤单。[quiet; still; silent] 清静，冷清。

孤独[live alone; lonely; solitary] 独自一个人；孤单。

词语搭配 Collocation

	很～	太～了	～的原野	～的老人	～的生活
寂寞	√	√	√	×	√
孤独	√	√	×	√	√

用法对比 Usage

用法解释 Comparison

“寂寞”用来描写人的心理感受，也可以用来描写空间给人的感受。“孤独”描写人的外在形态，也可以描写人的心理感受，还可以描写物体，如房子或树。

语境示例 Examples

① 老人的一双儿女都在国外，退休后过着孤独的生活。（☺老人的一双儿女都在国外，退休后过着寂寞的生活。）

② 晚上家里就我一个人，感到有点儿寂寞。（☺晚上家里就我一个人，感到有点儿孤独。）

③ 单身生活，最大的问题就是太寂寞。（☺单身生活，最大的问题就是太孤独。）

④ 要想在学术上有所成就，就必须耐得住寂寞。（＊要想在学术上有所成就，就必须耐得住孤独。）

⑤ 小车站那座红房子孤独地坐落在山坡上。（＊小车站那座红房子寂寞地坐落在山坡上。）

J

681 寄[动]jì ▶ 邮[动]yóu

词义说明 Definition

寄[send; post; mail] 通过邮局递送信件、物品。[entrust; deposit; place] 寄托，托付。

邮[post; mail; postal] 邮寄；有关邮政的。

词语搭配 Collocation

	～信	～包裹	～钱	～存行李	～希望	～放	～费	～包	～票	集～	～展	～品
寄	√	√	√	√	√	√	×	×	×	×	×	×
邮	√	√	√	×	×	×	√	√	√	√	√	√

J

用法对比 Usage

用法解释 Comparison

“寄”和“邮”有相同的意思，但是“邮”都与邮政有关，而“寄”不一定与邮政无关。

语境示例 Examples

① 我去邮局寄一个包裹。(☺我去邮局邮一个包裹。)

② 这本词典寄到上海需要多少钱的邮费？(☺这本词典邮到上海需要多少钱的邮费？)

③ 咱们先把行李寄存在火车站，然后去玩儿。(＊咱们先把行李邮存在火车站，然后去玩儿。)

④ 我去邮局取了一个邮包。(＊我去邮局取了一个寄包。)

⑤ 我的爱好是集邮。(＊我的爱好是集寄。)

“寄”有寄托、托付的意思，“邮”没有这个用法。

国家的未来寄希望于青年。(＊国家的未来邮希望于青年。)

682 加[动]jiā ▶ 增加[动]zēngjiā

词义说明 Definition

加[add; plus] 两个或两个以上的东西或数目合在一起：二～一等于三。[increase; augment] 使数量比原来大或程度比原来高。[put in; add; append] 把本来没有的添进去：～点儿醋。

增加[increase; raise; add] 在原来的基础上加多。

词语搭配 Collocation

	三～五	～了一个	～上	～快	～速	～急	～信心	～品种	～抵抗力	～工资
加	√	√	√	√	√	√	×	×	×	√
增加	×	√	×	×	×	×	√	√	√	√

用法对比 Usage

用法解释 Comparison

“增加”和“加”有相同的语义，“加”用于口语，“增加”用于书面语，“加”的宾语一般不能是双音节词语，“增加”的宾语应该是双音节或多音节词语，不能是单音节词语。“加”还是个语素，有组词能力，“增加”没有组词能力。

语境示例 Examples

① 又给你们班加了一个学生。(☺又给你们班增加了一个学生。)
② 奖学金增加了五百元。(☺奖学金加了五百元。)
③ 我的体重又增加了两公斤。(＊我的体重又加了两公斤。)
④ 要想占领更多的市场份额就必须增加花色品种。(＊要想占领更多的市场份额就必须加花色品种。)
⑤ 上半年我国外贸出口比去年同期增加了8%。(＊上半年我国外贸出口比去年同期加了8%。)
⑥ 参加了这次汉语节目表演，使我增加了学好汉语的信心。(＊参加了这次汉语节目表演，使我加了学好汉语的信心。)
⑦ 我们班加上你才五个男同学。(＊我们班增加上你才五个男同学。)
⑧ 咖啡里要不要加糖？(＊咖啡里要不要增加糖？)

683 加入[动]jiārù ▶ 参加[动]cānjiā

词义说明 Definition

加入[add; mix; put in] 加上，掺进去。[join; accede to] 参加进去。

参加[join (a group, organization, etc.); take part in (an activity)] 加入某种组织或某种活动。[give (advice; suggestion, etc.)] 对某事提出自己的意见或建议。

词语搭配 Collocation

	～进去	～工会	～组织	～牛奶	～会议	～选举	～工作	～劳动	～意见
加入	√	√	√	√	×	×	×	×	×
参加	√	√	√	×	√	√	√	√	√

用法对比 Usage

用法解释 Comparison

“加入”的对象可以是组织和团体或者是某种东西；“参加”的对象除了组织、团体以外，还可以是某项活动和运动等。

语境示例 Examples

① 他很希望加入为奥运会服务的志愿者组织。(☺他很希望参加为奥运会服务的志愿者组织。)

② 我们成立了一个“攀岩俱乐部”，欢迎大家参加。(☺我们成立了一个“攀岩俱乐部”，欢迎大家加入。)

③ 参加这次“地质夏令营”活动，使我学到了很多东西。(＊加入这次“地质夏令营”活动，使我学到了很多东西。)

④ 成千上万的人参加了希望工程捐资助学活动。(＊成千上万的人加入了希望工程捐资助学活动。)

⑤ 你是什么时候参加工作的？(＊你是什么时候加入工作的？)

⑥ 我参加了学校组织的暑假旅行团。(＊我加入了学校组织的暑假旅行团。)

⑦ 他参加了首都大学生运动会。(＊他加入了首都大学生运动会。)

“加入”有掺进去某种东西的意思，“参加”没有这个意思。

饺子馅里要不要加入一点儿味精？(＊饺子馅里要不要参加一点儿味精？)

684 家庭[名]jiātíng ▶ 家[名]jiā

词义说明 Definition

家庭[family; household] 以婚姻和血缘为基础的社会单位，包括父母、子女及生活在一起的其他亲属：幸福的～。

家[family; household] 家庭：这是我们全～的照片。[home] 家庭的住所：回～。[expert; specialist] 掌握某种专门学识或从事某种工作、担任某种职务的人：科学～|文学～。[measure word for families or business establishments] 量词：一～商店|那～公司|这～银行|两～人。

词语搭配 Collocation

	～作业	一个～	一～人	一～公司	回～	在～	科学～	画～	作～	～教	～用电器
家庭	√	√	×	×	×	×	×	×	×	×	×
家	×	√	√	√	√	√	√	√	√	√	√

用法对比 Usage

用法解释 Comparison

"家"有"家庭"的意思，但是"家"也是个语素，构词能力很强，"家"的其他意义和用法都是"家庭"所没有的。

语境示例 Examples

① 她有个幸福美满的家庭。(☺她有个幸福美满的家。)
② 家庭是社会最基本的单位。(☺家是社会最基本的单位。)
③ 你什么时候回家？(＊你什么时候回家庭？)
④ 今年春节我想回老家看看。(＊今年春节我想回老家庭看看。)
⑤ 家庭成员包括父母、兄弟、姐妹等。(＊家成员包括父母、兄弟、姐妹等。)
⑥ 我想请一个家庭教师。(＊我想请一个家教师。)(☺我想请一个家教。)
⑦ 今天的家庭作业是练习一到练习五。(＊今天的家作业是练习一到练习五。)
⑧ 你家有几口人？(＊你家庭有几口人？)
⑨ 你什么时候在家，我想去看看你。(＊你什么时候在家庭，我想去看看你。)

"家"还是个量词，可以重叠。"家庭"没有这个用法。

① 他们两家的关系很密切。
② 这是一家外贸公司。
③ 家家有一本难念的经。

"家"可以作后缀，"家庭"没有这个用法。

鲁迅先生是伟大的文学家和思想家。

685 假装[动]jiǎzhuāng ▶ 装[动、名]zhuāng

词义说明 Definition

假装[pretend; feign; simulate; make believe] 故意装出某种动作

或姿态来掩盖真相。

装[pretend; feign; make believe]假装：不懂~懂|~病。[dress up; attire; deck; play the part (or role) of; act]装饰；打扮。[outfit; clothing]服装。[load; pack; hold]装载：~车。[assemble; fit; install]安装：~天线。

词语搭配 Collocation

	~糊涂	~没听见	~病	~懂	西~	冬~	~电话	~车	~东西
假装	√	√	×	√	×	×	×	×	×
装	√	√	√	√	√	√	√	√	√

用法对比 Usage

用法解释 Comparison

"装"有"假装"的意思，但是，"装"的其他意思都是"假装"所没有的。

语境示例 Examples

① 我叫了他半天，他都假装没听见，不理我。(☺我叫了他半天，他都装没听见，不理我。)

② 儿子又想装病不去上学。(☺儿子又想假装有病不去上学。)

③ 懂就是懂，不懂就是不懂，不要装懂。(☺懂就是懂，不懂就是不懂，不要假装懂。)

"装"的以下用法不能用"假装"替换。

① 我想装一个卫星天线。

② 楼上正在装热水器呢，所以才有这么大的噪音。

③ 把这些东西都装在车上。

④ 他自己装了一台电脑。

"装"还是名词，表示"服装"。

天冷了，该买冬装了。(＊天冷了，该买冬假装了。)

686 价格[名]jiàgé ▶ 价钱[名]jiàqian

词义说明 Definition

价格[price] 商品价值的货币表现。

价钱[price] 商品的价格。

词语搭配 Collocation

	～是多少	～合理	～公道	～太贵	花大～	讲～
价格	√	√	√	√	×	×
价钱	√	√	√	√	√	√

用法对比 Usage

用法解释 Comparison

“价格”和“价钱”是同义词，“价格”用于书面，“价钱”口语常用。

语境示例 Examples

① 这种东西的价钱还算合理。(☺这种东西的价格还算合理。)
② 每种商品上都标有价格。(☺每种商品上都标有价钱。)
③ 一般来说，质量同价格成正比，质量越好，价格越高。(☺一般来说，质量同价钱成正比，质量越好，价钱越高。)
④ 一分价钱一分货，价钱贵的东西质量好，价钱便宜的质量不好。(＊一分价格一分货，价钱贵的东西质量好，价钱便宜的质量不好。)
⑤ 今天这些鱼新鲜，能卖个好价钱。(＊今天这些鱼新鲜，能卖个好价格。)
⑥ 花这么大价钱买了一辆车，结果三天两头坏。(＊花这么大价格买了一辆车，结果三天两头坏。)

687 假[名]jià ▶ 假期[名]jiàqī

词义说明 Definition

假[holiday; vacation] 按照规定或经过批准暂时不工作或不学习的时间。

假期[vacation; holiday; period of leave] 休假或放假的时期。

词语搭配 Collocation

	放～	请～	休～	寒～	暑～	病～	婚～	一个月～	～里	～很长	～结束了
假	√	√	√	√	√	√	√	√	×	×	×
假期	×	×	×	×	×	×	×	√	√	√	√

用法对比 Usage

用法解释 Comparison

“假”是个名词，也是个语素，可以组成新词语，“假期”

没有组词能力。“假”能作中心语，受其他名词修饰，可以说寒假、暑假、春假等，“假期”不能。

语境示例 Examples

① 假期很快就完了，我的家庭作业还没有做完呢。（☺假很快就完了，我的家庭作业还没有做完呢。）
② 当老师的好处是一年有两个假期。（☺当老师的好处是一年有两个假。）
③ 寒假你有什么打算？（＊寒假期你有什么打算？）
④ 学校什么时候放假？（＊学校什么时候放假期？）
⑤ 春节、劳动节和国庆节都放假。（＊春节、劳动节和国庆节都放假期。）
⑥ 假期里你做什么了？（＊假里你做什么了？）
⑦ 他这两天请病假没有来上班。（＊他这两天请病假期没有来上班。）

688 坚固［形］jiāngù ▶ 牢固［形］láogù

词义说明 Definition

坚固［firm; solid; sturdy; strong］结合紧密，不容易破坏。
牢固［firm; secure］坚固，结实。

词语搭配 Collocation

	很～	非常～	～耐用	基础～	～的大坝	～的友谊	感情～
坚固	√	√	√	√	√	×	×
牢固	√	√	×	√	×	√	√

用法对比 Usage

用法解释 Comparison

“坚固”和“牢固”都是形容词，“坚固”一般只修饰具体事物，而“牢固”既可以修饰具体事物，也可以修饰抽象的事物，如友谊、感情等。

语境示例 Examples

① 这座石桥已经经历了千年风吹雨打，仍然十分坚固。（☺这座石桥已经经历了千年风吹雨打，仍然十分牢固。）
② 这座楼修得很坚固，能抗七级以上的地震。（☺这座楼修得很牢

固，能抗七级以上的地震。）
③ 三峡大坝以它坚固的身躯挡住了滔滔的洪水。（＊三峡大坝以它牢固的身躯挡住了滔滔的洪水。）
④ 我们两国人民之间有着牢固的传统友谊。（＊我们两国人民之间有着坚固的传统友谊。）
⑤ 夫妻的感情基础如果是牢固的，就没有第三者插足的余地。（＊夫妻的感情基础如果是坚固的，就没有第三者插足的余地。）

689 坚决[形]jiānjué ▶ 坚定[形、动]jiāndìng

词义说明 Definition

坚决［(of attitude, opinion, act, etc.) firm; resolute; determined］（态度、主张、行动）确定不移；不犹豫。

坚定［(of stand, opinion, will, etc.) firm; staunch; steadfast］（立场、主张、意志等）稳定坚强；不动摇；使坚定。［strengthen］使坚强不动摇。

词语搭配 Collocation

	很～	不～	～执行	～反对	～改正	态度～	～决心	～信心	意志～	立场～
坚决	√	√	√	√	√	√	×	×	×	×
坚定	√	√	×	×	×	×	√	√	√	√

用法对比 Usage

用法解释 Comparison

“坚定”既是动词又是形容词，可以带宾语，而“坚决”只是形容词，不能带宾语。形容词“坚定”修饰的是人的立场、意志等，“坚决”修饰的是人的态度、行动等。

语境示例 Examples

① 在这个问题上，我坚定地站在你一边儿。（☺在这个问题上，我坚决地站在你一边儿。）
② 无论做什么事，要想取得成功，首先必须有坚定的信心和意志。（＊无论做什么事，要想取得成功，首先必须有坚决的信心和意志。）
③ 如果是我们错了，就应该坚决改正，而且要向顾客道歉。（＊如果是我们错了，就应该坚定改正，而且要向顾客道歉。）
④ 你要跟他吹，就态度坚决一点儿，不要拖泥带水的。（＊你要跟

他吹，就态度坚定一点儿，不要拖泥带水的。）
⑤ 要坚决执行上级的指示。（＊要坚定执行上级的指示。）
⑥ 通过参加这次汉语节目表演，我更加坚定了学好汉语的决心。（＊通过参加这次汉语节目表演，我更加坚决了学好汉语的决心。）

690 坚强 [形] jiānqiáng ▶ 刚强 [形] gāngqiáng

词义说明 Definition

坚强 [strong; firm; staunch] 坚固有力，不可动摇和摧毁。[strengthen] 使坚强。

刚强 [firm; staunch; unyielding] 意志、性格等坚强、不怕困难或面对恶势力决不害怕。

词语搭配 Collocation

	很～	十分～	～得很	～不屈	～的意志	～的信心	～的决心	性格～
坚强	√	√	√	√	√	√	√	√
刚强	√	√	√	×	×	×	×	√

用法对比 Usage

用法解释 Comparison

“坚强”和“刚强”修饰的对象有所不同，“坚强”可以修饰信心、决心、意志等，“刚强”不能。

语境示例 Examples

① 他性格坚强，是个宁折不弯的的人。（☺他性格刚强，是个宁折不弯的的人。）
② 一个弱女子，面对抢劫银行的歹徒，为了保卫国家财产，她表现得是那么勇敢和坚强。（☺一个弱女子，面对抢劫银行的歹徒，为了保卫国家财产，她表现得是那么勇敢和刚强。）
③ 凡是事业上成功的人都有着无比坚强的意志，能战胜一切困难，而决不为困难所屈服。（＊凡是事业上成功的人都有着无比刚强的意志，能战胜一切困难，而决不为困难所屈服。）
④ 你一定要坚强起来，这点儿挫折根本算不了什么。（＊你一定要刚强起来，这点儿挫折根本算不了什么。）
⑤ 他们公司所以取得这么大的成绩，是与有个坚强的领导班子分不开的。（＊他们公司所以取得这么大的成绩，是与有个刚强的领

导班子分不开的。)

691 坚硬[形]jiānyìng ▶ 坚实[形]jiānshí

词义说明 Definition

坚硬[hard; solid] 非常硬。

坚实[solid; substantial] 坚固结实。[strong; robust] 身体健壮，结实。

词语搭配 Collocation

	非常~	~的石头	~的冰层	~的基础	~的步子	身体~
坚硬	√	√	√	×	×	×
坚实	√	×	×	√	√	√

用法对比 Usage

用法解释 Comparison

“坚硬”和“坚实”修饰的对象不同，“坚硬”修饰具体名词，而“坚实”修饰抽象名词。

语境示例 Examples

① 这套家具的木质很坚硬。(*这套家具的木质很坚实。)

② 天寒地冻，可是那些冬泳爱好者却凿开湖面上那坚硬的冰层，在冰冷的河水里畅游。(*天寒地冻，可是那些冬泳爱好者却凿开湖面上那坚实的冰层，在冰冷的河水里畅游。)

③ 地板砖显得冰冷坚硬，所以我喜欢木地板。(*地板砖显得冰冷坚实，所以我喜欢木地板。)

④ 无论学习什么专业，都需要打下一个坚实的基础。(*无论学习什么专业，都需要打下一个坚硬的基础。)

⑤ 他一开始步子迈得就很坚实，所以，才能取得今天的成功。(*他一开始步子迈得就很坚硬，所以，才能取得今天的成功。)

692 坚硬[形]jiānyìng ▶ 硬[形、副]yìng

词义说明 Definition

坚硬[hard; solid] 非常硬。

硬[(as opposed to 'soft') hard; stiff; tough] 物体内部组织严密，受外力作用后不容易改变形状（跟"软"相对）：花岗岩很～。[strong; firm; tough; obstinate] 性格刚强，意志坚定，态度坚决：～汉子。[be reluctant] 勉强：干不了不要～干。[(of ability) strong; (of quality) good] 能力强，质量好：牌子～。

词语搭配 Collocation

	很～	～得很	～木	～汉子	～的石头	～功夫	～要去	态度很～	说话很～
坚硬	√	√	×	×	√	×	×	×	×
硬	√	√	√	√	√	√	√	√	√

用法对比 Usage

J

用法解释 Comparison

"硬"可以修饰具体名词也可以修饰抽象名词，而"坚硬"只能修饰具体名词。"坚硬"多用于书面，"硬"常用于口语。

语境示例 Examples

① 河上结了一层厚厚的冰，很坚硬。（☺河上结了一层厚厚的冰，很硬。）

② 这块面包都硬了，不要吃了。（＊这块面包都坚硬了，不要吃了。）

③ 今天的米饭有点儿硬，我还是吃馒头吧。（＊今天的米饭有点儿坚硬，我还是吃馒头吧。）

④ 对方的态度很硬，看来很难接受我们提出的条件。（＊对方的态度很坚硬，看来很难接受我们提出的条件。）

"硬"还是个副词，可以作状语，表示态度坚决，"坚硬"没有这个用法。

① 我不让他去，他硬要去，只好让他去了。（＊我不让他去，他坚硬要去，只好让他去了。）

② 他是一条硬汉子，去过南极，还闯过大沙漠，从来没有被困难吓倒过。（＊他是一条坚硬汉子，去过南极，还闯过大沙漠，从来没有被困难吓倒过。）

"硬"有勉强的意思"坚硬"没有这个意思。

你身体不好，干不了不要硬干。（＊你身体不好，干不了不要坚硬干。）

693 肩[名、动]jiān ▶ 肩膀[名]jiānbǎng

词义说明 Definition

肩[shoulder] 肩膀。[take on; undertake; shoulder; bear] 担负。

肩膀[shoulder] 人的胳膊。

词语搭配 Collocation

	～并～	～受伤了	～负重任	身～重任	耸耸～
肩	√	√	√	√	√
肩膀	×	√	×	×	√

用法对比 Usage

用法解释 Comparison

"肩"有动词的用法，表示担负，"肩膀"没有动词的用法。

语境示例 Examples

① 我的肩膀有点儿疼。(☺我的肩有点儿疼。)

② 挑担子把肩膀都压红了。(☺挑担子把肩都压红了。)

③ 我们这一代青年肩负着历史赋予的重任。(＊我们这一代青年肩膀负着历史赋予的重任。)

④ 我们肩并肩，手拉手，团结一致向前走。(＊我们肩膀并肩膀，手拉手，团结一致向前走。)

⑤ 他现在身肩重任，领导着一个一百多万人的城市。(＊他现在身肩膀重任，领导着一个一百多万人的城市。)

⑥ 肩着黑暗的闸门，放青年到光明的地方去——鲁迅先生一生都是这样做的。(＊肩膀着黑暗的闸门，放青年到光明的地方去——鲁迅先生一生都是这样做的。)

694 艰苦[形]jiānkǔ ▶ 艰难[形]jiānnán

词义说明 Definition

艰苦[arduous; difficult; hard; tough] 艰难困苦。

艰难[difficult; hard] 困难。

词语搭配 Collocation

	很～	非常～	～的生活	～的环境	～的工作	～的岁月	～奋斗	行动～	生活～
艰苦	√	√	√	√	√	√	√	×	√
艰难	√	√	√	√	√	√	×	√	√

用法对比 Usage

用法解释 Comparison

"艰苦"和"艰难"是同义词，它们修饰的对象有所不同。"艰难"可以形容行动不便，"艰苦"不能。

语境示例 Examples

① 艰苦的生活环境往往能造就优秀的人才。(☺艰难的生活环境往往能造就优秀的人才。)

② 爸爸小的时候，家里的生活非常艰难，常常吃了上顿没下顿。(☺爸爸小的时候，家里的生活非常艰苦，常常吃了上顿没下顿。)

③ 他的腿受伤后，行动艰难，生活基本不能自理。(＊他的腿受伤后，行动艰苦，生活基本不能自理。)

④ 不经历风雨不能见彩虹，只有艰苦奋斗才能取得成功。(＊不经历风雨不能见彩虹，只有艰难奋斗才能取得成功。)

⑤ 中国人民经过几十年艰苦卓绝的斗争，才创建了新中国。(＊中国人民经过几十年艰难卓绝的斗争，才创建了新中国。)

695 艰苦[形]jiānkǔ ▶ 辛苦[形、动]xīnkǔ

词义说明 Definition

艰苦[arduous; difficult; hard; tough] 艰难困苦。

辛苦[hard; strenuous; toilsome; laborious] 身心劳苦。[ask sb. to do sth.] 客气话，用于求人做事。

词语搭配 Collocation

	很～	生活～	工作～	～奋斗	～的岁月	～你了	太～了
艰苦	√	√	√	√	√	×	√
辛苦	√	×	×	×	×	√	√

用法对比 Usage

用法解释 Comparison

"艰苦"只是形容词，不能带宾语，"辛苦"既是形容词，也是动词，可以带宾语。“辛苦”可以重叠使用，可以说“辛辛苦苦”，“艰苦”没有重叠形式。

语境示例 Examples

① 要把中国建成社会主义的现代化强国，需要几代人的艰苦奋斗。（*要把中国建成社会主义的现代化强国，需要几代人的辛苦奋斗。）

② 在那艰苦的岁月里，大家同心协力，完成了这项伟大的工程。（*在那辛苦的岁月里，大家同心协力，完成了这项伟大的工程。）

③ 建筑工人的生活很艰苦。（*建筑工人的生活很辛苦。）

④ 父母辛辛苦苦把我们兄妹养大，一定要让他们有个幸福的晚年。（*父母艰艰苦苦把我们养大，一定要让他们有个幸福的晚年。）

“辛苦”是客套话，用于求人办事和应酬，“艰苦”没有这个用法。

辛苦你了，让你跑来一趟。（*艰苦你了，让你跑来一趟。）

696 监督[动]jiāndū ▶ 监视[动]jiānshì

词义说明 Definition

监督[supervise; superintend; control] 察看并督促。[supervisor] 做监督工作的人。

监视[keep watch on; keep a lookout over] 从旁严密注视，观察。

词语搭配 Collocation

	~工作	接受~	~执行	舞台~	严密~	~他	跟踪~	舆论~	群众~
监督	√	√	√	√	×	√	×	√	√
监视	×	×	×	×	√	√	√	×	×

用法对比 Usage

用法解释 Comparison

“监督”的对象是人，目的是使其不违反规则，不违犯法律，“监督”的行为是公开的。“监视”的对象可以是人，也可以是物，如果是人，一般为犯罪嫌疑人，“监视”的行为常常是秘密的。

语境示例 Examples

① 加强监督是保证政府廉洁行政的重要手段。（*加强监视是保证

政府廉洁行政的重要手段。)

② 要充分发挥报纸、电视、广播等新闻媒体的舆论监督作用。(*要充分发挥报纸、电视、广播等新闻媒体的舆论监视作用。)

③ 不受监督的权力必然导致腐败。(*不受监视的权力必然导致腐败。)

④ 警察正严密监视犯罪嫌疑人的行动。(*警察正严密监督犯罪嫌疑人的行动。)

⑤ 要对他进行二十四小时跟踪监视。(*要对他进行二十四小时跟踪监督。)

⑥ 雷达正密切监视着这架飞机的行踪。(*雷达正密切监督着这架飞机的行踪。)

697 兼[动]jiān ▶ 兼任[动]jiānrèn

词义说明 Definition

兼[double; twice] 两倍的。[simultaneously; concurrently] 同时涉及或具有几种事物。

兼任[hold two or more posts concurrently] 同时担任几个职务。[part-time] 不是专任的：～教师。

词语搭配 Collocation

	日夜～程	～外交部长	身～数职	～课	～职
兼	√	√	√	√	√
兼任	×	√	×	×	×

用法对比 Usage

用法解释 Comparison

“兼任”有“兼”的意思，但是“兼”还有两倍的意思，“兼任”没有这个意思。

语境示例 Examples

① 他是总理，同时兼任外交部长。(☺他是总理，同时兼外交部长。)

② 我在这个大学兼课。(*我在这个大学兼任课。)

③ 他是著名的作家，最近被我们大学聘为兼职教授。(*他是著名的作家，最近被我们大学聘为兼任职教授。)

④ 接到命令，部队日夜兼程赶到地震灾区抢险救灾。(*接到命令，部队日夜兼任程赶到地震灾区抢险救灾。)

⑤ 汉语的兼语就是一个词语在句子中既是它前面动词的宾语又是它后边动词的主语。（*汉语的兼任语就是一个词语在句子中既是它前面动词的宾语又是它后边动词的主语。）

698 检查[动、名]jiǎnchá ▶ 检察[动]jiǎnchá

词义说明 Definition

检查[check up; inspect; examine] 为了发现问题而用心查看。[self-criticism] 检讨。

检察[procuratorial work; report to the authorities and check] 检举核查，考察（犯罪的事实）。

J

词语搭配 Collocation

	~身体	~工作	~作业	~错误	~犯罪	自我~	~~	进行~	认真~	~院
检查	√	√	√	√	×	√	√	√	√	×
检察	×	√	×	×	√	×	×	√	√	√

用法对比 Usage

用法解释 Comparison

“检查”和“检察”书写形式和意思都不同，但发音相同。“检查”的范围是错误和工作中的问题，“检察”的范围是犯罪或违纪的事实，它们不能通用。

语境示例 Examples

① 学校定期给老师们检查身体。（*学校定期给老师们检察身体。）
② 有了错误要认真检查。（*有了错误要认真检察。）
③ 还有时间，做完的同学要认真检查检查。（*还有时间，做完的同学要认真检察检察。）
④ 这起案件已经由检察院立案侦察。（*这起案件已经由检查院立案侦察。）
⑤ 要加强对大案要案的检察工作。（*要加强对大案要案的检查工作。）

699 检讨[动]jiǎntǎo ▶ 检查[动]jiǎnchá

词义说明 Definition

检讨[self-criticism] 找出缺点和错误。[examine; inspect] 总结分析；研究。

检查[check up; inspect; examine] 为了发现问题而认真查看；找出缺点和错误。[self-criticism] 检讨。

词语搭配 Collocation

	做~	写~	~身体	~作业	~工作	~质量	~自己	~一遍
检讨	√	√	×	×	×	×	√	×
检查	√	√	√	√	√	√	√	√

J

用法对比 Usage

用法解释 Comparison

“检讨”和“检查”都有找出缺点和错误的意思。“检讨”的对象是检讨者自己；“检查”的对象可以是检查者自己也可以是他人。

语境示例 Examples

① 检讨：他们正在检讨这次事故的原因。(他们自己)
检查：他们正在检查这次事故的原因。(可以是他们自己，也可以是别人)

② 要好好检讨一下自己犯错误的原因，痛改前非。(☺要好好检查一下自己犯错误的原因，痛改前非。)

③ 这次考试作弊的学生必须写出书面检讨。(☺这次考试作弊的学生必须写出书面检查。)

④ 作业做完以后要再认真检查一遍。(*作业做完以后要再认真检讨一遍。)

⑤ 我明天要去检查身体。(*我明天要去检讨身体。)

700 减轻[动]jiǎnqīng ▶ 减弱[动]jiǎnruò

词义说明 Definition

减轻[lighten; ease; alleviate; mitigate] 减少重量、数量和程度。

减弱[weaken; abate]（气势、力量等）变弱。

词语搭配 Collocation

	～了	～负担	～重量	～压力	病～了	风力～了	兴趣～	凝聚力～	力量～了
减轻	√	√	√	√	√	×	×	×	×
减弱	√	×	×	×	×	√	√	√	√

用法对比 Usage

用法解释 Comparison

“减轻”可以带宾语，“减弱”不能带宾语，它们不能互相替换。

语境示例 Examples

① 为了减轻父母的负担，他一边上学一边打工挣钱。（*为了减弱父母的负担，他一边上学一边打工挣钱。）
② 报上经常呼吁要减轻中小学生的学习负担。（*报上经常呼吁要减弱中小学生的学习负担。）
③ 现在风力已经逐渐减弱了。（*现在风力已经逐渐减轻了。）
④ 住院以后他的病情正在逐渐减轻。（*住院以后他的病情正在逐渐减弱。）
⑤ 考试之前，要减轻心理上的压力，尽量放松。（*考试之前，要减弱心理上的压力，尽量放松。）

701 简单[形]jiǎndān ▶ 简便[形]jiǎnbiàn

词义说明 Definition

简单[simple; uncomplicated] 不复杂；头绪少；容易理解、使用和处理。[(used in the negative) commonplace; ordinary]（经历、能力等）一般，平凡（多用否定式）。[oversimplified; casual; careless] 不细致；马虎。

简便[simple and convenient; handy] 简单方便。

词语搭配 Collocation

	很～	非常～	不～	太～了	～从事	～的问题	使用～	～的方法	图～
简单	√	√	√	√	√	√	×	√	×
简便	√	√	√	√	×	×	√	√	√

用法对比 Usage

用法解释 Comparison

“简便”是褒义词，“简单”既有褒义又含贬义。

语境示例 Examples

① 这种计算方法很简单。(☺这种计算方法很简便。)
② 傻瓜照相机使用起来很简便。(☺傻瓜照相机使用起来很简单。)
③ 现在办理护照的手续比过去简单多了。(☺现在办理护照的手续比过去简便多了。)
④ 这次考试的题目很简单。(*这次考试的题目很简便。)
⑤ 我的人生经历很简单。(*我的人生经历很简便。)
⑥ 他头脑太简单，所以才容易上当受骗。(*他头脑太简便，所以才容易上当受骗。)
⑦ 刚学了一年汉语就说得这么好，真不简单。(*刚学了一年汉语就说得这么好，真不简便。)
⑧ 这件事要认真严肃地调查处理，不能简单从事。(*这件事要认真严肃地调查处理，不能简便从事。)

702 简明[形]jiǎnmíng ▶ 简要[形]jiǎnyào

词义说明 Definition

简明[simple and clear; concise] 简单明白。

简要[concise and to the point; brief] 简单扼要。

词语搭配 Collocation

	非常～	很～	～扼要	～地介绍一下	～地叙述一下	～的报告
简明	√	√	√	×	×	√
简要	√	√	×	√	√	√

用法对比 Usage

用法解释 Comparison

“简明”多用作定语和补语，“简要”常作状语。

语境示例 Examples

① 这份报告写得很简明，非常好。(☺这份报告写得很简要，非常好。)

② 我需要一份公司情况的简要报告。(☺我需要一份公司情况的简明报告。)

③ 你简明扼要地把情况给大家介绍一下。(＊你简要扼要地把情况给大家介绍一下。)(☺你简要地把情况给大家介绍一下。)

④ 请把这个故事简要地叙述一遍。(＊请把这个故事简明地叙述一遍。)

⑤ 你先把个人的经历简要地写一下。(＊你先把个人的经历简明地写一下。)

703 简易[形]jiǎnyì ▶ 简陋[形]jiǎnlòu

词义说明 Definition

简易[simple and easy] 简单而容易的。[simply constructed; simply equipped]设施不好，简陋的。

简陋[(of house, facility, etc.) simple and crude] 房屋、设备等不好，简单粗陋。

词语搭配 Collocation

	很～	非常～	～办法	～的房子	～病房	设备～	～的棚子
简易	√	√	√	√	√	×	×
简陋	√	√	×	√	×	√	√

用法对比 Usage

用法解释 Comparison

"简陋"和"简易"都可以修饰房屋和设备，"简易"还可以修饰"方法、办法"等，"简陋"不能。

语境示例 Examples

① 桥梁建设者们住的是简陋的工棚。(☺桥梁建设者住的是简易的工棚。)

② 用简易的办法就可以解决这个问题。(＊用简陋的办法就可以解决这个问题。)

③ 这座山区小学的教学设备非常简陋。(＊这座山区小学的教学设备非常简易。)

④ 地震后断电缺水，伤病员都被临时安排在简易病房里。(＊地震后断电缺水，伤病员都被临时安排在简陋病房里。)

⑤ 公司刚成立的时候，我们都在简陋的地下室里办公。(☺公司刚成立的时候，我们都在简易的地下室里办公。)

704 简直[副]jiǎnzhí ▶ 几乎[副]jīhū

词义说明 Definition

简直[(tone of exaggeration) simply; at all] 表示完全如此（带夸张的语气）。

几乎[close to; virtually] 将近于，接近于：~有三千人。[all but; almost] 差点儿：~忘了。

词语搭配 Collocation

	~认不出来	~忘光了	~没摔倒	~不敢相信	~跟中国人一样	~是傻瓜
简直	√	√	×	√	√	√
几乎	√	√	√	√	√	×

用法对比 Usage

用法解释 Comparison

“几乎”没有“简直”强调的语气重。“简直”带有夸张的语气，强调表示相差很少，差不多完全相同或相等。“几乎”只表示相差很小。

语境示例 Examples

① 他汉语说得真好，简直跟中国人一样。(☺他汉语说得真好，几乎跟中国人一样。)

② 几十年没跟她见面了，刚一见面简直认不出来了。(☺几十年没跟她见面了，刚一见面几乎认不出来了。)

③ 我几乎把嘴都说破了，他也听不进去。(☺我简直把嘴都说破了，他也听不进去。)

④ 我简直不敢相信这是真的。(☺我几乎不敢相信这是真的。)

⑤ 他这个人啊，简直是个大傻瓜。(*他这个人啊，几乎是个大傻瓜。)

“几乎”有“差点儿”的意思，“简直”没有。

① 路太滑，我一下没走好，几乎摔倒。(*路太滑，我一下没走好，简直摔倒。)

② 这件事，你要不提起，我几乎忘了。（＊这件事，你要不提起，我简直忘了。）

705 简直[副]jiǎnzhí ▶ 真的zhēn de

词义说明 Definition

简直[simply; at all] 完全是这样，带有夸张的语气。

真的[true; really; indeed] 符合实际，真实可靠的；对客观情况的真实性表示肯定。表示肯定的语气。

词语搭配 Collocation

	～是	是～	～太好了	～跟…一样	～受不了	～不是他干的	～不错	～有进步
简直	√	×	√	√	√	×	×	×
真的	√	√	√	√	√	√	√	√

用法对比 Usage

用法解释 Comparison

“简直”带夸张的语气，说“简直是……”实际上“不一定是”或“不是”。“是的”是肯定的语气，“真的是”意思是“一定是”。

语境示例 Examples

① 他汉语说得简直跟中国人一样。(含夸张的语气)（☺他汉语说得真的跟中国人一样。)(肯定的语气)

② 天热得我简直受不了了。(☺天热得我真的受不了了。)

③ 他走起路来，简直像个小伙子。（☺他走起路来，真的像个小伙子。)

④ 他这个人简直不像话，不来也不打个电话。(☺他这个人真的不像话，不来也不打个电话。)

⑤ 她难过得简直要哭出来了。(☺她难过得真的要哭出来了。)

⑥ 他最近学习努力了，真的有了进步。（＊他最近学习努力了，简直有了进步。)

⑦ 你别怪他，这件事真的不是他干的。（＊你别怪他，这件事简直不是他干的。)

706 见[动]jiàn ▶ 见面 jiàn miàn

词义说明 Definition

见[see; catch sight of] 看见，看到。[meet with; be exposed to] 接触，遇到。[meet; call on; see] 接见，会见，见到。[show evidence of; appear to be] 看得出；显现出。[opinion; view] 对事物的看法，意见。

见面[meet; see] 与……相见。

词语搭配 Collocation

	百闻不如一～	怕～光	～效	病已～好	想～你	～到	看～	跟…～
见	√	√	√	√	√	√	√	×
见面	×	×	×	×	×	×	×	√

用法对比 Usage

用法解释 Comparison

“见”是动词，又是个语素，可以跟其他语素组成很多词语；“见面”并不是一个词，而是动词“见”和名词“面”组成的一个动宾词组，它不能再带宾语。

语境示例 Examples

① 老师，我的一个朋友想见您。(*老师，我的一个朋友想见面您。)

② 下午我要跟一位外国专家见面。(*下午我要跟一位外国专家见。)

“见”的以下用法都是“见面”无法替代的。

① 俗话说，百闻不如一见，希望你们都能去中国看一看，增加对中国的了解。

② 爸爸的病已见好，请哥哥放心。

③ 你再见他时，一定替我向他问好。

④ 这种药很见效，吃了两次我的病就好多了。

“见”有看法和意见的意思，“见面”没有。

依你之见，这个问题该怎么处理？

“见”能作动词的补语，“见面”不能。

① 你看见玛丽了没有？

② 我听见有人在外边叫我，可是开开窗户没有人。

707 见解[名]jiànjiě ▶ 看法[名]kànfǎ ▶ 观点[名]guāndiǎn

词义说明 Definition

见解[view; opinion; understanding] 对事物的认识和看法。

看法[way of looking at a thing; view] 对客观事物所抱的见解，观点。[unfavourable or critical view of sb.] 表示不满，有意见。

观点[point of view; viewpoint; standpoint] 观察事物时所处的位置或采取的态度。

词语搭配 Collocation

	我的～	政治～	艺术～	不同的～	正确的～	个人的～	基本～	有～
见解	√	√	√	√	√	√	×	√
观点	√	√	√	√	√	√	√	√
看法	√	×	×	√	√	√	×	√

用法对比 Usage

用法解释 Comparison

"见解"、"观点"和"看法"的意思都是指看问题的方式或方法，但是"见解"和"观点"多用于书面或正式场合，"看法"用于口语和一般场合。

语境示例 Examples

① 他对国际问题有自己独到的见解。(☺他对国际问题有自己独到的观点/看法。)

② 我非常同意这篇文章的见解。(☺我非常同意这篇文章的观点/看法。)

③ 对一件事有不同的看法是很正常的。(☺对一件事有不同的观点/见解是很正常的。)

④ 对这个问题，我们两个的观点一致。(☺对这个问题，我们两个的看法/见解一致。)

⑤ 请您就这个问题发表看法。(☺请您就这个问题发表见解。)(＊请您就这个问题发表观点。)

⑥ 你对这件事有什么看法？(☺你对这件事有什么见解？)(＊你对这件事有什么观点？)

⑦ 我们要用辩证的观点来看问题。(＊我们要用辩证的看法/见解来

看问题。)

⑧ 从语言学的观点看，语言和言语是两个不同的概念。(＊从语言学的见解/看法看，语言和言语是两个不同的概念。)

"看法"和"有"组成的"有看法"，还表示不满和有意见，"见解"和"观点"没有这个意思。

大家对他这么做有些看法。(＊大家对他这么做有些见解/观点。)

708 建立[动]jiànlì ▶ 成立[动]chénglì

词义说明 Definition

建立[build; establish; set up; found]开始成立；开始产生。

成立[(of an organization, institution, etc.) found; establish; set up](组织、机构等)开始存在。[(of a theory or view) hold water; be tenable; be well grounded](理论、意见)有根据，站得住。

词语搭配 Collocation

	～了	～政权	～基地	～功勋	～邦交	～友谊	～共和国	～公司	能～	不能～
建立	√	√	√	√	√	√	√	√	√	√
成立	√	×	×	×	×	×	√	√	√	√

用法对比 Usage

用法解释 Comparison

"建立"和"成立"的对象不同，"建立"的宾语可以是国家、政党，也可以是联系、关系、友谊等，"成立"的宾语只能是国家、公司、理论等。

语境示例 Examples

① 中华人民共和国是1949年10月1日成立的。(☺中华人民共和国是1949年10月1日建立的。)

② 我公司定于18日上午举行成立十周年庆祝大会，敬请届时光临。(☺我公司定于18日上午举行建立十周年庆祝大会，敬请届时光临。)

③ 他们为祖国建立了功勋。(＊他们为祖国成立了功勋。)

④ 经过谈判，两国决定建立大使级外交关系。(＊经过谈判，两国决定成立大使级外交关系。)

⑤ 我们跟贵国的北京、上海等城市都建立了联系。（＊我们跟贵国的北京、上海等城市都成立了联系。）

⑥ 长期以来，两国人民之间建立了深厚的友谊。（＊长期以来，两国人民之间成立了深厚的友谊。）

"成立"有"理论和意见有根据"的意思，"建立"没有这个意思。这一论点缺乏根据，不能成立。（＊这一论点缺乏根据，不能建立。）

709 建设[动、名]jiànshè ▶ 建筑[动、名]jiànzhù

词义说明 Definition

建设[build; construct] 创立新事业；增加新设施；充实新精神。

建筑[build; construct; erect] 修建房子、道路、桥梁等。[building; structure; edifice] 建筑物。

词语搭配 Collocation

	经济～	～祖国	～桥梁	～铁路	现代化～	思想～	一座新～	古代～
建设	√	√	√	√	√	√	×	×
建筑	×	×	√	√	√	×	√	√

用法对比 Usage

用法解释 Comparison

"建设"和"建筑"都有动词和名词两种词性。名词"建筑"是可数的，能用数量词修饰。"建设"是不可数名词，不能用数量词修饰。动词"建筑"的宾语是具体名词，如桥梁、铁路等，"建设"的宾语既可以带具体名词，如"建设桥梁"，也可以带抽象名词，如"建设精神文明"。

语境示例 Examples

① 大坝建设工地上是一派热火朝天的劳动竞赛场面。（☺大坝建筑工地上是一派热火朝天的劳动竞赛场面。）

② 三峡工程的建设者们春节期间也没有休息。（＊三峡工程的建筑者们春节期间也没有休息。）

③ 中国人民正以极大的热情，决心把中国建设成社会主义现代化强国。（＊中国人民正以极大的热情，决心把中国建筑成社会主义现代化强国。）

④ 加入世界贸易组织（WTO），给中国的经济建设和发展既带来机

会也带来了挑战。（*加入世界贸易组织，给中国的经济建筑和发展既带来机会也带来了挑战。）

⑤ 这是一座有两千多年历史的古老建筑。（*这是一座有两千多年历史的古老建设。）

710 建议[动、名]jiànyì ▶ 意见[名]yìjiàn

词义说明 Definition

建议［propose；suggest；recommend］向领导或集体提出自己的主张。［proposal；suggestion；recommendation］向领导或集体所提出的主张。

意见［idea；view；opinion；suggestion］对事情的看法或想法。［objection；differing opinion；complaint］（对人、对事）认为不对因而不满的想法。

词语搭配 Collocation

	提～	我～	你的～	有～	没～	很多～	～很多	好的～	听取～	采纳～	发表～
建议	√	√	√	×	×	√	√	√	√	√	×
意见	√	×	√	√	√	√	√	√	√	√	√

用法对比 Usage

用法解释 Comparison

“建议”既是名词也是动词，“意见”只是名词，“建议”一般指好的意见，是个褒义词，“意见”是个中性词。

语境示例 Examples

① 建议：你有什么建议可以向领导提出来。(希望改进的想法和看法)
意见：你有什么意见可以向领导提出来。(不满的看法)

② 他们采纳大家的建议，延长了服务时间。（☺他们采纳大家的意见，延长了服务时间。）

③ 领导要虚心听取群众的意见。(☺领导要虚心听取群众的建议。)

④ 对如何改进教学，老师们提了不少很好的建议。(☺对如何改进教学，老师们提了不少很好的意见。)

⑤ 这次旅游去哪儿，请大家发表意见。（*这次旅游去哪儿，请大家发表建议。）

⑥ 我建议这个假期我们去内蒙古草原玩几天。（＊我意见这个假期我们去内蒙古草原玩几天。）

"有意见"和"意见大"都表示不满，"建议"没有这个用法。

① 大家对这次活动的安排有意见。（＊大家对这次活动的安排有建议。）

② 他这样做大家意见很大。（＊他这样做大家建议很大。）

711 建造[动]jiànzào ▶ 修造[动]xiūzào

词义说明 Definition

建造[build; construct; make] 建筑；修建；制造。

修造[build and repair] 修理和制造；建造。

词语搭配 Collocation

	～楼房	～桥梁	～轮船	～农具	～花园	～厂房
建造	√	√	×	×	√	√
修造	√	√	√	√	√	√

用法对比 Usage

用法解释 Comparison

"建造"是从无到有，"修造"可以是从无到有，也可以是在原有的基础上修理改造。它们的宾语不尽相同，"修造"的对象可以是建筑物，也可以是机器设备，"建造"的对象只能是建筑物。

语境示例 Examples

① 楼房前边建造了一个小花园。（☺楼房前边修造了一个小花园。）

② 这些年城市建造了不少立交桥。（☺这些年城市修造了不少立交桥。）

③ 我们工厂是修造轮船的。（＊我们工厂是建造轮船的。）

④ 这是一家飞机修造厂。（＊这是一家飞机建造厂。）

⑤ 这座大教堂是一千多年前建造的。（＊这座大教堂是一千多年前修造的。）

712 建造[动]jiànzào ▶ 建[动]jiàn ▶ 造[动]zào

词义说明 Definition

建造[build; construct; make] 建筑；修建；制造：～图书馆。

建[build; construct; erect] 建筑：～大楼。[establish; set up; found] 建立，设立，成立：～国。

造[make; build; create] 做，制作：～飞机。

词语搭配 Collocation

	～桥梁	～大楼	～公园	～国	扩～	～船	～纸	～福	～句	～林
建造	√	√	√	×	×	×	×	×	×	×
建	√	√	√	√	√	×	×	×	×	×
造	√	×	×	×	×	√	√	√	√	√

J

用法对比 Usage

用法解释 Comparison

“建造”是由“建”和“造”两个单音节词组成的，“建”和“造”既是词，也是语素，有构词能力，“建造”没有构词能力。“建造”和“造”的宾语是具体的，“建”的对象既可以是具体的，也可以是抽象的。

语境示例 Examples

① 长江上还要建造新的大桥。(☺长江上还要建/造新的大桥。)

② 学校建/建造了一座体育馆。(*学校造了一座体育馆。)

③ 这个工厂正准备扩建。(*这个工厂正准备扩造/扩建造。)

④ 请大家用这个词造个句子。(*请大家用这个词建造/建个句子。)

⑤ 植树造林，绿化中国。(*植树建造/建林，绿化中国。)

⑥ 这是中国最大的一家造船厂。(*这是中国最大的一家建造/建船厂。)

⑦ 治水治沙，造福人民。(*治水治沙，建造/建福人民。)

⑧ 大学生都想为祖国的现代化建功立业。(*大学生都想为祖国的现代化建造/造功立业。)

713 健康[形、名]jiànkāng ▶ 健壮[形]jiànzhuàng

词义说明 Definition

健康[good health; strong physique] 人身体好，没有病。[healthy; sound; in normal condition; perfect] 事物情况正常，没有缺陷。

健壮[healthy and strong; robust] 强健。

词语搭配 Collocation

	身体～	心理～	～地成长	恢复～	～的活动	牛羊～
健康	√	√	√	√	√	×
健壮	√	×	×	×	×	√

用法对比 Usage

用法解释 Comparison

“健康”是形容词也是个名词，“健壮”只是形容词。“健康”既可以指人的身体好，没有疾病，也可以指情况正常，没有不好的现象；“健壮”的意思是“健康强壮”，描写人时，多用于男性，也可以描写动物。

语境示例 Examples

① 我爸爸身体很健康，常年也不生病。(☺我爸爸身体很健壮，常年也不生病。)

② 他身体健壮得像个小伙子。(＊他身体健康得像个小伙子。)

③ 为了你的健康，把烟戒了吧。(＊为了你的健壮，把烟戒了吧。)

④ 经过大夫的精心治疗和一个多月的休养，爸爸的身体已经恢复了健康。(＊经过大夫的精心治疗和一个多月的休养，爸爸的身体已经恢复了健壮。)

⑤ 组织青少年开展健康的文体活动。(＊组织青少年开展健壮的文体活动。)

⑥ 一个人的心理健康跟身体健康同样重要。(＊一个人的心理健壮跟身体健康同样重要。)

714 渐渐[副]jiànjiàn ▶ 慢慢[副]mànmàn

词义说明 Definition

渐渐[gradually; by degrees; little by little] 表示程度或数量逐步地增减；慢慢地。

慢慢[slowly; sluggishly; unhurriedly] 不快地。

词语搭配 Collocation

	～地	～地跑	～远去	～落下来	～说	～吃
渐渐	√	×	√	√	×	×
慢慢	√	√	√	√	√	√

J

用法对比 Usage

用法解释 Comparison

“渐渐”不修饰自主动词，只能作状语修饰非自主动词，而且只能用于陈述句，不能用于祈使句。“慢慢”可以作状语修饰自主动词和非自主动词，也可以作定语或谓语，能用于陈述句，也能用于祈使句。

语境示例 Examples

① 我刚来的时候听不懂中国人说的话，现在渐渐能听懂一点儿了。(☺我刚来的时候听不懂中国人说的话，现在慢慢能听懂一点儿了。)

② 一到十一月，天气就渐渐地变冷了。(☺一到十一月，天气就慢慢地变冷了。)

③ 太阳渐渐地落山了。(☺太阳慢慢地落山了。)

④ 他的身体正在渐渐地恢复。(☺他的身体正在慢慢地恢复。)

⑤ 她说话总是慢慢的。(＊她说话总是渐渐的。)

⑥ 别着急，慢慢说。(＊别着急，渐渐说。)

⑦ 刚下过雪，路上滑，慢慢走，小心摔跤。(＊刚下过雪，路上滑，渐渐走，小心摔跤。)

⑧ 你慢慢吃吧，我等着你。(＊你渐渐吃吧，我等着你。)

⑨ 这种事不能急，得慢慢来。(＊这种事不能急，得渐渐来。)

715 鉴定[动、名]jiàndìng ▶ 鉴别[动]jiànbié

词义说明 Definition

鉴定[appraisal (of a person's strong and weak points)] 鉴别和评定（人的优缺点）；辨别并确定事物的真假、优劣等。[appraise; identify; authenticate; determine] 评定人的优缺点的文字。

鉴别[distinguish; differentiate; discriminate] 辨别（真假好坏）。

词语搭配 Collocation

	做～	～书	～文物	～年代	～古画	～真假	～是非	～不了	～不出来	不能～	难～
鉴定	√	√	√	√	√	√	×	√	√	√	√
鉴别	×	×	√	×	×	√	√	√	√	√	√

用法对比 Usage

用法解释 Comparison

“鉴定”的行为主体是专家（如鉴定文物）或领导（如给某人做鉴定），“鉴别”的行为主体可以是任何人。“鉴定”有名词的用法，可以作宾语，“鉴别”没有名词的用法，不能作宾语。动词“鉴定”和“鉴别”涉及的对象也不尽相同。

语境示例 Examples

① 这幅画达到了以假乱真的程度，如果不是专家，一般人很难鉴别它的真假。(☺这幅画达到了以假乱真的程度，如果不是专家，一般人很难鉴定它的真假。)

② 这件出土文物的年代还没有鉴定出来。(*这件出土文物的年代还没有鉴别出来。)

③ 明天下午召开新产品鉴定会，有很多专家参加。(*明天下午召开新产品鉴别会，有很多专家参加。)

④ 专家们都在鉴定书上签了字。(*专家们都在鉴别书上签了字。)

⑤ 你们已经是大学生了，应当具有鉴别是非的能力。(*你们已经是大学生了，应当具有鉴定是非的能力。)

⑥ 要掌握在复杂的社会现象中鉴别是非的能力，就必须掌握科学的理论和方法。(*要掌握在复杂的社会现象中鉴定是非的能力，就必须掌握科学的理论和方法。)

716 将[副]jiāng ▶ 将要[副]jiāngyào ▶ 即将[副]jíjiāng

词义说明 Definition

将[be going to; be about to; will; shall] 表示行为或情况在以后发生：我～离去。[certainly; no doubt] 必定：不努力，～一事无成。

将要[will; shall; be going to] 表示行为或情况在不久以后发生。

即将[be on the point of; soon; be about to] 将要，就要。

词语搭配 Collocation

	～出发	～成功	～实现	～开幕	～来中国	～继续
将	√	√	√	√	√	√
将要	√	√	√	√	√	√
即将	√	√	√	√	√	×

用法对比 Usage

用法解释 Comparison

这三个词都是副词，都有"快要"、"就要"的意思。"即将"和"将要"表示最近的将来，"将"可以表示很近的将来，也可以是比较远的将来。"即将"和"将要"后边不能带有表示具体时间的名词，"将"不受此限。

语境示例 Examples

① 就在我将要动身去中国留学的时候，妈妈突然生病住院了。(☺就在我即将/将动身去中国留学的时候，妈妈突然生病住院了。)

② 他读完博士以后将回国工作。(☺他读完博士以后将要回国工作。)(＊他读完博士以后即将回国工作。)

③ 大学毕业以后我即将面临找工作的问题。(☺大学毕业以后我将要/将面临找工作的问题。)

④ 如果你年轻时不努力学习，以后的前途将是令人担忧的。(＊如果你年轻时不努力学习，以后的前途即将/将要是十分担忧的。)

⑤ 赴欧洲的旅行团将于八月十五号出发。(＊赴欧洲的旅行团即将/将要于八月十五号出发。)

⑥ 2008年奥运会将在北京举行。（＊2008年奥运会即将/将要在北京举行。）（说话时为2005年）

717 将来[名]jiānglái ▶ 未来[名]wèilái

词义说明 Definition

将来[(as compared with ‘past’ or ‘present’) future] 表示现在以后的时间（区别于“过去”、“现在”）。

未来[coming; approaching; next; future] 就要到来的时间。

[future; tomorrow] 现在以后的时间，将来的光景。

词语搭配 Collocation

	～的打算	～三天	国家的～	展望～	美好的～
将来	√	×	√	√	√
未来	√	√	√	√	√

用法对比 Usage

用法解释 Comparison

“未来”的意思是将要到来的，它可以很远，也可以很近，而“将来”一般指较远的时期。

语境示例 Examples

① 人类的未来到底怎么样，现在还很难说。（☺人类的将来到底怎么样，现在还很难说。）

② 孩子的未来应该由孩子自己来决定。（☺孩子的将来应该由孩子自己来决定。）

③ 将来你打算做什么工作？（＊未来你打算做什么工作？）

④ 少年儿童是祖国的未来。（＊少年儿童是祖国的将来。）

⑤ 天气预报说，未来二十四小时我国北方广大地区将有大雨。（＊天气预报说，将来二十四小时我国北方广大地区将有大雨。）

⑥ 在可以预见的将来，中国将发展成一个具有高度物质文明和精神文明的强国。（＊在可以预见的未来，中国将发展成一个具有高度物质文明和精神文明的强国。）

718 讲[动]jiǎng ▶ 说[动]shuō

词义说明 Definition

讲[speak; say; tell] 说：～英语。[explain; make clear; interpret] 解释，说明，论述：～道理。

说[speak; talk; say] 用话来表达意思：～故事。[explain] 解释：～清楚。[theory; teachings; doctrine] 言论，主张：著书立～。[scold] 批评：我～了他一顿。

词语搭配 Collocation

	～课	～故事	～学	～话	～笑话	～道理	～出来	～不出来	～不明白	～他
讲	√	√	√	√	√	√	√	√	√	×
说	×	√	×	√	√	√	√	√	√	√

用法对比 Usage

"讲"和"说"的不同在于与其他词语的搭配，如"讲课"不能说"说课"。

① 女儿总缠着我给她讲故事。(☺女儿总缠着我给她说故事。)

② 她激动得话都说不出来了。(☺她激动得话都讲不出来了。)

③ 他讲了半天也没有讲清楚。(☺他说了半天也没有说清楚。)

④ 现在老师的话我听得懂，但是自己说不出来。(☺现在老师的话我听得懂，但是自己讲不出来。)

⑤ 我喜欢他说的相声。(*我喜欢他讲的相声。)

⑥ 老师，请您给我们讲一讲这个成语怎么用。(*老师，请您给我们说一说这个成语怎么用。)

⑦ 王老师的课讲得很生动。(*王老师的课说得很生动。)

⑧ 下个月我爸爸要去国外讲学。(*下个月我爸爸要去国外说学。)

"说"还指"学说"，"讲"没有这个意思。

你要想著书立说的话，现在就要作准备。(*你要想著书立讲的话，现在就要作准备。)

"说"有批评、指责的意思，"讲"没有这个意思。

① 因为学习不努力，成绩不好，父母常常说我。(*因为学习不努力，成绩不好，父母常常讲我。)

② 这事不能全怪他，你千万不要说他。（＊这事不能全怪他，你千万不要讲他。）

719 讲解[动]jiǎngjiě ▶ 讲述[动]jiǎngshù

词义说明 Definition

讲解[explain] 解释；解说。

讲述[tell about; give an account of; narrate; relate] 把事情和道理讲出来。

词语搭配 Collocation

	～课文	～生词	～语法	～古诗	～原理	～故事	～事情经过	～员
讲解	√	√	√	√	√	×	×	√
讲述	√	×	×	×	√	√	√	×

用法对比 Usage

用法解释 Comparison

“讲解”和“讲述”的意思不同，“讲解”的行为主体一般是老师或书籍，强调的是“解”。“讲述”的行为主体没有限制，强调的“述”。“讲解”的内容是听者不懂的知识，原理等，“讲述”的内容是听者不了解的事情、情况等。

语境示例 Examples

① 这本书是讲解电脑工作原理的。(☺这本书是讲述电脑工作原理的。)

② 有关互联网的知识这本书讲解得很清楚。(☺有关互联网的知识这本书讲述得很清楚。)

③ 这个语法老师讲解以后，我还是不太明白。（＊这个语法老师讲述以后，我还是不太明白。）

④ 你把事情的经过给大家讲述一下。（＊你把事情的经过给大家讲解一下。）

⑤ 通过讲解员的讲解使我对这个古迹的历史了解得更清楚了。(＊通过讲解员的讲述使我对这个古迹的历史了解得更清楚了。)

⑥ 你要不讲解，我还真不懂这首诗是什么意思。（＊你要不讲述，我还真不懂这首诗是什么意思。）

720 奖[动、名]jiǎng ▶ 奖励[动、名]jiǎnglì

词义说明 Definition

奖 [encourage; praise; reward] 奖励，夸奖。[award; prize; reward]为了鼓励或表扬而给予的荣誉或财物等。

奖励 [encourage and award; award; reward] 给予荣誉或财物来鼓励。

词语搭配 Collocation

	～给	嘉～	得～	发～	一等～	金～	百花～	金鸡～	物质～	～先进	～优秀学生
奖	√	√	√	√	√	√	√	√	×	×	×
奖励	×	×	×	×	×	×	×	×	√	√	√

用法对比 Usage

用法解释 Comparison

“奖”和“奖励”的词性相同，但是由于音节不同，用法也有所不同，“奖”有组词能力，“奖励”没有。

语境示例 Examples

① 因为我科研成绩突出，公司奖励了我一套住房。(☺因为我科研成绩突出，公司奖了我一套住房。)

② 有功者奖，有过者罚，这样才能发扬正气。(☺有功者奖励，有过者处罚，这样才能发扬正气。)

③ 我想用这笔奖金，给女儿买一台电脑。(*我想用这笔奖励金，你女儿买一台电脑。)

④ 这是领导对我工作成绩的奖励。(*这是领导对我工作成绩的奖。)

⑤ 学校对优秀学生给予了奖励。(*学校对优秀学生给予了奖。)

⑥ 这次全校运动会，我们得了一等奖。(*这次全校运动会，我们得了一等奖励。)

⑦ 中国有两个很有名的电影奖，一个叫百花奖，一个叫金鸡奖。(*中国有两个很有名的电影奖励，一个叫百花奖，一个叫金鸡奖。)

⑧ 出席发奖大会的劳动模范，个个面带笑容。(*出席发奖励大会的劳动模范，个个面带笑容。)

721 交[动]jiāo ▶ 交纳[动]jiāonà

词义说明 Definition

交[hand over; give up; deliver] 把事物转移给有关方面：~税。[associate with] 结交：~朋友。

交纳[pay (to the state or public organization); hand in] 向政府或公共团体交付规定数额的金钱或实物。

词语搭配 Collocation

	~税	~所得税	~学费	~饭钱	~作业	~朋友	~流	~换	~易
交	√	√	√	√	√	√	√	√	√
交纳	×	√	√	√	×	×	×	×	×

用法对比 Usage

用法解释 Comparison

"交"除了有"交纳"的意思之外，还有"交纳"所没有的其他意思；"交"用于口语，"交纳"多用于书面。

语境示例 Examples

① 你们每年交多少学费？(☺你们每年交纳多少学费？)

② 一辆汽车一年要交多少保险金？(☺一辆汽车一年要交纳多少保险金？)

③ 按规定交纳所得税是一个公民应尽的义务。(☺按规定交所得税是一个公民应尽的义务。)

④ 不要与那个花言巧语的人交朋友。(*不要与那个花言巧语的人交纳朋友。)

⑤ 你的作业交给老师了吗？(*你的作业交纳给老师了吗？)

⑥ 把这个工作交给我吧。(*把这个工作交纳给我吧。)

722 交叉[动]jiāochā ▶ 交错[动]jiāocuò

词义说明 Definition

交叉[intersect; cross; crisscross] 几个方向不同的线条或线路互相穿过。[overlapping] 有相同有不同的，有相重的。[alternate; stagger] 间隔穿插。

交错[interlock；crisscross] 交叉；错杂。

词语搭配 Collocation

	有～	立体～桥	～在一起	～进行	纵横～	～学科
交叉	√	√	√	√	×	√
交错	√	×	√	×	√	×

用法对比 Usage

用法解释 Comparison

"交错"和"交叉"的意思和用法都不同，"交错"多用于书面。

语境示例 Examples

J

① 有两条公路在这里交叉。(☺有两条公路在这里交错。)

② 这两项工作可以交叉进行。(☺这两项工作可以交错进行。)

③ 近年来城市修建了不少立体交叉桥。(＊近年来城市修建了不少立体交错桥。)

④ 现在很多新兴学科是交叉学科，你中有我，我中有你。(＊现在很多新兴学科是交错学科，你中有我，我中有你。)

⑤ 田野上沟渠纵横交错，渠水灌溉着肥沃的农田。(＊田野上沟渠纵横交叉，渠水灌溉着肥沃的农田。)

723 交换[动]jiāohuàn ▶ 换[动]huàn

词义说明 Definition

交换[exchange；swap] 双方各拿自己的给对方。[exchange of goods；business exchange] 以商品换商品。

换[exchange；barter；trade] 给别人东西同时从他那里取得东西：以农产品～机器。[change] 变换：我想～一～工作。[exchange；convert] 兑换：把美元～成人民币。

词语搭配 Collocation

	～纪念品	～场地	～意见	～商品	～车	～人	～衣服	～鞋	～钱	～人民币
交换	√	√	√	√	√	√	×	×	×	×
换	√	√	×	√	√	√	√	√	√	√

用法对比 Usage

用法解释 Comparison

“交换”和“换”都是动词，“交换”的主语是复数，意思是双方各拿出自己的给对方，它的对象既可以是具体的，也可以是抽象的；“换”的主语可以是复数也可以是单数，对象是钱、物品、东西等。

语境示例 Examples

① 我喜欢你那件毛衣，你喜欢我这件，咱们两个交换一下得了。(☺我喜欢你那件毛衣，你喜欢我这件，咱们两个换一下得了。)
② 上半场已经结束，下半场该交换场地了。(☺上半场已经结束，下半场该换场地了。)
③ 蓝队裁判请求换人。(＊蓝队裁判请求交换人。)
④ 下午我去银行换钱，你去不去？(＊下午我去银行交换钱，你去不去?)
⑤ 这件衣服有点儿肥，给我换一件瘦一点儿的，好吗？(＊这件衣服有点儿肥，给我交换一件瘦一点儿的，好吗?)
⑥ 你先等我一会儿，我去换一件衣服。(＊你先等我一会儿，我去交换一件衣服。)
⑦ 从我家到学校，中间还要换一次车。(＊从我家到学校，中间还要交换一次车。)
⑧ 这个问题我想跟你交换一下意见。(＊这个问题我想跟你换一下意见。)

724 交换[动]jiāohuàn ▶ 交流[动]jiāoliú

词义说明 Definition

交换[exchange; interchange; swap; commute] 双方各拿出自己的给对方。[exchange of goods; business exchange] 以商品换商品。

交流[exchange; interchange; communicate; interflow] 彼此把自己的供给对方。

词语搭配 Collocation

	～意见	～纪念品	～场地	物资～	文化～	～经验	技术～
交换	√	√	√	×	×	×	×
交流	×	×	×	√	√	√	√

用法对比 Usage

用法解释 Comparison

“交换”的对象多为具体事物，“交流”的多为抽象事物。

语境示例 Examples

① 关于去国外招商的事我想跟你交换一下意见。（*关于去国外招商的事我想跟你交流一下意见。）
② 我们公司的业务是开展中外文化交流。（*我们公司的业务是开展中外文化交换。）
③ 双方交换场地后，甲队一路领先。（*双方交流场地后，甲队一路领先。）
④ 比赛前双方交换了纪念品。（*比赛前双方交流了纪念品。）
⑤ 座谈会上同学们交流了学习汉语的心得和经验。（*座谈会上同学们交换了学习汉语的心得和经验。）
⑥ 经过协商决定，我们两国从明年起开始交换留学生。（*经过协商决定，我们两国从明年起开始交流留学生。）

725 交际[名、动]jiāojì ▶ 交流[动、名]jiāoliú

词义说明 Definition

交际[intercourse; communication; socialize] 人与人之间的往来接触。

交流[exchange; interflow; interchange] 彼此把自己有的提供给对方。

词语搭配 Collocation

	善于～	不善～	～工具	～经验	文化～	技术～	～信息	～感情
交际	√	√	√	×	×	×	×	×
交流	×	×	×	√	√	√	√	√

用法对比 Usage

用法解释 Comparison

“交流”的对象可以是人员，还可以是物品，“交流”是及物动词，可以带宾语；“交际”是不及物动词，不能带宾语，它们不能相互替代。

语境示例 Examples

① 我这个人不善交际，来中国这么多日子了，还没交上中国朋友。(＊我这个人不善交流，来中国这么多日子了，还交上中国朋友。)
② 他善于交际，认识很多人，有很多朋友。(＊他善于交流，认识很多人，有很多朋友。)
③ 朋友常在一起聚聚，不仅可以联络感情，更重要的是可以相互交流交流信息。(＊朋友常在一起聚聚，不仅可以联络感情，更重要的是可以相互交际交际信息。)
④ 我们公司是搞国际文化交流的。(＊我们公司是搞国际文化交际的。)
⑤ 语言是最重要的交际工具，学会一两门外语在现代社会是非常必要的。(＊语言是最重要的交流工具，学会一两门外语在现代社会是非常必要的。)
⑥ 我们应该经常交流一下学习的经验。(＊我们应该经常交际一下学习的经验。)

726 交往[动]jiāowǎng ▶ 来往[动、名]láiwǎng

词义说明 Definition

交往[association; contact] 互相来往。

来往[dealings; contact; intercourse] 交际往来。[have contact or dealings] 打交道。[come and go] 来和去。

词语搭配 Collocation

	没有～	不太～	～很多	～车辆	经常～	～信件
交往	√	√	√	×	×	×
来往	√	√	√	√	√	√

用法对比 Usage

用法解释 Comparison

“交往”指的是人与人之间的关系，“来往”除了可以指人，还可以指书信、车辆等。

语境示例 Examples

① 我们两家很早就有交往。(☺我们两家很早就有来往。)

② 希望我们今后继续交往。(☺希望我们今后继续来往。)
③ 我这个人很少跟别人交往，特别是跟不熟悉的人。(☺我这个人很少跟别人来往，特别是跟不熟悉的人。)
④ 我跟他以前有过来往，但是后来他出国后，我们就没有来往了。(☺我跟他以前有过交往，但是后来他出国后，我们就没有交往了。)
⑤ 虽然两家是亲戚，但是却很少来往。(*虽然两家是亲戚，但是却很少交往。)
⑥ 虽然不在一起了，但是书信来往却从来没有断过。(*虽然不在一起了，但是书信交往却从来没有断过。)
⑦ 街上来往的车辆很多，骑车一定要注意安全。(*街上交往的车辆很多，骑车一定要注意安全。)

727 浇[动]jiāo ▶ 浇灌[动]jiāoguàn

词义说明 Definition

浇[pour liquid on; sprinkle water on] 让水或别的液体落在物体上。[irrigate; water] 灌溉。[cast; pour] 把液体向模子内灌注。

浇灌[water; irrigate] 浇水灌溉。[pour] 把液体向模子内灌注。

词语搭配 Collocation

	~水	~花	~树	~地	~混凝土	~了一身
浇	√	√	√	√	√	√
浇灌	×	×	×	×	√	×

用法对比 Usage

用法解释 Comparison

“浇”和“浇灌”的音节不同，“浇”的宾语可以是单音节词，也可以是多音节词；“浇灌”的宾语不能是单音节词，只能是双音节或多音节词。“浇”口语常用，“浇灌”口语不常用。

语境示例 Examples

① 大桥桥墩浇灌混凝土的工序已经完成。(☺大桥桥墩浇混凝土的工序已经完成。)
② 没带伞，雨把全身上下都浇透了。(*没带伞，雨把全身上下都

浇灌透了。)
③ 院子里的花该浇水了。(＊院子里的花该浇灌水了。)
④ 要改变农村传统的浇灌办法，采用节水型灌溉法。(＊要改变农村传统的浇办法，采用节水型灌溉法。)
⑤ 在我们家，浇花浇树的工作都是爸爸干。(＊在我们家，浇灌花浇灌树的工作都是爸爸干。)

728 骄傲[形]jiāo'ào ▶ 自豪[形]zìháo

词义说明 Definition

骄傲[arrogant; conceited] 自以为了不起，看不起别人。[be proud; take pride in] 自豪。[object or person worthy of pride] 值得自豪的人和事。

自豪[have a proper sense of pride or dignity; be proud of sth.] 因为自己或与自己有关的集体或个人具有优良品质或取得伟大成就而感到光荣。

词语搭配 Collocation

	很～	有点儿～	太～了	祖国的～	感到～	～感
骄傲	√	√	√	√	√	×
自豪	√	×	√	×	√	√

用法对比 Usage

用法解释 Comparison

“自豪”是个褒义词，“骄傲”表“自豪”的意思时是褒义词，表“自大，看不起别人”的意思时是贬义词。

语境示例 Examples

① 我为有他这样一个朋友而感到骄傲。(☺我为有他这样一个朋友而感到自豪。)
② 我们为伟大的祖国而感到自豪。(☺我们为伟大的祖国而感到骄傲。)
③ 就是取得再大的成绩也没有任何骄傲的理由。(＊就是取得再大的成绩也没有任何自豪的理由。)
④ 这次考得不错，但是不要骄傲，还要继续努力。(＊这次考得不错，但是不要自豪，还要继续努力。)

⑤ 虚心使人进步，骄傲使人落后。（*虚心使人进步，自豪使人落后。）

“骄傲”还可以作名词，用于“A是B的骄傲”的句式，“自豪”没有这个用法。

唐诗宋词是中国文学的骄傲。（*唐诗宋词是中国文学的自豪。）

729 搅[动]jiǎo ▶ 搅拌[动]jiǎobàn

词义说明 Definition

搅[stir; mix] 搅拌：～一下粥。[disturb; annoy] 扰乱：～扰。

搅拌[stir; agitate; mix] 用棍子等在混合物中转动、和、弄，使均匀。

词语搭配 Collocation

	～一～	～扰	～在一起	～匀	～机
搅	√	√	√	√	×
搅拌	×	×	√	√	√

用法对比 Usage

用法解释 Comparison

“搅”有“搅拌”的意思，但还有“打搅”的意思，“搅拌”没有这个意思。“搅拌”只能带具体宾语，“搅”既可以带具体宾语，也可以带抽象宾语。

语境示例 Examples

① 这种饺子馅是把肉和菜搅拌在一起做成的。(☺这种饺子馅是把肉和菜搅在一起做成的。)

② 把西红柿搅在肉馅里，馅的味道会更好。(☺把西红柿搅拌在肉馅里，馅的味道会更好。)

③ 要用搅拌器把水、水泥和沙子搅拌匀，做成灰沙浆。(☺要用搅拌器把水、水泥和沙子搅匀，做成灰沙浆。)

④ 饺子下锅以后要搅一下，不然会粘锅。（*饺子下锅以后要搅拌一下，不然会粘锅。）

⑤ 你一吵把我的思路都搅乱了。（*你一吵把我的思路都搅拌乱了。）

730 缴[动]jiǎo ▶ 缴纳[动]jiǎonà

词义说明 Definition

缴[pay; hand over; hand in] 交纳；交出（指履行义务或被迫）。[capture (arms)] 迫使交出（多指武器）。

缴纳[pay; hand in] 向政府或公共团体交付规定数额的金钱或实物，也叫“交纳”。

词语搭配 Collocation

	～税	～费	～会费	～所得税	～公粮	～保险	～学费	～枪
缴	√	√	√	√	√	√	√	√
缴纳	×	×	√	√	√	√	√	×

用法对比 Usage

用法解释 Comparison

“缴”和“缴纳”意义相同，因为音节不同，用法也不同，“缴纳”不能带单音节词作宾语，“缴”没有此限。

语境示例 Examples

① 要按规定缴所得税。(☺要按规定缴纳所得税。)

② 一年要缴纳两千多美元的学费。(☺一年要缴两千多美元的学费。)

③ 公司给每个职工都缴纳了生命保险。(☺公司给每个职工都缴了生命保险。)

④ 每月五号以前要缴纳房租。(☺每月五号以前要缴房租。)

⑤ 罚没的款项要一律上缴国库。（*罚没的款项要一律上缴纳国库。）

731 叫喊[动]jiàohǎn ▶ 叫嚷[动]jiàorǎng

词义说明 Definition

叫喊[shout; yell; howl] 大声叫，嚷。

叫嚷[shout; howl; clamour] 喊叫。

J

词语搭配 Collocation

	大声~	高声~	~着	不要~	~什么
叫喊	√	√	√	√	√
叫嚷	√	√	√	√	√

用法对比 Usage

用法解释 Comparison

“叫喊”和“叫嚷”的感情色彩不同，“叫喊”是中性的，用于对这一动作行为的客观表述，“叫嚷”是对“大声喊叫”这种动作行为的主观评述，含贬义。

语境示例 Examples

① 请不要大声叫喊，影响别人休息。(☺请不要大声叫嚷，影响别人休息。)

② 儿子叫嚷着要爸爸给他买玩具。（＊儿子叫喊着要爸爸给他买玩具。)

③ 你这么叫喊，会把嗓子喊哑的。（＊你这么叫嚷，会把嗓子喊哑的。)

④ 有人在楼下叫喊你的名字，你快去看看。(＊有人在楼下叫嚷你的名字，你快去看看。)

732 教导[动、名]jiàodǎo ▶ 教育[动、名]jiàoyù

词义说明 Definition

教导[instruct; teach; give guidance; teaching; guidance] 教育指导。

教育[education] 培养学生准备从事社会生活的整个过程，是学校对儿童、少年、青年培养的过程。[teach; educate] 用道理说服人。

词语搭配 Collocation

	老师的~	~他	~学生	~青少年	~方针	说服~	~事业	受~
教导	√	√	√	√	×	×	×	×
教育	√	√	√	√	√	√	√	√

用法对比 Usage

用法解释 Comparison

"教导"的行为主体是老师和长辈，"教育"的行为主体是学校、家庭、社会、书籍、以及生活等；"教导"的方式主要用言语，"教育"的方式各种各样；"教导"这一动作行为一发生即结束，而"教育"则是个很长的过程。

语境示例 Examples

① 导师总是教导我，首先是要学会做人，然后才是做学问。(☺导师总是教育我，首先是要学会做人，然后才是做学问。)
② 在老师的教导下，我们的进步很快。(☺在老师的教育下，我们的进步很快。)
③ 要教育青少年热爱科学。(☺要教导青少年热爱科学。)
④ 我取得的成绩与母校多年来对我的教育是分不开的。(☺我取得的成绩与母校多年来对我的教导是分不开的。)
⑤ 这本书使我很受教育。(*这本书使我很受教导。)
⑥ 改革开放以来，中国的教育事业取得了很大的发展。(*改革开放以来，中国的教导事业取得了很大的发展。)

733 教养[动、名]jiàoyǎng ▶ 修养[动、名]xiūyǎng

词义说明 Definition

教养[bring up; train; educate] 教育培养。[breeding; upbringing; education]指一般文化和品德的修养。

修养[accomplishment; training; mastery]指理论、知识、艺术、思想等方面的一定水平。[accomplishment in self-cultivation; self-possession]指养成的正确的待人处事的态度。

词语搭配 Collocation

	有~	没有~	家庭~	~子女	理论~	艺术~	文学~
教养	√	√	√	√	×	×	×
修养	√	√	×	×	√	√	√

用法对比 Usage

用法解释 Comparison

"教养"可以带宾语，"修养"不能带宾语。

语境示例 Examples

① 他无论在任何情况下都不急不躁，温文尔雅，非常有修养。(☺他无论在任何情况下都不急不躁，温文尔雅，非常有教养。)
② 丈夫去世后，她一人教养三个儿女，让他们都上了大学。(＊丈夫去世后，她一人修养三个儿女，让他们都上了大学。)
③ 家庭教养对孩子的成长有着至关重要的作用。(＊家庭修养对孩子的成长有着至关重要的作用。)
④ 要重视大学生的道德修养。(＊要重视大学生的道德教养。)
⑤ 他在文学方面很有修养。(＊他在文学方面很有教养。)
⑥ 要提高理论修养就要多读书。(＊要提高理论教养就要多读书。)

734 教育[动、名]jiàoyù ▶ 培养[动]péiyǎng

J

词义说明 Definition

教育[education] 培养学生准备从事社会生活的整个过程；是学校对儿童、少年、青年培养的过程。[teach; educate] 用道理说服人。

培养[foster; train; develop (a certain spirit, ability, etc. in sb.)] 按照一定的目的长期的教育和训练。[culture; cultivate] 以适宜的条件使繁殖。

词语搭配 Collocation

	～学生	～青少年	～人才	～接班人	～制度	～方针	～事业	接受～	受～	～他
教育	√	√	×	×	√	√	√	√	√	√
培养	√	√	√	√	×	×	×	×	×	√

用法对比 Usage

用法解释 Comparison

“教育”和“培养”都有教导启发，使明白道理的意思。但是“教育”还是名词，可以作宾语，“培养”只是动词，不能作宾语。“教育”的对象是人，“培养”的对象可以是人，也可以是植物、微生物等。接受“教育”的人可以是社会所有成员，接受“培养”的人一般是教育对象中的优秀分子。

语境示例 Examples

① 学校要教育学生成为对国家和人民有用的人。(☺学校要培养学生

成为对国家和人民有用的人。)
② 要注意发现和培养各项事业的接班人。(* 要注意发现和教育各项事业的接班人。)
③ 多年来，导师精心地培养他，希望他能成为这个专业领域的学术带头人。(* 多年来，导师精心地教育他，希望他能成为这个专业领域的学术带头人。)
④ 一百多年来，这个大学为国家培养了成千上万的优秀人才。(* 一百多年来，这个大学为国家教育了成千上万的优秀人才。)
⑤ 要树立终身受教育的观念，不断学习新知识。(* 要树立终身受培养的观念，不断学习新知识。)
⑥ 全社会都应该关心教育事业的发展。(* 全社会都应该关心培养事业的发展。)
⑦ 我们的大学教育应该不断改革，使它能更好地适应社会发展的需要。(* 我们的大学培养应该不断改革，使它能更好地适应社会发展的需要。)
⑧ 这种菌类在什么条件下才能培养出来？(* 这种菌类在什么条件下才能教育出来？)

735 皆[副]jiē ▶ 都[副]dōu

词义说明 Definition

皆[all; each and every] 都；都是。

都[all] 表示总括，所总括的成分一般在前。[already] 已经。[even] 甚至。

词语搭配 Collocation

	人人～知	～大欢喜	比比～是	～好	～八点了	～二十了
皆	√	√	√	×	×	×
都	×	×	×	√	√	√

用法对比 Usage

"皆"有"都"的意思，但是用于书面，"都"书面口语都常用。

① 这个人在中国可以说是人人皆知。(* 这个人在中国可以说是人人都知。)(☺这个人在中国可以说是人人都知道。)
② 这种以弱胜强，以小胜大的例子，在世界战争史上比比皆是。(* 这种以弱胜强，以小胜大的例子，在世界战争史上比比都是。)

③ 这样做，老人满意，年轻人也高兴，真是皆大欢喜。（＊这样做，老人满意，年轻人也高兴，真是都大欢喜。）
④ 这次考试我们班的学生都及格了。（＊这次考试我们班的学生皆及格了。）

"都"有"甚至"的意思，"皆"没有这个意思。

已经是春天了，可是一点儿都不暖和。（＊已经是春天了，可是一点儿皆不暖和。）

"都"有"已经"的意思，"皆"没有这个意思和用法。

① 他都二十多了，还没有女朋友呢。（＊他皆二十多了，还没有女朋友呢。）
② 没想到她都结婚了。（＊没想到她皆结婚了。）

736 接待[动]jiēdài ▶ 招待[动]zhāodài

词义说明 Definition

接待[receive; admit] 迎接（客人、代表团等）并给以安排；招待。

招待[receive (guests); entertain; serve (customers)] 对客人表示欢迎并给予应有的待遇。

词语搭配 Collocation

	～客人	～顾客	记者～会	～所	～来宾	～一下	～不了	没什么可～的
接待	√	√	×	×	√	√	√	×
招待	√	√	√	√	√	√	×	√

用法对比 Usage

用法解释 Comparison

"接待"和"招待"的对象都是朋友、来客、外来人员等，不同的是，"接待"不一定请吃请喝，"招待"一般要请吃请喝。

语境示例 Examples

① 今天晚上，国务院总理在人民大会堂举行盛大的国庆招待会。（＊今天晚上，国务院总理在人民大会堂举行盛大的国庆接待会。）
② 我有个朋友要去你那里出差，请你接待一下。（☺我有个朋友要去你那里出差，请你招待一下。）
③ 我们这里是个小地方，没有什么可招待的，随便吃点儿吧。（＊我

们这里是个小地方，没有什么可接待的，随便吃点儿吧。）

④ 一下子来五百多人，我们旅馆接待不了。（＊一下子来五百多人，我们旅馆招待不了。）

⑤ 我们饭店接待任务挺重的，每年都要接待上万人。（＊我们饭店招待任务挺重的，每年都要招待上万人。）

⑥ 今天下午外交部举行记者招待会，新闻发言人回答了记者的提问。（＊今天下午外交部举行记者接待会，新闻发言人回答了记者的提问。）

737 接近[动]jiējìn ▶ 靠近[动]kàojìn

词义说明 Definition

接近[be close to; near; approach] 靠近；差别小；相距不远。

靠近[be close to; be near] 彼此间的距离近。[draw near; move towards; approach] 向一定目标运动使彼此间的距离缩小。

词语搭配 Collocation

	很～	水平～	比分～	～群众	～河岸	～半夜	～先进水平	～完成
接近	√	√	√	√	×	√	√	√
靠近	×	×	×	×	√	×	×	×

用法对比 Usage

用法解释 Comparison

“接近”和“靠近”的意思不同，“接近”涉及的是二者之间抽象的距离，而“靠近”涉及的是实际距离，它们不能相互替换。

语境示例 Examples

① 这项技术已经接近国际先进水平。（＊这项技术已经靠近国际先进水平。）

② 他们俩这次考试的成绩很接近。（＊他们俩这次考试的成绩很靠近。）

③ 比赛正在紧张地进行着，双方的比分很接近。（＊比赛正在紧张地进行着，双方的比分很靠近。）

④ 我觉得他这个人很不容易接近。（＊我觉得他这个人很不容易靠近。）

⑤ 全部工程已经接近完成。（＊全部工程已经靠近完成。）

⑥ 时间已经接近半夜，可他还在学习。（*时间已经靠近半夜，可他还在学习。）
⑦ 靠近沙发的地方，放着一张茶几。（*接近沙发的地方，放着一张茶几。）
⑧ 船正在慢慢向河岸靠近。（*船正在慢慢向河岸接近。）

738 接连[副]jiēlián ▶ 不断[副]búduàn

词义说明 Definition

接连[running; on end; in a row; in succession; one after the other] 一个跟着一个地；一次跟着一次地，连续不断地。

不断[unceasing; uninterrupted; continuous; constant] 连续不间断。

词语搭配 Collocation

	～不断	～发生	～出现	～努力	～要求	～进步	～发展	～产生
接连	√	√	√	×	×	×	×	×
不断	×	√	√	√	√	√	√	√

用法对比 Usage

用法解释 Comparison

“接连”后边可以跟数量词语，“不断”后边不能跟数量词语。

语境示例 Examples

① 今年接连传来喜讯。（☺今年不断传来喜讯。）
② 我接连收到了他三封信。（*我不断收到了他三封信。）
③ 他接连好几天没来上课了。（*他不断好几天没来上课了。）
④ 这里接连发生了三起交通事故。（*这里不断发生了三起交通事故。）
⑤ 接连下了两天雨，路上到处都是水。（*不断下了两天雨，路上到处都是水。）
⑥ 人类社会总是不断进步的，永远不会停止在一个水平上。（*人类社会总是接连进步的，永远不会停止在一个水平上。）
⑦ 要保证国民经济持续不断的发展，必须重视保护环境。（*要保证国民经济持续接连的发展，必须重视环境保护。）
⑧ 前进的路上会不断出现新问题，遇到新困难，不可能是一帆风顺的。（*前进的路上会接连出现新问题，遇到新困难，不可能是一帆风顺的。）

739 接受[动]jiēshòu ▶ 接收[动]jiēshōu

词义说明 Definition

接收[receive (radio signals, etc.); accept] 收受：～无线电信号。[take over (property, etc.); expropriate] 依据法令把机构、财产等拿过来。[admit; recruit] 接纳。

接受[take on; accept] 对事物容纳而不拒绝。

词语搭配 Collocation

	～邀请	～教训	～批评	～考验	～任务	～意见	～信号	～信息	～礼物	～新生
接受	√	√	√	√	√	√	×	×	×	×
接收	×	×	×	×	×	×	√	√	√	√

用法对比 Usage

用法解释 Comparison

“接受”主要是心理活动，它的宾语一般是抽象名词。“接收”的宾语既可以是抽象名词，也可以是具体名词。

语境示例 Examples

① 我准备接受他们的邀请，去讲学一个月。(*我准备接收他们的邀请，去讲学一个月。)
② 一定要接受这次事故的教训。(*一定要接收这次事故的教训。)
③ 我们应该虚心接受顾客的批评和建议，认真改进服务工作。(*我们应该虚心接收顾客的批评和建议，认真改进服务工作。)
④ 我每天靠国际互联网接收新闻和其他信息。(*我每天靠国际互联网接受新闻和其他信息。)
⑤ 他们大学今年准备接收一万名新生。(*他们大学今年准备接受一万名新生。)
⑥ 因为贪污和接受巨额贿赂，他被判处二十年徒刑。(*因为贪污和接收巨额贿赂，他被判处二十年徒刑。)

740 接着[副、连]jiēzhe ▶ 继续[动、名]jìxù

词义说明 Definition

接着[follow; carry on] 连着上面的话接续说。[after that; and

then] 紧接着（前面的动作）继续做。

继续[continue; go on] （活动）连下去；延长下去，不间断。[continuation] 跟某事有连续关系的另一事。

词语搭配 Collocation

	～说	～写	～看	～讲	～打	～工作	～上课	～了三天	…的～
接着	√	√	√	√	√	√	√	×	×
继续	√	√	√	√	√	√	√	√	√

用法对比 Usage

用法解释 Comparison

“接着”修饰的行为主体可以是一个，也可以是两个或多个，“继续”的行为主体只有一个。

语境示例 Examples

① 今天的课文就讲到这里，明天接着讲。（☺今天的课文就讲到这里，明天继续讲。）

② 这本小说你看完以后先不要还，我接着看。（*这本小说你看完以后先不要还，我继续看。）

③ 这个电视连续剧很不错，我想接着看下去。（☺这个电视连续剧很不错，我想继续看下去。）

④ 这项工作恐怕要继续到这个月底才能结束。（*这项工作恐怕要接着到这个月底才能结束。）

⑤ 刚打了一阵雷，接着就下起了暴雨。（*刚打了一阵雷，继续就下起了暴雨。）

⑥ 今天晚上演的是这部电影的下集，是上集的继续。（*今天晚上演的是这部电影的下集，是上集的接着。）

741 接着[副、连]jiēzhe ▶ 接连[副]jiēlián

词义说明 Definition

接着[follow; carry on] 连着上面的话接续说。[after that; and then] 紧接着（前面的动作）继续做。

接连[running; on end; in a row; in succession] 一次跟着一次，一个跟着一个。

词语搭配 Collocation

	你～	没～	～说	～干	～讲语法	～昨天的	～好几天	～下了三个小时	～不断
接着	√	√	√	√	√	√	×	√	×
接连	×	×	×	×	×	×	√	√	√

用法对比 Usage

用法解释 Comparison

“接着”是副词和连词，而“接连”只是副词。副词“接着”表示多个动作行为一个跟着一个发生，副词“接连”表示一个动作不断地发生。

语境示例 Examples

① 我们先讲生词，接着讲课文。（＊我们先讲生词，接连讲课文。）
② 我们今天接着昨天的往下讲。（＊我们今天接连昨天的往下讲。）
③ 他说完了你接着说。（＊他说完了你接连说。）
④ 大雨接连下了三天。（＊大雨接着下了三天。）
⑤ 这个星期接连收到他三封电子邮件（e-mail）。（＊这个星期接着收到他三封电子邮件。）
⑥ 他接连问了我好几个问题。（＊他接着问了我好几个问题。）

742 接着[动、副、连]jiēzhe ▶ 连着[动]liánzhe

词义说明 Definition

接着[follow; carry on] 连着上面的话接续说。[after that; and then] 紧接着（前面的动作）继续做。

连着[link; connect; successive; continuous; running] 两个事物相互连接；动作连续进行。

词语搭配 Collocation

	你～	～说	～做	～讲	心～心	山～山	～三个月
接着	√	√	√	√	×	×	×
连着	×	√	×	×	√	√	√

用法对比 Usage

用法解释 Comparison

“接着”的行为主体可以是一个，也可以是两个或多个，而“连着”的动作主体不能是一个，只能是两个。“接着”的语义焦点是两个动作之间有上、下，先、后之“分”；而“连着”强调两个事物、两个动作之“合”。“接着”后边不能带数量词，“连着”可以带数量词。

语境示例 Examples

① 别打断他，让他接着说下去。（*别打断他，让他连着说下去。）
② 他说完第一段你接着说第二段。（*他说完第一段你连着说第二段。）
③ 他连着三年都没有考上大学。（*他接着三年都没有考上大学。）
④ 今天的作业我还没有做完，晚上得接着做。（*今天的作业我还没有做完，晚上得连着做。）
⑤ 这个句子不能分开，得连着说。（*这个句子不能分开，得接着说。）
⑥ 他连着三个月都没有给我来信了。（*他接着三个月都没有给我来信了。）
⑦ 我们两国山连着山，水连着水，有着传统的友好关系。（*我们两国山接着山，水接着水，有着传统的友好关系。）

J

743 揭露[动]jiēlù ▶ 揭发[动]jiēfā

词义说明 Definition

揭露[expose; lay bare; unveil; uncover; disclose what has been hidden] 使隐蔽的事物显露。

揭发[expose; uncover; bring to light; disclose] 揭露（坏人坏事）。

词语搭配 Collocation

	～矛盾	～真相	～事物的本质	～罪行	检举～	～腐败分子	～材料
揭露	√	√	√	×	×	√	×
揭发	×	×	×	√	√	√	√

用法对比 Usage

用法解释 Comparison

“揭露”的对象是事物的矛盾、本质和事情的真相；“揭发”的对象主要是人，而且主要是隐藏的、做了坏事的人。

语境示例 Examples

① 是群众给上级写信才把这个腐败分子揭露出来的。(☺是群众给上

级写信才把这个腐败分子揭发出来的。)

② 这份揭发材料是通过总理的秘书转给总理的。(＊这份揭露材料是通过总理的秘书转给总理的。)

③ 是他向国家最高领导揭发了这个特大金融犯罪集团的罪行。(＊是他向国家最高领导揭露了这个特大金融犯罪集团的罪行。)

④ 只有把错误的东西揭发出来，才能吸取教训，使以后的工作做得更好些。(＊只有把错误的东西揭露出来，才能吸取教训，使以后的工作做得更好些。)

⑤ 媒体通过大量的调查，终于把这一事件的真相揭露出来了。(＊媒体通过大量的调查，终于把这一事件的真相揭发出来了。)

⑥ 公司里有人揭发他贪污公款。(＊公司里有人揭露他贪污公款。)

744 街[名]jiē ▶ 街道[名]jiēdào

词义说明 Definition

街[street] 旁边有房屋的比较宽阔的道路。

街道[street] 街。[residential district; neighbourhood] 关于街上居民的。

词语搭配 Collocation

	大～	小～	～上	上～	～工作
街	√	√	√	√	×
街道	×	×	√	×	√

用法对比 Usage

用法解释 Comparison

“街”是可数名词，与之搭配的量词是“条”；“街道”是街的总称。

语境示例 Examples

① 这个城市街两旁都有树，给人的感觉非常好。(☺这个城市街道两旁都有树，给人的感觉非常好。)

② 这条街叫什么名字？(☺这条街道叫什么名字？)

③ 我想上街去买点儿东西，你去不去？(＊我想上街道去买点儿东西，你去不去？)

④ 中国的节假日大街小巷都很热闹。(＊中国的节假日大街道小巷

都很热闹。)

“街道”还是中国城市行政区划的基层单位。

街道工作很复杂，要为居民提供各种服务，还要负责安全保卫等。(＊街工作很复杂，要为居民提供各种服务，还要负责安全保卫等。)

745 节省[动]jiéshěng ▶ 节约[动]jiéyuē

词义说明 Definition

节省[economize; save; use sparingly; cut down on] 使可能被耗费掉的不被耗费掉或少耗费掉。

节约[(oft. used in a larger scope) practise; thrift; economize; save] 节省。

词语搭配 Collocation

	～时间	增产～	～开支	～原材料	～水电	～油	～煤气	～钱	～下来
节省	√	×	√	√	√	√	√	√	√
节约	√	√	√	√	√	√	√	√	√

用法对比 Usage

用法解释 Comparison

“节省”和“节约”是同义词，大都可以通用。“节省”偏重于“省”，少耗费，对象是人力、能源、时间、财物等；“节约”是不浪费，多用于较大的范围。

语境示例 Examples

① 要节省能源。(☺要节约能源。)

② 他把节省下来的两千块钱捐给了希望工程。(☺他把节约下来的两千块钱捐给了希望工程。)

③ 该花的钱一定要花，不能太节省了。(☺该花的钱一定要花，不能太节约了。)

④ 由于他们精打细算，这项工程下来给国家节约了两千多万。(☺由于他们精打细算，这项工程下来给国家节省了两千多万。)

⑤ 这个月只有五百块钱了，要节省着用。(＊这个月只有五百块钱了，要节约着用。)

⑥ 勤俭节约是中国人民的优良传统。(＊勤俭节省是中国人民的优良传统。)

746 结果[名、连]jiéguǒ ▶ 最后[名]zuìhòu

词义说明 Definition

结果[result; outcome] 在一定阶段，事物发展所达到最后的状态。

最后[final; last; ultimate] 在时间上或次序上在所有别的之后。

词语搭配 Collocation

	什么～	～怎样	没有～	努力的～	～胜利	～一刻	～一排	～一个	～赢了	～输了
结果	√	√	√	√	×	×	×	×	√	√
最后	×	√	×	×	√	√	√	√	√	√

用法对比 Usage

用法解释 Comparison

“结果”是名词也是连词，“最后”只是名词；“结果”可以作中心语，“最后”很少作中心语；“最后”常作定语，“结果”不常作定语。

语境示例 Examples

① 昨天晚上的足球赛我没有看完，结果谁赢了？（☺昨天晚上的足球赛我没有看完，最后谁赢了？）

② 学习汉语跟学习其他外语一样，贵在坚持，只要坚持学下去，最后一定能成功。（☺学习汉语跟学习其他外语一样，贵在坚持，只要坚持学下去，结果一定能成功。）

③ 身体检查的结果还没有出来。（＊身体检查的最后还没有出来。）

④ 这本书的最后一页怎么没有了？（＊这本书的结果一页怎么没有了？）

⑤ 这是这个学期最后一次考试了。（＊这是这个学期结果一次考试了。）

⑥ 这次马拉松比赛他虽然没有得到名次，但是能够坚持到最后就很不简单。（＊这次马拉松比赛他虽然没有得到名次，但是能够坚持跑到结果就很不简单。）

⑦ 他能取得这么好的成绩，是刻苦努力的结果。（＊他能取得这么好的成绩，是刻苦努力的最后。）

⑧ 节目的最后是大合唱。（＊节目的结果是大合唱。）

747 结束[动]jiéshù ▶ 完毕[动]wánbì

词义说明 Definition

结束[end; finish; conclude; wind up; close] 发展或进行到最后阶段，不再继续。

完毕[finish; complete; end] 完结；完了。

词语搭配 Collocation

	～工作	考试～了	没有～	已经～	什么时候～	比赛～	～以后	～不了
结束	√	√	√	√	√	√	√	√
完毕	×	√	×	√	√	√	√	√

用法对比 Usage

用法解释 Comparison

“结束”是及物动词，可以带宾语，“完毕”是不及物动词，不能带宾语。“结束”比“完毕”常用，“完毕”用于书面。

语境示例 Examples

① 期末考试结束以后我们再说旅行的事吧。(☺期末考试完毕以后我们再说旅行的事吧。)

② 我看这项工作到七月也结束不了。(☺我看这项工作到七月也完毕不了。)

③ 考察工作一结束他们就去中国南方旅行了。(☺考察工作一完毕他们就去中国南方旅行了。)

④ 这次飞船发射工作已经胜利结束。(＊这次飞船发射工作已经胜利完毕。)

⑤ 上半场的比赛已经结束了，比分是1比0。(＊上半场的比赛已经完毕了，比分是1比0。)

⑥ 我们争取七月底以前结束训练。(＊我们争取七月底以前完毕训练。)

748 结束[动]jiéshù ▶ 完成[动]wánchéng

词义说明 Definition

结束[end; finish; conclude; wind up; close] 发展或进行到最后阶段，不再继续。

完成[accomplish; complete; fulfil; bring to success (or fruition)]

事情按预定目标做成。

词语搭配 Collocation

	学期～	～访问	～工作	任务～了	任期～	～作业	～计划	～任务	～指标	～学业
结束	√	√	√	√	√	×	×	×	×	×
完成	×	×	√	√	×	√	√	√	√	√

用法对比 Usage

用法解释 Comparison

“结束”强调动作行为停止了，不再继续了，多与时间有关。“结束”可能完成了，也可能没有完成。“完成”与预定的计划、目标、任务有关，强调事情、工作、任务等按计划做成了。“完成”和“结束”的宾语也不同。

语境示例 Examples

① 这个学期又快结束了。（*这个学期又快完成了。）
② 全场比赛已经结束，上海队取得了这场比赛的胜利。（*全场比赛已经完成，上海队取得了这场比赛的胜利。）
③ 这个月的任务已经完成。（*这个月的任务已经结束。）
④ 他几十年如一日地为国家和人民操劳，直到生命结束。（*他几十年如一日地为国家和人民操劳，直到生命完成。）
⑤ 我们已经完成了预定的目标。（*我们已经结束了预定的目标。）
⑥ 我们一定要完成历史赋予的使命，把中国建设一个富强、民主、文明的社会主义现代化国家。（*我们一定要结束历史赋予的使命，把中国建设一个富强、民主、文明的社会主义现代化国家。）

749 竭力[副]jiélì ▶ 极力[副]jílì

词义说明 Definition

竭力[do one's utmost; use every ounce of one's energy; try by every possible means] 用尽全力。

极力[do one's utmost; spare no effort] 用尽一切力量；想尽一切办法。

词语搭配 Collocation

	～完成	～鼓吹	～反对	～帮助	～设法	～避免	～劝阻	～吹捧	～克服
竭力	√	√	√	×	×	×	×	√	×
极力	×	√	√	√	√	√	√	√	√

用法对比 Usage

用法解释 Comparison

“竭力”和“极力”是同义词，都可以做状语，但“竭力”多修饰消极的动作行为，“极力”没有此限。“竭力”比“极力”程度更深。“竭力”还可以说“竭尽全力”，“极力”没有“极尽全力”的说法。

语境示例 Examples

① 他竭力控制住自己的感情，冷静地处理这个问题。(☺他极力控制住自己的感情，冷静地处理这个问题。)
② 妈妈极力反对我出国留学。(☺妈妈竭力反对我出国留学。)
③ 你放心，我会极力设法帮助你度过难关。(＊你放心，我会竭力设法帮助你度过难关。)
④ 他极力向公司推荐这个人，我们不妨试用他半年，如果合适再正式聘用。(＊他竭力向公司推荐这个人，我们不妨试用他半年，如果合适再正式聘用。)
⑤ 我极力劝阻朋友不要接受这个公司的邀请，因为我认为这个公司的财务情报是虚假的。(＊我竭力劝阻朋友不要接受这个公司的邀请，因为我认为这个公司的财务情报是虚假的。)
⑥ 要极力避免这种情况的发生。(＊要竭力避免这种情况的发生。)

750 竭力[副]jiélì ▶ 尽力 jìn lì

词义说明 Definition

竭力[do one's utmost; use every ounce of ons's energy; try by every possible means] 用尽全力。

尽力[do all one can; try one's best] 用一切力量。

词语搭配 Collocation

	～反对	～主张	～鼓吹	～支持	～帮助	～支援	～而为
竭力	√	√	√	×	×	×	×
尽力	×	×	×	√	√	√	√

用法对比 Usage

用法解释 Comparison

“竭力”修饰的多是消极的动作行为，“尽力”修饰的都是积极的动作行为。“尽力”可以加“了”作谓语，“竭力”不能。

语境示例 Examples

① 有困难你就提出来，我们会尽力想办法帮你解决。（＊有困难你就提出来，我们会竭力想办法帮你解决。）
② 我们要尽力支援农村的抗旱工作。（＊我们要竭力支援农村的抗旱工作。）
③ 我男朋友竭力反对我报名。（＊我男朋友尽力反对我报名。）
④ 那些竭力鼓吹让女人回家去的主张，遭到了广大妇女的坚决反对。（＊那些尽力鼓吹让女人回家去的主张，遭到了广大妇女的坚决反对。）
⑤ 尽管他竭力掩盖自己贪污的罪行，但是还是被办案人员找到了证据。（＊尽管他尽力掩盖自己贪污的罪行，但是还是被办案人员找到了证据。）

J

751 解除[动]jiěchú ▶ 废除[动]fèichú

词义说明 Definition

解除[remove; relieve; get rid of] 去掉；消除。

废除[(of law or decree, system, treaty, etc.) abolish; abrogate; annul; repeal; blow up] 取消；废止（法令、制度、条约等）。

词语搭配 Collocation

	～合同	～警报	～顾虑	～武装	～职务	～农奴制	～不平等条约
解除	√	√	√	√	√	×	×
废除	√	×	×	×	×	√	√

用法对比 Usage

用法解释 Comparison

“解除”的对象是束缚或压在身心上的东西，如痛苦、顾虑、危险、警报、武装等。“废除”的对象是不合理的或没有用的制度、法令、条约、特权等。

语境示例 Examples

① 通过协商，我们两家公司的合同自即日起解除。（☺通过协商，我们两家公司的合同自即日起废除。）
② 要尽快解除病人的痛苦，只有做手术。（＊要尽快废除病人的痛苦，只有做手术。）

③ 民主改革废除了农奴制，西藏人民才彻底得到了解放。（＊民主改革解除了农奴制，西藏人民才彻底得到了解放。）
④ 因为贪污受贿，他的职务已经被解除。目前，正在接受审讯。（＊因为贪污受贿，他的职务已经被废除。目前，正在接受审讯。）
⑤ 1949年中华人民共和国成立，同时废除了外国侵略者强加给中国人民的一切不平等条约。（＊1949年中华人民共和国成立，同时解除了外国侵略者强加给中国人民的一切不平等条约。）
⑥ 为了国家安全和人民幸福，必须解除非法组织的武装。（＊为了国家安全和人民幸福，必须废除非法组织的武装。）

752 解答[动、名]jiědá ▶ 解释[动、名]jiěshì

J

词义说明 Definition

解答[answer; explain] 解释回答问题。

解释[explain; expound; interpret] 分析阐明。[construe; explain implications (reasons or causes)] 说明含义、原因、理由等。

词语搭配 Collocation

	～问题	习题～	～生词	～法律	～一下	～清楚	反复～	不用～	～权
解答	√	√	×	×	√	√	×	×	×
解释	√	×	√	√	√	√	√	√	√

用法对比 Usage

用法解释 Comparison

“解答”的对象是疑难问题，“解释”涉及的范围比“解答”要广，一般是词语的意思、事情的原因和理由、不懂的问题、别人的疑问等。

语境示例 Examples

① 同学们有什么问题可以提出来，我给大家解答。（☺同学们有什么问题可以提出来，我给大家解释。）
② 这几个问题，教科书上都有解答。（☺这几个问题，教科书上都有解释。）
③ 这件事要给他解释清楚，免得他产生误会。（＊这件事要给他解

答清楚，免得他产生误会。）

④ 这项法律的解释权在最高人民法院。（＊这项法律的解答权在最高人民法院。）

⑤ 这个句子您能不能给我解释解释，我不明白是什么意思。（＊这个句子您能不能给我解答解答，我不明白是什么意思。）

⑥ 课文后边的这个练习我不知道怎么解答。（＊课文后边的这个练习我不知道怎么解释。）

753 解雇 jiě gù ▶ 解聘 jiě pìn

词义说明 Definition

解雇［discharge; dismiss; fire］停止雇佣。

解聘［dismiss an employee (at the expiration of a contract)］解除职务，不再聘用。

词语搭配 Collocation

	～工人	～佣人	把他～了	被～了
解雇	√	√	√	√
解聘	×	×	√	√

用法对比 Usage

用法解释 Comparison

“解雇”和“解聘”的对象不同，“解聘”的对象一般是聘请来从事复杂劳动的脑力劳动者，而“解雇”的对象一般是雇佣来从事简单劳动的体力劳动者。

语境示例 Examples

① 因为甲方违反合同将乙方解聘，所以，应当赔偿乙方的经济损失。（☺因为甲方违反合同将乙方解雇，所以，应当赔偿乙方的经济损失。）

② 因为他违反公司的规定，泄露了公司的技术机密，给公司造成了一定的损失，所以公司决定将他解聘。（☺因为他违反公司的规定，泄露了公司的技术机密，给公司造成了一定的损失，所以公司决定将他解雇。）

③ 工厂不能随意解雇工人。（＊工厂不能随意解聘工人。）

④ 因为不遵守劳动纪律，多次旷工迟到，他被工厂解雇了。（＊因

为不遵守劳动纪律，多次旷工迟到，他被工厂解聘了。）

⑤ 合同规定的聘任期为三年，到期自动解聘。（＊合同规定的聘任期为三年，到期自动解雇。）

754 解释[动、名]jiěshì ▶ 说明[动、名]shuōmíng

词义说明 Definition

解释［explain; expound; interpret］分析阐明。［construe; explain implications (reasons or causes)］说明含义、原因、理由等。

说明［explain; illustrate］解释明白。［show; prove］证明。［explanation; directions; caption］解释意思的话。

词语搭配 Collocation

	～清楚	～一下	～生词	～法律	不用～	～问题	～原因	～理由	～书	～权	能～
解释	√	√	√	√	√	√	√	√	×	√	√
说明	×	√	×	×	√	√	√	√	√	×	√

用法对比 Usage

用法解释 Comparison

“解释”的对象一般是词语的意思、事情的原因和理由、不懂的问题、别人的疑问等。“说明”的对象是问题、道理、情况，需要别人知道的事情及其原因、理由等。

语境示例 Examples

① 我把这个问题给大家解释一下。（☺我把这个问题给大家说明一下。）

② 你不用解释了，大家都明白是怎么回事。（☺你不用说明了，大家都明白是怎么回事。）

③ 老师，这个词的意思您能不能再解释一下？（☺老师，这个词的意思您能不能再说明一下？）

④ 他有些误会，你给他解释解释。（＊他有些误会，你给他说明说明。）

⑤ 对这项法律只有人大常委会才有解释权。（＊对这项法律只有人大常委会才有说明权。）

⑥ 这是这个京剧的说明书，你看看是什么意思。（＊这是这个京剧的解释书，你看看是什么意思。）

⑦ 这些图片下面都配有文字说明。（＊这些图片下面都配有文字解释。）

"说明"还有证明的意思，"解释"没有这个意思。

她能考得这么好，说明她平时学习非常努力。（＊她能考得这么好，解释她平时学习非常努力。）

755 介绍[动、名] jièshào ▶ 说明[动、名] shuōmíng

词义说明 Definition

介绍[introduce; present] 使双方相识或发生联系。[recommend; suggest] 引入，带入（新的人或事物）。[let know; brief] 使了解或熟悉。

说明[explain; illustrate] 解释明白。[show; prove] 证明。[explanation; directions; caption] 解释意思的话。

词语搭配 Collocation

	～一下	～人	～入会	～情况	～经验	～对象	～一本书	～问题	～原因
介绍	√	√	√	√	√	√	√	×	×
说明	√	×	×	√	×	×	×	√	√

用法对比 Usage

用法解释 Comparison

"介绍"的对象可以是人，也可以是情况、经验、方法等，"说明"的对象不能是人，只能是问题、原因等。

语境示例 Examples

① 你能不能把这个国家的大概情况给我介绍一下。（☺你能不能把这个国家的大概情况给我说明一下。）

② 我先介绍一下今天大会的议程。（☺我先说明一下今天大会的议程。）

③ 请允许我先来介绍一下，这位是王教授，这是我们马校长。（＊请允许我先来说明一下，这位是王教授，这是我们马校长。）

④ 今天是第一次上课，请同学们先做一个自我介绍。（＊今天是第一次上课，请同学们先做一个自我说明。）

⑤ 朋友给我介绍了一个对象。（＊朋友给我说明了一个对象。）

⑥ 我们是通过王老师的介绍认识的。（＊我们是通过王老师的说明

J

认识的。)

⑦ 他决心把中国的京剧艺术介绍到了外国去。(＊他决心把中国的京剧艺术说明到了外国去。)

⑧ 这个故事说明，如果不懂对方的语言，彼此是很难沟通的。(＊这个故事介绍，如果不懂对方的语言，彼此是很难沟通的。)

756 界线[名]jièxiàn ▶ 界限[名]jièxiàn

词义说明 Definition

界限[demarcation line; dividing line; limit; bounds] 不同事物的分界。[limit; end] 尽头处，限度。

界线[boundary line] 两个地区之间划分边界的线。[demarcation line] 不同事物的分界线。

词语搭配 Collocation

	～不清	～分明	划清～	没有～	越过～	两国的～
界限	√	√	√	√	√	×
界线	√	√	×	√	√	√

用法对比 Usage

用法解释 Comparison

这两个词的发音相同，但是表达的意思不尽相同，"界限"是抽象名词，"界线"是具体名词，书写时要注意。

语境示例 Examples

① 要教育青少年分清是非、善恶之间的界限。(＊要教育青少年分清是非、善恶之间的界线。)

② 两国通过谈判协商，最终划定了这段边界的界线。(＊两国通过谈判协商，最终划定了这段边界的界限。)

③ 两国之间的界线就是这条河的中心线。(＊两国之间的界限就是这条河的中心线。)

④ 晨昏线是一天当中白天转为黑夜的界线。(＊晨昏线是一天当中白天转为黑夜的界限。)

⑤ 要划清科学与迷信的界限。(＊要划清科学与迷信的界线。)

757 借故[动]jiègù ▶ 借口[动、名]jièkǒu

词义说明 Definition

借故[find an excuse] 借口某种原因。

借口[use as an excuse (or pretext)] 以某事为理由（不是真正的理由）。[excuse; pretext] 假托的理由。

词语搭配 Collocation

	～请假	～推辞	～推脱	～不参加	～忙	～有事	～头疼	找～
借故	√	√	√	√	×	×	×	×
借口	×	×	×	×	√	√	√	√

用法对比 Usage

用法解释 Comparison

“借口”既是动词，也是名词，含贬义，后边一定带宾语。“借故”是动宾结构，不能再带宾语，常作状语。它们不同相互替换。

语境示例 Examples

① 他不喜欢这个工作，所以，来了不到一个月就借故辞职了。（*他不喜欢这个工作，所以，来了不到一个月就借口辞职了。）

② 我求他帮忙，但是他总是借故推脱。（*我求他帮忙，但是他总是借口推脱。）

③ 晚会进行到一半，我就借口头疼离开了。（*晚会进行到一半，我就借故头疼离开了。）

④ 你不愿跟我去就直说好了，不要找借口。（*你不愿跟我去就直说好了，不要找借故。）

⑤ 他总是借口有病而不来上课。（*他总是借故有病而不来上课。）

758 借口[动、名]jièkǒu ▶ 理由[名]lǐyóu

词义说明 Definition

借口[use as an excuse (or pretext)] 用某事作为理由（不是真正的理由）。[pretext; excuse] 假托的理由。

理由[reason; ground; argument] 事情为什么那样做或这样做的道理。

词语搭配 Collocation

	～有病	找个～	别找～	有～	没有～	什么～	～充足
借口	√	√	√	×	×	×	×
理由	×	√	√	√	√	√	√

用法对比 Usage

用法解释 Comparison

"借口"既是动词也是名词，含贬义；"理由"是个中性名词。

语境示例 Examples

① 你别找借口，我就知道你不想陪我去。(☺你别找理由，我就知道你不想陪我去。)

② 他借口有病，常常不去上班。(＊他理由有病，常常不去上班。)

③ 他是我最好的朋友，如今他有困难，我没有理由不帮助他。(＊他是我最好的朋友，如今他有困难，我没有借口不帮助他。)

④ 我请假的理由很充足。(＊我请假的借口很充足。)

⑤ 你这个人啊，就会找借口。(＊你这个人啊，就会找理由。)

759 今后[名]jīnhòu ▶ 以后[名]yǐhòu

词义说明 Definition

今后[from now on; in the days to come; henceforth; hereafter; in future] 从今以后（从说话的时间开始），将来。

以后[after; afterwards; later; hereafter] 现在或所说某个时间之后的时间。

词语搭配 Collocation

	～还来	～会更好	从今～	毕业～	回国～	出国～	来中国～	四年～
今后	√	√	×	×	×	×	×	×
以后	√	√	√	√	√	√	√	√

用法对比 Usage

用法解释 Comparison

"今后"说的是从现在起以后的时间，只能单独用，不能跟在其他词语的后边。"以后"可以单独用，表示某时点之后；也可以跟在其他词语的后边，表示该词语所表示的时间之后。

语境示例 Examples

① 这个问题我们以后有时间再讨论吧。(☺这个问题我们今后有时间再讨论吧。)
② 今后你有什么打算?(☺以后你有什么打算?)
③ 大学毕业以后我想当翻译。(*大学毕业今后我想当翻译。)
④ 自从来中国以后，我的生活习惯也改变了。(*自从来中国今后，我的生活习惯也改变了。)
⑤ 一个月以后我们就要分别了。(*一个月今后我们就要分别了。)
⑥ 放假以后我准备到云南少数民族地区去考察。(*放假今后我准备到云南少数民族地区去考察。)

760 尽快[副]jǐnkuài ▶ 赶快[副]gǎnkuài

J

词义说明 Definition

尽快[as quickly (or soon, early) as possible] 尽量加快。
赶快[at once; quickly] 抓紧时间，加快速度。

词语搭配 Collocation

	~答复	~完成	~做	~拿出来	~走	~跑	~行动	~出发
尽快	√	√	√	√	√	√	√	√
赶快	√	√	√	√	√	√	√	√

用法对比 Usage

用法解释 Comparison

“尽快”和“赶快”虽然都表示动作的速度快，但是语义有差别。“尽快”表达主观意志，有“尽量快”的意思，不能用于客观描写。“赶快”既可表达主观意志，也可用于客观叙述和描写。“赶快”可以用于祈使句，“尽快”不能用于祈使句。

语境示例 Examples

① 希望你能尽快把这项工程的设计图搞出来。(☺希望你能赶快把这项工程的设计图搞出来。)
② 赶快把作业做完，我们晚上去看电影。(*尽快把作业做完，我们晚上去看电影。)
③ 要下雨了，我们赶快跑吧。(*要下雨了，我们尽快跑吧。)
④ 你现在赶快去，可能还来得及。 (*你现在尽快去，可能还来

得及。）

⑤ A：那篇稿子您什么时候能给我们？
B：我尽快吧。（* 我赶快吧。）

⑥ 看到孩子摔倒了，他赶快跑过去把他扶起来。（* 看到孩子摔倒了，他尽快跑过去把他扶起来。）

761 尽量[副]jǐnliàng ▶ 尽情[副]jìnqíng

词义说明 Definition

尽量[to the best of one's ability; as far as possible] 表示力求在一定范围内达到最大限度。

尽情[to one's heart's content; as much as one likes] 尽量由着自己的情感，不受约束。

词语搭配 Collocation

	～帮助	～解决	～喝吧	～吃	～歌唱	～跳吧	～发泄	～抒发	～玩儿
尽量	√	√	√	√	×	×	×	×	×
尽情	×	×	√	√	√	√	√	√	√

用法对比 Usage

用法解释 Comparison

“尽量”是理智地达到最大限度，“尽情”是感性地达到最大限度，它们修饰的动作行为有所不同。

语境示例 Examples

① 你有什么委屈和不满就尽量地发泄出来吧，不要憋在心里。（☺你有什么委屈就尽情地发泄出来吧，不要憋在心里。）

② 考试完了，我们可以尽情地玩一天。（* 考试完了，我们可以尽量地玩一天。）

③ 有什么困难你说吧，我会尽量帮助解决的。（* 有什么困难你说吧，我会尽情帮助解决的。）

④ 在新年晚会上，大家尽情地唱啊，跳啊，玩得很高兴。（* 在新年晚会上，大家尽量地唱啊，跳啊，玩得很高兴。）

⑤ A：这个星期你能把这篇文章翻译出来吗？B：我尽量吧。（＊我尽情吧。）

⑥ 在这首诗里，诗人尽情地抒发了对祖国无比热爱的情感。（＊在这首诗里，诗人尽量地抒发了对祖国无比热爱的情感。）

762 紧张[形]jǐnzhāng ▶ 紧急[形]jǐnjí ▶ 紧迫[形]jǐnpò

词义说明 Definition

紧张[nervous; keyed-up] 精神处于高度准备状态，兴奋不安。[tense; intense; strained] 激烈而紧迫。[in short supply; tight] 物资供应不足，难于应付。

紧急[urgent; pressing; critical] 必须立即采取行动，不容拖延。

紧迫[pressing; urgent; imminent] 没有缓冲的余地；急迫。

词语搭配 Collocation

	精神～	有些～	工作～	供应～	情况～	形势～	～关头	～措施	～任务	～感
紧张	√	√	√	√	√	√	×	×	×	×
紧急	×	√	×	×	√	×	√	√	√	×
紧迫	×	√	×	×	√	√	×	×	×	√

用法对比 Usage

“紧张”形容人的精神、神经和心理，可以重叠；“紧急”和“紧迫”没有这个用法。

① 请大家不要紧张，要把考题看清楚。（＊请大家不要紧急/紧迫，要把考题看清楚。）

② 我每天都紧紧张张的，觉得时间不够用。（＊我每天都紧紧迫迫/紧紧急急的，觉得时间不够用。）

③ 会议的气氛很紧张，双方争论激烈，各不相让。（＊会议的气氛很紧急/紧迫，双方争论激烈，各不相让。）

“紧张”形容关系、形势、情况激烈；“紧迫”和“紧急”没有这个用法。

① 这个电影的故事情节很紧张。（＊这个电影的故事情节很紧急/紧迫。）

J

② 目前这两国边境的形势很紧张。（*目前这两国边境的形势很紧迫/紧急。）

"紧张"形容物资供应不足；"紧急"和"紧迫"没有这个用法。

由于大河多处发生险情，所以草袋的供应有些紧张。（*由于大河多处发生险情，所以草袋的供应有些紧急/紧迫。）

"紧急"形容情况急，需要马上解决和处理；"紧张"和"紧迫"没有这个用法。

① 这项任务很紧急，要求月底必须完成。（*这项任务很紧张/紧迫，要求月底必须完成。）

② 大夫连忙采取紧急措施，为他输血。（*大夫连忙采取紧张/紧迫措施，为他输血。）

"紧迫"可以形容"时间紧，需要快点儿做"的感觉，可说"紧迫感"，"紧张"和"紧急"没有这个用法。

他干什么事总是慢慢悠悠的，没有紧迫感。（*他干什么事总是慢慢悠悠的，没有紧急/紧张感。）

J

763 尽力 jìn lì ▶ 极力 [副] jílì

词义说明 Definition

尽力 [do all one can; try one's best] 用一切力量。

极力 [do one's utmost; spare no effort] 用尽一切力量；想尽一切办法。

词语搭配 Collocation

	~完成	~而为	~支援	~帮助	尽心~	~反对	~避免	~劝阻	~吹捧
尽力	√	√	√	√	√	×	×	×	×
极力	×	×	×	×	×	√	√	√	√

用法对比 Usage

用法解释 Comparison

"尽力"是离合词，可以分开用，可以作谓语。而"极力"是个副词，不能作谓语。"尽力"做的事情一般都是好事、正面的事，"极力"做的事情有好事也有坏事。

语境示例 Examples

① 你有什么难处就告诉我，我一定尽力帮助你。（*你有什么难处

就告诉我，我一定极力帮助你。)

② 这件事你已经尽力了，我怎么能怪你呢？(＊这件事你已经极力了，我怎么能怪你呢？)

③ 父母极力反对我跟他恋爱。(＊父母尽力反对我跟他恋爱。)

④ 他极力吹嘘他们公司的实力如何强，其实，这个公司已经是个空壳了。(＊他尽力吹嘘他们公司的实力如何强，其实，这个公司已经是个空壳了。)

⑤ 这件事我只能尽力而为，如果帮不上忙，你也别怪我。(＊这件事我只能极力而为，如果帮不上忙，你也别怪我。)

⑥ 我一定尽心尽力地完成这项任务。(＊我一定尽心极力地完成这项任务。)

764 禁[动]jìn ▶ 禁止[动]jìnzhǐ

词义说明 Definition

禁[prohibit; forbid; ban] 禁止：～赌。[imprison; detain] 监禁：～闭。[what is forbidden by law or custom; taboo] 法令或习俗所不允许的事项：违～品。

禁止[prohibit; ban; forbid] 不许可：～吸烟。

词语搭配 Collocation

	～烟	～赌	～令	～运	～区	～入内	～倒垃圾	～砍伐树木	～吸烟	～拍照
禁	√	√	√	√	√	×	×	×	×	×
禁止	×	×	×	×	×	√	√	√	√	√

用法对比 Usage

用法解释 Comparison

“禁”有“禁止”的意思，多用于书面。“禁止”一般与双音节词语搭配使用，“禁”常与单音节词语搭配使用。

语境示例 Examples

① 此处禁止钓鱼游泳。(＊此处禁钓鱼游泳。)

② 禁止拍照。(＊禁拍照。)

③ 严禁酒后开车。(＊严禁止酒后开车。)

④ 严禁砍伐山林。(＊严禁止砍伐山林。)

⑤ 室内禁止吸烟。(＊室内禁吸烟。)(☺室内禁烟。)

765 经常[形]jīngcháng ▶ 常常[副]chángcháng

词义说明 Definition

经常[day-to-day; everyday; daily] 平时；日常。[frequently; constantly; regularly; often] 常常；时常。

常常[frequently; often; many a time; more often than not; usually] 表示行为、动作、事情的发生不止一次，而且时间间隔短。

词语搭配 Collocation

	很～	不～	～迟到	～性	～工作	～联系	～得奖	～受表扬	～保持	～锻炼
经常	√	√	√	√	√	√	√	√	√	√
常常	×	√	√	×	√	√	√	√	√	√

用法对比 Usage

用法解释 Comparison

“经常”是形容词，“常常”是副词，“经常”可以作状语也可以作谓语和定语，“常常”只能作状语。它们的否定都可以说“不常”，很少用“不经常”或“不常常”。

语境示例 Examples

① 他经常学习到深夜。(☺他常常学习到深夜。)

② 你经常锻炼身体吗？(☺你常常锻炼身体吗？)

③ 我不经常锻炼，只是一星期去游一两次泳。(☺我不常常锻炼，只是一星期去游一两次泳。)

④ 学过的语法要经常复习，经常使用才不会忘记。(☺学过的语法要常常复习，常常使用才不会忘记。)

⑤ 这些都是经常性的开支，是必需的。(＊这些都是常常性的开支，是必需的。)

⑥ 环境保护工作是经常性的工作，不能搞突击。(＊环境保护工作是常常性的工作，不能搞突击。)

766 经过[动、名、介]jīngguò ▶ 通过[动、介]tōngguò

词义说明 Definition

经过[pass; go through; undergo] 通过（处所、时间、动作等）：这趟车～动物园吗？[as a result of; after; through] 介词，引出动作行为，下文说明动作行为的结果：～讨论，大家取得了共识。[process; course] 过程；经历。

通过[pass through; get past; traverse] 从一端或一侧到另一端或另一侧。[adopt; pass; carry] 议案等经过法定人数的同意而成立。[ask the consent or approval of] 征求有关的人或组织的同意或核准。[by means of; by way of; by; through] 以人或事物等为媒介或手段而达到某种目的。

词语搭配 Collocation

	～大桥	～南京	～讨论	～练习	～学习	事情的～	不能～	～领导	决议～了
经过	√	√	√	√	√	√	×	√	×
通过	√	×	√	√	√	×	√	√	√

用法对比 Usage

“经过”和“通过”都有借助某一动作行为达到某种目的的意思。

① 这篇文章经过七八次修改才发表。(☺这篇文章通过七八次修改才发表。)

② 他通过三年的努力，终于考上了大学。(☺他经过三年的努力，终于考上了大学。)

“通过”有同意或承认（议案等）的意思，“经过”没有这个意思。

① 人民代表大会通过了国务院总理的政府工作报告。(＊人民代表大会经过了国务院总理的政府工作报告。)

② 这次考试他通过了。(达到了60分以上)(＊这次考试他经过了。)

“通过”有用人或动作作为媒介和方式的意思，“经过”没有这个意思。

① 他通过函授的办法自学法律。(＊他经过函授的办法自学法律。)

② 他们通过翻译进行了交谈。(＊他们经过翻译进行了交谈。)

“经过”有名词的用法，意思是经历的过程[course]，“通过”没有名词的用法。

这就是这件事情的全部经过。(＊这就是这件事情的全部通过。)

“经过”和“通过”都有从某处某地过的意思，但“经过”还有“路过”的意思。

① 火车通过大桥向北开去。(☺火车经过大桥向北开去。)
② 从北京去上海要经过南京。(＊从北京去上海要通过南京。)
③ 331 路车经过我们大学吗？(＊331 路车通过我们大学吗?)

767 经历[动、名]jīnglì ▶ 经过[动、介、名]jīngguò

词义说明 Definition

经历[go through; undergo; experience] 亲身见过、做过或遭受过。[personal experience] 亲身见过、做过或遭受过的。

经过[pass; go through; undergo] 通过（处所、时间、动作等）：这趟车～动物园吗？[as a result of; after; through] 介词，引出动作行为，下文说明动作行为的结果：～讨论，大家取得了共识。[process; course] 过程；经历。

词语搭配 Collocation

	～过的事	事情的～	～那里	没有～过	亲身～	生活～
经历	√	×	×	√	√	√
经过	×	√	√	×	×	×

用法对比 Usage

用法解释 Comparison

"经历"是动词和名词，"经过"是动词、名词和介词，名词"经历"前面可以带数量词语，"经过"不能。动词"经历"的宾语只能是抽象的，"经过"的宾语既可以是抽象的，也可以是具体的。

语境示例 Examples

① 上个世纪，人类经历了两次世界大战。(☺上个世纪，人类经过了两次世界大战。)
② 现在的年轻人都没有经历过战争年代。(☺现在的年轻人都没有经过战争年代。)
③ 这路公共汽车经过展览馆吗？(＊这路公共汽车经历展览馆吗?)
④ 在国外这两年的经历使我长了不少见识。(＊在国外这两年的经过使我长了不少见识。)
⑤ 请你谈谈这件事情的详细经过。(＊请你谈谈这件事情的详细经历。)

⑥ 这本书写的是他在美国留学的亲身经历。（＊这本书写的是他在美国留学的亲身经过。）

“经过”可以组成介词词组作状语，“经历”没有这个用法。

经过朋友介绍，我们俩才互相认识的。（＊经历朋友介绍，我们俩才互相认识的。）

768 经受[动]jīngshòu ▶ 接受[动]jiēshòu

词义说明 Definition

经受[undergo; experience; withstand; stand; weather] 承受；禁受：～考验。

接受[take on; accept] 对事物容纳而不拒绝。

词语搭配 Collocation

	～挫折	～考验	～不住	～不起	～邀请	～任务	～新观念	～监督	～教训	～批评
经受	√	√	√	√	×	×	×	×	×	×
接受	×	√	×	×	√	√	√	√	√	√

用法对比 Usage

用法解释 Comparison

“接受”的行为主体是主动的，而“经受”的行为主体往往是被动的。“接受”和“经受”只能在很小的范围内互相替换。

语境示例 Examples

① 来中国留学，也是一次经受锻炼的机会。(☺来中国留学，也是一次接受锻炼的机会。)

② 去南极考察，就要准备经受艰苦生活环境的考验。(☺去南极考察，就要准备接受艰苦生活环境的考验。)

③ 连这些闲话都经受不起，将来遇到更大的麻烦怎么办呢？（＊连这些闲话都接受不起，将来遇到更大的麻烦怎么办呢?）

④ 他接受了这个大学的聘请，出任校长。（＊他经受了这个大学的聘请，出任校长。）

⑤ 各级干部都应该自觉地接受人民群众和舆论的监督。（＊各级干部都应该自觉地经受人民群众和舆论的监督。）

769 经验[动、名]jīngyàn ▶ 经历[动、名]jīnglì

词义说明 Definition

经验[experience; knowledge or skill obtained through practice] 从实践中得到的知识或技能。[go through; experience] 经历，体验。

经历[go through; undergo; experience] 亲身见过、做过或遭受过。[personal experience] 亲身见过、做过或遭受过的。

词语搭配 Collocation

	总结～	生活～	社会～	积累～	～丰富	～过	亲身～	没～过
经验	√	√	√	√	√	√	×	√
经历	×	√	√	×	√	√	√	√

用法对比 Usage

用法解释 Comparison

动词"经验"有"经历"的意思，但是常用的是"经历"；名词"经历"有"经验"的意思，但是常用的是"经验"。

语境示例 Examples

① 他的生活经验非常丰富。(☺他的生活经历非常丰富。)

② 长这么大，我还没有经历过这种事。(☺长这么大，我还没有经验过这种事。)

③ 他从医三十年，有着丰富的经验。(＊他从医三十年，有着丰富的经历。)

④ 应该好好总结老教师的教学经验。(＊应该好好总结老教师的教学经历。)

⑤ 我们最好请他给介绍一下这方面的经验。(＊我们请最好他给介绍一下这方面的经历。)

⑥ 他亲身经历过这次战争。(＊他亲身经验过这次战争。)

⑦ 这本书写的都是他亲身经历的事。(＊这本书写的都是他亲身经验的事。)

770 惊奇[形]jīngqí ▶ 惊讶[形]jīngyà ▶ 惊异[形]jīngyì

词义说明 Definition

惊奇[wonder; be surprised; be amazed] 觉得很奇怪。

惊讶[surprised; amazed; astonished; astounded] 感到很奇怪。

惊异[surprised; amazed; astonished; astounded] 感到意外，惊奇诧异。

词语搭配 Collocation

	很～	十分～	令人～	～的目光	～的神情	感到～	觉得～
惊奇	√	√	√	√	√	√	√
惊讶	√	√	√	×	√	√	√
惊异	√	√	√	√	√	√	√

用法对比 Usage

用法解释 Comparison

“惊奇”是感到奇怪而惊，“惊异”是不同寻常而惊，“惊讶”为奇怪的现象或情况而感到意外或不可思议，甚至发出惊叹声。

语境示例 Examples

① 凡是看过他高空走钢丝的，无不感到惊讶。(☺凡是看过他高空走钢丝的，无不感到惊奇/惊异。)

② 看到眼前的一切，大家一个个露出惊奇的神情。(☺看到眼前的一切，大家一个个露出惊异/惊讶的神情。)

③ 他这一举动令在场的人们都感到十分惊讶。(*他这一举动令在场的人们都感到十分惊奇/惊异。)

④ 他表演的魔术令人惊奇/惊异。(*他表演的魔术令人惊讶。)

⑤ 观众以惊异/惊奇的目光看着台上精彩而惊险的杂技表演。(*观众以惊讶的目光看着台上精彩而惊险的杂技表演。)

⑥ 地震后，他被埋在楼下，七天之后还活着，人们无不惊异于这生命的奇迹。(*地震后，他被埋在楼下，七天之后还活着，人们无不惊讶/惊奇于这生命的奇迹。)

771 精彩[形]jīngcǎi ▶ 漂亮[形]piàoliang

词义说明 Definition

精彩 [(of a performance, exhibition, speech, article, etc.) brilliant;splendid; wonderful] (表演、展览、言论、文章等)优美;出色。

漂亮 [handsome; good-looking; pretty; beautiful] 好看。[remarkable; brilliant; splendid; beautiful] 美观;出色。

词语搭配 Collocation

	很~	十分~	~的演讲	长得~	写得很~
精彩	√	√	√	×	√
漂亮	√	√	×	√	√

J

用法对比 Usage

用法解释 Comparison

"精彩"和"漂亮"修饰的中心语不同,"精彩"修饰表演、展览、言语、文章等;"漂亮"修饰人、色彩、风光等。

语境示例 Examples

① 这篇文章写得真精彩。(☺这篇文章写得真漂亮。)
② 昨天的晚会实在精彩。(*昨天的晚会实在漂亮。)
③ 她的表演很精彩。(*她的表演很漂亮。)
④ 今天的演讲十分精彩,博得了一阵阵的掌声。(*今天的演讲十分漂亮,博得了一阵阵的掌声。)
⑤ 她长得非常漂亮。(*她长得非常精彩。)
⑥ 你这套房子很漂亮。(*你这套房子很精彩。)
⑦ 他能讲一口漂亮的普通话。(*他能讲一口精彩的普通话。)
⑧ 这件事干得可不漂亮。(*你这件事干得可不精彩。)

772 精力[名]jīnglì ▶ 精神[名、形]jīngshén/jīngshen

词义说明 Definition

精力 [energy; vigor; vim] 精神和体力。

精神[vigour; vitality; drive]（读 jīngshen）表现出来的活力。[spunky; lively; spirited; vigorous]（读 jīngshen）活跃，有生气。[spirit; mind; consciousness]（读 jīngshén）指人的意识、思维活动和一般心理状态。[essence; gist; spirit]（读 jīngshén）宗旨；主要的意义。

词语搭配 Collocation

	～充沛	～旺盛	耗费～	振奋～	焕发～	～饱满	～财富	挺～	会议的～
精力	√	√	√	×	×	×	×	×	×
精神	×	×	√	√	√	√	√	√	√

用法对比 Usage

用法解释 Comparison

“精力”兼指精神和体力，“精神”不兼指体力。“精神”还是个形容词，可以作谓语。“精力”只是名词，不能作谓语。

语境示例 Examples

① 上课的时候要集中精力听老师讲解。(☺上课的时候要集中精神听老师讲解。)

② 他把毕生的精力都献给了教育事业。(＊他把毕生的精神都献给了教育事业。)

③ 要趁年轻、精力充沛的时候，多学点儿有用的知识和技能。(＊要趁年轻、精神充沛的时候，多学点儿有用的知识和技能。)

④ 感冒了，头疼、发烧，一点儿精神也没有。(＊感冒了，头疼、发烧，一点儿精力也没有。)

⑤ 中午只要睡一小会儿，下午就可以精神饱满地工作。(＊中午只要睡一小会儿，下午就可以精力饱满地工作。)

⑥ 这次大会的主要精神就是努力建设政治文明，政治文明是物质文明和精神文明的重要保证。(＊这次大会的主要精力就是努力建设政治文明，政治文明是物质文明和精神文明的重要保证。)

⑦ 文艺作品要反映人民奋发向上的精神面貌。(＊文艺作品要反映人民奋发向上的精力面貌。)

⑧ 你穿上西服，打上领带，显得特别精神。(＊你穿上西服，打上领带，显得特别精力。)

773 精密[形]jīngmì ▶ 精确[形]jīngquè

词义说明 Definition

精密[precise; accurate] 精确细密。

精确[accurate; exact; precise] 非常准确，非常正确。

词语搭配 Collocation

	很～	十分～	～度	～地分析	论点～	～的数据	～仪器	～计算
精密	√	√	√	√	×	×	√	×
精确	√	√	√	√	√	√	×	√

用法对比 Usage

用法解释 Comparison

“精密”和“精确”都可以作状语和定语，但是修饰的名词中心语不同，“精密”修饰仪器、机器等；“精确”修饰数据等。

语境示例 Examples

① 这个数据是经过精密运算得出来的。(☺这个数据是经过精确运算得出来的。)

② 这台机器每个部件的设计和制造都非常精密。(☺这台机器每个部件的设计和制造都非常精确。)

③ 计算机的运算十分精确。(＊计算机的运算十分精密。)

④ 这是从国外进口的精密仪器。(＊这是从国外进口的精确仪器。)

⑤ 航天技术方面的数据，要求极高的精确度。(＊航天技术方面的数据，要求极高的精密度。)

774 精细[形]jīngxì ▶ 精心[形]jīngxīn

词义说明 Definition

精细[meticulous; fine; smart and careful] 精致细密；精明细心。

精心[meticulous; painstaking; elaborate] 特别用心；细心。

词语搭配 Collocation

	很～	特别～	十分～	为人～	～制作	～照顾	～设计	～治疗	～培育
精细	√	√	√	√	×	×	×	×	×
精心	√	√	√	×	√	√	√	√	√

用法对比 Usage

用法解释 Comparison

"精细"可以形容人，也可以形容物品，"精心"只能形容人的行为。

语境示例 Examples

① 精细：这尊雕像雕刻得十分精细，连人物面部的皱纹都清晰可见。(描写的是雕像)
精心：这尊雕像雕刻得十分精心，连人物面部的皱纹都清晰可见。(描写的是雕塑家的工作)

② 他遇事冷静，考虑问题特别精细。(＊他遇事冷静，考虑问题特别精心。)

③ 这件工艺品是作者用了十几年的时间精心制作出来的。(＊这件工艺品是作者用了十几年的时间精细制作出来的。)

④ 在大夫和护士的精心治疗和照顾下，他终于病愈出院了。(＊在大夫和护士的精细治疗和照顾下，他终于病愈出院了。)

⑤ 这项工程功在当代，利在千秋，一定要精心设计，精心施工。(＊这项工程功在当代，利在千秋，一定要精细设计，精细施工。)

⑥ 这件作品是艺术家的精心之作。(＊这件作品是艺术家的精细之作。)

⑦ 水至清则无鱼，人至察则无徒。为人太精细了不好。(＊水至清则无鱼，人至察则无徒。为人太精心了不好。)

775 精致[形]jīngzhì ▶ 精美[形]jīngměi

词义说明 Definition

精致[fine; exquisite; delicate] 精巧细致。

精美[exquisite; elegant] 精致美好。

词语搭配 Collocation

	很～	非常～	～的工艺品	～的花纹	～的瓷器	包装～	做得很～	做工～
精致	√	√	√	√	√	√	√	√
精美	√	√	√	√	√	√	√	×

用法对比 Usage

用法解释 Comparison

"精美"形容外观，"精致"形容做工。

语境示例 Examples

① 精致：这些工艺品做得都很精致。(做工好)
精美：这些工艺品做得都很精美。(很美观)
② 展览会上那些精美的工艺品吸引了不少中外客人。(☺展览会上那些精致的工艺品吸引了不少中外客人。)
③ 这种酒的包装很精美。(☺这种酒的包装很精致。)
④ 瓷器上那精美的花纹是怎么烧制成的？(☺瓷器上那精致的花纹是怎么烧制成的？)
⑤ 这件旗袍的用料考究，做工也很精致。(＊这件旗袍的用料考究，做工也很精美。)
⑥ 其实，看起来精美的食品，营养未必丰富。(＊其实，看起来精致的食品，营养未必丰富。)

776 警告[动]jǐnggào ▶ 告诫[动]gàojiè

词义说明 Definition

警告[warn; caution; admonish] 提醒，使警惕；对有错误或不正当行为的个人、团体、国家提出告诫，使认识所应负的责任。[warning (as a disciplinary measure)] 对犯错误者的一种处分。

告诫[warn; admonish; exhort] 警告劝诫。

词语搭配 Collocation

	提出～	发出～	～你们	～处分	谆谆～	再三～	～自己	～我们
警告	√	√	√	√	×	√	×	×
告诫	×	×	×	×	√	√	√	√

用法对比 Usage

用法解释 Comparison

“警告”是严厉的，“警告”的行为主体是组织、单位甚至国家，用于正式场合。“告诫”是温和的，动作主体是长辈、领导和朋友等，用于普通场合，二者涉及的对象也不同。

语境示例 Examples

① 因为考试作弊，他受到了严重警告处分。(＊因为考试作弊，他

受到了严重告诫处分。)

② 领导常常告诫我们，安全工作关系着职工的生命财产，千万不可粗心大意。(＊领导常常警告我们，安全工作关系着职工的生命财产，千万不可粗心大意。)

③ 我警告你，如果你再来骚扰，我就报警。(＊我告诫你，如果你再来骚扰，我就报警。)

④ 外交部副部长约见该国驻华大使，对他们干涉中国内政的行径提出严正警告。(＊外交部副部长约见该国驻华大使，对他们干涉中国内政的行径提出严正告诫。)

⑤ 我空军向入侵我领空的飞机发出警告，要求他们立即停止这种挑衅行为。(＊我空军向入侵我领空的飞机发出告诫，要求他们立即停止这种挑衅行为。)

777 竞赛[动、名]jìngsài ▶ 竞争[动、名]jìngzhēng

词义说明 Definition

竞赛[contest; competition; emulation; race] 互相比赛，争取优胜。

竞争[compete] 为了自己方面的利益而跟人争胜。

词语搭配 Collocation

	体育～	商业～	参加～	劳动～	互相～	自由～	～主办权	～激烈
竞赛	√	×	√	√	√	×	×	×
竞争	×	√	√	×	√	√	√	√

用法对比 Usage

用法解释 Comparison

“竞争”是及物动词，“竞赛”是不及物动词，可以说“体育竞赛”，不说“体育竞争”，说“市场竞争”，不说“市场竞赛”，它们不能相互替换。

语境示例 Examples

① 有五个国家竞争下一届奥运会的主办权。(＊有五个国家竞赛下一届奥运会的主办权。)

② 这次竞赛谁赢了？(＊这次竞争谁赢了？)

③ 市场竞争很激烈。(＊市场竞赛很激烈。)

④ 青年志愿者开展了植树造林竞赛。（*青年志愿者开展了植树造林竞争。）
⑤ 今后大学生找工作的竞争会越来越激烈。（*今后大学生找工作的竞赛会越来越激烈。）
⑥ 要提高竞争能力，就要不断学习新知识，掌握新技能。（*要提高竞赛能力，就要不断学习新知识，掌握新技能。）
⑦ 当今市场竞争中，人才是主要竞争对象。（*当今市场竞争中，人才是主要竞赛对象。）

778 竞然[副]jìngrán ▶ 不料[副]búliào

词义说明 Definition

竟然[unexpectedly; to one's surprise; actually] 表示出乎意料之外。[go so far as to; go to the length of] 超出常理的。

不料[unexpectedly; to one's surprise] 没想到；没有预先料到。

词语搭配 Collocation

	他～没来	～他没来	～找到了	～输了	～赢了
竟然	√	×	√	√	√
不料	×	√	√	√	√

用法对比 Usage

用法解释 Comparison

这两个词都有“没想到”、“出乎意料”的意思，但是，“不料”用于分句前，前边不能有主语，“竟然”前边可以有主语。

语境示例 Examples

① 他竟然连考试也没参加就回国了。（*他不料连考试也没参加就回国了。）
② 他感冒了，我想今天他不会来上课了，不料他来得比谁都早。（*他感冒了，我想今天他不会来上课了，竟然他来得比谁都早。）
③ 我想看今天晚上的电影，不料票早卖完了。（*我想看今天晚上的电影，竟然票早卖完了。）

“不料”和“竟然”同时出现在一个句子里时，“不料”在前，“竟然”在后，而不能相反。

上午天气还好好的，不料下午竟然下起了大雨。（＊上午天气还好好的，竟然下午不料下起了大雨。）

“竟然”前面可以用“没想到”，“不料”前面不能用。

我想这次比赛我们还得输，没想到，我们竟然赢了。（＊我想这次比赛我们还得输，没想到，我们不料赢了。）（☺我想这次比赛我们还得输，不料我们赢了。）

779 纠正[动]jiūzhèng ▶ 改正[动]gǎizhèng

词义说明 Definition

纠正[correct; put right; redress] 改正缺点错误。

改正[correct; amend; put right] 把错误的改为正确的。

词语搭配 Collocation

	～错误	～发音	～声调	～错句	～错字	～缺点	～姿势	～不良作风	～偏差
纠正	√	√	√	√	√	√	√	√	√
改正	√	×	×	√	√	√	×	×	×

用法对比 Usage

用法解释 Comparison

“纠正”一般需要他人帮助，或自己借助外力，“改正”可以是他人帮助，也可以只是自己的动作行为。

语境示例 Examples

① 作业里的错别字我已经给你纠正了。（☺作业里的错别字我已经给你改正了。）

② 要学好外语一定要纠正发音的错误，如果发音不过关，外语是学不好的。（☺要学好外语一定要改正发音的错误，如果发音不过关，外语是学不好的。）

③ 只有改正技术上的缺点，才能使这个产品不断走向成熟。（＊只有纠正技术上的缺点，才能使这个产品不断走向成熟。）

④ 认识到自己错了就要努力改正。（＊认识到自己错了就要努力纠正。）

⑤ 你帮我纠正一下发音和声调吧。（＊你帮我改正一下发音和声调吧。）

⑥ 请改正下列错句。（＊请纠正下列错句。）

J

780 究竟[副、名]jiūjìng ▶ 到底[副]dàodǐ

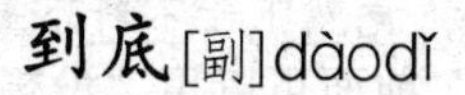

词义说明 Definition

究竟[outcome; what actually happened] 结果，原因。[(used in questions to press for an exact answer) actually; exactly] 用在问句里，表示追究。[after all; anyway; finally] 毕竟，到底。

到底[at last; in the end; finaly] 表示经过种种变化或较长过程，最后出现某种结果。[used in a question for emphasis] 用于疑问句，表示深究；究竟。[after all; in the final analysis] 强调原因或特点；毕竟。

J

词语搭配 Collocation

	～谁赢了	～去不去	～怎么样	～实现了	～完成了	～是专家	坚持～
究竟	√	√	√	×	×	√	×
到底	√	√	√	√	√	√	√

用法对比 Usage

副词"究竟"和"到底"都可以用于疑问句，表示进一步追究。

① 明天你到底愿意不愿意跟我们一起去？(☺明天你究竟愿意不愿意跟我们一起去？)

② 山上到底有没有人家？(☺山上究竟有没有人家？)

二者都有表示感叹的语气。

到底是老师傅有经验，一听就知道机器的毛病在哪里。(☺究竟是老师傅有经验，一听就知道机器的毛病在哪里。)

"到底"有"终于"的意思，表示经过较长过程，最后出现某种结果，"究竟"没有这个意思。

① 经过一年的努力，他到底获得了 HSK 考试的中级证书。(*经过一年的努力，他究竟获得了 HSK 考试的中级证书。)

② 经过十几场奋战，他们到底拿了冠军。(*经过十几场奋战，他们究竟拿了冠军。)

"究竟"还是名词，表示事情的结果或原因，"到底"没有这个意思。

① 这件事我一定要问个究竟。(*这件事我一定要问个到底。)

② 读者纷纷来信询问这一事件的究竟。(*读者纷纷来信询问这一事件的到底。)

781 久[形]jiǔ ▶ 长[形]cháng

词义说明 Definition

久[for a long time; long] 时间长：我们～没见面了。[of a specified duration] 时间的长短：有多～了？

长[(of space or time) long] 两点之间的距离大（与"短"相对）：这条路有多～？指时间：夏天白天～夜晚短。[length] 长度：长江全～6400多公里。[strong point; forte] 长处；好的方面。[be good at; be proficient in] 对某事做得特别好，擅长。

词语搭配 Collocation

	很～	多～	好～不见了	多～了	～～	～别重逢	天～夜短	一技之～	特～	～处
久	√	√	√	√	√	√	×	×	×	×
长	√	√	×	×	×	×	√	√	√	√

用法对比 Usage

用法解释 Comparison

"长"只在表示时间时与"久"有相同的意思，"长"的其他意思是"久"所没有的。

语境示例 Examples

久：A：你来中国多久了？B：三个多月了。

长：A：你来中国多长时间了？B：三个多月了。

以下"久"的用法都不能用"长"替换。

① 好久不见了，您身体好吗？

② 久别重逢，他俩都很激动。

③ 去南方旅行遇到的这件事使我久久不能忘记。

以下"长"的用法也不能用"久"替换。

① 长江有多长？——长江全长六千三百多公里。

② 年轻时一定要努力掌握一技之长。

③ 要互相学习，取长补短。

782 旧[形]jiù ▶ 老[形]lǎo

词义说明 Definition

旧[(as opposed to 'new') past; old; bygone] 过去的，过时的

J

(跟“新”相对)：这种～的观念很难改变。[(as opposed to ‘new’) used; worn; old] 因经过长时间或经过使用而变色或变形的（跟“新”相对）；曾经有过的，以前的：我喜欢逛～书店。

老[old; (as opposed to ‘young’)] 年岁大（跟“少”或“幼”相对）：他一点儿也不显～。[old (as opposed to ‘new’)] 很久以前就存在的（跟“新”相对）：我们是多年的～朋友了。[always (doing sth.); all the time] 经常：他～说话不算话。[very] 很；极：～远就看见妈妈在村口等我。[for a long time] 时间长；很久：～没见他了。[(of vegetables) overgrown] 长得过了可吃的时期（跟“嫩”相对）：玉米太～了。[(often used as a respectful term of address) elderly person] 老年人（常用做尊称）：这是郭～的字。

词语搭配 Collocation

	很～	～思想	～书	～衣服	妈妈～了	～人	～去	长～了	～没见了	太～了	～早
旧	√	√	√	√	×	×	×	×	×	√	×
老	√	√	√	×	√	√	√	√	√	√	√

用法对比 Usage

用法解释 Comparison

“旧”和“老”都可以翻译成“old”，所以学生常常用错。“旧”的反义词是“新”，“老”的反义词是“新”或“少/幼”。“旧”常含贬义，“老”不含贬义。

语境示例 Examples

① 旧：这套房子太<u>旧</u>了。(房子破旧)
老：这套房子太<u>老</u>了。(房子的历史长)

② 旧：那是一家<u>旧</u>书店。(卖旧书的书店)
老：那是一家<u>老</u>书店。(历史很长的书店)

③ 他满脑子<u>旧</u>思想，还停留在几十前那个时代。(☺他满脑子<u>老</u>思想，还停留在几十前那个时代。)

④ 她是我的<u>老</u>同学。(＊她是我的<u>旧</u>同学。)

⑤ 我们是几十年的<u>老</u>朋友了。(＊我们是几十年的<u>旧</u>朋友了。)

⑥ 妈妈已经<u>老</u>了，记忆力不那么好了。(＊妈妈已经<u>旧</u>了，记忆力不那么好了。)

⑦ <u>老</u>人都喜欢回忆过去。(＊<u>旧</u>人都喜欢回忆过去。)

⑧ 下午他老去图书馆看书。(＊下午他旧去图书馆看书。)
⑨ 晚上我们还在老地方见吧。(＊晚上我们还在旧地方见吧。)

783 救济[动]jiùjì ▶ 救助[动]jiùzhù

词义说明 Definition

救济[extend relief to; relieve the distress of] 用金钱或物资帮助灾区或生活困难的人。

救助[help sb. in danger or difficulty; succour] 拯救和援助。

词语搭配 Collocation

	～灾民	～穷人	～粮	～款	得到～	吃～
救济	√	√	√	√	√	√
救助	√	√	×	×	√	×

用法对比 Usage

用法解释 Comparison

"救济"的对象是生活困难的人，"救助"的对象除了生活困难的人以外，还包括遇到灾难的人。

语境示例 Examples

① 生活困难的工人普遍得到了政府的救济。(☺生活困难的工人普遍得到了政府的救助。)
② 这些粮食和衣物都是救助受灾群众的。(☺这些粮食和衣物都是救济受灾群众的。)
③ 靠国家的救济我们才度过了去年的灾荒。(☺靠国家的救助我们才度过了去年的灾荒。)
④ 政府向受灾地区的群众发放了救济粮和救济款。(＊政府向受灾地区的群众发放了救助粮和救助款。)
⑤ 我不能总靠吃救济生活，要想办法重新就业。(＊我不能总靠吃救助生活，要想办法重新就业。)

784 救助[动]jiùzhù ▶ 帮助[动]bāngzhù

词义说明 Definition

救助[help sb. in danger or difficulty; succour] 拯救和援助。

帮助[help; aid; assist] 替人出力或出主意或给予物质上、精神上的支援。

词语搭配 Collocation

	～灾民	～穷人	～灾区	互相～	～同学	～朋友	得到～
救助	√	√	√	×	×	×	√
帮助	√	√	√	√	√	√	√

用法对比 Usage

用法解释 Comparison

"救助"和"帮助"的对象不同，"救助"的对象是特别困难的人或人群，例如病人，受灾、受难的人等；"帮助"的对象可以是一般人，例如朋友、同事等。"救助"的手段一般是物质的，需要金钱，动用人力或物力；"帮助"的手段多种多样，可以是物质上的也可以是精神上的。

语境示例 Examples

① 政府发放了大量救济金救助地震灾区的人民。(☺政府发放了大量救济金帮助地震灾区的人民。)

② 军队派了直升飞机救助海上遇难的人。(*军队派了直升飞机帮助海上遇难的人。)

③ 我和一个中国同学互相帮助，他教我汉语，我教他英语。(*我和一个中国同学互相救助，他教我汉语，我教他英语。)

④ 他是一个热心人，喜欢帮助别人。(*他是一个热心人，喜欢救助别人。)

"帮助"口语中常常说"帮"，"救助"不能说"救"，"救助"和"救"是两个意思不同的词。

① 你帮我把这个箱子提上去。(*你救我把这个箱子提上去。)

② 这个练习我不会做，你帮帮我吧。(*这个练习我不会做，你救救我吧。)

785 就要[副]jiùyào ▶ 快要[副]kuàiyào

词义说明 Definition

就要[be about to; be going to; be on the point to] 和"了"组成"就要…了"表示动作即将开始或完成。[就要…了：used to indicate something is about to happen]

快要[soon; before long] 和"了"组成"快要…了"表示动作即将开始或完成。[快要…了：used to indicate something is about to happen]

词语搭配 Collocation

	火车～开了	飞机～起飞了	冬天～来了	下星期～放假了	十号～回国了
就要	√	√	√	√	√
快要	√	√	√	×	×

用法对比 Usage

用法解释 Comparison

"就要…了"和"快要…了"都表示动作即将发生或情况即将出现，不同的是，如果句子中有表示具体时间的词语作状语时，不能用"快要……了"。

语境示例 Examples

① 飞机就要起飞了，请大家系好安全带。(☺飞机快要起飞了，请大家系好安全带。)

② 车就要开了，我们快走吧。(☺车快要开了，我们快走吧。)

③ 春天就要来了，天气快暖和了。(☺春天快要来了，天气快暖和了。)

④ 他下个月就要去中国了。(*他下个月快要去中国了。)

⑤ 学校七月十号就要放暑假了。(*学校七月十号快要放暑假了。)

⑥ 电影七点半就要开演了，他还没来。(*电影七点半快要开演了，他还没来。)

786 就业 jiù yè ▶ 就职 jiù zhí

词义说明 Definition

就业[obtain employment; take up an occupation] 得到职业，参加工作。

就职[assume office (usu. high positions)] 正式到任开始工作(多指较高的职位)。

词语搭配 Collocation

	～问题	安排～	劳动～	～人数	增加～	准备～	已经～	～演说	再～
就业	√	√	√	√	√	√	√	×	√
就职	√	×	×	×	×	√	√	√	×

用法对比 Usage

用法解释 Comparison

“就业”是参加工作，“就职”是正式到新的工作职位，它们的意思不同，不能相互替换。

语境示例 Examples

① 就业：我现在不想就业，想去读博士研究生。(不想参加工作)
就职：我现在不想就职，想去读博士研究生。(不想得到这个职位)

② 中国的人口多，各级政府都面临安排劳动就业的压力。(＊中国的人口多，各级政府都面临安排劳动就职的压力。)

③ 大学生一毕业就面临就业的问题。(＊大学生一毕业就面临就职的问题。)

④ 兴办这项事业可以解决近万人的就业问题。(＊兴办这项事业可以解决近万人的就职问题。)

⑤ 只要你有硕士或博士学位，就业问题就不是很大。(＊只要你有硕士或博士学位，就职问题就不是很大。)

⑥ 今天新市长发表了就职演说。(＊今天新市长发表了就业演说。)

787 居然[副]jūrán ▶ 竟然[副]jìngrán

词义说明 Definition

居然[unexpectedly; actually; to one's surprise] 表示出乎意料；竟然。

竟然[unexpectedly; to one's surprise] 表示出乎意料之外。[go so far as to; go to the length of] 超出常理的。

词语搭配 Collocation

	～没来	～睡着了	～考了100分	～当面撒谎	～答应了	～不同意
居然	√	√	√	√	√	√
竟然	√	√	√	√	√	√

用法对比 Usage

用法解释 Comparison

"居然"和"竟然"都有事先没有想到的意思。"居然"多用于书面，"竟然"书面和口语都可以。

语境示例 Examples

① 他居然当着大家的面撒谎。(☺他竟然当着大家的面撒谎。)
② 两千多年前造的剑，出土以后居然还有光亮。(☺两千多年前造的剑，出土以后竟然还有光亮。)
③ 他竟然把我送给他的礼物扔了。(☺他居然把我送给他的礼物扔了。)
④ 他竟然在课堂上打起呼噜来了。(☺他居然在课堂上打起呼噜来了。)

"竟然"可以只用"竟"，"居然"不能只用"居"。

他平时不是很努力，这次考试竟得了九十分。(＊他平时不是很努力，这次考试居得了九十分。)

"居然"偶尔可以用在主语前，"竟然"不能。

昨天晚上打那么大的雷，下那么大的雨，居然你没有听见。(＊昨天晚上打那么大的雷，下那么大的雨，竟然你没有听见。)(☺昨天晚上打那么大的雷，下那么大的雨，你竟然没有听见。)

788 局部[名]júbù ▶ 部分[名]bùfen

词义说明 Definition

局部[part; portion] 一部分；不是全体。

部分[part; section; share] 整体中的局部；整体里的一个个体。

词语搭配 Collocation

	～地区	～利益	只顾～	一～	～战争	各～	～同学	～功能	～工作	～地
局部	√	√	√	×	√	×	×	×	×	×
部分	√	√	×	√	×	√	√	√	√	√

用法对比 Usage

用法解释 Comparison

"局部"着眼于组织结构，与"全局"相对，前面不能加数量词，也不能用"主要、其他、大、小"修饰，"部分"着眼于数量，前边可以用数量词以及"主要、其他、大、小"修饰。

"局部"用于事物,"部分"可以用于事物也可以用于人。

语境示例 Examples

① 天气预报说,今天下午局部地区有雷阵雨。(☺天气预报说,今天下午部分地区有雷阵雨。)
② 不能只顾局部利益,不顾全局利益。(＊不能只顾部分利益,不顾全局利益。)
③ 我的手机只用了部分功能,其他功能基本没有用。(＊我的手机只用了局部功能,其他功能基本没有用。)
④ 我们班大部分学生都很努力。(＊我们班大局部学生都很努力。)
⑤ 现在我们看到的只是这次出土的一小部分文物。(＊现在我们看到的只是这次出土的一小局部文物。)
⑥ 世界大战一时打不起来,但是发生局部战争的危险性是存在的。(＊世界大战一时打不起来,但是发生局部战争的危险性是存在的。)

789 局势[名]júshì ▶ 形势[名]xíngshì

词义说明 Definition

局势[political or military situation] (政治、军事等)一个时期内的发展情况。

形势[situation; circumstances] 事物发展的状况。

词语搭配 Collocation

	～严重	～平稳	战争～	国际～	国内～	经济～	客观～	～逼人	扭转～	～好转
局势	√	√	√	×	×	×	×	×	×	×
形势	√	√	√	√	√	√	√	√	√	√

用法对比 Usage

用法解释 Comparison

能用"局势"的都可以用"形势",但是能用"形势"的不一定能用"局势"。

语境示例 Examples

① 要努力缓和国际紧张局势,为各国人民营造一个和平发展的国际环境。(☺要努力缓和国际紧张形势,为各国人民营造一个和平发展的国际环境。)

② 由于谈判破裂，两国边界的局势越来越紧张。(☺由于谈判破裂，两国边界的形势越来越紧张。)

③ 在联合国的斡旋下，现在两国间的紧张形势有所缓和。(☺在联合国的斡旋下，现在两国间的紧张局势有所缓和。)

④ 一二季度中国国内的经济形势很好。(＊一二季度中国国内的经济局势很好。)

⑤ 由于维护了安定团结的政治局面，使国民经济出现了持续增长的大好形势。(＊由于维护了安定团结的政治局面，使国民经济出现了持续增长的大好局势。)

790 局限[动]júxiàn ▶ 限制[动、名]xiànzhì

词义说明 Definition

局限[limit; confine] 限制在某个范围内。

限制[place (or impose) restrictions on; restrict; limit; confine] 规定范围，不许超过；约束。[restriction; limit; confinement] 规定的范围。

词语搭配 Collocation

	～性	有～	没有～	～在	～自由	受到～	年龄～	学历～	时间～	～数量
局限	√	√	√	√	×	×	×	×	×	×
限制	×	√	√	√	√	√	√	√	√	√

用法对比 Usage

用法解释 Comparison

“局限”的行为主体是事物，不能是人，“限制”的行为主体可以是人，也可以是事物。“限制”还有名词的用法，“局限”没有名词的用法。

语境示例 Examples

① 任何历史人物都有时代和历史的局限性。(＊任何历史人物都有时代和历史的限制性。)

② 今天我们讨论的问题只局限在语法的范围内。(＊今天我们讨论的问题只限制在语法的范围内。)

③ 因为发言的人多，每个代表的发言时间限制在十五分钟以内。(＊因为发言的人多，每个代表的发言时间局限在十五分钟

J

以内。)

④ 他不愿受公司坐班的限制，所以就辞职了。(＊他不愿受公司坐班的局限，所以就辞职了。)

⑤ 来稿字数请限制在八千字以内。(＊来稿字数请局限在八千字以内。)

⑥ 报考大学取消了年龄限制，这不能不说是中国教育的一个进步。(＊报考大学取消了年龄局限，这不能不说是中国教育的一个进步。)

791 举行[动]jǔxíng ▶ 举办[动]jǔbàn

词义说明 Definition

举行[hold (a meeting, ceremony etc.)] 进行集会、比赛等活动。

举办[conduct (activities); hold; run] 举行活动；办理事业。

词语搭配 Collocation

	～宴会	～婚礼	～会谈	～球赛	～联欢	～展览会	～展销会	～讲座	～培训班
举行	√	√	√	√	√	×	×	×	×
举办	√	√	×	×	×	√	√	√	√

用法对比 Usage

用法解释 Comparison

“举行”和“举办”涉及的对象不尽相同，另外，“举行”的行为主体可以是人也可以是会议等。“举办”的行为主体必须是人或由人组成的单位，如公司、学校、组织等，而不能是活动本身。

语境示例 Examples

① 电视台每年春节都要举办外国人中文歌曲演唱会。(☺电视台每年春节都要举行外国人中文歌曲演唱会。)

② 你们准备什么时候举行婚礼？(☺你们准备什么时候举办婚礼？)

③ 一切准备工作都已经就绪，会议将如期举行。(＊一切准备工作都已经就绪，会议将如期举办。)

④ 两国领导人在友好的气氛中举行了会谈。(＊两国领导人在友好的气氛中举办了会谈。)

⑤ 学校准备举办一个外国留学生书画展览。(＊学校准备举行一个外国留学生书画展览。)

⑥ 大会决定由中国北京举办2008年奥运会。(*大会决定由中国北京举行2008年奥运会。)
⑦ 今天下午三点举行大会开幕式。(*今天下午三点举办大会开幕式。)
⑧ 这次活动将由我们公司和电视台共同举办。(*这次活动将由我们公司和电视台共同举行。)

792 巨大[形]jùdà ▶ 宏大[形]hóngdà

词义说明 Definition

巨大[(of scale, amount) huge; tremendous; enormous; gigantic](规模、数量等)很大。

宏大[grand; great] 巨大，宏伟。

词语搭配 Collocation

	规模~	~的成就	~的胜利	~的力量	~的工程	~的志愿	~的计划	队伍~
巨大	√	√	√	√	√	×	×	×
宏大	√	×	×	×	√	√	√	√

用法对比 Usage

用法解释 Comparison

“巨大”意思是非常大，形容高度、广度、程度和数量等，它主要修饰“力量、努力、意义、变化、影响”等，带客观性，没有称赞的感情色彩。“宏大”形容“规模、建筑物、理想、志愿、抱负、队伍”等，带主观性，有称赞的语气。

语境示例 Examples

① 三峡工程，规模巨大，世所罕见。(☺三峡工程，规模宏大，世所罕见。)
② 这个巨大的建筑物，就是国家博物馆。(☺这个宏大的建筑物，就是国家博物馆。)
③ 实现祖国的完全统一，把中国建设成一个政治民主，经济繁荣，社会文明的社会主义强国，是全世界炎黄子孙的宏大志愿。(*实现祖国的完全统一，把中国建设成一个政治民主，经济繁荣，社会文明的社会主义强国，是全世界炎黄子孙的巨大志愿。)
④ 鲁迅的著作对中国几代知识分子都产生了巨大的影响。(*鲁迅的著作对中国几代知识分子都产生了宏大的影响。)

⑤ 要建立一支宏大的高科技队伍，努力赶上或超过世界先进国家的科学技术水平。（*要建立一支巨大的高科技队伍，努力赶上或超过世界先进国家的科学技术水平。）
⑥ 中国的改革开放事业已经取得了巨大的成就。（*中国的改革开放事业已经取得了宏大的成就。）

793 具有[动]jùyǒu ▶ 具[动]jù ▶ 有[动]yǒu

词义说明 Definition

具有[have (sth. immaterial); possess] 有。

具[possess; have] 具有。

有[have; possess] 表示领有（跟“无”和“没”相对）。[there is; exist] 表示存在。

词语搭配 Collocation

	~信心	~伟大意义	初~规模	~备	~个弟弟	~词典	~暖气	没~钱	不~
具有	√	√	×	×	×	×	×	×	√
具	×	×	√	√	×	×	×	×	√
有	√	√	×	×	√	√	√	√	×

用法对比 Usage

用法解释 Comparison

“具有”、“具”和“有”的意思一样，但是用法不同。“具有”的宾语只能是抽象名词，“具”一般用于书面，口语不用，“有”的宾语可以是抽象名词也可以是具体名词。“具有”的否定要说“不具有”，“有”的否定是“没有”。

语境示例 Examples

① 一个人应该具有诚实的品质。（☺一个人应该有诚实的品质。）（*一个人应该具诚实的品质。）
② 组织大学生参加志愿者活动，对他们具有/有很大的教育意义。（*组织大学生参加志愿者活动，对他们具很大的教育意义。）
③ 完成这个任务我们有/具有充分的信心。（*完成这个任务我们具充分的信心。）
④ 这项工程现在已经初具规模。（*这项工程现在已经初具有/有规模。）

⑤ 我的房间里有一台电视机。（＊我房间里具有/具一台电视机。）
⑥ 他不具/具有当领导的能力和品质。（＊他不有当领导的能力和品质。）（☺他没有当领导的能力和品质。）

794 具有[动]jùyǒu ▶ 具备[动]jùbèi

词义说明 Definition

具有[have (sth. immaterial); possess] 有。

具备[possess; have; be provided with] 具有，齐备。

词语搭配 Collocation

	～信心	～耐心	～才能	～本领	～历史意义	～条件	不～
具有	√	√	√	√	√	√	√
具备	×	×	√	√	×	√	√

用法对比 Usage

用法解释 Comparison

“具有”和“具备”都带抽象名词作宾语，但是，“具有”的宾语是“信心”、“意义”、“本能”、“能力”等，“具备”的宾语是“本领”、“条件”、“能力”等。

语境示例 Examples

① 大学生一定要具有熟练运用外语的能力，才能适应社会的需要。（☺大学生一定要具备熟练运用外语的能力，才能适应社会的需要。）
② 举行这次会议具有伟大的历史意义。（＊举行这次会议具备伟大的历史意义。）
③ 他们那里还不具备办大学的条件。（＊他们那里还不具有办大学的条件。）
④ 对于取得比赛的胜利，他们具有充分的信心。（＊对于取得比赛的胜利，他们具备充分的信心。）
⑤ 对于这个问题的解决我们具有足够的耐心。（＊对于这个问题的解决我们具备足够的耐心。）
⑥ 现在还不具备解决这个问题的条件。（＊现在还不具有解决这个问题的条件。）

795 剧烈[形]jùliè ▶ 激烈[形]jīliè

词义说明 Definition

剧烈[violent; acute; severe]气势大，力量大，猛烈。

激烈[（of movement, language）intense]（动作、言论等）剧烈；性情激奋、刚烈。

词语搭配 Collocation

	很～	～的运动	～的冲突	比赛～	～的争吵	～的疼痛	～的对抗	～变动
剧烈	√	√	×	×	×	√	×	√
激烈	√	√	√	√	√	×	√	×

用法对比 Usage

用法解释 Comparison

“剧烈”多形容药性、疼痛，“激烈”形容运动紧张或双方斗争尖锐以及争论、争吵、竞赛、比赛等。

语境示例 Examples

① 饭后不宜做剧烈的运动。(☺饭后不宜做激烈的运动。)

② 社会的剧烈变动使有些人不能适应，因而产生对立或对抗情绪。(＊社会的激烈变动使有些人不能适应，因而产生对立或对抗情绪。)

③ 两国在边境地区发生了激烈冲突，各有伤亡。(＊两国在边境地区发生了剧烈冲突，各有伤亡。)

④ 辩论会上大家争论得很激烈。(＊辩论会上大家争论得很剧烈。)

⑤ 睡梦中，我被伤口一阵剧烈的疼痛弄醒了。(＊睡梦中，我被伤口一阵激烈的疼痛弄醒了。)

⑥ 这场球踢得非常激烈。(＊这场球踢得非常剧烈。)

⑦ 夫妻俩经过那场激烈的争吵后，最终走上了法庭，离婚了。(＊夫妻俩经过那场剧烈地争吵后，最终走上了法庭，离婚了。)

⑧ 地震瞬间，大楼发生了剧烈的震动。(＊地震瞬间，大楼发生了激烈的震动。)

796 据说[动]jùshuō ▶ 听说[动]tīngshuō

词义说明 Definition

据说[it is said; as the story goes; allegedly]根据别人说。依据他

人所说的，传达一种意见或信息。

听说[be told; hear of]听别人说。

词语搭配 Collocation

	～他回国了	～你病了	我～
据说	√	√	×
听说	√	√	√

用法对比 Usage

用法解释 Comparison

“据说”和“听说”都用来指出消息来源，表示下边的情况不是自己说的，而是引用他人说的，都可以分开用。不同的是，“据说”不能带人称代词或人名作主语，“听说”可以带主语。

语境示例 Examples

① 据说他已经回国了。(☺听说他已经回国了。)

② 据天气预报说，今天有雨。(☺听天气预报说，今天有雨。)

③ 他的那个公司据说已经倒闭了。(☺他的那个公司听说已经倒闭了。)

④ 据《人民日报》的消息说，我国西部又发现了一个大油气田。(＊听《人民日报》的消息说，我国西部又发现了一个大油气田。)

⑤ 我听说他们俩已经离婚了。(＊我据说他们俩已经离婚了。)

⑥ 听王老师说，下个星期有考试。(＊据王老师说，下个星期有考试。)

⑦ A：她就要结婚了。B：我听说了。(＊我据说了。)

797 距离[动、名]jùlí ▶ 距[介]jù ▶ 离[动、介]lí

词义说明 Definition

距离[be apart (or away) from; be at a distance from] 在时间和空间上相隔：这儿～车站不远。[distance] 相隔的长度：他们之间已经有很大的～了。

距[distance; be apart (away) from; be at a distance from] 距离：天津～北京只有120公里。

离[leave; part from; be away from]分离；离开：我已经～家三年

了。[from (in giving distances)]距离：那儿～这儿有多远？[without; short of]缺少：企业的发展～不开高水平的人才。

词语搭配 Collocation

	～有多远	～今已千年	～北京不远	～车站近	～家	相～甚远	～别	～不了
距离	√	×	√	√	×	×	×	×
距	×	√	√	√	×	√	×	×
离	×	×	√	√	√	×	√	√

用法对比 Usage

用法解释 Comparison

"距离"可以作宾语，"距"和"离"不能做宾语；"离"可以带补语，"距离"和"距"不能带补语。"距"多用于书面，口语不常用。

语境示例 Examples

① 我住的地方距离学校很近。(☺我住的地方离学校很近。)(＊我住的地方距学校很近。)
② 北京离上海有多远？(☺北京距离上海有多远？)(不常说：北京距上海有多远？)
③ 离春节只有半个月的时间了。(☺距离/距春节只有半个月的时间了。)
④ 他们双方对这个问题的看法有很大的距离。(＊他们双方对这个问题的看法有很大的距/离。)
⑤ 北京和海南岛相距很远。(＊北京和海南岛相距离/离很远。)
⑥ 这些文物距今已有两千多年的历史了。(＊这些文物离今已有两千多年的历史了。)(☺这些文物距离今天已有两千多年的历史了。)
⑦ 我现在用汉语写信或写文章还离不了词典。(＊我现在用汉语写信或写文章还距离/距不了词典。)
⑧ 刚来时他的学习还可以，后来因为不常来上课，跟同学们的距离越拉越大。(＊刚来时他的学习还可以，后来因为不常来上课，跟同学们的距/离越拉越大。)

798 聚[动]jù ▶ 聚会[动、名]jùhuì

词义说明 Definition

聚[assemble; gather; congregate; get together] 很多人集中在一起。

聚会[(of people) get together; congregate; assemble]很多人在一起会合，谈话或吃饭。[party; get-together; social gathering]指聚会的事。

词语搭配 Collocation

	～餐	～在一起	～一～	有个～
聚	√	√	√	×
聚会	×	√	×	√

用法对比 Usage

用法解释 Comparison

“聚”可以带宾语，而“聚会”是动宾结构，不能带宾语。

语境示例 Examples

① 老同学聚在一起不容易，得好好聊聊。(☺老同学聚会在一起不容易，得好好聊聊。)
② 这件事等大家聚会的时候商量商量。(☺这件事等大家聚的时候商量商量。)
③ 明天是星期日，咱们找个地方聚一聚怎么样？(＊明天是星期日，咱们找个地方聚会一聚会怎么样？)
④ 星期六晚上有个聚会，你能不能参加？(＊星期六晚上有个聚，你能不能参加？)
⑤ 昨天公司聚餐，你怎么没有参加？(＊昨天公司聚会餐，你怎么没有参加？)

799 捐赠[动]juānzèng ▶ 捐献[动]juānxiàn

词义说明 Definition

捐赠[contribute (as a gift); donate; present]赠送。

捐献[contribute (to an organization); donate; present]拿出财物献给国家或集体。

词语搭配 Collocation

	～图书	～电脑	～给国家	～了一千万元
捐赠	√	√	√	√
捐献	√	√	√	√

用法对比 Usage

用法解释 Comparison

"捐赠"的对象可以是集体或国家，"捐献"的对象一般是家乡和国家。"捐赠"可以是外交行为，是一个国家对另一个国家友好的表示，"捐献"没有这个用法。

语境示例 Examples

① 元帅夫人把他们夫妇多年来积攒的十万元捐赠给了家乡的一所小学。(☺元帅夫人把他们夫妇多年来积攒的十万元捐献给了家乡的一所小学。)

② 他为帮助白内障患者复明的"光明工程"捐赠了一千万美元。(☺他为帮助白内障患者复明的"光明工程"捐献了一千万美元。)

③ 父亲把自己一生的藏书全部捐赠给了家乡的图书馆。(☺父亲把自己一生的藏书全部捐献给了家乡的图书馆。)

④ 我们公司向受灾地区捐赠了衣物和药品。(＊我们公司向受灾地区捐献了衣物和药品。)

⑤ 总统向北京大学捐赠图书的仪式今天下午在北大举行。(＊总统向北京大学捐献图书的仪式今天下午在北大举行。)

800 决不[副]juébù ▶ 决无[副]juéwú

词义说明 Definition

决不[under no circumstance; never]绝对不；完全不，坚决不。

决无[have absolutely no]一定没有；肯定没有。

词语搭配 Collocation

	～去	～同意	～接受	～答应	～退让	～此意	～假货
决不	√	√	√	√	√	×	×
决无	×	×	×	×	×	√	√

用法对比 Usage

用法解释 Comparison

"决不"表示在任何条件下都不的意思，"决无"表示完全没有，肯定没有的意思。"决不"在句子中作状语，"决无"在句子中作谓语，它们不能相互替换。

语境示例 Examples

① 如果他们要求的条件过高，我们决不签约。（＊如果他们要求的条件过高，我们决无签约。）
② 他是个老实人，决不会骗人。（＊他是个老实人，决无会骗人。）
③ 请放心吧，我们商店决无假货。（＊请放心吧，我们商店决不假货。）
④ 我刚才说的都是真的，决无半句假话。（＊我刚才说的都是真的，决不半句假话。）
⑤ 那些贪赃枉法的人决无好结果。（＊那些贪赃枉法的人决不好结果。）

801 决定[动、名]juédìng ▶ 决心[名、动]juéxīn

词义说明 Definition

决定[decide; resolve; make up one's mind] 对如何行动做出主张：领导～派他出国进修。[decision; resolution] 决定的事项：大会通过了这项～。[(of sth.) be the prerequisite (of sth. else); determine; decide] 某事物成为另一事物的先决条件；起主导作用：存在～意识。[decide; determine; (of sth.) change or develop in a certain direction due to objective laws] 客观事物促使事物一定向某方面发展变化：战争胜负的～因素是人，而不是武器。

决心[determination; resolution] 坚定不移的意志：要下定～，克服困难，取得这项研究的成功。[steadfast; resolute] 一心一意，坚定不移地：～研究下去。

词语搭配 Collocation

	做～	～做	领导～	～去留学	下定～	有～	没有～	～了
决定	√	√	√	√	×	×	√	√
决心	×	√	×	√	√	√	√	×

用法对比 Usage

用法解释 Comparison

“决定”和“决心”的意思有所不同，“决心”有“一定要”、“想要”的意思，“决定”是“一定做”的意思。“决定”可以单独作谓语，“决心”只能与其他动词共同作谓语。

语境示例 Examples

① 去不去我现在还没有决定。(＊去不去我现在还没有决心。)
② 我已经下定决心，要把汉语学好。(＊我已经下定决定，要把汉语学好。)
③ 年轻人只要决心学习，就没有学不会的。(＊年轻人只要决定学习，就没有学不会的。)
④ 我有决心把这项工作做好。(＊我有决定把这项工作做好。)
⑤ 现在我给大家传达一下上级领导的决定。(＊现在我给大家传达一下上级领导的决心。)

"决定"可以用作谓语，"决心"不能。

去不去留学要赶快决定。(＊去不去留学要赶快决心。)

"决定"可以带"了、着、过"，"决心"不能。

① 考上师范大学就决定了我今后一定要当老师。(＊考上师范大学就决心了我今后一定要当老师。)
② 去云南旅行的事已经决定了，下星期出发。(＊去云南旅行的事已经决心了，下星期出发。)

802 觉察[动]juéchá ▶ 察觉[动]chájué

词义说明 Definition

觉察[detect; become aware of; perceive] 发觉，看出来。

察觉[be conscious of; become aware of; perceive] 发觉，看出来。

词语搭配 Collocation

	有～	没有～	～到	～出	不容易～	～不出来	～不到
觉察	√	√	√	√	√	√	√
察觉	√	√	√	√	√	√	√

用法对比 Usage

用法解释 Comparison

"觉察"和"察觉"是同素逆序词，"觉察"是凭感觉发现，"察觉"除了凭感觉发现以外，还可以凭侦察、调查等其他途径发现。虽然它们可以相互替换，但是语义略有不同。

语境示例 Examples

① 他一开始并没有觉察到自己有病。(☺他一开始并没有察觉到自己

有病。)

② 等他觉察到时，病情已经发展到很严重的地步了。(☺等他察觉到时，病情已经发展到很严重的地步了。)

③ 你没有察觉到最近他有些反常吗？(☺你没有觉察到最近他有些反常吗?)

④ 我觉察到这里面一定有问题，但是具体是什么问题我还说不清楚。(☺我察觉到这里面一定有问题，但是具体是什么问题我还说不清楚。)

⑤ 他这样做已经很长时间了，你怎么就没有觉察出来呢？(☺他这样做已经很长时间了，你怎么就没有察觉出来呢?)

⑥ 公安部门早就察觉到了他盗窃国家机密文件的行动。(＊公安部门早就觉察到了他盗窃国家机密文件的行动。)

803 觉悟[动、名]juéwù ▶ 觉醒[动]juéxǐng

词义说明 Definition

觉悟[consciousness; awareness; understanding] 由迷惑而明白，由模糊而认清。[come to understand] 指对道理的认识。

觉醒[awaken] 觉悟；醒悟。

词语搭配 Collocation

	有～	没有～	思想～	正在～	提高～	～到	已经～	很高的～
觉悟	√	√	√	√	√	√	√	√
觉醒	×	×	×	√	×	×	√	×

用法对比 Usage

用法解释 Comparison

“觉悟”既是动词也是名词，可以作宾语，“觉醒”只是动词，不能作宾语，也不能带“到”作补语。

语境示例 Examples

① 我相信她总有一天会觉醒的。(☺我相信她总有一天会觉悟的。)

② 他已经从那种不切实际的幻想中觉悟过来了。(☺他已经从那种不切实际的幻想中觉醒过来了。)

③ 他已经觉悟到这种说法实际上是一种迷信。(＊他已经觉醒到这种说法实际上是一种迷信。)

④ 只有不断学习科学文化知识，才能提高识别真假的觉悟。（＊只有不断学习科学文化知识，才能提高识别真假的觉醒。）

⑤ 对于那些伪科学反科学的所谓“理论”他有很高的觉悟，不断写文章进行揭露和批评。（＊对于那些伪科学反科学的所谓“理论”他有很高的觉醒，不断写文章进行揭露和批评。）

804 觉悟[动、名]juéwù ▶ 醒悟[动]xǐngwù

词义说明 Definition

觉悟[consciousness; awareness; understanding] 由迷惑而明白；有模糊而认清。[come to understand; become aware of; become politically awakened] 醒悟。

醒悟[come to realize (or see) the truth, one's error, etc.; wake up to reality] 在认识上由模糊到清楚，由错误到正确。

词语搭配 Collocation

	有～	没有～	还没～	～了	～过来	提高～	幡然～
觉悟	√	√	√	√	√	√	×
醒悟	×	×	√	√	√	×	√

用法对比 Usage

用法解释 Comparison

“觉悟”是动词和名词，“醒悟”只是动词，“醒悟”有“觉悟”的意思，但是“觉悟”可以作宾语，“醒悟”不能。

语境示例 Examples

① 他已经觉悟了，认识到年轻时不努力掌握一种本领，是不会有前途的。（☺他已经醒悟了，认识到年轻时不努力掌握一种本领，是不会有前途的。）

② 在大家的耐心帮助下，他终于醒悟过来，认识到自己过去走的路是错误的。（☺在大家的耐心帮助下，他终于觉悟过来，认识到自己过去走的路是错误的。）

③ 他现在还没有觉悟到学好一门外语对以后工作的重要性。（＊他现在还没有醒悟到学好一门外语对以后工作的重要性。）

④ 要不断提高政府公务员为人民服务的觉悟。（＊要不断提高政府公务员为人民服务的醒悟。）

805 均匀[形]jūnyún ▶ 平均[动、形]píngjūn

词义说明 Definition

均匀[even; distributed in a balanced way; equal interval of time, etc.] 分配或分布在各部分的数量相等；时间的间隔相等。

平均[average; mean] 把总数按份均衡计算。[equally; share and share alike] 没有轻重或多少的区别。

词语搭配 Collocation

	很～	不～	～一下	～了	呼吸～	雨水～	～分配	～分摊	～是多少
均匀	√	√	×	√	√	√	×	×	×
平均	√	√	√	√	×	×	√	√	√

J

用法对比 Usage

用法解释 Comparison

“平均”既是形容词，又是动词，可以带动词作宾语，“均匀”是形容词，不能带宾语。

语境示例 Examples

① 汉语系平均每班有十八个学生。（*汉语系均匀每班有十八个学生。）

② 国民生产总值如果今后二十年内平均每年以百分之六七的速度增长的话，人民的生活水平将会有很大的提高。（*国民生产总值如果今后二十年内均匀每年以百分之六七的速度增长的话，人民的生活水平将会有很大的提高。）

③ 今年的雨水很均匀，看样子又是一个丰收年。（*今年的雨水很平均，看样子又是一个丰收年。）

④ 电视广播员的语速平均每分钟是多少汉字？（*电视广播员的语速均匀每分钟是多少汉字？）

⑤ 他每年平均有三个月在野外工作。（*他每年均匀有三个月在野外工作。）

⑥ 我们两个人合租了一套房子，一切费用平均分摊。（*我们两个人合租了一套房子，一切费用均匀分摊。）

806 开发[动]kāifā ▶ 开辟[动]kāipì

词义说明 Definition

开发[develop; open up; exploit] 以土地、矿山、森林、水力等自然资源为对象进行劳动，以达到利用的目的，开拓。[develop; tap talent or develop technology for constructive purposes] 发现或发掘人才、技术等供利用。

开辟[open up; start] 打开通路，创立；开拓发展。

K

词语搭配 Collocation

	～荒山	～边疆	～西部	～新能源	人才～	～区	～新航线	～工作	～道路
开发	√	√	√	√	√	√	×	×	×
开辟	×	×	×	×	×	×	√	√	√

用法对比 Usage

用法解释 Comparison

“开发”的宾语包括的范围很广，对象是资源、矿山、水力、人才等；“开辟”的宾语则是道路、工作、航线、市场等。

语境示例 Examples

① 要开发农村市场，促进农村经济的发展。(☺要开辟农村市场，促进农村经济的发展。)

② 不可再生的能源会越用越少，科学家正在研究开发新能源。(＊不可再生的能源会越用越少，科学家正在研究开辟新能源。)

③ 中国西部大开发必将带动西部经济的大发展。(＊中国西部大开辟必将带动西部经济的大发展。)

④ 人才开发中心的任务就是发现人才，向社会推荐人才，为各类人才和用人单位提供优质服务。(＊人才开辟中心的任务就是发现人才，向社会推荐人才，为各类人才和用人单位提供优质服务。)

⑤ 经济开发工作一定要与环境保护结合起来，注意维护大自然的生态平衡。(＊经济开辟工作一定要与环境保护结合起来，注意维护大自然的生态平衡。)

⑥ 中国民航今年又开辟了十多条新航线。(＊中国民航今年又开发了十多条新航线。)

807 开辟[动]kāipì ▶ 开拓[动]kāituò

词义说明 Definition

开辟[open up; start] 打开通路，创立。

开拓[open up] 开辟；扩展。

词语搭配 Collocation

	~航线	~专栏	~财源	~新时代	~市场	~道路	~新领域
开辟	√	√	√	√	√	√	√
开拓	×	×	×	×	√	√	√

用法对比 Usage

用法解释 Comparison

“开辟”多指从无到有地打通、开发、创立。“开拓”多指扩展，从小到大的发展，对象一般是抽象事物。

语境示例 Examples

① 公司准备开辟国际市场，把生意做到国外去。(☺公司准备开拓国际市场，把生意做到国外去。)

② 他的研究开拓了一个新的学术领域。(☺他的研究开辟了一个新的学术领域。)

③ 中国民航又开辟了一条通往欧洲的新航线。(*中国民航又开拓了一条通往欧洲的新航线。)

④ 晚报上为他开辟了一个专栏，发表他写的普及法律知识方面的文章。(*晚报上为他开拓了一个专栏，发表他写的普及法律知识方面的文章。)

⑤ 在科学研究领域，需要的是创新精神，要不断开拓进取，才能有所发明，有所发现。(*在科学研究领域，需要的是创新精神，要不断开辟进取，才能有所发明，有所发现。)

808 开始[动、名]kāishǐ ▶ 开头kāi tóu

词义说明 Definition

开始[begin; start] 从头起；从某一点起；着手进行。[initial stage; beginning; outset] 开始的时候或阶段。

开头[begin; start] 事情、行动、现象等最初发生。[beginning; start] 使开始。[beginning] 第一部分；最初的一段或一部分。

词语搭配 Collocation

	～了	刚～	～上课	～工作	～写	～做	～的时候	万事～难	小说～
开始	√	√	√	√	√	√	√	×	×
开头	×	√	×	×	×	×	×	√	√

用法对比 Usage

用法解释 Comparison

"开始"可以带宾语；"开头"不能带宾语，"开头"只用于口语，不能用于书面，"开始"没有此限。

语境示例 Examples

① 学习外语，开始一定要先打好语音基础。(☺学习外语，开头一定要先打好语音基础。)
② 我们这个工作刚开始，八字还没有一撇呢。(☺我们这个工作刚开头，八字还没有一撇呢。)
③ 这部小说开头几章写得还不错。(☺这部小说开始几章写得还不错。)
④ 万事开头难，闯过开头这一关，后边的工作就好开展了。(*万事开始难，闯过开始这一关，后边的工作就好开展了。)
⑤ 现在开始上课。(*现在开头上课。)
⑥ 我的论文提纲已经拟好，就要开始写了。(*我的论文提纲已经拟好，就要开头写了。)

"开头"是动宾词组，可以分开用，"开始"不能。
你先给大家开个头，然后我们接着说。(*你先给大家开个始，然后我们接着说。)

809 开始[动、名]kāishǐ ▶ 起初[名]qǐchū

词义说明 Definition

开始[begin; start] 从头起；从某一点起；着手进行。[initial stage; beginning; outset] 开始的时候或阶段。

起初[originally; at first; at the outset] 原来；最初；开始时。

词语搭配 Collocation

	～工作	～上课	怎么～	快～了	～了	～时	～的时候
开始	√	√	√	√	√	√	√
起初	×	×	×	×	×	×	√

用法对比 Usage

用法解释 Comparison

“开始”是动词，可以带宾语；也是名词，可以作定语和中心语，“起初”是时间名词，但常常用于句子开头作时间状语，不能作中心语。

语境示例 Examples

① 开始他不愿意来，我劝了半天他才来。(☺起初他不愿意来，我劝了半天他才来。)

② 开始我一句汉语也不会说，也听不懂。(☺起初我一句汉语也不会说，也听不懂。)

③ 他的话我开始不明白，后来慢慢明白了。(☺他的话我起初不明白，后来慢慢明白了。)

④ 这个大学开始的时候规模很小，现在已经是几万人的大学了。(*这个大学起初的时候规模很小，现在已经是几万人的大学了。)

⑤ 从我做这件事开始，就有许多因素困扰着我。(*从我做这件事起初，就有许多因素困扰着我。)

⑥ 我们现在开始讲课文。(*我们现在起初讲课文。)

810 开心[形]kāixīn ▶ 高兴[形、动]gāoxìng

词义说明 Definition

开心[happy; joyous; elated] 心情快乐舒畅。[amuse oneself at sb.'s expense; make fun of sb.] 戏弄别人，使自己高兴。

高兴[glad; happy] 愉快而兴奋。[be willing to; be happy to] 带着愉快的心情去做某事。

词语搭配 Collocation

	很~	非常~	玩得很~	别拿我~	~去
开心	√	√	√	√	×
高兴	√	√	√	×	√

用法对比 Usage

用法解释 Comparison

"开心"是形容词，"高兴"既是形容词也是动词，可以带宾语，"开心"不能带宾语。

语境示例 Examples

① 昨天晚上，几个朋友在一起聊得很开心。(☺昨天晚上，几个朋友在一起聊得很高兴。)
② 看样子，他不太开心。(☺看样子，他不太高兴。)
③ 见到你我很高兴。(☺见到你我很开心。)
④ 我要把得奖的消息告诉父母，让他们也高兴高兴。(＊我要把得奖的消息告诉父母，让他们也开心开心。)

"开心"有戏弄人的意思，"高兴"没有这个意思。

你别拿我开心。(＊你别拿我高兴。)

"高兴"有愿意做某事的意思，"开心"没有这个意思。

你高兴去哪儿我们就去哪儿。(＊你开心去哪儿我们就去哪儿。)

811 开心[形]kāixīn ▶ 愉快[形]yúkuài

词义说明 Definition

开心[happy; joyous; elated] 心情快乐舒畅。[amuse oneself at sb.'s expense; make fun of sb.] 戏弄别人，使自己高兴。

愉快[happy; joyful; cheerful] 高兴快乐。

词语搭配 Collocation

	很~	十分~	非常~	~地说笑	心情~	假期~	过得~
开心	√	√	√	√	×	×	√
愉快	√	√	√	√	√	√	√

用法对比 Usage

用法解释 Comparison

"愉快"可以用于陈述句，也可以用于祈使句；"开心"不能用于祈使句。

语境示例 Examples

① 今天我玩得很开心。(☺今天我玩得很愉快。)
② 今天晚上和朋友聊得很开心。(☺今天晚上和朋友聊得很愉快。)
③ 听了我的话，她开心地笑了。(☺听了我的话，她愉快地笑了。)
④ 我在这里过得非常愉快。(☺我在这里过得非常开心。)
⑤ 晚饭后散散步，听听音乐，心情十分愉快。(＊晚饭后散散步，听听音乐，心情十分开心。)
⑥ 祝你假期愉快！(＊祝你假期开心！)

"开心"还有戏弄别人，让自己高兴的意思。"愉快"没有这个意思。

你们净拿我寻开心。(＊你们净拿我寻愉快。)

812 开展[动]kāizhǎn ▶ 展开[动]zhǎnkāi

词义说明 Definition

开展[develop; launch; unfold] 从小向大发展，使展开。

展开[spread out; unfold; open up] 张开，铺开。[launch; unfold; develop; carry out] 大规模地进行。

词语搭配 Collocation

	～活动	～讨论	～竞赛	～技术革新	～运动	～起来	广泛～
开展	√	√	√	√	√	√	√
展开	×	√	√	×	×	×	√

用法对比 Usage

用法解释 Comparison

"开展"和"展开"同素逆序，都可以带"了"，带宾语。不同的是，"开展"的对象是抽象事物，是活动、运动，而"展开"的对象可以是抽象事物，也可以是具体事物。

语境示例 Examples

① 大学经常开展各种各样的文体活动，活跃了大学生的业余文化生活。(☺大学经常展开各种各样的文体活动，活跃了大学生的业余文化生活。)
② 两国建交以后，在政治、经济和文化等方面广泛开展了交流。(☺两国建交以后，在政治、经济和文化等方面广泛展开了交流。)

"开展"可以带补语,"展开"不能。

① 义务献血活动已经在全市范围内开展起来了。(*义务献血活动已经在全市范围内展开起来了。)
② 春天来了,植树造林活动在全国陆续开展起来。(*春天来了,植树造林活动在全国陆续展开起来。)
③ 大学生下乡支援农村教育的活动开展得很好。(*大学生下乡支援农村教育的活动展开得很好。)

"展开"还有张开、铺开的意思,"开展"没有这个意思。

① 雄鹰展开翅膀在蓝天翱翔。(*雄鹰开展翅膀在蓝天翱翔。)
② 他展开地图查看去西藏的路。(*他开展地图查看去西藏的路。)

813 开张 kāi zhāng ▶ 开业 kāi yè

K

词义说明 Definition

开张[open a business; begin doing business] 新建的商店开始营业,一般是指第一天。

开业[(of a shop, etc.) start business] 开始业务活动,多指企业、商店等。[(of a lawyer, doctor, etc.) open a private practice] 开始业务活动,多指律师、大夫等。

词语搭配 Collocation

	什么时候~	今天~	还没有~呢	准备~	~庆典	祝贺~
开张	√	√	√	√	×	√
开业	√	√	√	√	√	√

用法对比 Usage

用法解释 Comparison

"开张"的反义词是"关张","开业"的反义词是"停业"。"开张"不能用于正式场合,只用于口语,"开业"没有这个限制。

语境示例 Examples

① 你的花店什么时候开张?(☺你的花店什么时候开业?)
② 新超市国庆节正式开张。(☺新超市国庆节正式开业。)
③ 明天我们超市举行开业庆典,欢迎光临。(*明天我们超市举行开张庆典,欢迎光临。)
④ 祝贵公司开业大吉!(*祝贵公司开张大吉!)

⑤ 他的诊所开业以来，赢得了患者和附近居民的交口称赞。（＊他的诊所开张以来，赢得了患者和附近居民的交口称赞。）

"开张"也指某些事情的开始。"开业"没有这个意思。

我们这项研究工作刚开张，现在还缺好几个人呢。（＊我们这项研究工作刚开业，现在还缺好几个人呢。）

814 开支[动]kāizhī ▶ 支出[动]zhīchū

词义说明 Definition

开支[pay (expenses)] 付出(钱)。[expense; expenditure; spending] 开支的费用。

支出[pay (money); expend; disburse] 付出去，支付。[expenses; expenditure; outlay; disbursement] 支付的款项。

词语搭配 Collocation

	节约～	不能～	额外～	～现金	～和收入平衡
开支	√	√	√	×	√
支出	√	√	√	√	√

用法对比 Usage

用法解释 Comparison

用"开支"的地方也可以用"支出"，但是，用"支出"的地方不一定能用"开支"。

语境示例 Examples

① 由于加强了管理，今年公司的开支大大减少。（☺由于加强了管理，今年公司的支出大大减少。）

② 这个月的开支和收入基本平衡。（☺这个月的支出和收入基本平衡。）

③ 要节约开支，不该花的钱不能乱花。（☺要节约支出，不该花的钱不能乱花。）

④ 这个月节省开支一万多元。（☺这个月节省支出一万多元。）

⑤ 引进这套设备需要支出一千万人民币。（＊引进这套设备需要开支一千万人民币。）

K

815 看[动]kàn ▶ 看见kàn jiàn

词义说明 Definition

看[see; look at; watch] 使视线接触人或物。[read] 阅读。[think; consider] 观察并加以判断，认为：你～他怎么样？[call on; visit; see] 看望：我去医院～～她。[see or consult (a doctor); treat (a patient or an illness)] 诊治疾病。[(used after a reduplicated verb or a verb phrase) try and see (what happens)] 用在动词重叠式或动词词组后边，表示尝试：你们想想～，这个问题该怎么回答。

看见[catch sight of; see] 视线接触到了目的物（人或东西）。

词语搭配 Collocation

	～了	没～	不～	～电视	你～怎么办	～朋友	～病	～书
看	√	√	√	√	√	√	√	√
看见	√	√	×	×	×	×	×	×

用法对比 Usage

用法解释 Comparison

“看”和“看见”的意思不同，“看”是眼睛的动作和功能，只要睁开眼就是“看”；“看见”是视线触到了目的物，是“看”这个动作产生的结果，“看”不一定能“看见”，但“看见”一定“看”了。

语境示例 Examples

① 这么小的字，你不戴眼镜能看吗？(☺这么小的字，你不戴眼镜能看见吗？)

② 我去医院看她的时候，她正在床上躺着看书呢。(＊我去医院看见她的时候，她正在床上躺着看见书呢。)

③ A：你看见小张了没有？B：看见了，他正在操场打太极拳呢。(＊A：你看小张了没有？B：看了，他正在操场打太极拳呢。)

④ 你看这件事怎么办好呢？(＊你看见这件事怎么办好呢？)

⑤ 星期六晚上我常常在家看电视，或者跟朋友一起去看电影。(＊星期六晚上我常常在家看见电视，或者跟朋友一起去看见电影。)

⑥ 昨天晚上的足球赛你看了没有？(＊昨天晚上的足球赛你看见了没有？)

816 看[动]kàn ▶ 看望[动]kànwàng

词义说明 Definition

看[call on; visit; see] 访问。

看望[call on; visit; see] 到长辈或亲友处去问候或访问。

词语搭配 Collocation

	～～	～朋友	～父母	～老师
看	√	√	√	√
看望	×	√	√	√

用法对比 Usage

用法解释 Comparison

"看"有"看望"的意思，但是"看"和"看望"音节不同，用法也不尽相同，"看"多用于口语，可以重叠使用，"看望"一般用于书面，不常重叠使用。

语境示例 Examples

① 下午我去看了一个老朋友。(☺下午我去看望了一个老朋友。)
② 今年春节我要回老家看父母。(☺今年春节我要回老家看望父母。)
③ 咱们明天去看看王老师吧。(＊咱们明天去看望看望王老师吧。)
④ 这位老人很孤独，儿女都在国外，平时很少有人来看望。(＊这位老人很孤独，儿女都在国外，平时很少有人来看。)
⑤ 听说你病了，我来看看你。(＊听说你病了，我来看望看望你。)

817 看不起kàn bu qǐ ▶ 轻视[动]qīngshì

词义说明 Definition

看不起[look down on; scorn; despise] 对人或事物往不重要或小的方面看，不重视。

轻视[belittle; look down on; underrate] 不重视，不认真对待。

词语搭配 Collocation

	很～	不要～	～别人	～劳动	～对手	让人～
看不起	√	√	√	√	√	√
轻视	√	√	√	√	√	√

用法对比 Usage

用法解释 Comparison

“看不起”的对象可以是人，也可以是事情、工作、职业等；“轻视”的对象一般是事物、能力、作用等。“看不起”多用于口语，“轻视”是书面语。“看不起”的反义词是“看得起”，而“轻视”的反义词是“重视”。

语境示例 Examples

① 轻视劳动和劳动人民是不对的。(☺看不起劳动和劳动人民是不对的。)
② 不能轻视基础理论的研究。(☺不能看不起基础理论的研究。)
③ 既不要看不起别人也不能让别人看不起。(＊既不要轻视别人也不能让别人轻视。)
④ 这场比赛，我们的对手实力很强，不可轻视。(＊这场比赛，我们的对手实力很强，不可看不起。)
⑤ 他看不起别人做的活，一定要亲自动手。(＊他轻视别人做的活，一定要亲自动手。)

818 看待[动]kàndài ▶ 对待[动]duìdài

词义说明 Definition

看待[look on (or upon); regard; treat] 对人和事物采取的态度和看法。

对待[treat; approach; handle] 以某种态度或行为加之于人或事物。

词语搭配 Collocation

	～工作	～学生	当…～	怎么～	那么～	不能这样～	认真～
看待	√	√	√	√	√	√	×
对待	√	√	√	√	√	√	√

用法对比 Usage

用法解释 Comparison

“看待”和“对待”不同的是，“看待”只是停留在认识或看法这个层面，没有具体的行动，“对待”是采取某种行动或表现出某种行为方式。

语境示例 Examples

① 老师要平等地看待自己的每一个学生。(☺老师要平等地对待自己的每一个学生。)
② 我把她当作自己的妹妹看待。(☺我把她当作自己的妹妹对待。)
③ 我们应该认真对待观众的批评。（＊我们应该认真看待观众的批评。）
④ 对于群众来信反映的问题要认真对待。（＊对于群众来信反映的问题要认真看待。）
⑤ 对待学术上有争论的问题，我们的杂志要站在客观公正的立场，允许各方充分发表意见。（＊看待学术上有争论的问题，我们的杂志要站在客观公正的立场，允许各方充分发表意见。）

K

819 看法[名]kànfǎ ▶ 想法[名]xiǎngfa

词义说明 Definition

看法[a way of looking at a thing; view] 对客观事物所抱的见解、意见。[unfavourable or critical view of sb.] 对人不满意，有意见。

想法[idea; opinion; view] 对事情的打算或考虑。

词语搭配 Collocation

	我的～	几点～	有～	谈谈～	～不对	～正确	改变～
看法	√	√	√	√	√	√	√
想法	√	√	√	√	√	√	√

用法对比 Usage

用法解释 Comparison

“看法”和“想法”的意思差不多。但是，它们和“有”搭配使用，意思就变了。“有看法”表示有意见，不满意，“有想法”表示对做好某事有打算、有计划。

语境示例 Examples

① 看法：他对这件事很有看法。(他对这件事很有意见，很不满意)
想法：他对这件事很有想法。(他有办好这件事的打算或计划)

② 你对这件事有什么看法？（☺你对这件事有什么想法？）
③ 把你的看法给大家说说。（☺把你的想法给大家说说。）
④ 我们俩的看法一样。（☺我们俩的想法一样。）
⑤ 这件事改变了我对他的看法。（*这件事改变了我对他的想法。）
⑥ 我对这个人有看法。（*我对这个人有想法。）

820 看来 kàn lái ▶ 看样子 kàn yàngzi

词义说明 Definition

看来[it seems (or appears); it looks as if] 粗略地判断。根据目的物（人或事物）的外在表现以及与环境、背景等的联系，通过视觉器官的观察和大脑的思考，对人和事物提出自己的意见和判断。

看样子[look; appear; seem] 看来；看起来。

K

词语搭配 Collocation

	～要下雨	～刚睡醒	～事情难办	～二十多岁	～挺好	～像旧的	～是外国人
看来	√	√	√	√	√	√	√
看样子	√	√	√	√	√	√	√

用法对比 Usage

用法解释 Comparison

“看样子”是从外观、现象得出判断，“看来”除了从外观、现象得出判断的意思以外，还要经过理性思维以后得出判断和结论。“看来”在句子里可以和“从”搭配，组成“从……看来”，“看样子”不能这么用。

语境示例 Examples

① 天阴得很重，看来要下雨。（☺天阴得很重，看样子要下雨。）
② 看来他喝醉了。（☺看样子他喝醉了。）
③ 看来再不努力我就得留级了。（☺看样子再不努力我就得留级了。）
④ 看样子他今天不会来了。（☺看来他今天不会来了。）
⑤ 从他的脸色看来，像是有病。（*从他的脸色看样子，像是有病。）
⑥ 从现在的情况看来，并不像我们想像的那样糟。（*从现在的情况看样子，并不像我们想像的那样糟。）

⑦ 看样子他像日本人。（＊看来他像日本人。）

821 看起来kàn qilai ▶ 看上去kàn shangqu

词义说明 Definition

看起来[it seems (or appears); it looks as if] 根据目的物（人或事物）的外在表现以及与环境、背景等联系通过视觉器官的观察和大脑的思考，对人和事物提出自己的意见和判断。

看上去[it seems (or appears)] 根据目的物（人或事物）的外在表现，仅根据视觉器官观察做出的猜测和判断。

词语搭配 Collocation

	～很好	～很累	～没有精神	～天要下雨	～他很能干	～他病得不轻	～不来了
看起来	√	√	√	√	√	√	√
看上去	√	√	√	√	×	√	×

用法对比 Usage

用法解释 Comparison

“看起来”既表示通过视觉器官——眼睛“看”以后，做出判断，得出结论；也表示通过大脑思考以后，做出判断，得出结论，而“看上去”只表示通过眼睛“看”以后做出判断，得出结论。

语境示例 Examples

① 天阴得很厉害，看起来要下雨。（☺天阴得很厉害，看上去要下雨。）

② 看上去他有三十多岁。(☺看起来他有三十多岁。)

③ 看上去爸爸的身体还很硬朗。(☺看起来爸爸的身体还很硬朗。)

④ 这件事看起来容易，其实并不容易。（＊这件事看上去容易，其实并不容易。）

⑤ 已经七点多了，看起来他今天不来了，我们别等他了。（＊已经七点多了，看上去他今天不来了。）

⑥ 看起来你对京剧很感兴趣。(＊看上去你对京剧很感兴趣。)

⑦ 看起来他对中国书法很有研究。(＊看上去他对中国书法很有研究。)

K

822 考虑[动]kǎolǜ ▶ 打算[动、名]dǎsuan

词义说明 Definition

考虑[think over; consider] 思考问题，以便做出决定。

打算[plan; intend] 考虑，计划。[plan; consideration; calculation] 关于行动的方向、方法等的想法。

词语搭配 Collocation

	~一下	正在~	~做	~去	不~	没有~	有~	什么~
考虑	√	√	√	√	√	√	×	×
打算	√	√	√	√	√	√	√	√

用法对比 Usage

用法解释 Comparison

“考虑”只是动词，不能作宾语，“打算”既是动词又是名词，既可以作谓语又可以作主语和宾语。

语境示例 Examples

① 说实话，对于将来要做什么，我现在还没有怎么考虑。(☺说实话，对于将来要做什么，我现在还没有什么打算。)

② 公司领导打算出国去考察考察。(☺公司领导考虑出国去考察考察。)

③ 大学毕业以后你打算做什么？(☺大学毕业以后你考虑做什么？)

④ 这个问题我现在还没有考虑好。(☺这个问题我现在还没有打算好。)

⑤ 暑假你打算不打算去旅行？(☺暑假你考虑不考虑去旅行？)

⑥ 我已经考虑好了，先去旅行，然后回国。(☺我已经打算好了，先去旅行，然后回国。)

⑦ 你这个打算不错。(*你这个考虑不错。)

⑧ 我考虑一下再回答你。(*我打算一下再回答你。)

823 考试[动、名]kǎoshì ▶ 考[动]kǎo

词义说明 Definition

考试[take an examination; test; exam] 通过书面或口头提问的

方式，考查技能或知识水平。

考[give a test or quiz] 提出难解的问题让学生回答。[exam] 考试。

词语搭配 Collocation

	有～	口语～	阅读～	通过～	期末～	～外语	～大学	大～	小～	高～	～上了
考试	√	√	√	√	√	√	×	√	√	×	×
考	×	×	×	×	×	√	√	√	√	√	√

用法对比 Usage

用法解释 Comparison

“考试”有跟“考”相同的意思，因为音节的关系，“考试”多与双音节词语搭配，“考”多与单音节词搭配。“考”是个动词，可以带宾语和补语。“考试”是个动宾词组，但是因为结合紧密，也常常做动词用，有时候可以带宾语，偶尔也带补语，不过，它能带的补语很少。

语境示例 Examples

① 这次考得怎么样？(你考得好不好？)(☺这次考试怎么样？)(考试难不难？你考得好不好？……)

② 星期几考试听力？(☺星期几考听力？)

③ 考试完以后就该放寒假了。(☺考完以后就该放寒假了。)

④ 我这次没考好，才得了70分。(*我这次没考试好，才得了70分。)

⑤ 中国大学的招生考试叫高考，只有达到一定的分数线，才能被录取。(*中国大学的招生考试叫高考试，只有达到一定的分数线，才能被录取。)

⑥ 我弟弟今年考上了大学。(*我弟弟今年考试上了大学。)

⑦ 我只有通过这次考试才能得到奖学金。(*我只有通过这次考才能得到奖学金。)

⑧ 汉语水平考试是中国国家级的考试。(*汉语水平考是中国国家级的考。)

⑨ 我们什么时候有考试？(*我们什么时候有考？)

K

824 靠[动]kào ▶ 凭[动]píng

词义说明 Definition

靠[lean against; lean on] 人站着或坐着让身体的一部分重量由别人或物体支持着；倚靠：~在沙发上睡着了。[(of sth.) lean or stand against] 物体凭借别的东西支持着或竖起来：把梯子~在墙上。[depend on; rely on] 依靠：我们家~爸爸的工资生活。[stand by the side of; get near; come up to] 接近，挨近：行人和车辆一律~右走。[trust] 信赖，信得过：这个人~得住。

凭[(of body) lean on; lean against] (身子) 靠着。[rely on; depend on] 依靠：~双手干活挣钱。[go by; base on; take as the basis] 倚靠，借助：~良心办事。根据：~票入场。[evidence; proof] 证据：口说无~。

K

词语搭配 Collocation

	~着墙	背~着背	~山	船~岸了	~得住	可~	~什么	文~	~着	~票入场
靠	√	√	√	√	√	√	√	×	√	×
凭	×	×	×	×	×	×	√	√	√	√

用法对比 Usage

用法解释 Comparison

“靠”的宾语既可以是具体的，如山、墙、窗户等，也可以是抽象的，如努力、能力、本事等。“凭”只能带少数具体名词作宾语，多数宾语为抽象的，如“凭想像、凭本事”等。“靠”口语常用，“凭”书面常用。

语境示例 Examples

① 靠窗远望，眼前是一片美丽的景色。(☺凭窗远望，眼前是一片美丽的景色。)

② 他靠自己的努力考上了大学。(☺他凭自己的努力考上了大学。)

③ 靠你的博士文凭，还愁找不到好工作? (☺凭你的博士文凭，还愁找不到好工作?)

④ 常言说得好，在家靠父母，出门靠朋友，我就是靠朋友帮忙才有今天的。(*常言说得好，在家凭父母，出门凭朋友，我就是凭朋友帮忙才有今天的。)

⑤ 他靠在沙发上睡着了。(＊他凭在沙发上睡着了。)
⑥ 你别听他的，他的话靠不住。(＊你别听他的，他的话凭不住。)
⑦ 我的家乡前边临河，后边靠山，是个风景美丽的地方。(＊我的家乡前边临河，后边凭山，是个风景美丽的地方。)
⑧ 今晚的招待会凭请帖入场。(＊今晚的招待会靠请帖入场。)

825 可能[助动、名]kěnéng ▶ 也许[副]yěxǔ

词义说明 Definition

可能[possible; probable; likely] 可以实现，可以做到。[probably; maybe] 也许；或许。[possibility] 能成为事实的；可能性。

也许[perhaps; probably; maybe] 不很肯定地估计或猜测。

词语搭配 Collocation

	很～	不～	不太～	有～	没有～	怎么～	～会来	～买得到	～还在
可能	√	√	√	√	√	√	√	√	√
也许	×	×	×	×	×	×	√	√	√

用法对比 Usage

用法解释 Comparison

“可能”和“也许”有相同的意思，都可以放在动词前面，表示估计和猜测。但“可能”是助动词和名词，而“也许”是个副词，只能作状语，不能作宾语和定语。

语境示例 Examples

① 我们现在去，可能买不到好票了。(☺我们现在去，也许买不到好票了。)
② 她屋子亮着灯呢，可能在家。(☺她屋子亮着灯呢，也许在家。)
③ 你再好好儿找找，也许找得到。(☺你再好好儿找找，可能找得到。)
④ 今天晚上他可能来。(☺今天晚上他也许来。)
⑤ 这两个国家之间爆发战争的可能性是随时存在的。(＊这两个国家之间爆发战争的也许性是随时存在的。)

表示否定时，“不”或“没有”可以放在“可能”的前面，但是不能放在“也许”的前边。

我觉得这样的事情不可能发生。(＊我觉得这样的事情不也许发生。(☺我觉得这样的事情也许不会发生。)

"可能"前面可以受程度副词修饰,"也许"不能。

好长时间没有见到她了,很可能回国了。(*好长时间没有见到她了,很也许回国了。)

"可能"前面可以带数量词,"也许"不能。

什么事情的发展都有两种可能,好的或者不好的,希望看到的或是不希望看到的。(*什么事情的发展都有两种也许,好的或者不好的,希望看到的或是不希望看到的。)

826 可惜[形]kěxī ▶ 遗憾[形]yíhàn

词义说明 Definition

可惜[what a pity; it's too bad] 令人惋惜。

遗憾[regret; pity] 遗恨;由无法控制的或无力补救的情况所引起的后悔。[(usu. used to express displeasure and protest) regret] 不称心,大可惋惜(在外交文件上常用来表示不满和抗议)。

K

词语搭配 Collocation

	真~	很~	~没买	~没看	~丢了	~错过了	令人~	深感~	终生~	表示~
可惜	√	√	√	√	√	√	√	×	×	×
遗憾	√	√	×	×	×	×	√	√	√	√

用法对比 Usage

用法解释 Comparison

二者都表示惋惜,但"可惜"多用于口语,"遗憾"口语书面都用。"遗憾"常用于外交文件或声明,"可惜"不行。

语境示例 Examples

① 刚买的照相机就被我摔坏了,真可惜。(*刚买的照相机就被我摔坏了,真遗憾。)

② 这么好的节目你没有看上,真遗憾。(☺这么好的节目你没有看上,真可惜。)

③ 这双皮鞋还能穿,扔了可惜。(*这双皮鞋还能穿,扔了遗憾。)

④ 他不愿买那么贵的东西是可惜自己打工挣来的钱。(*他不愿买那么的贵东西是遗憾自己打工挣来的钱。)

⑤ 他才三十多岁，死得太可惜了。（＊他才三十多岁，死得太遗憾了。）

"可惜"还可以放在主语前边，"遗憾"不能这样用。

昨天的晚会可热闹了，可惜你没来。（＊昨天的晚会可热闹了，遗憾你没来。）

"遗憾"常用于外交场合，表示不满和抗议，"可惜"不能这么用。

……，中国政府对此表示遗憾。（＊……，中国政府对此表示可惜。）

827 可以［助动、形］kěyǐ ▶ 能［助动］néng

词义说明 Definition

可以［can; may］表示可能或能够；许可：只要努力，是～学会的。［be worth (doing)］值得（做）：我觉得～试试。［passable; pretty good; not bad］不坏；还好：考得还～。［terrible; awful］厉害：今天热得真够～的了。

能［(expressing possibility) can; possibly］能够，主客观条件具备。

词语搭配 Collocation

	不～	～说汉语	～游泳	～开车	还～	～学会	～走了	～完成	～走路	～来
可以	√	√	√	√	√	√	√	√	√	√
能	√	√	√	√	√	√	√	√	√	√

用法对比 Usage

用法解释 Comparison

"能"表示可能，表示条件和情理上允许，"可以"表示可能性，主观上允许。"可以"的否定形式是"不能"，一般不说"不可以"，只有表示劝止时，才用"不可以"。

语境示例 Examples

① 我相信只要努力一定可以学好。(☺我相信只要努力一定能学好。)

② 你的书今年内可以写完吗？(☺你的书今年内能写完吗？)

③ 这儿可以停车吗？(☺这儿能停车吗？)

④ 对不起，这里不能抽烟。(☺对不起，这里不可以抽烟。)

⑤ 他的腿已经好了，能下地走了。(☺他的腿已经好了，可以下地

K

走了。)

⑥ 他喝酒了，现在不能开车。(☺他喝酒了，现在不可以开车。)

⑦ 没事了，你可以走了。(＊没事了，你能走了。)

⑧ 有不懂的问题可以问老师。(＊有不懂的问题能问老师。)

⑨ 他病了，今天不能来上课。(＊他病了，今天不可以来上课。)

⑩ 我不能说法语。(＊我不可以说法语。)

⑪ 对不起，我下午有事不能陪你去。(＊对不起，我下午有事不可以陪你去。)

⑫ 你真能写，一下子写了这么一大篇。(＊你真可以写，一下子写了这么一大篇。)

⑬ 他真能喝，我才喝了一杯，他都喝了五杯了。(＊他真可以喝，我才喝了一杯，他都喝了五杯了。)

"能"可以和"愿意、答应、同意、高兴"等连用，"可以"不行。

① 你不让他去，他能高兴吗?(＊你不让他去，他可以高兴吗?)

② 这么跟老师说，老师能同意吗?(＊这么跟老师说，老师可以同意吗?)

③ 她丈夫的事情她能一点儿都不知道吗?(＊她丈夫的事情她可以一点儿都不知道吗?)

"可以"能作谓语或补语，"能"不行。

① 我明天没有事，把你送到机场去都可以。(＊我明天没有事，把你送到机场去都能。)

② 他英语说得还可以。(＊他英语说得还能。)

③ 这个句子你这么翻译也可以。(＊这个句子你这么翻译也能。)

828 克服[动]kèfú ▶ 战胜[动]zhànshèng

词义说明 Definition

克服[overcome (difficulties, shortcomings, etc.); correct (a mistake)] 用坚强的意志和力量战胜（缺点、错误、坏现象、不利条件等）。[put up with (difficulties, hardships, etc.)] 克制；忍受（困难）。

战胜[defeat; triumph over; vanquish; overcome; conquer] 在战争或比赛中取得胜利。

词语搭配 Collocation

	～困难	～缺点	～片面性	～恐惧心理	～一下	～敌人	～对手	～自然灾害
克服	√	√	√	√	√	×	×	×
战胜	√	×	×	×	×	√	√	√

用法对比 Usage

用法解释 Comparison

“克服”的宾语可以是困难、缺点等，不能是人，“战胜”的对象可以是困难、灾难等，也可以是人。

语境示例 Examples

① 他们克服了很多困难，终于取得了实验的成功。(☺他们战胜了很多困难，终于取得了实验的成功。)

② 要克服急躁情绪。(＊要战胜急躁情绪。)

③ 他们战胜了对手，获得了世界杯足球赛的冠军。(＊他们克服了对手，获得了世界杯足球赛的冠军。)

④ 要克服片面性，学会全面地看问题。(＊要战胜片面性，学会全面地看问题。)

⑤ 英雄的唐山人民战胜了地震灾害，在短短二十年内，建成了一个更加美丽的新唐山。(＊英雄的唐山人民克服了地震灾害，在短短二十年内，建成了一个更加美丽的新唐山。)

⑥ 我们这里条件比较差，请各位克服一下。(＊我们这里条件比较差，请各位战胜一下。)

829 肯定[动、形]kěndìng ▶ 一定[形]yídìng

词义说明 Definition

肯定[affirm; confirm; approve; regard as positive] 承认事物的存在或事物的真实性（与“否定”相对）。[positive; affirmative] 表示承认的，正面的（跟“否定”相对）：对这个问题我的回答是～的。[definite; sure] 确定，明确：请您给我们一个～的答复。[certainly; undoubtedly; definitely] 一定：我～把你的意思转告她。

一定[fixed; specified; definite; regular] 规定的，确定的，固定不变的：每天工作的时间是～的。[certainly; surely; necessarily] 表示坚决和确定。必定；必然：我的愿望～能实现。[given; particular; certain] 相当的，特定的：在～条件下坏事也可以变成好事。[proper; fair; due] 相当的：他现在汉语水平有了～的提高。

词语搭配 Collocation

	～成绩	～事实	很～	不能～	～来	～好	～下来	不～	～要	～水平
肯定	√	√	√	√	√	√	√	√	√	×
一定	×	×	×	×	√	√	×	√	√	√

用法对比 Usage

"肯定"是动词也是形容词，"一定"只是形容词，它们都可以作状语。

① 我明天肯定陪你一起去，你放心吧。(☺我明天一定陪你一起去，你放心吧。)

② 这次比赛我们肯定能赢。(☺这次比赛我们一定能赢。)

③ 他现在还不来，一定是不来了。(☺他现在还不来，肯定是不来了。)

④ 他这次突然回国肯定跟失恋有关系。(☺他这次突然回国一定跟失恋有关系。)

⑤ 明天早上我不一定来得了，你不要等我了。(*明天早上我不肯定来得了，你不要等我了。)

"肯定"可以作谓语，"一定"除个别情况外，一般不能作谓语。

① 对这个问题的回答是肯定的。(*对这个问题的回答是一定的。)

② 我敢肯定，他们还得输。(*我敢一定，他们还得输。)

③ 他今天来不来还不能肯定。(*他今天来不来还不能一定。)

④ 父亲生活很规律，每天什么时候干什么都是一定的。(*父亲生活很规律，每天什么时候干什么都是肯定的。)

"一定"和"肯定"都能作定语，但是修饰的中心语不同。

① 他的研究已经达到了一定水平。(*他的研究已经达到了肯定水平。)

② 他最近情绪不好跟这次考试有一定的关系。(*他最近情绪不好，跟这次考试有肯定的关系。)

③ 你到底同意不同意，请给我一个肯定的回答。(*你到底同意不同意，请给我一个一定的回答。)

④ 事物在一定条件下是会发生变化的，人当然更不用说了。(*事

物在肯定条件下是会发生变化的，人当然更不用说了。）

“肯定”能带宾语和补语，“一定”不能。

要肯定学生的成绩和进步，鼓励他们不断努力。（＊要一定学生的成绩和进步，鼓励他们不断努力。）

“肯定”可以受程度副词“很、非常”修饰，“一定”不能。

我问他这个消息是不是真的，他很肯定地说，当然是真的。（＊我问他这个消息是不是真的，他很一定地说，当然是真的。）

830 空气[名]kōngqì ▶ 气氛[名]qìfēn

词义说明 Definition

空气[air] 地球周围的气体，无色，无味，主要由氮气和氧气组成。[atmosphere] 一定环境中人感觉到的精神表现或特征；气氛。

气氛[atmosphere] 一定环境中给人强烈感觉的精神表现或景象。

词语搭配 Collocation

	～清新	～很好	～污染	紧张～	友好的～	学习～
空气	√	√	√	√	×	√
气氛	×	√	×	√	√	√

用法对比 Usage

用法解释 Comparison

“空气”是具体名词，“气氛”是抽象名词，“空气”含有“气氛”的意思，可以当“气氛”用，但“气氛”不能当“空气”用。

语境示例 Examples

① 我觉得我们大学的学习空气很浓。（☺我觉得我们大学的学习气氛很浓。）

② 这里远离城市，所以空气非常好。（＊这里远离城市，所以气氛非常好。）

③ 这个城市的空气污染太严重了。（＊这个城市的气氛污染太严重了。）

④ 双方在亲切友好的气氛中进行了会谈。（＊双方在亲切友好的空气中进行了会谈。）

⑤ 这次学术讨论会的气氛很好，专家们畅所欲言，就共同关心的问题展开了热烈的讨论。（＊这次学术讨论会的空气很好，专家们畅所欲言，就共同关心的问题展开了热烈的讨论。）

831 恐慌[形]kǒnghuāng ▶ 惊慌[形]jīnghuāng

词义说明 Definition

恐慌[panic due to worry or fear] 因担忧、害怕而慌张不安。

惊慌[alarmed; scared; panic-stricken] 害怕慌张。

词语搭配 Collocation

	非常～	感到～	～万状	引起～	～失措	神色～	～不安	不必～
恐慌	√	√	√	√	×	×	√	√
惊慌	√	√	√	√	√	√	√	√

用法对比 Usage

K

用法解释 Comparison

"恐慌"和"惊慌"都有慌张不知所措的意思，但是"恐慌"着重指内心，"惊慌"着重指行动。口语和书面都常用。

语境示例 Examples

① 今天早上的地震引起楼内一片惊慌。(☺今天早上的地震引起楼内一片恐慌。)

② 一个腐败分子被捕以后说，平时他一听到警车的响声，就惊慌不安。(☺一个腐败分子被捕以后说，平时他一听到警车的响声，就恐慌不安。)

③ 抢劫银行的歹徒开了一枪，人群一片惊慌。(☺抢劫银行的歹徒开了一枪，人群一片恐慌。)

④ 看他惊慌不安的样子，我就知道一定出了什么事。(＊看他恐慌不安的样子，我就知道一定出了什么事。)

⑤ 我是警察，请大家不要惊慌，听我指挥。(＊我是警察，请大家不要恐慌，听我指挥。)

832 恐惧[形]kǒngjù ▶ 害怕[动]hàipà

词义说明 Definition

恐惧[fear; dread] 害怕。

害怕[be afraid; be scared; be in fear of] 遇到困难、危险等而心中不安和发慌。

词语搭配 Collocation

	很~	非常~	不~	感到~	~心理	~迟到	~蛇
恐惧	√	√	√	√	√	×	×
害怕	√	√	√	√	√	√	√

用法对比 Usage

用法解释 Comparison

"恐惧"和"害怕"的意思相同，但是口语中常用"害怕"。"恐惧"不能带宾语，"害怕"可以带宾语。

语境示例 Examples

① 不少人对艾滋病都有一种恐惧心理。(☺不少人对艾滋病都有一种害怕心理。)

② 这个电影让孩子看了只能感到恐惧。(☺这个电影让孩子看了只能感到害怕。)

③ 这种病没有什么可害怕的，只要配合医生认真治疗，一般都能好。(☺这种病没有什么可恐惧的，只要配合医生认真治疗，一般都能好。)

④ 我害怕迟到，所以提前一个小时就出发了。(＊我恐惧迟到，所以提前一个小时就出发了。)

⑤ 我害怕考试，因为我不常去上课。(＊我恐惧考试，因为我不常去上课。)

⑥ 你害怕蛇吗？(＊你恐惧蛇吗？)

833 恐怕[副]kǒngpà ▶ 担心dān xīn

词义说明 Definition

恐怕[fear; dread; be afraid of] 表示估计与担心。[perhaps; probably; maybe]表示估计，相当于"大概"、"也许"。

担心[worry; feel anxious]不放心。

词语搭配 Collocation

	~迟到	~他不来	~不及格	~有十点多了	很~	不用~	别~
恐怕	√	√	√	√	×	×	×
担心	√	√	√	×	√	√	√

用法对比 Usage

用法解释 Comparison

"恐怕"是副词，表示担心，还表示估计，"担心"没有表示估计的意义和用法。"担心"是动宾词组，可以作定语，也可以作谓语，"恐怕"不能作定语。

语境示例 Examples

① 我恐怕你今天迟到。(☺我担心你今天迟到。)
② 别担心，时间还早着呢，晚不了。(＊别恐怕，时间还早着呢，晚不了。)
③ 妈妈，你不用担心，我在中国过得很好。(＊妈妈，你不用恐怕，我在中国过得很好。)
④ A：几点了？B：我也没带表，恐怕有十点多了。(＊我也没带表，担心有十点多了。)
⑤ 带上伞吧，你看这天，恐怕要下雨。(＊带上伞吧，你看这天，担心要下雨。)
⑥ 你怎么这么晚才回来，真让我担心死了。(＊你怎么这么晚才回来，真让我恐怕死了。)

834 恐怕[副]kǒngpà ▶ 可能[助动、名]kěnéng

词义说明 Definition

恐怕[fear; dread; be afraid of] 表示估计与担心。[perhaps; probably; maybe] 表示估计，相当于"大概"、"也许"。

可能[possible; probable; likely] 可以实现，可以做到。[probably; maybe] 也许；或许。[possibility] 能成为事实的；可能性。

词语搭配 Collocation

	～来不了	～生病了	～不及格	有～	没有～	～能来	～买得到	～找得到
恐怕	√	√	√	×	×	×	×	×
可能	√	√	√	√	√	√	√	√

用法对比 Usage

"恐怕"表示的估计都是负面的，不好的，"可能"表示的估计没有这一限制。

① 他今天没有来上课，恐怕是病了。(☺他今天没有来上课，可能是病了。)

② 我恐怕生病，影响学习。(＊我可能生病，影响学习。)

③ 她恐怕迟到，所以坐出租车来了。(＊她可能迟到，所以坐出租车来了。)

④ 你跟老师说说，可能他会同意。(＊你跟老师说说，恐怕他会同意。)

"可能"还可以受副词"很、非常"修饰，"恐怕"没有这种用法。

他很可能已经回国了。(＊他很恐怕已经回国了。)(☺他恐怕已经回国了。)

"可能"还有名词的用法，"恐怕"没有这个用法。

① 我觉得没有这个可能。(＊我觉得没有这个恐怕。)

② 干什么事情都有两种可能性，成功或者失败，只考虑成功这一种可能性是不行的。(＊干什么事情都有两种恐怕性，成功或者失败，只考虑成功这一种恐怕性是不行的。)

835 控制[动]kòngzhì ▶ 操纵[动]cāozòng

词义说明 Definition

控制[control; dominate; command] 掌握住不使任意活动或越出范围；操纵；使处于自己的占有、管理或影响之下。

操纵[operate; control] 控制或开动机器、仪器等。[manipulate; rig] 用不正当手段支配、控制。

词语搭配 Collocation

	~人口增长	~局面	~不住	~自如	~机器	~市场	~股市	幕后~
控制	✓	✓	✓	✗	✗	✗	✗	✗
操纵	✗	✗	✗	✓	✓	✓	✓	✓

用法对比 Usage

用法解释 Comparison

“控制”的宾语可以是机器，也可以是人的感情、情绪等，“操纵”的对象也可以是机器，但是人的感情和情绪等不能用“操纵”。“操纵”还是个贬义词，“控制”是个中性词。

语境示例 Examples

① 这里的全部设备都是由电脑自动控制的。(☺这里的全部设备都是由电脑自动操纵的。)

② 你应该有自己的主见，不要受别人的操纵。(☺你应该有自己的主见，不要受别人的控制。)

③ 中国要发展，必须控制人口的增长，实行计划生育。(*中国要发展，必须操纵人口的增长，实行计划生育。)

④ 她控制不住自己的感情，哭了起来。(*她操纵不住自己的感情，哭了起来。)

⑤ 他现在对这台机器已经操纵自如了。(*他现在对这台机器已经控制自如了。)

⑥ 要防止那种大户操纵股市的现象发生。(*要防止那种大户控制股市的现象发生。)

⑦ 这个事件背后一定有坏人操纵。(*这个事件背后一定有坏人控制。)

836 口气[名]kǒuqì ▶ 意思[名]yìsi

词义说明 Definition

口气[manner of speaking] 说话的气势。[what is actually meant; implication] 言外之意；意思。[tone; note] 说话时流露出来的感情色彩。

意思[meaning; idea] 语言文字的意义。[opinion; wish; desire] 意见，愿望。

词语搭配 Collocation

	好大的～	听听他的～	严肃的～	诙谐的～	埋怨的～	他是什么～
口气	√	√	√	√	√	√
意思	×	√	√	√	√	√

用法对比 Usage

用法解释 Comparison

“口气”只在“表示话语里的某种含义”这一点上与“意思”相同。“意思”的其他意思是“口气”所没有的。

语境示例 Examples

① 听他的口气，好像不太愿意。(☺听他的意思，好像不太愿意。)
② 她的话里流露出不满的意思。(☺她的话里流露出不满的口气。)
③ 我探探他的口气，看他到底想不想去。(☺我探探他的意思，看他到底想不想去。)
④ 这个句子的口气太严肃了。(＊这个句子的意思太严肃了。)
⑤ 张口就借一百万，你的口气也太大了。(＊张口就借一百万，你的意思也太大了。)
⑥ 这个词是什么意思？(＊这个词是什么口气？)
⑦ 我不明白你的话是什么意思。(＊我不明白你的话是什么口气。)

837 苦恼[形]kǔnǎo ▶ 烦恼[形]fánnǎo

词义说明 Definition

苦恼[vexed; worried] 痛苦烦恼。

烦恼[vexed; worried] 烦闷苦恼。

词语搭配 Collocation

	非常～	很～	～极了	不必～	自寻～	何必～
苦恼	√	√	√	√	×	√
烦恼	√	√	√	√	√	√

用法对比 Usage

用法解释 Comparison

“苦恼”和“烦恼”都是因为遇到不好的事情而心情不愉

快，不同的是，“苦恼”可以是较长时间的心理状态，“烦恼”是较短时间的心理状态。“苦恼”可以带“了”和时量补语，“烦恼”不能。

语境示例 Examples

① 女朋友要跟他吹，所以最近他很苦恼。(☺女朋友要跟他吹，所以最近他很烦恼。)
② 不值得为这件小事烦恼。(☺不值得为这件小事苦恼。)
③ 一个朋友竟然欺骗了我，搞得我非常苦恼。(☺一个朋友竟然欺骗了我，搞得我非常烦恼。)
④ 女朋友要跟你吹，就让她吹吧，“天涯何处无芳草”，何必自寻烦恼呢？(*女朋友要跟你吹，就让她吹吧，“天涯何处无芳草”，何必自寻苦恼呢？)
⑤ 凡事要想开点儿，知足常乐，不必自寻烦恼。(*凡事要想开点儿，知足常乐，不必自寻苦恼。)
⑥ 你没听过吗？“抽刀断水水更流，举杯浇愁愁更愁”，靠酒解除烦恼是不行的。(*你没听过吗？“抽刀断水水更流，举杯浇愁愁更愁”，靠酒解除苦恼是不行的。)
⑦ 为这个误会他苦恼了好多天。(*为这个误会他烦恼了好多天。)

838 快乐[形]kuàilè ▶ 快活[形]kuàihuo

词义说明 Definition

快乐[happy; joyful; cheerful] 感到幸福或满意。
快活[happy; joyful; cheerful] 愉快，快乐。

词语搭配 Collocation

	祝你生日～	很～	非常～	～的生活	～的孩子	觉得很～
快乐	√	√	√	√	√	√
快活	×	√	√	√	√	√

用法对比 Usage

用法解释 Comparison

“快乐”和“快活”是同义词，“快乐”口语、书面都常用，“快活”多用于口语。“节日、生日”常用“快乐”作祝福用语，“快活”没有这个用法。

语境示例 Examples

① 我在这里每天都感到很快乐。(☺我在这里每天都感到很快活。)
② 他是一个快乐的小伙子，每天总是乐呵呵的。(☺他是一个快活的小伙子，每天总是乐呵呵的。)
③ 孩子们在雪地里快乐地打着雪仗。(☺孩子们在雪地里快活地打着雪仗。)
④ 我喜欢看她那快乐的笑脸。(☺我喜欢看她那快活的笑脸。)
⑤ 人生苦短，每天都应该快快乐乐地生活。(＊人生苦短，每天都应该快快活活地生活。)
⑥ 祝你生日快乐！(＊祝你生日快活！)

839 快速[形]kuàisù ▶ 快[形、副]kuài

词义说明 Definition

快速[quick; fast; high-speed]速度快的。

快[fast; quick; rapid; swift]速度高；走路、做事等费的时间短(与“慢”相对)。[speed]快慢的程度：这辆车能跑多～？[soon;before long]将要，快要：你稍等一会儿，他～回来了。天～黑了|车～开了。[quick-witted; nimble; clever]灵敏：他脑子反应真～！[pleased; happy; gratified]舒服，高兴，愉快。[(of a knife, sword, etc.) sharp]刀、剪子等锋利（跟“钝”相对)。

词语搭配 Collocation

	～前进	～完成	很～	不～	～走	～车	～来	～回来了	刀不～	心里不～
快速	√	√	×	×	×	×	×	×	×	×
快	√	√	√	√	√	√	√	√	√	√

用法对比 Usage

用法解释 Comparison

“快速”是个单义的非谓形容词，用于书面作状语，“快”有“快速”的意思，但是个多义形容词，口语常用。“快”的其他意思是“快速”所没有的。

语境示例 Examples

① 后边的同学请快速跟上来了。(☺后边的同学请快跟上来了。)
② 这些邮件要快速投递出去。(☺这些邮件要快投递出去。)

③ 中国正在现代化的道路上快速前进。(＊中国正在现代化的道路上快前进。)

④ 大街上有快速照相的地方，照一次要二十多块钱。(＊大街上有快照相的地方，照一次要二十多块钱。(☺大街上有照快相的地方，照一次要二十多块钱。)

以下“快”的用法都是“快速”没有的。

① 他跑步跑得很快。

② 你等一会儿，他快回来了。

③ 这把刀一点儿也不快。

④ 要是心里有什么不快，可以找朋友聊聊。

⑤ 车不要开得太快。

⑥ 快跑，不然上课要迟到了。

840 宽敞[形]kuānchang ▶ 宽阔[形]kuānkuò

词义说明 Definition

宽敞[roomy; spacious; commodious] 宽阔、宽大。

宽阔[broad; wide] 横的距离大；范围广，面积宽；[open-minded]（思想）开朗，不狭隘。

词语搭配 Collocation

	很～	屋子～	～的大厅	～明亮	～平坦	～的胸怀	～的平原	～的道路	眼界～
宽敞	√	√	√	√	×	×	×	×	×
宽阔	√	×	×	×	√	√	√	√	√

用法对比 Usage

用法解释 Comparison

“宽敞”使用的范围很小，只限于形容房间、庭院等。“宽阔”使用范围大，除了可以形容平原、海洋以及人体的某部分，如前额等，还可以形容抽象名词“心胸”、“眼界”、“思路”等。

语境示例 Examples

① 客厅宽敞明亮，非常舒适。(＊客厅宽阔明亮，非常舒适。)

② 晚饭后，人们喜欢在这条宽阔的林阴道上散步。(＊晚饭后，人们喜欢在这条宽敞的林阴道上散步。)

③ 学习了汉语，读了不少中文书，我觉得自己的眼界宽阔了。

（＊学习了汉语，读了不少中文书，我觉得自己的眼界宽敞了。）

④ 他是个胸怀宽阔的人，这件事对他不会有太大的影响。（＊他是个胸怀宽敞的人，这件事对他不会有太大的影响。）

⑤ 在宽阔平坦的高速公路上开车，感觉非常惬意。（＊在宽敞平坦的高速公路上开车，感觉非常惬意。）

841 宽阔[形]kuānkuò ▶ 宽广[形]kuānguǎng

词义说明 Definition

宽阔［broad；wide］面积大；范围广；广阔；思想开朗；不狭隘。

宽广［broad；extensive；vast］面积或范围大。

词语搭配 Collocation

	很～	非常～	～美丽	～的海洋	～的田野	～的土地	思路～
宽阔	√	√	√	√	√	√	√
宽广	√	√	√	×	√	√	×

用法对比 Usage

用法解释 Comparison

“宽阔”和“宽广”都有表示面积或范围大的意思，但是“宽阔”还表示思想不狭隘，“宽广”没有这个意思。

语境示例 Examples

① 船过了三峡，江面显得越来越宽阔。（☺船过了三峡，江面显得越来越宽广。）

② 宽广美丽的土地是我们可爱的家乡。（☺宽阔美丽的土地是我们可爱的家乡。）

③ 世界上最宽阔的地方是天空和海洋，比天空和海洋还要宽阔的是我们的胸膛。（☺世界上最宽广的地方是天空和海洋，比天空和海洋还要宽广的是我们的胸膛。）

④ 拖拉机正在宽广的田野里耕作。（☺拖拉机正在宽阔的田野里耕作。）

⑤ 中国现代化的道路将越走越宽阔。（☺中国现代化的道路将越走越宽广。）

⑥ 我喜欢读他的书，因为他的思想很宽阔。（＊我喜欢读他的书，因为他的思想很宽广。）

842 款待[动]kuǎndài ▶ 招待[动]zhāodài

词义说明 Definition

款待[treat cordially; entertain] 亲切优厚地招待。

招待[receive (guests); entertain; serve (customers)] 请客人或友人吃饭，喝茶等。

词语搭配 Collocation

	～客人	～朋友	～一下	谢谢～	～会	～所	受到～
款待	√	√	×	√	×	×	√
招待	√	√	√	√	√	√	√

用法对比 Usage

用法解释 Comparison

“款待”只能用于陈述句，不能用于祈使句，“招待”没有此限。

语境示例 Examples

① 谢谢你们的热情款待。(☺谢谢你们的热情招待。)

② 我们受到了主人热情友好的款待。(☺我们受到了主人热情友好的招待。)

③ 我有一个朋友要去你那里出差，你替我好好招待一下。(＊我有一个朋友要去你那里出差，你替我好好款待一下。)

④ 今天下午中国外交部举行了记者招待会。(＊今天下午中国外交部举行了记者款待会。)

⑤ 这里的事情你不要管了，快去招待客人吧。(＊这里的事情你不要管了，快去款待客人吧。)

843 狂[形]kuáng ▶ 狂妄[形]kuángwàng

词义说明 Definition

狂[mad; crazy] 精神失常，疯狂。[violent; wild] 猛烈：～风。[arrogant; overbearing] 狂妄。

狂妄[wildly arrogant; presumptuous] 极端的自高自大。

词语搭配 Collocation

	很～	非常～	发～	～风暴雨	股市～跌	～得很	太～了	～的野心
狂	√	√	√	√	√	√	√	×
狂妄	√	√	×	×	×	√	√	√

用法对比 Usage

用法解释 Comparison

“狂”有“狂妄”的意思。但“狂”也是语素，有组词能力，“狂妄”没有组词能力。“狂妄”多修饰双音节词，“狂”一般修饰单音节词。

语境示例 Examples

① 这个人很狂，谁也看不起。(☺这个人很狂妄，谁也看不起。)

② 他年轻的时候狂妄得很，随着年龄的增长，才慢慢改了一些。(☺他年轻的时候狂得很，随着年龄的增长，才慢慢改了一些。)

③ 不要太狂了，不要以为离了你地球就不转了。(☺不要太狂妄了，不要以为离了你地球就不转了。)

④ 要警惕霸权主义者称霸世界的狂妄野心。(* 要警惕霸权主义者称霸世界的狂野心。)

“狂”还有疯狂和猛烈的意思，“狂妄”没有这些意思。

最近股市狂跌。(* 最近股市狂妄跌。)

844 况且[连]kuàngqiě ▶ 何况[连]hékuàng

词义说明 Definition

况且[moreover; besides; in addition] 表示更进一层。

何况[(used in rhetorical questions) much less; let alone] 用反问的语气表示更进一层的意思。[moreover; besides; in addition] 有“不用说”，“更加”等意思。

用法对比 Usage

用法解释 Comparison

“况且”用于叙述，“何况”用于反问，“何况”比“况且”表达的意思更强烈，更肯定。

语境示例 Examples

① 北京这么大，况且你又是第一次来，迷路是难免的。(☺北京这么大，何况你又是第一次来，迷路是难免的。)
② 学习母语也要花很多时间，何况是学习一门外语呢？(＊学习母语也要花很多时间，况且是学习一门外语呢？)
③ 汉语对我来说是一门外语，况且是最难学的一门。(＊汉语对我来说是一门外语，何况是最难学的一门。)
④ 有的汉字中国大学生也不认识，何况我们是外国留学生。(＊有的汉字中国大学生也不认识，况且我们是外国留学生。)
⑤ 这本书写得很好，况且也不贵，我就买了一本。(＊这本书写得很好，何况也不贵，我就买了一本。)
⑥ 你是北京人都不知道这个地方在哪儿，更何况我呢？(我当然不知道)(＊你是北京人都不知道这个地方在哪儿，更况且我呢？)

845 困难[形、名]kùnnan ▶ 艰难[形]jiānnán

词义说明 Definition

困难[difficulty] 情况复杂，问题多。[financial difficulties circumstances] 穷困，不好过。

艰难[difficult; hard] 艰苦困难。

词语搭配 Collocation

	有～	没有～	～很大	很～	十分～	生活～	行动～	不怕～	克服～	～户	～补助
困难	√	√	√	√	√	√	√	√	√	√	√
艰难	×	×	×	√	√	√	√	√	×	×	×

用法对比 Usage

用法解释 Comparison

“困难”既是形容词也是名词，而“艰难”只是形容词。“艰难”一般用于形容物质生活，而“困难”既用来形容物质生活，也用来形容精神生活以及其他方面的情况。

语境示例 Examples

① 因为爸爸有病不能工作，所以我家的生活很艰难。(☺因为爸爸有病不能工作，所以我家的生活很困难。)
② 腿受伤以后，他现在行动都很困难。(☺腿受伤以后，他现在行动

都很艰难。)

③ 要建立健全社会保障制度，保证困难职工能及时得到帮助。(＊要建立健全社会保障制度，保证艰难职工能及时得到帮助。)

④ 刚开始学汉语时，发音和声调的困难很大。(＊刚开始学汉语时，发音和声调的艰难很大。)

⑤ 他觉得最困难的是写汉字。(＊他觉得最艰难的是写汉字。)

⑥ 遇到困难的时候，要看到光明，看到未来，增强克服困难的信心和勇气。(＊遇到艰难的时候，要看到光明，看到未来，增强克服艰难的信心和勇气。)

846 扩展[动]kuòzhǎn ▶ 扩大[动]kuòdà

词义说明 Definition

扩展[extend; expand; develop] 向外伸展；扩大。

扩大[enlarge; expand; increase (sphere, scale, etc.)] 使（范围、规模等）比原来大。

词语搭配 Collocation

	～道路	～到	～眼界	～影响	～面积	～战果	～经营范围
扩展	√	√	×	×	×	×	×
扩大	×	√	√	√	√	√	√

用法对比 Usage

用法解释 Comparison

“扩展”着重指的是范围由窄到广，“扩大”主要指范围、规模由小到大。它们涉及的对象不尽相同。“扩展”的对象多为具体事物，“扩大”的对象多是抽象事物。

语境示例 Examples

① 三年来，全市林地面积已经扩展到一百多万亩。(☺三年来，全市林地面积已经扩大到一百多万亩。)

② 这条道路重修后比原来扩展了五米。(＊这条道路重修后比原来扩大了五米。)

③ 近年来，中国高校不断扩大招生。(＊近年来，中国高校不断扩展招生。)

④ 市民的住房面积比原来平均扩大了十多平方米。(＊市民的住房

面积比原来平均扩展了十多平方米。)

⑤ 多读书可以扩大自己的知识面。(＊多读书可以扩展自己的知识面。)

⑥ 通过两国的共同努力，双方经济技术合作范围不断扩大。(＊通过两国的共同努力，双方经济技术合作范围不断扩展。)

847 扩展[动]kuòzhǎn ▶ 扩张[动]kuòzhāng

词义说明 Definition

扩展[extend; expand; develop] 向外伸展；扩大。

扩张[expand; enlarge; extend; spread (influence, territory, etc.)] 扩大(势力、疆土等)。

词语搭配 Collocation

	～道路	～到	～眼界	～野心	对外～	血管～
扩展	√	√	√	×	×	×
扩张	×	×	×	√	√	√

用法对比 Usage

用法解释 Comparison

“扩展”着重指的是范围由窄到广。“扩张 ”主要指周长由短到长，范围由小到大，向外伸张。“扩张”的对象是血管、胸围等，还可以指野心、势力范围、疆土等。

语境示例 Examples

① 为了满足不断发展的需要，北京的城市道路也在不断地扩展。(＊为了满足不断发展的需要，北京的城市道路也在不断地扩张。)

② 每天喝一小杯红葡萄酒可以帮助扩张血管。(＊每天喝一小杯红葡萄酒可以帮助扩展血管。)

③ 霸权主义者不惜发动战争来满足他们向外扩张的野心。(＊霸权主义者不惜发动战争来满足他们向外扩展的野心。)

④ 经济扩张常常伴随着军事扩张。(＊经济扩展常常伴随着军事扩展。)

⑤ 绿化林带在逐年向沙漠地区扩展。(＊绿化林带在逐年向沙漠地区扩张。)

L

848 拉[动]lā ▶ 拖[动]tuō

词义说明 Definition

拉[pull; draw; drag; tug] 用力使朝自己所在的方向或跟着自己移动：把车～过来。[transport by vehicle; haul] 用车运载：用车～行李。

拖[pull; drag; haul] 拉着物体使挨着地面或另一物体的表面移动：把地板～一下。[delay; drag on; procrastinate] 拖延：时间～得太久了。

词语搭配 Collocation

	～门	～车	～人	～他一把	～生意	～地板	～得很久
拉	√	√	√	√	√	×	×
拖	×	√	×	×	×	√	√

用法对比 Usage

用法解释 Comparison

“拉”和“拖”都是用力使物体移动，不同的是，“拖”一定使物体挨着地面或其他物体的表面移动，“拉”则没有此限。

语境示例 Examples

① 请把门拉上。(＊请把门拖上。)
② 请你把地拖一拖。(＊请你把地拉一拉。)
③ 明天能不能用你的车帮我拉一下货。(＊明天能不能用你的车帮我拖一下货。)
④ 你的衣服拖在地上了。(＊你的衣服拉在地上了。)
⑤ 我帮朋友拉了一笔生意。(＊我帮朋友拖了一笔生意。)
⑥ 这个问题不能拖得太久，要尽快解决。(＊这个问题不能拉得太久，要尽快解决。)

849 来往[动、名]láiwǎng ▶ 往来[动]wǎnglái

词义说明 Definition

来往[come and go; thoroughfare] 来和去。[dealings; contact; intercourse] 与人联系、交际或接触。[have contact or dealings] 交际。

往来[come and go; dealings] 去和来。[in contact; dealings; intercourse] 互相访问；交际。

词语搭配 Collocation

	有～	没有～	书信～	～车辆	～行人	～信件	禁止车辆～
来往	√	√	√	√	√	√	√
往来	√	√	√	×	×	×	√

用法对比 Usage

用法解释 Comparison

“往来”多用于正式场合，“来往”没有此限。“来往”可以重叠，“往来”不能重叠。

语境示例 Examples

① 前面是步行街，禁止车辆来往。（☺前面是步行街，禁止车辆往来。）

② 路上来来往往的车辆很多，开车一定要注意安全。（*路上往往来来的车辆很多，开车一定要注意安全。）

③ 最近几年，两国高层往来频繁，互访不断，关系很好。（☺最近几年，两国高层来往频繁，互访不断，关系很好。）

④ 要加强两国青年之间的友好往来。（*要加强两国青年之间的友好来往。）

⑤ 我跟她没什么来往，对她的情况不太了解。（☺我跟她没什么往来，对她的情况不太了解。）

⑥ 他出国以后，我们之间来往的电子邮件（e-mail）从没有断过。（*他出国以后，我们之间往来的电子邮件从没有断过。）

850 懒[形]lǎn ▶ 懒惰[形]lǎnduò

词义说明 Definition

懒[(as opposed to 'diligent') lazy; sluggish; tired] 懒惰(跟"勤"相对)。[sluggish; languid] 疲倦;没力气。

懒惰[be unwilling to work; lazy] 不爱劳动和工作,不勤快。

词语搭配 Collocation

	很~	太~	发~	好吃~做	手~
懒	√	√	√	√	√
懒惰	√	√	×	×	×

用法对比 Usage

用法解释 Comparison

"懒"和"懒惰"是同义词,但是因为音节不同,所以用法也不尽相同。

语境示例 Examples

① 我这个人学习上很懒,从来没有做过作业。(☺我这个人学习上很懒惰,从来没有做过作业。)

② 他在家可懒了,什么家务都不干。(☺他在家可懒惰了,什么家务都不干。)

③ 他是个懒汉,油瓶倒了都不扶。(*他是个懒惰汉,油瓶倒了都不扶。)

④ 这两天我浑身发懒,什么都不想干。(*这两天我浑身发懒惰,什么都不想干。)

⑤ 他从小娇生惯养,所以长大后好吃懒做,一事无成。(*他从小娇生惯养,所以长大后好吃懒惰做,一事无成。)

851 朗读[动]lǎngdú ▶ 朗诵[动]lǎngsòng

词义说明 Definition

朗读[read aloud; read loudly and clearly] 清楚响亮地把文章念出来。

朗诵[read aloud with expression; recite; declaim] 大声地带有感情地诵读诗词或散文。

词语搭配 Collocation

	～课文	～诗词	～散文	大声地～	～比赛	诗歌～会
朗读	√	√	√	√	×	×
朗诵	×	√	√	√	√	√

用法对比 Usage

用法解释 Comparison

“朗读”和“朗诵”的不同在于，“朗读”是平时经常进行的一种阅读行为，也是课堂教学的一种方式，而“朗诵”的要求较高，是表演或比赛的一种形式。

语境示例 Examples

① 我喜欢朗读中国古代的诗词。(☺我喜欢朗诵中国古代的诗词。)
② 这个学期我参加了学校举办的中文诗歌朗诵会，会上我朗诵了李白的两首诗。(＊这个学期我参加了学校举办的中文诗歌朗读会，会上我朗读了李白的两首诗。)
③ 老师总要求我们大声朗读课文。(＊老师总要求我们大声朗诵课文。)
④ 请你把课文朗读一遍。(＊请你把课文朗诵一遍。)
⑤ 朗诵也是一种艺术表演形式。(＊朗读也是一种艺术表演形式。)

852 老百姓[名]lǎobǎixìng ▶ 人民[名]rénmín

词义说明 Definition

老百姓[common people; ordinary people; civilian] 人民；平民(区别于军人和政府官员的人民群众的习称)。

人民[people] 指作为社会基本成员主体的劳动群众。

词语搭配 Collocation

	～的生活	一个～	为～服务	～警察	～的军队	～政府	～日报	～币	～代表
老百姓	√	√	×	×	√	×	×	×	×
人民	√	×	√	√	√	√	√	√	√

用法对比 Usage

用法解释 Comparison

“老百姓”是对普通人民的习惯称呼，也说“百姓”，区别于军队和政府工作人员，用于口语，不能用于正式场合；“人民”包括社会基本成员，书面和口语都常用。

语境示例 Examples

① 人民政府当然应该时时关心人民的生活。（☺人民政府当然应该时时关心老百姓的生活。）（＊老百姓政府当然应该时时关心老百姓的生活。）

② 他当市长的几年里为老百姓办了不少好事。（☺他当市长的几年里为人民办了不少好事。）

③ 老百姓信任不信任政府官员，就要看这些官员们是不是真正为他们办事，为他们服务。（☺人民信任不信任政府官员，就要看这些官员们是不是真正为他们办事，为他们服务。）

④ 我虽然是一个普通老百姓，但是，也希望国家一天比一天好。（＊我虽然是一个普通人民，但是，也希望国家一天比一天好。）

⑤ 全心全意为人民服务是中国共产党的惟一宗旨。（＊全心全意为老百姓服务是中国共产党的惟一宗旨。）

⑥ 他被选为人民代表。（＊他被选为老百姓代表。）

L

853 老婆[名]lǎopo ▶ 妻子[名]qīzi

词义说明 Definition

老婆[wife] 妻子。

妻子[wife] 男女结婚后，女子是男子的妻子。

词语搭配 Collocation

	我～	他～	朋友的～	老师的～	怕～	不怕～	爱自己的～
老婆	√	√	√	×	√	√	√
妻子	√	√	√	√	×	×	√

用法对比 Usage

用法解释 Comparison

“老婆”和“妻子”同义，但是语用色彩不同。这两个词都用于背称，不常用于面称，男子不当面称呼自己的爱人为“老婆”或“妻子”，如果当面称呼的话，往往是对第三者介绍时说：“这是我妻子”或“这是我老婆”。“老婆”的称呼比较土俗，“妻子”相对比较文雅。（一般用“爱人”：这是我爱人。）正式场合用“妻子”，不用“老婆”。

语境示例 Examples

① 她是小王的老婆。(比较土俗)(☺她是小王的妻子。)(一般说法)
② 小王的妻子来看他了。(一般说法)(☺小王的老婆来看他了。)(比较土俗)
③ 我妻子下个月来北京。(一般说法)(☺我老婆下个月来北京。)(比较土俗)
④ 说他得了气管炎(妻管严)，意思是：他怕老婆。(*说他得了气管炎，意思是：他怕妻子。)
⑤ 妻子怀孕期间，丈夫是不能提出离婚的。(*老婆怀孕期间，丈夫是不能提出离婚的。)

854 老师[名]lǎoshī ▶ 导师[名]dǎoshī

L

词义说明 Definition

老师[teacher (sometimes used as a form of address)] 尊称传授文化技术的人；泛指在某些方面值得学习的人。

导师[tutor; teacher] 大学或研究院、所中指导学习、进修、写作论文的人员。[guide of a great cause; teacher] 也指在大事业、大运动中指示方向、掌握政策的人。

词语搭配 Collocation

	我的～	汉语～	硕士生～	博士生～	革命～	李～
老师	√	√	×	×	×	√
导师	√	×	√	√	√	×

用法对比 Usage

用法解释 Comparison

“导师”多指引路人和在政治、思想、学术或某种知识上的指导者，如硕士生导师、博士研究生导师(一般是大学教授)、革命导师；“老师”除了指各类学校任教的人员以外，对一些知识分子长者也常尊称“老师”。

语境示例 Examples

① 他是我读硕士研究生时的导师。(☺他是我读硕士研究生时的老

师。)(但不一定是导师)

② “博导”是博士生导师的简称。(* “博导”是博士生老师的简称。)

“老师”可以作称呼语,“导师”不能作称呼语。

王老师,您好!(*王导师,您好!)

“导师”还指那些为一种事业指示方向、掌握重大决策的伟大人物。

我从革命导师的著作中学习到很多东西。(*我从革命老师的著作中学习到很多东西。)

855 老实[形]lǎoshi ▶ 实在[形、副]shízài

词义说明 Definition

老实[honest; frank] 诚实。[well-behaved; law-fearing] 规规矩矩的;不惹事的。

实在[true; real; honest; dependable] 诚实,不虚假。[indeed; really; honestly] 的确,确实。[in fact; as a matter of fact] 实际上,其实。

词语搭配 Collocation

	很~	非常~	~人	~说	心眼儿~	~好	~对不起	~不知道	~不懂	为人~
老实	√	√	√	√	×	×	×	×	×	√
实在	√	√	×	×	√	√	√	√	√	√

用法对比 Usage

用法解释 Comparison

“老实”只是个形容词,可以作定语,也可以作谓语,“实在”既是形容词也是副词,可以作状语,也可以作谓语,但不能作定语。

语境示例 Examples

① 老实:这个孩子很老实。(诚实,不爱惹事)

实在:这个孩子很实在。(诚实,不虚假)

② 他为人老实,是个可以相信的人。(☺他为人实在,是个可以相信的人。)

③ 要做老实人,说老实话,办老实事。(*要做实在人,说实在话,办实在事。)

④ 实在对不起,我今天又忘给你带来了。(*老实对不起,我今天

又忘给你带来了。）

⑤ 这件事我实在不知道。（＊这件事我老实不知道。）

⑥ 老实说，对于将来要做什么，我还没有想清楚，现在就是想去中国学汉语。（＊实在说，对于将来要做什么，我还没有想清楚，现在就是想去中国学汉语。）

856 乐趣[名]lèqù ▶ 兴趣[名]xìngqù

词义说明 Definition

乐趣[delight; pleasure; joy] 使人感到快乐的意味。

兴趣[interest] 对事物喜好或关切的情绪。

词语搭配 Collocation

	有～	没有～	感～	不感～	很大的～	生活中的～	培养～
乐趣	√	√	×	×	√	√	×
兴趣	√	√	√	√	√	×	√

用法对比 Usage

用法解释 Comparison

“乐趣”和“兴趣”的意思不同，“乐趣”产生于事物，“兴趣”来自于人，它们不能互换。

语境示例 Examples

① 乐观的人能从日常生活中发现乐趣，享受乐趣。（＊乐观的人能从日常生活中发现兴趣，享受兴趣。）

② 他从小就对画画儿感兴趣。（＊他从小就对画画儿感乐趣。）

③ 不论干什么工作，只要你钻进去，就会发现其中的乐趣。（＊不论干什么工作，只要你钻进去，就会发现其中的兴趣。）

④ 我从工作中得到了很大的乐趣。（＊我从工作中得到了很大的兴趣。）

⑤ 他对这项运动一点儿兴趣也没有。（＊他对这项运动一点儿乐趣也没有。）

⑥ 我们怀着极大的兴趣参观了出土文物展。（＊我们怀着极大的乐趣参观了出土文物展。）

⑦ 小孙子的诞生给家庭带来了乐趣。（＊小孙子的诞生给家庭带来了兴趣。）

857 乐意[助动、动]lèyì ▶ 愿意[助动、动]yuànyì

词义说明 Definition

乐意[be willing to; be ready to] 甘心情愿。[pleased; happy] 满意，高兴。

愿意[be willing; be ready] 认为符合自己的心愿而同意（做某事）。[wish; like; want (sth. to happen)] 希望（发生某种情况）。

词语搭配 Collocation

	很～	十分～	～帮忙	不太～	～你来	～不～
乐意	√	√	√	√	×	√
愿意	√	√	√	√	√	√

用法对比 Usage

用法解释 Comparison

"愿意"有同意的意思，"乐意"没有这个意思。"愿意"可带小句作宾语，"乐意"不常带小句作宾语。

语境示例 Examples

① 她性格好，大家都乐意和她共事。(☺她性格好，大家都愿意和她共事。)
② 他很乐意帮我这个忙。(☺他很愿意帮我这个忙。)
③ 你们年轻，只要乐意学，一定能学好。(☺你们年轻，只要愿意学，一定能学好。)
④ 公司打算派你去韩国工作，不知道你愿意不愿意去？(☺公司打算派你去韩国工作，不知道你乐意不乐意去？)
⑤ 我当然愿意你留下来。(＊我当然乐意你留下来。)
⑥ 他不愿意跟大家一起去旅行。(＊他不乐意跟大家一起去旅行。)

858 了[助]le ▶ 过[助]guo

词义说明 Definition

了[used after a verb to indicate the completion of an action] "了"

用在动词后，有表示动作开始并延续至一定时间；表示动作完成和完成量：我喝～三杯啤酒。[used at the end of a sentence, usu. after a verb to indicate that something has taken place] 用在句子后边表示动作完成或情况已经发生：我已经吃～，你们吃吧。[used at the end of a sentence to indicate a change of situation or state] 用在句尾表示情况变化：外边下雪～|我不去～。[used after an adjective, with or without 太 'too', to express an excessive degree, i.e. to indicate that something has gone to the extreme] 用在形容词后边，前边有"太"或没有"太"都表示程度过分。事情已经走向极端：太贵～。[indicating a command or request] 表示命令或提醒：别说话～！

过 [used after a verb to indicate the completion of an action] 用在动词后，表示动作完成：我去～一次长城|我们吃～饭再去吧。[used after a verb or an adjective to indicate a past action or state] 用在动词或形容词之后，表示某种动作行为或情况的变化过去曾经发生，但并未继续到现在：我参加～HSK 考试。

L

词语搭配 Collocation

	看～	听～	吃～	去～	来～	冷～	热～	旧～	太大～	不去～	没去～
了	√	√	√	√	√	√	√	√	√	√	×
过	√	√	√	√	√	√	√	×	×	×	√

用法对比 Usage

"了"和"过"都是动态助词，但它们表达的意义不同，"动词+了"表达动作发生、完成或延续，还表达状态到说话时已经不存在或还存在。"动词+过"表达动作曾经发生或状态曾经存在，而说话时动作已不再进行或状态已不复存在。

① 了：他三年前去了北京。(他现在还在北京)
过：他三年前去过北京。(现在已经不在北京了)

② 了：我大学毕业以后当了中学教师。(我现在可能还是中学教师)
过：我大学毕业以后当过中学教师。(我现在已经不是中学教师了)

在一定语境中，"过"和"了"表达的意思相同，可以相互替换。

① 大学毕业后他当过两年记者，后来就出国了，现在干什么我也不知道。(☺大学毕业后他当了两年记者，后来就出国了，现在干什么我也不知道。)

② 这个电影演员红过几年。(☺这个电影演员红了几年。)
③ 入冬以后，冷过几天。(☺入冬以后，冷了几天。)
④ 我吃过饭才来的，不吃了。(☺我吃了饭才来的，不吃了。)

"了"表示动作发生和完成的时间离说话时近，而"过"则表示动作发生和完成离说话时远。

他昨天去了日本。(现在还在日本)（*他昨天去过日本。)（语法没有错，但不合事实)

他十年前去过日本，以后再也没去过。(他现在不在日本)

他十年前去了日本，以后再也没回来。(他现在还在日本)

否定"动词+过"和"动词+了"都用"没（有)"，但是，否定"动词+过"时不用去掉"过"，否定"动词+了"时，"了"必须去掉。

这个电影我没有看过，不知道什么意思。（*这个电影我没有看了，不知道什么意思。）（☺这个电影我没有看，不知道什么意思。)

"了"和"过"都可以表达动作在过去完成。

① 我昨天去了书店，没看到你说的那本书。(☺我昨天去过书店，没看到你说的那本书。)
② 年轻的时候，我学过两年汉语，因为不用早忘光了。(☺年轻的时候，我学了两年汉语，因为不用早忘光了。)

"了"和"过"既可以表示已然的动作，也可以表示未然的动作，即动作假设（或意念中）已发生、出现或完成。

① 这个电影我看了，很不错。(☺这个电影我看过，很不错。)
② 你吃过饭再走吧。(☺你吃了饭再走吧。)
③ 这篇稿子你看过以后我们再谈吧。(☺这篇稿子你看了以后我们再谈吧。)

"过"的表达功能是说明、解释。而"了"虽然也可以用来说明解释，但是其主要的功能是叙述。下列句子都不能用"过"。

① 他从书架上拿下来一本书，看了一下又放了回去。（*他从书架上拿下来一本书，看过一下又放了回去。)
② 她把这件大衣穿上试了试，觉得有点儿短，又让售货员换了一件大一点儿的。（*她把这件大衣穿上试过试，觉得有点儿短，又让售货员换过一件大一点儿的。)

注意：

现代汉语还有一个"了" [the modal particle] 是个语气助词，

用在句子后边表示肯定的语气，表示在一定时间内某个动作已经发生或某种情况已经出现和变化。“过”没有这个用法，以下句子中的“了”都不能用“过”替换。

① 我爸爸去中国了。(＊我爸爸去中国过。)
② 学校已经放寒假了。(＊学校已经放寒假过。)
③ 我哥哥大学快毕业了。(＊我哥哥大学快毕业过。)
④ 一到秋天，这种树上的叶子就红了。（＊一到秋天，这种树上的叶子就红过。)
⑤ 昨天晚上我跟朋友一起去跳舞了。(＊昨天晚上我跟朋友一起去跳舞过。)
⑥ 这件大衣颜色太浅了。(＊这件大衣颜色太浅过。)
⑦ 人老了，眼睛都花了。(＊人老过，眼睛都花过。)
⑧ 我暑假想跟朋友一起去中国南方旅行，不回国了。（＊我暑假想跟朋友一起去中国南方旅行，不回国过。)
⑨ 好是好，就是太贵了。(＊好是好，就是太贵过。)
⑩ 好了，你们不要再说了。(＊好过，你们不要再说过。)
⑪ 明天又是星期六了。(＊明天又是星期六过。)
⑫ 别睡了，都九点多了。(＊别睡过，都九点多过。)
⑬ 算了，别找了。(＊算过，别找过。)
⑭ 这几天我觉得冷极了。(＊这几天我觉得冷极过。)
⑮ A：你再坐一会儿吧。B：不了，我家里还有事儿。（＊不过，我家里还有事儿。)
⑯ A：下一个该谁了。B：该我了。（＊A：下一个该谁过。B：该我过。)
⑰ 困死我了。(＊困死我过。)

859 了[助]le ▶ 着[助]zhe

词义说明 Definition

了[used after a verb to indicate the completion of an action] “了”用在动词后，有表示动作开始并延续至一定时间；表示动作完成和完成的量：我学～一年汉语～|我吃～十五个饺子。

着[（used after a verb or adjective to indicate a continued action or state, often with the particle 呢 at the end of the sentence）be doing] 用在动词后表示动作正在进行中或动作完成后的状态

持续，后边常带助词“呢”：空调开～呢|他正上～课呢。[in sentences beginning with a place word, used after the verb to indicate a state; the verb plus 着 means “there is”] 用在存现句中表示某处有某物：墙上挂～一张全家福。[used after a verb and before another verb, indicating an accompanying action or state] 动词后边加“着”放在另一个动词前边表示动作的方式：她笑～跟大家打招呼。[used after a verb to serve as an adverbial modifier] “着”加在某个动词后边使该动词具有状语的性质，表示动作的方式：我喜欢躺～看书。[the reduplicated form of verb plus 着 indicates that while one action is in progress another also takes place] 动词后边加“着”并且重复，表示一个动作正在进行时另一个动作也发生了：他说～说～笑了起来。[used after verbs in imperative sentences or adjectives for emphasis, often followed by 点儿] 在祈使句中，“着”用在动词或形容词后边，表示强调的语气，后边常有“点儿”与之搭配使用：慢～点儿，别走得太快了|过马路时要看～点儿。

词语搭配 Collocation

	看～	走～	说～	笑～	写～	挂～	贴～	病～	死～	毕业～	结婚～	哭～说
了	√	√	√	√	√	√	√	√	√	√	√	×
着	√	√	√	√	√	√	√	√	×	×	×	√

用法对比 Usage

“了”和“着”都是动态助词。“动词+了”表达动作发生、完成或延续到说话时，也表示状态到说话时仍然存在或不复存在。“动词+着”表示动作或状态的持续。

① 请你稍等一会儿，他正打着电话呢。(*请你稍等一会，他正打了电话呢。)

② 我只吃了一个馒头。(*我只吃着一个馒头。)

③ 我下了课就去看他。(*我下着课就去看他。)

④ 他喜欢听着音乐做练习。(*他喜欢听了音乐做练习。)

⑤ 他走着走着突然停住了。(*他走了走了突然停住了。)

⑥ 我说，你记着点儿。(*我说，你记了点儿。)

有些动作动词表示的动作行为完成以后，会以某种状态持续存在，这时“动词+了”表达的语义和“动词+着”相同，这种情况一般出现在存现句中。

① 黑板上写了几行字。(☺黑板上写着几行字。)
② 教室里坐着十七八个学生。(☺教室里坐了十七八个学生。)
③ 出事的汽车前围了一群人。(☺出事的汽车前围着一群人。)

860 离别[动]líbié ▶ 离开[动]líkāi

词义说明 Definition

离别[part (for a longish period); leave; bid farewell] 比较长久地跟熟悉的人或地方分开。

离开[leave; depart from; deviate from] 跟人、物或地方分开。

词语搭配 Collocation

	~北京	~亲人	~父母	~朋友	~同学	~家乡	~这个话题	不愿~	希望~
离别	√	√	√	√	√	√	×	√	×
离开	√	√	√	√	√	√	√	√	√

L

用法对比 Usage

用法解释 Comparison

“离开”是个动补结构，中间加“得”或“不”可以变成可能式：“离得开”或“离不开”，“离别”没有这个用法。“离开”的对象可以是人或地方，还可以是物，而“离别”的对象只能是人或地方。

语境示例 Examples

① 就要离开学习和生活了两年的北京回国了，还真有点儿恋恋不舍。(☺就要离别学习和生活了两年的北京回国了，还真有点儿恋恋不舍。)
② 两年前离别父母和朋友来中国的情景，仿佛就在眼前。(☺两年前离开父母和朋友来中国的情景，仿佛就在眼前。)
③ 离开家乡才两年，家乡变得我都有点儿认不出来了。(☺离别家乡才两年，家乡变得我都有点儿认不出来了。)
④ 领导让我出国工作，可以我家里上有老，下有小，实在离不开。(* 领导让我出国工作，可以我家里上有老，下有小，实在离不别。)
⑤ 我们的讨论不要离开环境保护这个主题。(* 我们的讨论不要了离别环境保护这个主题。)

861 里[名]lǐ ▶ 里边[名]lǐbian

词义说明 Definition

里[in; inside] 里面，内部，跟“外”相对的地方。[used after 这，那，哪，etc. to indicate a place] 可以附在“这、那、哪”等词后边表示地点。

里边[inside; in; within] 一定的时间、空间或一定的范围以内。

词语搭配 Collocation

	～面	屋子～	书包～	这～	那～	哪～	一个月～	头～	～屋	跑～圈
里	√	√	√	√	√	√	√	√	√	√
里边	×	√	√	√	√	×	√	×	×	×

用法对比 Usage

用法解释 Comparison

“里”是词也是语素，可以跟其他词或语素构成词，如“里屋，里圈”等，“里边”没有这个功能。

语境示例 Examples

① 北方的冬天屋子里很暖和。(☺北方的冬天屋子里边很暖和。)

② 我一年里边总要感冒一两次。(☺我一年里总要感冒一两次。)

③ 他在里屋躺着呢。(＊他在里屋子躺着呢。)(☺他在里边的屋子里躺着呢。)

④ 昨天你去哪里了？我找了你半天也没有找到。(＊昨天你去哪里边了？我找了你半天也没有找到。)

⑤ 遇事不能只往好里想，因为凡事都存在两种可能性。(＊遇事不能只往好里边想，因为凡事都存在两种可能性。)

在一定的语境中，“里边”可以单独作定语或宾语，“里”不能作定语和宾语。

① 里边的坐位是谁的？(＊里的坐位是谁的？)

② 谁在里边呢？(＊谁在里呢？)

L

862 理由[名]lǐyóu ▶ 原因[名]yuányīn

词义说明 Definition

理由[reason; ground; argument] 事情为什么这样做或那样做的道理。

原因[cause; reason] 造成某种结果或者引发另一件事情发生的条件。

词语搭配 Collocation

	有~	没有~	请假的~	事故~	发病~	~充足	毫无~	查明~
理由	√	√	√	×	×	√	√	×
原因	√	√	√	√	√	×	√	√

用法对比 Usage

用法解释 Comparison

“理由”多来自人的主观意念，“原因”有主观的也有客观的。“理由”是可知的，“原因”有可知的，也有人不可知的或未知的。

语境示例 Examples

① 你向老师请假的理由是什么？(☺你向老师请假的原因是什么？)

② 他是我的朋友，他有困难我没有理由不帮助他。(*他是我的朋友，他有困难我没有原因不帮助他。)

③ 很多地方洪水泛滥的直接原因是地球气候变暖。(*很多地方洪水泛滥的直接理由是地球气候变暖。)

④ 飞机失事的原因正在调查中。(*飞机失事的理由正在调查中。)

⑤ 不遵守交通规则往往是造成交通事故的直接原因。(*不遵守交通规则往往是造成交通事故的直接理由。)

⑥ 这种病的发病原因现在还不十分清楚。(*这种病的发病理由现在还不十分清楚。)

⑦ 他们俩离婚的原因很复杂，别人说不清楚。(*他们俩离婚的理由很复杂，别人说不清楚。)

863 力量[名]lìliang ▶ 力气[名]lìqi

词义说明 Definition

力量[physical strength] 力气。[power; force; ability] 能力。

力气[physical strength; effort] 肌肉收缩或扩张产生的效能。

词语搭配 Collocation

	有~	没有~	~很大	国防~	人民的~	和平的~	~活儿
力量	√	√	√	√	√	√	×
力气	√	√	√	×	×	×	√

用法对比 Usage

用法解释 Comparison

"力气"只来自人(或动物)体内,"力量"没有此限。"力量"的语义很宽,"力气"的语义比较窄。"力气"用于口语,"力量"口语书面都常用,正式场合用"力量",不能用"力气"。

语境示例 Examples

① 你别看他人小,力量可不小。(☺你别看他人小,力气可不小。)

② 要学好一门外语必须花大力气。(*要学好一门外语必须花大力量。)

③ 团结就是力量。(*团结就是力气。)

④ 人民的力量是不可战胜的。(*人民的力气是不可战胜的。)

⑤ 办这件事要依靠大家的力量。(*办这件事要依靠大家的力气。)

⑥ 这可是个力气活儿,我担心你干不了。(*这可是个力量活儿,我担心你干不了。)

864 力求[动]lìqiú ▶ 力争[动]lìzhēng

词义说明 Definition

力求[make every effort to; do one's best to; strive to] 极力追求,尽力谋求。

力争[work hard for; do all one can to; argue strongly] 极力争取,极力争辩。

词语搭配 Collocation

	～完美	～成功	～提高	～完成	～高质量	据理～
力求	√	√	√	√	√	×
力争	×	√	×	√	√	√

用法对比 Usage

用法解释 Comparison

“力争”可以单独作谓语，“力求”不能单独作谓语，必带形容词或动词作宾语。“力争”的宾语可以是动词和名词，但不能是形容词。

语境示例 Examples

① 我们力求高质量地完成建设大学生公寓的任务。(☺我们力争高质量地完成建设大学生公寓的任务。)

② 这个问题我们要力争早日解决。(☺这个问题我们要力求早日解决。)

③ 她是个干什么事情都力求完美的人。(＊她是个干什么事情都力争完美的人。)

④ 在这个问题上我们一定要据理力争，不能让步。(＊在这个问题上我们一定要据理力求，不能让步。)

⑤ 这次考试，我一定要力争得到好成绩。(＊这次考试，我一定要力求得到好成绩。)

⑥ A：这次能不能考及格？B：力争吧。(＊力求吧。)

865 厉害[形]lìhai ▶ 利害[名]lìhài

词义说明 Definition

厉害［(of a wild animal or one's temper, words, etc.) fierce; terrible］难以对付或忍受：话说得太～了。［(of a person) strict; stern; harsh］严肃的，不容易接近的：英语老师很～。［(of illness, heat, cold, etc.) intense; severe; terrible］表示疾病、天气等不好：这里的夏天热得～|白酒太～。

利害［advantages and disadvantages; gains and losses］利益和损害。

词语搭配 Collocation

	很~	不太~	~得很	非常~	~关系	不计~
厉害	√	√	√	√	×	×
利害	×	×	×	×	√	√

用法对比 Usage

用法解释 Comparison

"厉害"是形容词，"利害"是名词，它们的发音和语义都不同，不能相互替换。

语境示例 Examples

① 你咳嗽得很厉害，要不要去医院看看？（*你咳嗽得很利害，要不要去医院看看?）

② 我们两国之间没有什么利害冲突。（*我们两国之间没有什么厉害冲突。）

③ 多年来他不计利害得失，研究这种治疗癌症的新药。（*多年来他不计厉害得失，研究这种治疗癌症的新药。）

④ 这里的冬天冷得厉害。（*这里的冬天冷得利害。）

⑤ 这种烟太厉害，我抽不了。（*这种烟太利害，我抽不了。）

⑥ 这种白酒很厉害，我只喝了两小杯就醉了。（*这种白酒很利害，我只喝了两小杯就醉了。）

⑦ 他一跑步就喘得厉害。（*他一跑步就喘得利害。）

866 立刻[副]lìkè ▶ 立即[副]lìjí

词义说明 Definition

立刻[immediately; at once; right away] 紧接着某个时候，马上。

立即[immediately; at once; promptly] 很快地。

词语搭配 Collocation

	~出发	~就干	~站起来	~照办	~执行	~行动	~送去
立刻	√	√	√	√	√	√	√
立即	√	√	√	√	√	√	√

用法对比 Usage

用法解释 Comparison

“立刻”和“立即”都是副词，“立刻”是紧接着某个时候，“立即”不一定与某个时候紧接着，这两个词在句子中可以互换，但是，“立刻”的使用频率要比“立即”高。“立即”多用于书面，“立刻”没有此限。

语境示例 Examples

① 他一进屋，放下书包，就立刻打开电视看球赛。(☺他一进屋，放下书包，就立即打开电视看球赛。)
② 接到你的电话我就立刻赶来了。(☺接到你的电话我就立即赶来了。)
③ 刚吃完饭不要立刻做激烈运动。(☺刚吃完饭不要立即做激烈运动。)
④ 看他病成这个样子，我立即叫了一辆车把他送到了医院。(☺看他病成这个样子，我立刻叫了一辆车把他送到了医院。)
⑤ 老师一进来，教室里立刻安静了下来。(☺老师一进来，教室里立即安静了下来。)
⑥ 家里有急事，请你立即回来。(☺家里有急事，请你立刻回来。)
⑦ 各级公安部门，如果发现非法网吧毒害青少年，要立即予以取缔。(＊各级公安部门，如果发现非法网吧毒害青少年，要立刻予以取缔。)

867 立刻[副]lìkè ▶ 马上[副]mǎshàng

词义说明 Definition

立刻[immediately; at once; right away] 紧接着某个时候，马上。

马上[at once; immediately; straight away; right away; in the near future; soon] 很快地，立刻。

词语搭配 Collocation

	～行动	～动身	～起床	～去	～来	～就到
立刻	√	√	√	√	√	√
马上	√	√	√	√	√	√

用法对比 Usage

用法解释 Comparison

“马上”和“立刻”都是时间副词，都表示动作进行得快、迅速。不同的是，“立刻”表示的时间比“马上”更短，“马上”的伸缩性较大。

语境示例 Examples

① 董事长访问的日程定下来以后，我会立刻打电话通知你们。(☺董事长访问的日程定下来以后，我会马上打电话通知你们。)
② 请您稍等一下儿，他马上就回来。(☺请您稍等一下儿，他立刻就回来。)
③ 一看表，快八点了，他立刻往教室跑去。(＊一看表，快八点了，他马上往教室跑去。)
④ 我们马上就要毕业了。(＊我们立刻就要毕业了。)
⑤ 飞机马上就要起飞了，请大家系好安全带。(＊飞机立刻就要起飞了，请大家系好安全带。)
⑥ 我们给领导的报告马上就得到了答复。(＊我们给领导的报告立刻就得到了答复。)

868 利用 [动] lìyòng ▶ 使用 [动] shǐyòng

词义说明 Definition

利用 [use; utilize; make use of] 使事物或人发挥效能。[take advantage of; exploit] 用手段使人或事物为自己服务。

使用 [use; employ; apply] 使人或东西为某种目的服务。

词语搭配 Collocation

	～水力	废物～	～资源	～外资	～人	～干部	～资金	～手机	～方法	怎么～
利用	√	√	√	√	√	√	√	×	×	×
使用	×	×	×	√	√	√	√	√	√	√

用法对比 Usage

用法解释 Comparison

“利用”的宾语如果是物，则是抽象的，如果是人，一定是具体的；“使用”的宾语如果是物，是具体的，如果是人，具体和抽象名词都可以。

语境示例 Examples

① 我们可以利用电子邮件 (e-mail) 保持联系。(☺我们可以使用电

子邮件保持联系。)

② 中国很多地区都可以利用水力发电。(＊中国很多地区都可以使用水力发电。)

③ 我要利用在中国工作的有利条件学好汉语。(＊我要使用在中国工作的有利条件学好汉语。)

④ 这个手机是刚买的，我还不会使用呢。(＊这个手机是刚买的，我还不会利用呢。)

⑤ 应该利用害虫的天敌消灭害虫。(＊应该使用害虫的天敌消灭害虫。)

⑥ 家用电器使用前一定要好好看看使用说明书。(＊家用电器使用前一定要好好看看利用说明书。)

"利用"有贬义，"使用"没有贬义。

① 这个邪教组织常常利用人们的轻信和善良敛财害命。(＊这个邪教组织常常使用人们的轻信和善良敛财害命。)

② 他这次是受坏人利用才走上犯罪道路的。(＊他这次是受坏人使用才走上犯罪道路的。)

L

869 连忙[副]liánmáng ▶ 急忙[形]jímáng

词义说明 Definition

连忙[hastily; hurriedly; promptly] 立即；马上。

急忙[in a hurry; in haste; hurriedly; hastily] 因为着急而行动加快。

词语搭配 Collocation

	很~	太~	~站起来	~起床	~做饭	~打开电视	~去上课	~做作业
连忙	×	×	√	√	√	√	√	√
急忙	√	√	√	√	√	√	√	√

用法对比 Usage

用法解释 Comparison

"连忙"是副词，用在第二个分句作状语，意思是立刻、马上，不能作谓语和补语。"急忙"是形容词，意思是因为着急而行动加快，可以作状语，也可以作谓语和补语。

语境示例 Examples

① 车上太挤，不小心踩了别人一下，我连忙道歉。(☺车上太挤，不

小心踩了别人一下，我急忙道歉。）
② 醒来一看表，都七点多了，我连忙起床，洗脸，吃饭。（☺醒来一看表，都七点多了，我急忙起床，洗脸，吃饭。）
③ 看见一位老人上来了，我连忙站起来给他让座。（☺看见一位老人上来了，我急忙站起来给他让座。）
④ 走得太急忙，忘带手套了。（*走得太连忙，忘带手套了。）
"急忙"可以重叠，"连忙"不能重叠。
① 一下课我就急急忙忙去食堂吃饭。（*一下课我就连连忙忙去食堂吃饭。）
② 来的时候急急忙忙的，连眼镜也忘戴了。（*来的时候连连忙忙的，连眼镜也忘戴了。）

870 连续[动]liánxù ▶ 接续[动]jiēxù

词义说明 Definition

连续[continuous; successive; in a row; one after another] 一个接一个的。

接续[continue; follow] 接着前面的，继续。

词语搭配 Collocation

	～不断	～下了三天	电视～剧	～昨天的	～而来	～往下讲
连续	√	√	√	×	×	√
接续	×	×	×	√	√	√

用法对比 Usage

用法解释 Comparison

"连续"的动作主体可以是人，也可以是客观事物，"接续"的动作主体只能是人。"连续"表示动作多次发生或事物多次出现，后边可以接时量补语和动量补语，"接续"表示两个动作相接或两个事物相连，后边不能带时量补语和动量补语。

语境示例 Examples

① 今年以来连续传来喜讯。（*今年以来接续传来喜讯。）
② 雨已经连续下了三天了，还没有晴的迹象。（*雨已经接续下了三天了，还没有晴的迹象。）
③ 这是一部二十多集的电视连续剧。（*这是一部二十多集的电视

接续剧。)

④ 今天晚上接续着昨天晚上往下演。(＊今天晚上连续着昨天晚上往下演。)

⑤ 最近这里连续发生了好几起交通事故。(＊最近这里接续发生了好几起交通事故。)

⑥ 请大家按照老师的要求，这个故事一个同学讲完一段，别的同学接续往下讲。(＊请大家按照老师的要求，这个故事一个同学讲完一段，别的同学连续往下讲。)

⑦ 这篇文章第二段和第一段接续不上。(＊这篇文章第二段和第一段连续不上。)

871 联系[动、名]liánxì ▶ 联络[动]liánluò

词义说明 Definition

联系 [contact; touch; connection; relation; integrate; relate; link; get in touch with] 彼此接上关系。

联络 [start or keep up personal relations; make or maintain contact or liaison; contact (between people); liaison] 彼此交接，接上关系。

词语搭配 Collocation

	有～	没有～	取得～	保持～	失去～	～群众	～实际	～上了	～感情	～员
联系	√	√	√	√	√	√	√	√	×	×
联络	×	×	×	√	√	×	×	√	√	√

用法对比 Usage

用法解释 Comparison

“联系”是动词和名词，“联络”只是动词，动词“联系”比“联络”使用的频率高。

语境示例 Examples

① 大学毕业以后我们一直通过电话和书信保持联系。(☺大学毕业以后我们一直通过电话和书信保持联络。)

② 我通过电子邮件（e-mail）跟他联系上了。(☺我通过电子邮件跟他联络上了。)

③ 现在你跟他还有没有联系？(＊现在你跟他还有没有联络？)

④ 理论要联系实际。(＊理论要联络实际。)
⑤ 这是我的名片，希望我们今后能多联系。(＊这是我的名片，希望我们今后能多联络。)
⑥ 组织夏令营活动可以增加学生的见识，还可以联络师生之间的感情。(＊组织夏令营活动可以增加学生的见识，还可以联系师生之间的感情。)

872 脸[名]liǎn ▶ 面[名]miàn ▶ 面子[名]miànzi

词义说明 Definition

脸[face] 头的前部。

面[face] 脸。[face (a certain direction)] 向着。[surface; top; face] 物体的表面，有时特指某些物体上部的一层。

面子[outer part; outside; face] 物体的表面。[reputation; prestige; face] 体面，表面的虚荣。[feelings; sensibilities] 情面。

词语搭配 Collocation

	洗～	圆～	丢～	笑～	～南	桌～	～谈	正～	东～	见一～	～试	爱～	给～
脸	√	√	√	√	×	×	×	×	×	×	×	×	×
面	√	×	×	×	√	√	√	√	√	√	√	×	×
面子	×	×	√	×	×	×	×	×	×	×	×	√	√

用法对比 Usage

用法解释 Comparison

“脸”和“面”是具体名词，“面子”既是具体名词又是抽象名词。“脸”是单义词，“面”和“面子”都是多义词；“脸”和“面”还是语素，有组词能力，“面子”没有组词能力。

语境示例 Examples

① 谁学外语都可能说错，不要觉得说错了丢脸。(☺谁学外语都可能说错，不要觉得说错了丢面子。)(＊谁学外语都可能说错，不要觉得说错了丢面。)
② 很多同学都爱面子，怕说错，所以不愿意说。(＊很多同学都爱脸/面，怕说错，所以不愿意说。)
③ 早上洗脸的时候才发现脸上起了一个包。(＊早上洗脸的时候才发现面/面子上起了一个包。)

④ 天安门坐北面南。(＊天安门坐北脸/面子南。)
⑤ 我想和他面谈一次。(＊我想和他面子/脸谈一次。)
⑥ 我看他迎面走来，就连忙迎了上去。(＊我看他迎脸/面子走来，就连忙迎了上去。)

873 脸色[名]liǎnsè ▶ 表情[名]biǎoqíng

词义说明 Definition

脸色[complexion; look; facial expression] 脸的颜色。脸上表现出来的健康情况；气色；脸上的表情。

表情[express one's feelings] 从面部或姿势的变化，表达内心的思想感情。[expression] 表达在面部或姿态上的思想感情。

词语搭配 Collocation

	～很好	～苍白	～红润	看～	～丰富	带～朗诵	没有～	～冷淡
脸色	√	√	√	√	×	×	×	√
表情	√	×	×	√	√	√	√	√

用法对比 Usage

用法解释 Comparison

“脸色”是具体名词，也是抽象名词，“表情”是个抽象名词。

语境示例 Examples

① 脸色：你的脸色真好！(指身体很健康)
表情：你的表情真好！(指表演得不错)
② 我想主动跟他谈谈，可是他脸色阴沉地说：“没有什么好谈的。”(☺我想主动跟他谈谈，可是他表情阴沉地说：“没有什么好谈的。”)
③ 看她脸色苍白的样子就知道她病得不轻。(＊看她表情苍白的样子就知道她病得不轻。)
④ 朗诵时一定注意表情，要从容自然，不要太夸张。(＊朗诵时一定注意脸色，要从容自然，不要太夸张。)
⑤ 你朗诵得很好，表情也不错。(＊你朗诵得很好，脸色也不错。)
⑥ 看别人脸色行事的人，没骨气，也让人看不起。(＊看别人表情

行事的人，没骨气，也让人看不起。）

874 练[动]liàn ▶ 炼[动]liàn

词义说明 Definition

练[practise; train; drill] 练习；训练。[experienced; skilled; seasoned] 经验多，纯熟。

炼[smelt] 用加热等办法使物质纯净或坚韧；烧。[weigh one's word; seek the right phrase] 用心琢磨，使词句简洁优美。

词语搭配 Collocation

	～字	～口语	～习	熟～	～节目	～好本领	～钢	～铁	～句
练	√	√	√	√	√	√	×	×	×
炼	√	×	×	×	×	×	√	√	√

用法对比 Usage

用法解释 Comparison

"练"和"炼"发音相同，但是意思和用法都不同，书写时应注意。

语境示例 Examples

① 练字：业余时间我常练字。(练习写汉字或书法)
炼字：要注意炼字炼句。(写文章时要认真选择恰当的字句)

② 要想学好汉语就要多听多说多练。(＊要想学好汉语就要多听多说多炼。)

③ 我们正在练节目，准备参加演出。(＊我们正在炼节目，准备参加演出。)

④ 他每天早上都跟老师练太极拳。(＊他每天早上都跟老师炼太极拳。)

⑤ 真金不怕火炼。(＊真金不怕火练。)

875 良好[形]liánghǎo ▶ 好[形、副]hǎo

词义说明 Definition

良好[good; well] 让人满意，好。

好[good; fine; nice] 优点多的；使人满意的(跟"坏"相对)：～人|～东西|～事|～消息。[friendly; kind] 友爱；和睦：～

朋友。[be in good health; get well] 身体健康，疾病痊愈：身体真～|病～了。[be ready; done] 达到满意的程度：饭～了。[(used after verbs to indicate finishing or finishing satisfactorily): complete; finished] 用在动词后边作结果补语，表示完成或达到完善的地步：作业做～了。[(used before verbs) be good to; be easy to] 用在动词前表示使人满意的性质在哪方面：～吃|～看|～听|～玩|这个问题不～回答。[used at the beginning of a sentence or clause to express agreement, disapproval, surprise, etc.] 用在句子或短语开头，表示同意，失望，惊讶等：～，就这么办吧。[(used before adjectives or verbs to show high degree with exclamatory force) very; quite; so] 用在形容词、动词前边表示程度深，带有感叹的语气：～冷啊！|～漂亮啊！[all right; OK] 表示赞许，同意或结束的语气：～了，可以走了。 [be easy (to do); simple; likely] 容易：汉字不～写。[(used before indefinite numbers or time words) how; quit a few] 用在数量词、时间词前面，表示多或久：～久|～半天。

词语搭配 Collocation

	～的成绩	身体～	～习惯	～人	～看	病～了	做～了	～了	～学	～漂亮	～几个
良好	√	√	√	×	×	×	×	×	×	×	×
好	√	√	√	√	√	√	√	√	√	√	√

用法对比 Usage

用法解释 Comparison

“良好”只是个形容词，用来修饰双音节名词，它和中心语之间要加“的”字，“好”不受此限。“好”既是形容词也是副词，意思和用法都比“良好”多。

语境示例 Examples

① 我们学校有非常良好的学习环境。(☺我们学校有非常好的学习环境。)

② 要养成良好的生活习惯。(☺要养成好的生活习惯。)

③ 要取得良好的成绩，就必须刻苦学习。(☺要取得好的成绩，就必须刻苦学习。)

④ 他可是一个好人。(*他可是一个良好人。)

⑤ 我爸爸妈妈身体都很好。(*我爸爸妈妈身体都很良好。)

⑥ 好了，我们走吧。(*良好了，我们走吧。)

"好"可以作补语,"良好"不能作补语。

晚饭已经做好了。

"好"有容易的意思,"良好"没有这个意思。

这个汉字不好写。

"好"可以作形容词的状语,"良好"不能。

① 今天好冷啊!

② 我等你好久了。

876 凉快[形]liángkuai ▶ 凉爽[形]liángshuǎng

词义说明 Definition

凉快[nice and cool; pleasantly cool] 清凉爽快。[cool oneself; cool off] 使身体清凉爽快。

凉爽[nice and cool; pleasantly cool] 清凉爽快。

词语搭配 Collocation

	很~	非常~	真~	~~吧
凉快	√	√	√	√
凉爽	√	√	×	×

用法对比 Usage

用法解释 Comparison

"凉爽"是人的感觉,意思是因为凉快而感到舒服,"凉快"除了人的感觉以外,还有天气温度不高,天气不热的意思。

语境示例 Examples

① 洗了一个冷水澡,感到凉爽多了。(☺洗了一个冷水澡,感到凉快多了。)

② 一过立秋,早晚就凉快了。(☺一过立秋,早晚就凉爽了。)

③ 树下边很凉快,我们在这儿休息一会儿吧。(☺树下边很凉爽,我们在这儿休息一会儿吧。)

"凉快"还有动词的用法,可以重叠,表示降温到使人满意或愉快的程度。"凉爽"没有这种用法。

① 把空调开开,凉快凉快吧。(*把空调开开,凉爽凉爽吧。)

② 咱们到屋子里凉快凉快吧。(*咱们到屋子里凉爽凉爽吧。)

L

877 亮[形、动]liàng ▶ 明亮[形]míngliàng

词义说明 Definition

亮[bright; light] 光线强：电灯很～。[shine] 发光：屋子里～着灯呢。[loud and clear] (声音) 强，响亮：嗓子～。[enlightened] (心胸、思想等) 开朗，明白，清楚：心里～了。[show] 把证件等拿出来供检查。

明亮[well-lit; bright] 光线充足：教室里灯光～。[bright; shining] 发光的：～的眼睛。[become clear] 明白：他心里～了。

词语搭配 Collocation

	天～了	灯～了	很～	嗓子～	心里～了	～的眼睛	～出来	～着灯
亮	√	√	√	√	√	×	√	√
明亮	×	×	√	×	√	√	×	×

L

用法对比 Usage

用法解释 Comparison

“亮”是形容词也是动词，可以带“着”，“明亮”只是形容词，不能带“着”。

语境示例 Examples

① 25瓦的灯管不太亮。(☺25瓦的灯管不太明亮。)

② 这个房间向阳，所以白天显得很亮。(☺这个房间向阳，所以白天显得很明亮。)

③ 她有一双明亮的大眼睛。(＊她有一双亮的大眼睛。)

④ 他屋子里亮着灯呢，可能在家。(＊他屋子里明亮着灯呢，可能在家。)

⑤ 现在早上五点多天就亮了。(＊现在早上五点多天就明亮了。)

“亮”还可以形容嗓子好，“明亮”没有这个用法。

她的嗓子真亮。(＊她的嗓子真明亮。)

“亮”还有“出示”的意思。

请把票亮出来看看。(＊请把票明亮出来看看。)

878 谅解[动]liàngjiě ▶ 理解[动]lǐjiě

词义说明 Definition

谅解[understand; make allowance for] 了解实情后原谅或消除意见。

理解[understand; comprehend] 懂；了解。

词语搭配 Collocation

	取得～	相互～	不～	加深～	完全～	很～你的心情	没有～	不能～
谅解	√	√	√	×	√	×	×	√
理解	×	√	√	√	√	√	√	√

用法对比 Usage

用法解释 Comparison

"谅解"有明白原因后表示原谅的意思，"理解"有"谅解"的意思，也有"懂得，明白"的意思。但"理解"的对象可以是人，也可以是事物，"谅解"的对象只能是人。

语境示例 Examples

① 你们是朋友，应该互相谅解。(☺你们是朋友，应该互相理解。)
② 双方在有关问题上通过谈判达成了谅解。(*双方在有关问题上通过谈判达成了理解。)
③ 这篇文章的意思我还不太理解。(*这篇文章的意思我还不太谅解。)
④ 今天老师讲的你都理解吗？(*今天老师讲的你都谅解吗？)
⑤ 他的想法真让人无法理解。(*他的想法真让人无法谅解。)
⑥ 他对我这种态度，我无法谅解他。(*他对我这种态度，我无法理解他。)

879 了解[动]liǎojiě ▶ 理解[动]lǐjiě

词义说明 Definition

了解[understand; comprehend] 知道得清楚。[find out; acquaint oneself with] 打听，调查。

理解[understand; comprehend] 懂，很深地了解。

词语搭配 Collocation

	很～他	不～她	非常～	～一下	～情况	互相～	加深～	～不了	不能～
了解	√	√	√	√	√	√	√	×	×
理解	√	√	√	×	×	√	√	√	√

用法对比 Usage

用法解释 Comparison

“了解”的对象是人或事物的情况，“理解”的对象是道理，理由，内容和人的想法、看法、心情等，它们不能相互替换。

语境示例 Examples

① 了解：我了解他。（我知道他是个什么样的人）
理解：我理解他。（我知道他是怎么想的，明白他这么做的理由）
② 我想了解一下这个大学的情况。（＊我想理解一下这个大学的情况。）
③ 课文的意思老师讲了一遍，但是我还不太理解。（＊课文的意思老师讲了一遍，但是我还不太了解。）
④ 到中国各地去旅游，可以加深对中国的了解。（＊到中国各地去旅游，可以加深对中国的理解。）
⑤ 我完全能理解你现在的心情。（＊我完全能了解你现在的心情。）
⑥ 我跟他认识不久，对他还不太了解。（＊我跟他认识不久，对他还不太理解。）
⑦ 我真不理解你为什么这样做。（＊我真不了解你为什么这样做。）

880 邻居[名]línjū ▶ 隔壁[名]gébì

词义说明 Definition

邻居[neighbour] 住家接近的人或人家。
隔壁[next door] 左右两边相连的屋子或人家。

词语搭配 Collocation

	我的～	～家	住～	～家的狗	我们是～
邻居	√	√	×	√	√
隔壁	√	×	√	√	×

用法对比 Usage

用法解释 Comparison

“隔壁”可以是邻居，也可以不是邻居，“邻居”不一定都住“隔壁”，“邻居”包括住在隔壁和住在自己家附近的人家。

语境示例 Examples

① 这是邻居家的狗。(☺这是隔壁家的狗。)
② 我们两家是邻居。(＊我们两家是隔壁。)
③ 这是我的房间，我姐姐住隔壁。(＊这是我的房间，我姐姐住邻居。)
④ 他家就住我们家隔壁。(＊他家就住我们家邻居。)
⑤ 城市不像农村，邻居之间很少往来。(＊城市不像农村，隔壁之间很少往来。)

881 临时[形]línshí ▶ 暂时[形]zànshí

词义说明 Definition

临时[at the time when sth. happens] 临到事情发生的时候。[for the time being; temporary; provisional] 短期的，暂时。

暂时[temporary; transient; for the time being] 短时间内。

词语搭配 Collocation

	～工	～工作	～代办	～政府	～借用一下	～休息一会儿	～停止营业	～禁止通行
临时	√	√	√	√	√	√	×	×
暂时	×	×	×	×	√	√	√	√

用法对比 Usage

用法解释 Comparison

“临时”和“暂时”都有“短时间内”的意思，但“临时”还表示“临到事情发生的时候”，“暂时”没有这个意思。

语境示例 Examples

① 你这里有没有《日汉词典》？临时借给他用一下。(☺你这里有没有《日汉词典》？暂时借给他用一下。)
② 课下准备得好好的，老师一让我讲，我临时一紧张，全忘了。(＊课下准备得好好的，老师一让我讲，我暂时一紧张，全忘了。)
③ 把要带的东西都准备好，免得临时着急。(＊把要带的东西都准备好，免得暂时着急。)
④ 这位是大使馆的临时代办。(＊这位是大使馆的暂时代办。)
⑤ 他们是这个单位的临时工。(＊他们是这个单位的暂时工。)

⑥ 累了就暂时休息一会儿再干。(＊累了就临时休息一会儿再干。)
⑦ 本店因内部装修，暂时停止营业。(＊本店因内部装修，临时停止营业。)
⑧ 目前我们公司的经营遇到了暂时的困难。(＊目前我们公司的经营遇到了临时的困难。)

882 伶俐[形]línglì ▶ 聪明[形]cōngming

词义说明 Definition

伶俐[clever; bright; quick-witted] 聪明，灵活。

聪明[intelligent; bright; clever] 智力发达，记忆和理解能力强。

词语搭配 Collocation

	很～	非常～	口齿～	～能干	～一世
伶俐	√	√	√	×	×
聪明	√	√	×	√	√

L

用法对比 Usage

用法解释 Comparison

“伶俐”有“聪明”的意思，但是还有“灵活”的意思，“聪明”没有“灵活”的意思。

语境示例 Examples

① 这个孩子非常聪明。(☺这个孩子非常伶俐。)
② 他口齿伶俐，表达得非常清楚。(＊他口齿聪明，表达得非常清楚。)
③ 他很聪明，也很努力。(＊他很伶俐，也很努力。)
④ 学习外语不能只靠脑瓜聪明，还要下工夫多练习。(＊学习外语不能只靠脑瓜伶俐，还要下工夫多练习。)
⑤ 因为聪明能干，他被提拔为董事长助理。(＊因为伶俐能干，他被提拔为董事长助理。)

883 灵活[形]línghuó ▶ 灵敏[形]língmǐn

词义说明 Definition

灵活[nimble; agile; quick] 敏捷；不呆板。[flexible; elastic] 善于随机应变。

灵敏[sensitive; keen; agile; acute] 反应快；能对极其微弱的刺激迅速反应。

词语搭配 Collocation

	很~	不~	脑筋~	手脚~	动作~	~的仪器	感觉~	~运用	~掌握	机动~
灵活	√	√	√	√	√	×	×	√	√	√
灵敏	√	√	×	×	√	√	√	×	×	×

用法对比 Usage

用法解释 Comparison

"灵活"和"灵敏"都是形容词，但是"灵活"修饰的对象是人的动作行为，"灵敏"既可以修饰人的动作，也可以修饰机器、仪器等。"灵活"可以作谓语和定语，也可以作状语，"灵敏"只能作定语或谓语，不能作状语。

语境示例 Examples

① 人老了，就不太灵活，所以不宜开车。(☺人老了，就不太灵敏，所以不宜开车。)
② 学过的语法要能灵活运用，只有多实践。(＊学过的语法要能灵敏运用，只有多实践。)
③ 企业的经营方式应该灵活多样。(＊企业的经营方式应该灵敏多样。)
④ 他的脑筋很灵活，点子也多。(＊他的脑筋很灵敏，点子也多。)
⑤ 警犬的嗅觉特别灵敏。(＊警犬的嗅觉特别灵活。)
⑥ 雷达的反应十分灵敏。(＊雷达的反应十分灵活。)

884 灵活[形] línghuó ▶ 灵巧[形] língqiǎo

词义说明 Definition

灵活[nimble; agile; quick; supple] 敏捷，不呆板。[flexible; elastic] 善于随机应变；不拘泥。

灵巧[dexterous; nimble; skilful; ingenious] 灵活而巧妙。

词语搭配 Collocation

	手脚~	~多样	机动~	脑筋~	~性	~运用	~掌握	~的双手	心思~
灵活	√	√	√	√	√	√	√	×	×
灵巧	×	×	×	×	×	×	×	√	√

用法对比 Usage

用法解释 Comparison

“灵活”修饰的范围很广，包括身体、脑筋、手法、战术、方法、指挥等。“灵巧”修饰的范围比较窄，一般指手、嘴、手艺、工艺品等。它们不能相互替代。“灵活”可以用于祈使句，“灵巧”不能。

语境示例 Examples

① 他有一双灵巧的双手，这些工艺品都是他亲手制作的。（*他有一双灵活的双手，这些工艺品都是他亲手制作的。）

② 要灵活运用汉语的语法，只有不断实践，多说，多写，多练习。（*要灵巧运用汉语的语法，只有不断实践，多说，多写，多练习。）

③ 爷爷虽然已经七十多岁了，但是手脚还很灵活，每天养花种草，闲不住。（*爷爷虽然已经七十多岁了，但是手脚还很灵巧，每天养花种草，闲不住。）

④ 经营方式一定要灵活多样，满足顾客多方面的需求。（*经营方式一定要灵巧多样，满足顾客多方面的需求。）

⑤ 脑筋一定要灵活，要随机应变，不能一条道走到黑。（*脑筋一定要灵巧，要随机应变，不能一条道走到黑。）

⑥ 机动灵活的战略战术是我们克敌制胜的法宝。（*机动灵巧的战略战术是我们克敌制胜的法宝。）

885 零星[形]língxīng ▶ 零碎[形、名]língsuì

词义说明 Definition

零星[fragmentary; odd; piecemeal] 零碎的，少量的（不能做谓语）。[scattered; sporadic] 零散。

零碎[scrappy; fragmentary; piecemeal] 细碎；琐碎。

[odds and ends; oddments; bits and pieces] 零碎的事物。（读língsuìr）

词语搭配 Collocation

	～东西	～的材料	～小雨	～的记忆	～的小花	～活儿	收拾～儿	小～
零星	×	√	√	√	√	×	×	×
零碎	√	√	×	×	×	√	√	√

用法对比 Usage

用法解释 Comparison

“零星”只是形容词，“零碎”既是形容词，又是名词。“零星”可以修饰具体事物也可以修饰抽象事物，“零碎”只修饰具体事物。名词“零碎”常常读儿化韵。它们不能相互替换。

语境示例 Examples

① 傍晚下起了零星小雨。(*傍晚下起了零碎小雨。)
② 对于这件事我还有些零零星星的记忆。(*对于这件事我还有些零零碎碎的记忆。)
③ 对于他出国以后的情况，我只是零零星星地听到一些消息。(*对于他出国以后的情况，我只是零零碎碎地听到一些消息。)
④ 草地上零零星星地开着一些小红花。(*草地上零零碎碎地开着一些小红花。)
⑤ 把这些零碎东西收拾收拾，处理了得了。(*把这些零星东西收拾收拾，处理了得了。)
⑥ 这些布头都太零碎，什么也做不成。(*这些布头都太零星，什么也做不成。)

886 领导[动、名]lǐngdǎo ▶ 头儿[名]tóur

词义说明 Definition

领导[lead; exercise leadership] 率领并引导向一定方向前进。[leadership; leader] 担任领导工作的人。

头儿[head; chief; leader; boss] 俗称某单位或某集团为首的人。负责人，也叫“头头儿”。

词语搭配 Collocation

	集体～	～人民	国家～人	～机关	～艺术	单位的～	学校的～
领导	√	√	√	√	√	√	√
头儿	×	×	×	×	×	√	√

用法对比 Usage

用法解释 Comparison

“头儿”是“领导”的俗称，含有随便、不庄重的意味。当面称呼领导为“头儿”时，有亲切的含义，背后称呼时表示不太尊敬。在正式和庄重的场合一定要使用“领导”，不能用“头儿”。

语境示例 Examples

① 他是我们单位的领导。(☺他是我们单位的头儿。)
② 各位领导，各位朋友，今天我向大家汇报一下……（*各位头儿，各位朋友，今天我向大家汇报一下……）
③ 学校领导同意他出国工作。(*学校头儿同意他出国工作。)

“领导”还有动词的用法，“头儿”只是个名词。以下句子都不能用“头儿”替换。

① 王教授领导我们完成了这项实验。
② 在他的领导下，我们由最初只有十几个人的小公司发展成了有上万人的大公司。)

887 领导[动、名]lǐngdǎo ▶ 指导[动、名]zhǐdǎo

L

词义说明 Definition

领导[lead; exercise leadership; act as head and guide sb. in specific direction] 率领并引导朝一定方向前进。[leadership; leader] 担任领导的人。

指导[guide; direct; instruct; coach] 指示教导；指点引导。[instructor] 担任指导工作的人。

词语搭配 Collocation

	集体～	国家～	～人民	～班子	～方法	～核心	～干部	～思想	～研究生	～员
领导	√	√	√	√	√	√	√	√	×	×
指导	×	×	×	×	√	×	×	√	√	√

用法对比 Usage

用法解释 Comparison

动词“领导”的对象是广大的人群，而“指导”的对象一般是个别的，少数人。名词“指导”可以用于称呼，“领导”不能用作称呼。

语境示例 Examples

① 这个试验是在导师的指导下完成的。(☺这个试验是在导师的领导

下完成的。)

② 是中国共产党领导中国人民实行了改革开放，要了解中国，就要了解这个党。（*是中国共产党指导中国人民实行了改革开放，要了解中国，就要了解这个党。)

③ 他是我们公司的领导。(*他是我们公司的指导。)

④ 这位是篮球队的田指导。(*这位是篮球队的田领导。)

⑤ 我最近正指导研究生写论文呢。（*我最近正领导研究生写论文呢。)

888 另[形、副]lìng ▶ 另外[形、副、连]lìngwài

词义说明 Definition

另[in addition; besides] 另外。[（used before a noun ）different; other] 别的。

另外[in addition; besides; moreover; other] 在说过或写出的之外；除此之外。

词语搭配 Collocation

	~买	~选	~有任用	~还有	~一回事	~一个学校	~一件事
另	√	√	√	×	√	√	√
另外	√	√	×	√	√	√	√

用法对比 Usage

用法解释 Comparison

“另”和“另外”同义，但是音节不同，所以用法也不同。“另”常用于书面，“另外”书面和口语都常用；“另”可以与其他词语组成固定格式，“另外”没有这个用法。

语境示例 Examples

① 你跟他说的不是一回事，他说的是另一件事。(☺你跟他说的不是一回事，他说的是另外一件事。)

② 除了学习汉语以外，我还想另选一门专业课。(☺除了学习汉语以外，我还想另外选一门专业课。)

③ 今天没有时间，我们另找时间再谈吧。(☺今天没有时间，我们另外找时间再谈吧。)

④ 这张照片不太好，我另送你一张吧。(☺这张照片不太好，我另外

L

送你一张吧。)

⑤ 免去张三的部长职务，另有任用。(＊免去张三的部长职务，另外有任用。)

⑥ 你们两个留下，另外的同学跟我走。(＊你们两个留下，另的同学跟我走。)

"另外"还有连词的用法，"另"没有这个用法。

① 除了中国学生，另外还有很多外国留学生参加了今天的植树活动。(＊除了中国学生，另还有很多外国留学生参加了今天的植树活动。)

② 我做了练习，另外，还预习了新课的生词和课文。(＊我做了练习，另，还预习了新课的生词和课文。)

889 流畅[形]liúchàng ▶ 流利[形]liúlì

L

词义说明 Definition

流畅[(of writing) easy and smooth] 流利；通畅。

流利[speak fluently or glibly; smooth writing style of an article] 话说得快而清楚；文章读起来流畅。

词语搭配 Collocation

	很～	文笔～	文字～	写得～	说得～	～的汉语	线条～	动作～
流畅	√	√	√	√	×	×	√	√
流利	√	×	×	√	√	√	×	×

用法对比 Usage

用法解释 Comparison

"流畅"和"流利"使用的范围都很窄，主要形容文章或说话。"流畅"形容文章、作品；有时也形容绘画的线条和舞蹈或体操动作，"流利"只形容说的话。

语境示例 Examples

① 在这篇小说里，作者用朴实流利的语言，讲述了一个美丽动人的爱情故事。(☺在这篇小说里，作者用朴实流畅的语言，讲述了一个美丽动人的爱情故事。)

② 要想说一口流利的汉语就得下苦功夫练。(＊要想说一口流畅的汉语就得下苦功夫练。)

③ 他的英语说得很流利。(＊他的英语说得很流畅。)
④ 太极拳的动作要做得协调流畅，看着才优美。(＊太极拳的动作要做得协调流利，看着才优美。)
⑤ 这篇散文写得不错，文字流畅，语言非常生动。(＊这篇散文写得不错，文字流利，语言非常生动。)

890 流浪[动]liúlàng ▶ 流落[动]liúluò

词义说明 Definition

流浪[roam about; lead a vagrant's life] 生活没有保证，到处转移，随地谋生。

流落[wander about destitute (or homeless); lead a life of wandering poverty] 生活穷困，漂泊外地。

词语搭配 Collocation

	到处～	～者	～儿	～汉	～他乡	～街头
流浪	√	√	√	√	×	√
流落	×	×	×	×	√	√

用法对比 Usage

用法解释 Comparison

"流浪"是没有落脚地，"流落"是已经有了落脚地。"流浪"可以作定语，"流落"不能作定语。

语境示例 Examples

① 你不知道，我们董事长刚到国外的那段日子，曾经流浪街头，过着朝不保夕的生活。(☺你不知道，我们董事长刚到国外的那段日子，曾经流落街头，过着朝不保夕的生活。)
② 早年他曾流落他乡，靠给人家打短工谋生。(☺早年他曾流浪他乡，靠给人家打短工谋生。)
③ 五岁那年，父母双亡，从此他就到处流浪。(＊五岁那年，父母双亡，从此他就到处流落。)
④ 刑满释放后，他觉得无脸再回家乡，就流落到山区了。(＊刑满释放后，他觉得无脸再回家乡，就流浪到山区了。)
⑤ 你不要看他现在挺风光，他曾经是个流浪汉。(＊你不要看他现在挺风光，他曾经是个流落汉。)

891 留[动]liú ▶ 剩[动]shèng

词义说明 Definition

留[remain; stay] 停止在某一个处所或地位不动，不离去。[reside in a foreign country to study] 留学。[ask sb. to stay; keep sb. where he or she is] 使留下，不让离去：～我吃晚饭。[pay attention to] 注意力放在某个方面：～心。[reserve; keep; save] 保留：～坐位。[accept (sth. given); take] 接受；收下：把礼物～下了。[leave behind] 遗留：～言|给她～个条。

剩[surplus; remnant] 剩余。

词语搭配 Collocation

	～在家	～下来	～客人吃饭	～饭	～学	～学生	～言	～念
留	√	√	√	√	√	√	√	√
剩	×	√	×	√	×	×	×	×

用法对比 Usage

用法解释 Comparison

“留”是个多义词，而“剩”是个单义词，它们的意思和用法都不同，不能相互替代。

语境示例 Examples

① 他读完博士以后留在大学当了老师。(＊他读完博士以后剩在大学当了老师。)

② 我们一定要为子孙后代留下青山绿水。(＊我们一定要为子孙后代剩下青山绿水。)

③ 我这个月只剩下二百块钱了。(＊我这个月只留下二百块钱了。)

④ 你留下来吃了晚饭再走吧。(＊你剩下来吃了晚饭再走吧。)

⑤ 给你留着饭菜呢，我去热一热。(＊给你剩着饭菜呢，我去热一热。)

⑥ 有没有剩饭？有剩饭吃点儿剩饭就行了，不用做新的了。(＊有没有留饭？有留饭吃点儿留饭就行了，不用做新的了。)

⑦ 这张照片送给你，留个纪念吧。(＊这张照片送给你，剩个纪

念吧。)

⑧ 我把电话号码给你留下，有事就给我打电话吧。(＊我把电话号码给你剩下，有事就给我打电话吧。)

892 留念[动]liúniàn ▶ 纪念[动、名]jìniàn

词义说明 Definition

留念[accept or keep as a memento] 留做纪念。

纪念[commemorate; mark] 用事物或行动对人或事表示怀念，不忘记。[souvenir; keepsake; memento] 表示纪念的物品；纪念品。

词语搭配 Collocation

	合影～	题字～	～先烈	～"五四"	～会	～碑	～塔	～品
留念	√	√	×	×	×	×	×	×
纪念	×	√	√	√	√	√	√	√

用法对比 Usage

用法解释 Comparison

"留念"是个动宾词组，不能再带宾语，"纪念"既是动词，又是名词，可以带宾语。

语境示例 Examples

① 他们栽了一棵常青树作为结婚留念。(☺他们栽了一棵常青树作为结婚纪念。)

② 要回国了，同学们纷纷合影留念。(＊要回国了，同学们纷纷合影纪念。)

③ 每年五四青年节都要举行各种纪念活动。(＊每年五四青年节都要举行各种留念活动。)

④ 离别之前，同学们都互赠纪念品。(＊离别之前，同学们都互赠留念品。)

⑤ 把这本书送给你，留个纪念吧。(＊把这本书送给你，留个留念吧。)

⑥ 今天是我们结婚一周年纪念日。(＊今天是我们结婚一周年留念日。)

893 留神liú shén ▶ 留心liú xīn ▶ 留意liú yì

词义说明 Definition

留神[be careful; take care] 注意；小心（防备危险和错误）。

留心[be careful; take care] 注意；警惕。

留意[be careful; look out; keep one's eyes open] 注意，小心。

词语搭配 Collocation

	多~	请~	不~	要~	~听讲
留神	√	√	√	√	×
留心	√	√	√	√	√
留意	√	√	√	√	×

用法对比 Usage

用法解释 Comparison

"留神"指事先小心，防备不如意和不好的事情发生，"留心"侧重注意吸取各方面的知识，"留意"是特别注意。这三个词都可以分开用。

语境示例 Examples

① 刚下过雪，路上滑，走路要留点儿神。(☺刚下过雪，路上滑，走路要留点儿心/留点儿意。)

② 路上太滑，一不留神就摔了一跤。(☺路上太滑，一不留心/留意就摔了一跤。)

③ 你开车要特别留心。(☺你开车要特别留神。)(＊你开车要特别留意。)

④ 用电脑写东西，稍不留神就会出错。(☺用电脑写东西，稍不留意/留心就会出错。)

⑤ 他干什么都特别留心，看书时也常常做笔记。(＊他干什么都特别留神/留意，看书时也常常做笔记。)

⑥ A：你看见他出来了吗？B：我没有留意。(＊我没有留心/留神。)

⑦ 你去邮局时顺便替我留点儿意，看有没有新出的纪念邮票。

(＊你去邮局时顺便替我留点儿神/留点儿心，看有没有新出的纪念邮票。)

"留心"还有"有所保留，有所警惕"的意思，"留意"和"留神"没有这个意思。

多亏我对他留了一点儿心，这个情况没有告诉他。（＊多亏我对他留了一点儿意/神，这个情况没有告诉他。）

894 楼[名]lóu ▶ 楼房[名]lóufáng

词义说明 Definition

楼[storeyed building；tower] 楼房。[story；floor] 也表示楼房的一层或楼群的编号。[used in shop or restaurant names] 用做商店或饭店的名字：酒～|茶～。

楼房[building of two or more storeys] 两层或两层以上的房子。

词语搭配 Collocation

	住～	住几层～	住几～	高～大厦	办公～	宿舍～	上～	下～	～上	～下
楼	√	√	√	√	√	√	√	√	√	√
楼房	√	×	×	×	×	×	×	×	√	√

用法对比 Usage

用法解释 Comparison

“楼”可以用量词修饰，还可以用作量词；“楼房”不能用量词修饰，也没有量词的用法。

语境示例 Examples

① 我们家住平房不住楼房。(☺我们家住平房不住楼。)
② 一楼有个小院，可以种树种花。（＊一楼房有个小院，可以种树种花。）
③ 你家住几楼？(＊你家住几楼房？)
④ 我们家住八号楼。(＊我们家住八号楼房。)
⑤ 我喜欢走着上楼，不喜欢坐电梯。（＊我喜欢走着上楼房，不喜欢坐电梯。）
⑥ 城市里建起了许多高楼大厦。(＊城市里建起了许多高楼房大厦。)
⑦ 前边就是留学生宿舍楼。(＊前边就是留学生宿舍楼房。)

895 陆续[副]lùxù ▶ 不断[副]búduàn

词义说明 Definition

陆续[one after another；in succession] 表示有先有后，时断时续。

不断[unceasing; uninterrupted; continuous; constant] 连续不间断。

词语搭配 Collocation

	～走了	～回国了	～回去了	～发展	～进步	灾害～	～传来	～看到	～听说
陆续	√	√	√	×	×	×	√	√	√
不断	×	×	×	√	√	√	√	√	√

用法对比 Usage

用法解释 Comparison

“陆续”后面可以有数量词，“不断”后面不能跟数量词。“陆续”能重叠，“不断”不能重叠。

语境示例 Examples

① 最近，陆续传来三个好消息。(＊最近，不断传来三个好消息。)(☺最近，不断传来好消息。)

② 他们公司陆续推出了三四种新产品。(＊他们公司不断推出了三四种新产品。)(☺他们公司不断推出新产品。)

③ 一放寒假同学们都陆续回家了。(＊一放寒假同学们都不断回家了。)

④ 我陆陆续续地听到一些他在国外的情况。(＊我不不断断地听到一些他在国外的情况。)

⑤ 人类社会总是不断进步的，永远不会停止在一个水平上。(＊人类社会总是陆续进步的，永远不会停止在一个水平上。)

⑥ 这个地段交通管理混乱，事故不断。(＊这个地段交通管理混乱，事故陆续。)

896 录取[动]lùqǔ ▶ 录用[动]lùyòng

词义说明 Definition

录取[enroll; recruit; admit] 选定考试合格的人入学。

录用[employ; take sb. on the staff] 收录人员；任用。

词语搭配 Collocation

	～了	没有～	被～	～他	～新生	～职员
录取	√	√	√	√	√	×
录用	√	√	√	√	×	√

用法对比 Usage

用法解释 Comparison

“录取”的对象是新生，录取以后让他们学习和深造，“录用”的对象是工作人员，录用以后让他们工作。

语境示例 Examples

① 今年我们学校录取了五千名新生。(＊今年我们学校录用了五千名新生。)

② 因为考试成绩差一分，他没有被这个大学录取。(＊因为考试成绩差一分，他没有被这个大学录用。)

③ 要保证把大学录取通知书及时送到每个新生手里。(＊要保证把大学录用通知书及时送到每个新生手里。)

④ 今年我们公司准备录用一百多名新职员。(＊今年我们公司准备录取一百多名新职员。)

⑤ 这家公司准备录用他。(＊这家公司准备录取他。)

897 路[名、量]lù ▶ 道[名、量]dào

词义说明 Definition

路[road; path; way] 道路：大～。[journey; distance] 路程：八千里～云和月。[way; means] 途径，门路：无～可走。[sequence; line; logic] 条理：思～。[region; district; route] 地区，方面，路线：375～公共汽车。

道[way; path; road] 道路：人行～。[channel; course] 水流通行的途径：黄河故～。[way; method] 方向、方法、道理：得～多助，失～寡助。[measure word for long and narrow things, questions, etc.] 作量词：一～门|两～题。

词语搭配 Collocation

	～过	33～电车	学院～	一千里～	一～题	街～	大～
路	√	√	√	√	×	×	√
道	×	×	×	×	√	√	√

用法对比 Usage

用法解释 Comparison

“路”和“道”都表示“道路”的意思，都可以作量词，但是，在与其他词语搭配时有所不同。

语境示例 Examples

① 顺着这条路一直走，就到了北京大学。(☺顺着这条道一直走，就到了北京大学。)
② 路太远，你们最好坐车去。(☺道太远，你们最好坐车去。)
③ 开车路上要小心。(☺开车道上要小心。)
④ 北京到天津大约有一百多公里路。(*北京到天津大约有一百多公里道。)
⑤ 去我们学校要坐几路车？(*去我们学校要坐几道车？)
⑥ 这道题我不会做。(*这路题我不会做。)

898 路过[动]lùguò ▶ 经过[动、名]jīngguò

词义说明 Definition

路过[pass by or through (a place)] 途中经过（某地）。

经过[pass; go through; undergo] 通过（处所、时间、动作等）。[as a result of; after; through] 过程。[process; course] 经历。

词语搭配 Collocation

	～武汉	～书店	～学校	～讨论	～复习	～努力	事情的～
路过	√	√	√	×	×	×	×
经过	√	√	√	√	√	√	√

用法对比 Usage

用法解释 Comparison

“路过”只是动词，“经过”既是动词又是名词。“路过”的宾语只能是地名或处所词，“经过”的宾语除了地名和处所词外，还可以是动词。

语境示例 Examples

① 坐火车从北京到广州要路过武汉。(☺坐火车从北京到广州要经过武汉。)
② 这路车路过天安门吗？(☺这路车经过天安门吗？)
③ 每次路过这家书店，我都要进去看看。(☺每次经过这家书店，我都要进去看看。)
④ 经过三年刻苦努力，他终于获得了硕士学位。(*路过三年刻苦

努力，他终于获得了硕士学位。）

⑤ 他给同学们讲了去南极探险的经过。（＊他给同学们讲了去南极探险的路过。）

899 旅行[动]lǚxíng ▶ 旅游[动]lǚyóu ▶ 游览[动]yóulǎn

词义说明 Definition

旅行[travel; journey; tour] 为了办事或游览，从一个地方到另一个地方（多指比较远的地方）。

旅游[tour; tourism] 外出旅行游览。

游览[go sight-seeing; tour; visit] 从容地行走观看名胜、风景、市容等。

词语搭配 Collocation

	去～	～去了	～结婚	～社	～团	～胜地	～旺季	～长城	～西湖	～黄山
旅行	√	√	√	√	√	×	×	×	×	×
旅游	√	√	√	×	√	√	√	×	×	×
游览	√	√	×	×	×	√	×	√	√	√

用法对比 Usage

用法解释 Comparison

“旅行”和“旅游”是不及物动词，不能带宾语，“游览”是及物动词，可以带处所宾语。

语境示例 Examples

① 暑假你打算去哪儿旅行？（☺暑假你打算去哪儿旅游？）（＊暑假你打算去哪儿游览？）

② 你们在中国都游览了什么地方？（＊你们在中国都旅行/旅游了什么地方？）

③ 我们今年准备到桂林去旅行。（☺我们今年准备到桂林去旅游。）（＊我们今年准备到桂林去游览。）

④ 他们打算旅行/旅游结婚。（＊他们打算游览结婚。）

⑤ 在北京，我们先后游览了颐和园、故宫、长城和十三陵。（＊在北京，我们先后旅行/旅游了颐和园、故宫、长城和十三陵。）

⑥ 旅游事业促进了中国经济的发展和社会的进步。(＊旅行/游览事业促进了中国经济的发展和社会的进步。)

900 屡次[副]lǚcì ▶ 多次[副]duōcì

词义说明 Definition

屡次[time and again; repeatedly]一次又一次地。

多次[many times; time and again; repeatedly]次数多。

词语搭配 Collocation

	～对你说	～打破记录	～受批评	～违反	～访问中国	～立功	～得奖
屡次	√	√	√	√	×	√	√
多次	√	√	√	√	√	√	√

用法对比 Usage

L

用法解释 Comparison

“屡次”强调动作经常发生，“多次”表示动作发生的次数多，口语中常用“多次”。

语境示例 Examples

① 他曾多次打破世界记录。(☺他曾屡次打破世界记录。)

② 我多次劝告他，可是他就是不听。(☺我屡次劝告他，可是他就是不听。)

③ 他曾多次访问过中国，对中国有着深厚的感情。(＊他曾屡次访问过中国，对中国有着深厚的感情。)

④ 他在部队多次立功，受到领导的嘉奖。(☺他在部队屡次立功，受到领导的嘉奖。)

⑤ 你的签证可以多次进出中国。(＊你的签证可以屡次进出中国。)

901 屡次[副]lǚcì ▶ 一再[副]yízài

词义说明 Definition

屡次[time and again; repeatedly]一次又一次。

一再[time and again; again and again; repeatedly]一次又一次。

词语搭配 Collocation

	～声明	～打破记录	～劝告	～提醒	～表示感谢	～宣称	～申请	～解释
屡次	√	√	√	×	×	×	×	×
一再	√	√	√	√	√	√	√	√

用法对比 Usage

用法解释 Comparison

"屡次"强调次数多，"一再"强调动作反复重复，不一定次数多。

语境示例 Examples

① 他多次参加世界大赛，并屡次获奖。(☺他多次参加世界大赛，并一再获奖。)

② 他这几年屡次打破世界记录。(☺他这几年一再打破世界记录。)

③ 中国政府一再声明，反对任何外国势力干涉中国的内政。(☺中国政府屡次声明，反对任何外国势力干涉中国的内政。)

④ 我一再劝他，他就是不听。(☺我屡次劝他，他就是不听。)

⑤ 我一再向他解释，可是他还是不原谅我。(*我屡次向他解释，可是他还是不原谅我。)

⑥ 董事长一再提醒她要注意保密，可是她还是把公司的商业机密泄露了出去。(*董事长屡次提醒她要注意保密，可是她还是把公司的商业机密泄露了出去。)

902 履行[动]lǚxíng ▶ 执行[动]zhíxíng

词义说明 Definition

履行[honour (what one has promised to or should do)]实践（自己答应做的或应该做的事）。

执行[carry out; execute; implement]实施，实行（政策、法律、计划、命令、判决中规定的事项）。

词语搭配 Collocation

	～诺言	～合同	～手续	～政策	～命令	～任务	～计划	～公务	严格～
履行	√	√	√	×	×	×	×	×	×
执行	×	×	×	√	√	√	√	√	√

用法对比 Usage

用法解释 Comparison

“履行”的是事先约定的或规定的，对象一般是带约束性的事情或双方约定的事情。“执行”的是带有强制性、常常是按照上级规定必须做的事情。

语境示例 Examples

① 收养子女需要履行有关的法律手续。（*收养子女需要执行有关的法律手续。）
② 如果对方不能履行合同，要负责赔偿我们的损失。（*如果对方不能执行合同，要负责赔偿我们的损失。）
③ 中国执行独立自主的和平外交政策。（*中国履行独立自主的和平外交政策。）
④ 要严格执行纪律，对于违法乱纪的公务员要严肃处理。（*要严格履行纪律，对于违法乱纪的公务员要严肃处理。）
⑤ 你这样做是妨碍警察执行公务。（*你这样做是妨碍警察履行公务。）
⑥ 我按照法律规定为委托人辩护，是在履行一个律师的职责。（*我按照法律规定为委托人辩护，是在执行一个律师的职责。）

903 略微[副]lüèwēi ▶ 稍微[副]shāowēi

词义说明 Definition

略微[slightly; a little; briefly]表示数量不多或程度不深。

稍微[a little; a bit; slightly; a trifle]数量不多或程度不深。

词语搭配 Collocation

	~有点儿发烧	~偏了一点儿	~贵了点儿	~早点儿	~有点儿冷	~等一会儿
略微	√	√	√	√	√	×
稍微	√	√	√	√	√	√

用法对比 Usage

用法解释 Comparison

“略微”和“稍微”的意思相同，用法也基本一样，但是在有些句子里不能互换。

语境示例 Examples

① 这件颜色略微有点儿深。(☺这件颜色稍微有点儿深。)
② 我喜欢在咖啡里稍微加点儿奶。(☺我喜欢在咖啡里略微加点儿奶。)
③ 这个菜稍微咸了点儿。(☺这个菜略微咸了点儿。)
④ 再稍微便宜一点儿就好了。(☺再略微便宜一点儿就好了。)
⑤ 那张画稍微挂偏了点儿。(☺那张画略微挂偏了点儿。)
⑥ 请大家稍微等一会儿。(＊请大家略微等一会儿。)

904 轮流[动]lúnliú ▶ 轮换[动]lúnhuàn

词义说明 Definition

轮流[take turns; do sth. in turn] 依照次序一个接替一个，周而复始。

轮换[rotate; take turns] 轮流替换。

词语搭配 Collocation

	～值班	～休息	两年～一次	～回答	两个小时～次
轮流	√	√	√	√	√
轮换	√	√	√	×	√

用法对比 Usage

用法解释 Comparison

“轮流”和“轮换”都有依次序一个接替一个的意思，但“轮流”的行为主体可以是同一个，也可以是不同的两个或多个；“轮换”的行为主体只能是两个或多个，不能是一个。

语境示例 Examples

① 轮换：外交人员一般是三年轮换一次。(即：A三年后回国，B出国去接替A)
轮流：外交人员一般是三年轮流一次。(即：A今年回国，三年后A再出国)
② 我们轮流值夜班，一个星期一次。(☺我们轮换值夜班，一个星期一次。)
③ 请大家轮流回答老师的问题。(＊请大家轮换回答老师的问题。)
④ 在国外工作的教师是两年一轮换。(＊在国外工作的教师是两年一轮流。)

905 论述[动]lùnshù ▶ 论证[动]lùnzhèng

词义说明 Definition

论述[discuss; expound]叙述和分析。

论证[demonstration; proof]引用论据来证明论题的真实性的论述过程，是由论据推出论题时所使用的推理形式。[expound and prove]论述并证明。[grounds of argument]论述的根据。

词语搭配 Collocation

	精辟的～	～了基本原理	～三个问题	有力的～
论述	√	√	√	×
论证	×	√	√	√

用法对比 Usage

用法解释 Comparison

“论述”和“论证”的意思不同。“论述”侧重于叙述和分析；“论证”是在论述的同时，还要提出论据证明论点的正确性和科学性。

语境示例 Examples

① 这篇文章精辟地论述了改革的必要性。(☺这篇文章精辟地论证了改革的必要性。)

② 由于论证不充分，所以没有说服力。(☺由于论述不充分，所以没有说服力。)

③ 这篇论文的论证缺乏科学根据。(☺这篇论文的论述缺乏科学根据。)

④ 本书第一章论述了哲学的基本原理。(＊本书第一章论证了哲学的基本原理。)

⑤ 提出论点以后，还要用大量的论据来加以论证。(＊提出论点以后，还要用大量的论据来加以论述。)

⑥ 这一假说还缺乏科学的论证。(＊这一假说还缺乏科学的论述。)

906 啰唆[动]luōsuō ▶ 唠叨[动]láodao

词义说明 Definition

啰唆[talkative; long-winded; (of a thing) trivial]（言语）繁复。[troublesome; overelaborate]（事情）琐碎；麻烦。

唠叨[be garrulous;chatter]话多，说起来没完没了。

词语搭配 Collocation

	真～	太～	说话～	别～了	爱～	～事儿
啰唆	√	√	√	√	√	√
唠叨	√	√	√	√	√	×

用法对比 Usage

用法解释 Comparison

“啰唆”和“唠叨”有相同的意思，不过，“啰唆”还有事情麻烦的意思，“唠叨”没有这个意思。

语境示例 Examples

① 他啰啰唆唆地说了半天也没有把事情说清楚。(☺他唠唠叨叨地说了半天也没有把事情说清楚。)

② 你这个人怎么这么啰唆。(☺你这个人怎么这么唠叨。)

③ 他说话太啰唆。(＊他说话太唠叨。)

④ 姥姥上年纪了，爱唠叨。(＊姥姥上年纪了，爱啰唆。)

⑤ 办出国手续可啰唆了。(＊办出国手续可唠叨了。)

⑥ 这本来就是一件啰唆事儿，急也没有办法。(＊这本来就是一件叨唠事儿，急也没有办法。)

907 落[动]luò ▶ 降落[动]jiàngluò

词义说明 Definition

落[fall; drop]物体因失去支持而下来：花～了。[go down; set]下降：潮水～了。[lower]使下降：把窗帘～下来。[decline; come;down; sink]衰败，飘零：没想到他～到这一步。[lag behind; fall behind]遗留在后边：～伍。[fall onto; rest with]归属：这个任务～在了我们肩上。[get; have; receive]得到：我的希望～空了。

降落[descend; land]落下，下降着落：飞机降～了。

词语搭配 Collocation

	树叶～了	太阳～山了	～下来了	～幕	把…～下来	～伞
落	√	√	√	√	√	×
降落	×	×	√	×	×	√

用法对比 Usage

用法解释 Comparison

"降落"表示物体从高处向下运动，是人可控制的动作行为；"落"也表示物体从高处向下运动，但是，除了人控制的动作之外，还有人不能控制的自然现象。

语境示例 Examples

① 运动员打开降落伞，慢慢地从空中降落下来。(☺运动员打开降落伞，慢慢地从空中落下来。)
② 飞机就要降落了，请大家坐好，系好安全带。(＊飞机就要落了，请大家坐好，系好安全带。)
③ 秋天到了，树叶都落了。(＊秋天到了，树叶都降落了。)
④ 太阳快要落山了。(＊太阳快要降落山了。)
⑤ 演出受到了观众的热烈欢迎，已经落幕了，观众还不停地鼓掌。(＊演出受到了观众的热烈欢迎，已经降落幕了，观众还不停地鼓掌。)
⑥ 把窗帘落下来。(＊把窗帘降落下来。)

L

M

908 妈妈[名]māma ▶ 母亲[名]mǔqin

词义说明 Definition

妈妈[ma；mum；mummy；mother] 母亲。

母亲[mother] 有子女的女子，是子女的母亲。

词语搭配 Collocation

	我～	他～	你～	爸爸和～	父亲和～	这是我～	～的照片	祖国～	～河
妈妈	√	√	√	√	×	√	√	×	×
母亲	√	√	√	×	√	√	√	√	√

用法对比 Usage

用法解释 Comparison

"妈妈"就是"母亲"，不同的是，"母亲"一般用于背称，不用于面称，"妈妈"可以当面称呼也可以背后称呼。"妈妈"还可以单称"妈"，"母亲"不能单称"母"。

语境示例 Examples

① 这是我妈妈。(☺这是我母亲。)

② 这是我爸爸和妈妈。(＊这是我爸爸和母亲。)(☺这是我父亲和母亲。)

③ 妈妈，我上学去了。(＊母亲，我上学去了。)

"母亲"可以用于泛称，有神圣的，可敬的意思，"妈妈"没有这个用法。

① 祖国啊，我的母亲！(＊祖国啊，我的妈妈！)

② 保护我们的母亲河——黄河。(＊保护我们的妈妈河——黄河。)

③ 明天就是母亲节了。(＊明天就是妈妈节了。)

909 麻烦[动、形]máfan ▶ 烦[形、动]fán

词义说明 Definition

麻烦[troublesome；inconvenient] 烦琐；费事：办签证很～。

[put sb. to trouble; trouble sb.; bother] 使人费事或增加负担：~你把手机借我用用。

烦[be vexed; be irritated; be annoyed] 烦闷，不高兴：真~人！[be tired of] 厌烦，讨厌：做~了。[superfluous and confusing] 又多又乱：事情很~杂。[trouble (sb. to do sth.); bother] 麻烦：~交……(书面)。

词语搭配 Collocation

	很~	不~	真~	太~了	~得很	~您啦	心~	听~了	不怕~	别~了
麻烦	√	√	√	√	√	√	×	×	√	√
烦	√	√	√	√	√	×	√	√	√	√

用法对比 Usage

用法解释 Comparison

"麻烦"和"烦"的音节不同，意思和用法也不尽相同，"烦"可以作补语，"麻烦"不作补语。

语境示例 Examples

M

① 他是个热心人，喜欢帮助别人，从来不嫌麻烦。(☺他是个热心人，喜欢帮助别人，从来不嫌烦。)
② 麻烦你顺便给老张带一封信去。(＊烦你顺便给老张带一封信去。)
③ 这件事看起来容易，其实做起来麻烦得很。(＊这件事看起来容易，其实做起来烦得很。)
④ 今天我心里特烦。(＊今天我心里特麻烦。)
⑤ 给你添了不少麻烦。(＊给你添了不少烦。)
⑥ 我自己来吧，不麻烦你了。(＊我自己来吧，不烦你了。)
⑦ 你别说了，我早听烦了。(＊你别说了，我早听麻烦了。)
⑧ 你烦不烦哪！(＊你麻烦不麻烦哪！)

注意："你烦不烦哪！"用于口语，说给比较亲近的人，表示轻微的不满和指责，意思要根据具体语境决定。有"你让人感到烦，你真▮唆"等意思。

910 麻木[形]mámù ▶ 麻痹[形]mábì

词义说明 Definition

麻木[numb; prickly feeling or complete loss of sensation in a body part] 身体某一部分有不舒服的感觉或感觉丧失。[apathetic; insensitive; lifeless] 比喻思想不敏锐，反映迟钝。

麻痹[paralysis; loss or impairment of sensation or function in certain part of the human body, caused by disease of the nerves] 身体某一部分丧失了知觉和运动机能有障碍。[be remiss of; oversight] 失去警惕性；疏忽。

词语搭配 Collocation

	手脚~	全身~	~了	~不仁	~的生活	~大意	思想~	~斗志
麻木	√	√	√	√	√	×	×	×
麻痹	√	√	√	×	×	√	√	√

用法对比 Usage

用法解释 Comparison

"麻木"和"麻痹"有相同的意思，都可作谓语和定语，但是"麻痹"有使动的意义，可以带宾语，"麻木"没有使动的意义。

语境示例 Examples

① 他面部神经麻木，针灸了一个星期就好了。(☺他面部神经麻痹，针灸了一个星期就好了。)

② 睡觉起来，突然觉得全身麻木，大夫说可能是中风了。(☺睡觉起来，突然觉得全身麻痹，大夫说可能是中风了。)

③ 自从染上毒瘾以后，他就过着麻木的生活，父母不知道为他流了多少泪。(*自从染上毒瘾以后，他就过着麻痹的生活，父母不知道为他流了多少泪。)

④ 酒后千万不要开车，万一麻痹大意，出了车祸就不得了。(*酒后千万不要开车，万一麻木大意，出了车祸就不得了。)

⑤ 很多事故都是因为思想麻痹引起的。(*很多事故都是因为思想麻木引起的。)

⑥ 失恋以后他就靠酒麻痹自己，每天借酒浇愁。(*失恋以后他就靠酒麻木自己，每天借酒浇愁。)

911 吗[助]ma ▶ 嘛[助]ma

词义说明 Definition

吗[used at the end of a question] 疑问助词，用在句尾，表示疑问：你是外国留学生~？[used to form a pause in a sentence before introducing the theme of what one is going to say] 用在句中，表示停顿：这件事～，我好像也听说过。[used at the end of a rhetorical question] 用在反问句里：你难道不知道我要用～？

嘛 [indicating that sth. speaks for itself] 语气助词，用在句尾表示显而易见：有话你就说～。[expressing hope or giving advice] 表示期望，劝阻：小心点儿～！[indicating a pause in a sentence to call attention to what one is going to say] 可以用在句中停顿处，唤起听说人对于下文的注意：好～，连我也不告诉。

用法对比 Usage

用法解释 Comparison

"吗"和"嘛"的发音一样，但是语调有明显不同，用"吗"表示疑问，语调上扬，而用"嘛"表示陈述和主张，语调下降。

语境示例 Examples

① 今天你去书店吗？↑ (＊今天你去书店嘛？↓)

② 明天你不去参观博物馆吗？↑ (＊明天你不去参观博物馆嘛？↓)

③ 不想去就不去嘛，↓有什么关系？(＊不想去就不去吗，↑有什么关系？)

④ 这件事你不要再说了嘛。↓ (＊这件事你不要再说了吗。↑)

⑤ 孩子嘛，↓当然跟大人不一样。(＊孩子吗，↑当然跟大人不一样。)

注：↑表示语调上扬，↓表示语调下降。

M

912 买卖[名]mǎimai ▶ 生意[名]shēngyi

词义说明 Definition

买卖 [buying and selling; business; deal; transaction] 生意：～兴隆。[(private) shop] 商店：他在国外有～。

生意 [business; trade] 商业经营；买卖：～兴隆。

词语搭配 Collocation

	做～	～红火	大～	一笔～	开了一家～	小本～
生意	√	√	√	√	×	√
买卖	√	√	√	√	√	√

用法对比 Usage

"买卖"和"生意"都是名词，用法也相同，都可以作主语和宾语。

① 这个饭店的买卖真红火。(☺这个饭店的生意真红火。)
② 他们公司的生意做得怎么样?(☺他们公司的买卖做得怎么样?)
③ 他们已经把生意做到国外去了。(☺他们已经把买卖做到国外去了。)
④ 听说他在美国做生意呢。(☺听说他在美国做买卖呢。)
⑤ 商业单位要做到买卖公平。(*商业单位要做到生意公平。)

"生意"和"买卖"还可以指商店、公司等。

好几个城市都有他的生意。(☺好几个城市都有他的买卖。)

913 瞒[动]mán ▶ 隐瞒[动]yǐnmán

词义说明 Definition

瞒[hide the truth from] 把真实的情况隐藏起来不让别人知道;隐瞒。

隐瞒[conceal; hide; hold back; cover up] 把真实的情况掩盖起来,不让人知道。

词语搭配 Collocation

	~着	~过去了	~不过去	不要~下去了	~不过别人	~错误	~真相
瞒	√	√	√	√	√	×	×
隐瞒	√	√	√	√	×	√	√

用法对比 Usage

用法解释 Comparison

"瞒"的宾语可以是人也可以是事,"隐瞒"的宾语是事,事实或真相;"瞒"可以与其他词语组成固定格式,"隐瞒"不能。

语境示例 Examples

① 这事大家都知道了,你还想瞒下去?(☺这事大家都知道了,你还想隐瞒下去?)
② 出国留学的事,我一直瞒着我的父母,怕他们知道了不答应。(*出国留学的事,我一直隐瞒着我的父母,怕他们知道了不答应。)
③ 你瞒得过别人,瞒不过我。(*你隐瞒得过别人,隐瞒不过我。)
④ 事情既然已经发生了,就不能隐瞒,报纸有责任向社会公开事实真相。(*事情既然已经发生了,就不能瞒,报纸有责任向社会公开事实真相。)
⑤ 他们采用欺上瞒下的手段,谎报灾情。(*他们采用欺上隐瞒下的手段,谎报灾情。)

914 满意[形、动]mǎnyì ▶ 满足[动、形]mǎnzú

词义说明 Definition

满意[to one's satisfaction] 意愿得到满足；符合心愿。

满足[satisfied; contented] 感到自己已经足够了。[satisfy; meet the demand of sb.] 使需求得到实现。

词语搭配 Collocation

	很～	不～	不太～	感到～	～需要	～要求	～好奇心	～虚荣心
满意	√	√	√	√	×	×	×	×
满足	√	√	√	√	√	√	√	√

用法对比 Usage

用法解释 Comparison

“满足”的既可以是行为主体，也可以是他人的需要、希望、要求等，“满意”的只是行为主体自己。

M

语境示例 Examples

① 满意：他不满意自己这次考试的成绩。(觉得成绩不好)
满足：他不满足自己这次考试的成绩。(考得不错，他想更好)

② 现在的生活我已经很满足了。(☺现在的生活我已经很满意了。)

③ 对老师们的教学我感到很满意。(＊对老师们的教学我感到很满足。)

④ 为了满足观众的要求，他又唱了一支歌。(＊为了满意观众的要求，他又唱了一支歌。)

⑤ 领导对他的工作感到很满意。(＊领导对他的工作感到很满足。)

⑥ 我们应该尽可能地满足顾客的需要。(＊我们应该尽可能地满意顾客的需要。)

915 忙碌[形]mánglù ▶ 忙[形、动]máng

词义说明 Definition

忙碌[engrossed in work; busy] 忙着做各种事情。

忙[(as opposed to 'idle') busy; occupied] 事情多，不得空(跟

"闲"相对)：刚开学有点儿～。[hurry; rush; make haste] 急迫不停地，加紧地做：我一个人实在～不过来。

词语搭配 Collocation

	很～	不太～	～不过来	～什么呢	～了一天	～工作	工作很～
忙碌	√	×	×	×	√	×	√
忙	√	√	√	√	√	√	√

用法对比 Usage

"忙碌"的意思也是"忙"，是书面语，"忙"是口语。"忙"还有动词的用法，可以带宾语，"忙碌"不能。"忙"还是语素，有组词能力，"忙碌"没有组词能力。

① 他每天都显得很忙碌。(☺他每天都显得很忙。)
② 工作忙不忙？(＊工作忙碌不忙碌？)
③ 你最近忙什么呢？(＊你最近忙碌什么呢？)
④ 她正在忙着办出国手续呢。(＊她正在忙碌着办出国手续呢。)
⑤ 我是搞接待的，整天忙得团团转。(＊我是搞接待的，整天忙碌得团团转。)
⑥ 他可是公司的大忙人。(＊他可是公司的大忙碌人。)
⑦ 这么多工作，我一个人根本忙不过来。(＊这么多工作，我一个人根本忙碌不过来。)

"忙碌"可以用重叠形式表示"很忙"的意思。"忙"没有重叠形式。

每天忙忙碌碌的，觉得时间过得真快。(＊每天忙忙的，觉得时间过得真快。)

916 茂密[形]màomì ▶ 茂盛[形]màoshèng

词义说明 Definition

茂密[(of grass or trees) luxuriant; dense; thick] (草木) 长得好而且很多。

茂盛[(of plants) luxuriant] (植物) 长得多而茁壮。[booming] 也比喻经济兴旺。

词语搭配 Collocation

	草木～	～的树林	长得很～	财源～
茂密	√	√	√	×
茂盛	√	×	√	√

用法对比 Usage

用法解释 Comparison

"茂密"形容植物多，"茂盛"形容植物长得壮；"茂盛"还形容财源，"茂密"没有这个用法。

语境示例 Examples

① 茂密：山坡的草很茂密。(草很多)
茂盛：山坡的草很茂盛。(草很壮)
② 这里到处都是茂密的竹林。(☺这里到处都是茂盛的竹林。)
③ 十多年前这里还是荒地，如今已经出现了一片茂密的树林。(*十多年前这里还是荒地，如今已经出现了一片茂盛的树林。)
④ 地里的庄稼长得很茂盛。(☺地里的庄稼长得很茂密。)
⑤ 生意兴隆通四海，财源茂盛达三江。(*生意兴隆通四海，财源茂密达三江。)

917 茂盛[形]màoshèng ▶ 旺盛[形]wàngshèng

M

词义说明 Definition

茂盛[(of plants) luxuriant] (植物) 长得多而健壮。[booming] 比喻经济等兴旺。

旺盛[vigorous; exuberant] 生命力强，情绪高涨；茂盛。

词语搭配 Collocation

	草木～	长得很～	财源～	精力～	士气～	长势～	生命力～
茂盛	√	√	√	×	×	√	×
旺盛	√	√	×	√	√	√	√

用法对比 Usage

用法解释 Comparison

"茂盛"使用范围很窄，多用来形容植物长得好，也可以用来形容财源，"旺盛"可以形容植物的长势，也可以形容精力、情绪等。

语境示例 Examples

① 新栽的树长得很茂盛，估计五六年就可以成林。(☺新栽的树长得很旺盛，估计五六年就可以成林。)

② 虽然已经退休了，可是爸爸显得精力很旺盛，每天不停地写作。（*虽然已经退休了，可是爸爸显得精力很茂盛，每天不停地写作。）
③ 这种草的生命力非常旺盛，耐旱，抗风沙。（*这种草的生命力非常茂盛，耐旱，抗风沙。）
④ 我在院子里种了几棵扁豆角，枝叶茂盛，显出一派生机勃勃的气象。（*我在院子里种了几棵扁豆角，枝叶旺盛，显出一派生机勃勃的气象。）
⑤（对新开业的公司、商家等）祝你们财源茂盛！（*祝你们财源旺盛！）

918 贸易[动]màoyì ▶ 交易[动]jiāoyì

词义说明 Definition

贸易[trade] 进行商业活动。

交易[business (deal); deal; trade; (business) transaction] 买卖商品。

词语搭配 Collocation

	对外～	～往来	～伙伴	～顺差	～逆差	～中心	一笔～	期货～	政治～
贸易	√	√	√	√	√	√	×	√	×
交易	×	×	×	×	×	×	√	√	√

用法对比 Usage

用法解释 Comparison

“贸易”和“交易”有相同的意思，不同的是，“交易”还有引申义，可以用于政治方面，“贸易”没有这个用法。

语境示例 Examples

① 我们公司做期货交易。（☺我们公司做期货贸易。）
② 中国对外贸易发展很快。（*中国对外交易发展很快。）
③ 他们是我们的第二大贸易伙伴。（*他们是我们的第二大交易伙伴。）
④ 中国与周边国家之间的边境贸易开展得红红火火。（*中国与周边国家之间的边境交易开展得红红火火。）
⑤ 这是一笔肮脏的政治交易。（*这是一笔肮脏的政治贸易。）

919 没关系méi guānxi ▶ 没什么méi shénme

词义说明 Definition

没关系[doesn't matter; don't worry; that's all right; never mind] 不要紧，不用顾虑，不值得注意。

没什么[do not matter; it's nothing; that's all right; never mind] 没关系。

用法对比 Usage

用法解释 Comparison

"没关系"和"没什么"都可以应答"对不起"，都有把事情往小里说的意思，表示原谅和宽容。但是"没关系"还表示与某人某事无关的意思，"没什么"不表示这个意思。

语境示例 Examples

① A：对不起。B：没关系。(☺没什么。)

② 今天的会你参加不参加都没关系。(☺今天的会你参加不参加都没什么。)

③ A：你怎么了？B：没什么，就是有点儿头疼。(＊没关系，就是有点儿头疼。)

④ A：头疼得厉害吗？要不要去医院看看。B：没关系，不用。(＊没什么，不用。)

⑤ A：对不起，我把你的杯子摔破了。B：没关系，破了就破了吧。(＊没什么，破了就破了吧。)

⑥ 这件事对我来说没什么。(对我影响不大)(＊这件事对我来说没关系。)

⑦ 这件事跟你没关系，你不用管。(＊这件事跟你没什么，你不用管。)

920 没事儿méi shìr ▶ 不要紧búyàojǐn

词义说明 Definition

没事儿[have nothing to do; be free; jobless; out of work] 没有事情或工作做，指有空闲时间。[nothing serious] 没有事故或意外。[doesn't matter; never mind; don't worry] 没关系，不要紧。

M

不要紧[it's not serious; it doesn't matter; never mind] 没有妨碍；不成问题。[it may appear all right, but...] 表面上似乎没有妨碍（下文有转折）。

词语搭配 Collocation

	最近～	这病～	他～	～了
没事儿	√	√	√	√
不要紧	×	√	√	√

用法对比 Usage

用法解释 Comparison

“没事儿”和“不要紧”常用于对话，都有“没有妨碍，不重要，没关系”等意思。但是，“没事儿”还有“没有事情或没有工作做”的意思。“不要紧”没有这个意思。“不要紧”还可以用在前半句，引起后半句，下文表示转折，“没事儿”不能这么用。

语境示例 Examples

① A：他的病怎么样了？B：没事儿，大夫说再过几天就可以出院了。(☺不要紧，大夫说再过几天就可以出院了。)

② A：你的腿要紧吗？要不要去医院检查检查？B：不要紧，已经不疼了。(☺没事儿，已经不疼了。)

③ A：对不起，我忘了把你的书带来了。B：没事儿，我现在也不用。(☺不要紧，我现在也不用。)

④ 我只是有点儿感冒，不要紧的，你不用担心。(☺我只是有点儿感冒，没事儿的，你不用担心。)

⑤ 你这么一说不要紧，可把他吓得不轻。(＊你这么一说没事儿，可把他吓得不轻。)

⑥ 有问题不要紧，可以提出来，大家商量解决。(＊有问题没事儿，可以提出来，大家商量解决。)

921 没有[动、副]méiyǒu ▶ 不如[动、副]bùrú

词义说明 Definition

没有[be not so ...] 不如；不及。

不如[not equal to; not as good as; inferior to] 表示前面提到的人

和事物比不上后面所说的。[it would be better to] 表示比较后的选择；应该，最好。

词语搭配 Collocation

	我～你	她～你高	～这个好	～你考得好	～他跑得快	～派她去	～看电视
没有	×	√	√	√	√	×	×
不如	√	√	√	√	√	√	√

用法对比 Usage

"没有"也有不如、不及的意思。

① 冬天上海还不如北京暖和。(☺冬天上海还没有北京暖和。)

② 他不如哥哥聪明。(☺他没有哥哥聪明。)

③ 我没有你游得快。(☺我不如你游得快。)

④ 这次玛丽不如麦克考得好。(☺这次玛丽没有麦克考得好。)

⑤ 这辆车没有我那辆便宜。(☺这辆车不如我那辆便宜。)

"不如"还表示"比较以后的选择"，有"应该，最好"的意思，"没有"没有这个意思和用法。

① 看这种破电影，还不如在家看电视呢。(＊看这种破电影，还没有在家看电视呢。)

② 这件事，我看不如派小张去办。(＊这件事，我看没有派小张去办。)

③ 要是去这样的国家，还不如不出国呢。(＊要是去这样的国家，还没有不出国呢。)

"A 不如 B"的意思是 B 好，A 不好；如果用"没有"比较 A 和 B，则比较对象 B 后边必须带表示差别的词语。

① 要论玩电脑，我可不如他。(他玩得好)(＊要论玩电脑，我可没有他。)(☺要论玩电脑，我可没有他玩得好。)

② 要说脑瓜聪明，我和妹妹都不如弟弟。(＊要说脑瓜聪明，我和妹妹都没有弟弟。)

922 没准儿 méi zhǔnr ▶ 可能 [助动、名] kěnéng

词义说明 Definition

没准儿 [who knows; probably; uncertain] 不一定，说不定，不可靠。

可能 [possible; likely] 可以实现。[possibility; probability] 能成为事实的属性，可能性。[probably; maybe] 也许；或许。

词语搭配 Collocation

	～能行	～去不了	还～呢	说话～	很～	没有～	不～
没准儿	√	√	√	√	√	×	×
可能	√	√	×	×	√	√	√

用法对比 Usage

"没准儿"是口语，有"可能"的意思。

① 你看天阴得这么厉害，没准儿一会儿要下雨。(☺你看天阴得这么厉害，可能一会儿要下雨。)

② 我们别等了，没准儿他不来了。(☺我们别等了，可能他不来了。)

③ 这件事没准儿他办得成。(☺这件事可能他办得成。)

"可能"可以作宾语，"没准儿"不能。

A：他是不是想离家出走？B：我看有这个可能。(＊我看有这个没准儿。)

"可能"可以用"不"或"没（有）"否定，"没准儿"不能。

① 今天不可能下雨。(＊今天不没准儿下雨。)

② 他们俩已经没有可能再复婚了。(＊他们俩已经没有没准儿再复婚了。)

"没准儿"还有"不可靠"的意思，"可能"没有这个意思和用法。

他这个人说话没准儿，你别信他的。(＊他这个人说话可能，你别信他的。)

923 每[副]měi ▶ 各[代、副]gè

词义说明 Definition

每[every; each (with an emphasis on the common characteristic of individuals)] 指全体中的任何一个或一组（偏指个体之间的共性)。[on each occasion] 表示反复的动作中任何一次或一组。[often] 经常。

各[each; every; various; different; all] 不止一个；表示不止一个并且彼此不同。[variously; respectively] 表示不止一人或一物同做某事或同有某种属性。

词语搭配 Collocation

	～个	～国	～天	～年	～种	～个星期日	～地	～有～的想法	～回～家
每	√	×	√	√	√	√	×	×	×
各	√	√	×	×	√	×	√	√	√

用法对比 Usage

用法解释 Comparison

"各"和"每"都可以表示单指，"每"还表示遍指，常与"也"或"都"连用，"各"不能表示遍指。"每"可以直接置于少数名词前面，如：人、家、年、月、日、星期、周等，但一般要跟量词或数量词结合才能用；"各"不能和数量词结合，但可以与一些量词结合。

语境示例 Examples

① 对于这个问题每人有每人的看法。(☺对于这个问题各人有各人的看法。)
② 每人有每人的爱好，不能强求。(☺各人有各人的爱好，不能强求。)
③ 各种专业都要求掌握一门外语。(☺每种专业都要求掌握一门外语。)
④ 每个同学都领到了新书。(*各个同学都领到了新书。)
⑤ 我们班男女生各占一半。(*我们班男女生每占一半。)
⑥ 我这里《汉英词典》、《英汉词典》各有一部。(*我这里《汉英词典》、《英汉词典》每有一部。)
⑦ 每两个月收一次水电费。(*各两个月收一次水电费。)
⑧ 上半场双方各进一个球。(*上半场双方每进一个球。)
⑨ 每年都有很多留学生来中国学习。(*各年都有很多留学生来中国学习。)
⑩ 这些留学生来自世界各国。(*这些留学生来自世界每国。)
⑪ 一放暑假，学生们都各回各家了。(*一放暑假，学生们都每回每家了。)
⑫ 这本杂志每月十五日出版发行。(*这本杂志各月十五日出版发行。)
⑬ 每逢周一和周三我都有两节研究生的辅导课。(*各逢周一和周三我都有两节研究生的辅导课。)
⑭ 她们姐俩各有特点。(*她们姐俩每有特点。)
⑮ 国家无论大小都各有长处和短处。(*国家无论大小都每有长处和短处。)
⑯ 各国的事应该由各国人民自己解决。(*每国的事应该由每国人

M

民自己解决。)

⑰ 每到冬季我都会感冒一两次。(＊各到冬季我都会感冒一两次。)

⑱ 我每天都锻炼一个小时。(＊我各天都锻炼一个小时。)

⑲ 社会各方面都十分关心青少年一代的健康成长。(＊社会每方面都十分关心青少年一代的健康成长。)

924 美观[形]měiguān ▶ 好看[形]hǎokàn

词义说明 Definition

美观[(of appearance) pleasing to the eye; beautiful] (形式) 好看，漂亮。

好看[good-looking; look nice] 看着舒服；美观。

词语搭配 Collocation

	很～	不～	～大方	布置得很～	设计～
美观	√	√	√	√	√
好看	√	√	×	√	×

用法对比 Usage

"美观"和"好看"是同义词，"好看"可以形容人，也可以形容环境、东西等，"美观"不能形容人。

① 她的房间布置得很美观。(☺她的房间布置得很好看。)

② 这些图案设计得非常美观。(☺这些图案设计得非常好看。)

③ 你穿上这条裙子很好看。(＊你穿上这条裙子很美观。)

④ 她长得很好看。(＊她长得很美观。)

"好看"还表示"有意思，有趣"，"美观"没有这个意思。

这个电影很好看。(＊这个电影很美观。)

925 美好[形]měihǎo ▶ 好[形]hǎo

词义说明 Definition

美好[(of life, future, and aspirations) fine; happy; glorious] 好。

好[(as opposed to 'bad') good; fine; nice] 优点多的，令人满意的（跟"坏"相对）。

词语搭配 Collocation

	~理想	~的前途	~的愿望	~人	~学生	生活~	学习很~	工作很~	身体~
美好	√	√	√	×	×	√	×	×	×
好	×	√	√	√	√	√	√	√	√

用法对比 Usage

用法解释 Comparison

"美好"多用于形容生活、前途、愿望等抽象事物，不能修饰人，"好"没有这个限制。

语境示例 Examples

① 美好生活要靠我们的双手去创造。（☺好生活要靠我们的双手去创造。）
② 你不要把事情想得太美好了。（☺你不要把事情想得太好了。）
③ 既要有美好的理想，也要有实现这一理想的实际行动。（☺既要有好的理想，也要有实现这一理想的实际行动。）
④ 我在这里一切都很好，请爸爸妈妈放心吧。（*我在这里一切都很美好，请爸爸妈妈放心吧。）
⑤ 他是个好学生，学得很好。（*他是个美好学生，学得很美好。）
⑥ 老张是个好人。（*老张是个美好人。）

926 美丽[形]měilì ▶ 漂亮[动]piàoliang

词义说明 Definition

美丽[beautiful]使人看了产生快感的，好看的。
漂亮[handsome; good-looking; pretty; beautiful]好看；美观。
[remarkable; brilliant; splendid; beautiful]出色。

词语搭配 Collocation

	很~	~的姑娘	~的小伙子	长得~	~的风景	说得~	写得~	办得~
美丽	√	√	×	√	√	×	×	×
漂亮	√	√	√	√	√	√	√	√

用法对比 Usage

"美丽"是好看、漂亮的意思，和"漂亮"的意思差不多，但是它们修饰的对象有所不同，"美丽"形容人时只用于女性，"漂亮"

既可修饰女性，也可以修饰男性。
① 这里的风景很美丽。(☺这里的风景很漂亮。)
② 我们班的玛丽是个既聪明又美丽的姑娘。(☺我们班的玛丽是个既聪明又漂亮的姑娘。)
③ 他是个漂亮的小伙子。(＊他是个美丽的小伙子。)
④《梁山伯与祝英台》是中国古代一个美丽的传说故事。(＊《梁山伯与祝英台》是中国古代一个漂亮的传说故事。)

“漂亮”可以作补语，表示出色，精彩的意思，“美丽”没有这个意思，不能作补语。
① 他汉字写得很漂亮!
② 这件事你办得真漂亮!
③ 这个球进得真漂亮!

927 蒙受[动]méngshòu ▶ 遭受[动]zāoshòu

词义说明 Definition

蒙受[suffer; sustain]受到，遭受。

遭受[suffer; be subjected to; sustain; undergo]受到（不幸或损失）。

词语搭配 Collocation

	～打击	～失败	～剥削	～压迫	～损失	～水灾	～耻辱	～恩惠	～不白之冤
蒙受	×	×	×	×	√	×	×	√	√
遭受	√	√	√	√	√	√	√	×	×

用法对比 Usage

用法解释 Comparison

“蒙受”的宾语是名词，其对象可以是不好的事，也可以是好事；“遭受”的宾语可以是动词，也可以是名词，“遭受”的都是坏事，是人们不愿得到的。

语境示例 Examples

① 亚洲金融风暴使这个国家的经济蒙受了巨大损失。(☺亚洲金融风暴使这个国家的经济遭受了巨大损失。)
② 我们村去年遭受了水灾。(＊我们村去年蒙受了水灾。)
③“滴水之恩，当涌泉相报”的意思是：蒙受了别人的恩惠，应该加倍地给予回报。(＊“滴水之恩，当涌泉相报”的意思是：遭

受了别人的恩惠，应该加倍地给予回报。）
④ 这次失败使他遭受到很大的打击。（＊这次失败使他蒙受到很大的打击。）
⑤ 车祸使他的身体遭受了很大摧残。（＊车祸使他的身体蒙受了很大摧残。）
⑥ 在一些私有企业，工人竟然还遭受企业主的压迫。（＊在一些私有企业，工人竟然还蒙受企业主的压迫。）

928 猛烈[形]měngliè ▶ 强烈[形]qiángliè

词义说明 Definition

猛烈[fierce; vigorous; violent; furious] 气势大，力量大；急剧：～的炮火。

强烈[strong; powerful; intense; violent] 极强的；力量很大的；强硬激烈：光线～|～的要求。 [striking; intense; keen; sharp] 鲜明的；程度很高的：～的对比。

词语搭配 Collocation

	～的进攻	火势～	～地跳动	～的光	～的对比	～反对	～的愿望	～要求	～地震
猛烈	√	√	√	×	×	×	×	×	×
强烈	×	×	×	√	√	√	√	√	√

用法对比 Usage

用法解释 Comparison

“猛烈”修饰的范围很窄，多修饰事物；“强烈”修饰的范围比较广，既可修饰事物，也可修饰人的行为。它们不能相互替换。

语境示例 Examples

① 风大，火势猛烈，给扑救带来了很大困难。（＊风大，火势强烈，给扑救带来了很大困难。）
② 他的建议遭到了大家的强烈反对。（＊他的建议遭到了大家的猛烈反对。）
③ 画面上黑白色调的运用，形成了强烈的对比。（＊画面上黑白色调的运用，形成了猛烈的对比。）
④ 全世界人民都强烈谴责恐怖主义制造惨案，杀害无辜的暴行。（＊全世界人民都猛烈谴责恐怖主义制造惨案，杀害无辜的暴行。）

⑤ 她去中国留学的愿望非常强烈。(＊她去中国留学的愿望非常猛烈。)
⑥ 中国台湾省昨天发生了6.4级的强烈地震。(＊中国台湾省昨天发生了6.4级的猛烈地震。)

929 梦想[动、名]mèngxiǎng ▶ 理想[名、形]lǐxiǎng

词义说明 Definition

梦想[dream; illusion; fancy; vain hope; wishful thinking] 空想；妄想；幻想。[vainly hope; dream of; want so much to] 渴望。

理想[ideal] 对未来事物的美好想像或希望（多指有根据的、合理的，跟“空想、幻想”不同）。[be ideal] 符合希望的，使人满意的。

词语搭配 Collocation

	我的～	～成真	美好～	实现～	崇高～	很～	非常～	～的工作	～的对象
梦想	√	√	×	√	×	×	×	×	√
理想	√	×	√	√	√	√	√	√	√

用法对比 Usage

用法解释 Comparison

“梦想”有动词的词性，可以带宾语。“理想”是形容词，不能带宾语。“梦想”也有“理想”的意思，但通常表示不能实现的空想。

语境示例 Examples

① 她的理想是当个电影演员。(☺她的梦想是当个电影演员。)
② 我从小就梦想当一个歌手。(＊我从小就理想当一个歌手。)
③ 他是一个有理想有志气的青年。(＊他是一个有梦想有志气的青年。)
④ 美好的理想需要努力奋斗才能实现。(＊美好的梦想需要努力奋斗才能实现。)
⑤ 实现中华民族的伟大复兴是每个炎黄子孙的理想。(＊实现中华民族的伟大复兴是每个炎黄子孙的梦想。)
⑥ 找到一个理想的工作并不容易。(＊找到一个梦想的工作并不容易。)
⑦ 我买的这套房子非常理想。(＊我买的这套房子非常梦想。)
⑧ 祝你梦想成真！(＊祝你理想成真！)

930 密切[形、动]mìqiè ▶ 紧密[形]jǐnmì

词义说明 Definition

密切[close; intimate] 关系近：他俩关系～。[build, foster or establish close links (between two parties)] 使关系近。[careful; intent; close] (对问题) 重视，照顾得周到。

紧密[close together; inseparable] 十分密切，不可分隔。

词语搭配 Collocation

	关系～	～两国关系	～注意	～注视	～配合	～结合	～联系	～地团结
密切	√	√	√	√	√	×	√	×
紧密	√	×	×	×	√	√	√	√

用法对比 Usage

用法解释 Comparison

“密切”既是形容词又是动词，可以带宾语，“紧密”只是形容词，多用来作状语，不能带宾语。

语境示例 Examples

① 各个单位要密切配合，共同完成国家交给我们的这项重要科研任务。(☺各个单位要紧密配合，共同完成国家交给我们的这项重要科研任务。)

② 这两个学科之间的联系非常密切。(☺这两个学科之间的联系非常紧密。)

③ 他们俩的关系非常密切。(☺他们俩的关系非常紧密。)

④ 我们有责任进一步密切我们两国之间的关系。(＊我们有责任进一步紧密我们两国之间的关系。)

⑤ 在他疯狂窃取国家情报的时候，我公安人员早就密切注意着他的行动。(＊在他疯狂窃取国家情报的时候，我公安人员早就紧密注意着他的行动。)

⑥ 中国人民正紧密地团结在一起，为实现全面建设小康社会的目标而共同奋斗。(＊中国人民正密切地团结在一起，为实现全面建设小康社会的目标而共同奋斗。)

931 勉励[动]miǎnlì ▶ 鼓励[动、名]gǔlì

词义说明 Definition

勉励[encourage; urge] 劝人努力；鼓励。

鼓励[encourage; urge] 让人努力工作或学习。

词语搭配 Collocation

	～大家	～学生	受到～	很大的～
勉励	√	√	√	×
鼓励	√	√	√	√

用法对比 Usage

用法解释 Comparison

"鼓励"和"勉励"是同义词，但是"鼓励"可以作宾语，"勉励"不常作宾语。

语境示例 Examples

① 在父亲的鼓励下，他走遍了五大洲，为世界各国的名人拍照，创作了许多优秀的摄影作品。（☺在父亲的勉励下，他走遍了五大洲，为世界各国的名人拍照，创作了许多优秀的摄影作品。）

② 每当遇到困难时，老师就鼓励我说，要坚持下去，坚持就是胜利。（☺每当遇到困难时，老师就勉励我说，要坚持下去，坚持就是胜利。）

③ 出国之前，父母对我说了很多鼓励的话。（☺出国之前，父母对我说了很多勉励的话。）

④ 这次得奖对我是一个很大的鼓励。（＊这次得奖对我是一个很大的勉励。）

932 面对[动]miànduì ▶ 面临[动]miànlín

词义说明 Definition

面对[face; confront] 面前看到或遇到。

面临[be faced with; be confronted with; be up against] 面前遇到（问题、形势等）；面对。

词语搭配 Collocation

	～现实	～大家	～困难	～大海	～的危险	～的问题	～挑战	～出国	～毕业
面对	√	√	√	√	√	√	√	×	×
面临	×	×	√	×	√	√	√	√	√

用法对比 Usage

用法解释 Comparison

“面对”的是眼前的、已经看到和遇到的人或事；“面临”的是即将看到或遇到的，但是与面对还有一段时间或距离。“面对”的宾语可以是抽象的名词（现实、挑战等），也可以是表示具体人或事物的名词（大海、父母、朋友等）。“面临”的宾语是抽象名词（困难、危险等）。“面临”也可以带表示时间的名词作宾语（面临毕业、面临出国等）。“面对”的宾语不能是表示时间的名词。

语境示例 Examples

① 我家的别墅就面对着大海，风景优美，空气清新，每到节假日我们全家就在别墅团聚。（*我家的别墅就面临着大海，风景优美，空气清新，每到节假日我们全家就在别墅团聚。）

② 如果为了金钱就不顾一切，甚至出卖灵魂，我怎么面对生我养我的父母和教我育我的师长？（*如果为了金钱就不顾一切，甚至出卖灵魂，我怎么面临生我养我的父母和教我育我的师长？）

③ 面对着来自世界各国渴望学习汉语的留学生，我觉得有责任教好他们。（*面临着来自世界各国渴望学习汉语的留学生，我觉得有责任教好他们。）

④ 由于人类毫无节制地砍伐森林，不少野生动物面临着灭绝的危险。（*由于人类毫无节制地砍伐森林，不少野生动物面对着灭绝的危险。）

⑤ 我马上就要毕业了，毕业以后就面临着找工作的问题。（*我马上就要毕业了，毕业以后就面对着找工作的问题。）

⑥ 加入 WTO 以后，中国经济面临着新的挑战和机遇。（☺加入 WTO 以后，中国经济面对着新的挑战和机遇。）

⑦ 发展的道路是不平坦的，我们面临的问题和困难还很多。（☺发展的道路是不平坦的，我们面对的问题和困难还很多。）

⑧ 要有勇气面对现实，要努力克服目前暂时的困难。（*要有勇气面临现实，要努力克服目前暂时的困难。）

933 面貌[名]miànmào ▶ 面容[名]miànróng ▶ 面目[名]miànmù

词义说明 Definition

面貌[face; features] 脸的形状；相貌。[appearance of things; look; aspect]比喻事物呈现的景象、状态。

面容[facial features; face]面貌、容貌。

面目[face; features; visage]面貌。[self respect; honour; sense of shame; face]面子，脸面。

词语搭配 Collocation

	精神～	城市～	落后～	～一新	真～	～清秀	～全非	～可憎	～消瘦	和蔼的～
面貌	√	√	√	√	×	×	×	×	×	×
面容	×	×	×	×	×	×	×	×	√	√
面目	×	×	×	×	√	√	√	√	×	×

用法对比 Usage

用法解释 Comparison

“面容”是具体名词，只表示容貌；“面貌”和“面目”既有具体义，也有抽象义。与它们搭配的词语不同，它们不能相互替换。

语境示例 Examples

① 改革开放以来，中国的面貌发生了巨大变化。(*改革开放以来，中国的面容/面目发生了巨大变化。)

② 要改变中国农村贫穷落后的面貌还要花大力气，还需要很长时间。(*要改变中国农村贫穷落后的面容/面目还要花大力气，还需要很长时间。)

③ 这个孩子面目清秀，虽然不是很漂亮，但是很可爱。(*这个孩子面容/面貌清秀，虽然不是很漂亮，但是很可爱。)

④ 祖母去世了，但是她那和蔼的面容永远留在我的记忆里。(*祖母去世了，但是她那和蔼的面貌/面目永远留在我的记忆里。)

⑤ 经过几年的改造，这座城市如今已经面貌一新。(*经过几年的改造，这座城市如今已经面目/面容一新。)

⑥ 经过艰苦细致的调查，我们终于弄清了这个黑社会集团的真面目。

(＊经过艰苦细致的调查，我们终于弄清了这个黑社会集团的真面貌/面容。)

934 描写[动]miáoxiě ▶ 描绘[动]miáohuì

词义说明 Definition

描写[describe sth. in language; depict; portray] 用语言文字等把事物的形象表现出来。

描绘[depict; describe; portray] 用语言或图画把事物的形象表现出来。

词语搭配 Collocation

	～风景	～环境	～人物	～得很生动	～出来	生动地～	～了
描写	√	√	√	√	√	√	√
描绘	√	√	√	√	√	√	√

用法对比 Usage

用法解释 Comparison

"描写"和"描绘"是同义词，但是"描写"的动作主体多为语言，"描绘"除了语言还可以用图画。

语境示例 Examples

① 这篇小说把主人公的形象描写得很生动。(☺这篇小说把主人公的形象描绘得很生动。)

② 这个女作家的语言好，心理描写也生动细腻。(＊这个女作家的语言好，心理描绘也生动细腻。)

③ 这部长篇小说描写了一个音乐家的成长过程。(＊这部长篇小说描绘了一个音乐家的成长过程。)

④ 这幅画生动地描绘了黄山的风景。(＊这幅画生动地描写了黄山的风景。)

⑤ 他擅长画动物，他笔下的小动物被描绘得惟妙惟肖。(＊他擅长画动物，他笔下的小动物被描写得惟妙惟肖。)

935 灭[动]miè ▶ 消灭[动]xiāomiè

词义说明 Definition

灭[(of a light, fire, etc.) go out; extinguish; put out; turn off]

熄灭。[submerge; drown] 淹没。[destroy; exterminate; wipe out] 消灭；灭亡；使不存在；使消灭。

消灭[perish; die out; pass away] 消失；灭亡。[make extinct; eliminate; abolish; exterminate; annihilate; wipe out] 使消灭；除掉（敌对的或有害的人或事物）。

词语搭配 Collocation

	～了	～火	灯～了	～顶之灾	物质不～	～蝇	～害虫	～侵略者	～差错	～事故
灭	√	√	√	√	√	√	√	×	×	×
消灭	√	×	×	×	×	×	√	√	√	√

用法对比 Usage

用法解释 Comparison

“灭”有“消灭”的意思，还有“熄灭”和“淹没”的意思，“消灭”没有这些意思，它们涉及的对象也有所不同。“消灭”的宾语不能是单音节词，“灭”没有这个限制。

语境示例 Examples

① 经过消防队员的大力扑救，火终于灭了。（*经过消防队员的大力扑救，火终于消灭了。）

② 这里不能抽烟，请把烟灭了。（*这里不能抽烟，请把烟消灭了。）

③ 中国已经在全国范围内消灭了这种疾病。（*中国已经在全国范围内灭了这种疾病。）

④ 要消灭各种事故隐患，保证安全生产。（*要灭各种事故隐患，保证安全生产。）

⑤ 节约用电，人走灯灭。（*节约用电，人走灯消灭。）

936 敏捷[形]mǐnjié ▶ 敏锐[形]mǐnruì

词义说明 Definition

敏捷[(of movements, etc.) quick; nimble; agile]（动作等）迅速灵敏。

敏锐[sharp (eyes); acute (senses); keen]（感觉）灵敏；（眼光）尖锐。

词语搭配 Collocation

	很～	不～	思维～	动作～	思想～	目光～	感觉～	～的观察力
敏捷	√	√	√	√	×	×	×	×
敏锐	√	√	×	×	√	√	√	√

用法对比 Usage

用法解释 Comparison

“敏捷”描写的是动作和思维等，“敏锐”形容的是感觉、眼光等，它们不能相互替换。

语境示例 Examples

① 爷爷虽然快七十了，但是思维还很敏捷。（*爷爷虽然快七十了，但是思维还很敏锐。）

② 这个作家对生活有敏锐的观察力。（*这个作家对生活有敏捷的观察力。）

③ 多亏消防队员动作敏捷，很快把火扑灭，不然损失就大了。（*多亏消防队员动作敏锐，很快把火扑灭，不然损失就大了。）

④ 这篇文章的思想很敏锐，对国际形势的分析很深刻。（*这篇文章的思想很敏捷，对国际形势的分析很深刻。）

⑤ 凭着敏锐的目光，这个警察在公共汽车上抓获了不少作案的窃贼。（*凭着敏捷的目光，这个警察在公共汽车上抓获了不少作案的窃贼。）

937 名声[名]míngshēng ▶ 名誉[名]míngyù

词义说明 Definition

名声[reputation; repute; renown] 在社会上流传的评价。

名誉[fame; reputation] 名声。[honorary] 名义上的（多指赠给的，有尊重意）。

词语搭配 Collocation

	有～	没有～	～很好	～很坏	～权	～和地位	～主席
名声	√	√	√	√	×	×	×
名誉	√	√	√	√	√	√	√

用法对比 Usage

用法解释 Comparison

"名声"和"名誉"是同义词，不过，"名誉"有"名义上"的意思，如"名誉主席"；"名声"没有这个用法。

语境示例 Examples

① 她出名以后，不骄不躁，在社会上的名声也很好。(☺她出名以后，不骄不躁，在社会上的名誉也很好。)

② 他成了名人以后，诽闻不断，官司缠身，所以，名声很不好。(☺他成了名人以后，诽闻不断，官司缠身，所以，名誉很不好。)

③ 对于任何一个企业，好的名声都是无价之宝，是无形资产。(☺对于任何一个企业，好的名誉都是无价之宝，是无形资产。)

④ 有的名人利用自己的名声拼命捞钱，而有的则利用自己的名声帮困扶贫，造福社会。(*有的名人利用自己的名誉拼命捞钱，而有的则利用自己的名誉帮困扶贫，造福社会。)

⑤ 因为损害了公民的名誉权，这家杂志成了被告。(*因为损害了公民的名声权，这家杂志成了被告。)

⑥ 他现在担任足球协会的名誉主席。(*他现在担任足球协会的名声主席。)

938 明白[动、形]míngbai ▶ 知道[动]zhīdào

词义说明 Definition

明白[clear; obvious; plain] 内容、意思等使人容易理解；清楚；明确：老师讲得很～。[open; unequivocal; explicit] 公开的，不含糊的：有什么就讲～。[sensible; reasonable] 聪明；懂道理：他是一个～人。[understand; realize; know] 知道，了解：我不～你的意思。

知道[know; realize; be aware of] 对于事实或道理有认识；懂得。

词语搭配 Collocation

	都～	非常～	不～	～人	心里～	～道理	～的情况	说得～
明白	√	√	√	√	√	√	×	√
知道	√	√	√	×	√	√	√	×

用法对比 Usage

用法解释 Comparison

"明白"是"了解了、懂了、理解了"的意思，"明白"的一定知道，但是"知道"的不一定明白。"明白"可以作动词的补语，"知道"不能作补语。

语境示例 Examples

① 他说得太快，我听了半天也不明白他说的是什么。(☺他说得太快，我听了半天也不知道他说的是什么。)

② 你的意思我全明白。(☺你的意思我全知道。)

③ 大家谁也不想放弃，都明白这是个难得的机会。(☺大家谁也不想放弃，都知道这是个难得的机会。)

④ 我真不知道他为什么要这样做。(☺我真不明白他为什么要这样做。)

⑤ 今天老师讲的语法你明白了吗？(*今天老师讲的语法你知道了吗？)

⑥ 这个语法老师讲得很明白。(*这个语法老师讲得很知道。)

⑦ 你知道他叫什么名字吗？(*你明白他叫什么名字吗？)

⑧ 他是一个明白人，这个道理他懂。(*他是一个知道人，这个道理他懂。)

939 默默[副]mòmò ▶ 悄悄[副]qiāoqiāo

词义说明 Definition

默默[quiet; silent] 不说话；不出声。

悄悄[quietly; on the quiet; secretly; with little or no noise; (of one's movements) without being noticed]没有声音或声音很低，(行动) 不想让别人知道或怕影响别人。

词语搭配 Collocation

	～无言	～无闻	～不语	～地	静～	～离开
默默	√	√	√	√	×	√
悄悄	×	×	×	√	√	√

用法对比 Usage

用法解释 Comparison

"默默"主要指不说话或不言不语地，说明人的态度和精神。"悄悄"泛指不出声地，说明人的行动。

语境示例 Examples

① 站在人民英雄纪念碑前，我们默默地向这些人民英雄们致敬。（*站在人民英雄纪念碑前，我们悄悄地向这些人民英雄们致敬。）
② 听到这个消息，她默默无语，眼泪却不住地流了下来。（*听到这个消息，她悄悄无语，眼泪却不住地流了下来。）
③ 我默默地向着他的遗体鞠了一躬，向他做最后的告别。（*我悄悄地向着他的遗体鞠了一躬，向他做最后的告别。）
④ “中国芯”的发明人是一些默默无闻的年轻科学工作者。（*“中国芯”的发明人是一些悄悄无闻的年轻科学工作者。）
⑤ 我怕吵醒他，就悄悄地离开了。（*我怕吵醒他，就默默地离开了。）
⑥ 这一些准备工作，为了保密，都是悄悄进行的。（*这一些准备工作，为了保密，都是默默进行的。）

940 目标[名]mùbiāo ▶ 目的[名]mùdì

词义说明 Definition

目标[objective; target]射击、攻击或寻求的对象。[goal; aim; objective]想要达到的境地或标准。

目的[purpose; aim; goal; objective; end]想要达到的地点或境界；想要得到的结果。

词语搭配 Collocation

	有～	奋斗～	看清～	发现～	射击～	～地	学习～	～明确	最终的～
目标	√	√	√	√	√	×	√	√	√
目的	√	√	×	×	×	√	√	√	√

用法对比 Usage

用法解释 Comparison

“目标”指工作或学习等的努力方向；“目的”指行动的意图和要得到的结果。“目的”只是抽象名词，“目标”既是抽象名词又是具体名词。

语境示例 Examples

① 年轻人一定要明确自己人生的目标。（☺年轻人一定要明确自己人生的目的。）
② 要把远大的目标与平时的刻苦努力结合起来。（*要把远大的目的与平时的刻苦努力结合起来。）

③ 我学习外语的目的是当翻译。（* 我学习外语的目标是当翻译。）
④ 他来这里的目的一点儿也不明确，好像就是玩儿。（☺他来这里的目标一点儿也不明确，好像就是玩儿。）
⑤ 你这样做的目的是什么呢？（* 你这样做的目标是什么呢？）
⑥ 我这次来的主要目的是收集资料，完成博士论文。（* 我这次来的主要目标是收集资料，完成博士论文。）
⑦ 他们昨天下午已经到达了目的地。（* 他们昨天下午已经到达了目标地。）

941 目光[名]mùguāng ▶ 眼光[名]yǎnguāng

词义说明 Definition

目光 [sight; vision; view] 指视线；眼光，见识：～远大。[gaze; expression in one's eyes] 眼睛的神采。

眼光 [eye] 视线。[sight; foresight; insight; vision] 观察鉴别事物的能力；眼力。[point of view] 观点。

词语搭配 Collocation

	很有～	没有～	～短浅	远大的～	～锐利	～敏锐	政治～	老～	新～
目光	×	×	√	√	√	√	×	×	×
眼光	√	√	√	√	√	√	√	√	√

用法对比 Usage

用法解释 Comparison

“目光”和“眼光”是同义词，用法的不同在于与其他词语的搭配上。“目光”不能作“有”或“没有”的宾语，“眼光”可以。“目光”不受形容词“新”、“旧”的修饰，“眼光”可以。

语境示例 Examples

① 只顾发展，不顾给环境带来污染，说明这里的领导目光短浅。（☺只顾发展，不顾给环境带来污染，说明这里的领导眼光短浅。）
② 眼光远大的政治家不仅要看到眼前利益，还要看到国家和人民的长远利益。（☺目光远大的政治家不仅要看到眼前利益，还要看到国家和人民的长远利益。）
③ 他目光敏锐，很快就发现了这里的问题。（☺他眼光敏锐，很快就发现了这里的问题。）

④ 他一出场，观众全都把目光集中到了他的身上。(☺他一出场，观众全都把眼光集中到了他的身上。)
⑤ 要用政治眼光来对待和解决农村贫困人口的脱贫问题。(＊要用政治目光来对待和解决农村贫困人口的脱贫问题。)
⑥ 不能用老眼光看待新事物。(＊不能用老目光看待新事物。)
⑦ 让他担任研究所所长，说明领导很有眼光。(＊让他当研究所所长，说明领导很有目光。)

942 目前[名]mùqián ▶ 现在[名]xiànzài

词义说明 Definition

目前[for now; at present; at the moment] 指说话的时候；现在。

现在[(as distinguished from ‘past’ or ‘future’) now; at present; today; this time] 这个时候，指说话的时候，有时包括说话前后或长或短的一段时间（区别于“过去”和“将来”）。

词语搭配 Collocation

	～的情况	～的形势	到～为止	～怎么样	～几点	～休息	～在国外
目前	√	√	√	√	×	×	√
现在	√	√	√	√	√	√	√

用法对比 Usage

用法解释 Comparison

“目前”是书面语，“现在”书面和口语都用，“目前”与“现在”相比，离说话的时候要远一些。“现在”既可以表示时点也可以表示时段，“目前”只表示时段。

语境示例 Examples

① 目前：从检查的结果看，他目前还不能出院。(最近一段时间内)
现在：从检查的结果看，他现在还不能出院。(说话时或以后一段时间)
② 中国目前的经济情况很不错。(☺中国现在的经济情况很不错。)
③ 这位环保专家目前正在国外考察。(☺这位环保专家现在正在国外考察。)

“现在”指说话时，“目前”没有此义。

① 现在几点？(＊目前几点？)
② 现在的年轻人可不能小看。(＊目前的年轻人可不能小看。)
③ 我们现在就出发吧。(＊我们目前就出发吧。)

N

943 哪里[代]nǎlǐ ▶ 哪儿[代]nǎr

词义说明 Definition

哪里［where］问什么处所：你去～？［wherever; where］泛指任何处所：～有压迫，～就有反抗。［used in rhetorical questions to express negation］用于反问句，表示否定或反驳：我～知道她去哪儿了？［used as a polite reply to a compliment］谦辞，用来婉转地推辞别人的褒奖：A：你汉语说得真好！B：～！～！

哪儿［where］哪里：你刚才去～了？［wherever; anywhere］泛指任何处所：～好玩儿我们就去～。［used in rhetorical questions to express negation］用于反问句，表示否定或反驳：我～会唱歌啊？

词语搭配 Collocation

	你住在～	他从～来	～卖药	～都是车	我～知道	～！～！
哪里	√	√	√	√	√	√
哪儿	√	√	√	√	√	×

用法对比 Usage

“哪里”和“哪儿”是同义词，口语常说“哪儿”，应答别人称赞时常用“哪里!”或“哪里！哪里!”，表示恭谦。“哪儿”没有这个用法。

① 你住在哪里？(☺你住在哪儿？)

② 这本词典你是在哪里买的，我也想买一本。(☺这本词典你是在哪儿买的，我也想买一本。)

③ 这种词典哪儿都有卖的。(☺这种词典哪里都有卖的。)

④ 你哪里知道每天坐车来上班的辛苦？(你不知道) (☺你哪儿知道每天坐车来上班的辛苦？)

⑤ A：听说爱德华是美国人。B：他哪里是美国人！(他不是美国人) (☺他哪儿是美国人！)

回答别人的赞扬时，只能用“哪里”。

A：你唱得真好！B：哪里！哪里！(＊哪儿！哪儿！)

944 哪怕[连]nǎpà ▶ 即使[连]jíshǐ

词义说明 Definition

哪怕[even; even if; even though; no matter how] 表示姑且承认某种事实。相当于“即使”、“就算”。

即使[(expression supposition) even if; even; though] 表示假设的让步。在正句里常用“也”呼应，说出结论。

用法对比 Usage

用法解释 Comparison

“哪怕”和“即使”后边都可用“也”和“都”等呼应。不同在于，“哪怕”口语常用，带夸张的意味。“即使”多用于书面。

语境示例 Examples

① 今天晚上哪怕不睡觉，我也要把这篇小说看完。(☺今天晚上即使不睡觉，我也要把这篇小说看完。)

② 这么多作业，即使今天晚上不睡觉也做不完。(☺这么多作业，哪怕今天晚上不睡觉也做不完。)

③ 即使你现在坐出租车去也赶不上了。(☺哪怕你现在坐出租车去也赶不上了。)

④ 即使你是神仙也治不好这种病。(☺哪怕你是神仙也治不好这种病。)

⑤ 只要能治好他的病，哪怕花再多的钱我也不在乎。(☺只要能治好他的病，即使花再多的钱我也不在乎。)

⑥ 即使我们取得了很大的成绩，我们也没有任何骄傲的理由。(*哪怕我们取得了很大的成绩，我们也没有任何骄傲的理由。)

945 那么[代、连]nàme ▶ 那样[代]nàyàng

词义说明 Definition

那么[(indicating property, state of affairs, method, degree, etc.) like that; in that way; so] 指示性质、状态、方式、程度等：你～喜欢他，就嫁给他吧。[used before numerals to indicate approximation] 放在数量词前，表示估计：大概需要～两

三天的时间就可以写出来。[（used to connect a clause expressing a logical consequence to a conditional clause）then; in that case] 表示顺着上文的语意，申说应有的结果（上文可以是对方的话，也可以是自己提出的问题或假设）：既然你不愿意去，～我就一个人去吧。

那样[（indicating property，state，method，degree，etc.）of that kind; like that; such; so] 表示性质、方式、状态、程度等：汉语并不像你想像的～难。

词语搭配 Collocation

	别～说	～好	说得～流利	～怎么办呢	～也好	像他～	忙成～
那么	√	√	√	√	×	×	×
那样	√	√	√	×	√	√	√

用法对比 Usage

“那么”和“那样”意思有相同的地方，但是，“那样”可以作定语、宾语或状语，“那么”只能作状语，不能作定语、补语和宾语。

① 他工作那么忙，还帮助我，真不知道怎么感谢他才好。(☺他工作那样忙，还帮助我，真不知道怎么感谢他才好。)

② 她不像刚来时那样害羞了。(☺她不像刚来时那么害羞了。)

③ 你不准我这么做，也不准我那么做，你到底要我怎么做？(☺你不准我这样做，也不准我那样做，你到底要我怎么做？)

④ 这件事并不像你想的那么简单。(☺这件事并不像你想的那样简单。)

⑤ 那么多外国留学生来学习汉语，我们有责任教好他们。(＊那样多外国留学生来学习汉语，我们有责任教好他们。)

⑥ 有那么两年的时间，我想你就能说得很流利了。(＊有那样两年的时间，我想你就能说得很流利了。)

⑦ 既然你想坐火车去，那么我们就去买车票吧。(＊既然你想坐火车去，那样我们就去买车票吧。)

⑧ 你不同意我的意见，那么把你的想法说出来，让我听听。(＊你不同意我的意见，那样把你的想法说出来，让我听听。)

“那样”可以指代形状，修饰名词，“那么”不能。

① 我没想到，他是那样的人。(＊我没想到，他是那么的人。)

② 他怎么瘦成那样了？(＊他怎么瘦成那么了？)

③ 没有他那样的，整天就知道工作、工作。(＊没有他那么的，整天就知道工作、工作。)

④ 为了给女儿过生日，她这样那样，买了一大堆好吃的。（＊为了给女儿过生日，她这么那么，买了一大堆好吃的。）

946 那么[代、连]nàme ▶ 这么[代]zhème

词义说明 Definition

那么[（indicating nature, state, way, degree, etc.）like that; in that way; so] 表示性质、状态、方式、程度等。[used before numerals to indicate approximation] 放在数量词前，表示估计。[（used to connect a clause expressing a logical consequence to a conditional clause）then; in that case] 表示顺着上文的语意，申说应有的结果（上文可以是对方的话，也可以是自己提出的问题或假设）。

这么[（indicating nature, state, way, degree, etc.）so; such; this way; like this] 指示性质、状态、方式、程度等。

词语搭配 Collocation

	～硬	～好	～高	～喜欢	有～一千元	像……～大	～个	有～回事	～办
那么	√	√	√	√	√	√	√	√	√
这么	√	√	√	√	×	√	√	√	√

用法对比 Usage

"这么"和"那么"都是指示代词，"这么"用于近指，指示离说话人近的事物或说话人意念中近的事物的性状，"那么"用于远指，指示离说话人远的事物或说话人意念中远的事物的性状。"那么"还是连词，"这么"没有连词的用法。

① 这么：我们家乡夏天没有北京这么热。（说话人在北京）
那么：我们家乡夏天没有北京那么热。（说话人不在北京）

② 这么：有这么一千块就够了。（说话时手里或意念中有一千块钱）
那么：有那么一千块就够了。（说话时手里或意念中没有一千块钱）

③ 刚才你不该那么说。（☺刚才你不该这么说。）

④ 大家都这么说，我也是这个看法。（☺大家都那么说，我也是这个看法。）

⑤ 你那么喜欢它，就送给你吧。（☺你这么喜欢它，就送给你吧。）

⑥ 他就是这么个人，说话像吵架一样，你别往心里去。（☺他就是那

么个人，说话像吵架一样，你别往心里去。)

⑦ 你看，这么办行不行？(☺你看，那么办行不行？)

⑧ 我这次没有你考得这么好。(☺我这次没有你考得那么好。)

⑨ A：听说她要嫁给一个外国人，是真的吗？ B：是有这么回事。(☺是有那么回事。)

⑩ 他脖子里长了个瘤子，有核桃那么大。(凭知识，谁都知道核桃有多大)(☺他脖子里长了个瘤子，有核桃这么大。)(说话时用手比画核桃般大小或眼前有核桃)

⑪ 这事说起来容易，做起来就不那么容易了。(＊这事说起来容易，做起来就不这么容易了。)

⑫ 汉语并不像你想像得那么难。(＊汉语并不像你想像得这么难。)

⑬ 今天怎么这么冷？(＊今天怎么那么冷？)

⑭ 这个字应该这么写。(＊这个字应该那么写。)

⑮ 没想到这里的汽车也这么多。(＊没想到这里的汽车也那么多。)

连词“那么”用来连接两个分句，“这么”没有这个用法。

① 这也不行，那也不行，那么你说怎么办呢？(＊这也不行，那也不行，这么你说怎么办呢？)

② 既然你不舒服，那么我们今天就别去了。(＊既然你不舒服，这么我们今天就别去了。)

N

947 耐烦 [形] nàifán ▶ 耐心 [形、名] nàixīn

词义说明 Definition

耐烦 [patient] 不急躁，不怕麻烦；不厌烦。

耐心 [patient; patience] 心里不急躁，不厌烦。

词语搭配 Collocation

	有～	没有～	不～	很～	～地听	～帮助别人	～地学
耐烦	×	×	√	×	×	×	×
耐心	√	√	√	√	√	√	√

用法对比 Usage

用法解释 Comparison

“耐烦”是形容词，多用于否定句；否定用“不”，不能用“没（有）”。“耐心”既是形容词也是名词，可以用于否定句，也可用于肯定句，否定“耐心”既可用“不”，也可用“没（有）”。“耐心”可以作宾语，“耐烦”不能。

语境示例 Examples

① 我还没有说完呢，你就不耐烦听了。(☺我还没有说完呢，你就不耐心听了。)
② 你怎么那么不耐烦呢？(☺你怎么那么不耐心呢？)
③ 我已经等得不耐烦了。(＊我已经等得不耐心了。)(☺我已经等得没耐心了。)
④ 他很耐心地听着大家的发言。(＊他很耐烦地听着大家的发言。)
⑤ 有不懂的问题问王老师时，他总是耐心地给我们讲。(＊有不懂的问题问王老师时，他总是耐烦地给我们讲。)
⑥ 他没有耐心，不论学习什么，都是三天打鱼，两天晒网。(＊他没有耐烦，不论学习什么，都是三天打鱼，两天晒网。)
⑦ 常言说，“只要功夫深，铁杵磨成针”，你只要有耐心，学习什么都能学好。(＊常言说，“只要功夫深，铁杵磨成针”，你只要有耐烦，学习什么都能学好。)

948 男[名、形]nán ▶ 男人[名]nánrén

词义说明 Definition

男[(as opposed of ‘female’) man; male] 男性（跟“女”相对）。[son; boy] 儿子。

男人[man] 男性的成年人。

词语搭配 Collocation

	～学生	～老师	～厕所	～主人公	～朋友	～声合唱	～性	长～	一个～	大～
男	√	√	√	√	√	√	√	√	×	×
男人	×	×	×	×	×	×	×	×	√	√

用法对比 Usage

用法解释 Comparison

“男”是名词也是形容词，“男人”只是一个名词。

语境示例 Examples

① 我们班有两个老师，一个男老师，一个女老师。(＊我们班有两个老师，一个男人老师，一个女老师。)
② 我知道他喜欢我，可是我已经有男朋友了。(＊我知道他喜欢我，可是我已经有男人朋友了。)

③ 这部小说的女主人公写得好，男主人公写得一般。（＊这部小说的女主人公写得好，男人主人公写得一般。）
④ 我是我们家的长男。（＊我是我们家的长男人。）
⑤ 一个男人要有责任心。（＊一个男要有责任心。）
⑥ 你是不是个男人，怎么这么婆婆妈妈的？（＊你是不是个男，怎么这么婆婆妈妈的？）

949 南[名]nán ▶ 南面[名]nánmian ▶ 南方[名]nánfāng

词义说明 Definition

南[south] 早晨面对太阳时右手的一边。

南面[face south; south side] 南边。

南方[south; the southern part of the country] 位于一特定的或暗示的方位点以南的地区或国家。[the southern part of the country; esp. the areas south of the Changjiang River; the south] 在中国指长江流域及其以南的地区为南方。

词语搭配 Collocation

	朝～	向～走	～边	～风	～味	～人	去～旅行	学校～是操场	中国～
南	√	√	√	√	√	×	×	×	×
南面	√	√	×	×	×	×	×	√	×
南方	√	√	×	×	√	√	√	×	√

用法对比 Usage

用法解释 Comparison

“南”表示方向，“南面”和“南方”除了表示方向之外，还可以表示处所。“南”可以直接作定语，不用加“的”，例如“南屋，南国”，还可以与介词组成介词词组作状语。“南面”和“南方”可以作处所宾语，也可以作定语，作定语一般要加“的”，例如“南边的屋子，南方的天气”等。

语境示例 Examples

① 我去中国南方旅行过。（＊我去中国南/南面旅行过。）
② 从这儿往南走，不远就是我的家。（＊从这儿往南方/南面走，不

远就是我的家。)

③ 中国南方夏天雨水很多。(＊中国南面/南夏天雨水很多。)

④ 我爸爸是南方人。(＊我爸爸是南/南面人。)

⑤ 我们学校南面是个体育馆。(＊我们学校南/南方是个体育馆。)

⑥ 教学楼南面是图书馆。(＊教学楼南/南方是图书馆。)

⑦ 郑州在黄河以南。(＊郑州在黄河以南面/南方。)

950 难过[动、形]nánguò ▶ 难受[形]nánshòu

词义说明 Definition

难过[have a hard time] 生活困难，生活不好，不容易过。[feel sorry; feel bad; be grieved] 心情不愉快，伤心。

难受[feel unwell; feel ill; suffer pain] 身体不舒服。[feel unhappy; feel bad] 心中不痛快，伤心。

词语搭配 Collocation

	非常～	心里很～	身上很～	感到～	头晕得～	痒得～	疼得～	日子真～
难过	√	√	×	√	×	×	×	√
难受	√	√	√	√	√	√	√	×

用法对比 Usage

“难受”既表示身体不适，也表示心情不好。“难过”则表示生活艰难或心情不好。

① 听说导师去世了，我心里非常难过。(☺听说导师去世了，我心里非常难受。)

② 他知道自己做错了，心里很难受。(☺他知道自己做错了，心里很难过。)

③ 他难受得哭了起来。(☺他难过得哭了起来。)

④ 因为晕车，他感到非常难受。(＊因为晕车，他感到非常难过。)

⑤ 因为皮肤过敏，痒得很难受。(＊因为皮肤过敏，痒得很难过。)

“难过”还可以表示生活艰苦。

父亲去世以后，家里的日子更难过了。(＊父亲去世以后，家里的日子更难受了。)

951 难过[动、形]nánguò ▶ 伤心[形]shāngxīn

词义说明 Definition

难过[feel sorry; feel bad; be grieved] 心情不愉快，伤心。

伤心[sad; grieved; broken-hearted] 由于遭受不幸或不愉快的事情而心里非常痛苦。

词语搭配 Collocation

	非常～	很～	感到～	～得哭了	日子很～	～事	～落泪
难过	√	√	√	√	√	×	×
伤心	√	√	√	√	×	√	√

用法对比 Usage

用法解释 Comparison

“伤心”是动宾结构，能分开用，可以说“伤了她的心”，“难过”不能分开用。

语境示例 Examples

① 这件事让她很难过。(☺这件事让她很伤心。)

② 他这么说真是伤了我的心。(*他这么说真是难了我的过。)

③ 听到这个消息，她哭得很伤心。(*听到这个消息，她哭得很难过。)

④ 这件事让我心里很难过。(*这件事让我心里很伤心。)(☺这件事让我很伤心。)

⑤ 男儿有泪不轻弹，只因没到伤心处。(*男儿有泪不轻弹，只因没到难过处。)

952 难免[形]nánmiǎn ▶ 不免[副]bùmiǎn

词义说明 Definition

难免[hard to avoid; bound to happen] 不容易避免。

不免[cannot avoid; cannot help but] 免不了；难免。

词语搭配 Collocation

	很～	～想家	～堵车	～迟到	～不习惯	～幼稚	～出错	～伤心	～感到寂寞
难免	√	√	√	√	√	√	√	√	√
不免	×	√	√	√	×	√	√	√	√

用法对比 Usage

“难免”是形容词，意思是很难避免（不好事情的发生和不好情况的出现），“不免”是副词，意思是某种情况顺理成章地发生（这种情况不一定是不好的）。

① 她是第一次出国，难免有点儿想家。（☺她是第一次出国，不免有点儿想家。）

② 说汉语难免出错，不要怕出错就不敢说。（☺说汉语不免出错，不要怕出错就不敢说。）

③ 他年纪还小，难免幼稚一些。（☺他年纪还小，不免幼稚一些。）

④ 这段路太窄，往来车辆又多，难免堵车。（☺这段路太窄，往来车辆又多，不免堵车。）

⑤ 想到这里他不免感到庆幸。（＊想到这里他难免感到庆幸。）

“难免”后边可以跟否定句，“不免”不能。

① 你这么说，他难免不高兴。（＊你这么说，他不免不高兴。）

② 刚到一个新地方，难免有点儿不习惯。（＊刚到一个新地方，不免有点儿不习惯。）

“难免”可以用在“是……的”格式中，“不免”不能。

留学生写错字是难免的。（＊留学生写错字是不免的。）

“难免”可以作谓语，“不免”不能作谓语。

年轻人遇到失恋这种事很难免，一定要正确对待。（＊年轻人遇到失恋这种事很不免，一定要正确对待。）

“难免”可以作定语，“不免”不能。

开车上路，发生碰撞是难免的事。（＊开车上路，发生碰撞是不免的事。）

953 难以[副]nányǐ ▶ 难[形、动]nán

词义说明 Definition

难以[hard to; difficult to; troublesome] 不容易，不易于。

难[difficult; hard] 做起来费事的（跟“容易、易”相对）。[put sb. into a difficult position] 使感到困难，不容易。[hardly possible] 不容易：～说|～学。[bad; unpleasant] 不好：～看|～吃。

N

词语搭配 Collocation

	～相信	～形容	～置信	～解决	～成功	很～	非常～	～办	～说	～看	～写
难以	√	√	√	√	√	×	×	×	×	×	×
难	√	√	×	√	√	√	√	√	√	√	√

用法对比 Usage

“难以”是副词，用在动词前作状语，多用于书面。而“难”是形容词和动词，“难”可以与其他单音动词组成新词，“难以”没有组词能力。

① 因为是朋友，所以他提出这样的要求我难以拒绝。(☺因为是朋友，所以他提出这样的要求我很难拒绝。)

② 对不起，你的要求我们实在难以满足。(☺对不起，你的要求我们实在很难满足。)

③ 如果不努力克服认读和书写汉字的困难是难以学好汉语的。(☺如果不努力克服认读和书写汉字的困难是很难学好汉语的。)

④ 桂林山水美得让我难以用语言形容。(☺桂林山水美得让我很难用语言形容。)

⑤ 肚子疼得实在难以忍受。(☺肚子疼得实在很难忍受。)

⑥ 这种事让我实在难以说出口。(☺这种事让我实在难说出口。)

“难”前面可以用副词修饰，“难以”不能。

① 学习汉语对我来说，最难的是读写汉字。(*学习汉语对我来说，最难以的是读写汉字。)

② 我觉得汉语的语法不太难。(*我觉得汉语的语法不太难以。)

“难”可以修饰单音节动词，“难以”不能。

① 这件事很难办。(*这件事很难以办。)

② 对我来说，这个音实在难发。 (*对我来说，这个音实在难以发。)

954 脑子[名]nǎozi ▶ 脑袋[名]nǎodai ▶ 脑筋[名]nǎojīn ▶ 脑海[名]nǎohǎi

词义说明 Definition

脑子[brain] 人体中管全身知觉、运动和思维、记忆等活动的器官。[brains; mind; head] 脑筋。

脑袋[head] 头。[brains; mind] 脑筋。

脑筋[brains; mind; head] 思考、记忆等能力。[way of thinking; ideas] 意识。

脑海[brain; mind] 脑子，头脑中。

词语搭配 Collocation

	费～	伤～	动～	旧～	新～	没～	秃～	～好	～好用	耷拉着～	浮现在～里
脑子	√	√	√	×	×	√	×	√	√	×	×
脑袋	×	×	×	×	×	√	√	×	×	√	×
脑筋	√	√	√	√	√	×	×	√	√	×	×
脑海	×	×	×	×	×	×	×	×	×	×	√

用法对比 Usage

用法解释 Comparison

“脑袋”和“脑子”多用于口语，“脑海”用于书面，“脑筋”多指思想意识。

语境示例 Examples

① 他脑子好，又努力，所以学习成绩一直不错。(☺他脑筋好，又努力，所以学习成绩一直不错。)（＊他脑袋/脑海好，又努力，所以学习成绩一直不错。）

② 这个人太没脑子了，说过的事扭头就忘。(☺这个人太没脑袋了，说过的事扭头就忘。)（＊这个人太没脑海/脑筋了，说过的事扭头就忘。）

③ 这件事让我伤透了脑筋。（＊这件事让我伤透了脑袋/脑海/脑子。）

④ 一上课，他就耷拉着脑袋打瞌睡。（＊一上课，他就耷拉着脑子/脑海/脑筋打瞌睡。）

⑤ 你的脑袋/脑子里装的都是什么乱七八糟的东西?（＊你的脑筋/脑海里装的都是什么乱七八糟的东西?）

⑥ 看到这张发黄的照片，几十年前的往事又浮现在他的脑海里。(＊看到这张发黄的照片，几十年前的往事又浮现在他的脑子/脑筋/脑袋里。)

⑦ 你真是旧脑筋，现在都什么时代了，你还那么想。（＊你真是旧脑袋/脑子/脑海，现在都什么时代了，你还那么想。）

⑧ 我爷爷虽然已经七十多了，却是个脑筋开通的老人，很容易接受

新观念。（＊我爷爷虽然已经七十多了，却是个脑子/脑袋/脑海开通的老人，很容易接受新观念。）

955 能［助动、形］néng ▶ 能够［助动］nénggòu

词义说明 Definition

能［（expressing possibility）can；possibly；be able to］能够：今天七点你～回来吗？［used between 不……不 to express obligation，certain or great probability］跟“不……不”组成“不能不”的双重否定，表示必须，一定：不～不去（必须去）。［used negatively or interrogatively］用在否定句或疑问句中，表示允许，同意：这儿～吸烟吗？

能够［can；be able to；be capable of］表示具备某种能力，或达到某种程度。［possible；probable］表示有条件或情理上许可。

词语搭配 Collocation

	不～	～开车	不～不来	～参加	～独立生活	～喝酒	～吸烟	无～	～人	～手
能	√	√	√	√	√	√	√	√	√	√
能够	×	×	×	√	√	×	×	×	×	×

用法对比 Usage

“能”和“能够”都是助动词，但“能”还是形容词，可以单独回答问题。“能够”不能单独回答问题。用“能够”的地方都可以用“能”替换，用“能”的地方不一定能用“能够”。

① 这座水库建成以后，能发电，能灌溉，还能起到防洪作用。（☺这座水库建成以后，能够发电，能够灌溉，还能起到防洪作用。）

② 经过半年多的实习，他现在能独立工作了。（☺经过半年多的实习，他现在能够独立工作了。）

③ 只有人类能够制造工具，创造思想。（☺只有人类能制造工具，创造思想。）

④ 这些困难只要大家团结一心是完全能够克服的。（☺这些困难只要大家团结一心是完全能克服的。）

“能”多用于疑问或否定，“能够”很少这么用。

① 他感冒了，还能去吗？（＊他感冒了，还能够去吗？）

② A：这项工程三年内能完成吗？（☺这项工程三年内能够完成吗？）

B：能。（＊能够。）

③ A：这里能不能停车？（＊这里能够不能够停车？）

B：对不起，这里不能停车。（＊对不起，这里不能够停车。）

④ 因为是好朋友，所以我不能不帮他。（＊因为是好朋友，所以我不能够不帮他。）

“能”还有形容词的用法，“能够”没有。

① 农村有不少能人。（＊农村有不少能够人。）

② 他可不是无能之辈。（＊他可不是无能够之辈。）

956 年纪[名]niánjì ▶ 年龄[名]niánlíng

词义说明 Definition

年纪[age] 人的年龄；岁数。

年龄[age] 人或动植物已经生存的年数。

词语搭配 Collocation

	～轻	小小～	上～了	入学～	退休～	多大～	到结婚～了
年纪	√	√	√	×	√	√	×
年龄	×	×	×	√	√	√	√

用法对比 Usage

“年纪”和“年龄”的意思一样，在句子中有相同的用法，也有不同的用法。“年龄”多用于儿童、少年或青年，“年纪”则多用于老年人，有时也用于青年。

① 你年纪不小了，该考虑个人的婚姻大事了。（☺你年龄不小了，该考虑个人的婚姻大事了。）

② 你爸爸多大年纪了？（＊你爸爸多大年龄了？）

③ 上年纪了，眼睛不好使了。（＊上年龄了，眼睛不好使了。）

④ 我儿子已经到入学的年龄了。（＊我儿子已经到入学的年纪了。）

⑤ 你年龄还太小，等你长大了就知道了。（＊你年纪还太小，等你长大了就知道了。）

⑥ 他还不到结婚年龄呢。（＊他还不到结婚年纪呢。）

“年龄”可以用于动植物，“年纪”不能。

这棵树的年龄已经有一千多年了。（＊这棵树的年纪已经有一千多年了。）

957 年轻[形]niánqīng ▶ 年青[形]niánqīng

词义说明 Definition

年轻[young; younger] 年纪不大；比……岁数小。

年青[young] 处于青少年时期。

词语搭配 Collocation

	很～	～人	比我～
年轻	√	√	√
年青	√	√	×

用法对比 Usage

用法解释 Comparison

“年轻”和“年青”的发音一样，都指青少年，即十几岁到二十几岁这个年龄段，但是“年轻”也有“比较起来年龄小”的意思，“年青”没有这个用法。

语境示例 Examples

N

① 要趁年轻，多学些东西。(☺要趁年青，多学些东西。)

② 你们年青人朝气蓬勃，就像早晨八九点钟的太阳。(☺你们年轻人朝气蓬勃，就像早晨八九点钟的太阳。)

③ 年轻人的词典里不应该有“难”字。(☺年青人的词典里不应该有“难”字。)

④ 你才五十岁，我已经六十多了，你比我年轻十多岁呢。(*你才五十岁，我已经六十多了，你比我年青十多岁呢。)

⑤ 王老师已经五十多了，但是仍然显得很年轻。(*王老师已经五十多了，但是仍然显得很年青。)

⑥ 对外汉语教学还是个年轻的学科。(*对外汉语教学还是个年青的学科。)

958 您[代]nín ▶ 你[代]nǐ

词义说明 Definition

您[(said with respect) you]“你”的尊称。

你[you; singular (also used plurally sometimes)] 称对方（一个

人)，有时也用来称“你们”。［everyone；anyone（sometimes referring to the speaker)］泛指任何人（有时实际上是指我）。

词语搭配 Collocation

	～好	老师，～早	～不得不服	～看我，我看～	～一言，我一语	我爱～
您	√	√	×	×	×	×
你	√	√	√	√	√	√

用法对比 Usage

用法解释 Comparison

“您”多用于尊称师长或地位高的人，以表示敬意，“你”除了可以称呼对方，还用来表示任何人，有时表示“我”。

语境示例 Examples

① 张大爷，您一向可好啊！（☺张大爷，你一向可好啊！）

② 老师，您好！（☺老师，你好！）

③ 现在的年轻人叫你不能不佩服。（＊现在的年轻人叫您不能不佩服。）

④ 这些退休的老人只要聚到一起，就你一言我一语地聊了起来。（＊这些退休的老人只要聚到一起，就您一言我一语地聊了起来。）

⑤ 这孩子淘气得很，有时真叫你生气。（＊这孩子淘气得很，有时真叫您生气。）

959 宁静［形］níngjìng ▶ 安静［形］ānjìng

词义说明 Definition

宁静［peaceful；tranquil；quiet；clam］（环境、心情）安定。

安静［quiet；peaceful；clam；undisturbed；quiet down］没有声音，没有吵闹和喧哗；安稳平静。

词语搭配 Collocation

	很～	十分～	～的夜晚	请～	需要～	保持～	～地睡了
宁静	√	√	√	×	×	×	×
安静	√	√	√	√	√	√	√

N

用法对比 Usage

用法解释 Comparison

“宁静”主要描写客观环境，是人不可控制的，“安静”除了有“宁静”的用法，还可以描写人可以控制的情况，因此，“安静”可以用于祈使句，“宁静”不能用于祈使句。

语境示例 Examples

① 游人散去了，湖边恢复了原有的宁静。(☺游人散去了，湖边恢复了原有的安静。)
② 夜深了，城市的一切好像都睡了，连白天喧闹的大街也显得十分宁静。(☺夜深了，城市的一切好像都睡了，连白天喧闹的大街也显得十分安静。)
③ 请大家安静一下，我说一件事。（*请大家宁静一下，我说一件事。)
④ 为了保证高考的顺利进行，为考生创造一个安静的环境，高考期间禁止一些建筑工程夜间施工。(*为了保证高考的顺利进行，为考生创造一个宁静的环境，高考期间禁止一些建筑工程夜间施工。)
⑤ 病人需要安静，请你们不要说话。(*病人需要宁静，请你们不要说话。)

960 宁可[连]nìngkě ▶ 宁愿[连]nìngyuàn ▶ 宁肯[连]nìngkěn

词义说明 Definition

宁可[（oft. preceded by 与其 or followed by 也不）would rather] 表示比较两方面的利害得失后选取的一面（往往跟上文的“与其”或下文的“也不”相呼应）。

宁愿[would rather] 宁可。

宁肯[would rather] 宁可。

用法对比 Usage

“宁可”表示“即使要付出代价或引起严重后果，也要选择这方面”，“宁愿”和“宁肯”强调“按照自己的意愿或乐意于选择这方面”。

① 这是一个不屈的民族，宁可站着死，不愿跪着生。(☺这是一个不屈的民族，宁愿/宁肯站着死，不愿跪着生。)

② 我宁可走路去也不愿坐他的破车。(☺我宁愿/宁肯走路去也不愿坐他的破车。)

③ 为了帮助别人，他宁可自己不休息。(☺为了帮助别人，他宁肯/宁愿自己不休息。)

④ 为了写这本书，他宁愿放弃出国进修的机会。(☺为了写这本书，他宁肯/宁可放弃出国进修的机会。)

⑤ 为发展中国的国防科技事业，这些可敬的科学家宁愿隐姓埋名，在十分艰苦的条件下，默默无闻地工作了几十年。(☺为发展中国的国防科技事业，这些可敬的科学家宁可/宁肯隐姓埋名，在十分艰苦的条件下，默默无闻地工作了几十年。)

⑥ 无论在战争年代还是在和平时期，为了保卫祖国，为了保护人民的生命财产，我们的战士宁肯献出自己的热血和生命。(☺无论在战争年代还是在和平时期，为了保卫祖国，为了保护人民的生命财产，我们的战士宁可/宁愿献出自己的热血和生命。)

所选择的做法不主要取决于人的意愿时，只能用“宁可”。

对待任何事情，与其看得容易些，宁可看得难些。(＊对待任何事情，与其看得容易些，宁肯/宁愿看得难些。)

961 女[名、形]nǚ ▶ 女人[名]nǚrén

词义说明 Definition

女[(as opposed to ‘male’) woman; female] 女性(跟“男”相对)。[daughter; girl] 女儿。

女人[woman] 女性的成年人。

词语搭配 Collocation

	～性	～老师	～学生	～厕所	～演员	～朋友	～儿	一个～	～味儿
女	√	√	√	√	√	√	√	×	×
女人	×	×	×	×	×	×	×	√	√

用法对比 Usage

用法解释 Comparison

"女"是名词也是形容词,"女人"只是名词。

语境示例 Examples

① 我们班的女学生比男学生多一半。(*我们班的女人学生比男学生多一半。)

② 她是国际上很有名的女演员。(*她是国际上很有名的女人演员。)

③ 他的女朋友是一个意大利姑娘。(*他的女人朋友是一个意大利姑娘。)

④ 作为一个女人,她既是一个成功的企业家,又是好妻子,好母亲。(*作为一个女,她既是一个成功的企业家,又是好妻子,好母亲。)

⑤ 他们有两个孩子,一男一女。(*他们有两个孩子,一男一女人。)

⑥ 一个女人要自尊,自信,自强,才能自立。(*一个女要自尊,自信,自强,才能自立。)

⑦ 所谓有女人味儿,是指有女性独有的魅力。(*所谓有女味儿,是指有女性独有的魅力。)

962 暖[形]nuǎn ▶ 暖和[形]nuǎnhuo

词义说明 Definition

暖[warm; genial] 暖和。[warm up] 使变温暖。

暖和[(of weather, environment, etc.) warm; nice and warm] (气候、环境等)不冷也不热。[warm up] 使暖和。

词语搭配 Collocation

	很~	不~	天~了	变~了	~~手	~人心	~~吧
暖	√	×	√	√	√	√	√
暖和	√	√	√	√	×	×	√

N

用法对比 Usage

用法解释 Comparison

“暖”和“暖和”是同义词，但是“暖”可以作动词用，可以带宾语，有“使变暖”的意思，“暖和”不能带宾语。

语境示例 Examples

① 北方的冬天虽然外边很冷，但是屋子里很暖和。(☺北方的冬天虽然外边很冷，但是屋子里很暖。)

② 一到四月，天气就变暖和了。(☺一到四月，天气就变暖了。)

③ 外边冷，快进屋来暖和暖和吧。(☺外边冷，快进屋来暖暖吧。)

④ 来，妈妈给你暖暖手。(*来，妈妈给你暖和暖和手。)

⑤ 气候变暖与人类大量消耗能源有关。(*气候变暖和与人类大量消耗能源有关。)

⑥ 各级干部要多做暖民心的事，不要做伤民心的事。(*各级干部要多做暖和民心的事，不要做伤民心的事。)

N

O

963 偶尔[副、形]ǒu'ěr ▶ 偶然[形、副]ǒurán

词义说明 Definition

偶尔 [now and then; once in a while; occasionally] 有时候。[happen by chance; accidental] 偶然发生的，很少出现的。

偶然[accidental; fortuitous; unusual; unexpected] 事理上不一定要发生而发生的。[accidentally; by accident; by chance] 不是必然的，超出一般规律的。[once in a while; occasionally; some times] 偶尔；有时候。

词语搭配 Collocation

	～的事	～去一次	～事故	～因素	～性	很～
偶尔	√	√	×	×	×	×
偶然	√	√	√	√	√	√

用法对比 Usage

用法解释 Comparison

“偶尔”与“经常”相对，常用来作状语，极少用作定语和补语；“偶然”与“必然”相对，可以作状语，也可以作定语和补语。

语境示例 Examples

① 窗外偶尔也传来几声鸟叫。(☺窗外偶然也传来几声鸟叫。)

② 晚上我总是看书学习，偶尔也看看电视。(☺晚上我总是看书学习，偶然也看看电视。)

③ 这是一次偶然事件。(＊这是一次偶尔事件。)

④ 这种情况发生得非常偶然，不可能经常遇到。(＊这种情况发生得非常偶尔，不可能经常遇到。)

⑤ 事物的偶然性中包含着必然性。(＊事物的偶尔性中包含着必然性。)

⑥ 一次很偶然的机会，我们两个相识了。(＊一次很偶尔的机会，我们两个相识了。)

964 怕[动]pà ▶ 担心dān xīn

词义说明 Definition

怕[fear; dread; be afraid of] 害怕；畏惧。[(expressing supposition, judgment, estimation, etc.) I'm afraid (that); I suppose; perhaps] 表示估计，也许。[be afraid something might happen; feel anxious about; feel concerned for or about] 恐怕；担心：我～胖，所以不吃肉|～要下雨，你还是带上把伞吧。

担心[worry oneself about; feel anxious] 不放心。

词语搭配 Collocation

	很～	不～	我～蛇	～你太累	～有五点了	～妈妈的身体	～爸爸的病
怕	√	√	√	√	√	×	×
担心	√	√	×	√	×	√	√

用法对比 Usage

用法解释 Comparison

“怕”有害怕和担心的意思，还表示估计和可能，“担心”没有估计和可能的意思。

语境示例 Examples

① 担心：爸爸有病住院了，我很担心。(因爸爸住院而担心爸爸的身体健康)

怕：爸爸有病住院了，我很怕。(因爸爸病重而感到害怕)

② 学习汉语要敢说，不要怕说错。(☺学习汉语要敢说，不要担心说错。)

③ 要有不怕任何困难的决心和勇气，才能取得成功。(*要有不担心任何困难的决心和勇气，才能取得成功。)

④ 我一个人来国外留学，爸爸妈妈很担心。(*我一个人来国外留学，爸爸妈妈很怕。)

⑤ 他感冒了，今天怕来不了。(*他感冒了，今天担心来不了。)

⑥ 我很怕蛇。(*我很担心蛇。)

965 拍摄[动]pāishè ▶ 拍照pāi zhào

词义说明 Definition

拍摄[take (a picture); shoot] 用摄影机或照相机等把人、物的形象照在胶卷或存到存储卡上。

拍照[take a picture or have a picture taken; photograph] 照相。

词语搭配 Collocation

	～电影	～电视	～下来	～留念	～得很好	禁止～
拍摄	√	√	√	×	√	√
拍照	×	×	×	√	×	√

用法对比 Usage

用法解释 Comparison

“拍照”是个离合词，意思是拍摄照片，不能再带宾语，“拍摄”是个动词，可以带宾语。

语境示例 Examples

① 要把拍摄的角度选好。(☺要把拍照的角度选好。)
② 很多博物馆都禁止游客拍照，理由是怕闪光灯损坏文物，其实没有什么科学根据。(☺很多博物馆都禁止游客拍摄，理由是怕闪光灯损坏文物，其实没有什么科学根据。)
③ 我要把这儿的景色拍摄下来。(＊我要把这儿的景色拍照下来。)(☺我要把这儿的景色拍/照下来。)
④ 到了长城没有不拍照留念的。(＊到了长城没有不拍摄留念的。)
⑤ 他正在拍摄一部电影。(＊他正在拍照一部电影。)
⑥ 他最近拍摄的一部电视剧很好。(＊他最近拍照的一部电视剧很好。)

966 排斥[动]páichì ▶ 排挤[动]páijǐ

词义说明 Definition

排斥[repel; exclude; reject] 使别的人或事物离开自己这方面。

排挤[push aside; push out; squeeze out; elbow out] 利用势力或手段使不利于自己的人失去地位或利益。

词语搭配 Collocation

	互相～	～异己	～别人	～走了	受到～
排斥	√	√	√	×	×
排挤	√	√	√	√	√

用法对比 Usage

用法解释 Comparison

“排斥”的动作主体可以是人，也可以是其他物体，而“排挤”一定是人的动作行为。

语境示例 Examples

① 同种电荷互相排斥。(＊同种电荷互相排挤。)

② 他独断专行，排斥异己，结果众叛亲离。(☺他独断专行，排挤异己，结果众叛亲离。)

③ 这个单位一把手和二把手互相排挤。(＊这个单位一把手和二把手互相排斥。)

④ 一些地方干部排挤外来干部，搞独立王国，把本地区的经济搞得一团糟。(＊一些地方干部排斥外来干部，搞独立王国，把本地区的经济搞得一团糟。)

⑤ 他拉拢一伙人，排挤和自己意见不同的人，把这个单位搞乌烟瘴气，结果引起公愤。(＊他拉拢一伙人，排斥和自己意见不同的人，把这个单位搞乌烟瘴气，结果引起公愤。)

P

967 徘徊[动]páihuái ▶ 犹豫[形]yóuyù

词义说明 Definition

徘徊[walk up and down] 在一个地方来回走。[hesitate; waver] 比喻犹豫不决。[fluctuate; waver] 比喻事物在某个范围内来回浮动。

犹豫[hesitate; irresolute] 拿不定主意。

词语搭配 Collocation

	不停地～	～不定	～在…之间	～不决	毫不～	～了一下	有点儿～
徘徊	√	√	√	×	×	×	×
犹豫	×	√	×	√	√	√	√

用法对比 Usage

用法解释 Comparison

"徘徊"有"犹豫"的意思，但是还有人"在一个地方来回走动"，事物"在某个范围来回浮动"的意思，"犹豫"没有这个意思。"犹豫"可以重叠，"徘徊"不能重叠，它们不能相互替换。

语境示例 Examples

① 去不去国外留学我还有点儿犹豫。（*去不去国外留学我还有点儿徘徊。）
② 这件事你不能再犹豫了，应该赶快决定下来。（*这件事你不能再徘徊了，应该赶快决定下来。）
③ 最近，我总看见一个人在湖边徘徊。（*最近，我总看见一个人在湖边犹豫。）
④ 你怎么老是犹犹豫豫的，一点儿都不干脆。（*你怎么老是徘徘徊徊的，一点儿都不干脆。）
⑤ 如果他邀请我去，我会毫不犹豫地跟他去。（*如果他邀请我去，我会毫不徘徊地跟他去。）
⑥ 他的成绩总是在七十分左右徘徊。（*他的成绩总是在七十分左右犹豫。）

968 派[名、动]pài ▶ 派遣[动]pàiqiǎn

P

词义说明 Definition

派[group of people with the same political stand, viewpoints, work style or lifestyle] 指立场、见解或作风、习气相同的一些人。[style; manner and air] 气派或风度。[send; dispatch; assign; appoint] 分配；安排；派遣。

派遣[(government, organization, group, etc.) dispatch to a place to do certain work]（政府、机关、团体等）命人到某处做某项工作。

词语搭配 Collocation

	党～	学～	～别	～头	乐天～	～代表	～代表团	～大使	～出国
派	√	√	√	√	√	√	√	√	√
派遣	×	×	×	×	×	√	√	√	√

用法对比 Usage

"派"是名词也是动词，"派遣"只是动词。"派遣"用于书面，“派”口语书面都用。

① 中国政府准备派遣代表团出席此次大会。(☺中国政府准备派代表团出席此次大会。)

② 学校准备派他出国学习。(* 学校准备派遣他出国学习。)

③ 两国宣布，自公报发表之日起建立外交关系并互派大使。(* 两国宣布，自公报发表之日起，建立外交关系并互派遣大使。)

④ 他当上局长以后，派头十足，不知道自己姓什么了。(* 他当上局长以后，派遣头十足，不知道自己姓什么了。)

名词“派”一般不能独立使用，常和其他词组成“右派、左派、党派、学派、宗派、流派”等，“派遣”没有这个用法。

如果让极右派上台执政，将使整个国家面临灾难。(* 如果让极右派遣上台执政，将使整个国家面临灾难。)

969 攀[动]pān ▶ 攀登[动]pāndēng

词义说明 Definition

攀[climb; clamber] 抓住东西向上爬。[seek connection in high places] 与地位高的人拉关系或结亲。[involve] 设法接触。

攀登[climb; clamber; scale] 抓住东西爬上去。

词语搭配 Collocation

	~谈	高~	~山	~岩	~亲	~科学高峰	~珠穆朗玛峰
攀	√	√	√	√	√	√	×
攀登	×	×	×	×	×	√	√

用法对比 Usage

用法解释 Comparison

“攀”和“攀登”的基本意思相同，因为音节不同，所带宾语也不同。“攀登”不能带单音节宾语，“攀”可以。“攀”还是个词素，有组词能力，可以组成其他词语，“攀登”没有组词能力。

语境示例 Examples

① 又有一支登山队攀上了世界最高峰——珠穆朗玛峰。(☺又有一支登山队攀登上了世界最高峰——珠穆朗玛峰。)

② 攀岩运动也开始在中国悄然兴起。(* 攀登岩运动也开始在中国

悄然兴起。)

③ 青年科学工作者要立志攀登科学高峰。(☺青年科学工作者要立志攀科学高峰。)

④ 为了高攀,他什么手段都使得出来。(*为了高攀登,他什么手段都使得出来。)

⑤ 她给儿子攀了一门亲,可儿子根本不买账。(*她给儿子攀登了一门亲,可儿子根本不买账。)

970 判断[动、名]pànduàn ▶ 判定[动]pàndìng

词义说明 Definition

判断[judge; decide; determine] 思维的基本形式之一,就是肯定或否定某种事物的存在,或指明它是否具有某种属性的思维过程。[judgement] 断定。

判定[judge; decide; determine] 分析断定。

词语搭配 Collocation

	正确的~	根据事实~	这种~	~得很正确	~错误	~他的年龄	~他的去向
判断	√	√	√	√	√	√	√
判定	×	√	×	×	×	√	√

P

用法对比 Usage

用法解释 Comparison

"判定"是个动补结构的动词,不能再带补语,"判断"是动词也是名词,可以带补语,也可以作定语。

语境示例 Examples

① 我们现在还很难判断这场比赛谁输谁赢。(☺我们现在还很难判定这场比赛谁输谁赢。)

② 你根据什么判定这件事是他干的?(☺你根据什么判断这件事是他干的?)

③ 你的判断是正确的。(*你的判定是正确的。)

④ 他能根据现场的足迹判断出作案者的身高和年龄。(*他能根据现场的足迹判定出作案者的身高和年龄。)

⑤ 你能判断这次大选谁能获胜吗?(*你能判定这次大选谁能获胜吗?)

⑥ 正确的判断来自周密细致的调查和研究。(*正确的断定来自周

密细致的调查和研究。)

971 盼望[动]pànwàng ▶ 渴望[动]kěwàng

词义说明 Definition

盼望[hope for; long for; look forward to] 非常想得到（好的机会）或见到亲人和朋友。

渴望[thirst for; long for; yearn for] 迫切地希望得到（好的生活、机会、知识等）。

词语搭配 Collocation

	非常～	～团聚	～归国	～见面	～安定	～和平	～上学	～知识
盼望	√	√	√	√	√	√	√	×
渴望	√	√	√	√	√	√	√	√

用法对比 Usage

用法解释 Comparison

“盼望”的宾语是人或某个日子，“渴望”的宾语只能是抽象的事物，不能是人。

语境示例 Examples

① 这个国家历经连年战乱，人民渴望过上和平安定的生活。(☺这个国家历经连年战乱，人民盼望过上和平安定的生活。)

② 海峡两岸的中国人都盼望祖国早日实现统一。(☺海峡两岸的中国人都渴望祖国早日实现统一。)

③ 身居海外的中华儿女无不盼望祖国早日富强起来。(☺身居海外的中华儿女无不渴望祖国早日富强起来。)

④ 我盼望能早日和你见面。(＊我渴望能早日和你见面。)

⑤ 站在课堂上，我看到的是那一双双渴望知识的眼睛。(＊站在课堂上，我看到的是那一双双盼望知识的眼睛。)

⑥ 她盼望爸爸早日回国，全家团聚。(＊她渴望爸爸早日回国，全家团聚。)

972 旁边[名]pángbiān ▶ 旁[名]páng

词义说明 Definition

旁边[side] 左右两边，靠近的地方。

旁[side] 旁边。[other; else] 其他；另外。[lateral radical (of a Chinese character)] 汉字的偏旁，如：人字~儿|竖心~儿。

词语搭配 Collocation

	学校~	马路~	坐在我~	站在一~	~观	~人	木字~儿
旁边	√	√	√	×	×	×	×
旁	√	√	×	√	√	√	√

用法对比 Usage

用法解释 Comparison

“旁”是个语素，不能单用，可以与其他语素组合，“旁边”是一个处所词，可以单用，但不能跟其他语素组合。

语境示例 Examples

① 我们学校旁边有好几家书店。(☺我们学校旁有好几家书店。)
② 我家就住在那条小河旁。(☺我家就住在那条小河旁边。)
③ 大学旁边有一个公园。(*大学旁有一个公园。)
④ 大门已经关上了，我们从旁门进去吧。(*大门已经关上了，我们从旁边门进去吧。)(☺大门已经关上了，我们从旁边的门进去吧。)
⑤ 爸爸画画儿的时候，我常常站在一旁看。(*爸爸画画儿的时候，我常常站在一旁边看。)(☺爸爸画画儿的时候，我常常站在旁边看。)
⑥“汉”的偏旁儿是三点水，“语”的偏旁儿是言字。(*“汉”的偏旁边是三点水，“语”的偏旁边是言字。)

P

973 胖[形]pàng ▶ 肥[形、名]féi

词义说明 Definition

胖[fat; stout; plump] (人体) 脂肪多，肉多 (跟“瘦”相对)。

肥[fat] 含脂肪多 (跟“瘦”相对)。[loose-fitting; loose; large] 肥大 (跟“瘦”相对)。[fertilizer; manure] 肥料。

词语搭配 Collocation

	很~	太~了	减~茶	有点儿~	发~	~肉
胖	√	√	×	√	√	×
肥	√	√	√	√	×	√

用法对比 Usage

“胖”和“肥”有相同的意思，但是，“肥”除了“减肥”、“肥胖”以外，不用于描写人，只用于描写动物或衣物等，“胖”可以描写人。

① 你太胖了，得减肥。（*你太肥了，得减胖。）

② 他不吃肥肉。（*他不吃胖肉。）

③ 姐姐生了一个大胖小子。（*姐姐生了一个大肥小子。）

④ 这个小家伙长得胖乎乎的，很可爱。（*这个小家伙长得肥乎乎的，很可爱。）

⑤ 这件大衣有点儿肥，有没有瘦一点儿的？（*这件大衣有点儿胖，有没有瘦一点儿的？）

“肥”有肥料的意思，“胖”没有这个意思。

这盆花的叶子都黄了，是不是缺肥了？（*这盆花的叶子都黄了，是不是缺胖了？）

974 抛弃[动]pāoqì ▶ 放弃[动]fàngqì

词义说明 Definition

抛弃[desert; abandon; cast off; leave in the lurch] 扔掉不要。

放弃[abandon (original rights, views, opinions, etc.); give up; relinquish] 丢掉（原有的权利、主张、意见等）。

词语搭配 Collocation

	~朋友	~妻子	~旧观念	~家园	~家庭	~机会	~观点	~原则	~权利
抛弃	√	√	√	√	√	×	×	×	×
放弃	×	×	×	×	×	√	√	√	√

用法对比 Usage

用法解释 Comparison

“抛弃”和“放弃”的对象不同。“抛弃”的对象既可以是具体事物，也可以是抽象事物，而“放弃”的对象都是抽象事物。

语境示例 Examples

① 我别的都可以放弃，但是不能放弃做人的原则。（☺我别的都可以抛弃，但是不能抛弃做人的原则。）

② 要适应现代社会，就必须抛弃旧观念，接受新思想。（*要适应

现代社会，就必须放弃旧观念，接受新思想。）

③ 我决不会见利忘义，做出抛弃朋友那种的事情。（＊我决不会见利忘义，做出放弃朋友那种的事情。）

④ 一个能随意抛弃家庭的男子，很难说是一个有责任心的人。（＊一个能随意放弃家庭的男子，很难说是一个有责任心的人。）

⑤ 他放弃了在国外优厚的待遇，回国效力。（＊他抛弃了在国外优厚的待遇，回国效力。）

975 跑[动]pǎo ▶ 奔跑[动]bēnpǎo

词义说明 Definition

跑[run] 用脚迅速前进。[run away; escape] 逃走：～了和尚～不了庙。[go about doing sth.; run an errand] 为某种事物奔走：～买卖。[be off a place; leak] 物体离开了应在的位置：自行车～气了。

奔跑[run] 很快地跑。

词语搭配 Collocation

	快～	赛～	～步	～了五圈儿	～得很快	被吹～了	～如飞	来回～
跑	√	√	√	√	√	√	×	√
奔跑	×	×	×	×	×	×	√	√

P

用法对比 Usage

用法解释 Comparison

“奔跑”就是快速地“跑”，但是音节不同，用法也有不同，“跑”用于口语，“奔跑”多用于书面；“跑”可以带宾语，“奔跑”不能带宾语。

语境示例 Examples

① 兔子奔跑的速度很快。(☺兔子跑的速度很快。)

② 他比我跑得快。(＊他比我奔跑得快。)

③ 为了自费出版这本书，他要跑经费，跑印刷。(＊为了自费出版这本书，他要奔跑经费，奔跑印刷。)

④ 长跑是锻炼身体的好方法。(＊长奔跑是锻炼身体的好方法。)

⑤ 我每天早上都跑三千米。(＊我每天早上都奔跑三千米。)

⑥ 你百米跑多少（秒）?(＊你百米奔跑多少?)

976 陪[动]péi ▶ 陪同[动]péitóng

词义说明 Definition

陪[accompany; keep sb. company] 伴随，陪伴；从旁协助。

陪同[accompany] 陪伴着一同（进行某项活动）。

词语搭配 Collocation

	～客人	～外宾	～代表团	～病人	～参观	～访问	～前往	失～	～在身边
陪	√	√	√	√	×	×	×	√	√
陪同	√	√	√	×	√	√	√	×	×

用法对比 Usage

用法解释 Comparison

“陪”和“陪同”同义，口语都可以用，但是正式场合要用“陪同”。

语境示例 Examples

① 我明天要陪妈妈去医院看病。(☺我明天要陪同妈妈去医院看病。)

② 下个月他要陪同部长出访。(☺下个月他要陪部长出访。)

③ 陪同总理出访的代表团成员有……（*陪总理出访的代表团成员有……）

④ 对不起，我失陪了。(*对不起，我失陪同了。)

⑤ 妈妈有病住院期间，爸爸一直陪在她身边。（*妈妈有病住院期间，爸爸一直陪同在她身边。)

⑥ 来，你陪我喝一杯。(*来，你陪同我喝一杯。)

⑦ 她丈夫在国外读博士，她是去陪读的。(*她丈夫在国外读博士，她是去陪同读的。)

977 培养[动]péiyǎng ▶ 培育[动]péiyù

词义说明 Definition

培养[cultivate (plants); culture (microorganism)] 以适宜的条件促使其发生、成长和繁殖。[foster; train; or develop (a certain spirit, ability, etc.) in sb.] 按照一定的目的长期地教育

P

和训练；培育。

培育［cultivate；breed；help（young plants）grow through labour and care］培养幼小的生物，使其发育成长。［nurture and educate；bring up；rear］使发育成长。

词语搭配 Collocation

	～教育	～接班人	～人才	～感情	～新人	～树苗	～种子
培养	√	√	√	√	√	×	×
培育	×	×	×	×	√	√	√

用法对比 Usage

用法解释 Comparison

“培养”和“培育”带的宾语有些不同，习惯上，“培养”的对象是人，“培育”的对象是动植物。

语境示例 Examples

① 要在长期的科研实践中培养接班人。（*要在长期的科研实践中培育接班人。）

② 这些花都是从温室里培育出来的。（*这些花都是从温室里培养出来的。）

③ 花农精心地培育着这些幼苗。（*花农精心地培养着这些幼苗。）

④ 一个获得诺贝尔奖金的科学家满怀深情地说，我取得的成就离不开小学老师对我的培养和教育。（*一个获得诺贝尔奖金的科学家满怀深情地说，我取得的成就离不开小学老师对我的培育和教育。）

⑤ 从小就要培养良好的生活习惯，文明礼貌的行为方式和诚实守信的道德品质。（*从小就要培育良好的生活习惯，文明礼貌的行为方式和诚实守信的道德品质。）

⑥ 这所大学为国家培养和造就了成千上万的优秀人才。（*这所大学为国家培育和造就了成千上万的优秀人才。）

978 赔偿［动］péicháng ▶ 赔［动］péi

词义说明 Definition

赔偿［make up for a lose；compensate；indemnify］个人对因自己的责任使他人或集体受到的损失给予补偿或保险公司对投保的

P

个人或单位受到的损失给予补偿。

赔[make up for a lose; compensate; pay for; indemnity; apologize] 向受损害或受伤害的人道歉或认错；赔偿。[lose money in business; stand a loss] 做生意损失本钱。

词语搭配 Collocation

	～损失	照价～	～款	～钱	～本	～礼道歉	～不是	～罪	～不起	不予～
赔偿	√	√	×	×	×	×	×	×	√	√
赔	√	√	√	√	√	√	√	√	√	×

用法对比 Usage

用法解释 Comparison

“赔偿”是对损失、损坏或伤害的补偿，是书面语，“赔”有赔偿的意思，还有做买卖损失本钱（如“赔本”）和向受到损害一方道歉或认错的意思（如“赔礼”）。

语境示例 Examples

① 我把他的照相机弄坏了，得赔他一个新的。（*我把他的照相机弄坏了，得赔偿他一个新的。）

② 这笔买卖一下子赔了十多万。（*这笔买卖一下子赔偿了十多万。）

③ 对这些损失保险公司将按规定给予赔偿。（*对这些损失保险公司将按规定给予赔。）

④ 你既然知道是误会了他，就应该向人家赔礼道歉。（*你既然知道是误会了他，就应该向人家赔偿礼道歉。）

⑤ 我给你赔个不是，刚才是我的不对。（*我给你赔偿个不是，刚才是我的不对。）

P

979 佩服[动]pèifú ▶ 敬佩[动]jìngpèi

词义说明 Definition

佩服[think highly of; esteem; admire] 感到可敬可爱，钦佩。

敬佩[esteem; admire] 敬重佩服。

词语搭配 Collocation

	值得～	～他	让人～	非常～
佩服	√	√	√	√
敬佩	√	√	√	√

用法对比 Usage

用法解释 Comparison

“佩服”和“敬佩”的对象不同，“敬佩”的主要指人品、人格和高尚的精神，“佩服”的除此之外，还有他人的才能，能力等。

语境示例 Examples

① 他的高尚品德令人佩服。(☺他的高尚品德令人敬佩。)

② 我十分敬佩他忘我的工作精神。(☺我十分佩服他忘我的工作精神。)

③ 这姑娘在歹徒面前所表现出的勇敢精神，让很多男人也不得不佩服。(☺这姑娘在歹徒面前所表现出的勇敢精神，让很多男人也不得不敬佩。)

④ 我们敬佩那些为人民而献身的英雄。(☺我们佩服那些为人民而献身的英雄。)

⑤ 这篇文章写得真让人佩服。(＊这篇文章写得真让人敬佩。)

980 配[动]pèi ▶ 配备[动]pèibèi

P

词义说明 Definition

配[join in marriage] 男女结合成婚。[mix according to a fixed ratio; blend] 按适当的标准或比例加以调和或凑在一起：药～齐了。[find sth. to fit or replace sth. else; replace] 把缺少的一定规格的物品补足：～钥匙|～零件。[match; harmonize with; be in harmony with] 衬托，陪衬：这两种颜色～在一起挺好看。[deserve; be qualified; suit] 够得上，相当，符合：他不～当领导。

配备[provide (manpower or equipment); equip; fit out] 根据需要分配人力或物力：给老科学家～助手。

词语搭配 Collocation

	婚～	～角	～药	～颜色	～钥匙	不～套	不～	～人力	～仪器	～助手
配	√	√	√	√	√	√	√	√	√	√
配备	×	×	×	×	×	×	√	√	√	√

用法对比 Usage

“配”是动词，也是一个语素，有组词能力，“配备”没有组词能力。

① 要为研究生们配齐他们需要的书籍。(☺要为研究生们配备齐他们需要的书籍。)
② 要给农村小学配一些电脑，让孩子们也能接受网上教育。(☺要给农村小学配备一些电脑，让孩子们也能接受网上教育。)
③ 学校为几位老教授都配了一名助手。(☺学校为几位老教授都配备了一名助手。)
④ 我在这个电视剧里只是一个配角。(＊我在这个电视剧里只是一个配备角。)
⑤ 我原来有一套《鲁迅全集》，后来丢了两本，不配套了，我想到旧书店看看能不能配上。(＊我原来有一套《鲁迅全集》，后来丢了两本，不配备套了，我想到旧书店看看能不能配上。)
⑥ 我去配一把钥匙。(＊我去配备一把钥匙。)
⑦ 国家科委配备的一艘考察船，载着补给品到了南极。(＊国家科委配的一艘考察船，载着补给品到了南极。)

“配”有衬托、陪衬的意思，“配备”没有这个意思。

这条裙子的颜色和你的衬衫不配。(＊这条裙子的颜色和你的衬衫不配备。)

981 碰撞[动]pèngzhuàng 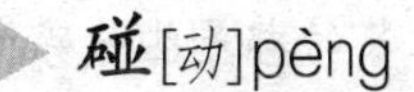 碰[动]pèng

 撞[动]zhuàng

词义说明 Definition

碰撞[collide; run into]两物体相碰或相撞；撞击。[offend; provoke]触犯，冲撞。

碰[touch; bump]运动着的物体跟别的物体突然接触：我把酒瓶～倒了。[meet; run into]遇到，碰见：我今天～见小王了。[take one's chance]试探：他也想去国外～～机会。

撞[bump against; run into; strike; collide]运动着的物体跟别的物体猛然相碰：汽车～墙了。[meet by chance; bump into; run into]碰见：真是冤家路窄，我不想见他，偏又～见他。[rush; dash; barge]莽撞的行动：他开着车横冲直～。[take one's chance]碰

见;试探:～大运。

词语搭配 Collocation

	互相～	～坏	～上	～了一下	～杯	～面	～到他	～机会	～运气
碰撞	√	√	√	√	×	×	×	×	×
碰	√	√	√	√	√	√	√	√	√
撞	√	√	√	√	×	×	√	×	×

用法对比 Usage

用法解释 Comparison

这三个词都是动词。"碰撞"多用于书面,"碰"和"撞"多用于口语,"撞"的力度要比"碰"大得多。

语境示例 Examples

① 车上人多,谁碰撞谁一下是难免的。(☺车上人多,谁碰/撞谁一下是难免的。)

② 他被一辆自行车碰了一下。(☺他被一辆自行车撞了一下。)(*他被一辆自行车碰撞了一下。)

③ 我昨天是在地铁站碰见他的。(☺我昨天是在地铁站撞见他的。)(*我昨天是在地铁站碰撞见他的。)

④ 他也想买彩票碰碰运气。(*他也想买彩票撞撞运气。)(*他也想买彩票碰撞碰撞运气。)

⑤ 箱子里装的都是些易碎物品,要避免碰撞。(*箱子里装的都是些易碎物品,要避免碰。)(*箱子里装的都是些易碎物品,要避免撞。)

⑥ 他不小心把桌子上的酒瓶碰倒了。(*他不小心把桌子上的酒瓶撞/碰撞倒了。)

⑦ 一辆大卡车把一辆小汽车撞翻了。(*一辆大卡车把一辆小汽车碰/碰撞翻了。)

982 批评[动、名]pīpíng ▶ 批判[动、名]pīpàn

词义说明 Definition

批评[criticize] 指出优点和缺点,评论好坏。[criticism] 专指对缺点或错误提出意见。

批判[criticize] 对错误的思想、言论或行为做系统的分析，加以否定；批评。[critique]（批判地）分清正确的和错误的或有用的和无用的以分别对待。

词语搭配 Collocation

	受～	接受～	拒绝～	～错误	～缺点	～学生	自我～	文艺～	～地继承
批评	√	√	√	√	√	√	√	√	×
批判	√	√	×	√	×	×	×	×	√

用法对比 Usage

用法解释 Comparison

“批评”和“批判”的对象和内容不同，“批评”的对象往往是学生、下级或同级，内容主要是学习或工作中的缺点和错误。“批判”的对象是犯有政治思想或理论错误的人，一般是领导人或有广泛影响的人物，“批判”的内容是错误的路线、思想、观点、学说等。

语境示例 Examples

① 对学生要以表扬为主，即使批评也要讲究方式方法。（＊对学生要以表扬为主，即使批判也要讲究方式方法。）

② 要虚心接受顾客的批评，努力改进我们的服务。（＊要虚心接受顾客的批判，努力改进我们的服务。）

③ 对于危害人民精神健康的歪理邪说应该进行批判。（☺对于危害人民精神健康的歪理邪说应该进行批评。）

④ 学术讨论要允许批评，也要允许反批评。（＊学术讨论要允许批判，也要允许反批判。）

⑤ 要批判地继承祖国的文化遗产。（＊要批评地继承祖国的文化遗产。）

⑥ 文艺批评的目的是为了进一步繁荣创作。（＊文艺批判的目的是为了进一步繁荣创作。）

⑦ 要正确地开展批评和自我批评，改进领导的工作和作风。（＊要正确地开展批判和自我批判，改进领导的工作和作风。）

983 批准[动]pīzhǔn ▶ 准[动、副、形]zhǔn

词义说明 Definition

批准[ratify; approve] 上级对下级的意见、建议或请求表示同意。

准[allow; grant; permit] 允许，批准：～假。[standard; norm; criterion] 标准。[accurate; exact] 准确：我的表很～。[definitely; certainly] 一定：他明天～来。

词语搭配 Collocation

	～休假	不～	以此为～	投篮很～	表很～	～来	～能
批准	√	√	×	×	×	×	×
准	√	√	√	√	√	√	√

用法对比 Usage

"批准"是书面语，"准"是口语，"批准"和"准"都有上级对下级的意见、建议或请求表示同意的意思，但是"准"的其他义项是"批准"所没有的。

① 你的辞职申请领导已经批准了。(＊你的辞职申请领导已经准了。)

② 这一条约经两国议会批准以后才能生效。（＊这一条约经两国议会准以后才能生效。)

"准"表示准确、正确，"批准"没有这个意思。

有的音和声调我总发不准。(＊有的音和声调我总发不批准。)

"准"有允许的意思，"批准"没有这种意思。

① 这里不准钓鱼。(＊这里不批准钓鱼。)

② 考试不准作弊。(＊考试不批准作弊。)

③ 我想去旅行，可是老师不准假，我就偷偷地去了。（＊我想去旅行，可是老师不批准假，我就偷偷地去了。)

"准"还有"一定"的意思，表示肯定的估计，"批准"没有这个意思。

你去图书馆找他吧，他准在那儿看书呢。(＊你去图书馆找他吧，他批准在那儿看书呢。)

"准"表示标准，"批准"没有这个意思。

批改考卷要以标准答案为准。(＊批改考卷要以标准答案为批准。)

984 疲劳[形]píláo ▶ 疲倦[形]píjuàn

词义说明 Definition

疲劳[tired; fatigued; weary] 因体力或脑力疲乏劳累需要休息。

疲倦[tired and sleepy] 疲乏困倦。

词语搭配 Collocation

	很～	～过度	感到～	十分～	太～了
疲劳	√	√	√	√	√
疲倦	√	×	√	√	√

用法对比 Usage

用法解释 Comparison

“疲劳”的时候想休息，休息的方式可能是睡觉，也可能不是睡觉，“疲倦”的时候一般是想睡觉。

语境示例 Examples

① 他一连坐了二十多个小时的火车，感到十分疲劳。(☺他一连坐了二十多个小时的火车，感到十分疲倦。)

② 越是考试越不要搞得太疲劳了，要注意休息。(☺越是考试越不要搞得太疲倦了，要注意休息。)

③ 他不是病，只是疲劳过度，休息休息就好了。(＊他不是病，只是疲倦过度，休息休息就好了。)

④ 要注意劳逸结合，不要开夜车，不要打疲劳战。(＊要注意劳逸结合，不要开夜车，不要打疲倦战。)

⑤ 最近我感到很疲劳。(＊最近我感到很疲倦。)

985 疲劳[形]píláo ▶ 累[形]lèi

词义说明 Definition

疲劳[tired; fatigued; weary] 因体力或脑力疲乏劳累需要休息。

累[tired; weary; fatigued] 疲劳。[tire; wear out; strain] 使疲劳；使劳累。[work hard; toil] 操劳。

词语搭配 Collocation

	不怕～	～过度	有点儿～	太～了	～了一天	别太～了	别～着
疲劳	√	√	√	√	×	√	×
累	√	×	√	√	√	√	√

用法对比 Usage

用法解释 Comparison

“累”也有疲劳的意思，但是主要体现在体力方面，“疲劳”主要体现在精神方面。

语境示例 Examples

① 昨天他太疲劳了，让他多睡一会儿吧。(☺昨天他太累了，让他多睡一会儿吧。)
② 你显得很疲劳，要注意休息。(☺你显得很累，要注意休息。)
③ 这活儿干起来太累了。(＊这活儿干起来太疲劳了。)
④ 搬了几天家，累死我了。(＊搬了几天家，疲劳死我了。)
⑤ 我累得腰都直不起来了。(＊我疲劳得腰都直不起来了。)
⑥ 你刚出院要注意身体，千万别累着了。(＊你刚出院要注意身体，千万别疲劳着了。)

986 便宜[形]piányi ▶ 贱[形]jiàn

词义说明 Definition

便宜[cheap] 价格低。[let sb. off lightly] 使得到便宜：～他了。
贱[low-priced; inexpensive; cheap] 价格低（跟“贵”相对）。[lowly; humble] 地位低下（跟“贵”相对）。

词语搭配 Collocation

	很～	菜～了	占～	买得～	～货
便宜	√	√	√	√	√
贱	√	√	×	√	√

用法对比 Usage

用法解释 Comparison

“贱”是口语，“便宜”口语和书面都用，“便宜”可以带宾语，“贱”不能带宾语。

语境示例 Examples

① 这里的东西都比我们国家的便宜。(☺这里的东西都比我们国家的贱。)
② 一分价钱一分货，便宜没好货，好货不便宜。(＊一分价钱一分货，贱没好货，好货不贱。)
③ 占小便宜吃大亏。(＊占小贱吃大亏。)
④ 工作不分高低贵贱，不论干什么工作，干好了都会受到大家的尊重。(＊工作不分高低贵便宜，不论干什么工作，干好了都会受到大家的尊重。)
⑤ 这幅画你一万块就买到手了，真是便宜你了。(＊这幅画你一万块就买到手了，真是贱你了。)

987 骗[动]piàn ▶ 欺骗[动]qīpiàn

词义说明 Definition

骗[deceive; fool; hoodwink] 用谎言或诡计使人上当。[cheat; swindle] 用欺骗的手段取得。

欺骗[deceive; cheat; dupe] 用谎言或行动来掩盖真实的情况，使人上当。

词语搭配 Collocation

	~人	~钱	~小孩子	~群众	~顾客	~舆论	受~	~不了
骗	√	√	√	√	√	×	√	√
欺骗	√	×	√	√	√	√	√	√

用法对比 Usage

用法解释 Comparison

“骗”可以带具体名词作宾语，“欺骗”既可以带具体名词作宾语，也可以带抽象名词作宾语；“骗”能带双宾语，“欺骗”不能。

语境示例 Examples

① 你别骗我。(☺你别欺骗我。)
② 商店应该讲诚信，不能欺骗顾客。(☺商店应该讲诚信，不能骗顾客。)
③ 他净说假话骗人。(☺他净说假话欺骗人。)
④ 跟这种人打交道，你小心受骗。(☺跟这种人打交道，你小心受

P

欺骗。)

⑤ 玩这种花招骗不了人。(☺玩这种花招欺骗不了人。)

⑥ 卖假货骗钱是不道德的也是违法的。(＊卖假货欺骗钱是不道德的也是违法的。)

⑦ 他骗了我一百块钱。(＊他欺骗了我一百块钱。)

⑧ 他们这样做，完全是为了欺骗国际舆论。(＊他们这样做，完全是为了骗国际舆论。)

⑨ 这种歪理邪说对一些人有一定的欺骗性。(＊这种歪理邪说对一些人有一定的骗性。)

988 飘[动]piāo ▶ 飘扬[动]piāoyáng

词义说明 Definition

飘[wave or flutter in the wind] 随风摇动或飞扬。

飘扬[wave in the wind; flutter; fly] 在空中随风摆动。

词语搭配 Collocation

	彩旗～～	～雪花了	～来花香	迎风～
飘	√	√	√	√
飘扬	×	×	×	√

P

用法对比 Usage

"飘"有"飘扬"的意思,"飘"可以重叠,"飘扬"不能重叠。

① 奥运村里，世界一百多个国家的国旗随风飘扬。(☺奥运村里，世界一百多个国家的国旗随风飘。)

② 天安门广场上，五星红旗迎风飘扬。(☺天安门广场上，五星红旗迎风飘。)

③ 一家新开业的商场前彩旗飘飘，锣鼓震天。(＊一家新开业的商场前彩旗飘扬飘扬，锣鼓震天。)

④ 外边飘雪花了。(＊外边飘扬雪花了。)

⑤ 走进植物园，迎面飘来一阵花香。(＊走进植物园，迎面飘扬来一阵花香。)

⑥ 蓝蓝的天上飘着白云。(＊蓝蓝的天上飘扬着白云。)

"飘"还有腿部发软，走路不稳和轻浮的意思，"飘扬"没有这个意思。

得了重感冒，走起路来，两腿发飘。（＊得了重感冒，走起路来，两腿发飘扬。）

989 贫苦[形]pínkǔ ▶ 贫困[形]pínkùn ▶ 贫穷[形]pínqióng

词义说明 Definition

贫苦[poor; poverty-stricken; badly off] 贫困穷苦；缺乏生活必需品。

贫困[impoverished; in strained circumstances] 生活贫穷困难。

贫穷[poor; needy; impoverished] 没有钱，生活困难。

词语搭配 Collocation

	生活～	～的生活	～地区	～县	～的山区	家庭～	～出身
贫苦	√	√	×	×	×	√	√
贫困	√	√	√	√	√	√	×
贫穷	√	√	×	×	√	√	×

用法对比 Usage

用法解释 Comparison

这三个词的意思相同，用法的不同是在与其他词语搭配使用上。

语境示例 Examples

① 由于自然条件恶劣，这里人民的生活还相当贫苦。（☺由于自然条件恶劣，这里人民的生活还相当贫困/贫穷。）

② 国家对家庭贫困的学生发放助学金，帮助他们完成学业。（☺国家对家庭贫苦/贫穷的学生发放助学金，帮助他们完成学业。）

③ 决不能让考上大学的学生因为家庭贫穷而辍学。（☺决不能让考上大学的学生因为家庭贫困/贫苦而辍学。）

④ 贫苦的生活使他从小就知道生活的艰辛，培养了他吃苦耐劳，不怕困难的品格。（☺贫穷/贫困的生活使他从小就知道生活的艰辛，培养了他吃苦耐劳，不怕困难的品格。）

⑤ 这个县以前是全国有名的贫困县，现在靠发展农副产品加工工

P

业，走上了致富的道路。（＊这个县以前是全国有名的贫穷/贫苦县，现在靠发展农副产品加工工业，走上了致富的道路。）

⑥ 要彻底改变广大农村贫穷/贫困落后的面貌，需要经过长时间的努力奋斗。（＊要彻底改变广大农村贫苦落后的面貌，需要经过长时间的努力奋斗。）

990 品尝[动]pǐncháng ▶ 吃[动]chī

词义说明 Definition

品尝[taste；sample；savor] 仔细地辨别，尝试（滋味）。

吃[eat；take] 把食物放进嘴里咀嚼后咽下去。[have one's meals；eat (at a certain place)] 在某处吃饭。

词语搭配 Collocation

	～名酒	～鲜桃	～好茶	～饭	～药	～食堂	～风味小吃
品尝	√	√	√	×	×	×	√
吃	×	√	√	√	√	√	√

用法对比 Usage

用法解释 Comparison

“品尝”有“吃”的意思，也有“喝”的意思，“品尝”的对象可以是好吃的饭菜，也可以是好喝的美酒，而“吃”的对象主要指食物。“品尝”用于正式的比较庄重的场合，常用重叠形式，而“吃”用于一般场合，不常重叠使用。

语境示例 Examples

① 这是我特意做的几个菜，请大家品尝品尝。（＊这是我特意做的几个菜，请大家吃吃。）

② 这是中国有名的茅台酒，请您品尝品尝。（＊这是中国有名的茅台酒，请您吃吃。）

③ 今天晚上我们吃什么？（＊今天晚上我们品尝什么？）

④ 咱们晚上去饭店吃饭吧。（＊咱们晚上去饭店品尝饭吧。）

“吃”带处所宾语表示在某处吃饭的意思，“品尝”没有这个意思。

现在家里就我一个人，所以常常吃食堂。（＊现在家里就我一个人，所以常常品尝食堂。）

P

991 品行[名]pǐnxíng ▶ 品质[名]pǐnzhì

词义说明 Definition

品行[moral conduct; behaviour] 有关道德的行为。

品质[character; intrinsic quality] 行为、作风上所表现的思想、认识、品性等本质。[quality (of commodities, etc.)]物品的质量。

词语搭配 Collocation

	～端正	～不端	道德～	优秀～	～优良
品行	√	√	×	×	×
品质	×	×	√	√	√

用法对比 Usage

用法解释 Comparison

"品行"指人的行为，"品质"不仅指人，还可以指物。

语境示例 Examples

① 学校就是要把学生培养成有知识，有高尚道德品质，对社会有用的人才。(＊学校就是要把学生培养成有知识，有高尚道德品行，对社会有用的人才。)

② 他是个品行端正的学生。(＊他是个品质端正的学生。)

③ 我们要学习他全心全意为人民服务的优秀品质。(＊我们要学习他全心全意为人民服务的优秀品行。)

④ 他们培育的这种奶牛品质很好。(＊他们培育的这种奶牛品行很好。)

⑤ 江苏宜兴产的紫砂壶品质优良，很受欢迎。(＊江苏宜兴产的紫砂壶品行优良，很受欢迎。)

992 聘请[动]pìnqǐng ▶ 聘[动]pìn

词义说明 Definition

聘请[engage; invite] 请人担任职务或工作。

P

聘[engage (a teacher, etc.)] 聘请。

词语搭配 Collocation

	~专家	~教授	~用	~任	~他当经理	~书
聘请	√	√	×	×	√	√
聘	√	√	√	√	√	√

用法对比 Usage

用法解释 Comparison

"聘"用于口语,"聘请"口语和书面都用。

语境示例 Examples

① 他 28 岁就被北京大学聘请为教授。(☺他 28 岁就被北京大学聘为教授。)
② 足球俱乐部聘请了一位外国教练。(☺足球俱乐部聘了一位外国教练。)
③ 国外一所大学希望我去当客座教授,给我发来了聘请书。(☺国外一所大学希望我去当客座教授,给我发来了聘书。)
④ 我们公司准备聘他当总经理。(☺我们公司准备聘请他当总经理。)
⑤ 省长聘请了一些有名的专家、教授当省政府的顾问。(*省长聘了一些有名的专家、教授当省政府的顾问。)
⑥ 他受聘当了公司的技术顾问。(*他受聘请当了公司的技术顾问。)

P

993 聘请[动]pìnqǐng ▶ 招聘[动]zhāopìn

词义说明 Definition

聘请[engage; invite] 请人担任职务或工作。

招聘[give public notice of vacancies to be filled; invite applications for a job; advertise for (a secretary, teacher, etc.)] 用公告的形式聘请所需人才。

词语搭配 Collocation

	~教授	~专家	~技术工人	~工程师	受到~
聘请	√	√	√	√	√
招聘	√	√	√	√	×

用法对比 Usage

用法解释 Comparison

“招聘”和“聘请”都是动词，但是意思和用法不同，“招聘”是通过各种媒体选拔自己单位需要的人才，“聘请”是对已知对象进行聘任或聘用。

语境示例 Examples

① 我们公司准备招聘两个电脑工程师。(☺我们公司准备聘请两个电脑工程师。)

② 公司已经在报上登了招聘广告。(＊公司已经在报上登了聘请广告。)

③ 我们聘请张教授做这次数学竞赛的评委。(＊我们招聘张教授做这次数学竞赛的评委。)

④ 北京大学已经给他发来聘请书，聘请他当客座教授。(＊北京大学已经给他发来招聘书，招聘他当客座教授。)

⑤ 本公司招聘会计师一名，有意者请与我们联系。电话：010-62390313，联系人：董先生。(＊本公司聘请会计师一名，有意者请与我们联系。电话：010-62390313，联系人：董先生。)

994 平安[形]píng'ān ▶ 安全[名、形]ānquán

词义说明 Definition

平安[safe and sound; without mishap; well] 没有事故，没有疾病，没有危险，平稳安全。

安全[safe; secure] 没有危险、不出事故，不受威胁。

词语搭配 Collocation

	一路～	～无事	注意交通～	～第一	～操作	～驾驶	好人一生～	～帽
平安	√	√	×	×	×	×	√	×
安全	×	×	√	√	√	√	×	√

用法对比 Usage

用法解释 Comparison

“安全”主要是不出事故，“平安”除了不出事故，还有“没有危险，没有疾病”的意思。“安全”有名词的用法，“平安”没有名词的用法。

语境示例 Examples

① 祝你一路平安！（＊祝你一路安全！）
② 祝好人一生平安！（＊祝好人一生安全！）
③ 街上人多车多，骑车上街一定要注意安全。（＊街上人多车多，骑车上街一定要注意平安。）
④ 出国留学，爸爸妈妈最担心的就是我的安全。（＊出国留学，爸爸妈妈最担心的就是我的平安。）
⑤ 开车上路一定要遵守交通规则，安全驾驶，千万别出事故。（＊开车上路一定要遵守交通规则，平安驾驶，千万别出事故。）
⑥ 进入车间参观要戴安全帽。（＊进入车间参观要戴平安帽。）

995 平常[形、名]píngcháng ▶ 平凡[形]píngfán

词义说明 Definition

平常[ordinary; common] 普通；不特别。[generally; usually; ordinarily; as a rule] 平时。

平凡[ordinary; common] 平常；不稀奇。

词语搭配 Collocation

	很～	十分～	不～	～的工作	～的事业	～的人	～心
平常	√	√	√	√	√	√	√
平凡	√	√	√	√	√	√	×

P

用法对比 Usage

用法解释 Comparison

“平常”是形容词，也是名词，“平凡”只是形容词；“平常”可以表示时间，“平凡”不表示时间。

语境示例 Examples

① 我做的这些事情很平常，不值得宣扬。（☺我做的这些事情很平凡，不值得宣扬。）
② 他在平凡的岗位上做出了不平凡的业绩，赢得了媒体的赞扬。（＊他在平常的岗位上做出了不平常的业绩，赢得了媒体的赞扬。）
③ 我的功课门门都很平常，没有特别好的。（＊我的功课门门都很

平凡，没有特别好的。）

④ 你平常是怎么锻炼身体的？（＊你平凡是怎么锻炼身体的？）

⑤ 爸爸身体很好，平常很少生病。（＊爸爸身体很好，平凡很少生病。）

⑥ 对荣誉、地位、金钱这些身外之物，要有一颗平常心。（＊对荣誉、地位、金钱这些身外之物，要有一颗平凡心。）

996 平常[形、名]píngcháng ▶ 平时[名]píngshí

词义说明 Definition

平常[ordinary; common] 普通；不特别。[generally; usually; ordinarily; as a rule] 平时。

平时[ordinarily; normally] 一般的通常的时候（区别于特定的或特指的时候）。[peacetime] 指平常时期、和平时期（区别于非常时期，如战时、戒严时）。

词语搭配 Collocation

	十分～	不～	在～	～的日子
平常	√	√	×	√
平时	×	×	√	×

用法对比 Usage

用法解释 Comparison

“平时”是名词，“平常”除了有名词的词性以外，还是形容词，“平常”能作谓语，“平时”不能作谓语。

语境示例 Examples

① 平常你锻炼身体吗？（☺平时你锻炼身体吗？）

② 只要平时坚持上课，经常预习和复习，考试就不会有问题。（☺只要平常坚持上课，经常预习和复习，考试就不会有问题。）

③ 你平常下午都干什么？（☺你平时下午都干什么？）

④ 我平常下午喜欢去外边玩儿，也喜欢跟朋友聊天儿。（☺我平时下午喜欢去外边玩儿，也喜欢跟朋友聊天儿。）

⑤ 现在中国人出国旅行已经是很平常的事了。（＊现在中国人出国去旅行已经是很平时的事了。）

⑥ 这种手机很平常，没有什么新鲜的。（*这种手机很平时，没有什么新鲜的。）

997 平常[形名]píngcháng ▶ 日常[名]rìcháng

词义说明 Definition

平常[ordinary; common] 普通；不特别。[generally; usually; ordinarily; as a rule] 平时。

日常[day-to-day; everyday; daily] 平时的，经常的。

词语搭配 Collocation

	很～	十分～	不～	～生活	～人家	～的工作	～用品
平常	√	√	√	√	√	√	×
日常	×	×	×	√	×	√	√

用法对比 Usage

用法解释 Comparison

“日常”是名词，意思是平时、经常，“平常”是名词也是形容词，名词“平常”的意思跟“日常”相近。“日常生活”，“日常工作”说的是每天的生活和工作，一般不说“平常生活”，“平常工作”，而说“平常的工作”或“平常的生活”，意思是：不重要的工作，一般的生活。

语境示例 Examples

① 退休后，你平常都做些什么？（☺退休后，你日常都做些什么？）

② 我平常总是散散步，看看书或者听听音乐什么的。（☺我日常总是散散步，看看书或者听听音乐什么的。）

③ 他日常的工作就是接待来访的客人。（☺他平常的工作就是接待来访的客人。）

④ 我平常很少喝酒，只是节日或朋友来的时候，才喝一点儿。（*我日常很少喝酒，只是节日或朋友来的时候，才喝一点儿。）

⑤ 我觉得这种事情很平常，一点儿也不奇怪。（*我觉得这种事情很日常，一点儿也不奇怪。）

⑥ 这个箱子里装的是日常生活用品。（*这个箱子里装的是平常生活用品。）

P

⑦ 对我来说，那是一段不平常的日子。（*对我来说，那是一段不日常的日子。）

998 平常[形、名]píngcháng ▶ 寻常[形]xúncháng

词义说明 Definition

平常[ordinary; common] 普通；不特别。[generally; usually; ordinarily; as a rule] 平时。

寻常[ordinary; usual; common] 平常；普通，一般。

词语搭配 Collocation

	很～	不～	～的日子	～事	～人家	～心
平常	√	√	√	√	√	√
寻常	×	√	×	√	√	×

用法对比 Usage

用法解释 Comparison

“寻常”是形容词，意思是一般、经常，和“平常”的意思差不多，“平常”是形容词也是名词。但是“寻常”是书面语，可作定语，不常作谓语，“平常”多用于口语，可以作定语也可以作谓语。“平常”可以重叠，“寻常”不能重叠。

语境示例 Examples

① 今天考试，所以教室里有一种不同平常的气氛。（☺今天考试，所以教室里有一种不同寻常的气氛。）

② 我在中国度过了不平常的一年。（☺我在中国度过了不寻常的一年。）

③ 这一年我过得平平常常。（*这一年我过得寻寻常常。）

④ 留学生上课迟到的现象很平常。（*留学生上课迟到的现象很寻常。）

⑤ 平常你在哪儿吃饭？（*寻常你在哪儿吃饭？）

⑥ 他没有上过大学，能发明出这个东西还获得了专利，实在不寻常。（*他没有上过大学，能发明出这个东西还获得了专利，实在不平常。）

⑦ 他可不是平常人。（*他可不是寻常人。）

999 平等[形、名]píngděng ▶ 平衡[动、名]pínghéng

词义说明 Definition

平等[(of people) enjoy equality in status, politics, economy, and law, etc.] 人们在社会、政治、经济、法律等方面享有相等待遇。[(in a broad sense) equality; equal in status] 泛指地位相等。

平衡[balance; equilibrium; bring into or keep in equilibrium] 对立的各方面在数量或质量上相等或相抵。几种力同时作用在一个物体上，各个力互相抵消，物体保持相对静止状态、匀速运动状态。

词语搭配 Collocation

	～互利	男女～	～待人	～协商	收支～	失去～	～木	保持～	～力	心理～
平等	√	√	√	√	×	×	×	×	×	×
平衡	×	×	×	×	√	√	√	√	√	√

用法对比 Usage

用法解释 Comparison

“平等”涉及人类社会，“平衡”不仅涉及人类社会，还涉及自然界的万事万物，它们不能相互替换。

语境示例 Examples

① 在法律面前人人平等。(＊在法律面前人人平衡。)

② 法律规定男女平等，但是实际上女人常常得不到平等的权利。(＊法律规定男女平衡，但是实际上女人常常得不到平衡的权利。)

③ 国与国之间的问题要通过平等协商解决，决不能使用武力。(＊国与国之间的问题要通过平衡协商解决，决不能使用武力。)

④ 经常保持心理平衡有利健康。(＊经常保持心理平等有利健康。)

⑤ 国际贸易的一个基本原则是平等互利。(＊国际贸易的一个基本原则是平衡互利。)

⑥ 由于身体失去平衡，他一下子摔倒了。(＊由于身体失去平等，他一下子摔倒了。)

1000 平静[形]píngjìng ▶ 安静[形]ānjìng

词义说明 Definition

平静[calm; quiet; tranquil]（心情、环境等）没有不安或动荡。

安静[quiet; peaceful; calm; undisturbed] 没有声音，没有吵闹和喧哗。

词语搭配 Collocation

	很～	十分～	心情～	～的湖面	～的环境	不能～	～下来
平静	√	√	√	√	×	√	√
安静	√	√	×	×	√	√	√

用法对比 Usage

"安静"和"平静"都是形容词，但是，"平静"偏重于形容人的心情，"安静"偏重于描写环境或人的行为，它们不能相互替换。

① 孩子们都睡了，屋子里很安静。（*孩子们都睡了，屋子里很平静。）

② 我住的地方，周围很安静。（*我住的地方，周围很平静。）

③ 她心里虽然不高兴，但是说话的声音仍然很平静。（*她心里虽然不高兴，但是说话的声音仍然很安静。）

④ 知道母亲已经脱离了危险，我的心才稍稍平静了一些。（*知道母亲已经脱离了危险，我的心才稍稍安静了一些。）

⑤ 看了这个电影，激动的心情久久不能平静。（*看了这个电影，激动的心情久久不能安静。）

⑥ 因为没有风，湖面显得很平静。（*因为没有风，湖面显得很安静。）

⑦ 看来不可能再跟他继续交往下去了，于是她平静地说，我们分手吧。（*看来不可能再跟他继续交往下去了，于是她安静地说，我们分手吧。）

"安静"可以用于祈使句，"平静"不能。

请大家安静一下，我念一个通知。（*请大家平静一下，我念一个通知。）

P

1001 评[动]píng ▶ 评论[动、名]pínglùn

词义说明 Definition

评[comment; criticize; review] 评论；批评。[judge; appraise] 评判。

评论[comment on; criticize or talk about] 批评或议论。[comment on; commentary; review] 批评或议论的文章。

词语搭配 Collocation

	好～	文学～	政治～	～文章	～～理
评	√	×	×	×	√
评论	√	√	√	√	×

用法对比 Usage

用法解释 Comparison

“评”有“评论”的意思，但是“评”的其他意思是“评论”没有的。另外，“评论”有名词的用法，“评”只是动词。

语境示例 Examples

① 你来评评，看谁说得对。(☺你来评论评论，看谁说得对。)

② 他被评为全国十大杰出青年之一。(＊他被评论为全国十大杰出青年之一。)

③ 我有个朋友是搞文学评论的。(＊我有个朋友是搞文学评的。)

④ 她经常给报纸写一些政治评论。(＊她经常给报纸写一些政治评。)

⑤ 这个电影受到了有关专家的好评，可是观众却不喜欢看。(＊这个电影受到了有关专家的好评论，可是观众却不喜欢看。)

P

1002 评估[动]pínggū ▶ 评价[动、名]píngjià

词义说明 Definition

评估[assess] 评议估计，评价。

评价[appraise; evaluate] 评定价值高低。[assessed value] 评定的价值。

词语搭配 Collocation

	资产～	教学～	质量～	进行～	高度～	～作品	很高的～
评估	√	√	√	√	×	×	×
评价	×	×	×	×	√	√	√

用法对比 Usage

用法解释 Comparison

"评估"是动词，"评价"既是动词也是名词，"评估"的对象一般是抽象的事物，例如资产，教学等，"评价"的对象是人物，作品等。

语境示例 Examples

① 评价历史人物要考虑它们当时所处的历史环境，要看他们对当时社会生产力发展所起的作用。（＊评估历史人物要考虑它们当时所处的历史环境，要看他们对当时社会生产力发展所起的作用。）

② 要对上市公司的资产进行科学真实的评估。（＊要对上市公司的资产进行科学真实的评价。）

③ 对这次考古发现有关专家给予了很高的评价。（＊对这次考古发现有关专家给予了很高的评估。）

④ 评价文学作品不仅要看它的艺术价值，还要看它的思想价值。（＊评估文学作品不仅要看它的艺术价值，还要看它的思想价值。）

⑤ 要定期对学校的教学质量进行评估。（＊要定期对学校的教学质量进行评价。）

⑥ 大会高度评价了东道主为此次大会的成功召开所做的贡献。（＊大会高度评估了东道主为此次大会的成功召开所做的贡献。）

1003 评价[动、名]píngjià ▶ 评论[动、名]pínglùn

词义说明 Definition

评价[appraise; evaluate] 评定价值高低。[assessed value] 评定的价值。

评论[comment on; criticize or talk about] 批评或议论。[comment; commentary; review] 批评或议论的文章。

词语搭配 Collocation

	什么～	～很高	很高的～	～一部作品	～好坏	～是非	发表～	～文章	～员
评价	√	√	√	√	√	×	×	×	×
评论	√	×	×	√	√	√	√	√	√

用法对比 Usage

用法解释 Comparison

“评价”和“评论”的语义有所不同，“评价”可以用“很高、很好”等修饰，“评论”不能受这些词语修饰。

语境示例 Examples

① 评价历史人物不能脱离其所处的历史环境。(☺评论历史人物不能脱离其所处的历史环境。)

② 这部作品得到了很高的评价。(*这部作品得到了很高的评论。)

③ 这篇评论文章写得不错。(*这篇评价文章写得不错。)

④ 今天人民日报发表了一篇评论员文章。(*今天人民日报发表了一篇评价员文章。)

⑤ 外交部新闻发言人就这一事件发表了评论。(*外交部新闻发言人就这一事件发表了评价。)

1004 破碎[形、动]pòsuì ▶ 破[动、形]pò ▶ 碎[形]suì

词义说明 Definition

破碎[tattered; broken in to pieces] 破成碎片：～的玻璃。[smash (or break) sth. to pieces; crash] 使破成碎片：～矿石。

破[broken; damaged; torn; worn-out] 完整的东西受到撞击变得不完整：～碗|～房子。[break; split; cleave; cut] 使分裂；整的换成零的：这一百块钱能不能给我～开。[get rid of; destroy; break with] 突破；破除规定、习惯、思想等：～了世界记录。[spend money] 花费：让你～费了。[poor; lousy] 讽刺东西或人不好：我有一辆～车。[expose the truth of; lay bare] 使真相露出：～案|一语道～。

碎[break to pieces; smash] 完整的东西破成小块儿或使成小块儿。[broken; fragmentary] 零星；不完整：~布。

词语搭配 Collocation

	~机	~了	容易~	手~了	把钱~开	~工夫	~案	打~了
破碎	√	√	√	×	×	×	×	×
破	×	√	√	√	√	√	√	√
碎	×	√	√	×	×	×	×	√

用法对比 Usage

这三个词都可以作谓语。

① 这是一面古老的铜镜，可惜已经破碎了。(☺这是一面古老的铜镜，可惜已经破/碎了。)

② 这本书年代太久了，一翻纸就破碎了。(☺这本书年代太久了，一翻纸就破/碎了。)

③ 他一说要跟我离婚，我的心都碎了。(☺他一说要跟我离婚，我的心都破碎了。)(*他一说要跟我离婚，我的心都破了。)

④ 我的家庭已经破碎了。(夫妻离婚了)(*我的家庭已经破/碎了。)

"破"有"花费"的意思，"碎"和"破碎"没有这个意思。

① 学习外语不破工夫学不好。(*学习外语不碎/破碎工夫学不好。)

② 让你破费了。(受招待时说的客套话)(*让你破碎/碎费了。)

"破"和"碎"的程度不同。

① 杯子掉地上摔破了。(☺杯子掉地上摔碎了。)(*杯子掉地上摔破碎了。)

② 一不小心把手碰破了。(*一不小心把手碰碎/破碎了。)

③ 对不起，我把你的书弄破了。(*对不起，我把你的书弄碎/破碎了。)

1005 朴实[形]pǔshí ▶ 朴素[形]pǔsù

词义说明 Definition

朴实[simple; plain] 朴素：他穿着很~。[sincere and honest; guileless] 质朴诚实，踏实，不浮夸：工作作风~。

朴素［(of colour, style, language, etc.) simple; plain; naive］颜色、式样等不浓艳，不华丽；朴实，不浮夸，不虚假：语言～|衣着～。［(of one's living) frugal; thrifty; plain and modest］生活节约；不奢侈：艰苦～。

词语搭配 Collocation

	非常～	很～	衣着～	～的生活	艰苦～	～的感情	～的语言	性格～
朴实	√	√	×	×	×	√	√	√
朴素	√	√	√	√	√	√	√	×

用法对比 Usage

用法解释 Comparison

"朴实"描写的对象是人、人的性格和作风等，"朴素"可以描写人，也可以描写衣着、生活、装饰等。

语境示例 Examples

① 这部小说的语言很朴实。(☺这部小说的语言很朴素。)
② 她的穿着很朴素。(＊她的穿着很朴实。)
③ 我喜欢过朴素的生活。(＊我喜欢过朴实的生活。)
④ 他性格朴实，为人真诚。(＊他性格朴素，为人真诚。)
⑤ 要保持艰苦朴素的作风。(＊要保持艰苦朴实的作风。)
⑥ 她的演唱风格很朴实，我很喜欢。(＊他的演唱风格很朴素，我很喜欢。)

P

1006 普遍［形］pǔbiàn ▶ 广泛［形］guǎngfàn

词义说明 Definition

普遍［universal; general; widespread; common］存在的面很广泛；具有共同性。

广泛［wide; broad; extensive; widespread; universal; sweeping］(涉及的）方面广，范围大；普遍。

词语搭配 Collocation

	十分～	～真理	～现象	～流行	～宣传	内容～	题材～	～的兴趣	～的影响
普遍	√	√	√	√	√	×	×	×	×
广泛	√	×	×	√	√	√	√	√	√

用法对比 Usage

用法解释 Comparison

"普遍"和"广泛"都形容范围广。但是，强调事物有共同性时用"普遍"；强调事物方面广时用"广泛"，不用"普遍"。

语境示例 Examples

① 我们这里群众性的体育活动开展得很普遍。(☺我们这里群众性的体育活动开展得很广泛。)

② 要广泛宣传群众，使人民团结起来，为实现全面建设小康社会的目标而奋斗。(☺要普遍宣传群众，使人民团结起来，为实现全面建设小康社会的目标而奋斗。)

③ 全国上下普遍开展了普法（普及法律知识）教育。(☺全国上下广泛开展了普法教育。)

④ 普遍提高全民的科学文化素质是一项长期的工作。(*广泛提高全民的科学文化素质是一项长期的工作。)

⑤ 两国领导人就共同关心的国际问题广泛地交换了意见。(*两国领导人就共同关心的国际问题普遍地交换了意见。)

⑥ 这孩子的兴趣很广泛。(*这孩子的兴趣很普遍。)

P

1007 普遍[形]pǔbiàn ▶ 普及[动、形]pǔjí

词义说明 Definition

普遍[universal; general; widespread; common] 存在的面很广泛；具有共同性。

普及[universalize; spread extensively] 普遍地传到一些地区、范围等。[popularize; disseminate; spread among the people] 普遍推广，使大家都知道或掌握。

词语搭配 Collocation

	很～	非常～	～现象	～流行	～提高	～法制教育	～全国
普遍	√	√	√	√	√	×	×
普及	√	√	×	×	×	√	√

用法对比 Usage

用法解释 Comparison

"普遍"是形容词，不能带宾语，"普及"是形容词也是动词，可以带宾语，它们不能相互替换。

语境示例 Examples

① 在中国，女青年抽烟的现象不太普遍。（*在中国，女青年抽烟的现象不太普及。）
② 发展教育事业，普遍提高全民族的科学文化水平。（*发展教育事业，普及提高全民族的科学文化水平。）
③ 中国农民的生活水平普遍得到了提高。（*中国农民的生活水平普及得到了提高。）
④ 要在全国范围内普及法律知识。（*要在全国范围内普遍法律知识。）
⑤ 要在青少年中普遍进行法制教育。（*要在青少年中普及进行法制教育。）
⑥ 昨天华北地区普遍降了中到大雪。（*昨天华北地区普及降了中到大雪。）

1008 普通[形]pǔtōng ▶ 一般[形]yìbān

P

词义说明 Definition

普通[ordinary; common; average] 平常的，一般的。

一般[same as; just like] 一样，同样。[general; ordinary; common] 普通；通常。

词语搭配 Collocation

	很~	~人	~干部	~话	~常识	~高	~情况	~地说
普通	√	√	√	√	√	×	√	×
一般	√	√	√	×	√	√	√	√

用法对比 Usage

"普通"和"一般"的意思差不多，都是形容词，都有平常的，不特别的意思。

① 这件衣服的样式很普通。(☺这件衣服的样式很一般。)

② 十年前她还是一个普通演员，现在已经成了国际影星了。(☺十年前她还是一个一般演员，现在已经是成了国际影星了。)

③ 这是一个普通工人讲述自己怎么帮助儿子成材的故事。(*这是一个一般工人讲述自己怎么帮助儿子成材的故事。)

"一般"有"不是很好"的意思，"普通"没有这个意思。

他在这个电影里的表演很一般。(*他在这个电影里的表演很普通。)

"一般"有"总括地"或"概括地"意思。"普通"没有这个意思。

① 一般说来，出身贫寒的学生知道努力。(*普通说来，出身贫寒的学生知道努力。)

② 业余时间我一般在家看看书，听听音乐。(*业余时间我普通在家看看书，听听音乐。)

③ 中国的大学一般是四年，也有五年和六年的，像一些工科大学和医科大学。(*中国的大学普通是四年，也有五年和六年的，像一些工科大学和医科大学。)

Q

1009 凄惨[形]qīcǎn ▶ 悲惨[形]bēicǎn

词义说明 Definition

凄惨[plaintive; wretched; miserable; tragic] 凄凉悲惨。
悲惨[bitter; miserable; tragic] 处境或遭遇极其痛苦，令人伤心。

词语搭配 Collocation

	很～	～的生活	～遭遇	～的过去	～的声音	～的景象
凄惨	√	√	×	×	√	√
悲惨	√	√	√	√	×	×

用法对比 Usage

用法解释 Comparison

“凄惨”和“悲惨”是同义词，“凄惨”可以重叠，“悲惨”不能重叠。

语境示例 Examples

① 这位老人的身世很凄惨。(☺这位老人的身世很悲惨。)
② 想起过去悲惨的生活，老人不禁流下了眼泪。(☺想起过去凄惨的生活，老人不禁流下了眼泪。)
③ 这种悲惨的遭遇已经一去不复返了。(＊这种凄惨的遭遇已经一去不复返了。)
④ 多年的战争给这个国家留下的是一片凄惨的景象。(＊多年的战争给这个国家留下的是一片悲惨的景象。)
⑤ 那凄惨的声音让人感到十分恐怖。(＊那悲惨的声音让人感到十分恐怖。)
⑥ 你怎么搞得这么凄凄惨惨的?(＊你怎么搞得这么悲悲惨惨的?)

1010 凄凉[形]qīliáng ▶ 悲凉[形]bēiliáng

词义说明 Definition

凄凉[dreary; desolate; miserable] 寂寞冷落；凄惨。

悲凉[sad and dreary; forlorn; desolate] 悲哀凄凉。

词语搭配 Collocation

	一片～	身世～	晚景～	～的岁月	～的琴声	～的哭声
凄凉	√	√	√	√	√	√
悲凉	×	√	×	×	√	√

用法对比 Usage

用法解释 Comparison

“凄凉”多用来形容环境、景物、岁月、声音等，“悲凉”多形容声音等。

语境示例 Examples

① 一场大地震过后，这里到处是断壁残垣，一片凄凉。（＊一场大地震过后，这里到处是断壁残垣，一片悲凉。）

②《黄河怨》那凄凉的歌声，如泣如诉，撼人心魄。（☺《黄河怨》那悲凉的歌声，如泣如诉，撼人心魄。）

③ 她那凄凉的琴声一下子把听众带到了两千年前的古战场。（☺她那悲凉的琴声一下子把听众带到了两千年前的古战场。）

④ 老人无儿无女，失去老伴以后，晚年的生活更加凄凉。（＊老人无儿无女，失去老伴以后，晚年的生活更加悲凉。）

⑤ 那凄凉的岁月真是不堪回首。（＊那悲凉的岁月真是不堪回首。）

1011 期待[动]qīdài ▶ 等待[动]děngdài

词义说明 Definition

期待[expect; await; look forward to] 期望；等待。

等待[wait; await] 不采取行动，直到所期望的人、事物或情况出现。

词语搭配 Collocation

	～着	不辜负～	～机会	～时机	耐心～	不想～
期待	√	√	×	×	×	×
等待	√	×	√	√	√	√

用法对比 Usage

用法解释 Comparison

“期待”也有“等待”的意思，但是“期待”的宾语是抽象的，“等待”的宾语没有此限。

语境示例 Examples

① 等待：我正在等待着他的到来。（他来的日子已经定了）
期待：我正在期待着他的到来。（不知道他什么时候来）

② 爸爸妈妈期待我早日学成回国。（*爸爸妈妈等待我早日学成回国。）

③ 我一定不辜负父母对我的期待。（*我一定不辜负父母对我的等待。）

④ 今年没有外交官的考试了，等待明年吧。（*今年没有外交官的考试了，期待明年吧。）

⑤ 我们已经考完了，正在等待考试结果。（*我们已经考完了，正在期待考试结果。）

⑥ 今天办签证的人多，我们要耐心等待。（*今天办签证的人多，我们要耐心期待。）

1012 期望[动、名]qīwàng ▶ 希望[动、名]xīwàng

词义说明 Definition

期望[hope; expect; expectation] 对未来的事物或人的前途有所希望和等待。

希望[hope; wish; expect] 心里想着达到某种目的或出现某种情况。[hope; wish; expectation] 希望达到的某种目的或出现的某种情况；愿望。[person or thing on which hope is placed] 希望所寄托的对象。

词语搭配 Collocation

	父母的～	有～	没有～	～很大	～渺茫	不辜负～
期望	√	×	×	×	×	√
希望	√	√	√	√	√	×

用法对比 Usage

“期望”的对象在未来，“希望”没有这个限制，“希望”可以作动词“有”或“没有”的宾语，“期望”不能。

① 人民期望南水北调工程早日完成。（☺人民希望南水北调工程早日完成。）

② 国家期望海外学子早日学成归来，为国效力。（☺国家希望海外学子早日学成归来，为国效力。）

③ 我一定不辜负父母的期望。(＊我一定不辜负父母的希望。)
④ 爸爸妈妈希望我大学毕业以后当老师。(＊爸爸妈妈期望我大学毕业以后当老师。)
⑤ 青少年是祖国的未来和希望。(＊青少年是祖国的未来和期望。)
⑥ 希望寄托在青年一代身上。(＊期望寄托在青年一代身上。)

"有希望"表示可能，汉语不说"有期望"。

这个工程有希望在明年年底以前完成。(＊这个工程有期望在明年年底以前完成。)

"没有希望"表示不行，不可能，无法救治等意思，不说"没有期望"。

他的病是肝癌晚期，已经没有希望了。(＊他的病是肝癌晚期，已经没有期望了。)

1013 期限[名]qīxiàn ▶ 时限[名]shíxiàn

词义说明 Definition

期限[allotted time; time limit; deadline] 限定的一段时间，也指所限时间的最后界线。

时限[time limit] 完成某项工作的期限。

词语搭配 Collocation

	有～	没有～	规定～	在～内	～三个月	延长～	～快到了
期限	√	√	√	√	√	√	√
时限	√	√	√	√	√	√	√

用法对比 Usage

用法解释 Comparison

"期限"一般指较长的时间限制，"时限"可长可短，表达短的时间限制要说"时限"。

语境示例 Examples

① 这项工程计划完成的期限是三年。(☺这项工程计划完成的时限是三年。)
② 必须在规定的期限内完成任务。(☺必须在规定的时限内完成任务。)
③ 成绩考试的时限一般是两个小时。(＊成绩考试的期限一般是两个小时。)

Q

④ 这次休假的期限快到了。(＊这次休假的时限快到了。)
⑤ 他想把在国外工作的期限再延长一年。(＊他想把在国外工作的时限再延长一年。)

1014 齐全[形]qíquán ▶ 齐备[形]qíbèi

词义说明 Definition

齐全[complete; have everything that one expects; all in readiness] 物品应有尽有。

齐备[complete; all ready] 物品齐全。

词语搭配 Collocation

	很～	东西～了	号码～	货物～	设备～	万事～
齐全	√	√	√	√	√	×
齐备	√	√	×	√	×	√

用法对比 Usage

用法解释 Comparison

"齐全"和"齐备"是同义词，但是，"齐备"略有动词的含义。由于语音的关系，"齐备"一般不做"准备"、"预备"等动词的补语，"齐全"则可以。

语境示例 Examples

① 这家商店虽然不大，但是货物却很齐全。(☺这家商店虽然不大，但是货物却很齐备。)
② 我们这里运动服的号码和品种齐全，你们可以任意挑选。(☺我们这里运动服的号码和品种齐备，你们可以任意挑选。)
③ 所需的物品都已经齐备了，可以出发了。(＊所需的物品都已经齐全了，可以出发了。)
④ 这套房间设备齐全，搬进来就可以过日子。(＊这套房间设备齐备，搬进来就可以过日子。)
⑤ 现在万事齐备，只等时间一到，我们就可以起程了。(＊现在万事齐全，只等时间一到，我们就可以起程了。)
⑥ 新学年各年级的教材已经准备齐全。(＊新学年各年级的教材已经准备齐备。)

1015 其实[副]qíshí ▶ 实在[副、形]shízài

词义说明 Definition

其实[actually; in fact; as a matter of fact] 表示所说的是实际情况。

实在[true; real; honest; dependable] 诚实；不虚假。[indeed; really; honestly] 的确。[in fact; as a matter of fact] 其实。

词语搭配 Collocation

	～不难	～挺好	～不是	～的本领	心眼儿～	为人～	～太好了	～抱歉	工作很～
其实	√	√	√	×	×	×	×	×	×
实在	√	√	√	√	√	√	√	√	√

用法对比 Usage

"其实"是个副词，"实在"既是副词又是形容词，副词"实在"有"其实"的意思，但是，一般在句子中多用"其实"。"实在"多放在形容词前边作状语，"其实"既可以放在形容词前面作状语，也可以放在第二个句子的开头，表示转折。

① 你说都懂了，其实并没有懂，所以练习都做错了。(*你说都懂了，实在并没有懂，所以练习都做错了。)

② 你看他像中国人，其实他是泰国人。(*你看他像中国人，实在他是泰国人。)

③ 我觉得汉语其实并不难学，只要坚持每天上课，每天练习，就能学好。(*我觉得汉语实在并不难学，只要坚持每天上课，每天练习，就能学好。)

④ 你只知道他的英语好，其实他的法语说得也不错。(*你只知道他的英语好，实在他的法语说得也不错。)

⑤ 他为人实在，所以大家都愿意跟他接近。(*他为人其实，所以大家都愿意跟他接近。)

⑥ 实在抱歉，我下午有事，不能陪你去。(*其实抱歉，我下午有事，不能陪你去。)

⑦ 我实在不知道她去哪儿了。(*我其实不知道她去哪儿了。)

"实在"可以用于感叹句，"其实"不能。

你能带我去？实在太好了！要不，我自己真找不到。(*你能带

Q

我去？其实太好了！要不，我自己真找不到。）

注意，汉语还有一个"实在"，读 shízai [（of work）well-done; done carefully]，是（工作、活儿）工作做得扎实；地道，不马虎的意思。例如：

你看这活儿做得多实在。（* 你看这活儿做得多其实。）

1016 其他[代]qítā ▶ 其余[代]qíyú

词义说明 Definition

其他[other; else; apart from] 别的。

其余[other (persons or things); rest; remainder] 剩下的。

词语搭配 Collocation

	~的	~书	~的书	~人	~的人	~时间
其他	√	√	√	√	√	√
其余	√	×	√	×	√	√

用法对比 Usage

"其他"表示已指出部分之外的人或物，"其余"表示除了已指出部分之外，剩余的人或物。

① 我这里除了少量英文书以外，其他的都是中文书。（☺我这里除了少量英文书以外，其余的都是中文书。）

② 除了玛丽有病没来，其余的同学都来了。（☺除了玛丽有病没来，其他的同学都来了。）

③ 除了工资，我没有其他收入。（* 除了工资，我没有其余收入。）

④ 父母每个月给我两千元，除了生活费，其余的我都买了书、本子等学习用品。（* 父母每个月给我两千元，除了生活费，其他的我都买了书、本子等学习用品。）

"其他"可以直接修饰名词，不必加"的"，"其余"不能直接修饰名词。

① 他比我们班其他同学更努力。（* 他比我们班其余同学更努力。）

② 晚会上有歌舞、相声，还有其他节目。（* 晚会上有歌舞、相声，还有其余节目。）

Q

1017 其中[代]qízhōng ▶ 其间[代]qíjiān

词义说明 Definition

其中[among; of; in] 那里面。

其间[between; among; of; in it] 那中间。[during this or that time] 指一段时间。

词语搭配 Collocation

	乐在~	厕身~	~必有缘故	这~
其中	√	√	√	√
其间	×	√	√	√

用法对比 Usage

用法解释 Comparison

"其间"和"其中"的意义不尽相同,"其间"常表示那段时间中间,"其中"既可以表示在那段时间之中,也表示在那些事物之中。

语境示例 Examples

① 妻子和母亲关系不好,我厕身其中,你不知道有多难。(☺妻子和母亲关系不好,我厕身其间,你不知道有多难。)

② 一个星期工作时间是五天,其中三天我有课。(*一个星期工作时间是五天,其间三天我有课。)

③ 他连考试都没有参加就回国了,其中必有原因。(*他连考试都没有参加就回国了,其间必有原因。)

④ 北京有很多漂亮的公园,其中颐和园是最美的一个。(*北京有很多漂亮的公园,其间颐和园是最美的一个。)

⑤ 我们班一共有十八个学生,其中女学生占三分之二。(*我们班一共有十八个学生,其间女学生占三分之二。)

⑥ 他在国外学习工作了十多年,其间曾获得过国际数学比赛大奖。(*他在国外学习工作了十多年,其中曾获得过国际数学比赛大奖。)

1018 奇特[形]qítè ▶ 奇妙[形]qímiào

词义说明 Definition

奇特[peculiar; queer; singular] 跟平常的不一样，奇怪而特别。

奇妙[marvellous; wonderful; intriguing] 稀奇巧妙。

词语搭配 Collocation

	～的景象	造型～	～的发式	～的服装	～的构思	～的海底世界	～的音乐
奇特	√	√	√	√	√	√	√
奇妙	√	×	×	×	√	√	√

用法对比 Usage

用法解释 Comparison

"奇妙"是褒义词，多用来形容令人感兴趣的新奇事物，"奇特"是个中性词，形容奇怪而特别的事物。

语境示例 Examples

① 海市蜃楼是奇特的自然景观。(☺海市蜃楼是奇妙的自然景观。)
② 这种奇特的造型我简直欣赏不了。(*这种奇妙的造型我简直欣赏不了。)
③ 迪斯尼的动画片，构思奇妙，连大人都喜欢看。(☺迪斯尼的动画片，构思奇特，连大人都喜欢看。)
④ 海底世界是个奇妙的世界。(☺海底世界是个奇特的世界。)
⑤ 海洋深处有很多奇特的动植物。(*海洋深处有很多奇妙的动植物。)
⑥ 我被眼前这奇妙的景象惊呆了。(☺我被眼前这奇特的景象惊呆了。)

1019 歧视[动]qíshì ▶ 看不起kàn bu qǐ

词义说明 Definition

歧视[discriminate against] 不平等地看待。

看不起[look down upon; scorn; despise] 轻视。

词语搭配 Collocation

	种族～	性别～	～妇女	～别人	别～人	受～	被人～
歧视	√	√	√	√	√	√	√
看不起	×	×	√	√	√	×	√

Q

用法对比 Usage

用法解释 Comparison

“歧视”有“看不起”意思，是贬义词，“看不起”是个中性词语；“看不起”的对象可以是人，也可以是物，“歧视”的对象只能是人。

语境示例 Examples

① 不能歧视学习不好的同学，应该帮助他们。(☺不能看不起学习不好的同学，应该帮助他们。)
② 你别看不起这个小玩意儿，它的作用可大了。(*你别歧视这个小玩意儿，它的作用可大了。)
③ 我最看不起那些忘恩负义，出卖朋友的人。(*我最歧视那些忘恩负义，出卖朋友的人。)
④ 那个国家仍然存在着种族歧视的现象。(*那个国家仍然存在着种族看不起的现象。)
⑤ 世界上各色人种都是平等的，要反对任何形式的种族歧视。(*世界上各色人种都是平等的，要反对任何形式的种族看不起。)
⑥ 一个文明的社会不应该存在职业歧视。(*一个文明的社会不应该存在职业看不起。)

1020 旗子[名]qízi ▶ 旗帜[名]qízhì

词义说明 Definition

旗子[flag; banner; pennant] 用绸、布、纸等做成的方型、长方形或三角形的标志，大多挂在杆子上或墙壁上。

旗帜[banner; flag] 旗子； [role; model] 比喻榜样或模范。[stand; colours] 比喻有代表性或号召力的某种思想、学说或政治力量。

词语搭配 Collocation

	很多～	彩色的～	一面～	高举～	～鲜明	树立～
旗子	√	√	√	×	×	×
旗帜	×	×	√	√	√	√

用法对比 Usage

用法解释 Comparison

“旗子”是具体名词，用于口语和一般场合，“旗帜”是抽象名词，用于书面和正式场合。

语境示例 Examples

① 墙上挂着一面旗子。(＊墙上挂着一面旗帜。)
② 广场上五彩的旗子在迎风飘扬。(＊广场上五彩的旗帜在迎风飘扬。)
③ 这十大杰出青年为全国青年树立起了一面旗帜。(＊这十大杰出青年为全国青年树立起了一面旗子。)
④ 高举邓小平理论的旗帜，为把中国建设成富强、民主、文明的社会主义强国而奋斗。(＊高举邓小平理论的旗子，为把中国建设成富强、民主、文明的社会主义强国而奋斗。)
⑤ 在反对邪教的问题上一定要旗帜鲜明。(＊在反对邪教的问题上一定要旗子鲜明。)

1021 企图[动、名]qǐtú ▶ 妄图[动]wàngtú

词义说明 Definition

企图[attempt; try; seek to] 打算；想法。

妄图[try in vain; vainly attempt] 狂妄的谋划。

词语搭配 Collocation

	有~	什么~	~逃跑	~制造动乱	~搞恐怖活动	~越狱	~逃税
企图	√	√	√	√	√	√	√
妄图	×	×	√	√	√	√	√

用法对比 Usage

用法解释 Comparison

这两个词都是贬义词，“企图”是动词也是名词，可以作宾语，“妄图”只是动词，不能作宾语。

语境示例 Examples

① 贪污大量公款之后，他企图携款外逃，但是被抓获了。(☺贪污大量公款之后，他妄图携款外逃，但是被抓获了。)
② 这个邪教组织头目造谣惑众，制造动乱，企图颠覆政府。(☺这个邪教组织头目造谣惑众，制造动乱，妄图颠覆政府。)
③ 总有那么一小撮人，企图把中国搞乱，破坏人民和平安定的生

活。(☺总有那么小撮人，妄图把中国搞乱，破坏人民和平安定的生活。)

④ 犯了法就要主动交代，争取宽大处理，不要企图掩盖罪行。(☺犯了法就要主动交代，争取宽大处理，不要妄图掩盖罪行。)

⑤ 他这么做不知道有什么企图?(*他这么做不知道有什么妄图?)

⑥ 由于警察及时把他抓获，他搞恐怖活动的企图没有得逞。(*由于警察及时把他抓获，他搞恐怖活动的妄图得逞。)

1022 启发[动、名]qǐfā ▶ 启示[动]qǐshì

词义说明 Definition

启发[arouse; inspire; enlighten] 用具体事例说明问题，使对方容易理解，领悟一种道理。

启示[enlightenment; inspiration; revelation] 启发开导，使有所领会。

词语搭配 Collocation

	有~	~大家	~学习积极性	受到~	得到~	~我	~式教学
启发	√	√	√	√	√	√	√
启示	×	√	×	√	√	√	×

用法对比 Usage

用法解释 Comparison

“启发”既是动词也是名词，“启示”只是动词；“启发”是及物动词，可以带宾语，“启示”是不及物动词，不能带宾语。

语境示例 Examples

① 一本好书对一个人的启发是很大的，甚至可以影响他的一生。(☺一本好书对一个人的启示是很大的，甚至可以影响他的一生。)

② 我从这本书里得到启示，懂得了所谓幸福其实就是一种个人的感觉。(☺我从这本书里得到启发，懂得了所谓幸福其实就是一种个人的感觉。)

③ 教育就是启发民智，使受教育者获得知识，修身健体，服务社会，实现人生价值。(*教育就是启示民智，使受教育者获得知识，修身健体，服务社会，实现人生价值。)

④ 他善于启发学生通过自己的观察和思考，获得知识，懂得道理。

(* 他善于启示学生通过自己的观察和思考，获得知识，懂得道理。)

⑤ 她常用优秀人物成功的事迹启发学生学习的积极性。(* 她常用优秀人物成功的事迹启示学生学习的积极性。)

1023 起劲(儿)[形]qǐjìn(r) ▶ 来劲(儿)[形]láijìn(r)

词义说明 Definition

起劲[vigorous; energetic; enthusiastic] (工作、游戏等)情绪高，劲头大。

来劲[full of enthusiasm; in high spirits] 有劲头儿。[exhilarating; exciting; thrilling] 使人振奋。

词语搭配 Collocation

	很~	越干越~	真~	玩得很~	~地喊
起劲	√	√	√	√	√
来劲	√	√	√	√	×

用法对比 Usage

用法解释 Comparison

"起劲"可以作谓语、补语和状语，"来劲"只能作谓语和补语，不能作状语。

语境示例 Examples

① 今天是义务植树日，大家都干得很起劲儿。(☺今天是义务植树日，大家都干得很来劲儿。)

② 孩子们玩电子游戏玩得很起劲儿。(☺孩子们玩电子游戏玩得很来劲儿。)

③ 这个电影看着可真来劲儿。(* 这个电影看着可真起劲儿。)

④ 我怎么起劲儿地喊，他也听不见。(* 我怎么来劲儿地喊，他也听不见。)

⑤ 喝了一杯咖啡，你又来劲儿了。(* 喝了一杯咖啡，你又起劲儿了。)

1024 起来 qǐ lái ▶ 上来 shàng lái

词义说明 Definition

起来[(used after a verb to indicate an upward movement) up] 用在

动词后，表示向上：站～。[(used after a verb or adjective to indicate the beginning or continuation of an action) start to; become] 用在动词或形容词后，表示动作或情况开始并且继续：笑～|说～|胖～了|天热～了。[used after a verb to indicate the completion of an action or attainment of a goal] 用在动词后，表示动作完成或达到目的：想～了。[used after a verb to indicate estimation or venture an opinion] 用在动词后，表示估计或着眼于某一方面：看～要下雨。[used after a verb to indicate an impression or idea] 用在动词后，组成一个动词结构，表示一种见解：说～容易做～难。

上来 [used as a complement to a verb to indicate coming from a lower place to a higher place or from a distant place to a nearer place] 用在动词后，表示从低处到高处或从远处到近处：拿～|跑～。[used as a complement to a verb to indicate success in speaking, singing, reciting, etc.] 用在说、唱、背等动词后，表示成功：背～。[used after an adjective to indicate an increase in degree] 用在形容词后，表示程度的增加：暖气慢慢热～了。

词语搭配 Collocation

	拿～	提～	站～	笑～	背～	跑～	爬～	看～	想～	说～	暖和～	热～
起来	√	√	√	√	√	√	√	√	√	√	√	√
上来	√	√	√	×	√	√	√	×	×	√	√	√

用法对比 Usage

用法解释 Comparison

趋向动词“起来”和“上来”的意思不同。“起来”表示人或物体离开原来所在的位置向上，至于达到什么目的地是不明确的，“上来”表示人或物体从下边向上边移动，移动的目的地是说话人所在地或说话人意念中的目的地。它们作为动词或形容词的趋向补语，都有引申的用法，“动词＋起来”的引申意思是动作开始并且继续，“动词＋上来”的基本意思是，从低处到高处，这个低处是抽象的，例如，他刚提上来当处长（原来他是比处长低的干部）；“形容词＋起来”和“形容词＋上来”的意思基本相同，都表示程度的增加。

语境示例 Examples

① 起来：妈妈起来了。（起床了）
上来：妈妈上来了。（从下边到说话人所在的上边）
② 起来：请你站起来。（原来你坐着）
上来：请你站上来。（原来你在下边）
③ 天黑上来了。（☺天黑起来了。）
④ 天气慢慢热起来了。（☺天气慢慢热上来了。）
⑤ 他是从基层一步一步升上来的。（☺他是从基层一步一步升起来的。）
⑥ 他的名字我怎么也想不起来了。（☺他的名字我怎么也想不上来了。）
⑦ 天开始暖和起来了。（开始暖和）（☺天开始暖和上来了。）
⑧ 他一句话说得大家都笑了起来。（开始笑并且继续笑）（*他一句话说得大家都笑了上来。）
⑨ 上来：他端上来了一碗饭。（说话人在上边，饭原来在下边）
起来：他端起来了一碗饭。（饭原来在桌子上，现在饭离开了桌子，在他的手里）
⑩ 起来：他看着歌词唱起来了。（他开始唱歌）
上来：他不看歌词就能唱上来。（他把歌词记住了）
⑪ 想起来了，这个电影我看过。（记忆恢复）（*想上来了，这个电影我看过。）
⑫ 看起来，天要下雨。（根据天空的情况判断和估计）（*看上来，天要下雨。）
⑬ 他从桌子上拿起来一本书。（*他从桌子上拿上来一本书。）
⑭ 他从楼下给我拿上来一封信。（*他从楼下给我拿起来一封信。）
⑮ 这个人我认识，可一时叫不上来他的名字了。（*这个人我认识，可一时叫不起来他的名字了。）

1025 起码[形、副]qǐmǎ ▶ 至少[副]zhìshǎo

词义说明 Definition

起码[minimum; rudimentary; elementary] 最低限度。[at least] 至少；最少。

至少[at (the) least] 最小的限度。

词语搭配 Collocation

	~的条件	~的要求	~的知识	~要一万元	~一个月	~五千人	~一个小时	最~
起码	√	√	√	√	√	√	√	√
至少	×	×	×	√	√	√	√	×

用法对比 Usage

"起码"和"至少"都是副词，都可以作状语。

① 参加这次HSK考试的外国人起码有五万。(☺参加这次HSK考试的外国人至少有五万。)

② 我这次出国起码要一年时间。(☺我这次出国至少要一年时间。)

③ 买这种车起码需要十万元。(☺买这种车至少需要十万元。)

④ 我不要求你考得太好，但是至少应该及格吧？(☺我不要求你考得太好，但是起码应该及格吧？)

"起码"可以作定语，修饰名词，"至少"不能。

① 这些都是一个外国留学生应该掌握的起码的文化知识。(*这些都是一个外国留学生应该掌握的至少的文化知识。)

② 互不侵犯，互相尊重主权和领土完整，友好往来，平等互利，和平共处等都是处理国际关系起码的准则。(*互不侵犯，互相尊重主权和领土完整，友好往来，平等互利，和平共处等都是处理国际关系至少的准则。)

③ 要当大学老师，最起码的条件应该有博士学位。(*要当大学老师，最至少的条件应该有博士学位。)

"起码"还是形容词，可以受"最"修饰，说"最起码……"，不能说"最至少……"。

诚实守信是一个人最起码的道德。(*诚实守信是一个人最至少的道德。)

1026 起身 qǐ shēn ▶ 起程(启程) qǐ chéng

词义说明 Definition

起身 [leave; set out; get off] 动身。

起程(启程) [leave; set out; start on a journey] 上路，行程开始。

词语搭配 Collocation

	什么时候~	明天~	~去广州
起身	√	√	√
起程	√	√	√

用法对比 Usage

用法解释 Comparison

“起身”和“起程”有相同的意思，都有动身，出发的意思，不同的是，“起身”是口语，而“起程”是书面语，用于正式场合。

语境示例 Examples

① 你不是要去台湾采访吗，什么时候起身？(☺你不是要去台湾采访吗，什么时候起程？)

② 你们起程的日子定了没有？(☺你们起身的日子定了没有？)

③ 听说你要出国，几时起身？(☺听说你要出国，几时起程？)

④ 一接到通知，他就马上起程往回赶。(☺一接到通知，他就马上起身往回赶。)

⑤ 代表团明天起程去上海访问。(＊代表团明天起身去上海访问。)

⑥ 接到命令，部队就连夜起程了。(＊接到命令，部队就连夜起身了。)

1027 起源[动、名]qǐyuán ▶ 来源[名]láiyuán

Q

词义说明 Definition

起源[originate; stem from] 开始发生。[origin] 事情发生的根源。

来源[source; origin] 事物从所来的地方。[(followed by 于) originate; stem from] 事物的起源；发生（后面跟“于”）。

词语搭配 Collocation

	~于	人类的~	生命的~	经济~	信息~
起源	√	√	√	×	×
来源	√	×	×	√	√

用法对比 Usage

用法解释 Comparison

“起源”是动词和名词，“来源”除了“来源于”之外，多作名词用。

语境示例 Examples

① 其实，京剧并不是北京的地方戏，它<u>起源</u>于安徽。(☺其实，京剧并不是北京的地方戏，它<u>来源</u>于安徽。)

② 中国的两条大河——长江和黄河都<u>起源</u>于青藏高原。(＊中国的两条大河——长江和黄河都<u>来源</u>于青藏高原。)

③ 人的正确认识<u>来源</u>于社会实践。(＊人的正确认识<u>起源</u>于社会实践。)

④ 这次考古发现对研究人类的<u>起源</u>有很重要的价值。(＊这次考古发现对研究人类的<u>来源</u>有很重要的价值。)

⑤ 这种报纸的信息<u>来源</u>主要是国际互联网。(＊这种报纸的信息<u>起源</u>主要是国际互联网。)

⑥ 如果拿不到奖学金，我就没有经济<u>来源</u>，也不可能继续读大学。(＊如果拿不到奖学金，我就没有经济<u>起源</u>，也不可能继续读大学。)

1028 气候[名]qìhòu ▶ 天气[名]tiānqì

词义说明 Definition

气候[climate] 一定地区里经过多年观察所得到的概括性的气象情况。[situation; climate] 比喻动向或情势。[result; achievement] 结果或成就。

天气[weather] 一定区域一定时间内大气中发生的各种气象变化，如温度、湿度、气压、降水、风、云等的情况。

词语搭配 Collocation

	~很好	~预报	明天~怎样	政治~	成不了~
气候	√	×	×	√	√
天气	√	√	√	×	×

用法对比 Usage

“气候”和“天气”的意思不同，口语中也把“天气”当“气候”用，但一般情况下不能替换使用。

① 这个地方的<u>气候</u>很好，冬天不冷，夏天也不太热。(☺这个地方的<u>天气</u>很好，冬天不冷，夏天也不太热。)

② 你听<u>天气</u>预报了没有？今天有没有雨？(＊你听<u>气候</u>预报了没有？

Q

今天有没有雨?)
③ 我对北京的气候还不太适应。(☺我对北京的天气还不太适应。)
④ 不管明天天气好坏，我们都得出发。(*不管明天气候好坏，我们都得出发。)
⑤ 天气不好也影响人的情绪。(*气候不好也影响人的情绪。)
⑥ 因为天气的原因飞机不能准时起飞。(*因为气候的原因飞机不能准时起飞。)

"气候"有比喻义，表示某种结果，"天气"没有这个用法。

从历史上看，中华民族历来趋向统一，分裂势力最终成不了什么气候。(*从历史上看，中华民族历来趋向统一，分裂势力最终成不了什么天气。)

1029 气味[名]qìwèi ▶ 气息[名]qìxī

词义说明 Definition

气味[smell; odour; flavour] 鼻子可以闻到的味儿。[smack; taste] 比喻性格和志趣(多含贬义)。

气息[breath] 呼吸时进出的气。[flavour; smell] 气味。

词语搭配 Collocation

	～芬芳	好闻的～	～相投	生活～	时代～
气味	√	√	√	×	×
气息	×	×	×	√	√

用法对比 Usage

用法解释 Comparison

"气味"的比喻义有贬义，表示不好的兴趣和性格，"气息"的比喻义含褒义，比喻主流动向或一般情况。

语境示例 Examples

① 正是百花盛开的季节，一走进公园就可以闻到芬芳的气味。(☺正是百花盛开的季节，一走进公园就可以闻到芬芳的气息。)
② 这两个歹徒气味相投，狼狈为奸，勾结在一起图财害命。(*这两个歹徒气息相投，狼狈为奸，勾结在一起图财害命。)
③ 这部小说充满农村生活的气息。(*这部小说充满农村生活的气味。)

④ 这种香水的气味很好闻。(＊这种香水的气息很好闻。)

⑤ 这些艺术作品具有鲜明的时代气息。(＊这些艺术作品具有鲜明的时代气味。)

1030 器材[名]qìcái ▶ 器械[名]qìxiè

词义说明 Definition

器材[equipment and material] 器具和材料。

器械[apparatus; appliance; instrument] 有专门用途或构造较精密的器具。

词语搭配 Collocation

	照相～	无线电～	铁路～	体育～	医疗～	光学～
器材	√	√	√	×	×	√
器械	×	×	×	√	√	√

用法对比 Usage

用法解释 Comparison

“器材”和“器械”的所指不同，前者多指材料，后者多指成品。

语境示例 Examples

① 他开了一个照相器材商店，生意做得挺红火。(＊他开了一个照相器械商店，生意做得挺红火。)

② 这些农村小学不仅没有体育器械，甚至连上体育课的场地都没有。(＊这些农村小学不仅没有体育器材，甚至连上体育课的场地都没有。)

③ 我们医院的医疗器械可以说是一流的。(＊我们医院的医疗器材可以说是一流的。)

④ 电子一条街上有很多经营无线电器材的商店。(＊电子一条街上有很多经营无线电器械的商店。)

⑤ 这个盗窃团伙专门盗窃通讯器材。(＊这个盗窃团伙专门盗窃通讯器械。)

Q

1031 恰好[副]qiàhǎo ▶ 恰巧[副]qiàqiǎo

词义说明 Definition

恰好[happen to; just right] 正好；正。

恰巧[by chance] 凑巧；碰巧。

词语搭配 Collocation

	~相反	~相等	~来了	~我在	~遇到	~碰见	来得~
恰好	√	√	√	√	√	√	√
恰巧	√	√	√	√	√	√	×

用法对比 Usage

用法解释 Comparison

“恰好”表示动作行为和情况在需要的时间或地点发生或出现，也表示物品适合人的需要。“恰巧”只表示动作行为或情况在需要的时间或地点发生或出现，没有物品适合需要的意思。“恰好”可以作状语也可以作补语，“恰巧”只能作状语，不能作补语。

语境示例 Examples

① 正在这紧急关头，恰巧警察赶来了。(☺正在这紧急关头，恰好警察赶来了。)

② 你需要的书我这里恰好有一本，你先拿去用吧。(☺你需要的书我这里恰巧有一本，你先拿去用吧。)

③ 这个教室恰巧能坐下二十个人。(☺这个教室恰好能坐下二十个人。)

④ 他那天来的时候我恰好在家。(☺他那天来的时候我恰巧在家。)

⑤ 我刚到车站，恰巧车就来了。(☺我刚到车站，恰好车就来了。)

⑥ 你来得恰好，我们正准备出发呢。(*你来得恰巧，我们正准备出发呢。)

⑦ 你这双鞋我穿上不大不小，恰好。(*你这双鞋我穿上不大不小，恰巧。)

1032 恰巧[副]qiàqiǎo ▶ 正好[副、形]zhènghǎo

词义说明 Definition

恰巧[by chance] 凑巧；碰巧。

正好[(of time, position, size, quantity, degree, etc., as neither too little nor too much) just in time; just right; just enough] 恰好（指时间、位置不前不后，体积不大不小，数量不多不少，程度不高不低）。[happen to; chance to; as it happens] 恰巧遇到机会。

词语搭配 Collocation

	~来了	~赶上	~碰见	~来电话	穿着~	来得~
恰巧	√	√	√	√	×	×
正好	√	√	√	√	√	√

用法对比 Usage

"恰巧"是副词，"正好"是副词也是形容词。"正好"可以作状语也可以作补语，"恰巧"只能作状语，不能作补语。

① 我去找她，恰巧在宿舍门口碰到她。(☺我去找她，正好在宿舍门口碰到她。)

② 正在我不知道怎么办的时候，恰巧他来了。(☺正在我不知道怎么办的时候，正好他来了。)

③ 我口袋里的钱正好能买一本《汉英词典》。(*我口袋里的钱恰巧能买一本《汉英词典》。)

④ 你来得正好，我们刚要开始吃饭。(*你来得恰巧，我们刚要开始吃饭。)

"正好"可以作谓语，"恰巧"不能。

这件毛衣我穿不肥不瘦，正好。(*这件毛衣我穿不肥不瘦，恰巧。)

1033 千万[副]qiānwàn ▶ 一定[副,形]yídìng

词义说明 Definition

千万[be sure to; must] 务必，表示恳切叮咛。

一定[certainly; must; surely; necessarily] 表示坚决或确定；当然；必定：我的理想~要实现。 [fixed; specified; definite; regular] 规定的，确定的：他每天下班没有~的时间。[given; particular; certain] 特定的：在~条件下，坏事能变成好事。

[proper; fair; due] 相当的：汉语水平有了～的提高。

词语搭配 Collocation

	～注意	～小心	～记着	～别忘了	～不可大意	有～的水平	～是病了
千万	√	√	√	√	√	×	×
一定	√	√	√	√	√	√	√

用法对比 Usage

"千万"是副词，表示在"任何情况下都……"，"一定"除了是副词外还是形容词；"千万"用于祈使句，表示命令、嘱咐、请求等，但不能用于主语为第一人称的句子，"一定"没有此限。

① 开车时要注意安全，千万不要麻痹大意。(☺开车时要注意安全，一定不要麻痹大意。)

② 你千万别忘了给他回个电话。(☺你一定别忘了给他回个电话。)

③ 今年寒假我一定回国。(*今年寒假我千万回国。)

④ 今天晚上他一定来。(*今天晚上他千万来。)

⑤ 你的生日晚会我一定参加。(*你的生日晚会我千万参加。)

⑥ 我每天什么时候干什么都是一定的。(*我每天什么时候干什么都是千万的。)

"一定"可以作定语，"千万"不能。

通过一年多的学习，他的汉语水平有了一定的提高。(*通过一年多的学习，他的汉语水平有了千万的提高。)

Q

1034 迁[动]qiān ▶ 迁移[动]qiānyí

词义说明 Definition

迁[move] 迁移。[change] 转变。

迁移[move; remove; migrate] 离开原来所在地而另换地点。

词语搭配 Collocation

	～居	～都	～户口	～到城市	～往	乔～之喜
迁	√	√	√	√	√	√
迁移	×	×	√	√	×	×

用法对比 Usage

用法解释 Comparison

"迁"有"迁移"的意思，还有变化和调动的意思，"迁移"

没有这个意思。“迁”还是个语素，能与其他语素组合，“迁移”不能。

语境示例 Examples

① 他们是十年前从农村迁来的。(☺他们是十年前从农村迁移来的。)
② 德国是哪一年把首都迁到柏林的?(☺德国是哪一年把首都迁移到柏林的?)
③ 因为考上了大学，我才把户口从农村迁到了城市。(☺因为考上了大学，我才把户口从农村迁移到了城市。)
④ 他们公司准备从北京迁往上海。(＊他们公司准备从北京迁移往上海。)
⑤ 祝贺你们乔迁!(＊祝贺你们乔迁移!)

1035 谦虚[形、动]qiānxū ▶ 谦逊[形]qiānxùn

词义说明 Definition

谦虚[modest; self-effacing] 虚心，不自满，肯接受批评。[make modest remarks] 说谦虚的话。

谦逊[modest; unassuming] 谦虚。

词语搭配 Collocation

	很~	十分~	~的态度	为人~	别~了	~了一番	你太~了
谦虚	√	√	√	√	√	√	√
谦逊	√	√	√	√	×	×	×

用法对比 Usage

用法解释 Comparison

“谦虚”和“谦逊”是同义词，但是，“谦虚”还有动词的用法，“谦逊”只有形容词的用法。

语境示例 Examples

① 有一个谦虚的态度，才能听得进别人的意见，改进自己的工作。(☺有一个谦逊的态度，才能听得进别人的意见，改进自己的工作。)
② 我的导师学贯中西，是全国有名的教授，可是为人却非常谦虚。(☺我的导师学贯中西，是全国有名的教授，可是为人却非常谦逊。)

③ 无论学习什么都要谦虚，这样才能不断接受新东西，不断有所进步。(☺无论学习什么都要谦逊，这样才能不断接受新东西，不断有所进步。)
④ 你就别谦虚了，谁不知道你在这个学科是有名的权威。("你"是好朋友或同学)(*你就别谦逊了，谁不知道你在这个学科是有名的权威。)
⑤ 他谦虚了一番，最后还是答应给我们写一篇稿子。("我们"是杂志或报刊编辑)(*他谦逊了一番，最后还是答应给我们写一篇稿子。)

1036 签字 qiān zì ▶ 签名 qiān míng

词义说明 Definition

签名[sign one's name; autograph] 写上自己的名字。

签字[sign one's name; affix one's signature to indicate resposibility] 在文件上写上自己的名字，表示负责。

词语搭配 Collocation

	争取～	请名人～	请明星～	～仪式	～国	～后生效
签名	√	√	√	×	×	×
签字	×	×	×	√	√	√

用法对比 Usage

用法解释 Comparison

"签名"和"签字"虽然都有签上名字的意思，但是，"签字"多用于正式场合，名字一般要签在正式文件上，而"签名"常用于非正式场合，名字可以签在书上、纸上、本子上甚至衣物上。它们都是动宾结构，可以分开用，可以说"签个名"或"签个字"。

语境示例 Examples

① 这本书上有作者的签名。(☺这本书上有作者的签字。)
② 为了将保护动物的条款写入宪法，他们正在争取民众签名。(*为了将保护动物的条款写入宪法，他们正在争取民众签字。)
③ 今天下午三点两国总理出席了在人民大会堂举行的签字仪式。(*今天下午三点两国总理出席了在人民大会堂举行的签名仪式。)

④ 国际环保条约的签字国已经超过了一百。（*国际环保条约的签名国已经超过了一百。）
⑤ 条约自签字之日起生效。（*条约自签名之日起生效。）
⑥ 她为了得到这个歌手的签名，等了两个多小时。（*她为了得到这个歌手的签字，等了两个多小时。）

1037 前[名]qián ▶ 前边(儿)[名]qiánbianr ▶ 前面[名]qiánmian

词义说明 Definition

前[front] 在正面的（指空间，跟“后”相对）：楼～停满了车。[forward; ahead] 未来的：往～走｜朝～看。[first] 次序靠近头里的（跟“后”相对）：这次他们队进了～三名。[ago; before] 过去的，较早的（指时间，跟“后”相对）：故事发生在一千多年～。[former; formerly] 从前的：会见～总统。

前边[in front; at the head; ahead] 空间或位置靠前的部分：坐在教室～。[above; preceding] 次序靠前的部分：～的一课。

前面[in front; at the head; ahead] 空间或位置靠前的部分：～来了一辆车。[above; preceding] 次序靠前的部分：请～的同学坐下来。

词语搭配 Collocation

	门～	向～走	～三名	～天	～总统	往～看	宿舍楼～
前	√	√	√	√	√	√	√
前边	√	√	×	×	×	√	√
前面	√	√	×	×	×	√	√

用法对比 Usage

“前”表示方向，不单独表示处所，如果表示处所需要置于名词后边。“前边”和“前面”同义，可以表示方向，也可以表示处所，可以作主语也可以作定语。“前”还是个语素，有组词能力，“前边”和“前面”没有组词能力，单用较自由。

① 从这儿往前走，不远就有一个公共汽车站。（☺从这儿往前面/前

边走，不远就有一个公共汽车站。）
② 楼前停着很多车。（☺楼前边/前面停着很多车。）
③ 不要前怕狼后怕虎。（＊不要前面/前边怕狼后怕虎。）
④ 这次比赛我们要争取进入前三名。（＊这次比赛我们要争取进入前边/前面三名。）
⑤ 他学得很好，在我们班排在前几名。（＊他学得很好，在我们班排在前面/前边几名。）
⑥ 这个问题我前边/前面已经讲过了。（＊这个问题我前已经讲过了。）
⑦ 你看，前边/前面来了一辆出租车。（＊你看，前来了一辆出租车。）

"前"还可以表示时间，"前面"和"前边"没有这个用法。

① 前几年我们常通信，后来没有再联系。（＊前面/前边几年我们常通信，后来没有再联系。）
② 他入狱前是公司总经理。（＊他入狱前面/前边是公司总经理。）
③ 令人难以置信的是，这驾铜马车竟是两千多年前的产品。（＊令人难以置信的是，这驾铜马车竟是两千多年前边/前面的产品。）

1038 前途[名]qiántú ▶ 前程[名]qiánchéng

词义说明 Definition

前途[future; prospect] 原来指前面的路，比喻将来的光景。
前程[future; prospect] 前途。

Q

词语搭配 Collocation

	有～	没有～	光明的～	～远大	国家的～	你的～	锦绣～
前途	√	√	√	√	√	√	×
前程	×	×	×	√	×	√	√

用法对比 Usage

用法解释 Comparison

"前途"和"前程"同义，"前程"多用于个人，"前途"可以用于个人，也可以用于其他方面，如国家、事业、工作等。

语境示例 Examples

① 只要人民紧密团结，艰苦奋斗，国家就一定会有一个无限美好的前途。（＊只要人民紧密团结，艰苦奋斗，国家就一定会有一个无限美好的前程。）

② 父母为了儿女的前程，什么苦都愿意吃。(☺父母为了儿女的前途，什么苦都愿意吃。)

③ 他从事的这项研究工作很有前途。(＊他从事的这项研究工作很有前程。)

④ 他总觉得当老师没有前途。(＊他总觉得当老师没有前程。)

⑤ 他虽然退出了国家领导人的岗位，但是还时刻关心人民的生活，国家的前途。(＊他虽然退出了国家领导人的岗位，但是还时刻关心人民的生活，国家的前程。)

⑥ 社会主义的道路是曲折的，但是，前途是光明的。(＊社会主义的道路是曲折的，但是，前程是光明的。)

1039 钱[名]qián ▶ 款[名]kuǎn

词义说明 Definition

钱[money; sum; fund] 货币；钱财；款子。

款[sum of money; fund]（数量较多的）钱。

词语搭配 Collocation

	有～	没～	存～	取～	换～	借～	还～	贷～	罚～	挣～	多少～	公～
钱	√	√	√	√	√	√	√	×	√	√	√	×
款	×	×	√	√	×	√	√	√	√	×	×	√

用法对比 Usage

用法解释 Comparison

“钱”和“款”的意思都是货币，但是口语多用“钱”，不用“款”，“款”表示钱数多，用于正式场合。

语境示例 Examples

① 因为偷税，他们公司被税务局罚了款。(☺因为偷税，他们公司被税务局罚了钱。)

② 我下午要去银行取钱。(☺我下午要去银行取款。)

③ 她挪用了大量公款，走上了犯罪的道路。(＊她挪用了大量公钱，走上了犯罪的道路。)

④ 你这件大衣多少钱？(＊这件大衣多少款？)

⑤ 你要换什么钱？(＊你要换什么款？)

Q

⑥ 我现在没有钱买房子。（* 我现在没有款买房子。）

⑦ 这笔贷款今年内要还清。（* 这笔贷钱今年内要还清。）

1040 强大[形]qiángdà ▶ 强盛[形]qiángshèng

词义说明 Definition

强大[big and powerful; powerful; formidable] 力量坚强雄厚。

强盛[(of a country) powerful and prosperous]（国家）强大昌盛。

词语搭配 Collocation

	力量～	阵容～	国力～	日益～	～起来
强大	√	√	√	√	√
强盛	×	×	√	√	√

用法对比 Usage

用法解释 Comparison

“强大”表示力量大，“强盛”表示国家政治、经济和军事等情况好。

语境示例 Examples

① 看到祖国日益强大，人民的生活一天天好起来，海外华人感到无比自豪。（☺看到祖国日益强盛，人民的生活一天天好起来，海外华人感到无比自豪。）

② 中国强大起来，不会对任何国家构成威胁。（☺中国强盛起来，不会对任何国家构成威胁。）

③ 中国永远是保卫世界和平的一支强大力量。（* 中国永远是保卫世界和平的一支强盛力量。）

④ 这个足球队的力量强大，我们根本不是他们的对手。（* 这个足球队的力量强盛，我们根本不是他们的对手。）

⑤ 国家主席率领了一个阵容强大的代表团出席这次会议，充分说明我们对这次会议的重视。（* 国家主席率领了一个阵容强盛的代表团出席这次会议，充分说明我们对这次会议的重视。）

1041 强制[动]qiángzhì ▶ 强迫[动]qiǎngpò

词义说明 Definition

强制［force; compel; coerce; force by political or economic strength］用政治或经济力量强迫。

强迫［compel; coerce; force; exert pressure on sb. to make him or her obey］施加压力使服从。

词语搭配 Collocation

	～措施	～手段	～劳动	～性	～执行	～别人	～命令
强制	√	√	√	√	√	×	×
强迫	×	×	√	×	×	√	√

用法对比 Usage

用法解释 Comparison

“强制”的行为主体主要是国家、政府和组织，“强迫”的行为主体可以是个人。

语境示例 Examples

① 在中国，信仰是自由的，不能强迫人们信教，也不能强迫人们不信教。(☺在中国，信仰是自由的，不能强制人们信教，也不能强制人们不信教。)

② 你总不能强迫别人接受自己的观点吧？（＊你总不能强制别人接受自己的观点吧?)

③ 如果不执行法院的判决，法院将强制他执行，以维护法律的尊严。（＊如果不执行法院的判决，法院将强迫他执行，以维护法律的尊严。)

④ 一架外国的飞机侵入我领空，我空军立即强迫它降落。（＊一架外国的飞机侵入我领空，我空军立即强制它降落。)

⑤ 因为犯法，他被判入狱，强制劳动改造三年。（＊因为犯法，他被判入狱，强迫劳动改造三年。)

1042 墙[名]qiáng ▶ 墙壁[名]qiángbì

词义说明 Definition

墙［wall］用砖、石或土等筑成的屏障和外围。

墙壁[wall] 用砖石或木板隔成的屋界。

词语搭配 Collocation

	一堵~	~上	院~	城~	石~	人~
墙	√	√	√	√	√	√
墙壁	×	√	×	×	×	×

用法对比 Usage

用法解释 Comparison

"墙壁"是墙的总称，是抽象名词，"墙"是具体名词，也是个语素，有组词能力，"墙壁"没有组词能力。

语境示例 Examples

① 教室后边的墙上挂着两张地图，一张中国地图，一张世界地图。(☺教室后边的墙壁上挂着两张地图，一张中国地图，一张世界地图。)

② 院子周围的墙上爬满了长青藤。(☺院子周围的墙壁上爬满了长青藤。)

③ 墙壁厚的房间冬暖夏凉。(☺墙厚的房间冬暖夏凉。)

④ 这座城的城墙大约有一千三百多年的历史了。(＊这座城的城墙壁大约有一千三百多年的历史了。)

⑤ 把这张画挂在这边的墙上吧。(＊把这张画挂在这边的墙壁上吧。)

⑥ 他们在古城墙上建起了一座花园。(＊他们在古城墙壁上建起了一座花园。)

1043 悄悄[副]qiāoqiāo ▶ 偷偷[副]tōutōu

词义说明 Definition

悄悄[quietly; on the quiet; secretly; with little or no noise] 没有声音，或声音很低；不声不响。

偷偷[stealthily; secretly; covertly; on the sly] 行动不使人觉察。

词语搭配 Collocation

	~地离开	~地走了	~溜出去了	说~话	~地告诉我
悄悄	√	√	√	√	√
偷偷	√	√	×	×	√

用法对比 Usage

用法解释 Comparison

这两个词都是副词，都可以作状语，但是意思不同。“偷偷”的意思是动作行为不希望让别人发现；“悄悄”的意思是不发出太大的声响，不想让别人听见或怕影响别人。

语境示例 Examples

① 他看老师转过身去在黑板上写字，就偷偷地走出了教室。(☺他看老师转过身去在黑板上写字，就悄悄地走出了教室。)

② 她悄悄地告诉我，她怀孕了。(☺她偷偷地告诉我，她怀孕了。)

③ 因为迟到了，我悄悄地走进教室，坐在最后边。(＊因为迟到了，我偷偷地走进教室，坐在最后边。)

④ 我怕惊醒他，就悄悄地出来了。(＊我怕惊醒他，就偷偷地出来了。)

⑤ 我没有告诉爸爸妈妈，是偷偷跑出来的。(＊我没有告诉爸爸妈妈，是悄悄跑出来的。)

1044 桥[名]qiáo ▶ 桥梁[名]qiáoliáng

词义说明 Definition

桥[bridge] 桥梁。

桥梁[bridge] 架在水面上或空中以便行人、车辆等通行的建筑物。[bridge; person or thing that serves as a link] 比喻能起沟通作用的人或事物。

词语搭配 Collocation

	一座～	铁～	石～	大～	架设～	起～作用	～建筑
桥	√	√	√	√	×	×	×
桥梁	×	×	×	×	√	√	√

用法对比 Usage

用法解释 Comparison

“桥”是个具体名词，可以用数量词修饰，“桥梁”是桥的统称，是抽象名词，不能用数量词修饰。由于音节不同，与其他词语搭配的能力也不同。

语境示例 Examples

① 这支部队的任务就是修桥铺路。（＊这支部队的任务就是修桥梁铺路。）
② 长江上还要修建一座大桥。（＊长江上还要修建一座大桥梁。）
③ 这座石桥已经有一千多年的历史了。（＊这座石桥梁已经有一千多年的历史了。）
④ 一本双语词典起到了沟通两国文化的桥梁作用。（＊一本双语词典起到了沟通两国文化的桥作用。）
⑤ 他是中国著名的桥梁建筑工程师。（＊他是中国著名的桥建筑工程师。）

1045 窃取[动]qièqǔ ▶ 盗窃[动]dàoqiè

词义说明 Definition

窃取[usurp；steal；grab] 偷盗（多用于比喻）。
盗窃[steal；embezzle] 用不合法的手段秘密地取得。

词语搭配 Collocation

	～他人劳动成果	～机密	～情报	～职位	～行为	～团伙	～犯	～公物
窃取	√	√	√	√	×	×	×	×
盗窃	×	√	√	×	√	√	√	√

Q

用法对比 Usage

用法解释 Comparison

“盗窃”的宾语多为实物，“窃取”的宾语多为抽象事物，如机密，情报等。

语境示例 Examples

① 她受境外敌对势力派遣，潜入国内盗窃机密情报，被公安机关抓获。（☺她受境外敌对势力派遣，潜入国内窃取机密情报，被公安机关抓获。）
② 他因犯盗窃罪被判有期徒刑。（＊他因犯窃取罪被判有期徒刑。）
③ 剽窃是一种窃取他人劳动成果的行为。（＊剽窃是一种盗窃他人劳动成果的行为。）
④ 他靠给领导行贿窃取了这个职位。（＊他靠给领导行贿盗窃了这个职位。）

⑤ 警察摧毁了一个特大盗窃团伙。（＊警察摧毁了一个特大窃取团伙。）

1046 亲爱[形]qīn'ài ▶ 敬爱[形]jìng'ài

词义说明 Definition

亲爱[dear; beloved] 关系亲密，感情深厚。

敬爱[respect and love] 尊敬热爱。

词语搭配 Collocation

	～的爸爸妈妈	～老师	～的领导	～的
亲爱	√	×	×	√
敬爱	√	√	√	×

用法对比 Usage

用法解释 Comparison

"亲爱"和"敬爱"多用于书信的开头，口语不说。"亲爱的"只用于称呼爱人或恋人，在翻译成中文的外国影视作品中，还表示对子女的称呼。

语境示例 Examples

① 亲爱的爸爸妈妈，你们好！（☺敬爱的爸爸妈妈，你们好！）
② 敬爱的王老师，您身体好吗？（＊亲爱的王老师，您身体好吗？）
③ 我们要把青春和热血献给亲爱的祖国。（＊我们要把青春和热血献给敬爱的祖国。）
④ 亲爱的同学们，让我们伸出手来，帮帮那些困难的人们吧。（＊敬爱的同学们，让我们伸出手来，帮帮那些困难的人们吧。）
⑤ 亲爱的，我爱你！（对妻子、儿女或恋人说）（＊敬爱的，我爱你！）

1047 亲热[形]qīnrè ▶ 亲密[形]qīnmì ▶ 亲切[形]qīnqiè

词义说明 Definition

亲热[affectionate; intimate; warmhearted] 亲密而热情。

亲密[close; intimate] 感情好，关系密切。

亲切[cordial; kind] 亲近；亲密。[kind; close; intimate; dear] 形容热情而关心。

词语搭配 Collocation

	很~	~极了	关系~	~的伙伴	~的战友	感到~	~的教导
亲热	√	√	×	×	×	√	×
亲密	√	√	√	√	√	×	×
亲切	√	√	×	×	×	√	√

用法对比 Usage

它们都可以作谓语。“亲密”和“亲热”形容人与人之间的关系和情感，“亲切”形容人对人的态度。

① 老同学相见就像久别重逢的亲人一样亲热。(☺老同学相见就像久别重逢的亲人一样亲切。)(*老同学相见就像久别重逢的亲人一样亲密。)

② 他们俩是大学同学，关系十分亲密。(*他们俩是大学同学，关系十分亲切/亲热。)

“亲热”和“亲密”可以重叠，“亲切”不能重叠。

① 久别重逢，一见面他们就亲亲热热地互相问长问短。(*久别重逢，一见面他们就亲亲密密/亲亲切切地互相问长问短。)

② 小两口互敬互爱，亲亲密密的，生活很幸福。(☺小两口互敬互爱，亲亲热热的，生活很幸福。)(*小两口互敬互爱，亲亲切切的，生活很幸福。)

③ 他们俩是相伴终生的夫妻，也是亲密无间的战友。(*他们俩是相伴终生的夫妻，也是亲热/亲切无间的战友。)

“亲切”可以作状语，“亲热”和“亲密”不能作状语。

课堂上每当我说错时，老师总是亲切地说，没关系。(*课堂上每当我说错时，老师总是亲密/亲热地说，没关系。)

1048 侵略[动]qīnlüè ▶ 侵犯[动]qīnfàn

词义说明 Definition

侵略[aggression; invasion] 一个国家(或几个国家联合起来)侵犯别国的领土、主权，掠夺并奴役别国的人民。侵略也采用政治干涉、经济或文化渗透等手段。

侵犯[encroach on; infringe (upon); violate] 非法干涉别人，损

害别人的权利。侵入别国领域。

词语搭配 Collocation

	～人权	～版权	～别人的利益	～领空	～战争	文化～	经济～	～者	～军	～行为
侵略	×	×	×	√	√	√	√	√	√	√
侵犯	√	√	√	√	×	×	×	×	×	×

用法对比 Usage

用法解释 Comparison

“侵犯”的行为主体可以是国家，也可以是个人或团体，“侵略”的行为主体一定是一个或几个国家。“侵犯”的对象可以是一个国家的领土或领空，也可以是他人的财产或合法权益，“侵略”的对象一定是他国的领土或领空。

语境示例 Examples

① 对这种侵略中国领空的强盗行径，全中国人民表示了极大的愤慨。(☺对这种侵犯中国领空的强盗行径，全中国人民表示了极大的愤慨。)

② 一架外国军用侦察机侵犯了中国领空。(☺一架外国军用侦察机侵略了中国领空。)

③ 侵犯他人的人权是违法的。(＊侵略他人的人权是违法的。)

④ 要狠狠地打击侵略者。(＊要狠狠地打击侵犯者。)

⑤ 既要警惕军事干涉和武装侵略，也要警惕可能的经济侵略和文化渗透。(＊既要警惕军事干涉和武装侵犯，也要警惕可能的经济侵犯和文化渗透。)

1049 侵略[动]qīnlüè ▶ 侵占[动]qīnzhàn

词义说明 Definition

侵略[aggression; invasion] 一个国家（或几个国家联合起来）侵犯别国的领土、主权，掠夺并奴役别国的人民。侵略的主要形式是武装入侵，有时也采用政治干涉、经济和文化渗透等方式。

侵占[invade and occupy another country's territory] 用侵略手段占有别国的领土。[seize; embezzle] 非法占有别人的财产。

词语搭配 Collocation

	～者	～别国	～战争	～行为	受～	～别国领土	～公共财产
侵略	√	√	√	√	√	√	×
侵占	×	√	×	×	×	√	√

用法对比 Usage

用法解释 Comparison

"侵略"是一个国家对另一个国家的非法行为，"侵占"也有侵略这个意思，但是"侵占"还有非法占有他人财产的意思。"侵略"是国家行为，"侵占"既可以是国家行为，也可以是个人或团体的行为。

语境示例 Examples

① 中国在上个世纪初曾遭受帝国主义列强的侵略。(☺中国在上个世纪初曾遭受帝国主义列强的侵占。)

② 侵略者的最终下场就是被受侵略国家的人民消灭或赶走。(＊侵占者的最终下场就是被受侵占国家的人民消灭或赶走。)

③ 侵略战争是一种不义的战争，不义的战争是注定要失败的。(＊侵占战争是一种不义的战争，不义的战争是注定要失败的。)

④ 比起武力侵略来，文化侵略往往不易觉察。(＊比起武力侵占来，文化侵占往往不易觉察。)

⑤ 侵占他人财产是非法行为。(＊侵略他人财产是非法行为。)

1050 侵蚀[动]qīnshí ▶ 腐蚀[动]fǔshí

词义说明 Definition

侵蚀[corrode; erode; eat into] 逐渐侵害使变坏。[misappropriate or embezzle(property)bit by bit] 暗中一点一点地侵占(财务)。

腐蚀[corrupt; debauch (under the influence of evil thoughts, behaviour, and environment)] 使人在坏的思想、行为、环境等因素影响下逐渐变质堕落。

词语搭配 Collocation

	风雨的～	～人体	病菌～	～公款	～干部	～青少年
侵蚀	√	√	√	√	×	×
腐蚀	×	×	×	×	√	√

用法对比 Usage

用法解释 Comparison

“侵蚀”的对象是物体（包括人体），“腐蚀”的对象是人的思想。“腐蚀”也有使物体逐渐消损破坏的意思。

语境示例 Examples

① 由于受腐朽思想的侵蚀，他变得好逸恶劳，最后因犯盗窃罪而被抓进了监狱。(☺由于受腐朽思想的腐蚀，他变得好逸恶劳，最后因犯盗窃罪而被抓进了监狱。)
② 经过千年风雨的侵蚀，这座古老的大石桥依然牢固地飞架在河面上。(＊经过千年风雨的腐蚀，这座古老的大石桥依然牢固地飞架在河面上。)
③ 这种病是由病菌侵蚀引起的。(＊这种病是由病菌腐蚀引起的。)
④ 他利用工作的便利，侵蚀公款，走上了犯罪的道路。(＊他利用工作的便利，腐蚀公款，走上了犯罪的道路。)
⑤ 利用淫秽的画刊和光盘腐蚀青少年是犯罪行为。(＊利用淫秽的画刊和光盘侵蚀青少年是犯罪行为。)

1051 勤奋[形]qínfèn ▶ 勤恳[形]qínkěn

Q

词义说明 Definition

勤奋[diligent; assiduous; industrious]努力地工作或学习。

勤恳[diligent and conscientious]勤劳而踏实。

词语搭配 Collocation

	很～	～学习	～工作	～地劳动
勤奋	√	√	√	√
勤恳	√	×	√	√

用法对比 Usage

用法解释 Comparison

“勤奋”多用于形容脑力劳动；“勤恳”多用于形容体力劳

动，“勤恳”可以重叠，“勤奋”不能重叠。

语境示例 Examples

① 父亲一个人勤恳地工作，养活我们一家人。(☺父亲一个人勤奋地工作，养活我们一家人。)

② 他学习勤奋刻苦，所以成绩很好。(*他学习勤恳刻苦，所以成绩很好。)

③ 我是班上年龄最大的学生，只有靠勤奋才能赶上大家。(*我是班上年龄最大的学生，只有靠勤恳才能赶上大家。)

④ 他在这个工厂勤勤恳恳地工作了几十年。(*他在这个工厂勤勤奋奋地工作了几十年。)

⑤ 他这个人很勤奋，几年来发表了不少论文。(*他这个人很勤恳，几年来发表了不少论文。)

1052 青年[名]qīngnián ▶ 青春[名]qīngchūn

词义说明 Definition

青年[youth; young people]指人十五六岁到三十岁左右的阶段和处于这个年龄段的人。

青春[youth; youthfulness]青年时期。

词语搭配 Collocation

	美丽的～	壮丽的～	～时代	焕发～	献出～	优秀～	好～	～学生
青年	×	×	√	×	×	√	√	√
青春	√	√	√	√	√	×	×	×

用法对比 Usage

“青年”指人，“青春”指年龄段。

① 青年时代是人生最美好的时候，应该努力建功立业。(☺青春时代是人生最美好的时候，应该努力建功立业。)

② 青春是美好的。(*青年是美好的。)

③ 我们要把青春献给祖国的现代化建设事业。(*我们要把青年献给祖国的现代化建设事业。)

④ 青年人朝气蓬勃，正在兴旺时期，好像早晨八九点钟的太阳，希望寄托在他们身上。(*青春人朝气蓬勃，正在兴旺时期，好像

早晨八九点钟的太阳，希望寄托在他们身上。）

⑤ 参加奥运会志愿者队伍的都是各个大学挑选出来的优秀青年。（＊参加奥运会志愿者队伍的都是各个大学挑选出来的优秀青春。）

⑥ 体育健儿用自己的青春和汗水为祖国赢得了荣誉。（＊体育健儿用自己的青年和汗水为祖国赢得了荣誉。）

⑦ 五月四日是中国青年节。（＊五月四日是中国青春节。）

“青春”有比喻义，“青年”没有。

通过他们的艰苦努力，这个濒于破产的老厂又焕发了青春。（＊通过他们的艰苦努力，这个濒于破产的老厂又焕发了青年。）

1053 轻易[形]qīngyì ▶ 随便suí biàn

词义说明 Definition

轻易[easily] 简单容易：～成功。[lightly; rashly]随随便便：不能～发表意见。

随便[casual; random; informal]不在范围、数量等方面限制：～聊聊。[casual; without care or consideration] 怎么方便就怎么做，不多考虑：他说话太～，得罪了不少人。[anyhow; any]任凭；无论：～什么时候去都行。[do as one pleases]按照某人的方便（去做）：你想怎么做就怎么做吧，随你的便。

词语搭配 Collocation

	～不来	～得到	不～说话	很～	～谈谈	你～	～什么时候	～多少
轻易	√	√	√	×	×	×	×	×
随便	×	√	√	√	√	√	√	√

用法对比 Usage

“轻易”有随便、容易的意思，但是“随便”还有不加限制、任凭等意思。

① 不了解情况不要轻易下结论。（☺不了解情况不要随便下结论。）

② 干任何事情都不是轻易可以成功的，必须付出艰苦的努力。（☺干任何事情都不是随便可以成功的，必须付出艰苦的努力。）

③ 第一场他们很轻易就拿下了，可是第二场却打得很艰苦。（＊第

一场他们很随便就拿下了，可是第二场却打得很艰苦。）

④ 我们找个地方随便谈谈。（＊我们找个地方轻易谈谈。）

⑤ 你随便什么时候来都行。（＊你轻易什么时候来都行。）

“随便”有离合动词的用法，可以分开用；“轻易”没有这个用法。

你想什么时候来就什么时候来吧，随你的便。（＊你想什么时候来就什么时候来吧，轻你的易。）

1054 倾向[动、名]qīngxiàng ▶ 偏向[动、名]piānxiàng

词义说明 Definition

倾向[be inclined to; prefer] 偏于赞成对立事物中的一方。[tendency; trend; inclination]发展的方向，趋向。

偏向[prefer; be partial to; give unprincipled support or protection to (oneside)]偏于赞成某一方面；无原则的支持或袒护；不公正。[erroneous; tendency; deviation]不正确的倾向（多指掌握政策过左或过右，或在几项工作中注重某一项）。

词语搭配 Collocation

	不良～	～于	一种～	左的～	～一方	有～	纠正～
倾向	√	√	√	√	√	×	×
偏向	×	√	×	√	√	√	√

用法对比 Usage

用法解释 Comparison

“倾向”往往指大的趋向，用于政治方面，是中性词；“偏向”含贬义，多指日常生活中的错误倾向，不用于大的场合。

语境示例 Examples

① 要在纠正一种倾向的同时，注意防止可能出现的另一种倾向。（☺要在纠正一种偏向的同时，注意防止可能出现的另一种偏向。）

② 欧洲一些国家政治的极右倾向，引起了世人的警觉。（＊欧洲一些国家政治的极右偏向，引起了世人的警觉。）

③ 对于儿童教育问题，我倾向于快乐教育，让孩子在玩耍游戏中，

自由自在地接受教育。(*对于儿童教育问题，我偏向于快乐教育，让孩子在玩耍游戏中，自由自在地接受教育。)

④ 司法必须公正，不能偏向任何一方。(*司法必须公正，不能倾向任何一方。)

⑤ 即使对待自己的儿女也要公平，不能有偏向。(*即使对待自己的儿女也要公平，不能有倾向。)

1055 清楚[动、形]qīngchu ▶ 明白[动、形]míngbai

词义说明 Definition

清楚[clear; distinct]事情容易让人了解。[be keenly aware; be clear about; understand]对事情了解得透彻；了解。

明白[clear; obvious; plain]内容、意思等使人容易理解；清楚；明确。[open; unequivocal; explicit]公开的，不含糊的。[sensible; reasonable]聪明；懂道理。[understand; realize; know]知道；了解。

词语搭配 Collocation

	很~	十分~	不~	说得~	字迹~	头脑~	心里~	~人
清楚	√	√	√	√	√	√	√	×
明白	√	√	√	√	×	×	√	√

用法对比 Usage

“清楚”和“明白”都是形容词和动词，都有“懂得，了解”的意思。

① 他是什么打算我最清楚。(☺他是什么打算我最明白。)

② 这个问题老师讲得很清楚。(☺这个问题老师讲得很明白。)

③ 老师刚才讲的你明白了没有？(☺老师刚才讲的你清楚了没有？)

④ 我不明白你的意思。(☺我不清楚你的意思。)

“清楚”可以表示视力好，头脑清醒，对事物了解得透彻，“明白”没有这个用法。

① 我没有带眼镜，看不清楚。(*我没有带眼镜，看不明白。)

② 他这个人头脑很清楚。(*他这个人头脑很明白。)

“清楚”还有容易辨认的意思，“明白”没有这个意思。

① 这些字写得不清楚，不知道是什么意思。(＊这些字写得不明白，不知道是什么意思。)

② 大家要把字写清楚。(＊大家要把字写明白。)

"明白"有"聪明，懂道理，有思想"的意思。

他是个明白人，这个道理你一说他就懂。(＊他是个清楚人，这个道理你一说他就懂。)

1056 清楚[形、动]qīngchu ▶ 清晰[形]qīngxī

词义说明 Definition

清楚[clear; distinct] 事情容易让人了解。[be keenly aware; be clear about; understand] 对事情了解的透彻；了解。

清晰[distinct; clear]（看得或听得）清楚。

词语搭配 Collocation

	很～	非常～	写得很～	说得很～	听得很～	看得很～	不太～
清楚	√	√	√	√	√	√	√
清晰	√	√	×	×	√	√	√

用法对比 Usage

"清楚"有了解，明白，有条理等意思，使用范围比"清晰"广；"清晰"是非常清楚。"清楚"是动词也是形容词，而"清晰"只是形容词，一般形容图像，声音等。"清楚"可以重叠，"清晰"不能重叠。

① 天气晴朗的时候，站在这里，远山近树看得很清楚。(☺天气晴朗的时候，站在这里，远山近树看得很清晰。)

② 耳机里的声音很清楚。(☺耳机里的声音很清晰。)

③ 这张照片的年代太久了，上面的人物已经不清楚了。(☺这张照片的年代太久了，上面的人物已经不清晰了。)

④ 他的情况我很清楚。(＊他的情况我很清晰。)

⑤ 这个语法老师讲得很清楚。(＊这个语法老师讲得很清晰。)

⑥ 站在这里，全城的风景看得清清楚楚。(＊站在这里，全城的风景看得清清晰晰。)

"清楚"可以带宾语，"清晰"不能带宾语。

我清楚你的意思。（＊我清晰你的意思。）

1057 清理[动]qīnglǐ ▶ 整理[动]zhěnglǐ

词义说明 Definition

清理[put in order; clear; sort out] 彻底整理或处理，保留有用的，把不用的不需要的丢掉。

整理[put in order; straighten out; arrange; sort out] 整顿使有条理，有秩序；收拾。

词语搭配 Collocation

	～账目	～仓库	～房间	～材料	～资料	～行李
清理	√	√	×	×	×	×
整理	√	√	√	√	√	√

用法对比 Usage

用法解释 Comparison

"整理"是使东西变得整齐，有条理，"清理"是要丢掉没有用的，保留需要的、有用的。

语境示例 Examples

① 整理：桌子上太乱了，快把上面的东西整理整理。（使整齐干净）

清理：桌子上太乱了，快把上面的东西清理清理。（把有些东西拿走）

② 整理：把书架上的书整理一下。（使整齐美观）

清理：把书架上的书清理一下。（去掉不需要的，保留需要的）

③ 要把公司的账目清理一下。（＊要把公司的账目整理一下。）

④ 那些不用的东西最好清理清理处理了。（☺那些不用的东西最好整理整理处理了。）

⑤ 我把你要的这些资料整理出来了。（＊我把你要的这些资料清理出来了。）

Q

1058 情感[名]qínggǎn ▶ 感情[名]gǎnqíng

词义说明 Definition

情感[emotion; feeling] 人对外界刺激肯定或否定的心理反应，如：喜欢、愤怒、恐惧、悲伤、厌恶等。[affection; attachment] 感情。

感情[emotion; feeling; sentiment] 对于外界刺激所产生的喜怒哀乐等心理反应。[affection; attachment; love] 对人或事物关切、喜爱的心情。

词语搭配 Collocation

	美好的~	深厚的~	~真挚	有~	没有~	产生了~	联络~	动~	~很好	~不好
情感	√	√	√	×	×	×	×	×	×	×
感情	√	√	√	√	√	√	√	√	√	√

用法对比 Usage

用法解释 Comparison

“情感”和“感情”的意思基本相同，但是“情感”的使用频率较低。“感情”有时特指爱情，“情感”没有这个含义。

语境示例 Examples

① 这支歌唱出了年轻人向往自由、幸福和爱情的美好情感。(☺这支歌唱出了年轻人向往自由、幸福和爱情的美好感情。)

② 在这个电视剧里，她的表演自然朴实，感情真挚。(☺在这个电视剧里，她的表演自然朴实，情感真挚。)

③ 他们在北京一起学习和生活期间，彼此产生了感情。(＊他们在北京一起学习和生活期间，彼此产生了情感。)

④ 刚来时就想早点儿回国，半年以后，对这里慢慢有了感情。(＊刚来时就想早点儿回国，半年以后，对这里慢慢有了情感。)

⑤ 他们是经别人介绍才认识结婚的，结婚以后感情一直不好。(＊他们是经别人介绍才认识结婚的，结婚以后情感一直不好。)

⑥ 遇事要冷静，要三思而行，不能感情用事。(＊遇事要冷静，要三思而行，不能情感用事。)

1059 情景[名]qíngjǐng ▶ 情况[名]qíngkuàng

词义说明 Definition

情景[scene; sight; circumstances]（具体场合的）情形；景象。

情况[circumstances; situation; condition; state of affairs] 事物的状态、样子；情形。

词语搭配 Collocation

	当时的～	过去的～	～会话	～特殊	身体～	～怎么样	～不好
情景	√	√	√	×	×	×	×
情况	√	√	×	√	√	√	√

用法对比 Usage

用法解释 Comparison

“情景”和“情况”的不同在于，“情景”主要是诉诸于视觉的景象，而“情况”则没有此限。

语境示例 Examples

① 看到这张照片就想起了我在大学学习的情景。(☺看到这张照片就想起了我在大学学习的情况。)

② 中国农村的情况怎么样？(＊中国农村的情景怎么样?)

③ 这幅画真实地再现了当时战争的情景。(☺这幅画真实地再现了当时战争的情况。)

④ 你爸爸最近的身体情况怎么样？（＊你爸爸最近的身体情景怎么样?)

⑤ 当年在中国留学的情景，我永远忘不了。(＊当年在中国留学的情况，我永远忘不了。)

1060 情况[名]qíngkuàng ▶ 情形[名]qíngxing

词义说明 Definition

情况[circumstances; situation; condition; state of affairs] 事物的状态、样子；情形。

情形[circumstances; situation; condition] 事物的样子。

词语搭配 Collocation

	当时的～	～怎么样	身体～	工作～	学习～	有～	发现～	新～	复杂～
情况	√	√	√	√	√	√	√	√	√
情形	√	√	×	×	×	×	×	×	×

用法对比 Usage

"情况"和"情形"是同义词，不同的是，"情形"侧重事物的外观，"情况"没有此限。

① 出现流星雨这种情况非常少见，几年也不一定遇到一次。(☺出现流星雨这种情形非常少见，几年也不一定遇到一次。)

② 这张照片照的是我去年看钱塘潮的情况。(☺这张照片照的是我去年看钱塘潮的情形。)

③ 看到大潮奔腾而来的情况，人们欢呼了起来。(☺看到大潮奔腾而来的情形，人们欢呼了起来。)

④ 他最近的身体情况不太好。(*他最近的身体情形不太好。)

⑤ 刚来中国时不习惯，现在情况好多了。(*刚来中国时不习惯，现在情形好多了。)

⑥ 具体情况要具体分析，不能一概而论。(*具体情形要具体分析，不能一概而论。)

"有情况（没有情况）"的意思是"发现了（没有发现）敌情或坏人的踪迹"，一般为警察或军队用语，"情形"没有这个意思和用法。

报告队长，我们这里有情况。(*报告队长，我们这里有情形。)

1061 情绪[名]qíngxù ▶ 情感[名]qínggǎn

词义说明 Definition

情绪[morale; feeling; mood; sentiment] 人从事某种活动时产生的兴奋心理状态。[depression; moodiness] 不愉快的情感。

情感[emotion; feeling] 人对外界刺激肯定或否定的心理反应，如：喜欢、愤怒、恐惧、悲伤、厌恶等感情。

词语搭配　Collocation

	~很好	~高涨	急躁~	闹~	有点儿~	~丰富	美好的~	真挚~
情绪	√	√	√	√	√	×	×	×
情感	×	×	×	×	×	√	√	√

用法对比　Usage

"情绪"表达的情感往往可以看出来，"情感"主要指内心世界受外界刺激所产生的心理反应，不容易看出来或看不出来。它们不能相互替换。

① "EQ"（Emotional Quotient）翻译成汉语叫情感智商，简称"情商"。（☺"EQ"（Emotional Quotient）翻译成汉语叫情绪智商，简称"情商"。）

② 不知道为什么她最近一直情绪不好。（*不知道为什么她最近一直情感不好。）

③ 这首诗表达了诗人热爱祖国大好河山的美好情感。（*这首诗表达了诗人热爱祖国大好河山的美好情绪。）

④ 别看她平时不爱说话，却是个情感丰富的姑娘。（*别看她平时不爱说话，却是个情绪丰富的姑娘。）

⑤ 读了这本小说让人产生一种非常美好的情感，那就是爱应该是无私的。（*读了这本小说让人产生一种非常美好的情绪，那就是爱应该是无私的。）

⑥ 听说要去参观，大家情绪很高。（*听说要去参观，大家情感很高。）

"有情绪"还表示不高兴的意思，"情感"没有这个用法。

① 不让她参加汉语节目表演，她好像有点儿情绪。（不高兴，不满意）（*不让她参加汉语节目表演，她好像有点儿情感。）

② 因为不让他跟我们一起去，她正在闹情绪呢。（*因为不让他跟我们一起去，她正在闹情感呢。）

Q

1062 庆祝[动]qìngzhù ▶ 庆贺[动]qìnghè

词义说明　Definition

庆祝[celebrate] 为共同的喜事而进行一些活动表示高兴或纪念。

庆贺[congratulate; celebrate] 为共同的喜事表示庆祝或向有喜事的人道喜。

词语搭配 Collocation

	~大会	~胜利	~国庆	~元旦	~生日	~新年
庆祝	√	√	√	√	×	×
庆贺	×	√	√	√	√	√

用法对比 Usage

用法解释 Comparison

“庆祝”和“庆贺”的意思都是对共同的喜事，以一定的方式表示高兴的心情。不同的是，“庆祝”一般用于大的范围和庄重的场合，“庆贺”则用于比较小的范围或场合。

语境示例 Examples

① 旅居海外的华人华侨纷纷举行活动庆祝国庆。(☺旅居海外的华人华侨纷纷举行活动庆贺国庆。)

② 今天首都北京举行中华人民共和国成立五十五周年庆祝大会。(*今天首都北京举行中华人民共和国成立五十五周年庆贺大会。)

③ 儿子考上了大学，女儿结婚，这是我们家今年最值得庆贺的两件喜事。(*儿子考上了大学，女儿结婚，这是我们家今年最值得庆祝的两件喜事。)

④ 今天晚上我们一起聚一聚，为你找到工作庆贺庆贺。(*今天晚上我们一起聚一聚，为你找到工作庆祝庆祝。)

⑤ 为了庆贺省足球队获得冠军，举行了盛大的焰火晚会。(*为了庆祝省足球队获得冠军，举行了盛大的焰火晚会。)

Q

1063 秋[名]qiū ▶ 秋天[名]qiūtiān

词义说明 Definition

秋[autumn] 秋季，即八月、九月和十月这三个月。[year] 指一年的时间。[(usu. troubled) period of time] 指某一时期（多是不好的）。

秋天[autumn] 秋季。

词语搭配 Collocation

	～风	深～	多事之～	～的景色	在～	去年～
秋	√	√	√	√	×	√
秋天	×	×	×	√	√	√

用法对比 Usage

用法解释 Comparison

“秋”和“秋天”意思有相同的地方，不过，“秋”还是个语素，有组词能力，“秋天”没有组词能力。

语境示例 Examples

① 北京的秋天，蓝天千里，红叶灿烂，是一年中最好的季节。(☺北京的秋，蓝天千里，红叶灿烂，是一年中最好的季节。)

② 我是去年秋天来中国的，眼看就一年了。(☺我是去年秋来中国的，眼看就一年了。)

③ 已经是深秋了，树上的叶子都落了。(＊已经是深秋天了，树上的叶子都落了。)

④ 他今年真是多事之秋，先是生病住院，出院后又被车撞了一下。(＊他今年真是多事之秋天，先是生病住院，出院后又被车撞了一下。)

⑤ “一日不见，如隔三秋”的意思是，和恋人一天不见就好像三年没见一样。(＊“一日不见，如隔三秋天”的意思是，和恋人一天不见就好像三年没见一样。)

1064 求[动]qiú ▶ 请求[动、名]qǐngqiú

词义说明 Definition

求[ask; beg; request; entreat; beseech] 请求；要求：～你帮个忙。[strive for] 追求：～进步|～生存。[seek; try] 探求；寻求：～学问。[demand; need] 需求；需要：供不应～。

请求[ask; request] 说明要求，希望得到满足；所提出的要求。

词语搭配 Collocation

	～～你	～他帮忙	～真理	～解放	～学	供～关系	我的～	～辞职
求	√	√	√	√	√	√	×	×
请求	×	√	×	×	×	×	√	√

用法对比 Usage

用法解释 Comparison

“求”有“请求”的意思，也有“请求”所没有的“追求、探求、需求”等意思。

语境示例 Examples

① 这个问题还是应该求政府帮助解决。(☺这个问题还是应该请求政府帮助解决。)
② 我求你一件事可以吗？(＊我请求你一件事可以吗？)
③ 他请求辞职。(＊他求辞职。)
④ 公司领导批准了他辞职的请求。(＊公司领导批准了他辞职的求。)
⑤ 一百多年来，中华民族为了求独立，求解放，不知道有多少优秀儿女献出了自己宝贵的生命。(＊一百多年来，中华民族为了请求独立，请求解放，不知道有多少优秀儿女献出了自己宝贵的生命。)
⑥ 我是来中国求学的，不是来经商的。(＊我是来中国请求学的，不是来经商的。)
⑦ 现在中国市场上很多商品都供大于求。(＊现在中国市场上很多商品都供大于请求。)

1065 区别[动、名]qūbié ▶ 区分[动]qūfēn

Q

词义说明 Definition

区别[distinguish; differentiate; make a distinction between] 把两个以上的对象加以比较，认识它们不同的地方；彼此不同的地方；分别。

区分[differentiate; distinguish] 区别。

词语搭配 Collocation

	有～	没有～	很大的～	～开来	～好坏	～对待	～优劣	～不同性质的矛盾
区别	√	√	√	√	√	√	√	√
区分	×	×	×	√	√	×	√	√

用法对比 Usage

用法解释 Comparison

“区别”兼有动词和名词两种词性，可以作中心语，也可以作宾语；“区分”只是动词，不能作中心语和宾语。

语境示例 Examples

① 应该严格区别并妥善处理不同性质的社会矛盾。（☺应该严格区分并妥善处理不同性质的社会矛盾。）

② 要加强学生的道德教育，帮助他们学会区别真假是非。（☺要加强学生的道德教育，帮助他们学会区分真假是非。）

③ 这种盗版光盘跟正版的几乎一样，一般人很难区分开来。（☺这种盗版光盘跟正版的几乎一样，一般人很难区别开来。）

④ 仔细观察，还是可以发现这种假币跟真币之间的区别的。（＊仔细观察，还是可以发现这种假币跟真币之间的区分的。）

⑤ 这两个词意义上没有什么区别，但是用法不同。（＊这两个词意义上没有什么区分，但是用法不同。）

1066 取得[动]qǔdé ▶ 得到[动]dédào

词义说明 Definition

取得[get; gain; acquire; obtain] 通过努力得到。

得到[get; obtain; gain; receive] 事物为自己所有；获得（东西、机会、同意、允许等）。

词语搭配 Collocation

	～经验	～联系	～成功	～支持	～一致	～批准	～消息	～鼓励	～金牌	～机会
取得	√	√	√	√	√	×	×	×	×	×
得到	×	×	√	√	×	√	√	√	√	√

用法对比 Usage

“得到”强调动作的结果，“取得”则偏重于说明行为主体的意愿；“得到”的宾语可以是抽象的也可以是具体的，“取得”只能带抽象宾语。

① 无论干什么事情，要想取得成功，必须经过艰苦不懈的努力。（☺无论干什么事情，要想得到成功，必须经过艰苦不懈的努力。）

② 通过一年的学习，他取得了可喜的成绩。（＊通过一年的学习，他得到了可喜的成绩。）

③ 通过这次实验我们得到了一些有用的数据。（＊通过这次实验我们取得了一些有用的数据。）

Q

④ 这次运动会我们队得到了三枚金牌。（＊这次运动会我们队取得了三枚金牌。）

⑤ 他非常希望得到一次出国进修的机会。（＊他非常希望取得一次出国进修的机会。）

⑥ 到了国外就赶快打电话来，以便早日跟你取得联系。（＊到了国外就赶快打电话来，以便早日跟你得到联系。）

⑦ 这个报告已经得到了领导的批准。（＊这个报告已经取得了领导的批准。）

⑧ 经过谈判，双方取得了一致的意见。（＊经过谈判，双方得到了一致的意见。）

"取得"可以作中心语受定语修饰，"得到"不能。

这一成绩的取得跟导师的辛勤教育是分不开的。（＊这一成绩的得到跟导师的辛勤教育是分不开的。）

1067 取得[动]qǔdé ▶ 获得[动]huòdé

词义说明 Definition

取得[get; gain; acquire; obtain] 通过努力得到。

获得[gain; obtain; acquire; win; achieve] 得到，取得。

词语搭配 Collocation

	～经验	～成绩	～联系	～支持	～一致	～批准	～奖励	～好评	～机会	～信息
取得	√	√	√	√	√	×	×	×	×	×
获得	√	√	×	√	×	√	√	√	√	√

用法对比 Usage

用法解释 Comparison

"获得"和"取得"都是动词，都有通过努力得到好的结果的意思，都可以带宾语。"取得"主要是自己争取而得到，"获得"除有"取得"的意思之外，还有别人、单位或上级等授予和给予而得到的意思。

语境示例 Examples

① 这次科学实验取得了圆满的成功。（☺这次科学实验获得了圆满的成功。）

② 他在地质科学研究方面取得了优异的成绩。（☺他在地质科学研究方面获得了优异的成绩。）

Q

③ 他在国外一所大学获得博士学位以后，马上就回国工作了。(☺他在国外一所大学取得博士学位以后，马上就回国工作了。)
④ 由于工作认真努力，成绩突出，他获得了领导和群众的好评。(*由于工作认真努力，成绩突出，他取得了领导和群众的好评。)
⑤ 双方通过会谈取得了完全一致的意见。(*双方通过会谈获得了完全一致的意见。)
⑥ 我是通过一个朋友和她取得联系的。(*我是通过一个朋友和她获得联系的。)
⑦ 他去年获得了五百万元的国家大奖。(*他去年取得了五百万元的国家大奖。)
⑧ 他获得了北京市优秀教师的光荣称号。(*他取得了北京市优秀教师的光荣称号。)

1068 取消[动]qǔxiāo ▶ 取缔[动]qǔdì

词义说明 Definition

取消[(of rules and regulations, qualifications, rights, etc.) abolish; nullify; cancel; call off] 使原来的制度、规章、资格、权利等失去效力。

取缔[prohibit; ban; suppress; clamp down] 明令取消或禁止。

词语搭配 Collocation

	~资格	~不合理的规章	~无照商贩	~邪教组织	~黑网吧	~黑车
取消	√	√	×	×	×	×
取缔	×	×	√	√	√	√

用法对比 Usage

用法解释 Comparison

“取缔”是政府的行为，“取消”可以是政府行为，也可以是一般组织或个人的行为。

语境示例 Examples

① 请通知大家，明天下午的会议取消了。(*请通知大家，明天下午的会议取缔了。)
② 因为被查出有经济问题，他被取消了人大代表的资格。(*因为被查出有经济问题，他被取缔了人大代表的资格。)

③ 要取缔无照经营的摊贩，维护市场经营秩序。（*要取消无照经营的摊贩，维护市场经营秩序。）

④ 今年以来，市政府取消了一些不合理的和过时的规章制度。（*今年以来，市政府取缔了一些不合理的和过时的规章制度。）

⑤ 这个宣传迷信，残害人命的邪教组织被政府取缔了。（*这个宣传迷信，残害人命的邪教组织被政府取消了。）

1069 去世[动]qùshì ▶ 死[动]sǐ

词义说明 Definition

去世[（of an adult）die; pass away] 成年人死去。

死[die; be dead] 生物失去生命（跟“活”相对）：病～了|花儿～了。[to the death] 不顾生命；拼死：～守。[（used before verbs in the negative）stubbornly; adamantly; unyieldingly] 至死，表示坚决：～不认错。[extremely; to death] 表示达到极点；不可调和：高兴～了。[fixed; rigid; inflexible] 固定，死板；不灵活：～顽固|～脑筋。[impassable; closed] 不能通过的：～胡同。

词语搭配 Collocation

	～了	～人	～不认输	饿～了	渴～了	～心眼儿	～胡同	～路一条
去世	√	×	×	×	×	×	×	×
死	√	√	√	√	√	√	√	√

Q

用法对比 Usage

用法解释 Comparison

“去世”就是“死”，但是“去世”只能指人，而“死”除了指人还可以指其他生物。“死”的其他意思是“去世”所没有的。

语境示例 Examples

① 他爷爷是去年去世的。(☺他爷爷是去年死的。)

② 我家门前的那棵大枣树死了。（*我家门前的那棵大枣树去世了。）

③ 这条金鱼很好看，可惜死了。（*这条金鱼很好看，可惜去世了。）

以下“死”的用法，都是“去世”不能替代的。

① 你怎么这么死心眼，她不同意嫁给你，不会再找吗？何必那么伤心？（*你怎么这么去世心眼，她不同意嫁给你，不会再找吗？何必那么伤心？）
② 听到她答应嫁给我的消息，我高兴死了。（*听到她答应嫁给我的消息，我高兴去世了。）
③ 妈妈，饭做好了吗？我都快饿死了。（*妈妈，饭做好了吗？我都快饿去世了。）
④ 课堂教学的方法太死的话，学生一定不喜欢。（*课堂教学的方法太去世的话，学生一定不喜欢。）
⑤ 你怎么到现在才来，火车马上就要开了，真把我急死了。（*你怎么到现在才来，火车马上就要开了，真把我急去世了。）

1070 趣味[名]qùwèi ▶ 兴趣[名]xìngqù

词义说明 Definition

趣味[interest; delight; taste; liking; preference] 使人愉快，使人感到有意思、有吸引力的特性。

兴趣[interest] 喜好或关切的情绪。

词语搭配 Collocation

	很有～	没有～	～无穷	低级～	对…感/不感～	极大的～
趣味	√	√	√	√	×	×
兴趣	√	√	×	×	√	√

用法对比 Usage

用法解释 Comparison

“趣味”是书籍、电影、电视、语言、艺术品包括人等自身蕴涵着的特性，而“兴趣”是人因上述事物而产生的情绪、情趣，它们不能相互替换。“兴趣”常与“对”组成“对……感兴趣”或“对……不感兴趣”的格式；“兴趣”不能作动词用，不能说“我兴趣书法”，而要说“我对书法感兴趣。”

语境示例 Examples

① 这本科学幻想小说写得很有趣味，吸引了成千上万的读者。（*这本科学幻想小说写得很有兴趣，吸引了成千上万的读者。）

② 他从小就对画画儿感兴趣。(＊他从小就对画画儿感趣味。)
③ 人们怀着极大的兴趣参观了这个出土文物展览。(＊人们怀着极大的趣味参观了这个出土文物展览。)
④ 有些小说中对性的描写完全是为了迎合一些读者的低级趣味。(＊有些小说中对性的描写完全是为了迎合一些读者的低级兴趣。)
⑤ 文艺作品既应该是健康向上的，又应该是有趣味的。(＊文艺作品既应该是健康向上的，又应该是有兴趣的。)

1071 全部[名]quánbù ▶ 所有[动、形]suǒyǒu

词义说明 Definition

全部[whole; complete; total; all] 各个部分的总和，整个。
所有[all] 一切；全部。[own; possess] 领有：～权｜～制。
[possessions] 领有的东西：尽其～。

词语搭配 Collocation

	～力量	～积蓄	～工作	～情况	～是	～解决	～上缴	～贡献	归国家～
全部	√	√	√	√	√	√	√	√	×
所有	√	√	√	√	×	×	×	√	√

用法对比 Usage

Q

用法解释 Comparison

“全部”是名词，可以作定语和宾语，“所有”是动词和形容词，可以作谓语和状语。

语境示例 Examples

① 最近他把全部精力都用在这本汉语教材的编写上了。(☺最近他把所有精力都用在这本汉语教材的编写上了。)
② 为了给女儿治病，夫妻俩用完了他们全部的积蓄。(☺为了给女儿治病，夫妻俩用完了他们所有的积蓄。)
③ 他为发展国家的尖端科技贡献出了自己的全部力量。(☺他为发展国家的尖端科技贡献出了自己的所有力量。)
④ 我们这里所有办公室都用上了电脑。(＊我们这里全部办公室都用上了电脑。)
⑤ 我们这个学院全部是外国留学生。(＊我们这个学院所有是外国

留学生。)

⑥ 中国的铁路、矿山、河流、土地等，全部归国家所有。（＊中国的铁路、矿山、河流、土地等，所有归国家所有。)

1072 全体[名]quántǐ ▶ 全部[名]quánbù

词义说明 Definition

全体[all; entire; whole] 各部分的总和；各个个体的总和（多指人）。

全部[whole; complete; total number; all] 各个部分的总和；整个。

词语搭配 Collocation

	～起立	～同学	～出席	～情况	～工作	～力量	～完成	～解决
全体	√	√	√	×	×	×	×	×
全部	×	√	√	√	√	√	√	√

用法对比 Usage

用法解释 Comparison

“全体”用于指人，“全部”既可以用来指人，也可以用来表示其他事物。“全体”可以作主语、定语，不能作状语，“全部”可以作主语、定语，也可以作状语。

语境示例 Examples

① 我们学校的全体留学生都参加了今天的植树活动。(☺我们学校的全部留学生都参加了今天的植树活动。)

② 现在唱国歌，请全体起立。(＊现在唱国歌，请全部起立。)

③ 出席大会的全体成员一致通过了这项决议。(☺出席大会的全部成员一致通过了这项决议。)

④ 我代表参加这次运动会的全体运动员宣誓：一定要发扬良好的体育道德，服从裁判。（＊我代表参加这次运动会的全部运动员宣誓：一定要发扬良好的体育道德，服从裁判。)

⑤ 参加全国人民代表大会的各地代表已经全部到达北京。（＊参加全国人民代表大会的各地代表已经全体到达北京。)

⑥ 他为祖国的科学事业贡献出了自己的全部力量。（＊他为祖国的科学事业贡献出了自己的全体力量。)

⑦ 在领导的支持下，现在问题已经全部解决了。（*在领导的支持下，现在问题已经全体解决了。）

⑧ 这项伟大的水利工程已经全部竣工。（*这项伟大的水利工程已经全体竣工。）

1073 权利[名]quánlì ▶ 权力[名]quánlì

词义说明 Definition

权力[power; authority] 政治上的强制力量。[scope of power; extent of authority; jurisdiction] 职责范围内的支配力量。

权利[right] 公民或法人依法行使的权力和享受的利益（跟“义务”相对）。

词语搭配 Collocation

	国家～	～机关	行使～	有～	没有～	人民的～	受教育的～	劳动的～	享受～
权力	√	√	√	√	√	×	×	×	×
权利	×	×	×	√	√	√	√	√	√

用法对比 Usage

用法解释 Comparison

“权利”和“权力”发音相同，但意义和用法都不同。行使“权力”的是国家及其行政机关，享受“权利”的是公民，所以在书写时一定要注意区别。

语境示例 Examples

① 中华人民共和国的一切权力属于人民。（*中华人民共和国的一切权利属于人民。）

② 国家机关的权力是人民赋予的，它只能代表人民行使权力并且忠实地为人民服务。（*国家机关的权利是人民赋予的，它只能代表人民行使权利并且忠实地为人民服务。）

③ 中国的全国人民代表大会是最高权力机关。（*中国的全国人民代表大会是最高权利机关。）

④ 宪法保障公民的一切合法权利。（*宪法保障公民的一切合法权力。）

⑤ 公民享受宪法赋予的受教育的权利和劳动的权利。（*公民享受宪法赋予的受教育的权力和劳动的权力。）

Q

⑥ 公民的权利与义务是相辅相成的，不能只享受权利而不尽义务。（*公民的权力与义务是相辅相成的，不能只享受权力而不尽义务。）

1074 劝告[动、名]quàngào ▶ 劝说[动]quànshuō

词义说明 Definition

劝告[advise; urge; exhort] 拿道理说服人，使人改正错误或接受意见。[advice; exhortation] 希望人改正错误或接受意见而说的话。

劝说[persuade; advise] 用言语劝人做或不做某种事情；对某种事情表示意见。

词语搭配 Collocation

	~他	再三~	耐心~	反复~	听~	不听~	接受~	不接受~
劝告	√	√	√	√	√	√	√	√
劝说	√	√	√	√	√	√	√	√

用法对比 Usage

用法解释 Comparison

“劝告”既是动词又是名词，可以带宾语，“劝说”只是动词。“劝告”多发生在事情发生之前，有提醒、警示的意思，“劝说”常发生在事情发生之后，有规劝的意思。

语境示例 Examples

① 他根本听不进别人的劝告。（☺他根本听不进别人的劝说。）
② 我总是劝告妹妹，交男朋友一定要慎重。（*我总是劝说妹妹，交男朋友一定要慎重。）
③ 劝告别人做到的，自己首先要做到；劝告别人不做的，自己也不要做。（*劝说别人做到的，自己首先要做到；劝说别人不做的，自己也不要做。）
④ 父亲劝告他：“现在你当了领导，一定要清正廉洁，好好为人民服务。”（*父亲劝说他：“现在你当了领导，一定要清正廉洁，好好为人民服务。”）
⑤ 请放心，我一定记住你的劝告。（*请放心，我一定记住你的劝说。）
⑥ 在亲人和朋友的劝说下，他终于到公安机关投案自首了。（*在亲人和朋友的劝告下，他终于到公安机关投案自首了。）

Q

1075 缺点[名]quēdiǎn ▶ 毛病[名]máobìng

词义说明 Definition

缺点[shortcoming; defect; weakness] 欠缺不完善的地方（跟“优点”相对）。

毛病[trouble; mishap; breakdown] 指器物发生的损伤或故障，也比喻工作上的失误。[defect; shortcoming; bad habit] 缺点；坏习惯。[illness] 病。

词语搭配 Collocation

	有～	没～	坏～	主要～	最大的～	出了～	克服～	改正～	一个～
缺点	√	√	×	√	√	×	√	√	√
毛病	√	√	√	√	√	√	×	×	√

用法对比 Usage

用法解释 Comparison

“缺点”和“毛病”的意思不完全相同，都可以作宾语，但是，它们前面的动词有所不同。

语境示例 Examples

① 他最大的毛病就是爱抽烟。(☺他最大的缺点就是爱抽烟。)
② 这个毛病改起来很难。(☺这个缺点改起来很难。)
③ 这个房间的缺点就是不向阳。(＊这个房间的毛病就是不向阳。)
④ 他胃有毛病，不能吃生冷的东西。(＊他胃有缺点，不能吃生冷的东西。)
⑤ 我的电脑出了一点儿小毛病。(＊我的电脑出了一点儿小缺点。)
⑥ 你要克服学习马虎的缺点。(＊你要克服学习马虎的毛病。)
⑦ 他有个坏毛病，睡觉打呼噜。(＊他有个坏缺点，睡觉打呼噜。)
⑧ 这件衣服的缺点是不好洗。(＊这件衣服的毛病是不好洗。)

1076 缺点[名]quēdiǎn ▶ 缺陷[名]quēxiàn

词义说明 Definition

缺点[shortcoming; defect; weakness; drawback] 欠缺或不完善

的地方（与“优点”相对）。

缺陷[defect; drawback; flaw; blemish] 欠缺或不够完备的地方。

词语搭配 Collocation

	有～	克服～	生理～	视力～	精神～	改正～	弥补～
缺点	√	√	×	×	×	√	√
缺陷	√	×	√	√	√	×	√

用法对比 Usage

用法解释 Comparison

“缺点”可以与“改正”、“克服”等动词搭配。“缺陷”多指人的生理方面，不能跟“改正”和“克服”搭配。

语境示例 Examples

① 要认真克服工作中的缺点。（＊要认真克服工作中的缺陷。）

② 对生理上有缺陷的人，应该照顾、帮助，决不能歧视。（＊对生理上有缺点的人，应该照顾、帮助，决不能歧视。）

③ 他视力上的缺陷是一次医疗事故造成的。（＊他视力上的缺点是一次医疗事故造成的。）

④ 这种衣服最大的缺点是容易缩水。（＊这种衣服最大的缺陷是容易缩水。）

⑤ 他的缺点是性子太急。（＊他的缺陷是性子太急。）

⑥ 要努力改正这些缺点。（＊要努力改正这些缺陷。）

Q

1077 缺乏[动]quēfá ▶ 缺少[动]quēshǎo

词义说明 Definition

缺乏[be short of; lack; be in want of]（所需要的、想要的或一般应有的）没有或不够。

缺少[lack; be short of; be in want of] 缺乏（多指人或物数量不够）；不足。

词语搭配 Collocation

	～经验	～锻炼	～实践	～人才	～人手	～雨水
缺乏	√	√	√	√	×	×
缺少	√	√	√	√	√	√

用法对比 Usage

用法解释 Comparison

“缺乏”和“缺少”的意思相同，都表示应有的东西没有或不够。但是，“缺乏”的宾语只能是抽象名词，它的宾语前面一般不能有数量词语；“缺少”的宾语既可以是抽象名词也可以是具体名词，宾语前可以用数量词语修饰。

语境示例 Examples

① 我们在国内学习汉语最大的问题是缺乏语言环境。(☺我们在国内学习汉语最大的问题是缺少语言环境。)

② 最近因为缺乏锻炼，我越来越胖了。(☺最近因为缺少锻炼，我越来越胖了。)

③ 我们面临的最大困难是缺乏高级管理人才。(☺我们面临的最大困难是缺少高级管理人才。)

④ 我刚参加工作，还缺乏经验。(☺我刚参加工作，还缺少经验。)

⑤ 今年因为缺少雨水，所以农业可能要减产。(＊今年因为缺乏雨水，所以农业可能要减产。)

⑥ 这个句子缺少一个标点符号。(＊这个句子缺乏一个标点符号。)

1078 确定[动]quèdìng ▶ 确认[动]quèrèn

Q

词义说明 Definition

确定[firm; definite; fix; certain] 明确而肯定；明确地定下。

确认[affirm; confirm; acknowledge] 明确承认(事实、原则等)。

词语搭配 Collocation

	已经～	不～	不～因素	工作～了	～名单	得到～	～了上述原则
确定	√	√	√	√	√	×	×
确认	√	×	×	×	×	√	√

用法对比 Usage

用法解释 Comparison

“确定”的宾语可以是抽象的，也可以是具体的，“确认”的宾语只能是抽象的，它们不能相互替换。

语境示例 Examples

① 候选人的名单今天的大会已经确定了。（＊候选人的名单今天的大会已经确认了。）
② 开会的地点和日期还没有确定。（＊开会的地点和日期还没有确认。）
③ 你的回程机票需要确认吗？（＊你的回程机票需要确定吗？）
④ 回国后的工作已经确定了，去北大当教授。（＊回国后的工作已经确认了，去北大当教授。）
⑤ 国际关系中有很多不确定因素，我们必须审时度势，积极应对。（＊国际关系中有很多不确认因素，我们必须审时度势，积极应对。）
⑥ 和平共处五项原则得到了国际社会的普遍确认。（＊和平共处五项原则得到了国际社会的普遍确定。）

1079 确切[形]quèqiè ▶ 确凿[形]quèzáo(zuò)

词义说明 Definition

确切[definite; exact; precise] 准确，恰当：用词～。[true; reliable; sure] 确实：消息～。

确凿[conclusive; authentic; irrefutable] 非常确实。

词语搭配 Collocation

	不～	～的时间	～的解释	～的事实	～保证	证据～	用字～
确切	√	√	√	√	√	×	√
确凿	√	×	×	√	×	√	×

用法对比 Usage

用法解释 Comparison

“确切”和“确凿”都是形容词，语义有差别。“确切”可以作状语，“确凿”不能作状语。

语境示例 Examples

① 在确凿的证据面前，他不得不坦白了自己的罪行。（＊在确切的证据面前，他不得不坦白了自己的罪行。）
② 这个词用得不确切。（＊这个词用得不确凿。）
③ 他出国的事已经定了，至于确切的时间，还不太清楚。（＊他出国的事已经定了，至于确凿的时间，还不太清楚。）

Q

④ 这个消息是不是确切？（＊这个消息是不是确凿？）
⑤ 政府想了各种办法，要确切保证大学生不因家境贫寒而辍学。（＊政府想了各种办法，要确凿保证大学生不因家境贫寒而辍学。）
⑥ 不少副词，如果离开语境很难确切地解释它们的意义。（＊不少副词，如果离开语境很难确凿地解释它们的意义。）

1080 确实[形、副]quèshí ▶ 实在[形、副]shízài

词义说明 Definition

确实[true；reliable] 真实可靠。[really；indeed；really] 对客观情况的真实性表示肯定。

实在[true；real；honest；dependable] 诚实；不虚假。[indeed；really；honestly] 的确：～不知道｜～太累了。[in fact；as a matter of fact] 其实。

词语搭配 Collocation

	很～	～的消息	～的数字	～的能力	～是	～有	～听到了	～抱歉	～好	～不知道
确实	×	√	√	×	√	√	√	×	√	√
实在	√	×	×	√	√	×	×	√	√	√

用法对比 Usage

用法解释 Comparison

副词“确实”和“实在”都可以用来作状语，但形容词“确实”多用来指事，“实在”多用于指人。

语境示例 Examples

① 我确实不知道他的情况。（☺我实在不知道他的情况。）
② 国际互联网实在好，它改变了我们的生活。（☺国际互联网确实好，它改变了我们的生活。）
③ 我认为这个统计数字不确实。（＊我认为这个统计数字不实在。）
④ 实在抱歉，我把这件事忘了。（＊确实抱歉，我把这件事忘了。）
⑤ 他这个人心眼儿很实在。（＊他这个人心眼儿很确实。）
⑥ 他说的情况是确实的。（＊他说的情况是实在的。）
⑦ 要想成功，必须有实在的本领。（＊要想成功，必须有确实的本领。）
⑧ 这个消息确实吗？（＊这个消息实在吗？）

R

1081 然而[连]rán'ér ▶ 但是[连]dànshì

词义说明 Definition

然而[(used at the beginning of a sentence to indicate transition of meaning) but; however; yet] 用在句子的开头，表示转折。从另一方面来说，表示转折关系。

但是[(used to introduce the next part of a sentence and indicate unexpectedness or exception) but; yet; still; nevertheless] 用在后半句话里，表示转折，往往与“虽然、尽管”等呼应。

用法对比 Usage

用法解释 Comparison

“然而”和“但是”都是连词，意思也差不多，“然而”多用于书面语，“但是”没有此限，在句子中可以互换。

语境示例 Examples

① 汽车给人们的出行带来了方便，然而也污染了空气。(☺汽车给人们的出行带来了方便，但是也污染了空气。)

② 这里的冬天虽然外边很冷，但是屋子里很暖和。(☺这里的冬天虽然外边很冷，然而屋子里很暖和。)

③ 他虽然很聪明，但是因为不努力，学得并不好。(☺他虽然很聪明，然而因为不努力，学得并不好。)

④ 爸爸虽然年纪大了，但是很愿意接受新事物。(☺爸爸虽然年纪大了，然而很愿意接受新事物。)

⑤ 我们俩虽然不再是夫妻了，然而还是朋友。(☺我们俩虽然不再是夫妻了，但是还是朋友。)

⑥ 尽管我知道她很喜欢我，然而我已经有女朋友了。(☺尽管我知道她很喜欢我，但是我已经有女朋友了。)

1082 然后[连]ránhòu ▶ 以后[名]yǐhòu

词义说明 Definition

然后[then; after that; afterwards] 表示紧接着某个动作之后。

以后[after; afterwards; later; hereafter] 现在或所说某个时间以后的时间。

词语搭配 Collocation

	～再说	先学生词～学课文	学～知不足	从今～	毕业～	结婚～
然后	√	√	√	×	×	×
以后	√	√	×	√	√	√

用法对比 Usage

用法解释 Comparison

“然后”只能单用，“以后”可以单用也可以跟在其他词语后边一起用，表示在某个具体时间之后。

语境示例 Examples

① 我先去银行取钱，然后再去商店买东西。(☺我先去银行取钱，以后再去商店买东西。)

② 他们打算先去西安、成都和重庆，然后游览长江三峡。(☺他们打算先去西安、成都和重庆，以后游览长江三峡。)

③ 让我先想想，然后再告诉你。(☺让我先想想，以后再告诉你。)

④ 他大学毕业以后一直在这个研究所工作。(*他大学毕业然后一直在这个研究所工作。)

⑤ 每天起床以后我都去操场锻炼。(*每天起床然后我都去操场锻炼。)

⑥ 我现在正在进修汉语，以后做什么，我还没有想好。(*我现在正在进修汉语，然后做什么，我还没有想好。)

1083 热潮[名]rècháo ▶ 高潮[名]gāocháo

词义说明 Definition

热潮[mass enthusiasm; upsurge] 形容蓬勃发展、热火朝天的形势。

高潮[high tide; high water] 在潮的一个涨落周期内，水面上升的最高潮位。[upsurge; high tide] 比喻高度发展的阶段。[(of fiction, drama and film) climax] 小说、戏剧、电影情节中矛盾发展的顶点。

词语搭配 Collocation

	植树～	戏剧的～	电影的～	进入～	掀起～	发展到～	出现～	到了～阶段
热潮	√	×	×	×	√	×	√	×
高潮	√	√	√	√	√	√	√	√

用法对比 Usage

用法解释 Comparison

“热潮”指的是抽象事物，“高潮”既表示抽象事物，也指具体事物。

语境示例 Examples

① 每年一到三月中，中国各地都掀起了植树热潮。(☺每年一到三月中，中国各地都掀起了植树高潮。)

② 在不少国家的青年学生中，出现了一个学习汉语的热潮。(*在不少国家的青年学生中，出现了一个学习汉语的高潮。)

③ 这个电视剧的故事情节到这一集已经发展到了高潮。(*这个电视剧的故事情节到这一集已经发展到了热潮。)

④ 比赛已经进入高潮，今天将要决出二十多块金牌。(*比赛已经进入热潮，今天将要决出二十多块金牌。)

⑤ 联欢会达到了高潮，有名的歌星都出场了。(*联欢会达到了热潮，有名的歌星都出场了。)

⑥ 这个话剧的高潮是第三幕。(*这个话剧的热潮是第三幕。)

⑦ 这个小品把春节联欢晚会推向了高潮。(*这个小品把春节联欢晚会推向了热潮。)

⑧ 这部电影故事生动，高潮迭起，非常好看。(*这部电影故事生动，热潮迭起，非常好看。)

1084 热情[形、名]rèqíng ▶ 热烈[形]rèliè

词义说明 Definition

热情[enthusiasm; zeal; warmth] 热烈的感情。[warm; fervent; enthusiastic; warmhearted] 有热情。

热烈[warm; enthusiastic; animated] 兴奋激动。

R

词语搭配 Collocation

	很～	非常～	爱国～	工作～	～服务	～欢迎	～招待	～响应	气氛～	～的掌声
热情	√	√	√	√	√	×	√	×	×	×
热烈	√	√	×	×	×	√	×	√	√	√

用法对比 Usage

用法解释 Comparison

“热情”有名词的用法，可以作宾语，“热烈”只是形容词，不能作宾语。

语境示例 Examples

① 对远道而来的祖国艺术代表团，我们表示热烈欢迎。（＊对远道而来的祖国艺术代表团，我们表示热情欢迎。）

② 中国人对我们外国人非常热情。（＊中国人对我们外国人非常热烈。）

③ 他在大会上发表了热情洋溢的讲话，赢得了一阵阵热烈的掌声。（＊他在大会上发表了热烈洋溢的讲话，赢得了一阵阵热情的掌声。）

④ 大学毕业以后我怀着满腔热情走上了工作岗位。（＊大学毕业以后我怀着满腔热烈走上了工作岗位。）

⑤ 我发现，身居海外的华人，都有一腔爱国热情。（＊我发现，身居海外的华人，都有一腔爱国热烈。）

⑥ 招待会的气氛非常热烈。（＊招待会的气氛非常热情。）

⑦ 观众对这部电视剧的反应很热烈。（＊观众对这部电视剧的反应很热情。）

⑧ 对我国体育健儿在奥运会上取得的丰硕成果表示热烈的祝贺！（＊对我国体育健儿在奥运会上取得的丰硕成果表示热情的祝贺！）

1085 热心[形、动]rèxīn ▶ 热情[形、名]rèqíng

词义说明 Definition

热心［enthusiastic; ardent; earnest; warm-hearted］有热情，有兴趣，肯努力做。

热情［enthusiasm; zeal; warmth］热烈的感情。［warm; fervent; enthusiastic; warmhearted］有热情。

词语搭配 Collocation

	很～	不～	～人	～高	工作～	待人～	满腔～	爱国～
热心	√	√	√	×	√	×	×	×
热情	√	√	×	√	√	√	√	√

用法对比 Usage

用法解释 Comparison

"热心"常用来作定语，可以描写人也可以描写事，"热情"多用来作状语，也可以作谓语和宾语，主要用来描写人。"热心"还是动词，能带宾语，表示"对……很热情，愿意做"的意思，"热情"没有这个用法。

语境示例 Examples

① 他对同学们非常热情。(☺他对同学们非常热心。)

② 我既然当了人民代表，就要热心为大家办事。(☺既然我当了人民代表，就要热情为大家办事。)

③ 旅居海外的华人、华侨对祖国的一腔爱国热情让人感动。(＊旅居海外的华人、华侨对祖国的一腔爱国热心让人感动。)

④ 他是个热心人，喜欢帮助别人。(＊他是个热情人，喜欢帮助别人。)

⑤ 临别时，他热情地说："欢迎你们常来玩儿。"(＊临别时，他热心地说："欢迎你们常来玩儿。")

⑥ 参加志愿者队伍的都是热心公益事业的大学生。(＊参加志愿者队伍的都是热情公益事业的大学生。)

⑦ 他对这件事很热心，想跟我们一起干。(＊他对这件事很热情，想跟我们一起干。)

1086 人家[代]rénjia ▶ 别人[代]biérén

词义说明 Definition

人家[(person or persons other than the speaker or hearer) other, others] 指自己或某人以外的人；别人。[(referring to a certain person or certain persons) he, she, or they] 指某个人或某些人。[(used rhetorically in place of the first personal pronoun, often playfully expressing displeasure) I, me] 指"我"。

别人[someone else; other people; others; people] 指自己或某人以外的人。另外的人。

词语搭配 Collocation

	～的事	～小张	～都这么说	不要管～	还给～	送给～	听听～的意见
人家	√	√	√	√	√	√	√
别人	√	×	√	√	√	√	√

用法对比 Usage

"人家"和"别人"都可以指说话人和听话人以外的人。

① 我听别人都这么说。(☺我听人家都这么说。)

② 这几张光盘都是人家的，我自己的不在这里。(☺这几张光盘都是别人的，我自己的不在这里。)

③ 人家都去了，我们也去吧。(☺别人都去了，我们也去吧。)

④ 人家能学好，我也一定能学好。(☺别人能学好，我也一定能学好。)

⑤ 你这么认为，别人不一定也这么认为。(*你这么认为，人家不一定也这么认为。)

"别人"还指除了特别指出的人以外的人，"人家"没有这个用法。

就你一个人来了，还有别人没有？(*就你一个人来了，还有人家没有？)

"人家"可以特指前面已经提到过的某个人、某些人，而"别人"不能这么用。

参加不参加是她的自由，你不要管人家。(*参加不参加是她的自由，你不要管别人。)

"人家"还可以放在所指人的名字前面。

人家小王这次得了一等奖。(*别人小王这次得了一等奖。)

"别人"可以指具体的其他人或另外的人，而"人家"不能这么用。

① 我家里现在没有别人，就我一个人。(*我家里现在没有人家，就我一个人。)

② 这件事应该多听听别人的意见。(*这件事应该多听听人家的意见。)

③ 我们班只有我参加，别人都没报名。(*我们班只有我参加，人家都没报名。)

“人家”有时指说话人自己，“别人”没有这个用法。（有亲热和调皮的意味，多为年轻女孩子用）

人家早上给你打了两次电话，你都关机。（＊别人早上给你打了两次电话，你都关机。）

1087 人品[名]rénpǐn ▶ 人格[名]réngé

词义说明 Definition

人品[moral standing; moral character] 人的品质。[looks; bearing] 人的仪表。

人格[personality; character; moral quality; ability] 人的性格、气质、能力等特征的总和。[human dignity] 个人的道德品质；人的能作为权利、义务主体的资格。

词语搭配 Collocation

	～好	～出众	～高尚	污辱～	以～担保
人品	√	√	√	×	×
人格	×	×	√	√	√

用法对比 Usage

“人品”既包括人的外表、形象也包含内在的品行，“人格”主要指人的内在气质和品格。

① 伟人之所以受人民景仰，除了他们的丰功伟业之外，还在于他们具有高尚的人品。(☺伟人之所以受人民景仰，除了他们的丰功伟业之外，还在于他们具有高尚的人格。)

② 选择恋爱对象首先要看对方的人品怎样。（＊选择恋爱对象首先要看对方的人格怎样。）

③ 一个单位的领导人要有一定的人格魅力，才能有号召力。（＊一个单位的领导人要有一定的人品魅力，才能有号召力。）

④ 你可以批评别人的观点，但是不能污辱别人的人格。（＊你可以批评别人的观点，但是不能污辱别人的人品。）

⑤ 我说的都是真的，我可以用人格担保。（＊我说的都是真的，我可以用人品担保。）

“人品”还表示人的仪表，相貌，“人格”没有这个意思。

她人品出众，所以追求者很多。（＊她人格出众，所以追求者很多。）

1088 人体[名]réntǐ ▶ 人身[名]rénshēn

词义说明 Definition

人体[human body] 人的身体。

人身[living body of human being; person] 指个人的生命、健康、行动、名誉等。

词语搭配 Collocation

	～艺术	～解剖	～模型	～保险	～自由	～安全	～攻击
人体	√	√	√	×	×	×	×
人身	×	×	×	√	√	√	√

用法对比 Usage

用法解释 Comparison

"人体"是具体名词，"人身"是抽象名词，它们所指不同，用法也不同。

语境示例 Examples

① 我买一张人体针灸穴位图。(＊我买一张人身针灸穴位图。)

② 人体艺术是以人的身体为对象进行绘画或摄影创作的艺术。(＊人身艺术是以人的身体为对象进行绘画或摄影创作的艺术。)

③ 保障公民的人身和财产安全是我们的职责。(＊保障公民的人体和财产安全是我们的职责。)

④ 公司已经给每个职工上了人身保险。(＊公司已经给每个职工上了人体保险。)

⑤ 限制公民的人身自由是违法的。(＊限制公民的人体自由是违法的。)

⑥ 学术批评允许发表不同的意见，但是决不能进行人身攻击。(＊学术批评允许发表不同的意见，但是决不能进行人体攻击。)

1089 人心[名]rénxīn ▶ 民心[名]mínxīn

词义说明 Definition

人心[popular feeling; public feeling] 指众人的感情，愿望等。[heart, esp. kind-heartedness] 指人的心地，特指善良的心地。

民心[popular feelings; common aspiration of the people] 人民共同的心意。

词语搭配 Collocation

	～安定	～齐	～向背	深得～	～所向
人心	√	√	√	√	√
民心	√	×	√	√	√

用法对比 Usage

用法解释 Comparison

"人心"和"民心"是同义词，不同的是在与其他词语的搭配上。

语境示例 Examples

① 实现中国的完全统一，是人心所向，是任何力量也不可阻挡的。(☺实现中国的完全统一，是民心所向，是任何力量也不可阻挡的。)

② 改革开放的政策是深得人心的，这也是中国二十多年来经济发展和社会进步的根本原因。(☺改革开放的政策是深得民心的，这也是中国二十多年来经济发展和社会进步的根本原因。)

③ 人心的向背是决定我们的事业能否成功的重要因素。(☺民心的向背是决定我们的事业能否成功的重要因素。)

④ 当今中国，经济发展，人心安定，到处是一派蓬蓬勃勃，蒸蒸日上的繁荣景象。(☺当今中国，经济发展，民心安定，到处是一派蓬蓬勃勃，蒸蒸日上的繁荣景象。)

⑤"得民心者得天下"，意思是说，取得政权和巩固政权的关键是人民的拥护。(＊"得人心者得天下"，意思是说，取得政权和巩固政权的关键是人民的拥护。)

⑥ 这次恐怖事件搞得人心惶惶。(＊这次恐怖事件搞得民心惶惶。)

1090 忍不住 rěn bu zhù ▶ 禁不住[副] jīn bu zhù ▶ 不由得[副] bùyóude

词义说明 Definition

忍不住[cannot help] 不能忍耐住，不能忍受住。

禁不住[cannot help (doing sth.); cannot refrain from] 控制不住(自己的感情和行为); 不由得。[(of people or things) be unable to bear or endure] 承受不住(用于人或物)。

不由得[cannot help; cannot but] 不禁; 不容。

词语搭配 Collocation

	~笑起来	~想起过去	~唱起来	~跳起来	~大喊	~流下泪	~疼	~你不信
忍不住	√	√	√	√	√	√	√	×
不由得	√	√	√	√	√	√	×	√
禁不住	√	√	√	√	√	√	×	×

用法对比 Usage

"忍不住"、"禁不住"和"不由得"都有控制不住自己的感情或行为的意思，都可以作状语。不同的是，"不由得"可以放在主语前边，"忍不住"和"禁不住"不能放在主语前面。"忍不住"有不能忍受痛苦、困难、不幸遭遇的意思，而"禁不住"没有这个意思。"禁不住"有承受不住重量、压力等的意思，"忍不住"没有这个意思。

"禁不住"的反义词是"禁得住"，"忍不住"的反义词是"忍得住"，"不由得"没有反义词。

① 看到国旗在国歌声中冉冉升起，体育健儿们忍不住热泪盈眶。(☺看到国旗在国歌声中冉冉升起，体育健儿们不由得/禁不住热泪盈眶。)

② 当他得知自己考上了北京大学时，禁不住高兴得跳了起来。(☺当他得知自己考上了北京大学时，忍不住/不由得高兴得跳了起来。)

③ 听到姥姥去世的消息，我禁不住/忍不住哭了起来。(☺听到姥姥去世的消息，我不由得哭了起来。)

④ 看他那幽默滑稽的表演，我禁不住笑了起来。(☺看他那幽默滑稽的表演，我忍不住/不由得笑了起来。)

⑤ 看到这张老照片，不由得想起当时的情景。(☺看到这张老照片，禁不住想起当时的情景。)(*看到这张老照片，忍不住想起当时的情景。)

⑥ 读他的诗词不由得你不佩服。(*读他的诗词禁不住/忍不住你不佩服。)

⑦ 听他俩说的相声不由得你不笑。(*听他俩说的相声禁不住/忍不住你不笑。)

"忍不住"可以作谓语,"不由得"和"禁不住"不能作谓语。

① 伤口疼得他实在忍不住了,就叫了起来。(*伤口疼得他实在禁不住/不由得了,就叫了起来。)

② 烟瘾上来的时候,我实在忍不住,非跑出去抽一根不可。(*烟瘾上来的时候,我实在禁不住/不由得,非跑出去抽一根不可。)

"禁不住"还有不能承受的意思,"不由得"和"忍不住"没有这个意思和用法。

① 这根绳子太细,禁不住这么重的东西。(*这根绳子太细,忍不住/不由得这么重的东西。)

② 这孩子脸皮薄,禁不住你这么说。(*这孩子脸皮薄,忍不住/不由得你这么说。)

1091 忍耐[动]rěnnài ▶ 忍受[动]rěnshòu

词义说明 Definition

忍耐[control or repression of pain or other feelings restrain oneself] 把痛苦的感觉或某种情绪压抑住,不使表现出来。

忍受[bear; endure; stand] 把痛苦、困难、不幸的遭遇等勉强承受下来。

词语搭配 Collocation

	能~	不能~	~一会儿	~不住	无法~	~苦难
忍耐	√	√	√	√	×	×
忍受	√	√	×	√	√	√

用法对比 Usage

用法解释 Comparison

"忍耐"是不及物动词,不能带宾语,"忍受"是及物动词,可以带宾语。"忍耐"作定语可以不带"的","忍受"作定语要带"的"。

语境示例 Examples

① 在逆境中能忍耐的人往往可能最后获得成功。(☺在逆境中能忍受的人往往可能最后获得成功。)

② 要锻炼自己的忍耐力,因为人生不可能都是顺境。(*要锻炼自己的忍受力,因为人生不可能都是顺境。)

③ 大夫马上就到,你再忍耐一会儿。(*大夫马上就到,你再忍受

R

一会儿。)

④ 他忍受着疾病的折磨，凭着顽强的意志，一直坚持把这项实验搞成功。(＊他忍耐着疾病的折磨，凭着顽强的意志，一直坚持把这项实验搞成功。)

⑤ 他这个人的脾气我简直无法忍受。(＊他这个人的脾气我简直无法忍耐。)

⑥ 这鬼天气，热得让人无法忍受。(＊这鬼天气，热得让人无法忍耐。)

1092 忍受[动]rěnshòu ▶ 经受[动]jīngshòu

词义说明 Definition

忍受[bear; endure; stand] 把痛苦、困难、不幸的遭遇都勉强承受下来。

经受[undergo; experience; withstand; stand; weather] 承受，禁受。

词语搭配 Collocation

	～苦难	～屈辱	无法～	难以～	～考验	～挫折	～打击	～不了	～不住
忍受	√	√	√	√	×	×	√	√	√
经受	×	×	×	×	√	√	√	√	√

用法对比 Usage

用法解释 Comparison

“忍受”的行为主体是人，“经受”的行为主体可以是人也可以是物。他们的对象也不尽相同，“忍受”往往是被动的，“经受”可以是主动的。

语境示例 Examples

① 他忍受住了这次沉重的打击，变得成熟多了。(☺他经受住了这次沉重的打击，变得成熟多了。)

② 知道丈夫有了外遇，她无法忍受，就提出离婚。(＊知道丈夫有了外遇，她无法经受，就提出离婚。)

③ 人一生不知道要经受多少磨难才能逐渐成熟起来。(＊人一生不知道要忍受多少磨难才能逐渐成熟起来。)

④ 中国人民经受了无数的艰难困苦，才走到今天这一步。（＊中国人民忍受了无数的艰难困苦，才走到今天这一步。）

⑤ 正是无法忍受帝国主义列强及其走狗的残酷压迫和剥削，中国人民才起来抗争，起来革命，才有了新中国。（＊正是无法经受帝国主义列强及其走狗的残酷压迫和剥削，中国人民才起来抗争，起来革命，才有了新中国。）

⑥ 他蛮横的态度真让人难以忍受。（＊他蛮横的态度真让人难以经受。）

1093 忍受[动]rěnshòu ▶ 忍[动]rěn ▶ 受[动]shòu

词义说明 Definition

忍受[bear; endure; stand] 把痛苦、困难、不幸的遭遇等勉强承受下来。

忍[bear; endure; tolerate; put up with] 忍耐。[have the heart to] 忍受。

受[receive; accept] 接受：～教育。[suffer; be subjected to] 遭受：～损失。[stand; endure; bear] 忍受；禁受：疼得～不了。

词语搭配 Collocation

	能～	不能～	～苦难	～苦	～痛	～教育	难以～	无法～	～着	～住	～不了
忍受	√	√	√	×	×	×	√	√	√	√	√
忍	√	√	×	×	√	×	×	√	√	√	√
受	√	√	×	√	×	√	×	×	√	×	√

用法对比 Usage

用法解释 Comparison

这三个词都表示被动。“忍受”的对象一般是“困苦、寂寞、孤独、饥饿、压迫、剥削”等双音节词语，“忍”的对象是“饥、痛”等少量单音节词，“受”的对象是“气、苦、累、罪、冻、批评”等。“忍受”和“忍”的对象都是不好的事物，而“受”除了不好的也可以是好的，如“受教育、受表扬”等。

语境示例 Examples

① 他忍受不了在国外生活的孤独，就提前回国了。(☺他受不了在国外生活的孤独，就提前回国了。)（*他忍不了在国外生活的孤独，就提前回国了。）
② 这个地方冬天冷得简直难以忍受。（*这个地方冬天冷得简直难以忍/受。）
③ 如果你不愿意将来受苦，你现在就要多吃点儿苦，努力掌握一种本领或一门专业知识。（*如果你不愿意将来忍受/忍苦，你现在就要多吃点儿苦，努力掌握一种本领或一门专业知识。）
④ 他的话逗得大家忍不住笑了起来。（*他的话逗得大家忍受/受不住笑了起来。）
⑤ 我现在才明白，爸爸所以那么拼命地挣钱，是为了能让我们兄妹受到良好的教育。（*我现在才明白，爸爸所以那么拼命地挣钱，是为了能让我们兄妹忍受/忍到良好的教育。）
⑥ 你还年轻，即使委屈，也要学会忍受，不然是不会有大作为的。(☺你还年轻，即使委屈，也要学会忍，不然是不会有大作为的。)（*你还年轻，即使委屈，也要学会受，不然是不会有大作为的。）
⑦ 我真受不了妈妈的叨唠。（*我真忍受/忍不了妈妈的叨唠。）
⑧ 她今天受到了老师的表扬。（*她今天忍受/忍到了老师的表扬。）

1094 认识[动、名]rènshi ▶ 了解[动]liǎojiě

R

词义说明 Definition

认识[know; understand; recognize] 能够确定某一人或事物是这个人或事物而不是别的。[understanding; knowledge; cognition] 指人的头脑对客观世界的反映。

了解[understand; comprehend] 知道得清楚。[find out; acquaint oneself with] 打听，调查。[understanding; comprehension] 了解的。

词语搭配 Collocation

	不太～	她～我	感性～	理性～	提高～	相互～	加深～	～中国	～情况
认识	√	√	√	√	√	√	√	√	×
了解	√	√	×	×	×	√	√	√	√

用法对比 Usage

用法解释 Comparison

"认识"有两个层面，一个是感性的，一个是理性的；"了解"是对事物的理性认识，如果只有感性的认识，不能说"了解"。

语境示例 Examples

① 要真正了解中国最好到中国去生活、学习或工作几年。(☺要真正认识中国，最好到中国去生活、学习或工作几年。)

② 我认识他，但是对他不十分了解。(＊我了解他，但是对他不十分认识。)

③ 他们俩认识已经十几年了。(＊他们俩了解已经十几年了。)

④ 他的情况你到底了解不了解？就急着要跟他结婚。(＊他的情况你到底认识不认识？就急着要跟他结婚。)

⑤ 他还没有认识到这个问题的严重性。(＊他还没有了解到这个问题的严重性。)

⑥ 要获得感性认识，就必须去看一看，听一听，要获得理性认识，就要在感性认识的基础上认真地思考、总结和提高。(＊要获得感性了解，就必须去看一看，听一听，要获得理性了解，就要在感性了解的基础上认真地思考、总结和提高。)

⑦ 我对市场经济的知识了解得很少。(＊我对市场经济的知识认识得很少。)

⑧ 要深入群众，了解他们的情况，帮助他们解决实际困难。(＊要深入群众，认识他们的情况，帮助他们解决实际困难。)

1095 认识[动、名]rènshi ▶ 知道[动]zhīdào

词义说明 Definition

认识[know; understand; recognize] 能够确定某一人或事物是这个人或事物而不是别的。[understanding; knowledge; cognition] 指人的头脑对客观世界的反映。

知道[know; realize; be aware of] 对于事实或道理有认识；懂得。

词语搭配 Collocation

	不～	～他	感性～	理性～	没有～	提高～	～的事情	～你的想法
认识	√	√	√	√	√	√	×	×
知道	√	√	×	×	×	×	√	√

用法对比 Usage

用法解释 Comparison

"认识"既是动词，又是名词，能作宾语，"知道"只是动词，不能作宾语。从语义上看，"知道"的事物不一定认识，"认识"的事物一般都知道。

语境示例 Examples

① 刚来中国时，因为不认识路，常常坐错车。(☺刚来中国时，因为不知道路，常常坐错车。)

② 你认识王老师吗？(☺你知道王老师吗？)

③ 我知道这个人，但是不认识他。(＊我认识这个人，但是不知道他。)

④ 我虽然在国内学过两年汉语，但是对中国一点儿感性认识也没有，所以决定来中国学习。(＊我虽然在国内学过两年汉语，但是对中国一点儿感性知道也没有，所以决定来中国学习。)

⑤ 你的意思我当然知道。(＊你的意思我当然认识。)

⑥ 关于中国，他知道得真多。(＊关于中国，他认识得真多。)

⑦ 爸爸妈妈知道我的性格，决定了的事情是不会改变的，所以只好答应我来留学。(＊爸爸妈妈认识我的性格，决定了的事情是不会改变的，所以只好答应我来留学。)

⑧ 人类对客观世界的认识是不断发展的，永远不会停止在一个水平上。(＊人类对客观世界的知道是不断发展的，永远不会停止在一个水平上。)

R

1096 认为[动]rènwéi ▶ 以为[动]yǐwéi

词义说明 Definition

认为[think; consider; hold; deem] 对人或事物确定某种看法，做出某种判断。

以为[think; believe; consider] 认为；(错误地) 认为。

词语搭配 Collocation

	我～很对	～不错	～今天是星期二	～他可以做	你～你是谁
认为	√	√	×	√	×
以为	√	√	√	√	√

用法对比 Usage

用法解释 Comparison

“认为”和“以为”有相同之处，都表达正确的判断。但是“以为”还有另外一个意思是“认为”没有的，“以为”表示做出的判断、估计和猜想与事实不符，是错误的，交际中表示醒悟、自责或指责。

语境示例 Examples

① 你不要认为自己不懂的事情别人也一定不懂。(☺你不要以为自己不懂的事情别人也一定不懂。)

② 你不要以为少了你地球就不转了。(☺你不要认为少了你地球就不转了。)

③ 我认为要学好一门外语除了多听多说多读多写以外，最好到这个国家去学习和生活几年。(☺我以为要学好一门外语除了多听多说多读多写以外，最好到这个国家去学习和生活几年。)

④ 我认为他适合担任公司的总经理。(＊我以为他适合担任公司的总经理。)

⑤ 我以为这件大衣是老王的呢，原来是你的。(＊我认为这件大衣是老王的呢，原来是你的。)

⑥ 我以为今天是星期三呢，原来已经星期四了。(＊我认为今天是星期三呢，原来已经星期四了。)

⑦ 我们都以为她是日本人呢，原来她是韩国人。(＊我们都认为她是日本人呢，原来她是韩国人)

R

1097 认真[形]rènzhēn ▶ 仔细[形]zǐxì

词义说明 Definition

认真[conscientious; earnest; serious] 严肃对待，不马虎。

仔细[careful; attentive] 细心：～检查检查。[be careful; look out] 小心；当心：～点儿，别出错。

词语搭配 Collocation

	很～	特别～	不～	～学习	工作～	～对待	看～	～想想
认真	√	√	√	√	√	√	×	√
仔细	√	√	√	×	×	√	√	√

用法对比 Usage

“仔细”可以作状语和谓语，也可以作结果补语，“认真”只能作谓语和状语，不能作结果补语。

① 请你把事情的经过认真地回忆一下。(☺请你把事情的经过仔细地回忆一下。)

② 你仔细看看这是谁写的字。(☺你认真看看这是谁写的字。)

③ 答完卷子的同学再认真检查一遍。(☺答完卷子的同学再仔细检查一遍。)

④ 我又仔仔细细地检查了一遍，没有发现问题。(☺我又认认真真地检查了一遍，没有发现问题。)

⑤ 天太黑，我没看仔细，不知道那个人是谁。(*天太黑，我没看认真，不知道那个人是谁。)

⑥ 她学习很认真。(*她学习很仔细。)

⑦ 对工作一定要认真，不能马马虎虎的。(*对工作一定要仔细，不能马马虎虎的。)

“认真”还是个动宾词组，有“信以为真、当真”的意思，“仔细”没有这个意思。

我跟你开个玩笑，你怎么就认起真来了。(*我跟你开个玩笑，你怎么就仔起细来了)

“仔细”还有“俭省，不浪费”[frugal; economical]的意思，“认真”没有这个意思。

他家日子过得很仔细。(*他家日子过得很认真。)

R

1098 任意[副]rènyì ▶ 任性[形]rènxìng

词义说明 Definition

任意[wanton; arbitrary; wilful] 没有拘束，不加限制，爱怎么样就怎么样。

任性[wilful; self-willed; wayward; headstrong] 放任自己的性子，不加约束。

词语搭配 Collocation

	很～	有点儿～	～胡闹	～行动	～挑选
任意	×	×	√	√	√
任性	√	√	√	×	×

用法对比 Usage

用法解释 Comparison

“任意”是个中性词，“任性”有贬义。二者都可作状语，但“任性”还可以作谓语和定语，“任意”不能。

语境示例 Examples

① 你要遵守纪律，不能任意胡来。(☺你要遵守纪律，不能任性胡来。)
② 那些右翼政客任意歪曲历史，欺骗人民，妄图否认侵略别国的事实。(*那些右翼政客任性歪曲历史，欺骗人民，妄图否认侵略别国的事实。)
③ 这几件礼物你可以任意挑选。(*这几件礼物你可以任性挑选。)
④ 如果有事不能上课一定要给老师请假，不能任意旷课。(*如果有事不能上课一定要给老师请假，不能任性旷课。)
⑤ 这个孩子太任性，谁的话也听不进去。(*这个孩子太任意，谁的话也听不进去。)
⑥ 太任性的人很难与人合作。(*太任意的人很难与人合作。)

1099 任意[副]rènyì ▶ 随意[副、形]suíyì

词义说明 Definition

任意[wanton; arbitrary; wilful] 没有拘束，不加限制，爱怎么样就怎么样。

随意[at will; as one pleases] 任凭自己的意思。

词语搭配 Collocation

	很～	～行动	～玩耍	～选择	～畅谈	～出入	请大家～	～吧
任意	×	√	√	√	√	√	×	×
随意	√	√	√	√	√	√	√	√

用法对比 Usage

用法解释 Comparison

“任意”和“随意”的意思不太一样，都可用来作状语，但

R

是“随意”还是个形容词，可以作谓语，有感觉舒心，愉快的意思，“任意”没有这个意思，也不能作谓语。

语境示例 Examples

① 孩子们在这里可以任意玩耍。(☺孩子们在这里可以随意玩耍。)
② 这几种工作你可以任意选择。(☺这几种工作你可以随意选择。)
③ 要学会控制自己的情绪，不能任意胡来。(☺要学会控制自己的情绪，不能随意胡来。)
④ 这里是军事禁区，不能任意出入。(☺这里是军事禁区，不能随意出入。)
⑤ 今天的宴会，想吃什么喝什么，请朋友们随意。(*今天的宴会，想吃什么喝什么，请朋友们任意。)
⑥ 如果你觉得不随意可以退出。(*如果你觉得不任意可以退出。)
⑦ 这里环境好，人也好，所以我感到很随意。(*这里环境好，人也好，所以我感到很任意。)

1100 仍然[副]réngrán ▶ 继续[动]jìxù

词义说明 Definition

仍然[still; yet] 表示情况继续不变或恢复原状；还。

继续[continue; go on] （活动）连下去；延长下去，不间断。[continuation] 跟某事有连续关系的另一事。

词语搭配 Collocation

	~不变	~坚持	~不改	~努力	~工作	~学习	~下去	~了三天
仍然	√	√	√	√	√	√	×	×
继续	√	√	√	√	√	√	√	√

用法对比 Usage

用法解释 Comparison

“仍然”是副词，有某种情况持续不变的意思，“继续”是动词，表示以前的动作行为不停地进行。“仍然”可以描述客观事物，也可以描述主观事物，“继续”则偏重于人的主观行为。

语境示例 Examples

① 下学期我准备仍然在这儿学下去。(☺下学期我准备继续在这儿学下去。)
② 这项工作我们还要继续做下去。(＊这项工作我们还要仍然做下去。)
③ 我们一直等到八点，他仍然没有来。(＊我们一直等到八点，他继续没有来。)
④ 虽然取得了一点儿成绩，但是还要继续努力。(＊虽然取得了一点儿成绩，但是还要仍然努力。)
⑤ 昨天下雨，今天仍然下雨。(＊昨天下雨，今天继续下雨。)
⑥ 几年没见了，她仍然那么年轻。(＊几年没见了，她继续那么年轻。)

1101 仍然[副]réngrán ▶ 仍旧[副、动]réngjiù

词义说明 Definition

仍然[still; yet] 表示情况继续不变或恢复原状；还。

仍旧[still; yet] 仍然。[remain the same] 照旧；不改变。

词语搭配 Collocation

	～是原来的样子	情况～	～很坚强	～那么年轻
仍然	√	×	√	√
仍旧	√	√	√	√

用法对比 Usage

“仍然”和“仍旧”都是副词，都可以用在动词前面作状语，表示动作、行为继续不变或恢复原状，它们多用于书面，常用的是“仍然”。但“仍旧”还是个动词，可以作谓语，“仍然”不能作谓语。

① 几年不见，他仍然是老样子。(☺几年不见，他仍旧是老样子。)
② 他虽然遇到了许多困难，但是意志仍然那么坚强。(☺他虽然遇到了许多困难，但是意志仍旧那么坚强。)
③ 这个学期仍然是李老师教我们语法和课文。(☺这个学期仍旧是李老师教我们语法和课文。)
④ 不管你们怎么说，我仍然坚持我的看法。(☺不管你们怎么说，我

R

仍旧坚持我的看法。)

⑤ 昨天下了一天雨，今天仍然没有晴的意思。(☺昨天下了一天雨，今天仍旧没有晴的意思。)

"仍旧"还表示"照样"，"持续不变"。

这本词典虽然经过修订，但是体例仍旧。(＊这本词虽然典经过修订，但是体例仍然。)

1102 日子[名]rìzi ▶ 生活[名、动]shēnghuó

词义说明 Definition

日子[day; date] 日期；某一天。[time] 时间（指天数）。[life; livelihood] 指生活或生计。

生活[life] 人或生物为了生存和发展而进行的各种活动：日常生活。[survive; live] 生存，进行各种活动：人不能脱离社会而生活。[livelihood] 衣、食、住、行等方面的活动：生活用品。

词语搭配 Collocation

	过～	～怎么样	有些～没见了	大喜的～	日常～	～在一起	人民的～	～水平
日子	√	√	√	√	×	×	×	×
生活	√	√	×	×	√	√	√	√

用法对比 Usage

用法解释 Comparison

"日子"有"时间"的意思，"生活"没有这个意思。"生活"还是动词，"日子"没有动词的用法。

语境示例 Examples

① 看到这些照片就让我想起在中国留学的那段日子。(☺看到这些照片就让我想起在中国留学的那段生活。)

② 在中国留学的那些日子里，我时时感受到同学之间友好的情谊。(＊在中国留学的那些生活里，我时时感受到同学之间友好的情谊。)

③ 退休后，妈妈的生活过得安定舒适。(☺退休后，妈妈的日子过得安定舒适。)

④ 你在国外生活得怎么样？(＊你在国外日子得怎么样？)(☺你在国外日子过得怎么样？)

⑤ 发展经济就是为了提高人民的生活水平。（*发展经济就是为了提高人民的日子水平。）
⑥ 我们俩已经有好些日子没有见过面了。（*我们俩已经有好些生活没有见过面了。）
⑦ 去年九月，他来到中国，开始了新的生活。（*去年九月，他来到中国，开始了新的日子。）
⑧ 人离开社会就不能生活。（*人离开社会就不能日子。）

1103 荣幸[形]róngxìng ▶ 光荣[形]guāngróng

词义说明 Definition

荣幸[honored; lucky] 光荣而幸运。

光荣[honorable; honored; glorious] 由于做了有利于人民的和正义的事情而被公认为值得尊敬的。[honor; glory; credit] 荣誉。

词语搭配 Collocation

	很～	非常～	十分～	感到～	～之家	～牺牲	全家的～	～称号	～地参加
荣幸	√	√	√	√	×	×	√	×	√
光荣	√	√	√	√	√	√	√	√	√

用法对比 Usage

用法解释 Comparison

“荣幸”口语中多用来表示客套，“光荣”没有这个用法；“光荣”有荣誉的意思，“荣幸”没有这个意思。

语境示例 Examples

① 他荣幸地受到国家领导人的接见。（☺他光荣地受到国家领导人的接见。）
② 能在中国见到您，我感到很荣幸。（*能在中国见到您，我感到很光荣。）
③ 光荣归于祖国和人民。（*荣幸归于祖国和人民。）
④ 能成为一名解放军战士，在中国青年看来是很光荣的。（*能成为一名解放军战士在中国青年看来是很荣幸的。）
⑤ 能有这次进修的机会，我感到非常荣幸。（*能有这次进修的机会，我感到非常光荣。）

⑥ 她获得了“人民音乐家”的光荣称号。（＊她获得了“人民音乐家”的荣幸称号。）

1104 荣幸[形]róngxìng ▶ 幸运[形]xìngyùn

词义说明 Definition

荣幸[feel lucky；feel honoured] 光荣而幸运。

幸运[good fortune；good luck；good chance] 好的运气；出乎意料的好机会。[fortunate；lucky] 称心如意；运气好。

词语搭配 Collocation

	十分～	非常～	真～	～地	～儿
荣幸	√	√	√	√	×
幸运	√	√	√	√	√

用法对比 Usage

用法解释 Comparison

“荣幸”虽然也有幸运的意思，但是“荣幸”还含有光荣的意思，“幸运”没有这个意思。

语境示例 Examples

① 她荣幸地成了今年来华的第五百万名外国旅游者，受到了有关部门的热情接待和奖励。(☺她幸运地成了今年来华的第五百万名外国旅游者，受到了有关部门的热情接待和奖励。)

② 能参加这次大会我感到非常荣幸。（＊能参加这次大会我感到非常幸运。）

③ 他真幸运，第一次买彩票就中了个头等奖。（＊他真荣幸，第一次买彩票就中了个头等奖。）

④ 这次来华，我非常荣幸地受到中国领导人的接见。（＊这次来华，我非常幸运地受到中国领导人的接见。）

⑤ 你真是幸运儿，什么好事儿都让你赶上了。（＊你真是荣幸儿，什么好事儿都让你赶上了。）

1105 容易[形]róngyì ▶ 易[形]yì

词义说明 Definition

容易[easy] 做起来不费事：汉语发音比较～。[lightly; liable; apt to] 发生某种变化的可能性大：你的话～引起别人误会。

易[easy] 做起来不费事；容易（跟"难"相对）：得来不～。

词语搭配 Collocation

	很～	不～	～学	～记	～看	～感冒	～脏	～如反掌	得来不～
容易	√	√	√	√	√	√	√	×	√
易	×	√	√	√	√	√	√	√	√

用法对比 Usage

用法解释 Comparison

"容易"和"易"的意思相同，但音节不同，"易"常用于书面，能与其他词语组成固定格式，"容易"口语书面都常用，没有组词能力。"容易"可以作谓语，"易"不能单独作谓语。

语境示例 Examples

① 这些东西得来不易，一定要好好爱惜。(☺这些东西得来不容易，要好好爱惜。)

② 浅颜色的衣服容易脏。(☺浅颜色的衣服易脏。)

③ 不少人冬天容易患感冒。(☺不少人冬天易患感冒。)

④ 这件事说起来容易做起来难。(*这件事说起来易做起来难。)

⑤ 这篇文章没有多少生词，读起来比较容易。(*这篇文章没有多少生词，读起来比较易。)

⑥ 我好（不）容易才把这篇论文写完。(*我好（不）易才把这篇论文写完。)

1106 如果[连]rúguǒ ▶ 假如[连]jiǎrú

词义说明 Definition

如果[if; in case (of); in the event] 表示假设。

假如[if; supposing; in case] 假使，如果。

用法对比 Usage

用法解释 Comparison

“假如”和“如果”都是连词，都表示假设，用于假设句的前一个分句，但是“如果”可以用在主语前边也可以用在主语后边，“假如”要用在主语前边。“假如”用于书面，“如果”书面口语都可用。

语境示例 Examples

① 如果明天下雨我就不去了。(☺假如明天下雨我就不去了。)
② 如果你们答应这个条件，我们就可以合作。(☺假如你们答应这个条件，我们就可以合作。)
③ 如果你是我，遇到这种情况会怎么办？(☺假如你是我，遇到这种情况会怎么办？)
④ 假如我忘了，你就提醒我一下。(☺如果我忘了，你就提醒我一下。)
⑤ 你如果有困难就告诉我，我一定帮助你。(＊你假如有困难就告诉我，我一定帮助你。) (☺假如你有困难就告诉我，我一定帮助你。)

1107 如果[连]rúguǒ ▶ 要是[连]yàoshi

词义说明 Definition

如果[if; in case (of); in the event] 表示假设。

要是[if; suppose; in case] 如果；如果是。

用法对比 Usage

用法解释 Comparison

“如果”和“要是”都表示假设，用在偏正复句中，常常和“就”相呼应。不同的是，“要是”常用于口语，“如果”口语和书面都常用，在严肃的场合或涉及庄重的话题时要用“如果”，不用“要是”。

语境示例 Examples

① 要是发生火灾，就赶快拨打119电话。(☺如果发生火灾，就赶快拨打119电话。)
② 你如果想来，就事先告诉我，我去机场接你。(☺你要是想来，就

事先告诉我，我去机场接你。）

③ 你要是有空儿就到我家来玩吧。（☺你如果有空儿就到我家来玩吧。）

④ 要是明天下雨我们还去吗？（☺如果明天下雨我们还去吗？）

⑤ 如果敌人胆敢侵犯，我们就坚决彻底地把他们消灭干净。（＊要是敌人胆敢侵犯，我们就坚决彻底地把他们消灭干净。）

1108 如今[名]rújīn ▶ 现在[名]xiànzài

词义说明 Definition

如今[nowadays; now] 现在。

现在[now; at present; today; this time] 这个时候。指说话的时候或说话前后或长或短的一段时间（区别于“过去”和“将来”）。

词语搭配 Collocation

	～怎么样	～他在哪儿	～的情况	～上课	～几点	～就走	事到～
如今	√	√	√	×	×	×	√
现在	√	√	√	√	√	√	×

用法对比 Usage

“如今”和“现在”都是表示时间的名词，“如今”是口语，“现在”口语和书面都用。“现在”可以指较长的一段时间，也可以指较短的时间，“如今”只能指较长的一段时间。

① 他现在情况怎么样？（☺他如今情况怎么样？）

② 听说如今他已经当上公司总经理了。（☺听说现在他已经当上公司总经理了。）

③ 现在他家的生活比过去好多了。（☺如今他家的生活比过去好多了。）

④ 如今去邮局寄信的越来越少了。（☺现在去邮局寄信的越来越少了。）

⑤ 如今我们这个小山村也有了大学生。（☺现在我们这个小山村也有了大学生。）

⑥ 如今的社会靠的是学历和文凭，你如果没有高学历怎么能找到好

R

工作呢？（☺现在的社会靠的是学历和文凭，你如果没有高学历怎么能找到好工作呢？）

⑦ 事到如今我不得不告诉你，他已经回国了。（＊事到现在我不得不告诉你，他已经回国了。）

"现在"还可以指时刻，"如今"没有这个用法。

① 现在几点了？（＊如今几点了。）

② 现在合上书，我们听写。（＊如今合上书，我们听写。）

③ 你现在去哪儿？（＊你如今去哪儿？）

1109 如同[动]rútóng ▶ 好像[动]hǎoxiàng

词义说明 Definition

如同[like; as] 好像。

好像[seem; be like] 有些像，仿佛。

词语搭配 Collocation

	～花园	～亲人	～姐妹	～老朋友	～要下雨	～有心事	～在考虑问题
如同	√	√	√	√	×	×	×
好像	√	√	√	√	√	√	√

用法对比 Usage

用法解释 Comparison

"如同"和"好像"的意思差不多，都可以用来表示比喻。但是"好像"还可用来表示推测和估量，"如同"没有这个用法。

语境示例 Examples

① 她们俩形影不离，如同亲姐妹一样。（☺她们俩形影不离，好像亲姐妹一样。）

② 我们学校很漂亮，好像一个大花园。（☺我们学校很漂亮，如同一个花园。）

③ 这天阴得厉害，好像要下雨。（＊这天阴得厉害，如同要下雨。）

④ 看样子，他好像有什么心事。（＊看样子，他如同有什么心事。）

⑤ 我听他的意思好像不太同意。（＊我听他的意思如同不太同意。）

1110 如意[形]rúyì ▶ 满意[形]mǎnyì

词义说明 Definition

如意[satisfied; as one wishes] 符合心意。

满意[satisfied; pleased; content] 满足自己的愿望；符合自己的心意。

词语搭配 Collocation

	很~	不~	表示~	~算盘	万事~
如意	√	√	×	√	√
满意	√	√	√	×	×

用法对比 Usage

用法解释 Comparison

“如意”主要指自己内心满意的感觉，“满意”除此之外，还有对其他事物或人觉得合乎自己心意的意思。“如意”可以分开用，“满意”不能分开用。

语境示例 Examples

① 要找到一个如意的工作并不容易。(☺要找到一个满意的工作并不容易。)

② 祝你万事如意！(＊祝你万事满意！)

③ 他稍不如意就对我发脾气。(＊他稍不满意就对我发脾气。)

④ 他对自己的工作、家庭都很满意。(＊他对自己的工作、家庭都很如意。)

⑤ 领导对她的工作感到满意。(＊领导对她的工作感到如意。)

⑥ 你送的这件礼物可如他的意了。(＊你送的这件礼物可满他的意了。)

1111 入迷rù mí ▶ 着迷zháo mí

词义说明 Definition

入迷[be fascinated; be enchanted] 喜欢某种事物到了着迷的程度。

着迷[be fascinated; be captivated] 对人或事物产生难以舍弃的爱好；入迷。

词语搭配 Collocation

	很～	看得～	听得～	对足球～	对数学～
入迷	√	√	√	√	√
着迷	√	√	√	√	√

用法对比 Usage

用法解释 Comparison

"入迷"和"着迷"是同义词，都可以分开用，可以互换。

语境示例 Examples

① 他对足球着迷，只要有足球赛准看。(☺他对足球入迷，只要有足球赛准看。)
② 孩子们看动画片看得入迷。(☺孩子们看动画片看得着迷。)
③ 他看书到了入迷的程度。(☺他看书到了着迷的程度。)
④ 我这几个外国学生对京剧已经入了迷。(☺我这几个外国学生对京剧已经着了迷。)
⑤ 自从买了电脑，他就像着了迷一样，一天到晚坐在电脑前。(＊自从买了电脑，他就像入了迷一样，一天到晚坐在电脑前。)
⑥ 要想学好一门专业必须对它入迷才行。(☺要想学好一门专业必须对它着迷才行。)

1112 入侵[动]rùqīn ▶ 侵入[动]qīnrù

词义说明 Definition

R

入侵[invade; intrude; make an incursion; make inroads]（敌人的军队）侵入国境。

侵入[invade; intrude into; make incursions into] 用武力强行进入国境；(外来的或有害的事物) 进入内部。

词语搭配 Collocation

	～之敌	～我国	～边境	冷空气～	病菌～
入侵	√	√	√	×	×
侵入	√	√	√	√	√

用法对比 Usage

用法解释 Comparison

"入侵"主要指敌人军队入侵国境，"侵入"除此以外，还有外来势力或有害事物进入内部的意思。

语境示例 Examples

① 坚决消灭一切敢于入侵之敌。(☺坚决消灭一切敢于侵入之敌。)
② 一架敌机入侵我国领空，被我英勇的空军打了下来。(☺一架敌机侵入我国领空，被我英勇的空军打了下来。)
③ 一小股来历不明的军队入侵我国边境，被我边防部队全部抓获。(☺一小股来历不明的军队侵入我国边境，被我边防部队全部抓获。)
④ 天气预报说，一股冷空气明天将要侵入我国北方大部地区。(* 天气预报说，一股冷空气明天将要入侵我国北方大部地区。)
⑤ 病菌已经侵入你的肺部，最好住院治疗。(* 病菌已经入侵你的肺部，最好住院治疗。)

1113 入睡[动]rùshuì ▶ 睡着 shuì zháo

词义说明 Definition

入睡[go to sleep; fall asleep] 进入睡眠状态。

睡着[fall asleep] 正处于睡眠状态。

词语搭配 Collocation

	已经～	迟迟不能～	还没～	他～了
入睡	√	√	√	√
睡着	√	×	√	√

用法对比 Usage

用法解释 Comparison

“入睡”是动词，多用于书面，“睡着”是动补结构，常用于口语。“睡着”有可能式“睡得着”和“睡不着”，“入睡”没有可能式。

语境示例 Examples

① 小声点儿，他已经入睡了。(☺小声点儿，他已经睡着了。)
② 昨天晚上喝了一杯咖啡，很晚才入睡。(☺昨天晚上喝了一杯咖啡，很晚才睡着。)
③ 吃了安眠药，他很快就入睡了。(☺吃了安眠药，他很快就睡着了。)
④ 躺在床上，我想着白天的事情久久不能入睡。(* 躺在床上，我

R

想着白天的事情久久不能睡着。)

⑤ 他睡着了没有?(＊他入睡了没有?)

⑥ 昨天晚上喝了很多茶，怎么也睡不着了。(＊昨天晚上喝了很多茶，怎么也入不睡了。)

1114 软[形]ruǎn ▶ 软弱[形]ruǎnruò

词义说明 Definition

软[soft; flexible; supple; pliable] 物体内部的组织疏松，受到外力作用后，容易改变形状(跟“硬”相对)。[soft; mild; gentle] 柔和：话说得太～。[weak; feeble] 软弱：累得两腿发～。[easy to change one's mind; easily moved or influenced] 容易被感动或动摇：心太～|耳朵～。

软弱[weak; feeble; flabby] 没有力气；不坚强：～无力。

词语搭配 Collocation

	很～	非常～	心太～	不能太～	中文～件	～无力	～无能
软	√	√	√	√	√	×	×
软弱	√	√	×	√	×	√	√

用法对比 Usage

用法解释 Comparison

“软”有“软弱”的意思，“软”可以指人也可以指其他事物，“软弱”只指人。“软”还是个语素，有组词能力，“软弱”没有组词能力。

R

语境示例 Examples

① 你的心太软，既然他对你这样，为什么还不离开他?(＊你的心太软弱，既然他对你这样，为什么还不离开他?)

② 她的性格很软弱，怎么能经受得住这么大的打击呢?(☺她的性格很软，怎么能经受得住这么大的打击呢?)

③ 我觉得床太软，睡着不舒服。(＊我觉得床太软弱，睡着不舒服。)

④ 他给你说几句好话你的心就软了。(＊他给你说几句好话你的心就软弱了。)

⑤ 感冒了，头疼，发烧，全身发软。(＊感冒了，头疼，发烧，全身发软弱。)

⑥ 今天的馒头蒸得很软。(＊今天的馒头蒸得很软弱。)

⑦ 我的电脑里装有中文软件。(＊我的电脑里装有中文软弱件。)

1115 散步 sàn bù ▶ 漫步 [动] mànbù

词义说明 Definition

散步 [take a walk; go for a walk; go for a stroll] 随便走走（作为一种休息的方式）。

漫步 [stroll; ramble; roam] 没有目的地悠闲地走。

词语搭配 Collocation

	在湖边～	～湖边	在街头～	～街头	～北京	～当代文坛	～当代中国
散步	√	×	√	×	×	×	×
漫步	√	√	√	√	√	√	√

用法对比 Usage

用法解释 Comparison

“漫步”和“散步”都有随便走走的意思，不同的是，“漫步”可以带处所宾语，宾语既可以是具体的地点也可以是抽象的。“散步”是离合词，不能带宾语，可以分开用，“漫步”不能分开用。

语境示例 Examples

① 我喜欢散步，每天晚饭后都要在校园里走一个多小时。（*我喜欢漫步，每天晚饭后都要在校园里走一个多小时。）

② 我们去操场散了一会儿步。（*我们去操场漫了一会儿步。）

③ 走，我们去外边散散步。（*走，我们去外边漫漫步。）

④ 晚饭后，湖边都是散步的人。（*晚饭后，湖边都是漫步的人。）

⑤ 漫步北京街头，你处处感到一派生气勃勃的气象。（*散步北京街头，你处处感到一派生气勃勃的气象。）

⑥ 漫步当代中国文坛，你会发现很多女作家表现出了非凡的创作才能。（*散步当代中国文坛，你会发现很多女作家表现出了非凡的创作才能。）

1116 丧失[动]sàngshī ▶ 失去[动]shīqù

词义说明 Definition

丧失[lose; forfeit] 失去。

失去[lose] 原来有的没有了。失掉。

词语搭配 Collocation

	～信心	～主权	～知觉	～效力	～权力	～信任	～机会	～国籍	～控制
丧失	√	√	√	×	×	×	×	×	×
失去	√	√	√	√	√	√	√	√	√

用法对比 Usage

用法解释 Comparison

“丧失”的宾语是抽象的名词，“失去”的宾语既可以是抽象名词，也可以是具体名词；“失去”还可以带动词作宾语，“丧失”不能。

语境示例 Examples

① 我对学习外语已经失去了信心。（☺我对学习外语已经丧失了信心。）

② 那些贪污腐败分子已经完全丧失了做人的基本品格。（☺那些贪污腐败分子已经完全失去了做人的基本品格。）

③ 那辆汽车失去控制，一下子撞到了大树上。（*那辆汽车丧失控制，一下子撞到了大树上。）

④ 他为了帮助一个素不相识的人，失去了这次考试的机会。（*他为了帮助一个素不相识的人，丧失了这次考试的机会。）

⑤ 为了中国人民的解放事业，他失去了好几位亲人。（*为了中国人民的解放事业，他丧失了好几位亲人。）

⑥ 手冻得完全失去了知觉。（*手冻得完全丧失了知觉。）

⑦ 在对外交往中决不能丧失国格，做有损于祖国和人民的事。（*在对外交往中决不能失去国格，做有损于祖国和人民的事。）

1117 色彩[名]sècǎi ▶ 彩色[名]cǎisè

词义说明 Definition

色彩[colour] 颜色。[emotional appeal; flavour; colour] 比喻人的某种思想倾向或事物的某种情调。

彩色[multicolour; colour] 多种颜色。

词语搭配 Collocation

	～鲜明	地方～	传统～	～电视	～照片
色彩	√	√	√	×	×
彩色	×	×	×	√	√

用法对比 Usage

用法解释 Comparison

这两个词的意思不同，用法也不一样。“色彩”是抽象名词，多作中心语，“彩色”是具体名词，常作定语，它们不能相互替换。

语境示例 Examples

① 这个画展充满了少数民族地区的传统色彩。（*这个画展充满了少数民族地区的传统彩色。）
② 这幅画色彩鲜明，生动地表现了人物丰富的内心世界。（*这幅画彩色鲜明，生动地表现了人物丰富的内心世界。）
③ 这些具有地方色彩的演出很受观众的欢迎。（*这些具有地方彩色的演出很受观众的欢迎。）
④ 人们还是喜欢看彩色电视。（*人们还是喜欢看色彩电视。）
⑤ 这张彩色照片拍得非常好，人物的性格表现得非常鲜明。（*这张色彩照片拍得非常好，人物的性格表现得非常鲜明。）

1118 闪烁[动]shǎnshuò ▶ 闪耀[动]shǎnyào

词义说明 Definition

闪烁[glimmer; glisten; twinkle]（光亮）动摇不定，忽明忽暗。[hum and how; prevaricate; equivocate]（说话）稍微露出一点儿想法，但不肯说明确，吞吞吐吐。

闪耀[glitter; shine] 光亮照射，光彩耀眼。

词语搭配 Collocation

	灯光～	星光～	繁星～	～着	～其词
闪烁	√	√	√	√	√
闪耀	√	√	√	√	×

用法对比 Usage

用法解释 Comparison

“闪烁”和“闪耀”的动作主体都是光亮，不同的是，“闪

S

烁”的光是一闪一闪的，不定的，“闪耀”的光可以是一闪一闪的，也可以是固定的。“闪耀”可以带抽象宾语，“闪烁”一般不能带抽象宾语。“闪烁”的第二个意思“闪耀”没有。

语境示例 Examples

① 夜晚，灯光闪烁，长安街成了一条灯的河。(☺夜晚，灯光闪耀，长安街成了一条灯的河。)
② 夜空繁星闪耀，山村一片寂静，远处不时传来几声狗叫声。(☺夜空繁星闪烁，山村一片寂静，远处不时传来几声狗叫声。)
③ 指挥塔上探照灯的光芒在河面上闪烁着。(*指挥塔上探照灯的光芒在河面上闪耀着。)
④ 我看见她的眼里闪烁着高兴的泪花。(*我看见她的眼里闪耀着高兴的泪花。)
⑤ 雷锋的精神永远闪耀着不灭的光辉。(*雷锋的精神永远闪烁着不灭的光辉。)
⑥ 你把这件事说清楚，不要闪烁其词的。(*你把这件事说清楚，不要闪耀其词的。)

1119 善[形]shàn ▶ 善良[形]shànliáng

词义说明 Definition

善[good; virtuous] 善良；慈悲（跟“恶”相对）：～举｜行～。[kind; friendly] 友好，和好：友～｜亲～。[make a success of; do well] 办好，弄好：～后。[be apt to] 容易；易于：～变。[be good at; be expert in (or adept)] 擅长；长于：多谋～断。

善良[good and honest; kind-hearted] 心地纯洁，没有坏想法。

词语搭配 Collocation

	行～	～事	～举	～款	～始～终	心～	英勇～战	心地～	～的愿望
善	√	√	√	√	√	√	√	×	×
善良	×	×	×	×	×	×	×	√	√

用法对比 Usage

用法解释 Comparison

“善”有“善良”的意思，“善”的其他意思都是“善良”所没有的，它们不能相互替换。

语境示例 Examples

① 她心地善良，性情温柔，是个人见人爱的孩子。（＊她心地善，性情温柔，是个人见人爱的孩子。）（☺她心善，性情温柔，是个人见人爱的孩子。）

②“恶有恶报，善有善报”只是一种美好的愿望，社会生活不一定会遵循这一逻辑运行。（＊“恶有恶报，善良有善良报”只是一种美好的愿望，社会生活不一定会遵循这一逻辑运行。）

③ 善良的人们往往不警惕邪教头目的丑行和欺骗，所以才上当受骗。（＊善的人们往往不警惕邪教头目的丑行和欺骗，所以才上当受骗。）

④ 批评别人应该抱着与人为善的态度。（＊批评别人应该抱着与人为善良的态度。）

⑤ 一个人光有善良的愿望还不行，必须有真本领，才有可能为社会做些有益的事情。（＊一个人光有善的愿望还不行，必须有真本领，才有可能为社会做些有益的事情。）

1120 善于[动]shànyú ▶ 擅长[动]shàncháng

词义说明 Definition

善于[be good at; be adept in; be specialized in a certain field] 在某些方面具有特长。

擅长[be good at; be expert in; be skilled in] 在某些方面具有特长。

词语搭配 Collocation

	～交际	～辞令	～团结人	～钻营	～书法	～歌舞	～蛙泳
善于	√	√	√	√	×	×	×
擅长	√	×	×	×	√	√	√

用法对比 Usage

用法解释 Comparison

除“辞令”等个别词语外，“善于”多带动词作宾语，不能带名词作宾语；“擅长”可以带名词作宾语。“擅长”可以受程度副词修饰，“善于”不能。

语境示例 Examples

① 她性格温柔，还善于团结人，所以很有人缘。（＊她性格温柔，还擅长团结人，所以很有人缘。）

② 不仅要善于团结那些跟自己意见相同的人，也要善于团结那些跟自己意见不同的人，还要善于团结那些反对过自己反对错了的人。（＊不仅要擅长团结那些跟自己意见相同的人，也要擅长团结那些跟自己意见不同的人，还要擅长团结那些反对过自己反对错了的人。）

③ 他善于辞令，让他搞公关比较合适。（＊他擅长辞令，让他搞公关比较合适。）

④ 我擅长蛙泳，自由泳不行。（＊我善于蛙泳，自由泳不行。）

⑤ 这个人可善于钻营了，你可得提防着点儿。（＊这个人可擅长钻营了，你可得提防着点儿。）

⑥ 他在交际方面很擅长。（＊他在交际方面很善于。）

1121 擅长[动]shàncháng ▶ 拿手[形]náshǒu

词义说明 Definition

擅长[be good at; be expert in; be skilled in] 在某些方面有特长。
拿手[adept; expert; be good at] 对某种技术擅长。

词语搭配 Collocation

	很～	不～	～书法	～绘画	～歌舞	～蛙泳	～好戏	～菜
擅长	√	√	√	√	√	√	×	×
拿手	√	√	×	×	×	×	√	√

S

用法对比 Usage

用法解释 Comparison

“擅长”是动词，可以带宾语，“拿手”是形容词，不能带宾语，只能作定语。

语境示例 Examples

① 唱歌跳舞我都不擅长。(☺唱歌跳舞我都不拿手。)

② 你擅长什么？(＊你拿手什么？)（☺你什么拿手？)

③ 他擅长书法。(＊他拿手书法。)

④ 今天请大家尝尝我的拿手菜。(＊今天请大家尝尝我的擅长菜。)

⑤ 他做中国菜很拿手。(＊他做中国菜很擅长。)
⑥ 这可是他的拿手好戏。(＊这可是他的擅长好戏。)

1122 商讨[动]shāngtǎo ▶ 商量[动]shāngliang

词义说明 Definition

商讨[discuss; deliberate over] 商量讨论，为了解决较大的、较复杂的问题而交换意见。

商量[consult; discuss; talk over with sb.; exchange views] 交换意见。

词语搭配 Collocation

	～～	跟大家多～	～一下	～文化交流问题
商讨	×	×	√	√
商量	√	√	√	√

用法对比 Usage

用法解释 Comparison

“商讨”的内容多是政治、经济、外交等复杂和重大问题，多用于会议，“商量”不受此限，可以是大事，也可以是一般事物，多用于口语。“商量”可以重叠，“商讨”不能。

语境示例 Examples

① 这两个大学正在商讨合并的事。(☺这两个大学正在商量合并的事。)
② 遇到问题要多跟大家商量。(＊遇到问题要多跟大家商讨。)
③ 就两国经济合作和文化交流的问题，经过商讨达成了一致意见。(＊就两国经济合作和文化交流的问题，经过商量达成了一致意见。)
④ 各国的事由各国人民自己办，世界上的事应该由世界各国商量着办。(＊各国的事由各国人民自己办，世界上的事应该由世界各国商讨着办。)
⑤ 这件事你最好跟老师商量商量。(＊这件事你最好跟老师商讨商讨。)

S

1123 上[名]shàng ▶ 上面(边)[名]shàngmian(bian)

词义说明 Definition

上[(used alone) upper; up] 单独使用表示地位、辈分在高处的。(跟"下"相对)：~有老，下有小|~有领导，下有群众。[(used after a preposition) up; upward] 用在介词后边，表示位置在高处的：向~看|往~走。[(used before a noun) (of position or quality) higher; better; superior] 用在名词前边，表示所处的具体位置或质量：~级领导|中~水平|~层人物。[most recent; last; former] 次序或时间在前的：~卷|~次|~星期|~个月。[first (of sth. divided into two or three parts)] 表示分成若干部分的第一部分：三册~|~集|~部。[(used after a noun) on] 用在名词后，表示在物体的表面：脸~|墙~|桌子~。[used after a noun to indicate the limited scope of sth.] 用在名词后，表示在某种事物的范围以内：课堂~|电视~|报纸~。[used after a noun to indicate a certain aspect] 用在名词后，表示某一方面：事实~|思想~。[(used after a noun) at (the age of)] 用在名词后，表示年龄：他20岁~就离开了家。

上面(边) [above; over; on top of; on the surface] 位置较高的地方：从山~往下看，可以看到远处的湖。[above-mentioned; aforesaid; foregoing] 次序靠前的部分；文章或讲话中前于现在所叙述的部分：~我已经谈过了。[on] 物体的表面：桌子~。[aspect; respect; regard] 方面：多在学习~下工夫。[higher authorities; higher-ups] 指上级：~来人了。

S

词语搭配 Collocation

	往~走	~等	~级	~个月	~次	从~到下	墙~	河~	桥~	~所说的	~述
上	√	√	√	√	√	√	√	√	√	×	√
上面	√	×	×	×	×	×	√	√	√	√	×

用法对比 Usage

用法解释 Comparison

"上面"有"上"的部分意思，但是，"上"还是个语素，有组词能力，"上面"没有组词能力。

语境示例 Examples

① 上：上述例子充分说明，要成就一番事业必须经过刻苦努力。
上面：上面所说的例子充分说明，要成就一番事业必须经过刻苦努力。
② 从这儿往上走，不远就到了。(☺从这儿往上面走，不远就到了。)
③ 墙上挂着两张中国画，一张是徐悲鸿的，一张是张大千的。(☺墙上面挂着两张中国画，一张是徐悲鸿的，一张是张大千的。)
④ 一定要把这个情况向上反映。(☺一定要把这个情况向上面反映。)
⑤ 河上已经结冰了。(☺河上面已经结冰了。)
⑥ 这些都是上等茶叶。(＊这些都是上面等茶叶。)
⑦ 我上个月去过一次北京。(＊我上面个月去过一次北京。)
⑧ 上面派人来调查这件事了。(＊上派人来调查这件事了。)

1124 上[名]shàng ▶ 中[名]zhōng ▶ 里[名]lǐ

词义说明 Definition

上[(used alone) upper] 单独使用表示位置、地位、辈分在高处的(跟"下"相对)：～有天堂，下有苏杭|～有老，下有小|上有领导，下有群众。[(used after a preposition) up; upward] 用在介词后边，表示位置在高处的：向～看|往～走。[(used before a noun) (of position or quality) higher; better; superior] 用在名词前边，表示所处的具体位置或质量：～级领导|中～水平|～层人物。[most recent; last; former] 次序或时间在前的：～卷|～次|～星期|～个月。[first (of sth. divided into two or three parts)] 表示分成若干部分的第一部分：三册～|～集|～部。[(used after a noun) on] 用在名词后，表示在物体的表面：脸～|墙～|桌子～。[used after a noun to indicate the limited scope of sth.] 用在名词后，表示在某种事物的范围以内：课堂～|电视～|报纸～。[used after a noun to indicate a certain aspect] 用在名词后，表示某一方面：事实～|思想～。[(used after a noun) at (the age of)] 用在名词后，表示年龄：他18岁～就离开了家。

中[centre; middle] 跟周围的距离相等；中心：上、～、下|华～。[in; among; amidst] 范围内；内部：水～|山～|心～|朋

S

友～。[middle; mid] 位置在两端之间的：～途|～秋节|人到～年。[medium; intermediate] 等级在两端之间的：～学|～等|～号。[between two extremes; mean] 不偏不倚：～庸。[(used after a verb) in the grocess of] 用在动词后表示持续状态（动词前有“在”）：这项工程正在进行～。

里 [inside; within; in] 里边；里边的（跟“外”相对）：～屋|跑～圈。[in; inside] 里面；内部（跟“外”相对）：往～走|箱子～|手～|柜子～。[used after 哪，这，那，etc. to indicate a place] 用在“哪，这，那”后边表示处所：这～|那～|在哪～工作|家～有人。

词语搭配 Collocation

	墙～	往～走	～级	思想～	电视～	心～	～集	～年	～等	～屋	电话～	书～
上	√	√	√	√	√	√	√	√	√	√	√	√
中	×	×	√	×	√	√	√	√	√	×	√	√
里	√	√	×	×	√	√	×	×	×	√	√	√

用法对比 Usage

用法解释 Comparison

这三个都是名词，“上”和“中”可以单独使用，“里”不能单独使用，表达方位时，常常和其他词语搭配使用。

语境示例 Examples

上

① 同学们都在草地上坐着聊天呢。（*同学们都在草地里/中坐着聊天呢。）

② 书上写的不一定都对。（☺书里/中写的不一定都对。）

③ 我的书在桌子上呢。（☺我的书在桌子里呢。）（两句表示的位置不同）（*我的书在桌子中呢。）

④ 这件事你千万不要放在心上。（☺这件事你千万不要放在心里/中。）

⑤ 书上的练习你都做了吗？（☺书中/里的练习你都做了吗？）

⑥ 我的信用卡上已经没有多少钱了。（☺我的信用卡里/中已经没有多少钱了。）

⑦ 山上风很大。（☺山里/中风很大。）

⑧ 河上有一条小船。（☺河里/中有一条小船。）

⑨ 会上大家对这个问题讨论得很热烈。(＊会中/里大家对这个问题讨论得很热烈。)

⑩ 我喜欢躺在床上看书。(＊我喜欢躺在床中/里看书。)

⑪ 她已经有了心上人。(＊她已经有了心中/里人。)

⑫ 天上没有一丝云。(＊天里/中没有一丝云。)

⑬ 树上的鸟儿也是成双成对的。(＊树中/里的鸟儿也是成双成对的。)

⑭ 马上要过年了，大街上很热闹。(＊马上要过年了，大街中/里很热闹。)

⑮ 看来，这个世界上还有不少穷人。(＊看来，这个世界中/里还有不少穷人。)

中

① 我心中常常想起这件事。(☺我心里常常想起这件事。)(＊我心上常常想起这件事。)

② 坐飞机旅行，在空中只能看见蓝天和白云。(＊坐飞机旅行，在空里/上只能看见蓝天和白云。)

③ 两年中他出版了两本书。(☺两年里他出版了两本书。)(＊两年上他出版了两本书。)

④ 领导干部应该经常到群众中去了解情况，解决问题。(＊领导干部应该经常到群众里/上去了解情况，解决问题。)

⑤ 到发稿为止，比赛正在进行中。(＊到发稿为止，比赛正在进行里/上。)

⑥ 他永远活在中国人民的心中。(☺他永远活在中国人民的心上/里。)

里

① 我只是在电视里见过她。(☺我只是在电视上/中见过她。)

② 她心里很难过，可是脸上还带着微笑。(☺她心中很难过，可是脸上还带着微笑。)(＊她心上很难过，可是脸上还带着微笑。)

③ 他在信里问您好。(☺他在信上/中问您好。)

④ 我把这些文件都存在电脑里了。(☺我把这些文件都存在电脑中了。)(＊我把这些文件都存在电脑上了。)

⑤ 他家就住在这座楼里。(☺他家就住在这座楼上。)(＊他家就住在这座楼中。)

⑥ 森林里的动物越来越少了。(☺森林中的动物越来越少了。)(＊森林上的动物越来越少了。)

⑦ 她在电话里告诉我，她要回国。(☺她在电话中/上告诉我，她要回国。)

⑧ 水里有不少鱼在游。(☺水中有不少鱼在游。)（＊水上有不少鱼在游。）
⑨ 书里夹了一张字条儿。(☺书中夹了一张字条儿。)（＊书上夹了一张字条儿。）
⑩ 我们学校里有邮局、银行和商店。（＊我们学校上/中有邮局、银行和商店。）
⑪ 今天城里很多商店都减价。（＊今天城中/上很多商店都减价。）
⑫ 学校里已经同意我的请求。（＊学校上/中已经同意我的请求。）
⑬ 省里已经派人来调查这件事了。(☺省上已经派人来调查这件事了。)（＊省中已经派人来调查这件事了。）
⑭ 昨天夜里我只睡了三四个小时。（＊昨天夜中/上我只睡了三四个小时。）
⑮ 他根本没有把我放在眼里。（＊他根本没有把我放在眼上/中。）
⑯ 不用的钱最好存在银行里。（＊不用的钱最好存在银行上/中。）

1125 上当 shàng dàng ▶ 受骗 shòu piàn

词义说明 Definition

上当[be taken in; be fooled; be duped] 受骗吃亏。

受骗[be deceived (or fooled, cheated, taken in)] 被人欺骗。

词语搭配 Collocation

	别～	不要～	～了	怕～
上当	√	√	√	√
受骗	√	√	√	√

S

用法对比 Usage

用法解释 Comparison

“上当”和“受骗”都是离合词，意思也差不多，都可以分开用。“受骗”的意思包括两个，一是听信别人的谎言；二是按照别人的指使干了不好的事情或不利于自己的事情。“上当”的意思主要是按照别人的指使干了不好的事或不利于自己的事情。

语境示例 Examples

① 他是个大骗子，你上了他的当了。(☺他是个大骗子，你受了他的骗了。)
② 他这个人说话不算话，我再也不上他的当了。(☺他这个人说话不

算话，我再也不受他的骗了。）

③ 要小心骗子，不要受骗。（☺要小心骗子，不要上当。）

④ 去黑市换钱，很容易受骗。（☺去黑市换钱，很容易上当。）

⑤ 他说他没结过婚，原来他的孩子都三岁了，我受骗了。（＊他说他没结过婚，原来他的孩子都三岁了，我上当了。）

⑥ 你竟然相信算卦的胡说八道，这不是甘心受骗吗？（＊你竟然相信算卦的胡说八道，这不是甘心上当吗？）

1126 上课 shàng kè ▶ 上学 shàng xué

词义说明 Definition

上课 [attend class; go to class] 老师在学校里讲课。[conduct a class; give a lesson (or lecture)] 学生听老师讲课。

上学 [go to school; attent school; be at school] 学生到学校学习；[begin primary school] 开始到小学学习。

词语搭配 Collocation

	去学校～	去教室～	给学生～	今天不～	昨天没～	六岁～	报名～
上课	√	√	√	√	√	×	×
上学	√	×	×	√	√	√	√

用法对比 Usage

用法解释 Comparison

“上课”的行为主体可以是老师也可以是学生，“上学”的行为主体只是学生。

语境示例 Examples

① 上课：你今天几点上课？（“你”可以是老师，也可以是学生）
上学：你今天几点上学？（“你”是学生）

② 昨天你为什么没来上课？（☺昨天你为什么没来上学？）

③ 我们一个星期上五天课。（☺我们一个星期上五天学。）

④ 我们明天上午不上课，去参观博物馆。（＊我们明天上午不上学，去参观博物馆。）

⑤ 我要去给研究生上课。（＊我要去给研究生上学。）

⑥ 在中国，孩子一般六岁上学。（＊在中国，孩子一般六岁上课。）

S

1127 上来 shàng lái ▶ 上去 shàng qù

词义说明 Definition

上来[come up] 由低处到高处来。(说话人在上边)：你叫他快~。[(used as a complement to a verb, to indicate coming from a lower place to a higher place or from a distant place to a nearer place) up (here)] 用在动词后作趋向补语，表示从低处到高处或从远处到近处来：我把饭给你端~了。[used as a complement to a verb to indicate success in speaking, singing, reciting, etc.] 用在动词后表示成功(指说、唱、背诵等)：这篇课文我还背不~。[used as a complement to a adjective to indicate an increase in degree] 用在形容词后边作补语，表示程度增加：天阴~了。

上去[go up] 由低处到高处去(说话人在下边)：我们从这里~吧。[(used as a complement to a verb to indicate a movement from a lower place to a higher place, or from subject to object) up (there)] 用在动词后作趋向补语，表示从低处到高处或从远处近处去，或从主体到对象方面去：顺着山坡爬~。[used as a complement to a verb, indicating addition or adhesion] 表示通过动作使一种物体附加或固定在另一个物体上：把灯泡安~。

词语搭配 Collocation

	快~	拿~	搬~	走~	跑~	围~	说得/不~	答得/不~	叫得/不~
上来	√	√	√	√	√	√	√	√	√
上去	√	√	√	√	√	√	×	×	×

用法对比 Usage

“上来”和“上去”都表示从低处到高处或有远处到近处，区别在于说话人的立足点或所在位置(包括意念中的位置)，用“上来”表明说话人的立足点在高处、上面，用“上去”表明说话人在低处、下面、近处。

① 游的时间不短了，你该上来了。(说话人在游泳池外边)
   游的时间不短了，我要上去了。(说话人在游泳池里边)

② 没有梯子上不去。(说话人在下边)
   没有梯子上不来。(说话人在上边)

“上来”和“上去”都可以作动词的趋向补语，趋向补语“上来”和“上去”除了表示趋向以外，还表示引申的意义。在“上来”或“上去”之间加“得”或“不”组成可能补语，表示动作行为能否达到某个位置或能否使某个物体达到某个位置。

① 你把汉语词典拿上来。(说话人在上边)
你把汉语词典拿上去。(说话人在下边)

② 他从楼下搬上来一箱书。(说话人在上边)
他从楼下搬上去一箱书。(说话人在下边)

③ 一下课同学们就围上来问问题。(说话人在人群中间)
一下课同学们就围上去问问题。(说话人在人群外边)

④ 这个柜子你一个人搬不上去。(说话人在下边)
那个柜子你一个人搬不上来。(说话人在上边)

⑤ 山那么高，我可爬不上去。(说话人在山下)(＊山那么高，我可爬不上来。)

⑥ 山这么高，他可爬不上来。(说话人在山上)(＊山这么高，他可爬不上去。)

⑦ 东西这么多，你一个人拿不上去。(说话人在下边)(☺东西这么多，你一个人拿不上来。)(说话人在上边)

⑧ 东西这么多，他一个人拿不上来。(说话人在上边)(☺东西这么多，他一个人拿不上去。)(说话人在下边)

“上来”和“上去”还表达引申义，表示动作行为能否达到某种预期的结果。

① 把你们的作业交上来。(老师说)
我的作业已经交上去了。(学生说)

② 这个问题我答不上来。(＊这个问题我答不上去。)

③ 我知道她，但是一时叫不上来她的名字了。(＊我知道她，但是一时叫不上去她的名字了。)

④ 你要问我为什么，我也说不上来。(＊你要问我为什么，我也说不上去。)

⑤ 课文太长，我背不上来。(＊课文太长，我背不上去。)

⑥ 纸太光，毛笔根本写不上去。(不能使墨附着在纸上)(＊纸太光，毛笔根本写不上来。)

⑦ 最好用宣纸，宣纸肯定画得上去。(＊最好用宣纸，宣纸肯定画得上来。)

⑧ 天气慢慢热上来了。(＊天气慢慢热上去了。)

1128 稍稍[副]shāoshāo ▶ 稍[副]shāo

词义说明 Definition

稍稍[a little; a bit; slightly; a trifle] 数量很少，时间很短或程度不深。

稍[a little; a bit; slightly; a trifle] 同“稍稍”。

词语搭配 Collocation

	～休息一会儿	～长了一点儿	～大了点儿	～等一下儿	～安定了一些
稍稍	√	√	√	√	√
稍	√	√	√	√	√

用法对比 Usage

“稍稍”是“稍”的重叠形式，都有“量少，时间短和程度轻微”的意思，都是副词，都可以用在动词前边作状语。“稍”带书面色彩，“稍稍”为口语，读“稍”时语气舒缓，读“稍稍”时急促。

① 我的表稍稍快了点儿。(☺我的表稍快了点儿。)

② 这条裙子我穿着稍稍有点儿长。(☺这条裙子我穿着稍有点儿长。)

③ 请您稍等一会儿，董事长马上就来。(☺请您稍稍等一会儿，董事长马上就来。)

“稍”可以用于固定格式，“稍稍”不能。

① 这项工作很复杂，稍有不慎，就会出问题。(*这项工作很复杂，稍稍有不慎，就会出问题。)

② 这篇文章写得不错，稍加修改就可以发表了。(*这篇文章写得不错，稍稍加修改就可以发表了。)

1129 少数[名]shǎoshù ▶ 少量[名]shǎoliàng

词义说明 Definition

少数[a small number; few; minority] 较少的数量。

少量[a small amount; a little; a few] 比较少的数量和分量。

词语搭配 Collocation

	～人	极～	～服从多数	～民族	加～的水
少数	√	√	√	√	×
少量	×	×	×	×	√

用法对比 Usage

用法解释 Comparison

“少数”修饰可数名词，反义词是“多数”，“少量”修饰不可数名词，反义词是“大量”，它们不能相互替换。

语境示例 Examples

① 民主的一个普遍原则就是少数服从多数。（*民主的一个普遍原则就是少量服从多数。）

② 中国有五十六个民族，其中五十五个是少数民族。（*中国有五十六个民族，其中五十五个是少量民族。）

③ 中国人数最多的是汉族，汉族把少数民族叫做兄弟民族。（*中国人数最多的是汉族，汉族把少量民族叫做兄弟民族。）

④ 我喜欢在咖啡里加少量的牛奶。（*我喜欢在咖啡里加少数的牛奶。）

⑤ 我只能喝少量的啤酒，白酒一口不沾。（*我只能喝少数的啤酒，白酒一口不沾。）

⑥ 炒菜时她总喜欢在菜里加少量的醋。（*炒菜时她总喜欢在菜里加少数的醋。）

1130 身体[名]shēntǐ ▶ 身[名、量]shēn

S

词义说明 Definition

身体[body] 指人或动物的整个生理组织，有时特指躯干和四肢。[health] 指健康情况。

身[body] 身体。[life] 指生命：奋不顾～。[oneself; personally] 自己，本身：舍～救人。[one's moral character and conduct] 人的品格和修养：修～。[main part of a structure; body] 物体的中部或主要部分：船～。

词语搭配 Collocation

	～怎么样	～好吗	锻炼～	～上	～高	献～	以～作则	修～	车～	一～衣服
身体	√	√	√	×	×	×	×	×	×	×
身	×	×	×	√	√	√	√	√	√	√

用法对比 Usage

“身体”和“身”有相同的意义，但是，“身”可以与其他词语组成新词，“身体”没有组词能力，它们不能相互替换。

① 你爸爸妈妈身体好吗？（＊你爸爸妈妈身好吗？）

② 今天我感到身上有点儿不舒服。（＊今天我感到身体上有点儿不舒服。）（☺今天我感到身体有点儿不舒服。）

③ 我每天都坚持锻炼身体。（＊我每天都坚持锻炼身。）

④ 大学生要特别注意修身。（＊大学生要特别注意修身体。）

⑤ 年轻人正是长身体的时候，一定要注意营养。（＊年轻人正是长身的时候，一定要注意营养。）

⑥ 你的身高是多少？（＊你的身体高是多少？）

⑦ 他献身科学事业已经五十多年了。（＊他献身体科学事业已经五十多年了。）

“身”还可以作量词，“身体”不能作量词。

我想做一身旗袍。（＊我想做一身体旗袍。）

1131 神情[名]shénqíng ▶ 神色[名]shénsè

词义说明 Definition

神情[expression; look] 人脸上所显露的内心活动；表情。

神色[expression; look] 神态和脸色。

词语搭配 Collocation

	愉快的～	～尴尬	～慌张	可疑的～	～不对
神情	√	√	×	√	×
神色	×	×	√	√	√

用法对比 Usage

用法解释 Comparison

“神情”和“神色”同义，“神色”中性偏贬义，“神情”为中性词。

语境示例 Examples

① 看她脸上终于露出了愉快的神情，我也很高兴。（＊看她脸上终于露出了愉快的神色，我也很高兴。）
② 警察看他神色可疑，就上前盘问，发现他原来是个在逃犯。（☺警察看他神情可疑，就上前盘问，发现他原来是个在逃犯。）
③ 看他的神情，好像有什么事瞒着我。（☺看他的神色，好像有什么事瞒着我。）
④ 我刚才看到楼下一个人神色慌张，是不是小偷啊？（＊我刚才看到楼下一个人神情慌张，是不是小偷啊？）
⑤ 听了这话，他脸上现出无奈的神情。（＊听了这话，他脸上现出无奈的神色。）

1132 生怕[副]shēngpà ▶ 恐怕[副]kǒngpà

词义说明 Definition

生怕[be afraid of; fear] 很担心。

恐怕[fear; dread; be afraid of] 表示估计并担心。[perhaps; probably; maybe] 表示估计。

词语搭配 Collocation

	～出事	～揣着	～迟到	～要下雨	～不来了	～有半个月了	～不同意	～不行
生怕	√	√	√	×	×	×	×	×
恐怕	√	√	√	√	√	√	√	√

用法对比 Usage

用法解释 Comparison

“生怕”表示担心，害怕，与“恐怕”有相同的意思，但是“恐怕”还表示估计，有“可能、也许”的意思，“生怕”没有这个意思。

语境示例 Examples

① 把孩子一个人放在家里，我生怕他出事。（☺把孩子一个人放在家里，我恐怕他出事。）
② 晚上我连电视都不敢看，生怕影响孩子学习。（☺晚上我连电视都不敢看，恐怕影响孩子学习。）

S

③ 每天我早早就从家里出来了，生怕迟到。(☺每天我早早就从家里出来了，恐怕迟到。)
④ 爷爷年纪大了，腿脚又不好，我生怕他不小心摔一跤。(☺爷爷年纪大了，腿脚又不好，我恐怕他不小心摔一跤。)
⑤ 他出国恐怕有三年多了。(＊他出国生怕有三年多了。)
⑥ 你看这天，恐怕又要下雨。(＊你看这天，生怕又要下雨。)
⑦ 现在不来，恐怕她今天不会来了。(＊现在不来，生怕她今天不会来了。)

1133 生气 shēng qì ▶ 发火 fā huǒ

词义说明 Definition

生气[take offence; get angry] 因不合心意而不愉快。
发火[get angry; flare up; lose one's temper] 生气；发脾气。

词语搭配 Collocation

	很～	非常～	为什么～	不要～	不必～	冲我～
生气	√	√	√	√	√	×
发火	×	×	√	√	√	√

用法对比 Usage

用法解释 Comparison

"生气"可以有外在表现，让人看得出来，也可以没有外在表现，"发火"必有外在表现，这是二者意思不同的地方。"生气"可以受"很"、"非常"、"十分"等副词修饰，"发火"不能。这两个都是动宾词组，都可以分开用，但是，"生气"可以说"生某某人的气"，"发火"不能说"发某某人的火"。

语境示例 Examples

① 你又生什么气呢？(☺你又发什么火呢？)
② 有话好好说，不要发火。(☺有话好好说，不要生气。)
③ 听说儿子在外边跟人打架了，他很生气。(＊听说儿子在外边跟人打架了，他很发火。)
④ 儿子考试不及格，我非常生气。(＊儿子考试不及格，我非常发火。)
⑤ 我看你好像不高兴，生谁的气呢？(＊我看你好像不高兴，发谁的火呢？)

S

⑥ 这件事根本不是我干的，你冲我发什么火？(＊这件事根本不是我干的，你冲我生什么气？)

1134 生日[名]shēngri ▶ 诞辰[名]dànchén

词义说明 Definition

生日[birthday]（人）出生的日子，也指每年满周岁的那一天。

诞辰[（for the old and venerable）birthday] 生日（多用于所尊敬的人和伟大的人物）。

词语搭配 Collocation

	我的～	父亲的～	百岁～	～晚会	～礼物	过～
生日	√	√	√	√	√	√
诞辰	×	×	√	×	×	×

用法对比 Usage

用法解释 Comparison

"生日"用于任何人，还可以用于国家或政党满周年的那一天，"诞辰"一般用于伟大的值得尊敬的人物。

语境示例 Examples

① 今年十月一日是祖国五十五周岁生日。(☺今年十月一日是祖国五十五周岁诞辰。)

② 你的生日是几月几号？(＊你的诞辰是几月几号？)

③ 明天是我二十岁生日。(＊明天是我二十岁诞辰。)

④ 我昨天晚上参加了一个朋友的生日晚会。(＊我昨天晚上参加了一个朋友的诞辰晚会。)

⑤ 这是我送你的生日礼物。(＊这是我送你的诞辰礼物。)

⑥ 十二月二十六日是世纪伟人毛泽东的诞辰。(☺十二月二十六日是世纪伟人毛泽东的生日。)

1135 生疏[形]shēngshū ▶ 陌生[形]mòshēng

词义说明 Definition

生疏[not familiar] 没有接触过或很少接触的。不熟悉。[out of

S

practice; rusty] 因长期不用而不熟练。 [(of a relationship) getting distant; not as close as before] 关系不亲密，不亲近。

陌生[strange; unfamiliar] 生疏，不熟悉。

词语搭配 Collocation

	很～	人地～	业务～	感情～	技艺～	感到～	～人
生疏	√	√	√	√	√	√	×
陌生	√	×	×	×	×	√	√

用法对比 Usage

用法解释 Comparison

"陌生"主要描述人，"生疏"除了描述人以外，还表示对某种技能不熟练。

语境示例 Examples

① 刚到国外，人地生疏，语言不通，那是最困难的时候。(*刚到国外，人地陌生，语言不通，那是最困难的时候。)

② 多年不用，我的英语有点儿生疏了。(*多年不用，我的英语有点儿陌生了。)

③ 楼下有一个陌生人，东张西望的，不知道在找谁。(*楼下有一个生疏人，东张西望的，不知道在找谁。)

④ 多年不来往，同学之间的关系也生疏了。(*多年不来往，同学之间的关系也陌生了。)

⑤ 她害羞，在陌生人面前连话都不敢说。(*她害羞，在生疏人面前连话都不敢说。)

⑥ 这次国际汉语讨论会，我看到不少陌生的面孔。(*这次国际汉语讨论会，我看到不少生疏的面孔。)

S

1136 生长[动]shēngzhǎng

成长[动]chéngzhǎng

词义说明 Definition

生长[grow] 生物体在一定的生活条件下体积和重量逐渐增加。[grow up; be brought up] 出生和成长；产生和增长。

成长[grow up; grow to maturity] 生长而成熟；长成；向成熟阶段发展。

词语搭配 Collocation

	～在农村	～在海边	～激素	健康～	茁壮～	～起来
生长	√	√	√	×	×	√
成长	√	√	×	√	√	√

用法对比 Usage

用法解释 Comparison

“生长”包含出生并成长，其行为主体可以是人，也可以是动植物，“成长”不包含出生的意思，其行为主体一般指人，较少用于动植物。

语境示例 Examples

① 我自小生长在农村，了解和熟悉农民的生活。(☺我自小成长在农村，了解和熟悉农民的生活。)

② 生长在大城市的孩子体会不到农村孩子生活的艰辛。(☺成长在大城市的孩子体会不到农村孩子生活的艰辛。)

③ 他生长在一个农民家庭。(☺他成长在一个农民家庭。)

④ 这些青年科学家正在老一代的关心和帮助下成长起来。(*这些青年科学家正在老一代的关心和帮助下生长起来。)

⑤ 植物的生长离不开阳光雨水。(*植物的成长离不开阳光雨水。)

⑥ 希望你们年轻一代健康成长，接好老一代的班。(*希望你们年轻一代健康生长，接好老一代的班。)

⑦ 全社会都要关心青少年的健康成长。(*全社会都要关心青少年的健康生长。)

1137 声[名、量]shēng ▶ 声音[名]shēngyīn

词义说明 Definition

声[sound; voice] 声音。[measure word for sounds] 量词，表示声音发出的次数：我叫了他两～。[make a sound] 发出声音：他不～不响地走了。[reputation] 名声：～誉。[initial consonant of a Chinese syllable] 声母。[tone] 字调：～调。

声音[sound; voice] 声波通过耳朵所产生的印象。

词语搭配 Collocation

	大～读	四～	风～	雨～	不～不响	～望	～很大	～很好	没有～
声	√	√	√	√	√	√	√	√	√
声音	×	×	×	×	×	×	√	√	√

用法对比 Usage

"声"可作量词用，"声音"没有量词的用法。"声"还是个语素，有组词能力，"声音"没有组词能力。

① 这个收音机的声音很好。(☺这个收音机的声很好。)

② 你听！外边是什么声音？(☺你听！外边是什么声？)

③ 要大声地朗读课文。(＊要大声音地朗读课文。)

④ 汉语的第二声我总发不好。(＊汉语的第二声音我总发不好。)

⑤ 你走的时候告诉我一声。(＊你走的时候告诉我一声音。)

"声音"还表示意见、要求或建议，"声"没有这个意思。

我们的报纸要及时反映人民群众的声音。(＊我们的报纸要及时反映人民群众的声。)

1138 声明[动、名]shēngmíng ▶ 申明[动]shēnmíng

词义说明 Definition

声明[state; declare; announce] 公开表态或说明真相。[statement; declaration] 声明的文告。

申明[declare; avow; state] 郑重说明。

词语搭配 Collocation

	发表～	郑重～	联合～	～理由	再次～	庄严～
声明	√	√	√	×	√	√
申明	×	×	×	√	√	×

用法对比 Usage

用法解释 Comparison

"声明"既是动词又是名词，可以作宾语，"申明"只是动词，不能作宾语。这两个词都是书面语，多用于正式场合，"声明”常用于外交场合。

语境示例 Examples

① 中国政府多次声明，反对一切形式的恐怖主义。（＊中国政府多次申明，反对一切形式的恐怖主义。）

② 对于这家报纸的不实报道，我们不得不再次申明我们的立场。（＊对于这家报纸的不实报道，我们不得不再次声明我们的立场。）

③ 办理入境签证一定要申明理由。（＊办理入境签证一定要声明理由。）

④ 中国政府发表声明，谴责干涉中国内政的霸权主义行径。（＊中国政府发表申明，谴责干涉中国内政的霸权主义行径。）

⑤ 两国领导人会谈后发表了联合声明。（＊两国领导人会谈后发表了联合申明。）

⑥ 他声明退出这次大选。（＊他申明退出这次大选。）

1139 省得[连]shěngde ▶ 免得[连]miǎndé

词义说明 Definition

省得[so as to save (or avoid)] 不使发生某种不好的情况；免得。

免得[so as not to; so as to avoid] 以免；省得。

词语搭配 Collocation

	～着凉	～惹麻烦	～走错路	～误会	～着急	～花钱
省得	√	√	√	√	√	√
免得	√	√	√	√	√	√

用法对比 Usage

“省得”和“免得”都是连词，用在第二个分句的前边，表示由于前一句的行动而避免后一句不好的事情或情况发生或出现。因为“省得”的“省”有节约的意思，“免得”的“免”有避免的意思，所以，使用中还是有细微的区别。

① 外边很冷，要多穿点儿衣服，省得着凉。（☺外边很冷，要多穿点儿衣服，免得着凉。）

② 你听我把话说清楚，免得你误会。（☺你听我把话说清楚，省得你误会。）

③ 你还是带上这把伞吧，免得下雨挨淋。（☺你还是带上这把伞吧，

省得下雨挨淋。)

④ 你最好先给家里打个电话，免得父母着急。(☺你最好先给家里打个电话，省得父母着急。)

⑤ 还是再打听一下吧，省得走错路。(☺还是再打听一下吧，免得走错路。)

⑥ 在这件事情上你要特别注意，免得别人说闲话。(☺在这件事情上你要特别注意，省得别人说闲话。)

⑦ 这件事不要告诉她，免得她不高兴。(☺这件事不要告诉她，省得她不高兴。)

强调节省钱时，用“省得”更好些。

旧课本能用就用旧的吧，省得再花钱买新的。(＊旧课本能用就用旧的吧，免得再花钱买新的。)

1140 胜[动]shèng ▶ 赢[动]yíng

词义说明 Definition

胜[win] 胜利（跟“负”或“败”相对)。[defeat; win victory] 打败别人：我们队～了他们。[(often followed by 于, etc.) surpass; be superior to; get the better of] 比另一个优越（后边常带“于”、“过”等)：聊～于无。[superb; wonderful; lovely] 优美的（景物、境界等)：～景。

赢[win; beat] 胜。(与“输”相对)：三比二～了。[gain (profit)] 获得；获利：～利。

词语搭配 Collocation

	～了	打～了	以少～多	事实～于雄辩	～景	旅游～地	引人入～	～得
胜	√	√	√	√	√	√	√	×
赢	√	√	×	×	×	×	×	√

用法对比 Usage

用法解释 Comparison

“赢”有“胜”的意思，但是“赢”还有获得的意思，“胜”没有这个意思。“胜”的反义词是“负”或“败”，“赢”的反义词是“输”。

语境示例 Examples

① 昨天晚上的足球赛谁胜了？(☺昨天晚上的足球赛谁赢了？)
② 公牛队三比二赢了。(☺公牛队三比二胜了。)
③ 体育比赛中的输赢都是暂时的，而运动员在比赛中表现出的那种奋发向上的精神让人振奋。(☺体育比赛中的胜负都是暂时的，而运动员在比赛中表现出的那种奋发向上的精神让人振奋。)
④ 胜败乃兵家常事。(＊赢败乃兵家常事。)
⑤ 以少胜多，以弱胜强，中外战争史上有不少这样的战例。(＊以少赢多，以弱赢强，中外战争史上有不少这样的战例。)
⑥ 这次谈判达成了一个双赢的协议。(＊这次谈判达成了一个双胜的协议。)
⑦ 桂林山水、云南石林、三峡风光，都是人间胜景。(＊桂林山水、云南石林、三峡风光，都是人间赢景。)
⑧ 她在这个电影里的表演赢得了观众的好评。(＊她在这个电影里的表演胜得了观众的好评。)

1141 剩[动]shèng ▶ 剩余[动、名]shèngyú

词义说明 Definition

剩[surplus; remnant] 剩余。

剩余[surplus; remainder] 从某个数量里减去一部分以后遗留下来。

词语搭配 Collocation

	～饭	～菜	～了一百块	～我一个人了	有～	没有～	～价值	～产品
剩	√	√	√	√	×	×	×	×
剩余	×	×	√	×	√	√	√	√

用法对比 Usage

用法解释 Comparison

“剩余”既是动词，也是名词，可以作宾语，“剩”只是个动词，不能作宾语。“剩余”的否定用“没有”，“剩”的否定要用“不”。

S

语境示例 Examples

① 这个月剩余的钱我都用来买书了。(☺这个月剩的钱我都用来买书了。)
② 剩余的这些东西最好处理了。(☺剩的这些东西最好处理了。)
③ 同学们旅行的旅行，回国的回国，宿舍里就剩我一个人了。(＊同学们旅行的旅行，回国的回国，宿舍里就剩余我一个人了。)
④ 这个月的钱我都花光了，一点儿也不剩了。(＊这个月的钱我都花光了，一点儿也不剩余了。)
⑤ 还有剩饭吗？我有点儿饿了。(＊还有剩余饭吗？我有点儿饿了。)

1142 失去[动]shīqù ▶ 丢失[动]diūshī ▶ 遗失[动]yíshī

词义说明 Definition

失去[lose] 失掉：～机会。
丢失[lose] 失去：借书证～了。
遗失[lose] 由于疏忽而失掉（东西）：～声明。

词语搭配 Collocation

	～知觉	～效力	～了钱包	行李～了	～了文件	～了身份证	护照～了
失去	√	√	×	×	×	×	×
丢失	×	×	√	√	√	√	√
遗失	×	×	√	√	√	√	√

S

用法对比 Usage

用法解释 Comparison

“失去”的对象可以是抽象事物。“丢失”和“遗失”的对象是具体事物，不能是抽象事物。

语境示例 Examples

① 我不小心把护照丢失了。(☺我不小心把护照遗失了。)(＊我不小心把护照失去了。)
② 我电脑里的文件不知道为什么丢失了。(＊我电脑里的文件不知

道为什么失去/遗失了。)

③ 我的手冻得已经失去了知觉。(*我的手冻得已经丢失/遗失了知觉。)

④ 这药已经失去了效力。(*这药已经丢失/遗失了效力。)

⑤ 如果通过这个考试，就可以得到奖学金，因此我不想失去这次机会。(*如果通过这个考试，就可以得到奖学金，因此我不想丢失/遗失这次机会。)

⑥ 一个执政党如果不为人民服务，就会失去民心，就将最终失去执政的地位。(*一个执政党如果不为人民服务，就会丢失/遗失民心，就将最终丢失/遗失执政的地位。)

⑦ 你最好在报上登一个遗失声明。(*你最好在报上登一个丢失/失去声明。)

⑧ 此件请妥为保存，遗失不补。(*此件请妥为保存，丢失/失去不补。)

1143 失去[动]shīqù ▶ 失掉[动]shīdiào

词义说明 Definition

失去[lose] 没有了。

失掉[lose; not have any more] 原来有的不再具有；没有了：~联络。[miss; let slip] 没有取得或没有把握住：~机会。

词语搭配 Collocation

	~理智	~联系	~机会	~信心	~民心	~威信	~父亲	~效力	~作用	~知觉
失去	√	√	√	√	√	√	√	√	√	√
失掉	√	√	√	√	√	√	×	×	×	×

用法对比 Usage

用法解释 Comparison

“失去”和“失掉”是同义词，不过“失去”可以带具体名词作宾语，“失掉”一般不带具体名词作宾语。

语境示例 Examples

① 越是在这个时候越是不能失去理智。(☺越是在这个时候越是不能失掉理智。)

S

② 贪污腐败使国家受到的不仅仅是经济上的损失，更危险的是，它使执政党失去了民心。(☺贪污腐败使国家受到的不仅仅是经济上的损失，更危险的是，它使执政党失掉了民心。)
③ 这次机会你一定要把握住，千万不要再失去了。(☺这次机会你一定要把握住，千万不要再失掉了。)
④ 什么都可以失去，一定不要失去信心。(☺什么都可以失掉，一定不要失掉信心。)
⑤ 我和他几年前就失去了联系。(☺我和他几年前就失掉了联系。)
⑥ 他从小就失去了父母，是跟着伯父长大的。(＊他从小就失掉了父母，是跟着伯父长大的。)
⑦ 因为打了麻药，所以他已经失去了知觉。(＊因为打了麻药，所以他已经失掉了知觉。)

1144 失望 [形] shīwàng ▶ 灰心 huī xīn

词义说明 Definition

失望 [lose hope; lose heart] 感到没有希望，失去信心。[disappointed] 因为希望没有实现而不愉快。

灰心 [lose heart; be discouraged] （因遭到困难、失败）失去信心，意志消沉。

词语搭配 Collocation

	很～	非常～	不要～	感到～	不必～
失望	√	√	√	√	√
灰心	√	√	√	√	√

用法对比 Usage

用法解释 Comparison

“失望”表示对他人失去信心，对事情失去希望，“灰心”主要是对自己失去信心。

语境示例 Examples

① 她没有答应我，我感到很失望。(☺她没有答应我，我感到很灰心。)
② 不要灰心，这次没有考好，下次再考。(☺不要失望，这次没有考

好，下次再考。）

③ 不要怕失败，失败了我们可以再来，你千万不要灰心。（☺不要怕失败，失败了我们可以再来，你千万不要失望。）

④ 人生的道路并不平坦，成功时不要过分得意，失败时也不要灰心。（☺人生的道路并不平坦，成功时不要过分得意，失败时也不要失望。）

⑤ 我们兴冲冲地爬上泰山看日出，可是天气不好，没有看到，很感失望。（＊我们兴冲冲地爬上泰山看日出，可是天气不好，没有看到，很感灰心。）

⑥ 一遇到失败就灰心丧气的人是不可能成功的。（＊一遇到失败就失望丧气的人是不可能成功的。）

1145 失望[形]shīwàng ▶ 扫兴sǎo xìng

词义说明 Definition

失望[lose hope; lose heart] 感到没有希望，失去信心。[disappointed] 因为希望没有实现而不愉快。

扫兴[have one's spirit dampened; feel disappointed] 正当高兴的时候遇到不愉快的事情而兴致低落。

词语搭配 Collocation

	很～	十分～	真～	感到～	没有～	不要～	～话	叫人～	太～了
失望	√	√	√	√	√	√	×	√	√
扫兴	√	√	√	√	×	×	√	×	√

用法对比 Usage

用法解释 Comparison

“失望”和“扫兴”不是同义词。只有在表示“不高兴、不愉快、情绪低落”的意思时，可以互换，多数情况下不能互换。“扫兴”可以分开用，“失望”不能。

语境示例 Examples

① 我们高高兴兴地到了博物馆，结果不开门，大家都很扫兴。（☺我们高高兴兴地到了博物馆，结果不开门，大家都很失望。）

② 这次没考上大学，不要失望，要继续努力，争取明年再考。（＊

S

这次没考上大学，不要扫兴，要继续努力，争取明年再考。)

③ 你太叫我失望了。(＊你太叫我扫兴了。)

④ 别说扫兴话。(＊别说失望话。)

⑤ 这次比赛他们队又输了，让球迷感到失望。(＊这次比赛他们队又输了，让球迷感到扫兴。)

⑥ 昨天我们刚爬上长城就下起了大雨，感到很扫兴。(＊昨天我们刚爬上长城就下起了大雨，感到很失望。)

⑦ 晚会上大家要我也唱一个歌，我不太会唱歌，可是为了不扫大家的兴，只好唱了一个。(＊晚会上大家要我也唱一个歌，我不太会唱歌，可是为了不失大家的望，只好唱了一个。)

⑧ 你陪儿子去吧，他特别希望你去，不要扫他的兴。(＊你陪儿子去吧，他特别希望你去，不要失他的望。)

1146 时常[副]shícháng ▶ 经常[副、形]jīngcháng

词义说明 Definition

时常[often; frequently] 常常；经常。

经常[day-to-day; everyday; daily] 平时；日常。[frequently; often] 常常；时常。

词语搭配 Collocation

	～去	～看看	～迟到	～不上课	～逛书店	～联系	不～读	～复习
时常	√	√	√	√	√	√	×	×
经常	√	√	√	√	√	√	√	√

用法对比 Usage

"时常"跟"经常"意思相同，但是没有"经常"使用频率高。"经常"还是形容词，可以受其他副词修饰，"时常"一般不受其他副词修饰。如可以说"不经常"、"很经常"，不说"不时常"、"很时常"。

① 一些外国留学生到学校后，时常不上课，不知道他们是来干什么的。(☺一些外国留学生到学校后经常不上课，不知道他们是来干什么的。)

② 经常不上课的学生肯定学不好。(☺时常不上课的学生肯定学

不好。)

③ 这是我的名片，希望我们时常保持联系。(☺这是我的名片，希望我们经常保持联系。)

④ 星期日我经常去逛书店。(☺星期日我时常去逛书店。)

⑤ 学过的语法要经常复习。(☺学过的语法要时常复习。)

⑥ 我跟她不经常来往。(*我跟她不时常来往。)

"经常"有形容词的用法，"时常"没有。

信访工作是各级政府经常性的工作。(*信访工作是各级政府时常性的工作。)

1147 时代[名]shídài ▶ 时期[名]shíqī

词义说明 Definition

时代[times; age; era; epoch] 指历史上以经济、政治、文化等状况为依据而划分的某个时期。[period in one's life; years] 指个人生命中的某个时期：少年～。

时期[(mostly with certain characteristics) period; stage] 一段时间（多指具有某种特征的）：社会主义建设～。

词语搭配 Collocation

	封建～	五四～	～潮流	青年～	抗战～	新～	信息～	～精神
时代	√	√	√	√	×	√	√	√
时期	√	√	×	√	√	√	×	×

用法对比 Usage

用法解释 Comparison

"时代"既表示时点，也表示时段，"时期"只表示时段。

语境示例 Examples

① 中国的封建时代太长，所以封建思想的影响也最大，最持久。(☺中国的封建时期太长，所以封建思想的影响也最大，最持久。)

②"五四"时代的一些优秀文学作品，集中反映了青年人反帝爱国，争取自由民主和个性解放的精神面貌。(☺"五四"时期的一些优秀文学作品，集中反映了青年人反帝爱国，争取自由民主和个性解放的精神面貌。)

S

③ 新时代的青年，应该有理想，有抱负，努力为民族振兴国家富强建功立业。(☺新时期的青年，应该有理想，有抱负，努力为民族振兴国家富强建功立业。)
④ 人类社会已经进入了信息时代。（＊人类社会已经进入了信息时期。)
⑤ 这些歌曲讴歌了奋发有为，昂扬向上的时代精神。（＊这些歌曲讴歌了奋发有为，昂扬向上的时期精神。)
⑥ 把自己溶入社会主义现代化建设的洪流中去，努力为最广大的人民服务，才符合时代潮流。（＊把自己溶入社会主义现代化建设的洪流中去，努力为最广大的人民服务，才符合时期潮流。)

1148 时候[名]shíhou ▶ 时间[名]shíjiān

词义说明 Definition

时候[(the duration of) time] 有起点和终点的一段时间：这项工程需要多少～？[(a point in) time; moment] 时间里的某一点：现在什么～了？

时间[(the concept of) time] 物质存在的一种客观方式，由过去、现在、将来构成的连绵不断的系统：～和空间。[(the duration of) time] 有起点和终点的一段时间：这本书写了多长～？[(a point in) time] 时间里的某一点：现在的～是八点半。

词语搭配 Collocation

	什么～	什么～了	多长～	多少～	过去的～	小～	上大学的～	很长～	一年～
时候	√	√	×	√	√	√	√	×	×
时间	√	√	√	√	√	×	×	√	√

S

用法对比 Usage

用法解释 Comparison

“时候”常表示时间的某一点，或一个相对模糊的时间段，“时间”既表示时点也表示时段。“时间”可以用数量词修饰，“时候”不能。“时间”可以作宾语，“时候”不能。

语境示例 Examples

① A：现在什么时间了？B：十点了。(☺A：现在什么时候了？B：十点了。)
② 刚到中国的时候，我对这里的一切都感到陌生和新鲜。（＊刚到中国的时间，我对这里的一切都感到陌生和新鲜。)

③ 月球绕地球一周的时间是29.5天多一点。（*月球绕地球一周的时候是29.5天多一点。）
④ 他们俩是上大学的时候认识的。（*他们俩是上大学的时间认识的。）
⑤ 小时候妈妈总带我去姥姥家玩。（*小时间妈妈总带我去姥姥家玩。）
⑥ 有时间来我家玩吧。（*有时候来我家玩吧。）
⑦ 因为事情发生得太突然，我一时间不知道怎么办好。（*因为事情发生得太突然，我一时候不知道怎么办好。）
⑧ 要熟练掌握一门技能必须经过长时间的努力。（*要熟练掌握一门技能必须经过长时候的努力。）

1149 时时[副]shíshí ▶ 时刻[副、名]shíkè

词义说明 Definition

时时[often; constantly; again and again] 常常。

时刻[a point of time; hour; moment] 时间。[constantly; always; at all times] 每时每刻，经常。

词语搭配 Collocation

	~想到	~不忘	~牢记	~处处	欢乐的~	幸福的~	~准备着	~表	危难~	关键~
时时	√	√	√	√	×	×	√	×	×	×
时刻	√	√	√	×	√	√	√	√	√	√

用法对比 Usage

用法解释 Comparison

“时时”是副词，可以作状语，表示一定时间内动作行为屡屡发生。“时刻”既是副词也是名词，可以作状语，也可以作定语和中心语。

语境示例 Examples

① 总理时时想到的是国家的富强和人民的幸福。（☺总理时刻想到的是国家的富强和人民的幸福。）
② 我总是时时提醒自己，一定要努力学习，争取考上一个好的大学。（☺我总是时刻提醒自己，一定要努力学习，争取考上一个好的大学。）

③ 要想在事业上取得成功，就要时刻准备迎接各种挑战和考验。(☺要想在事业上取得成功，就要时时准备迎接各种挑战和考验。)

④ 这几个月对我来说，是一生最重要，最关键的时刻。(＊这几个月对我来说，是一生最重要，最关键的时时。)

⑤ 在人民群众生命财产受到洪水威胁的关键时刻，总是解放军挺身而出。(＊在人民群众生命财产受到洪水威胁的关键时时，总是解放军挺身而出。)

1150 时时[副]shíshí ▶ 时常[副]shícháng

词义说明 Definition

时时[often; constantly; again and again] 常常。

时常[often; frequently; again and again] 常常，经常。

词语搭配 Collocation

	～关心	～想到	～去考察	～下乡	～来信	～处处	～出差	～出国
时时	√	√	×	×	×	√	×	×
时常	√	√	√	√	√	×	√	√

用法对比 Usage

用法解释 Comparison

“时时”和“时常”的语义不完全相同，“时时”有“每时每刻不停地”、“不间断地”意思，而“时常”是间歇的。能用“时时”的地方一般都可以用“时常”替换，但是，用“时常”的地方不一定能用“时时”替换。

语境示例 Examples

① 总理时时把人民的冷暖放在心头。(☺总理时常把人民的冷暖放在心头。)

② 各级领导干部要时时想到自己是人民的公仆，而不是骑在人民头上作威作福的老爷。(☺各级领导干部要时常想到自己是人民的公仆，而不是骑在人民头上作威作福的老爷。)

③ 他时时处处严格要求自己。(＊他时常处处严格要求自己。)

④ 他时常下乡了解农村和农民的情况。(＊他时时下乡了解农村和农民的情况。)

⑤ 儿子在国外读书，时常给我们来电话。(＊儿子在国外读书，时

时给我们来电话。)

⑥ 这些年他时常出国考察访问。(*这些年他时时出国考察访问。)

1151 识别[动]shíbié ▶ 辨别[动]biànbié

词义说明 Definition

识别[distinguish; discern; spot] 辨别，辨认。

辨别[differentiate; distinguish; discriminate] 根据不同事物的特点，在认识上加以区别。

词语搭配 Collocation

	~真假	~方向	~是非	~骗子	~干部	~好坏人
识别	√	√	×	√	√	√
辨别	√	√	√	×	×	×

用法对比 Usage

用法解释 Comparison

二者都需要行为主体有理性思维。"识别"的目的是弄清楚人和事物的好坏、高下、真假、善恶等。"辨别"的目的是弄清楚是什么或不是什么。参与"识别"的可以有视觉器官，参与"辨别"的主要是大脑，不一定需要视觉器官。

语境示例 Examples

① 我到了一个新地方往往辨别不出方向。(☺我到了一个新地方往往识别不出方向。)

② 只有掌握科学的世界观和方法论才能提高识别真假、是非的能力。(☺只有掌握科学的世界观和方法论才能提高辨别真假、是非的能力。)

③ 你能辨别这块宝石的真假吗? (☺你能识别这块宝石的真假吗?)

④ 要多读书，勤思考，不断提高自己辨别是非的能力。(*要多读书，勤思考，不断提高自己识别是非的能力。)

⑤ 识别干部的好坏，不能光听他说了什么，更重要的要看他做了什么，是怎么做的，还要听听人民群众的反映。(*辨别干部的好坏，不能只听他说了什么，更重要的要看他做了什么，是怎么做的，还要听听人民群众的反映。)

⑥ 只看外表怎么能识别好人和坏人呢？（＊只看外表怎么能辨别好人和坏人呢?）

1152 实际[形名]shíjì ▶ 现实[形名]xiànshí

词义说明 Definition

实际[reality; practice] 客观存在的事物或情况。[practical; realistic] 实有的；具体的。[real; actual; concrete] 合乎事实的。

现实[reality; actuality] 客观存在的事物。[real; actual] 合乎客观情况。

词语搭配 Collocation

	很～	不～	联系～	客观～	从～出发	～情况	脱离～	变成了～	～的办法	～意义
实际	√	√	√	√	√	√	√	×	√	√
现实	√	√	×	√	×	√	√	√	√	√

用法对比 Usage

用法解释 Comparison

“实际”和“现实”都可以作谓语和宾语。

语境示例 Examples

① 你这个想法不太实际。(☺你这个想法不太现实。)

② 年轻人富有热情和理想，但是他们的理想往往脱离实际。(☺年轻人富有热情和理想，但是他们的理想往往脱离现实。)

③ 中国的实际是：世界上最大的发展中国家，经济还不太发达。(☺中国的现实是：世界上最大的发展中国家，经济还不太发达。)

下列句子中的宾语不能用“现实”，只能用“实际”。

① 考虑问题，办事情要从实际出发，而不能从主观愿望出发。(＊考虑问题，办事情要从现实出发，而不能从主观愿望出发。)

② 中国要达到发达国家现在的水平，还需要经过几十年的艰苦奋斗，把中国说成发达国家是不符合实际的。(＊中国要达到发达国家现在的水平，还需要经过几十年的艰苦奋斗，把中国说成发达国家是不符合现实的。)

③ 理论一定要联系实际。(＊理论一定要联系现实。)

④ 脱离实际的理论是空洞的理论，而空洞的理论是没有用的。(＊脱离现实的理论是空洞的理论，而空洞的理论是没有用的。)

1153 实际上 shíjì shang ▶ 其实 [副] qíshí

词义说明 Definition

实际上 [reality; in fact] 承上文转折，表示所说的是客观存在的事实和情况。

其实 [actually; in fact; as a matter of fact] 表示所说的是实际情况（承上文含有转折的意味）。

词语搭配 Collocation

	～并不难	～他是泰国人	～他也是学生	～不大	～不贵	～很年轻
实际上	√	√	√	√	√	√
其实	√	√	√	√	√	√

用法对比 Usage

“实际上”是形容词“实际”和“上”组成的词组，“其实”是副词，它们都可用在复句的第二个分句前，接续前一句的意思往下说，说明上文所说的不是真实的，需要用下文纠正或更正。不过，用“其实”句子没有停顿，用“实际上”，句子可以有停顿，当然也可以不停顿。

① 都说汉语难学，其实并不像我想像的那么难，只要努力，一定能学好。（☺都说汉语难学，实际上，并不像我想像的那么难，只要努力，一定能学好。）

② 我以为他也是外国人呢，实际上他是中国新疆人。（☺我以为他也是外国人呢，其实他是中国新疆人。）

③ 他看上去很年轻，实际上已经快五十了。（☺他看上去很年轻，其实已经快五十了。）

④ 你从地图上看，当然离这儿不远，实际上很远，坐火车要十个多小时呢。（☺你从地图上看，当然离这儿不远，其实很远，坐火车要十个多小时呢。）

⑤ 难怪她长得一点儿也不像她妈，因为实际上她们不是亲母女。（*难怪她长得一点儿也不像她妈，因为其实她们不是亲母女。）

“实际上”可以作定语，相当于“实际”，“其实”不能。

我到那里一看，实际上的情况比我想得好得多。（*我到那里一看，其实的情况比我想得好得多。）

S

1154 实现[动]shíxiàn ▶ 完成[动]wánchéng

词义说明 Definition

实现[realize; fulfil; carry out; bring about] 使成为事实。

完成[accomplish; complete; fulfil; bring to success (or fruition)] 按照预期的目的结束，做成。

词语搭配 Collocation

	～理想	～计划	～目标	～愿望	～祖国统一	～任务	～作业	～论文	～指标
实现	√	√	√	√	√	×	×	×	×
完成	×	√	×	×	×	√	√	√	√

用法对比 Usage

用法解释 Comparison

“实现”和“完成”的意义不同，它们的宾语也不同，不能相互替换。

语境示例 Examples

① 中国载人登月的计划估计很快就能实现。（*中国载人登月的计划估计很快就能完成。）

② 五年计划已经胜利完成。（*五年计划已经胜利实现。）

③ 中国人民正在为实现全面建设小康社会的宏伟目标而努力奋斗。（*中国人民正在为完成全面建设小康社会的宏伟目标而努力奋斗。）

④ 中国人民和平统一祖国的伟大目标一定能实现。（*中国人民和平统一祖国的伟大目标一定能完成。）

⑤ 我来中国留学的愿望终于实现了，心里很高兴。（*我来中国留学的愿望终于完成了，心里很高兴。）

⑥ 南水北调工程什么时候完成？（*南水北调工程什么时候实现？）

⑦ 我计划尽快完成博士论文，通过答辩。（*我计划尽快实现博士论文，通过答辩。）

S

1155 实行[动]shíxíng ▶ 施行[动]shīxíng

词义说明 Definition

实行[put into practice (or effect); carry out; practise; implement] 用行动来实现（理论、纲领、方针、政策、计划、主张等）。

施行[put (laws, rules, regulations, etc.) into force; enforce; implement] 法令、规章等公布后从某时起发生效力，执行。[perform; administer; apply] 按照某种方法或办法去做；实行。

词语搭配 Collocation

	～民主	～专政	～政策	～改革	～集体领导	～手术	～急救	自即日起～
实行	√	√	√	√	√	×	×	√
施行	×	×	×	×	×	√	√	√

用法对比 Usage

用法解释 Comparison

“实行”和“施行”虽然都有用实际行动来实现的意思，但是它们的宾语不同，“实行”的宾语为抽象动作或事物，“施行”的是具体动作。

语境示例 Examples

① 中国实行改革开放的政策以来，整个国家发生了巨大变化。（＊中国施行改革开放的政策以来，整个国家发生了巨大变化。）

② 中国的各级行政部门都实行集体领导、分工负责的制度。（＊中国的各级行政部门都施行集体领导、分工负责的制度。）

③ 他的病大夫经过研究，决定施行手术。（＊他的病大夫经过研究，决定实行手术。）

④ 这项新法自颁布之日起施行。（＊这项新法自颁布之日起实行。）

⑤ 根据中国的国情，必须实行计划生育。（＊根据中国的国情，必须施行计划生育）。

S

1156 实验[动、名]shíyàn ▶ 试验[动、名]shìyàn

词义说明 Definition

实验[experiment; test] 为了检查某种科学理论或假设而进行某种操作或从事某种活动。[experimental work; laboratory work] 指实验的工作。

试验[trial; experiment; test] 为了察看某事的结果或某物的性能而从事的某种活动。

词语搭配 Collocation

	科学~	做~	~新机器	~新药	~后推广	~室	~田
实验	√	√	×	×	×	√	×
试验	×	√	√	√	√	×	√

用法对比 Usage

用法解释 Comparison

“实验”是实际检验，“试验”是试一试看看；“实验”的对象是理论和假说，“试验”的对象是成型的东西；“实验”的目的证明是否是正确的、科学的，“试验”的目的是证明是否能用或推广。“实验”和“试验”的意义和用法都不同。

语境示例 Examples

① 他们正在进行一项科学实验。（*他们正在进行一项科学试验。）

② 这个小麦新品种要经过试验以后才能推广。（*这个小麦新品种要经过实验以后才能推广。）

③ 要取得一项数据需要经过大量的实验。（*要取得一项数据需要经过大量的试验。）

④ 可以说很多科学理论是在实验中诞生的。（*可以说很多科学理论是在试验中诞生的。）

⑤ 这种新药的效果如何，还需要经过临床试验。（*这种新药的效果如何，还需要经过临床实验。）

⑥ 为了观察新稻种的生长情况，他每天都到试验田里去。（*为了观察新稻种的生长情况，他每天都到实验田里去。）

⑦ 他在实验室里一干就是十几个小时。（*他在试验室里一干就是十几个小时。）

S

1157 实在[形、副]shízài ▶ 真的zhēn de

词义说明 Definition

实在[true; real; honest] 诚实，不虚假：他心眼儿太~。[indeed; really; honestly] 的确：~抱歉！[in fact; as a matter of fact] 其实：他说懂了，~不懂。

真的[truly; really; indeed] 实在；的确。

词语搭配 Collocation

	很～	不～	不是～	～好	～地道	～不知道
实在	√	√	×	√	√	√
真的	×	×	√	√	√	√

用法对比 Usage

用法解释 Comparison

“实在”是形容词，也是副词，“真的”是个词组，“实在”可以受程度副词修饰，可以说“很实在”，“真的”不能受程度副词修饰。

语境示例 Examples

① 那儿的风景实在漂亮。(☺那儿的风景真的漂亮。)
② 我今天实在太累了。(☺我今天真的太累了。)
③ 你说的这件事我实在不知道。(☺你说的这件事我真的不知道。)
④ 时间太长了，我实在想不起来了。(☺时间太长了，我真的想不起来了。)
⑤ 她的汉语说得实在地道。(☺她的汉语说得真的地道。)
⑥ 没有实在的本领，很难完成这项工作。(☺没有真(的)本领，很难完成这项工作。)
⑦ 他这个人很实在。(＊他这个人很真的。)
⑧ 你听到的这个消息不是真的。(＊你听到的这个消息不是实在。)

1158 实质[名]shízhì ▶ 本质[名]běnzhì

词义说明 Definition

实质[substance; essence]本质。

本质[essence; nature; innate character; intrinsic quality]事物本身所固有的、决定事物性质、面貌和发展的根本属性。事物的本质是隐蔽的，是通过现象来表现的，不能用简单的直观去认识，必须透过现象掌握本质。

词语搭配 Collocation

	问题的～	～上	～方面	非～方面	看～	～性	～区别	抓住～
实质	√	√	×	×	√	√	×	√
本质	√	√	√	√	√	×	√	√

S

用法对比 Usage

用法解释 Comparison

"实质"指事物实在的，内在的或实际的属性，与"表面"或"虚假"相对。"本质"是事物和人根本的、本来的属性，与"现象"相对。

语境示例 Examples

① 这场争论的实质是，要不要坚持实事求是的思想认识路线。（*这场争论的本质是，要不要坚持实事求是的思想认识路线。）

② 要透过现象看本质，不要被表面现象所迷惑。（*要透过现象看实质，不要被表面现象所迷惑。）

③ 努力工作而犯的错误和玩忽职守有本质的区别。（*努力工作而犯的错误和玩忽职守有实质的区别。）

④ 问题的实质是，有的国家想通过战争来确立自己的霸权地位。（☺问题的本质是，有的国家想通过战争来确立自己的霸权地位。）

⑤ 这孩子本质是好的，一时糊涂犯了错误，我们不要嫌弃他，要帮助他改正。（*这孩子实质是好的，一时糊涂犯了错误，我们不要嫌弃他，要帮助他改正。）

1159 食品[名]shípǐn ▶ 食物[名]shíwù

词义说明 Definition

食品[foodstuff; food; provisions]商店出售的经过加工制作的食物。

食物[food; eatables; edibles]可以充饥的东西。

词语搭配 Collocation

	健康～	绿色～	～公司	～加工	～工业	～店	～卫生	～中毒	罐头～
食物	×	×	×	×	×	×	×	√	×
食品	√	√	√	√	√	√	√	×	√

用法对比 Usage

用法解释 Comparison

"食品"是"食物"，但是"食物"不一定是"食品"，"食品"的意义范围窄，"食物"的范围宽，但是交际中，"食品"比

"食物"常用。

语境示例 Examples

① 所谓绿色食品就是无污染的食品。(＊所谓绿色食物就是无污染的食物。)
② 食品加工的各个环节都要经过严格的卫生检查。(＊食物加工的各个环节都要经过严格的卫生检查。)
③ 我担心你总吃方便食品营养不足。(＊我担心你总吃方便食物营养不足。)
④ 很多人不喜欢吃罐头食品。(＊很多人不喜欢吃罐头食物。)
⑤ 要严格执行国家的食品卫生法，防止食物中毒事件的发生。(＊要严格执行国家的食物卫生法，防止食品中毒事件的发生。)
⑥ 这个国家的食品工业很发达。(＊这个国家的食物工业很发达。)
⑦ 大熊猫的食物主要是竹子。(＊大熊猫的食品主要是竹子。)

1160 使劲儿 shǐ jìnr ▶ 用力 yòng lì

词义说明 Definition

使劲儿[exert all one's strength]用力。

用力[exert oneself (physically); put forth one's strength]用力气，使劲。

词语搭配 Collocation

	~喊叫	~推	~拉	~划	~蹬	~过度
使劲儿	√	√	√	√	√	×
用力	√	√	√	√	√	√

用法对比 Usage

"使劲儿"用于口语，"用力"口语和书面都用，它们同义，常用来作状语。

① 我使劲儿一推，就把门推开了。(☺我用力一推，就把门推开了。)
② 刮的顶头风，不使劲儿根本蹬不动。(☺刮的顶头风，不用力根本蹬不动。)
③ 他耳朵不好，你使劲儿喊，他才能听见。(☺他耳朵不好，你用力喊，他才能听见。)
④ 大家再使把劲儿，争取今天把这些活干完。(＊大家再用把力，

S

争取今天把这些活干完。)

⑤ 因为用力过度，他把绳子拉断了。(＊因为使劲儿过度，他把绳子拉断了。)

⑥ 他觉得自己有使不完的劲儿。(＊他觉得自己有用不完的力。)

"使劲儿"还有帮助的意思，"用力"没有这个意思。

调动工作的事，你能不能给我使点儿劲儿？(＊调动工作的事，你能不能给我用点儿力？)

1161 使用[动]shǐyòng ▶ 实用[形]shíyòng

词义说明 Definition

使用[use; employ; apply] 使人员、器物、资金等为某种目的服务。

实用[practical; progmatic; functional]实际使用；有实际使用价值的。

词语搭配 Collocation

	很～	不～	～干部	～资金	～工具	～教科书	又～又美观
使用	×	√	√	√	√	√	×
实用	√	√	×	×	×	×	√

用法对比 Usage

用法解释 Comparison

"使用"是动词，"实用"是形容词，意义不同，用法也不同，它们不能相互替换。

语境示例 Examples

① 这套教材已经使用好几年了，效果很好。(＊这套教材已经实用好几年了，效果很好。)

② 要合理使用这笔资金，使它发挥效用。(＊要合理实用这笔资金，使它发挥效用。)

③ 学过的句子要多在日常交际中使用。(＊学过的句子要多在日常交际中实用。)

④ 这套家具又实用又美观。(＊这套家具又使用又美观。)

⑤ 这种工具看起来很简单，但是很实用。(＊这种工具看起来很简

单，但是很使用。)

⑥ 这本教材对初学者很实用。(＊这本教材对初学者很使用。)

1162 事[名]shì ▶ 事情[名]shìqing

词义说明 Definition

事[matter; affair; thing; business]事情：国家大～。[trouble; accident]事故：出～了。[job; work]职业；工作：找～做。[responsibility; involvement]关系和责任：这个案子没有他什么～儿。

事情[matter; thing; business; affair]人类生活的一切活动和所遇到的一切社会现象。[trouble; accident]事故；差错。[job; work]职业；工作。

词语搭配 Collocation

	有～	没～	好～	坏～	大～	小～	公～	私～	～多	出～	找～	没你的～
事	√	√	√	√	√	√	√	√	√	√	√	√
事情	√	√	√	√	√	√	×	×	√	×	√	×

用法对比 Usage

用法解释 Comparison

“事”和“事情”同义，口语多用“事”，而且常带儿化，书面多用“事情”。“事”还是个语素，有组词能力，“事情”没有组词能力。

语境示例 Examples

① 今天玛丽有事，不能来上课。(☺今天玛丽有事情，不能来上课。)

② 这件事很麻烦。(☺这件事情很麻烦。)

③ 我现在最重要的是得找个事做。(☺我现在最重要的是得找个事情做。)

④ 有什么事你说一声，我帮你做。(☺有什么事情你说一声，我帮你做。)

⑤ 最近事情太多，忙不过来。(☺最近事儿太多，忙不过来。)

⑥ 坏事儿在一定条件下也会变成好事儿。(☺坏事情在一定条件下也会变成好事情。)

S

⑦ 昨天一架飞机出事了。(＊昨天一架飞机出事情了。)
⑧ 这里没你的事了，快回去吧。(＊这里没你的事情了，快回去吧。)

1163 事件[名]shìjiàn ▶ 事情[名]shìqing

词义说明 Definition

事件[incident; event]历史上或社会上发生的不平常的大事情。

事情[matter; thing; business; affair]人类生活的一切活动和所遇到的一切社会现象。[trouble; accident]事故；差错。[job; work]职业；工作。

词语搭配 Collocation

	这件～	这个～	～很多	政治～	流血～	重大～
事件	×	√	×	√	√	√
事情	√	√	√	×	×	×

用法对比 Usage

用法解释 Comparison

“事件”往往是重大的，不平常的，不常发生的，“事情”是一般的，平常的，经常遇到的。

语境示例 Examples

① 报纸一定要把事件的真相告诉人民。(☺报纸一定要把事情的真相告诉人民。)
② 美国的“9·11”事件震惊世界。(＊美国的“9·11”事情震惊世界。)
③ 示威群众和警察发生冲突，造成了流血事件。(＊示威群众和警察发生冲突，造成了流血事情。)
④ 回忆母亲勤劳的一生，很多事情都是我难以忘记的。(＊回忆母亲勤劳的一生，很多事件都是我难以忘记的。)
⑤“五四运动”是中国现代史上的一个大事件。(＊“五四运动”是中国现代史上的一个大事情。)
⑥ 快到年底了，事情比较多。(＊快到年底了，事件比较多。)

1164 事先[名]shìxiān ▶ 预先[副]yùxiān

词义说明 Definition

事先[in advance; beforehand; prior to] 事情发生之前。

预先[in advance; beforehand] 在事情发生或进行之前。

词语搭配 Collocation

	～不知道	～准备	～声明	～通知	～布置	～支付
事先	√	√	√	√	√	×
预先	√	√	√	√	√	√

用法对比 Usage

用法解释 Comparison

"事先"是名词，可以作定语；"预先"是副词，不能作定语。

语境示例 Examples

① 这件事我事先一点儿也不知道。(☺这件事我预先一点儿也不知道。)

② 星期六晚上在这个房间举行晚会，我们得预先布置一下。(☺星期六晚上在这个房间举行晚会，我们得事先布置一下。)

③ 我们预先声明，如果货物的质量不符合要求，就退货。(☺我们事先声明，如果货物的质量不符合要求，就退货。)

④ 如果去不了请事先告诉我。(☺如果去不了请预先告诉我。)

⑤ 事先的准备工作很重要，一定要做好。(*预先的准备工作很重要，一定要做好。)

⑥ 预定图书要不要预先交押金？(*预定图书要不要事先交押金？)

⑦ 对方要求我们预先支付50%的货款。(*对方要求我们事先支付50%的货款。)

1165 视察[动]shìchá ▶ 观察[动]guānchá

词义说明 Definition

视察[inspect] 上级人员到下级机构检查工作。[watch; observe] 察看。

观察[observe carefully; watch; survey] 仔细察看（事物和现象）。

词语搭配 Collocation

	~工作	~部队	~地形	~动静	~问题	~能力	~天气	~~	仔细~
视察	√	√	√	×	×	×	×	√	√
观察	×	×	√	√	√	√	√	√	√

用法对比 Usage

用法解释 Comparison

"视察"有观察，察看的意思，也有检查的意思，用于上级对下级，对象是下级的工作情况。"观察"的行为主体没有限制，对象也比较广泛，可以包括抽象事物，如问题、形势、情况、生活、现象等，也可以是具体的人、态度、地形等。

语境示例 Examples

① 今天部队首长视察了这一带的地形。(☺今天部队首长观察了这一带的地形。)

② 总理经常到下边视察工作，体察民情。(＊总理经常到下边观察工作，体察民情。)

③ 观察生活是作家的职业习惯。(＊视察生活是作家的职业习惯。)

④ 同学们在老师的指导下，观察了这次全日食的情况。(＊同学们在老师的指导下，视察了这次全日食的情况。)

⑤ 据我观察，他最近好像有什么心事。(＊据我视察，他最近好像有什么心事。)

⑥ 要培养学生观察问题、分析问题的能力。(＊要培养学生视察问题、分析问题的能力。)

S

1166 适当[形]shìdàng ▶ 适宜[形、动]shìyí

词义说明 Definition

适当[suitable; proper; appropriate] 合适，妥当。

适宜[suitable; fit; appropriate; favourable] 合适，相宜。

词语搭配 Collocation

	~的工作	~的安排	~的机会	~的环境	~调整	措辞~	浓淡~	气候~
适当	√	√	√	×	√	√	×	×
适宜	√	×	×	√	×	√	√	√

用法对比 Usage

用法解释 Comparison

“适当”是形容词，不能带宾语，“适宜”既是形容词也是动词，可以带宾语。

语境示例 Examples

① 要在外交场合做到举止得体，措辞适当，必须经过严格认真的训练，还要有良好的心理素养。(☺要在外交场合做到举止得体，措辞适宜，必须经过严格认真的训练，还要有良好的心理素养。)
② 如果课程安排不符合学生的要求，要做适当的调整。(＊如果课程安排不符合学生的要求，要做适宜的调整。)
③ 我想找个适当的机会跟他谈谈。(＊我想找个适宜的机会跟他谈谈。)
④ 这里的冬天不太冷，夏天也不太热，非常适宜人生活。(＊这里的冬天不太冷，夏天也不太热，非常适当人生活。)
⑤ 要创造适宜外商的软硬环境，吸引国外投资。(＊要创造适当外商的软硬环境，吸引国外投资。)

1167 适合[动]shìhé ▶ 适应[动]shìyìng

词义说明 Definition

适合[suit; fit] 符合（实际情况或客观要求）。

适应[suit; adapt to; adjust to; conform to] 适合（实际情况和要求）。

词语搭配 Collocation

	很～	不～	～口味	～情况	～当教师	～年轻人	～环境	～需要	～气候	相～
适合	√	√	√	√	√	√	×	×	×	×
适应	√	√	×	√	×	×	√	√	√	√

用法对比 Usage

用法解释 Comparison

“适合”和“适应”涉及的对象不同，“适合”的对象包括口味、情况、人等，“适应”的对象是环境、工作、气候等。

语境示例 Examples

① 她的性格特别适合当老师。(＊她的性格特别适应当老师。)

S

② 请尝尝，不知道这个菜适合不适合你的口味？（＊请尝尝，不知道这个菜适应不适应你的口味？）
③ 这本杂志很适合年轻人。（＊这本杂志很适应年轻人。）
④ 生产关系一定要适应生产力发展的需要。（＊生产关系一定要适合生产力发展的需要。）
⑤ 我适应新环境的能力很强。（＊我适合新环境的能力很强。）
⑥ 人的思想一定要适应时代的变化。（＊人的思想一定要适合时代的变化。）

1168 逝世[动]shìshì ▶ 牺牲[动]xīshēng

词义说明 Definition

逝世[pass away; die] 去世（一般用于伟人、著名人物的死）。

牺牲[sacrifice oneself; die a martyr's death; lay down one's life] 为了正义的目的舍弃自己的生命；为坚持信仰而死。[sacrifice; give up; do sth. at the expense of] 放弃或损害一方的利益。

词语搭配 Collocation

	～了	～自己	～生命	为人民～了	英勇～	光荣～	～精神	～宝贵的时间
逝世	√	×	×	×	×	×	×	×
牺牲	√	√	√	√	√	√	√	√

用法对比 Usage

用法解释 Comparison

“逝世”不能带宾语，“牺牲”能带宾语，可以表示死，也可以表示其他意思，如可以说“牺牲时间”等。

语境示例 Examples

① 鲁迅先生是1936年逝世的。（＊鲁迅先生是1936年牺牲的。）
② 他是为人民利益牺牲的，他的死是比泰山还要重的。（＊他是为人民利益逝世的，他的死是比泰山还要重的。）
③ 志愿者为帮助残疾人甘愿奉献的牺牲精神是可贵的。（＊志愿者为帮助残疾人甘愿奉献的逝世精神是可贵的。）
④ 为了帮助我演好这个汉语节目，他牺牲了很多休息时间。（＊为了帮助我演好这个汉语节目，他逝世了很多休息时间。）

⑤ 在这次追捕逃犯的战斗中，我们牺牲了两名警察。（＊在这次追捕逃犯的战斗中，我们逝世了两名警察。）

1169 收成[名]shōucheng ▶ 收获[动、名]shōuhuò

词义说明 Definition

收成[harvest; crop] 庄稼、蔬菜、果品等收获的成绩，有时也指鱼虾等捕捞的成绩。

收获[gather (or bring) in the crops; harvest] 取得成熟的农作物。[results; gains] 比喻心得、战果等。

词语搭配 Collocation

	～很好	～很大	好～	～的季节	很有～	粮食～	思想～
收成	√	×	√	×	×	√	×
收获	×	√	×	√	√	×	√

用法对比 Usage

用法解释 Comparison

“收成”是名词，“收获”既是动词又是名词，“收成”表示具体意义，可以说“粮食收成很好”，“收获”常表示抽象意义，可以说“思想收获很大”。

语境示例 Examples

① 有一分汗水就有一分收获。(☺有一分汗水就有一分收成。)
② 今年的小麦收成很好。(＊今年的小麦收获很好。)
③ 秋天是收获的季节。(＊秋天是收成的季节。)
④ 这次去中国参观访问很有收获。（＊这次去中国参观访问很有收成。)
⑤ 这次短期学习收获很大。(＊这次短期学习收成很大。)

1170 收购[动]shōugòu ▶ 收买[动]shōumǎi

词义说明 Definition

收购[purchase; buy] 从各处买进棉花、粮食、花生、大米等。

收买[purchase; buy] 收购。[buy over; bribe] 给他人钱财或其他好处，使其受利用。

词语搭配 Collocation

	大量～	～粮食	～棉花	～花生	～旧书	～废品	～人心	～价格	～他
收购	√	√	√	√	√	√	×	√	×
收买	×	√	√	√	√	√	√	√	√

用法对比 Usage

用法解释 Comparison

“收买”有“收购”的意思，但是，“收买”还是个贬义词，有笼络人心的意思。

语境示例 Examples

① 对农作物的收购价格要合理，不许压价坑害农民。(☺对农作物的收买价格要合理，不许压价坑害农民。)

② 这个书店收购旧书。(☺这个书店收买旧书。)

③ 国家大量收购农副产品。(＊国家大量收买农副产品。)

④ 他送给你钱是想收买你。(＊他送给你钱是想收购你。)

⑤ 他这样做是为了收买人心，拉选票。(＊他这样做是为了收购人心，拉选票。)

1171 手法[名]shǒufǎ ▶ 手段[名]shǒuduàn

词义说明 Definition

手法[skill; technique]（艺术品或文学作品的）技巧。[trick; artifice] 手段。

手段[means; medium; measure; method] 为达到某种目的而采取的具体方法。[trick; artifice] 指待人处世所用的不正当的方法。[skill; finesse] 本领；能耐。

词语搭配 Collocation

	强制～	很有～	耍～	～高	～高明	表现～	宣传～	艺术～	两面～
手法	×	×	×	×	√	√	√	√	√
手段	√	√	√	√	√	×	×	×	×

S

用法对比 Usage

用法解释 Comparison

"手法"和"手段"的感情色彩不同，"手法"是个中性词，"手段"含有贬义。

语境示例 Examples

① 这幅画的艺术表现手法非常高明。（*这幅画的艺术表现手段非常高明。）

② 他们采用这种拙劣的贼喊捉贼的手段完全是为了欺骗世界舆论。（*他们采用这种拙劣的贼喊捉贼的手法完全是为了欺骗世界舆论。）

③ 邪教蛊惑人心、残害生命的手段令人发指。（*邪教蛊惑人心、残害生命的手法令人发指。）

④ 这个贩毒集团，不断变换手法，逃避警方的检查。（*这个贩毒集团，不断变换手段，逃避警方的检查。）

⑤ 对于拒不执行法院判决的，要采取必要的强制手段，以维护法律的权威和尊严。（*对于拒不执行法院判决的，要采取必要的强制手法，以维护法律的权威和尊严。）

1172 首先[副]shǒuxiān ▶ 先[副]xiān

词义说明 Definition

首先[before all others; first] 最先；最早。[in the first place; first of all; above all] 第一（用于列举事项）。

先[earlier; before; in advance] 时间或顺序在前的（跟"后"相对）。[(used with the negative word "不" or "别") for the time being; for the moment] 与"不"和"别"一起表示劝止：你~别走。[earlier on; before; at first] 先前。

词语搭配 Collocation

	~发言	~介绍一下	~提出来	~别去	~不付款	~来	~去	~说
首先	√	√	√	×	×	×	×	×
先	√	√	√	√	√	√	√	√

S

用法对比 Usage

用法解释 Comparison

"首先"和"先"意思相同，但因为音节不同，用法也不同。"首先"多用于书面和正式场合，"先"用于口语和一般场合。

语境示例 Examples

① 这个建议是老王首先提出来的。(☺这个建议是老王先提出来的。)

② 请允许我首先介绍一下，这位是张教授，这是我们马校长。(☺请允许我先介绍一下，这位是张教授，这是我们马校长。)

③ 讨论会上，他首先发言。(☺讨论会上，他先发言。)

④ 老师总要求我们，上课前，先预习生词和课文。(＊老师总要求我们，上课前，首先预习生词和课文。)

⑤ 下午我先去理个发，然后再去看电影。(＊下午我首先去理个发，然后再去看电影。)

⑥ 你先去吧，我等一会儿再去。(＊你首先去吧，我等一会儿再去。)

⑦ 这件事你先不要告诉他。(＊这件事你首先不要告诉他。)

⑧ 你先别说，让他猜一猜。(＊你首先别说，让他猜一猜。)

⑨ 现在请大家读课文，谁先读？(＊现在请大家读课文，谁首先读？)

⑩ 首先，让我代表全校师生向你们表示热烈的欢迎。(＊先，让我代表全校师生向你们表示热烈的欢迎。)

1173 售[动]shòu ▶ 卖[动]mài

词义说明 Definition

售[sell] 卖：～票。

卖[sell] 拿出东西换钱（与"买"相对）。[betray (one's country or friends)] 为了自己的利益出卖祖国或亲友。[do one's utmost; spare no effort] 尽量用出来，不吝惜：～力。[show off] 故意表现在外面，让人看见：～俏。

词语搭配 Collocation

	～票处	～货	～出	零～	～货员	～后服务	～力气	～不动	～国	～官
售	√	√	√	√	√	√	×	×	×	×
卖	×	√	√	√	×	×	√	√	√	√

用法对比 Usage

用法解释 Comparison

"售"和"卖"是同义词，但是"卖"多用于口语，"售"常见于书面。

语境示例 Examples

① 这家商店的售后服务工作做得不错。（*这家商店的卖后服务工作做得不错。）
② 请问，售票处在哪儿？（*请问，卖票处在哪儿？）
③ 他想把这套房子卖掉。（*他想把这套房子售掉。）
④ 植树节那天，大家干得都很卖力气。（*植树节那天，大家干得都很售力气。）
⑤ 这类书印得太滥了，根本卖不动。（*这类书印得太滥了，根本售不动。）

1174 书[名、动]shū ▶ 书籍[名]shūjí

词义说明 Definition

书[book] 装订成册的著作：一本～。[write] 写字；记录；书写。[style of calligraphy; script] 字体：楷～。[letter] 书信：家～。[document] 文件：证～。

书籍[books; works; literture]书的总称。

词语搭配 Collocation

	一本～	写～	楷～	情～	说明～	大～特～	文学～	语言～
书	√	√	√	√	√	√	√	√
书籍	×	×	×	×	×	×	√	√

用法对比 Usage

用法解释 Comparison

"书籍"是书的总称，是抽象名词，不可数。"书"是可数名词也是动词，可以带宾语。"书"还是个语素，有组词能力，"书籍"没有组词能力。

语境示例 Examples

① 书籍是知识的宝库。（☺书是知识的宝库。）

② 你要的这本书属于语言书籍，你到语言类书架去找吧。(☺你要的这本书属于语言书，你到语言类书架去找吧。)
③ 我想去书店买一本书。(＊我想去书店买一本书籍。)
④ 要提高自己，只有多读书，多实践。(＊要提高自己，只有多读书籍，多实践。)
⑤ 古人常说要“读万卷书，行万里路”。(＊古人常说要“读万卷书籍，行万里路”。)
⑥ 练习书法要从写楷书开始。(＊练习书法要从写楷书籍开始。)
⑦ 他的伟大功绩值得大书特书。(＊他的伟大功绩值得大书籍特书籍。)

1175 舒服[形]shūfu ▶ 舒适[形]shūshì

词义说明 Definition

舒服[comfortable]身体或精神上感到轻松愉快：洗个热水澡，真～。[be well] 能使身体或精神上感到轻松愉快：全棉的衣服穿着很～。

舒适[comfortable; cosy; snug]舒服安乐：房间里很～。

词语搭配 Collocation

	很～	不～	不大～	感到～	～的生活	环境～
舒服	√	√	√	√	√	×
舒适	√	√	√	√	√	√

用法对比 Usage

用法解释 Comparison

“舒服”表示身体状况好，感觉好受，“舒适”主要形容客观生活环境或东西给人的感觉好。“舒服”还有对人对事满意的意思，“舒适”没有这个意思。

语境示例 Examples

① 这套房子冬暖夏凉，住着很舒服。(☺这套房子冬暖夏凉，住着很舒适。)
② 还是棉布做的衣服穿着舒适。(☺还是棉布做的衣服穿着舒服。)
③ 这套沙发坐着很舒服。(＊这套沙发坐着很舒适。)
④ 这个住宅小区远离市区，环境很舒适。(＊这个住宅小区远离市区，环境很舒服。)
⑤ 她今天不大舒服，所以没来。(＊她今天不大舒适，所以没来。)
⑥ 我不喜欢这个演员，一看见他出来就感到不舒服。(＊我不喜欢

这个演员，一看见他出来就感到不舒适。)

1176 熟练[形]shúliàn ▶ 熟悉[动]shúxī

词义说明 Definition

熟练[skilled; practised; proficient]工作、动作因为常做而有经验。

熟悉[know sth. or sb. well; be familiar with; have an intimate knowledge of] 知道得清楚。

词语搭配 Collocation

	很~	不~	动作~	~工人	业务~	~情况	我~他	彼此很~
熟练	√	√	√	√	√	×	×	×
熟悉	√	√	×	×	×	√	√	√

用法对比 Usage

用法解释 Comparison

“熟悉”是动词，宾语可以是人，也可以是环境、业务、情况等，“熟练”是形容词，可作定语修饰动作、业务、技能等。

语境示例 Examples

① 她的体操动作非常熟练。(＊她的体操动作非常熟悉。)

② 他干了十几年了，对这项业务非常熟悉。(＊他干了十几年了，对这项业务非常熟练。)

③ 现在不少工厂缺的不仅是高级工程师，还缺熟练工人。(＊现在不少工厂缺的不仅是高级工程师，还缺熟悉工人。)

④ 我们俩从小学到大学都是同学，彼此非常熟悉。(＊我们俩从小学到大学都是同学，彼此非常熟练。)

⑤ 你先熟悉一下这里的情况，然后再开展工作。(＊你先熟练一下这里的情况，然后再开展工作。)

⑥ 她是单位的会计，对内情很熟悉。(＊她是单位的会计，对内情很熟练。)

1177 数目[名]shùmù ▶ 数量[名]shùliàng

词义说明 Definition

数目[number; amount]通过单位表现出来的事物的多少。

数量[quantity; amount]事物的多少。

S

词语搭配 Collocation

	～字	～很大	～是多少	～词	重视～	～和质量
数目	√	√	√	×	×	×
数量	×	√	√	√	√	√

用法对比 Usage

用法解释 Comparison

“数目”一般指具体的量，“数量”指概括的量，不表现为具体的数字（与“质量”相对）。“数量”是通过“数目”表示的。

语境示例 Examples

① 因为人口数量大，实行计划生育是中国的一项基本国策。（☺因为人口数目大，实行计划生育是中国的一项基本国策。）

② 这些数目字说明了今年我国石油生产的情况。（＊这些数量字说明了今年我国石油生产的情况。）

③ 不但要抓产品数量，更要抓产品质量。（＊不但要抓产品数目，更要抓产品质量。）

④ 一支、两件、三张等都是汉语的数量词。（＊一支、两件、三张等都是汉语的数目词。）

⑤ 一、二、三、四、五、六、七、八、九等不但表示数目字，也常常被赋予一定的文化含义。（＊一、二、三、四、五、六、七、八、九等不但表示数量字，也常常被赋予一定的文化含义。）

1178 爽快[形]shuǎngkuai ▶ 痛快[形]tòngkuài

S

词义说明 Definition

爽快[refreshed; comfortable]舒适痛快。[frank; straightforward; outright]直爽；直截了当。

痛快[very happy; delighted; joyful]舒畅；高兴。[to one's heart's content; to one's great satisfaction]尽兴。[simple and direct; forthright; straightforward]爽快；直率。

词语搭配 Collocation

	很～	真～	不～	答应得～	办事～	～人	为人～
爽快	√	√	√	√	√	√	√
痛快	√	√	√	√	√	√	×

用法对比 Usage

"爽快"和"痛快"有相同的意思。

① 洗个澡，再喝一杯冰镇啤酒，真爽快。(☺洗个澡，再喝一杯冰镇啤酒，真痛快。)

② 你这人办事怎么这么不痛快，行就是行，不行就是不行，一会儿说行一会儿又说不行。(☺你这人办事怎么这么不爽快，行就是行，不行就是不行，一会儿说行一会儿又说不行。)

"痛快"表示心里舒畅、高兴，"爽快"没有这个意思。

① 他的话让我半天不痛快。(*他的话让我半天不爽快。)

② 今天把憋在心里很久的话说了出来，感觉痛快多了。(*今天把憋在心里很久的话说了出来，感觉爽快多了。)

"爽快"有为人直爽的意思，"痛快"也有办事干脆爽快的意思。

① 他为人爽快，心里有什么，嘴里就说什么。(*他为人痛快，心里有什么，嘴里就说什么。)

② 我请他帮忙，他答应得很爽快。(☺我请他帮忙，他答应得很痛快。)

"痛快"有尽兴的意思，"爽快"没有这个意思。

我们好久没在一起喝酒了，今天一定要喝个痛快。(*我们好久没在一起喝酒了，今天一定要喝个爽快。)

1179 谁[代]shuí / shéi ▶ 什么人[代]shénmerén

S

词义说明 Definition

谁[who] 问人：你找～？[(used in rhetorical questions) who] 用在反问句中，表示没有一个人：～不说她好？(意思是：都说她好。) [someone; anyone] 用于虚指，表示不知道的什么人或无须说出姓名和说不出姓名的人：这件事我听～说过。[(used before 都 or 也) everyone; anyone] 任指，表示任何人：～都喜欢她。[(used to refer to the same person) whoever] 两个"谁"字前后照应，指相同的人：～想去～去。

什么人[who] 问人：他是你～？

词语搭配 Collocation

	他是~	他是你~	你找~	~是经理	老板是~	~不说好	~也不去	~都知道
谁	√	×	√	√	√	√	√	√
什么人	√	√	√	×	√	√	√	√

用法对比 Usage

“谁”是人称代词，“什么人”是“什么”和名词“人”组成的词组，都可以用来问人。不过，“什么人”问人的职业、性别、性格、彼此关系等，“谁”问人的姓名。

① 谁：A：你找谁？B：我找王老师。

什么人：A：你找什么人？B：我想找一个懂英语的。

② 不知道谁把我的车骑走了。(☺不知道什么人把我的车骑走了。)

③ 她是你的什么人？她是我姐姐。(*她是你的谁？她是我姐姐。)

④ 你们班的老师是谁？(*你们班的老师是什么人？)

“谁”可以表示虚指、特指或任指，“什么人”不能。

① 谁不说兵马俑的发现是个奇迹呢。(*什么人不说兵马俑的发现是个奇迹呢。)

② 同学们谁也不愿意放弃这个好机会，纷纷报名参加。(*同学们什么人也不愿意放弃这个好机会，纷纷报名参加。)

③ 谁真心爱我，我就嫁给谁。(*什么人真心爱我，我就嫁给什么人。)

④ 他们俩谁也说服不了谁。(*他们俩什么人也说服不了什么人。)

1180 睡觉 shuì jiào ▶ 睡着 shuì zháo

词义说明 Definition

睡觉 [sleep] 进入睡眠状态。

睡着 [be asleep; fall asleep] 已经进入了睡眠状态。

词语搭配 Collocation

	想~	不想~	~了	还没有~	正在~	已经~了	中午不~
睡觉	√	√	√	√	√	√	√
睡着	×	×	√	√	×	√	×

用法对比 Usage

用法解释 Comparison

"睡觉"是动宾词组，"睡着"是动补词组，"睡觉"的意思是想或要进入睡眠状态，而"睡着"的意思是已经进入睡眠状态，它们不能相互替换。

语境示例 Examples

① 他中午从来不睡觉。（*他中午从来不睡着。）
② 我中午必须睡一觉，下午工作才有精神。（*我中午必须睡一着，下午工作才有精神。）
③ 昨天晚上躺在床上半天没睡着。（*昨天晚上躺在床上半天没睡觉。）
④ 上课的时候不要睡觉。（*上课的时候不要睡着。）
⑤ 时间还早呢，刚九点多，我现在不想睡觉，还想看一会儿书。（*时间还早呢，刚九点多，我现在不想睡着，还想看一会儿书。）
⑥ 他正在睡觉，你过一会儿再来电话吧。（*他正在睡着，你过一会儿再来电话吧。）

1181 顺手[形、副]shùnshǒu ▶ 顺便[副]shùnbiàn

词义说明 Definition

顺手[smooth; without a hitch; without difficulty] 做事没有遇到阻碍；顺利。[conveniently; without extra trouble] 很轻易地一伸手；随手。[(do sth.) as a natural sequence; simultaneously] 顺便。[handy; convenient and easy to use] 方便的。

顺便[(do sth.) in addition to what one is doing; without much extra effort] 利用做某事的方便（做另一件事）。

词语搭配 Collocation

	很~	不太~	~把门带上	~把垃圾带下楼	~给我送封信	~去看看他
顺手	√	√	√	√	×	×
顺便	×	×	×	√	√	√

用法对比 Usage

"顺手"只能用于手的动作，"顺便"没有此限。"顺手"和"顺便"都可以作状语，修饰动词。"顺手"还是形容词，可以作补语和谓语；"顺便"只是副词，不能作谓语和补语。

① 你下楼时顺手把垃圾袋带下去。（☺你下楼时顺便把垃圾袋带下去。）
② 这把剪刀用着非常顺手。（*这把剪刀用着非常顺便。）
③ 他脱下大衣顺手把它挂在衣架上。（*他脱下大衣顺便把它挂在衣架上。）
④ 他开开门顺手把钥匙扔在桌子上。（*他开开门顺便把钥匙扔在桌子上。）
⑤ 那把小刀我昨天用了一下，不知道顺手放在什么地方了。（*那把小刀我昨天用了一下，不知道顺便放在什么地方了。）
⑥ 你去邮局的时候顺便给我买几张邮票吧。（*你去邮局的时候顺手给我买几张邮票吧。）
⑦ 我今天进城去买东西，顺便看了一个朋友。（*我今天进城去买东西，顺手看了一个朋友。）

"顺手"有顺利，没有困难的意思，"顺便"没有这个意思。

昨天的比赛我们队打得很顺手，一路领先。（*昨天的比赛我们队打得很顺便，一路领先。）

1182 顺序[名、动]shùnxù ▶ 次序[名]cìxù

词义说明 Definition

顺序[sequence; order] 次序。[in proper order; in turn] 顺着次序。

次序[order; sequence] 事物在空间或时间上排列的先后。

词语搭配 Collocation

	按～	没有～	弄乱了～	～颠倒	～紊乱	～前进	～入场	字母～
顺序	√	√	√	√	√	√	√	√
次序	√	√	√	√	√	×	×	×

用法对比 Usage

用法解释 Comparison

"顺序"和"次序"是同义词，不过，"顺序"还有动词的用法，"次序"没有动词的用法。

语境示例 Examples

① 不要把文件的次序搞乱了。（☺不要把文件的顺序搞乱了。）

② 你把顺序完全弄颠倒了。(☺你把次序完全弄颠倒了。)
③ 请把卷子按座位顺序发下去。(☺请把卷子按座位次序发下去。)
④ 词典的词条大多按字母顺序排列。(＊词典的词条大多按字母次序排列。)
⑤ 请大家顺序入场。(＊请大家次序入场。)
⑥ 这本书的页码顺序乱了。(＊这本书的页码次序乱了。)

1183 说不定shuō bu dìng ▶ 可能[助动、名]kěnéng

词义说明 Definition

说不定[perhaps; maybe] 也许；可能。

可能[possible; probable; likely] 表示可以实现。[probably; maybe] 也许；或许。[possibility] 能成为事实的属性；可能性。

词语搭配 Collocation

	～要下雨	～会来	～已经走了	很～	有～	没有～	完全～	～的条件
说不定	√	√	√	×	×	×	×	×
可能	√	√	√	√	√	√	√	√

用法对比 Usage

"说不定"有"可能，也许"的意思，它和"可能"都可作状语，表示估计。"可能"可作宾语，"说不定"不能作宾语。

① 这天说不定要下雪。(☺这天可能要下雪。)
② 已经这么晚了，他说不定已经走了。(☺已经这么晚了，他可能已经走了。)
③ 你去问问他，说不定他愿意跟我们一起去。(☺你去问问他，可能他愿意跟我们一起去。)
④ 这项工程提前一个月完成是可能的。(＊这项工程提前一个月完成是说不定的。)
⑤ 你有没有可能去中国出差？(＊你有没有说不定去中国出差？)
⑥ 在可能的情况下我一定帮助你。(＊在说不定的情况下我一定帮助你。)

"说不定"还有"不能肯定"的意思，"可能"没有这个意思。

我下个月去不去北京还说不定。(＊我下个月去不去北京还可能。)

1184 思念[动]sīniàn ▶ 怀念[动]huáiniàn

词义说明 Definition

思念[think of; long for; miss] 想念。

怀念[cherish the memory of; think of] 思念。

词语搭配 Collocation

	非常～	很～	～家乡	～亲人	～朋友	～祖国	～先烈	～你
思念	√	√	√	√	√	√	×	√
怀念	√	√	√	√	√	×	√	×

用法对比 Usage

用法解释 Comparison

“思念”的对象是远离自己的人或地方，一般还能再见到；“怀念”除此以外，它的对象多为逝去的人或过去的岁月和地方，有的已不能再见到了。

语境示例 Examples

① 出国已经快四年了，我很思念家乡和亲人。(☺出国已经快四年了，我很怀念家乡和亲人。)

② 故乡，那是游子永远思念的地方。(☺故乡，那是游子永远怀念的地方。)

③ 我日日夜夜思念着你。(＊我日日夜夜怀念着你。)

④ 那些为国牺牲的英雄们，值得我们永远怀念。(＊那些为国牺牲的英雄们，值得我们永远思念。)

⑤ 我十分怀念大学时代的生活。(＊我十分思念大学时代的生活。)

1185 思念[动]sīniàn ▶ 想念[动]xiǎngniàn

词义说明 Definition

思念[think of; long for; miss] 想念。

想念[remember with longing; long to see again; miss] 对景仰的人、离别的人或环境不能忘怀，希望见到。

词语搭配 Collocation

	很～	～家乡	～父母	～亲人	～妻子	～朋友	～祖国
思念	√	√	√	√	√	√	√
想念	√	√	√	√	√	√	√

用法对比 Usage

"思念"和"想念"都是书面语，意思也差不多。不同的是，"思念"的对象一般是离得较远的岁月和人事，"想念"的对象没有此限。

① 至今还不时思念我儿时的这位朋友。(☺至今还不时想念我儿时的这位朋友。)

② 因为思念家乡，他每年都远涉重洋回来一次。(☺因为想念家乡，他每年都远涉重洋回来一次。)

③ 没有出过国的想出国，出了国的最想念的还是祖国和亲人。(☺没有出过国的想出国，出了国的最思念的还是祖国和亲人。)

④ 离开家以后才知道，我最想念的还是父母。(☺离开家以后才知道，我最思念的还是父母。)

口语中"想念"可以只说"想"，"思念"不能只说"思"。

我很想家。(＊我很思家。)

1186 思索[动]sīsuǒ ▶ 思考[动]sīkǎo

词义说明 Definition

思索[think deeply; ponder] 思考探索。

思考[think deeply; ponder over; reflect on] 进行比较深刻、周到的思维活动。

词语搭配 Collocation

	用心～	独立～	～问题	反复～	周密地～
思索	√	×	√	√	√
思考	√	√	√	√	√

用法对比 Usage

用法解释 Comparison

"思考"的目的是要决定或决策，"思索"的目的是要把事情或问题搞清楚、弄明白，它们不能相互替换。

S

语境示例 Examples

① 经过认真思考，我决定放弃这次出国机会。（*经过认真思索，我决定放弃这次出国机会。）
② 这是我思考了很久才做出的决定。（*这是我思索了很久才做出的决定。）
③ 不懂的地方要认真思索，直到弄懂为止。（*不懂的地方要认真思考，直到弄懂为止。）
④ 要养成独立思考问题的习惯，不能人云亦云。（*要养成独立思索问题的习惯，不能人云亦云。）
⑤ 我反复思索也搞不明白问题出在什么地方。（*我反复思考也搞不明白问题出在什么地方。）

1187 思想[名]sīxiǎng ▶ 思维[名]sīwéi

词义说明 Definition

思想[thought; thinking; idea; ideology] 对客观现实的认识在人的意识中经过思维活动而产生的结果；念头；想法。

思维[thought; thinking] 在表象、概念的基础上进行分析、综合、判断、推理等认识活动的过程，思维是人类特有的一种精神活动，是从社会实践中产生的。

词语搭配 Collocation

	~家	~方法	解放~	~境界	~包袱	~工作	~能力	理性~
思想	√	√	√	√	√	√	×	×
思维	×	√	×	×	×	×	√	√

用法对比 Usage

“思维”的结果，用语言或文字表达出来就是思想，“思维”多用于书面，口语不常用。“思想”常用。

① 思想方法很重要，科学的思想方法能帮助我们更好地认识世界、改造世界。（☺思维方法很重要，科学的思维方法能帮助我们更好地认识世界、改造世界。）
② 一个国家，一个民族，必须有一个正确的指导思想，才能把人民团结起来，为建设自己的国家而奋斗。（*一个国家，一个民族，必须有一个正确的指导思维，才能把人民团结起来，为建设自己

的国家而奋斗。)

③ 唯物论的一个重要思想就是，世界是由运动着的物质组成的。(＊唯物论的一个重要思维就是，世界是由运动着的物质组成的。)

④ 解放思想就是要与时俱进，使我们的认识随着客观情况的不断变化而变化，永远不停止在一个水平上。(＊解放思维就是要与时俱进，使我们的认识随着客观情况的不断变化而变化，永远不停止在一个水平上。)

⑤ 要培养理性思维的能力，提高对客观世界的认识水平。(＊要培养理性思想的能力，提高对客观世界的认识水平。)

⑥ 应该丢掉这个思想包袱，专心把工作搞好。(＊应该丢掉这个思维包袱，专心把工作搞好。)

⑦ 时代呼唤新的伟大的思想家的出现。(＊时代呼唤新的伟大的思维家的出现。)

"有思想"指对事物有独到的见解，"思维"没有这个用法。

他这个人很有思想。(＊他这个人很有思维。)

1188 四处[名]sìchù ▶ 四周[名]sìzhōu

词义说明 Definition

四处[all around; in all directions; everywhere] 周围各地；到处。

四周[all around; on all sides] 周围。

词语搭配 Collocation

	~打听	~寻找	~逃窜	~奔走	学校~	中国~	湖的~
四处	√	√	√	√	×	×	×
四周	×	×	×	×	√	√	√

用法对比 Usage

用法解释 Comparison

"四处"指的是抽象的处所，只能放在动词前面作状语；"四周"指的是具体处所，不仅可以作状语，也可以作中心语。

语境示例 Examples

① 我四处打听也得不到她的消息。(＊我四周打听也得不到她的消息。)

S

② 那些无照经营的小贩一看见警察，就四处逃窜。（＊那些无照经营的小贩一看见警察，就四周逃窜。）
③ 为了出版这本书他四处奔走，找了多家出版社都没有成功。（＊为了出版这本书他四周奔走，找了多家出版社都没有成功。）
④ 我们学校的四周都是草地和花圃，非常漂亮。（＊我们学校的四处都是草地和花圃，非常漂亮。）
⑤ 中国愿意跟四周所有的国家发展睦邻友好关系。（＊中国愿意跟四处所有的国家发展睦邻友好关系。）

1189 似乎[副]sìhū ▶ 好像[动]hǎoxiàng

词义说明 Definition

似乎[as if; seemingly] 仿佛；好像。

好像[seem; be like] 有些像；仿佛（像）。

词语搭配 Collocation

	～见过	～听说过	～认识	～不在家	～真的	～妈妈一样	～亲姐妹	～老朋友
似乎	√	√	√	×	×	×	×	×
好像	√	√	√	√	√	√	√	√

用法对比 Usage

用法解释 Comparison

“似乎”是副词，用在动词前边作状语；“好像”是动词，可以带宾语。

S

语境示例 Examples

① 这件事我似乎听谁说过。（☺这件事我好像听谁说过。）
② 他似乎听懂了我的话，但是自己又说不出来。（☺他好像听懂了我的话，但是自己又说不出来。）
③ 屋子里亮着灯呢，她好像在家。（＊屋子里亮着灯呢，她似乎在家。）
④ 李老师待我们好像妈妈一样。（＊李老师待我们似乎妈妈一样。）
⑤ 这张照片好像油画一样。（＊这张照片似乎油画一样。）
⑥ 他们一见面就谈得很投机，好像老朋友一样。（＊他们一见面就谈得很投机，似乎老朋友一样。）

1190 送[动]sòng ▶ 送行sòng xíng

词义说明 Definition

送[deliver; carry] 把东西运去或拿给别人。[give as a present; give] 赠送。[see sb. off or out; accompany; escort] 陪着离去的人一起走。

送行[see sb. off; wish sb. bon voyage] 到远行人启程的地方，和他告别，看他离开。[give a send-off party] 招待要离别的人吃饭喝酒。

词语搭配 Collocation

	～报	～给你	～客人	～孩子上学	给他～	到机场～	～宴会
送	√	√	√	√	×	×	×
送行	×	×	×	×	√	√	√

用法对比 Usage

用法解释 Comparison

"送"可以带宾语，"送行"不能带宾语；"送"可以重叠，"送行"不能重叠。它们不能相互替换。

语境示例 Examples

① 我明天要去机场送朋友。(＊我明天要去机场送行朋友。)(☺我明天要去机场给朋友送行。)

② 今天晚上我们要举行一个宴会，给小王送行。(＊今天晚上我们要举行一个宴会，给小王送。)

③ 每天送孩子上学就是一件麻烦事。(＊每天送行孩子上学就是一件麻烦事。)

④ 这件礼物是女朋友送给我的。(＊这件礼物是女朋友送行给我的。)

⑤ 今天送报的还没有来呢。(＊今天送行报的还没有来呢。)

⑥ 小王明天要出国，我去送送他。(＊小王明天要出国，我去送行送行他。)

1191 搜[动]sōu ▶ 搜查[动]sōuchá

词义说明 Definition

搜[look for] 寻找（人或东西）。[search] 搜查。

搜查[search; ransack; rummage] 搜索检查（犯罪的人或违禁的东西）。

词语搭配 Collocation

	～集	～索	～身	～捕	～救	～毒品	～违禁品	～犯罪分子
搜	√	√	√	√	√	√	√	√
搜查	×	×	×	×	×	√	√	√

用法对比 Usage

用法解释 Comparison

"搜"有搜查的意思，还有寻找的意思，"搜查"没有寻找的意思。"搜"能与其他语素组合，"搜查"不能。

语境示例 Examples

① 警察在一个旅客身上搜出了一公斤多毒品。(☺警察在一个旅客身上搜查出了一公斤多毒品。)

② 缉私警察在这只船上搜出了大量走私物品。(☺缉私警察在这只船上搜查出了大量走私物品。)

③ 警察正在搜逃犯。(☺警察正在搜查逃犯。)

④ 对可疑分子要进行严格搜查。(＊对可疑分子要进行严格搜。)

⑤ 海关发现他形迹可疑，就对他进行了搜身检查。(＊海关发现他形迹可疑，就对他进行了搜查身检查。)

1192 算[动]suàn ▶ 计算[动]jìsuàn

词义说明 Definition

算[calculate; reckon; compute; figure] 计算数目：～～需要多少钱。[include; count] 计算进去：～我一个。[plan; calculate; guess; think; suppose] 推测：我～他今天来。[consider; regard as; count as] 认做；当做。[carry weight; count] 算数，承认有效力：不能说话不～话。[at long last; in the end;

finally] 总算，终归：问题总~解决了。

计算[count; compute; calculate] 根据已知数通过数学方法求出未知数。[planning; consideration] 考虑；筹划。

词语搭配 Collocation

	~一下	预~	~我一个	还~不错	说话不~数	总~解决了	~机	~人数
算	√	√	√	√	√	√	×	√
计算	√	×	×	×	×	×	√	√

用法对比 Usage

用法解释 Comparison

“计算”只和“算”的第一个意思相同，“算”的其他意思，如推测、认做、总算等是“计算”所没有的。

语境示例 Examples

① 你算一下今天一共花了多少钱。(☺你计算一下今天一共花了多少钱。)

② 这道题我算不出来。(☺这道题我计算不出来。)

③ 我算他今天一定能回来。(☺我计算他今天一定能回来。)

④ 她在我们班算是一个好学生。(＊她在我们班计算是一个好学生。)

⑤ 今年冬天还不算太冷。(＊今年冬天还不计算太冷。)

⑥ 我发现，他这个人常常说话不算话。(＊我发现，他这个人常常说话不计算话。)

⑦ 这里的事情只有他说了算。(＊这里的事情只有他说了计算。)

⑧ 不管怎样，现在问题总算解决了。(＊不管怎样，现在问题总计算解决了。)

⑨ 这次参加汉语节目表演能不能算我一个？(＊这次参加汉语节目表演能不能计算我一个？)

1193 算了 suàn le ▶ 得了 dé le

词义说明 Definition

算了[let it be; let it pass; forget it] 表示作罢，不再计较。

得了[(indicating prohibition, dismissal, or agreement) well, well; That's enough; come off it] 表示同意或禁止；行了；算了：

～，你回去吧。[used in a bad situation indicating helplessness] 用于情况不如意时，表示无奈：～，你别说了行不行？[used in ending a statement to indicate a suggestion] 用于陈述句，表示建议：你去～，家里的事有我呢。

词语搭配 Collocation

	～，别说了	～，别吵了	～，别找了	～，就这么办吧	～，你少说几句吧	～～
算了	√	√	√	×	√	√
得了	√	√	√	√	√	√

用法对比 Usage

"算了"和"得了"用于口语，都表示劝止，使事情结束。不过，"得了"还有表示同意对方意见或建议的意思。

① 算了，你别说了，我已经知道了。(☺得了，你别说了，我已经知道了。)

② 算了，算了，你们别吵了，有话好好说。(☺得了，得了，你们别吵了，有话好好说。)

③ 算了，别找（钱）了。(☺得了，别找（钱）了。)

④ 算了，这件事以后不要再提了。(☺得了，这件事以后不要再提了。)

⑤ 得了，就照你说的办吧。(＊算了，就照你说的办吧。)

⑥ 他不想去就算了，我们俩去吧。(＊他不想去就得了，我们俩去吧。)

⑦ 你走得了，这里的事儿交给我吧。(＊你走算了，这里的事儿交给我吧。)

"得了"还用于表示无奈和不高兴的情绪。"算了"没有这个意思。

得了，他的话我才不信呢。(＊算了，他的话我才不信呢。)

1194 虽然[连]suīrán ▶ 别看[连]biékàn

词义说明 Definition

虽然[(often used correlatively with 但是，可是，etc.) though; although] 用在上半句，下半句多与"但是"、"可是"呼应，表示承认前边的事为事实，但后边的事并不因为前边的事而不成立。

别看[even if though; although] 虽说。

用法对比 Usage

"别看"有"虽然"的意思，但是，"别看"是口语，不能用于书面；"虽然"没有此限。

① 虽然下雪了，可是外边并不冷。（☺别看下雪了，可是外边并不冷。）

② 虽然他平时不怎么努力，可是这次考得却不错。（☺别看他平时不怎么努力，可是这次考得却不错。）

在正式场合要表达庄重严肃的话题时，不能用"别看"。

① 虽然今后还会遇到很多困难，但是我一定要坚持学下去。（*别看今后还会遇到很多困难，但是我一定要坚持学下去。）

② 虽然这届领导班子在工作中也出现过某些失误，但是，只要不带偏见，就不能不承认，他们是在诚心诚意地为人民服务，并且的确取得了很大的成绩。（*别看这届领导班子在工作中也出现过某些失误，但是，只要不带偏见，就不能不承认，他们是在诚心诚意地为人民服务，并且的确取得了很大的成绩。）

1195 虽然[连]suīrán ▶ 尽管[副、连]jǐnguǎn

词义说明 Definition

虽然[（often used correlatively with 但是，可是，etc.）though; although] 用在上半句，下半句多与"但是"、"可是"等跟它呼应，表示承认前边的事为事实，但后边的事并不因为前边的事而不成立。

尽管[feel free to; not hesitate to] 表示不必考虑别的，放心去做。[though; even though; in spite of; despite] 表示姑且承认某种事实，下文往往有"但是、然而"等表示转折的连词跟他呼应，反接上文。

用法对比 Usage

用法解释 Comparison

"尽管"表示"虽然"的意思时，二者可以互换。但是"尽管"还是副词，表示"放心去做"的意思，"虽然"没有这个意思。

S

语境示例 Examples

① 虽然她并不是很聪明的学生，但是非常努力，每天都坚持来上课，所以最后成了我们班学得最好的。(☺尽管她并不是很聪明的学生，但是非常努力，每天都坚持来上课，所以最后成了我们班学得最好的。)

② 虽然我们已经离婚了，但是因为孩子的原因，我还得常跟他联系。(☺尽管我们已经离婚了，但是因为孩子的原因，我还得常跟他联系。)

③ 离婚后虽然不是夫妻了，但是还可以做朋友，更何况你们还有孩子。(☺离婚后尽管不是夫妻了，但是还可以做朋友，更何况你们还有孩子。)

④ 有问题你尽管告诉我，我一定帮你解决。(*有问题你虽然告诉我，我一定帮你解决。)

⑤ 这本词典你尽管用吧，我现在用不着。(*这本词典你虽然用吧，我现在用不着。)

⑥ 要想提高听说能力，就尽管大胆地说，不要怕说错。(*要想提高听说能力，就虽然大胆地说，不要怕说错。)

1196 虽然[连]suīrán ▶ 虽说[连]suīshuō

词义说明 Definition

虽然[(often used correlatively with 但是，可是，etc.) though; although] 用在上半句，下半句多与“但是”、“可是”等跟它呼应，表示承认前边的事为事实，但后边的事并不因为前边的事而不成立。

虽说[though; although] 虽然。

用法对比 Usage

用法解释 Comparison

“虽说”是口语，不用于书面，“虽然”口语和书面都可以用。

语境示例 Examples

① 虽然学习汉语很难，但是也很有意思。(☺虽说学习汉语很难，但是也很有意思。)

② 虽说是好朋友，但也不能总麻烦他。(☺虽然是好朋友，但也不能

S

总麻烦他。)

③ 虽然我跟他同过学，可是并不十分了解他。(☺虽说我跟他同过学，可是并不十分了解他。)

④ 这虽说是一个误会，但是却对他们的感情带来了很大伤害。(☺这虽然是一个误会，但是却对他们的感情带来了很大伤害。)

⑤ 在我们前进的道路上虽然还会遇到各种各样的困难，但是我们一定能克服困难，取得更大的胜利。(＊在我们前进的道路上虽说还会遇到各种各样的困难，但是我们一定能克服困难，取得更大的胜利。)

1197 随[动]suí ▶ 随着[动]suízhe

词义说明 Definition

随[follow; come or go along with] 在后边紧接着向同一方向行动，跟。[comply with; adapt to] 顺从。[let sb. do as he likes] 任凭：去不去～你吧。[along with (some other action)] 顺便：～手。

随着[along with; in the wake of; in pace with] 用于前半句，表示在一定情况下，后半句表示在这种情况下出现的结果。

词语搭配 Collocation

	～着我	我～你去	～手关门	～你的便吧	～形势的发展	～生活水平的提高
随	√	√	√	√	×	×
随着	×	√	×	×	√	√

用法对比 Usage

用法解释 Comparison

“随”和“随着”有相同的意思；但是，“随着”常用于前一个分句，表示在一定情况下，可能出现的另外的情况和结果。“随”还有顺从、任凭、顺便的意思，“随着”没有这个意思。

语境示例 Examples

① 他下个月要随部长出国访问。(☺他下个月要随着部长出国访问。)

② 你想怎么办就怎么办，我随你。(＊你想怎么办就怎么办，我随着你。)

③ 你想什么时候来就什么时候来吧，随你。(＊你想什么时候来就

什么时候来吧，随着你。）

④ 随着经济的不断发展，人民的生活越来越好。（*随经济的不断发展，人民的生活越来越好。）

⑤ 随着人民生活水平的提高，大家对文化生活的要求越来越高。（*随人民生活水平的提高，大家对文化生活的要求越来越高。）

⑥ 随手关门。（*随着手关门。）

1198 随意[形]suíyì ▶ 随便[形]suíbiàn

词义说明 Definition

随意[at will; as one pleases] 任凭自己的意思。

随便[casual; random; informal] 不在范围、数量等方面加以限制。[careless; slipshod] 怎么方便就怎么做，不多考虑。[anyhow; any] 任凭；无论。

词语搭配 Collocation

	很～	不～	～出入	～点菜	～聊聊	～什么	～抽查
随意	√	√	√	√	×	×	×
随便	√	√	√	√	√	√	√

用法对比 Usage

"随意"和"随便"都可以作状语。

① 签定了协定他们也可以随便撕毁，完全不讲信誉。（☺签定了协定他们也可以随意撕毁，完全不讲信誉。）

② 参加那样高雅的音乐会，穿着不能太随便。（☺参加那样高雅的音乐会，穿着不能太随意。）

③ 这里有酒，有菜，请各位随意。（*这里有酒，有菜，请各位随便。）

④ 你想参加就参加，不想不参加就不参加，随你的便。（*你想参加就参加，不想不参加就不参加，随你的意。）

"随便"有怎么方便就怎么做的意思，"随意"没有这个意思。"随便"可以重叠，"随意"不能。

你怎么能这么随随便便的，想来就来，想走就走。（*你怎么能

S

这么随随意意的，想来就来，想走就走。）

“随便”还有“无论”的意思，“随意”没有这个意思。

随便你什么时候来都可以。（＊随意你什么时候来都可以。）

1199 岁[量]suì ▶ 年[名、量]nián

词义说明 Definition

岁[year; age] 年：岁～。[year (of age)] 表示年龄的单位：我今年二十～了。

年[year] 时间的单位；公历一年是地球绕太阳一周的时间。[annual; yearly] 每年的：～产量。[age] 岁数：～过三十。[period in one's life] 一生中按年龄划分的阶段：童～|少～|青～。[New Year; festival] 年节：新～|拜～。[(of articles) associated with Spring Festival] 有关年节的用品：办～货。

词语搭配 Collocation

	～数	多大～数	今～	明～	去～	一～	两～	25～	少～	壮～	老～	新～	～画
岁	√	√	×	×	×	√	√	√	×	×	×	×	×
年	√	×	√	√	√	√	√	√	√	√	√	√	√

用法对比 Usage

用法解释 Comparison

“岁”可以表示年龄单位，也可以表示时间，“年”只表示时间。

语境示例 Examples

① 一到岁末，就忙起来了。（☺一到年末，就忙起来了。）

② 迎新年辞旧岁。（＊迎新年辞旧年。）

③ 祝岁岁平安！（＊祝年年平安！）

④ 我刚来中国时才十八岁。（＊我刚来中国时才十八年。）

⑤ 他在中国生活三年了。（＊他在中国生活三岁了。）

⑥ 他是去年来的。（＊他是去岁来的。）

⑦ 这就是具有中国民族风格的年画。（＊这就是具有中国民族风格

的岁画。)

⑧ 新年马上就要到了。(＊新岁马上就要到了。)

1200 损害[动]sǔnhài ▶ 伤害[动]shānghài

词义说明 Definition

损害[do harm to (a cause, sb.'s interests, health, reputation, etc.); damage; impair] 使事业、利益、健康、名誉等蒙受损失。

伤害[injure; harm; hurt] 使身体组织或思想感情等受到损害。

词语搭配 Collocation

	严重～	～视力	～身体	～群众利益	～两国关系	～自尊心	～益鸟	～感情
损害	√	√	√	√	√	×	×	×
伤害	√	×	√	×	×	√	√	√

用法对比 Usage

用法解释 Comparison

“损害”的意思是“使损失”，宾语是抽象名词；“伤害”是“使受伤”，对象是人或人的思想感情、自尊心、积极性、利益等，也可以是动物。

语境示例 Examples

① 他们这种行为严重伤害了中国人民的感情。(＊他们这种行为严重损害了中国人民的感情。)

② 这种做法损害了两国关系的正常发展。(＊这种做法伤害了两国关系的正常发展。)

③ 在昏暗的灯光下看书，容易损害视力。(＊在昏暗的灯光下看书，容易伤害视力。)

④ 要知道，损害别人的名誉是要负法律责任的。(＊要知道，伤害别人的名誉是要负法律责任的。)

⑤ 长期超负荷的工作损害了他的健康。(＊长期超负荷的工作伤害了他的健康。)

⑥ 我所以不那样做，是怕伤害她。(＊我所以不那样做，是怕损

害她。)

⑦ 丈夫的行为严重伤害了她的感情，于是她提出离婚。（＊丈夫的行为严重损害了她的感情，于是她提出离婚。）

⑧ 不要伤害这些可爱的小动物。(＊不要损害这些可爱的小动物。)

1201 损害[动]sǔnhài ▶ 损伤[动]sǔnshāng

词义说明 Definition

损害[do harm to; damage; impair] 使事业、利益、健康、名誉等蒙受损失。[harm; injure; damage] 使事业、利益、健康、名誉等蒙受的损失。

损伤[harm; damage; injure] 损害；伤害；损失。

词语搭配 Collocation

	受到～	～庄稼	～视力	～人民利益	～眼睛	～积极性	～自尊心	～惨重
损害	√	√	√	√	×	×	×	×
损伤	√	×	√	×	√	√	√	√

用法对比 Usage

用法解释 Comparison

"损害"只能带抽象宾语，"损伤"不受此限。

语境示例 Examples

① 灯光太暗损害视力。(☺灯光太暗损伤视力。)

② 即使修公路也不能损伤这棵古树，要想办法保住它。（＊即使修公路也不能损害这棵古树，要想办法保住它。）

③ 决不允许损害农民群众的利益。（＊决不允许损伤农民群众的利益。）

④ 对学生要多鼓励，不能损伤他们的学习积极性。（＊对学生要多鼓励，不能损害他们的学习积极性。）

⑤ 运动时不注意会损伤肩膀。(＊运动时不注意会损害肩膀。)

⑥ 吸烟损害健康。(＊吸烟损伤健康。)

S

1202 损坏[动]sǔnhuài ▶ 破坏[动]pòhuài

词义说明 Definition

损坏[damage (of objects)] 使失去原来的使用效能。

破坏[destroy; wreck] 使建筑物损坏。[do great damage to; disrupt; sabotage] 使事物受到损坏。[violate (an agreement, regulation, etc.) break] 违反（规章、条约等）协定。

词语搭配 Collocation

	受到～	～公物	～树木	～家具	～汽车	～团结	～名誉	～人权	～协定
损坏	√	√	√	√	√	×	×	×	×
破坏	√	√	√	√	√	√	√	√	√

用法对比 Usage

用法解释 Comparison

“损坏”的行为可以是人为的，也可以是其他因素造成的，可能都是无意识的，它的对象一般是具体事物；而“破坏”主要是人为的，而且是有意识的，它的对象既可以是具体的事物，也可以是抽象的事物。

语境示例 Examples

① 损坏公物一定要赔偿。(☺破坏公物一定要赔偿。)

② 地震使这座大桥损坏了。(＊地震使这座大桥破坏了。)

③ 他这样做会破坏我们队的团结。(＊他这样做会损坏我们队的团结。)

④ 这次交通事故损坏了两辆汽车。(＊这次交通事故破坏了两辆汽车。)

⑤ 他们单方面采取行动，破坏了这项协定。(＊他们单方面采取行动，损坏了这项协定。)

⑥ 要坚决制止这种破坏环境的行为。(＊要坚决制止这种损坏环境的行为。)

1203 所有[形、动]suǒyǒu ▶ 一切[形、代]yíqiè

词义说明 Definition

所有[own; possess] 领有；领有的东西。[all; possessions] 一

切，全部。

一切[all；every] 全部的。[everything；all] 全部的事物。

词语搭配 Collocation

	～的	～的力量	～计划	～的打算	高于～	～因素	～事情	贡献～
所有	√	√	√	√	×	√	√	×
一切	×	×	√	×	√	√	√	√

用法对比 Usage

"所有"是形容词，"一切"是形容词和代词。"所有"的前边一般有表示限定范围的词语，作定语修饰名词时可以带"的"，也可以不带；"一切"可以直接修饰名词，不能带"的"。

① 所有（的）问题都已经解决了。(☺一切问题都已经解决了。)

② 他把所有的力量都用在这个科研项目上了。(☺他把一切力量都用在这个科研项目上了。)

③ 要实现这个宏伟目标，必须团结一切可以团结的力量共同奋斗。(☺要实现这个宏伟目标，必须团结所有可以团结的力量共同奋斗。)

"一切"用于修饰可以分类的事物，不能修饰不能分类的事物，"所有"没有此限。

① 世上一切事物都在发展变化中。(☺世上所有事物都在发展变化中。)

② 冰箱里所有啤酒都喝光了。(＊冰箱里一切啤酒都喝光了。)

③ 我所有的衣服都在这个箱子里。(＊我一切的衣服都在这个箱子里。)

④ 这一课所有的生词我都记住了。(＊这一课一切的生词我都记住了。)

⑤ 这就是我要告诉你的一切。(＊这就是我要告诉你的所有。)

⑥ 人民的利益高于一切。(＊人民的利益高于所有。)

"所有"还是动词，"一切"没有动词的用法。

土地、山川都归全民所有。(＊土地、山川都归全民一切。)

1204 索性[副]suǒxìng ▶ 干脆[形、副]gāncuì

词义说明 Definition

索性[simply；just；might as well] 直截了当；干脆。

干脆[clear-cut；straightforward]直截了当；爽快。[simply；just；

altogether] 做事不犹豫，很快就决定。

词语搭配 Collocation

	～再学一年	～不理他	～不要了	～做到底	很～	不～	答应得非常～
索性	√	√	√	√	×	×	×
干脆	√	√	√	√	√	√	√

用法对比 Usage

用法解释 Comparison

“索性”和“干脆”都表示不犹豫地、直截了当地，用于后一个分句。“索性”用于书面，“干脆”用于口语。“干脆”还是形容词，能作谓语和补语，“索性”不能。

语境示例 Examples

① 既然你不爱他，就索性跟他说明了，不要拖泥带水的。(☺既然你不爱他，就干脆跟他说明了，不要拖泥带水的。)

② 好不容易来了，干脆多玩几天。(☺好不容易来了，索性多玩几天。)

③ 他累得实在走不动了，干脆躺在地上不走了。(☺他累得实在走不动了，索性躺在地上不走了。)

④ 既然来中国留学，索性先把汉语学好，至于学习什么专业，以后再说。(☺既然来中国留学，干脆先把汉语学好，至于学习什么专业，以后再说。)

⑤ 事情已经干了，就索性把它干好。(☺事情已经干了，就干脆把它干好。)

⑥ 我问他能不能借给我一些钱，他很干脆地回答说：“没问题！要多少？”（＊我问他能不能借给我一些钱，他很索性地回答说：“没问题！要多少？”）

⑦ 他这个人怎么这么不干脆，行就是行，不行就是不行，别哼哼唧唧的。(＊他这个人怎么这么不索性，行就是行，不行就是不行，别哼哼唧唧的。)

⑧ 我请他帮忙，他答应得很干脆。（＊我请他帮忙，他答应得很索性。）

T

1205 谈[动]tán ▶ 说[动]shuō

词义说明 Definition

谈[talk; chat; discuss] 说话或讨论：～～你的看法。[what is said or talked about] 所说的话：传为笑～。

说[speak; talk; say] 用话来表达意思：～得慢点儿|～～我的想法。[explain] 解释：你给我～～这个词怎么用。[theory; views; doctrine] 言论、主张：著书立～。[scold] 责备，批评：你别～他。

词语搭配 Collocation

	～～	～话	面～	～天	～心	～笑	～笑话	～故事	～了他
谈	√	√	√	√	√	√	×	×	×
说	√	√	×	×	×	√	√	√	√

用法对比 Usage

用法解释 Comparison

“谈”的宾语是事，“说”的宾语可以是事，也可以是人。

语境示例 Examples

① 我希望有一天能自由地用汉语跟中国人谈话。(☺我希望有一天能自由地用汉语跟中国人说话。)

② 这个问题你可以找老师谈谈。(☺这个问题你可以找老师说说。)

③ 和朋友在一起谈天是很愉快的事。(＊和朋友在一起说天是很愉快的事。)

④ 你说得慢的话，我能听懂。(＊你谈得慢的话，我能听懂。)

⑤ 具体做什么工作，你来公司以后我们再面谈。(＊具体做什么工作，你来公司以后我们再面说。)

⑥ 我给大家说个故事吧。(＊我给大家谈个故事吧。)

⑦ 他正跟一个日本姑娘谈恋爱呢。(＊他正跟一个日本姑娘说恋爱呢。)

⑧ 因为好几天不上课，今天老师说了我一顿。(＊因为好几天不上课，今天老师谈了我一顿。)

1206 谈论[动]tánlùn ▶ 议论[动、名]yìlùn

词义说明 Definition

谈论[discuss; talk about] 用谈话的方式表示对人或事物的看法。

议论[comment; talk; discuss] 对人或事物的好坏、是非等表示意见。[comment; remark] 对人或事物的好坏、是非等表示的意见。

词语搭配 Collocation

	～这个问题	不愿～	大发～	～纷纷	大家有～	很多～
谈论	√	√	×	×	×	×
议论	√	√	√	√	√	√

用法对比 Usage

"谈论"是动词,"议论"是动词也是名词。"谈论"的动作主体可以是单数,也可以是复数,动词"议论"的动作主体为复数。"谈论"是中性词,"议论"常带贬义,"大发议论"、"议论纷纷"和"有议论"的"议论"多为不满或批评的意见。

① 现在大家谈论最多的问题是什么?(☺现在大家议论最多的问题是什么?)

② 事情已经过去了,我不愿意再谈论它了。(*事情已经过去了,我不愿意再议论它了。)

③ 这个决定一公布,群众立刻议论纷纷。(*这个决定一公布,群众立刻谈论纷纷。)

④ 对于他的任命,群众有很多议论。(*对于他的任命,群众有很多谈论。)

⑤ 有意见希望大家摆在桌面上谈,不要背后议论。(*有意见希望大家摆在桌面上谈,不要背后谈论。)

"议论"可以作宾语,"谈论"不能。

他就会大发议论,什么具体办法也拿不出来。(*他就会大发谈论,什么具体办法也拿不出来。)

T

1207 谈判[动、名]tánpàn ▶ 会谈[动、名]huìtán

词义说明 Definition

谈判[negotiate; hold talks] 对需要解决的重大问题进行会谈。

会谈[talks] 双方或多方共同商谈。

词语搭配 Collocation

	举行～	进行～	～成功了	～破裂了	两国～	和平～	～公报
谈判	√	√	√	√	√	√	×
会谈	√	√	√	√	√	×	√

用法对比 Usage

用法解释 Comparison

"谈判"和"会谈"都用于正式场合。"谈判"的结果常常是达成某种协议或取得一定的成果；"会谈"的结果可以达成协议，也可以是就共同关心的问题交换意见。

语境示例 Examples

① 这次谈判的成功标志着我们两国的关系有了一个新的发展。(☺这次会谈的成功标志着我们两国的关系有了一个新的发展。)

② 这次会谈取得了可喜的成果。(☺这次谈判取得了可喜的成果。)

③ 经过十多年的谈判，中国才进入WTO(世界贸易组织)。(＊经过十多年的会谈，中国才进入WTO。)

④ 两国就边界问题进行了长达十年的谈判。(＊两国就边界问题进行了长达十年的会谈。)

⑤ 两国领导人在亲切友好的气氛中举行了会谈。(＊两国领导人在亲切友好的气氛中举行了谈判。)

⑥ 两国首脑就双边关系和共同关心的国际问题举行了会谈。(＊两国首脑就双边关系和共同关心的国际问题举行了谈判。)

⑦ 谈判的破裂导致了这场战争的爆发。(＊会谈的破裂导致了这场战争的爆发。)

1208 坦白[动、形]tǎnbái ▶ 交代[动、名]jiāodài

词义说明 Definition

坦白[guileless; honest; frank; candid] 心地纯洁；说话直率。

[confess; make a confession; own up (to)] 如实地说出(自己的错误或罪行)。

交代[hand over] 把经手的事务移交给接替的人。[explain; make clear; brief; tell] 嘱咐。[account for; justify oneself] 把事情或意见向有关的人说明。[confess] 把错误或罪行坦白出来。

词语搭配 Collocation

	很~	心地~	~从宽	~错误	~问题	~罪行	~工作	~他	~一下
坦白	√	√	√	√	√	√	×	×	×
交代	×	×	×	√	√	√	√	√	√

用法对比 Usage

"交代"和"坦白"都有"把错误或罪行主动说出来"的意思。

① 坦白从宽,只有把自己的问题彻底坦白了,才能得到宽大处理。(☺坦白从宽,只有把自己的问题彻底交代了,才能得到宽大处理。)

② 他向警察坦白了自己的罪行。(☺他向警察交代了自己的罪行。)

"交代"有移交工作,嘱咐的意思,"坦白"没有这些意思。

① 你走之前把工作给他交代一下。(*你走之前把工作给他坦白一下。)

② 我已经交代他,让他配合你工作。(*我已经坦白他,让他配合你工作。)

"坦白"还是个形容词,表示心地纯洁、说话直率,"交代"没有这个意思。

① 他是个心地坦白的人。(*他是个心地交代的人。)

② 我可以坦白地告诉你,我不赞成你为了钱可以不顾一切的做法。(*我可以交代地告诉你,我不赞成你为了钱可以不顾一切的做法。)

1209 坦率[形]tǎnshuài ▶ 坦白[形]tǎnbái

词义说明 Definition

坦率[candid; frank; straightforward] 心地坦白,言语行动没有顾忌。

坦白[honest; frank; candid] 心地纯洁,语言直率。

词语搭配 Collocation

	很~	非常~	~地交谈	~的答复	心地~
坦率	√	√	√	√	×
坦白	√	√	×	×	√

用法对比 Usage

用法解释 Comparison

“坦率”和形容词“坦白”的意义有相同的地方，都可以作状语，有时可以相互替换。但是“坦白”多形容人的心地、胸襟，而“坦率”多指人的性格和行为方式。

语境示例 Examples

① 可以坦率地对你说，我一点儿这种打算都没有。(☺可以坦白地对你说，我一点儿这种打算都没有。)

② 他这个人很坦率，有什么就说什么。(☺他这个人很坦白，有什么就说什么。)

③ 他一生光明磊落，襟怀坦白。(*他一生光明磊落，襟怀坦率。)

④ 他坦率地对我说，咱们结婚吧。(*他坦白地对我说，咱们结婚吧。)

⑤ 会谈中，双方就目前国际局势坦率地交换了意见。(*会谈中，双方就目前国际局势坦白地交换了意见。)

1210 探索[动]tànsuǒ ▶ 摸索[动]mōsuǒ

词义说明 Definition

探索[explore; probe] 多方寻求答案；解决疑问；研究。

摸索[grope; feel about; fumble] 试探着（行进）。[(of direction, method, experience, etc.) find out; search for] 寻找（方向、方法、经验等）。

词语搭配 Collocation

	~奥秘	~真理	~原因	~本质	~人生道路	~着前进	~经验	~规律
探索	√	√	√	√	√	×	×	×
摸索	×	×	×	×	×	√	√	√

用法对比 Usage

用法解释 Comparison

“探索”的行为主体可以是个人，但多为集体；“摸索”的行为主体可以是集体，但多为个人。“探索”的是奥妙、真理、人生意义等未知的宏观的领域，“摸索”的是前进方向、工作方法、人生道路等。

语境示例 Examples

① 航天飞行是为了探索宇宙的奥秘。（*航天飞行是为了摸索宇宙的奥秘。）

② 溶洞里伸手不见五指，考察队员只得摸索着前进。（*溶洞里伸手不见五指，考察队员只得探索着前进。）

③ 通过几年的试点工作，我们已经摸索出了一套比较成熟的经验。（*通过几年的试点工作，我们已经探索出了一套比较成熟的经验。）

④ 要进一步探索地球变暖的原因，以便采取有效的措施。（*要进一步摸索地球变暖的原因，以便采取有效的措施。）

⑤ 科学研究是没有止境的，人类对真理的探索也不会停止。（*科学研究是没有止境的，人类对真理的摸索也不会停止。）

⑥ 经过多年的临床实验，他摸索出一套治疗这种疾病的有效方法。（*经过多年的临床实验，他探索出一套治疗这种疾病的有效方法。）

1211 探索[动、名]tànsuǒ ▶ 研究[动、名]yánjiū

词义说明 Definition

探索[explore; probe] 多方寻求答案；解决疑问；研究。

研究[study; research] 探索事物的真相、性质、规律等。[consider; discuss; deliberate] 考虑或商讨意见、问题。

词语搭配 Collocation

	~奥秘	~真理	~本质	~人生道路	~语言	学术~	调查~	~问题	~~
探索	√	√	√	√	×	×	×	×	×
研究	×	×	×	×	√	√	√	√	√

用法对比 Usage

用法解释 Comparison

“探索”的对象一般是人类未知的重大问题，“研究”的对象可以是重大问题，也可以是一般问题。“研究”可以重叠，“探索”不能重叠。

语境示例 Examples

① 科学探索是永无止境的。(☺科学研究是永无止境的。)
② 他们的研究已经取得了初步成果。(☺他们的探索已经取得了初步成果。)
③ 人类在不断探索宇宙的奥秘。(*人类在不断研究宇宙的奥秘。)
④ 他现在是研究社会心理学的博士生。(*他现在是探索社会心理学的博士生。)
⑤ 学术研究要提倡百家争鸣。(*学术探索要提倡百家争鸣。)
⑥ 科学的世界观提供了探索真理的方法，它也在探索真理的同时不断丰富和发展。(*科学的世界观提供了研究真理的方法，它也在研究真理的同时不断丰富和发展。)
⑦ 我希望学好汉语，将来研究中国历史。(*我希望学好汉语，将来探索中国历史。)
⑧ 这个问题我们准备开会研究研究。(*这个问题我们准备开会探索探索。)

1212 探望[动]tànwàng ▶ 访问[动]fǎngwèn

词义说明 Definition

探望[look about] 看（想发现情况）。[call on sb. (from far); visit; see] 看望（多指远道）。

访问[visit; call on; interview] 有目的地去探望人并跟他谈话或去一个地方参观。

词语搭配 Collocation

	四处～	伸头～	～亲友	～父母	～朋友	～中国	出国～	～上海
探望	√	√	√	√	√	×	×	×
访问	×	×	√	×	√	√	√	√

用法对比 Usage

用法解释 Comparison

“探望”的对象除“情况”外，主要是人，一般是朋友、亲人和自己熟悉、亲近的人等。“访问”的对象可以是人，也可以是地方；如果是人，一般不是熟人，而是社会上有影响或有名的人。

语境示例 Examples

① 访问：我这次去北京访问了这位老作家。（跟他谈话，并提出一些问题请他回答）
探望：我这次去北京探望了这位老作家。（这位作家可能有病了，我跟他很熟，去看看他）
② 我下个月要去中国访问。（*我下个月要去中国探望。）
③ 这次去中国探望了一个老朋友。（*这次去中国访问了一个老朋友。）
④ 代表团在中国期间访问了北京、上海、西安等城市。（*代表团在中国期间探望了北京、上海、西安等城市。）
⑤ 我往屋里探望了一下，看你不在就回来了。（*我往屋里访问了一下，看你不在就回来了。）
⑥ 我寒假要回老家探望父母。（*我寒假要回老家访问父母。）

1213 探望[动]tànwàng ▶ 看望[动]kànwàng

词义说明 Definition

探望[look about] 看（想发现情况）。[call on sb.（from far）；visit；see] 看望（多指远道）。

看望[call on；visit；see] 到长辈或亲友那儿问候。

词语搭配 Collocation

	四处～	伸头～	～朋友	～父母	～病人
探望	√	√	√	√	√
看望	×	×	√	√	√

T

用法对比 Usage

用法解释 Comparison

“探望”的对象可以是人，也可以是情况等，“看望”的对象只能是人，对近处的亲友常说“看望”，不说“探望”。

语境示例 Examples

① 我今年春节要回国探望父母。（☺我今年春节要回国看望父母。）
② 我去北京出差，顺便探望了一个老同学。（☺我去北京出差，顺便看望了一个老同学。）

③ 我看见一个人在四处探望，不知道要找谁。（＊我看见一个人在四处看望，不知道要找谁。）

④ 他伸头往教室里探望了一下，没有说话就走了。（＊他伸头往教室里看望了一下，没有说话就走了。）

⑤ 我明天下了课就去医院看望他。（＊我明天下了课就去医院探望他。）

1214 讨论[动]tǎolùn ▶ 商量[动]shāngliang

词义说明 Definition

讨论[discuss；talk over] 就某个问题交换意见或进行辩论。

商量[consult；discuss；talk over] 交换意见。

词语搭配 Collocation

	～～	～问题	学术～	跟父母～	～一下	跟朋友～
讨论	√	√	√	×	√	√
商量	√	√	×	√	√	√

用法对比 Usage

用法解释 Comparison

“讨论”和“商量”都有交换意见的意思，但是参加讨论的人一般比较多，一起商量的人比较少；“讨论”只是发表议论或看法，“商量”一般要拿出解决问题的办法。

语境示例 Examples

① 这个问题我们准备召开一次会讨论一下。（☺这个问题我们准备召开一次会商量一下。）

② 各国的事应该由各国人民自己解决，世界上的事应该由世界各国商量解决。（＊各国的事应该由各国人民自己解决，世界上的事应该由世界各国讨论解决。）

③ 代表们认真地讨论了政府工作报告。（＊代表们认真地商量了政府工作报告。）

④ 遇到问题要多跟朋友商量。（＊遇到问题要多跟朋友讨论。）

⑤ 去中国留学的事我还没有跟父母商量呢。（＊去中国留学的事我还没有跟父母讨论呢。）

1215 讨厌[动、形]tǎoyàn ▶ 厌恶[动]yànwù ▶ 不喜欢bù xǐhuan

词义说明 Definition

讨厌[disagreeable; disgusting; repugnant] 叫人不喜欢；厌烦。[hard to handle; troublesome; nasty] 事情难办，令人心烦。[dislike; loathe; be disgusted with] 厌恶。

厌恶[detest; abhor; abominate; be disgusted with] 对人和事产生极大的反感。

不喜欢[dislike] 讨厌。

词语搭配 Collocation

	非常～	十分～	很～	真～	～他	令人～	～这种生活
讨厌	√	√	√	√	√	√	√
厌恶	√	√	√	×	√	√	√
不喜欢	√	√	√	√	√	×	√

用法对比 Usage

用法解释 Comparison

这三个词都可以表示主观感情，“讨厌”和“厌恶”都比“不喜欢”的程度高，“厌恶”比“讨厌”的程度更高。“讨厌”是动词和形容词，可以用于客观描写；“厌恶”只是动词，不能用于客观描写。例如，可以说“这个人很讨厌”，但不说“这个人很厌恶”。

语境示例 Examples

① 真讨厌！我刚睡着就来电话。（*真厌恶！我刚睡着就来电话。）（*真不喜欢！我刚睡着就来电话。）

② 这个地方春天的风沙很讨厌。（*这个地方春天的风沙很厌恶。）（*这个地方春天的风沙很不喜欢。）

③ 皮肤病很讨厌。（*皮肤病很厌恶。）（*皮肤病很不喜欢。）

④ 这个无聊的相声令人厌恶。（☺这个无聊的相声令人讨厌。）（*这个无聊的相声令人不喜欢。）

⑤ 说实在的，我对这种漂泊生活已经厌恶了。（*说实在的，我对这种漂泊生活已经讨厌了。）（*说实在的，我对这种漂泊生活已

经不喜欢了。)

⑥ 我不喜欢看这种杂志。(☺我讨厌看这种杂志。)(＊我厌恶看这种杂志。)

⑦ 我不喜欢这件衣服的颜色。(☺我讨厌这件衣服的颜色。)(＊我厌恶这件衣服的颜色。)

1216 特别[形、副]tèbié ▶ 特殊[形]tèshū

词义说明 Definition

特别[special; particular; out of the ordinary] 与众不同；不普通（跟“普通”相对)。[especially; particularly] 格外；尤其。[for a special purpose; specially] 特地，特意。

特殊[special; particular; peculiar; exceptional] 不同于同类的事物或平常的情况的（跟“一般”相对)。

词语搭配 Collocation

	很～	非常～	～照顾	～情况	情况～	～聪明	～喜欢	～关心	～快
特别	√	√	√	√	√	√	√	√	√
特殊	√	√	√	√	√	×	×	×	×

用法对比 Usage

用法解释 Comparison

“特别”和“特殊”都有“不一般”的意思。但“特别”是副词也是形容词，“特殊”只是形容词；它们都可以作定语和谓语，“特别”也可以作动词和形容词的状语，“特殊”只能作动词的状语，不能作形容词的状语。

语境示例 Examples

① 这种小吃有一种特别的味道，不信你尝尝。(☺这种小吃有一种特殊的味道，不信你尝尝。)

② 这种病很特别，目前还没有好的治疗办法。(☺这种病很特殊，目前还没有好的治疗办法。)

③ 他得到了护士的特别照顾。(☺他得到了护士的特殊照顾。)

④ 他对这次考试的成绩特别关心，因为成绩不好就得不到奖学金了。(＊他对这次考试的成绩特殊关心，因为成绩不好就得不到奖学金了。)

T

⑤ 我特别喜欢打太极拳。(＊我特殊喜欢打太极拳。)
⑥ 刚来中国时觉得时间过得特别慢，现在习惯了，又觉得时间过得特别快。(＊刚来中国时觉得时间过得特殊慢，现在习惯了，又觉得时间过得特殊快。)
⑦ 我们公司特别需要高级管理人才。(＊我们公司特殊需要高级管理人才。)
⑧ 他为中国的航天事业做出了特殊贡献。(＊他为中国的航天事业做出了特别贡献。)

1217 特别[形、副]tèbié ▶ 特意[副]tèyì ▶ 特地[副]tèdì

词义说明 Definition

特别[special; particular; out of the ordinary] 与众不同；不普通。[especially; particularly] 格外；尤其。[for a special purpose; specially] 特地，特意。

特意[for a spicial purpose; specially] 表示专为某件事；特地。

特地[for a special purpose; specially] 专为某件事特意地。

词语搭配 Collocation

	～关照	～来看看你	～做了好吃的	很～	非常～	～关心	～喜欢
特别	√	√	√	√	√	√	√
特意	√	√	√	×	×	×	×
特地	√	√	√	×	×	×	×

用法对比 Usage

用法解释 Comparison

“特别”是形容词也是副词，可以作谓语，也可以放在动词和形容词前边作状语；“特意”和“特地”都是副词，不能作谓语，不能放在形容词前边，只能放在动词前边作状语。

语境示例 Examples

① 知道你要来，我特别做了几个你喜欢吃的菜。(☺知道你要来，我特意/特地做了几个你喜欢吃的菜。)
② 我要来北京时，妈妈特意为我织了一件厚毛衣。(☺我要来北京

时，妈妈特别/特地为我织了一件厚毛衣。）

③ 这些好吃的是特意给你留的。（☺这些好吃的是特别/特地给你留的。）

④ 儿子考上了大学，我特意/特地给他买了一个笔记本电脑。（☺儿子考上了大学，我特别给他买了一个笔记本电脑。）

⑤ 他是个特别聪明的孩子。（＊他是个特意/特地聪明的孩子。）

⑥ 黄山的风光特别美，我建议你去看看。（＊黄山的风光特意/特地美，我建议你去看看。）

⑦ 我觉得汉语的语法不太难，但是汉字特别难。（＊我觉得汉语的语法不太难，但是汉字特意/特地难。）

⑧ 这种发型也太特别了，我不喜欢。（＊这种发型也太特意/特地了，我不喜欢。）

1218 特别[形、副]tèbié ▶ 尤其[副]yóuqí

词义说明 Definition

特别[special; particular; out of the ordinary] 与众不同；不普通。[especially; particularly] 格外；尤其。[for a special purpose; specially] 特地，特意。

尤其[especially; particularly] 在几种同类事物或情况中，指出突出的一个；表示更进一层。

词语搭配 Collocation

	～好	～喜欢	～感动	～感谢	～向往	很～	非常～	～得很	～的发型
特别	√	√	√	√	√	√	√	√	√
尤其	√	√	√	√	√	×	×	×	×

用法对比 Usage

"特别"有"尤其"的意思，但是，"特别"还有形容词的用法，"尤其"只是个副词。"尤其"后边所指，一般包括前文提到的人或事物，有"就其中之一加以强调"的意思，还有比较的意味；"特别"用处较广，不限于此。

① 特别：秋天的香山特别美。（非常美）

尤其：秋天的香山尤其美。（其他季节的香山也很好看，而秋天的香山更好看）

T

② 爸爸喜欢养动物，特别喜欢养狗。(☺爸爸喜欢养动物，尤其喜欢养狗。)

③ 他画儿画得很好，特别是人物画。(☺他画儿画得很好，尤其是人物画。)

④ 我喜欢吃中国饭，特别是饺子。(☺我喜欢吃中国饭，尤其是饺子。)

⑤ 在昨天的晚会上，他的歌特别受欢迎。(☺在昨天的晚会上，他的歌尤其受欢迎。)

⑥ 我想去南方旅行，特别想去西双版纳看看。(☺我想去南方旅行，尤其想去西双版纳看看。)

⑦ 这是特别为你定做的一套西服。(* 这是尤其为你定做的一套西服。)

⑧ 他特别向往一个人自由自在的生活。(* 他尤其向往一个人自由自在的生活。)

"尤其"不能再受程度副词修饰，"特别"可以。

桂林的山水很特别。(* 桂林的山水很尤其。)

1219 特点[名]tèdiǎn ▶ 特性[名]tèxìng ▶ 特征[名]tèzhēng

词义说明 Definition

特点[characteristic; distinguishing feature; peculiarity; trait] 人或事物所具有的独特的地方。

特性[specific property (or characteristic)] 某人或某事物所特有的性质。

特征[characteristic; feature; trait] 可以作为事物特点的征象、标志等。

词语搭配 Collocation

	什么~	民族~	很有~	性格~	外貌~	他的~	艺术~	地理~	气候~
特点	√	√	√	√	√	√	√	√	√
特性	√	√	×	×	×	×	×	×	×
特征	√	√	×	√	√	×	√	√	√

T

用法对比 Usage

用法解释 Comparison

从"易识别"这一点说,"特征"最易发现和辨认,"特点"次之,而"特性"最不易看出来,因为"特性"是内在的东西,多用于事物。

语境示例 Examples

① 这里的气候特点是夏天少雨干旱,而冬天多雨湿润。(☺这里的气候特征是夏天少雨干旱,而冬天多雨湿润。)(*这里的气候特性是夏天少雨干旱,而冬天多雨湿润。)
② 能歌善舞是中国很多少数民族的特性。(☺能歌善舞是中国很多少数民族的特点。)(*能歌善舞是中国很多少数民族的特征。)
③ 他的外貌特征是:大个子,高鼻梁,黄头发。(☺他的外貌特点是:大个子,高鼻梁,黄头发。)(*他的外貌特性是:大个子,高鼻梁,黄头发。)
④ 中国的地理特征是西高东低。(☺中国的地理特点是西高东低。)(*中国的地理特性是西高东低。)
⑤ 这个学生的特点是不爱说话。(*这个学生的特征/特性是不爱说话。)
⑥ 他这个人的性格很有特点。(*他这个人的性格很有特征/特性。)

1220 特色[名]tèsè ▶ 特点[名]tèdiǎn

词义说明 Definition

特色[salient feature; distinguishing feature (or quality)] 事物所表现的独特的色彩、风格等。

特点[characteristic; distinguishing feature; peculiarity; trait] 人或事物所具有的独特的地方。

词语搭配 Collocation

	民族~	艺术~	中国~	~菜	有~	什么~
特色	√	√	√	√	√	√
特点	√	√	×	×	√	√

用法对比 Usage

用法解释 Comparison

"特色"侧重于表达事物的优点,很少用于人,是褒义词,使用范围窄；“特点”是中性词，可以指人，也可以指物，可以表示好人好事，也可表示坏人坏事，使用范围广。

语境示例 Examples

① 这几个少数民族的服装各有特色。(☺这几个少数民族的服装各有特点。)
② 中国人民正在建设有中国特色的社会主义。(＊中国人民正在建设有中国特点的社会主义。)
③ 蒙古民歌的特点是高亢洪亮，婉转辽阔。(＊蒙古民歌的特色是高亢洪亮，婉转辽阔。)
④ 要考虑外国学生学习汉语的特点，有针对性地进行课堂教学。(＊要考虑外国学生学习汉语的特色，有针对性地进行课堂教学。)
⑤ 这是我们饭店的特色菜，请您品尝品尝。(＊这是我们饭店的特点菜，请您品尝品尝。)
⑥ 中国画的特点之一是偏重于写意。(＊中国画的特色之一是偏重于写意。)
⑦ 中药一个很大的特点是纯天然，原材料都取自大自然。(＊中药一个很大的特色是纯天然，原材料都取自大自然。)

1221 疼[动]téng ▶ 痛[动]tòng

词义说明 Definition

疼[ache；pain；be sore] 疾病创伤引起的难受的感觉：头～得厉害。[love dearly；be fond of；dote on] 心疼，疼爱：爷爷奶奶～孙子。

痛[ache；pain] 疾病创伤等引起的难受的感觉：嗓子～。[sadness；sorrow] 悲伤：～不欲生。[extremely；deeply；bitterly]尽情地；深切地；彻底：～哭流涕。

T

词语搭配 Collocation

	很～	非常～	头～	脚～	腿～	～心	奶奶～孙子	～饮	～骂	～改前非
疼	√	√	√	√	√	×	√	×	×	×
痛	√	√	√	√	√	√	×	√	√	√

用法对比 Usage

“疼”和“痛”都是疾病或创伤引起的难受的感觉，都可以作谓语。不过“疼”偏重于指肉体难受，“痛”可以指肉体难受，也可以指精神难受。“疼”还有疼爱的意思，可以带宾语，“痛”没有这个意思，也不能带宾语。

① 我感冒了，头疼，今天不能去上课。(☺我感冒了，头痛，今天不能去上课。)

② 他伤口疼得睡不着觉。(☺他伤口痛得睡不着觉。)

③ 爷爷奶奶当然疼孙子孙女。(＊爷爷奶奶当然痛孙子孙女。)

“痛”也常作状语，表“尽情地、深切地”，“疼”没有这个用法。

① 今天是老同学聚会，我要痛饮几杯。(＊今天是老同学聚会，我要疼饮几杯。)

②他从监狱出来以后，决心痛改前非，重新做人。(＊他从监狱出来以后，决心疼改前非，重新做人。)

1222 提案[名]tí'àn ▶ 议案[名]yì'àn

词义说明 Definition

提案[motion; proposal; draft resolution] 提交会议讨论决定的建议。

议案[proposal; motion] 列入会议议程准备讨论的提案。

词语搭配 Collocation

	代表的～	大会的～	～审查	～国
提案	√	×	√	√
议案	×	√	√	×

用法对比 Usage

用法解释 Comparison

“提案”和“议案”的意义不尽相同，进入大会讨论的提案叫议案。

语境示例 Examples

① 这次政协会，委员们的提案有几千件，涉及国家社会政治生活的各个方面。(＊这次政协会，委员们的议案有几千件，涉及国家社会政治生活的各个方面。)

② 本次会议的议案已经代表讨论并通过。(＊本次会议的提案已经代表讨论并通过。)

③ 对少数几个国家的这项提案，联大主席团经过表决，决定不予采纳。(＊对少数几个国家的这项议案，联大主席团经过表决，决

T

定不予采纳。）
④ 大会成立了提案审查委员会。（＊大会成立了议案审查委员会。）
⑤ 他的两项提案都被大会接受了。（＊他的两项议案都被大会接受了。）

1223 提拔[动]tíbá ▶ 提升[动]tíshēng

词义说明 Definition

提拔[promote] 挑选人员使担任更重要的职务。

提升[promote] 提高（职位、等级等）。

词语搭配 Collocation

	～年轻人	～他当经理	～产品的档次	～到国际水平
提拔	√	√	×	×
提升	√	√	√	√

用法对比 Usage

用法解释 Comparison

“提拔”的对象只能是人，是人的职位。“提升”的对象可以是人，但除了职位，还包括人的水平和素质。“提升”的还可以是物，如产品质量、档次等。“提拔”的行为主体是上级领导，“提升”的行为主体除了上级领导之外，还可以是行为者自身。

语境示例 Examples

① 要把德才兼备的年轻人提拔到重要的岗位上。（☺要把德才兼备的年轻人提升到重要的岗位上。）
② 他这几年提拔得很快。（☺他这几年提升得很快。）
③ 要进行深加工，提升农副产品的附加值。（＊要进行深加工，提拔农副产品的附加值。）
④ 中国的国际地位正在不断提升。（＊中国的国际地位正在不断提拔。）
⑤ 要增加高科技产品的出口，提升我国出口商品的档次。（＊要增加高科技产品的出口，提拔我国出口商品的档次。）

1224 提前[动]tíqián ▶ 提早[动]tízǎo

词义说明 Definition

提前[shift to an earlier date; move up (a date); do sth. in advance or ahead of time] 把预定的时间往前移。

提早[shift to an earlier time; be earlier than planned or expected] 提前。

词语搭配 Collocation

	～出发	～到达	～了一个小时	～完成	～通知	～结束
提前	√	√	√	√	√	√
提早	√	√	√	√	√	√

用法对比 Usage

"提前"和"提早"都表示把预定的时间往前移，但"提早"多用于口语，"提前"口语和书面都常用。

① 王老师每天都<u>提前</u>五分钟到教室。(☺王老师每天都<u>提早</u>五分钟到教室。)

② 我们明天最好<u>提前</u>出发，以免堵车。(☺我们明天最好<u>提早</u>出发，以免堵车。)

③ 今年的雨季<u>提前</u>了半个月。(☺今年的雨季<u>提早</u>了半个月。)

④ 他们今年的生产任务<u>提前</u>一个月就完成了。(*他们今年的生产任务<u>提早</u>一个月就完成了。)

⑤ 汉语教学讨论会的开会日期由八月十日<u>提前</u>到了八月五日。(*汉语教学讨论会的开会日期由八月十日<u>提早</u>到了八月五日。)

⑥ 他们公司<u>提前</u>偿还了银行的贷款。(*他们公司<u>提早</u>偿还了银行的贷款。)

"提前"还表示名次、位置往前提的意思，"提早"没有这个意思。

他在世界乒乓球选手的排名中，比去年<u>提前</u>了两位。(*他在世界乒乓球选手的排名中，比去年<u>提早</u>了两位。)

1225 提问[动]tíwèn ▶ 询问[动]xúnwèn

词义说明 Definition

提问[(of a teacher) put questions to; quiz] 老师提出问题来问学生。

询问[ask about; enquire about] 征求意见；打听。

词语搭配 Collocation

	回答老师的～	～病情	～公司的情况	～的目光
提问	√	×	×	×
询问	√	√	√	√

用法对比 Usage

用法解释 Comparison

“提问”一般指老师为了检查学生的理解和表达能力在课堂上对学生提出问题，“询问”是向别人打听不知道的事情，或征求别人对某个问题的意见或看法。“提问”不能带宾语，“询问”可以带宾语。

语境示例 Examples

① 老师一提问我就感到紧张。(＊老师一询问我就感到紧张。)

② 我在电话里询问了妈妈的病情。(＊我在电话里提问了妈妈的病情。)

③ 第一次上课，老师询问了我们班每个同学的情况。(＊第一次上课，老师提问了我们班每个同学的情况。)

④ 我向经理询问了公司最近的情况。(＊我向经理提问了公司最近的情况。)

T

1226 提醒 tí xǐng ▶ 提示[动]tíshì

词义说明 Definition

提醒[remind; warn; call attention to] 从旁指点，引起对方的注意。

提示[point out; prompt] 把对方没有想到的或想不到的提出来，引起对方的注意。

词语搭配 Collocation

	～一下	～我一下	～课文的要点	～大家注意
提醒	√	√	×	√
提示	√	√	√	×

用法对比 Usage

用法解释 Comparison

“提醒”是动补结构，包含动作的结果，即：A 提的结果使 B 醒悟了，“提示”没有这层含义。

语境示例 Examples

① 手机电力不足的时候，会自动提醒你充电。(☺手机电力不足的时候，会自动提示你充电。)
② 到时候我要是忘了，你提醒我一下。(＊到时候我要是忘了，你提示我一下。)
③ 这个牌子是提醒大家遵守交通规则的。(☺这个牌子是提示大家遵守交通规则的。)
④ 你刚才的话提醒了我，我今天的作业还没有做呢。(＊你刚才的话提示了我，我今天的作业还没有做呢。)
⑤ 别紧张，你不会说时，老师会提示你。(＊别紧张，你不会说时，老师会提醒你。)
⑥ 这座纪念碑提示我们：勿忘国耻。(☺这座纪念碑提醒我们：勿忘国耻。)

1227 提要[名]tíyào ▶ 提纲[名]tígāng

词义说明 Definition

提要[sum up the main points of a whole book or text; wrap up; synopsize] 从全书或全文提出要点。[summary; abstract; epitome; synopsis]提出来的要点（也常用做书名）。

提纲[outline]（写作、发言、学习、研究、讨论等）内容的要点。

词语搭配 Collocation

	论文～	本书～	发言～	写作～	列出～	写个～
提要	√	√	×	×	×	√
提纲	√	√	√	√	√	√

用法对比 Usage

用法解释 Comparison

“提要”是一本书或一篇文章的要点，其预设是：书和文章已经写出来了。“提纲”是发言、写书或写文章之前准备的内容要点，至于发没发言或者书和文章写没写出来，不得而知。书或文章的“提要”可以与书或文章同时发表，“提纲”不能。

语境示例 Examples

① 提要：这是我这篇论文的提要。(论文已经写出来了)
提纲：这是我这篇论文的提纲。(一般认为论文还没有写)
② 每篇论文的前面都要求附上千字以内的提要。(＊每篇论文的前面都要求附上千字以内的提纲。)
③ 这里发表的是本书的提要。(＊这里发表的是本书的提纲。)
④ 我的论文提纲已经列出来了，但还没有动手写。(＊我的论文提要已经列出来了，但还没有动手写。)
⑤ 我写了一个发言提纲，到时候按照这个提纲发言就行了。(＊我写了一个发言提要，到时候按照这个提要发言就行了。)
⑥ 动笔之前要有一个写作提纲。(＊动笔之前要有一个写作提要。)

1228 提议[动、名]tíyì ▶ 建议[动、名]jiànyì

词义说明 Definition

提议[propose; suggest; move]（开会时）提出意见或主张来请大家讨论。[proposal; motion] 商讨问题时提出的主张。

建议[propose; suggest; recommend] 向集体、领导或有关方面提出自己的主张。[proposal; suggestion; recommendation] 向集体、领导或有关方面提出的主张。

词语搭配 Collocation

	我～	代表们～	同意你的～	合理的～	很好的～
提议	√	√	√	×	×
建议	√	√	√	√	√

用法对比 Usage

用法解释 Comparison

“提议”一般用于会议或正式场合，“建议”没有这个限制。

语境示例 Examples

① 代表们提议把对这个问题的讨论推迟到明天。(☺代表们建议把对这个问题的讨论推迟到明天。)
② 大会同意了代表的提议。(☺大会同意了代表的建议。)
③ 我建议咱们这次去四川峨眉山旅行。(☺我提议咱们这次去四川峨眉山旅行。)
④ 为了把这项活动搞好，希望大家多提建议。(＊为了把这项活动搞好，希望大家多提提议。)
⑤ 应当认真听取人民群众对政府工作的意见和建议。(＊应当认真听取人民群众对政府工作的意见和提议。)
⑥ 我建议同学们去看看这个话剧。(＊我提议同学们去看看这个话剧。)

1229 题[名、动]tí ▶ 题目[名]tímù

词义说明 Definition

题[topic; subject; title; problem] 题目。[inscribe] 写上；签上。

题目[title; subject; topic] 概括诗文或讲演内容的词句。[exercise; problem; examination questions] 练习或考试时要求解答的问题。

词语搭配 Collocation

	练习～	考试～	一道～	文章～	论文～	报告～	～词	～字	～诗
题	√	√	√	×	×	×	√	√	√
题目	√	√	×	√	√	√	×	×	×

用法对比 Usage

用法解释 Comparison

“题”是名词也是动词，可以带宾语；“题目”只是名词，不能带宾语。“题目”与名词“题”意思相同，但是因为音节不同，与之搭配的词语就不同。“题目”与双音节词语搭配，“题”可与单音节词搭配，也可以跟双音节词语搭配。

语境示例 Examples

① 今天的练习题太多，一个晚上也做不完。(☺今天的练习题目太多，一个晚上也做不完。)

② 这次考试题不太难，我一个小时就做完了。(☺这次考试题目不太难，我一个小时就做完了。)
③ 这道题怎么做？(＊这道题目怎么做？)
④ 你论文的题目定了没有？(＊你论文的题定了没有？)
⑤ 北大、清华和北师大的校名都是毛泽东题的。(＊北大、清华和北师大的校名都是毛泽东题目的。)
⑥ 我想请您给我的书题个字。(＊我想请您给我的书题目个字。)

1230 体谅[动]tǐliàng ▶ 原谅[动]yuánliàn ▶ 谅解[动、形]liàngjiě

词义说明 Definition

体谅[show understanding and sympathy for; make allowances for] 设身处地地为别人着想，对他人给予谅解和同情。

原谅[excuse; forgive; pardon] 对他人做错事表示宽容和谅解。

谅解[understand; make allowance for] 了解实情后原谅他人或消除意见。

词语搭配 Collocation

	不能～	～她	很～你	请求～	～他一次	互相～	达成～	～你的难处	～苦衷
体谅	√	√	√	×	×	√	×	√	√
原谅	√	√	×	√	√	×	×	×	×
谅解	√	√	√	×	×	√	√	×	×

用法对比 Usage

用法解释 Comparison

“原谅”的对象是他人的错误和过失，“体谅”的对象是他人的难处和心情，“谅解”的对象是以前不了解的他人的行为。

语境示例 Examples

① 只有双方相互体谅，才能维持良好的关系。(☺只有双方相互原谅/谅解，才能维持良好的关系。)
② 对于此次事件我公司表示诚挚的道歉，希望能得到贵公司的原谅。(＊对于此次事件我公司表示诚挚的道歉，希望能得到贵公司的谅解/体谅。)

③ 你应该体谅我的苦衷。(＊你应该原谅/谅解我的苦衷。)
④ 请原谅，我来晚了。(＊请体谅/谅解，我来晚了。)
⑤ 这是第一次，你就原谅他吧。(＊这是第一次，你就体谅/谅解他吧。)
⑥ 这次我们原谅你，以后一定要注意。(＊这次我们体谅/谅解你，以后一定要注意。)
⑦ 留学生离开父母和朋友来到中国，一开始语言又不通，我们应该多体谅他们的难处。(＊留学生离开父母和朋友来到中国，一开始语言又不通，我们应该多原谅/谅解他们的难处。)
⑧ 双方经过艰苦的谈判终于达成了谅解。(＊双方经过艰苦的谈判终于达成了原谅/体谅。)

1231 体现[动、名]tǐxiàn ▶ 表现[动、名]biǎoxiàn

词义说明 Definition

体现[embody; incarnate; reflect; give expression to]某种性质或现象通过某一事物具体表现出来。

表现[show; display; manifest]表示出来：她心里不高兴，可是并没有~出来。[expression; manifestation; display]表示出来的：政治是经济的集中~。[behaviour; performance]行为或作风中表示出来：来到公司以后，他~很好。[show off] 故意显示自己（有贬义）。

词语搭配 Collocation

	~出来	~了时代精神	~很好	喜欢~自己
体现	√	√	×	×
表现	√	√	√	√

用法对比 Usage

“体现”是客观事物自身显现出来，“表现”是人的行为和意识的表示。

① 这幅画体现了画家对大自然的热爱。(☺这幅画表现了画家对大自然的热爱。)
② 这些普通人身上体现出了“一方有难，八方支援”的美德。(☺这些普通人身上表现出了“一方有难，八方支援”美德。)
③ 他在我们这里表现一直很好。(＊他在我们这里体现一直很好。)

④ 法庭上他表现得非常沉着和自信。（*法庭上他体现得非常沉着和自信。）

⑤ 他能这样做是高尚人格的体现。（☺他能这样做是高尚人格的表现。）

"爱表现"略带贬义，没有"爱体现"的说法。

他爱在姑娘面前表现自己。（*他爱在姑娘面前体现自己。）

1232 体验[动]tǐyàn ▶ 体会[动、名]tǐhuì

词义说明 Definition

体验[learn from practice; learn through one's personal experience] 在实践中认识周围的事物；亲身经历。

体会 [know (or learn) from experience; realize] 体验领会。[knowledge; understanding]领会到的。

词语搭配 Collocation

	～生活	深深～到	深有～	～很多	～人民的感情	个人的～	留学的～
体验	√	√	×	×	×	×	×
体会	×	√	√	√	√	√	√

用法对比 Usage

用法解释 Comparison

"体验"强调的是通过实践、行动去认识事物、认识生活。"体会"强调把体验到的东西上升为理性的思考，用头脑去理解别人的心理和事物的道理等。"体会"可以作宾语，"体验"不能作宾语。

T

语境示例 Examples

① 没有在西藏十多年的生活体验，他就不可能写出这本书。（☺没有在西藏十多年的生活体会，他就不可能写出这本书。）

② 这次去南极考察的体验是我一生中最宝贵的财富。（*这次去南极考察的体会是我一生中最宝贵的财富。）

③ 我越来越体会到，学习汉语不仅仅是学习语言，还要了解中国的社会、文化和中国人的思想感情。（*我越来越体验到，学习汉语不仅仅是学习语言，还要了解中国的社会、文化和中国人的思想感情。）

④ 如果你不到新疆来，就体会不到这里少数民族的热情和善良。(*如果你不到新疆来，就体验不到这里少数民族的热情和善良。)

⑤ 一个作家，只有真心地热爱生活，深入地体验生活，才能更好地表现生活。(*一个作家，只有真心地热爱生活，深入地体会生活，才能更好地表现生活。)

⑥ 今天上课的时候，老师让我们用汉语谈谈来中国两年多的体会。(*今天上课的时候，老师让我们用汉语谈谈来中国两年多的体验。)

1233 替[介]tì ▶ 给[介]gěi ▶ 为[介]wèi

词义说明 Definition

替[for] 为。

给[(introduce the object of the verb indicating the handing over of sth.) to; with] 引进动作的对象；同“向”：你把这封信交～他。[for the benefit of; for the sake of; for] 引进服务对象：你来～我当翻译吧。[used to introduce the recipient of an action] 引进动作行为的对象：我～你道个歉。[used in a passive sentence to introduce either the doer of the action or the action if the doer is not mentioned] 表示被动，同“让、叫”：衣服～风吹跑了。

为[in the interest of; for] 表示行为的对象，替：～大多数人谋利益。[because of] 表示原因：～友谊干杯！[for the purpose of; for the sake of] 表示目的：～实现现代化而奋斗！[to; towards] 给：～晚报写文章。

词语搭配 Collocation

	～你高兴	～别人着想	～她送行	别～我担心	送～	～你倒茶	～他写
替	√	√	√	√	×	√	√
给	×	×	√	×	√	√	√
为	√	√	√	√	×	√	√

用法对比 Usage

用法解释 Comparison

“替”、“给”和“为”都可以引进动作对象。“替”和“给”的对象是人，“为”的对象可以是人，也可以是其他事物。“给”

可以作动词的补语，“替”不能作补语。

语境示例 Examples

① 你去邮局的时候，顺便替我买几张贺卡。(☺你去邮局的时候，顺便为/给我买几张贺卡。)
② 麻烦你给我倒杯茶。(☺麻烦你替/为我倒杯茶。)
③ 电话！我正洗头呢，你替我接一下。(☺电话！我正洗头呢，你给我接一下。)(*电话！我正洗头呢，你为我接一下。)
④ 你别为我担心，到了国外，我会照顾好自己的。(☺你别替我担心，到了国外，我会照顾好自己的。)(*你别给我担心，到了国外，我会照顾好自己的。)
⑤ 看到你取得这么大的成绩，我们都为你高兴。(☺看到你取得这么大的成绩，我们都替你高兴。)(*看到你取得这么大的成绩，我们都给你高兴。)
⑥ 这张照片送给你，留个纪念吧。(*这张照片送替/为你，留个纪念吧。)
⑦ 这次来给你添了不少麻烦。(*这次来替/为你添了不少麻烦。)

1234 替代[动]tìdài ▶ 替换[动]tìhuàn

词义说明 Definition

替代[substitute for; replace; supersede] 代替。

替换[replace; substitute for; displace; take the place of] 把原来的调换下来。

词语搭配 Collocation

	不可～	无人～	～他	～下来	～的衣服	～练习	～的人
替代	√	√	√	×	×	×	×
替换	×	√	√	√	√	√	√

用法对比 Usage

“替换”的对象可以是人，也可以是物，“替代”的对象多指人。

① 这两个词的意义和用法都不同，不能相互替换。(☺这两个词的意义和用法都不同，不能相互替代。)
② 现在他还不能回国，因为没有人来替换他。(☺现在他还不能回国，因为没有人来替代他。)
③ 他在国外工作快期满了，要派人去替换他。(*他在国外工作快

期满了，要派人去替代他。)

④ 他在中国历史上的作用是别人无法替代的。(＊他在中国历史上的作用是别人无法替换的。)

"替换"可以带趋向补语，"替代"不能。

三号把五号替换下来了。(＊三号把五号替代下来了。)

"替换"可以作定语，"替代"不常作定语。

① 汉语教材中的替换练习是为了让同学们学了一个句型以后，能举一反三，灵活运用。(＊汉语教材中的替代练习是为了让同学们学了一个句型以后，能举一反三，灵活运用。)

② 这次出差时间比较长，要多带几件替换的衣服。(＊这次出差时间比较长，要多带几件替代的衣服。)

1235 天[名]tiān ▶ 天气[名]tiānqì

词义说明 Definition

天[sky] 天空。[day; daylight] 一昼夜二十四小时的时间，有时专指白天。[a period of time in a day] 一天里的某一段时间：现在～还早呢。[season] 季节：春～|热～|伏～。[weather] 天气：晴～|阴～|～冷了。[natural; inborn; innate] 天然的，天生的：～性。

天气[weather] 一定区域一定时间内大气中发生的各种气象变化，如温度、湿度、气压、降水、风、云等的情况。

词语搭配 Collocation

	～亮了	～很好	～凉了	～不早了	晴～	～预报	～变化	每～	秋～
天	√	√	√	√	√	×	×	√	√
天气	×	√	√	×	×	√	√	×	×

用法对比 Usage

用法解释 Comparison

"天"有"天气"的意思，但是"天"是个语素，可与其他语素组成词语，"天气"没有组词能力。

语境示例 Examples

① 天很好，把被子拿出去晒晒吧。(☺天气很好，把被子拿出去晒晒吧。)

② 天凉了，要注意身体。(☺天气凉了，要注意身体。)
③ 天不早了，我该回去了。(＊天气不早了，我该回去了。)
④ 天有不测风云，人有旦夕祸福。(＊天气有不测风云，人有旦夕祸福。)
⑤ 蓝蓝的天上飘着白云。(＊蓝蓝的天气上飘着白云。)
⑥ 你听今天的天气预报了没有？(＊你听今天的天预报了没有？)
⑦ 我今天忙了一整天。(＊我今天忙了一整天气。)
⑧ 她天生就是一个唱歌的材料。(＊她天气生就是一个唱歌的材料。)

1236 天下[名]tiānxià ▶ 世界[名]shìjiè

词义说明 Definition

天下[land under heaven; world or China] 指中国或世界。[rule; domination] 指国家的统治权。

世界[world] 自然界和人类社会的一切事物的总和；地球上所有地方：～各国。[field; sphere; domain; realm] 领域：主观～。

词语搭配 Collocation

	～太平	～和平	～第一	人民的～	打～	～各国	～大事	～冠军	～记录	～大战
天下	√	×	√	√	√	×	√	×	×	×
世界	√	√	√	×	×	√	√	√	√	√

用法对比 Usage

用法解释 Comparison

“天下”既可以表示世界，也可以表示中国，“世界”没有表示中国的意思。

语境示例 Examples

① 天下并不太平，我们一刻都不能放松警惕。(☺世界并不太平，我们一刻都不能放松警惕。)
② 他曾连续三届获得世界乒乓球比赛冠军。(＊他曾连续三届获得天下乒乓球比赛冠军。)
③ 在这次奥运会上他创造了一项世界纪录。(＊在这次奥运会上他创造了一项天下纪录。)

T

④ 为学习汉语，我们从世界各国来到中国。（＊为学习汉语，我们从天下各国来到中国。）

⑤ 桂林山水甲天下。（＊桂林山水甲世界。）

1237 添[动]tiān ▶ 加[动]jiā

词义说明 Definition

添[add; increase] 增加。

加[add; plus] 两个或两个以上的东西或数目合在一起：三～五等于八。[increase; augment] 使数量比原来大或程度比原来高；增加：～大|～快。[put in; add; append] 把本来没有的添上去：～糖。

词语搭配 Collocation

	～人	～水	～麻烦	一～二	～了一件毛衣	～快	～上拼音
添	√	√	√	×	√	×	√
加	√	√	×	√	√	√	√

用法对比 Usage

用法解释 Comparison

“添”是在原有的基础上增加，“加”既表示在原有的基础上增加，也可以是在原来没有的情况下加上。

语境示例 Examples

① 给你们班又添了一个学生。（☺给你们班又加了一个学生。）

② 请给这些汉字加上拼音。（☺请给这些汉字添上拼音。）

③ 再往锅里添点水。（☺再往锅里加点水。）

④ 爸爸，你再给我添一千块钱，我就可以买一台电脑了。（☺爸爸，你再给我加一千块钱，我就可以买一台电脑了。）

⑤ 你的咖啡里要不要加糖？（＊你的咖啡里要不要添糖？）

⑥ 对不起，给你添麻烦了。（＊对不起，给你加麻烦了。）

⑦ 这张照片要再加洗两张。（＊这张照片要再添洗两张。）

1238 田地[名]tiándì ▶ 田间[名]tiánjiān ▶ 田野[名]tiányě

词义说明 Definition

田地[field; farmland; cropland] 种植农作物的土地。[wretched situation; plight] 地步。

田间[field; farm; countryside] 田地里。

田野[field; open country] 田地和原野。

词语搭配 Collocation

	多少～	这步～	在～劳动	～风光	广阔的～	～上
田地	√	√	√	×	×	×
田间	×	×	√	×	×	×
田野	×	×	√	√	√	√

用法对比 Usage

用法解释 Comparison

这三个名词有相同的意思。"田地"还有"地步"的意思，"田间"和"田野"没有这个意思。另外，"田野"包含了田地和原野，"田间"指田地中间。

语境示例 Examples

① 爸爸虽然年纪大了，但是每天仍然去田间劳动。(☺爸爸虽然年纪大了，但是每天仍然去田地/田野劳动。)
② 你们家承包了多少田地？(＊你们家承包了多少田野/田间？)
③ 这首诗赞美的是田野风光。(＊这首诗赞美的是田间/田地风光。)
④ 春天到了，田野里是一派生机勃勃的气象。(＊春天到了，田地/田间里是一派生机勃勃的气象。)
⑤ 沿着田间小路，我走进村子。(＊沿着田地/田野小路，我走进村子。)
⑥ 眼前是一望无边的广阔田野。(＊眼前是一望无边的广阔田地/田间。)
⑦ 他怎么混到了这步田地？连工作都丢了。(＊他怎么混到了这步田间/田野？连工作都丢了。)

1239 甜蜜[形]tiánmì ▶ 甜[形]tián

词义说明 Definition

甜蜜[sweet; happy] 感到幸福、愉快、舒适的。

甜[sweet; honeyed] 像糖和蜜的味道。[(of sleep) sound] 形容舒适愉快。

词语搭配 Collocation

	很~	真~	~的生活	~的回忆	~的笑	睡得很~	嘴~
甜蜜	√	√	√	√	√	×	×
甜	√	√	×	×	×	√	√

用法对比 Usage

“甜蜜”表示人感到幸福、愉快、舒适的感觉，“甜”既有味觉能体会到的一种味道，也有感到幸福、愉快的意思，但是它们修饰的对象不同。

① 她笑得很甜。(☺她笑得很甜蜜。)

② 这种葡萄很甜。(＊这种葡萄很甜蜜。)

③ 婚后夫妻俩过着甜蜜的生活。(＊婚后夫妻俩过着甜的生活。)

④ 那段生活给我留下了不少甜蜜的回忆。(＊那段生活给我留下了不少甜的回忆。)

“嘴甜”表示说话让人爱听，感到舒服，“甜蜜”没有这个意思。

这孩子的嘴真甜。(＊这孩子的嘴真甜蜜。)

1240 填[动]tián ▶ 填写[动]tiánxiě

词义说明 Definition

填[write; fill in] 填写。[fill; stuff] 把凹陷的地方垫平或塞满。

填写[fill in; write] 在印好的表格、单据等的空白处，按照项目、格式写上应写的文字或数字。

词语搭配 Collocation

	~表	~汇款单	~上	~数字	~名字	~出生地	~国籍	~土	~坑
填	√	√	√	√	√	√	√	√	√
填写	√	√	√	√	√	√	√	×	×

用法对比 Usage

用法解释 Comparison

“填”可以用笔，也可以用其他工具，因为“填”的对象可以是表格、姓名，也可以是坑、洞等。“填写”用的工具只能是笔，对象只能是表格、数字、姓名等。

T

语境示例 Examples

① 换钱请填一张兑换单。(☺换钱请填写一张兑换单。)
② 请把这张表填一下。(☺请把这张表填写一下。)
③ 请在这里填上你的姓名，出生年月和通讯地址。(☺请在这里填写上你的姓名，出生年月和通讯地址。)
④ 请在空白处填上合适的量词。(☺请在空白处填写上合适的量词。)
⑤ 请用合适的结果补语填空。(＊请用合适的结果补语填写空。)
⑥ 请把路边的坑填平。(＊请把路边的坑填写平。)

1241 挑[动]tiāo ▶ 选[动、名]xuǎn ▶ 挑选[动]tiāoxuǎn

词义说明 Definition

挑[choose; select; pick out] 挑选。[nitpick; be hypercritical; be fastidious] 挑剔。

选[select; choose; pick] 挑选合适的喜欢的人或东西：～好的买。[elect] 选举：～学生代表。[person or thing selected] 被选中的人或物：人～。[selection; anthology] 挑选出来编在一起的作品：小说～。

挑选[choose; select; pick out] 从一些人或事物中找出适合要求的：～一本词典。

词语搭配 Collocation

	～喜欢的	～好看的	～毛病	～接班人	～代表	入～	诗～	小说～	～票
挑	√	√	√	√	×	×	×	×	×
选	√	√	×	√	√	√	√	√	√
挑选	√	√	×	√	×	×	×	×	×

用法对比 Usage

“挑”的对象可以是好的，也可以是不好的，“选”和“挑选”的对象为好的。

① 中国人结婚喜欢挑个好日子。(☺中国人结婚喜欢选/挑选个好日子。)
② 我想挑几张有中国风景的明信片。(☺我想挑选/选几张有中国风

景的明信片。)

③ 我写了一篇论文，你帮我看看，挑挑毛病。(＊我写了一篇论文，你帮我看看，选选/挑选挑选毛病。)

④ 把坏的挑出来放一边。(＊把坏的挑选/选出来放一边。)

“选”某人担任什么职务时需要投票，“挑选”和“挑”不需要投票。

① 今天全国投票选总统。(＊今天全国投票挑选/挑总统。)

② 他被选为我们学校的代表。(＊他被挑选/挑为我们学校的代表。)

“选”可以作名词用，“挑选”和“挑”没有名词的用法。

这是他新出的一本诗选。(＊这是他新出的一本诗挑/挑选。)

“挑选”可以作双音节介词、动词的宾语，也可以受双音节词语修饰，“挑”和“选”不能。

① 经过挑选，有20多个人可以参加这次比赛。(＊经过挑/选，有20多个人可以参加这次比赛。)

② 公派留学生都是经过严格挑选的。(＊公派留学生都是经过严格挑/选的。)

③ 要注意挑选和培养各项事业的接班人。(＊要注意挑/选和培养各项事业的接班人。)

1242 调剂[动]tiáojì ▶ 调节[动]tiáojié

词义说明 Definition

调剂[adjust; regulate] 把多和少，忙和闲，大和小，强和弱等加以适当的调整。

调节[regulate; adjust] 从数量上或程度上调整，使符合要求。

词语搭配 Collocation

	～物资	～生活	～精神	～体温	～温度	～音量	～速度
调剂	√	√	√	×	×	×	×
调节	×	×	×	√	√	√	√

用法对比 Usage

用法解释 Comparison

“调剂”的宾语是物资、生活、精神等比较抽象的名词，“调节”的宾语是比较具体的名词，如温度、声量等。

语境示例 Examples

① 听听音乐，散散步能调剂精神。（*听听音乐，散散步能调节精神。）
② 适当参加文体活动，可以调剂生活。（*适当参加文体活动，可以调节生活。）
③ 多喝点儿水可以调节体温。（*多喝点儿水可以调剂体温。）
④ 应该通过市场调节物价。（*应该通过市场调剂物价。）
⑤ 这个按钮可以调节电视机的音量。（*这个按钮可以调剂电视机的音量。）
⑥ 这一片森林有调节气候的作用。（*这一片森林有调剂气候的作用。）

1243 调解[动]tiáojiě ▶ 调和[动]tiáohé

词义说明 Definition

调节[mediate; make peace] 劝说双方消除纠纷。
调和[mediate; reconcile] 排解纠纷，使双方重归于好。[(used in negative) compromise; make concessions] 妥协、让步（多用于否定）。

词语搭配 Collocation

	～纠纷	～人	从中～	～矛盾
调解	√	√	√	√
调和	×	√	√	×

用法对比 Usage

用法解释 Comparison

“调解”和“调和”都有给双方解决纠纷的意思，不过它们所带的宾语不同。而且“调和”有妥协、让步的意思，“调解”没有这个意思。

语境示例 Examples

① 在两国发生争端的时候，中国政府充当了调解人的角色，化解了他们之间的矛盾。(☺在两国发生争端的时候，中国政府充当了调和人的角色，化解了他们之间的矛盾。)

② 通过调解人从中调和，双方终于达成谅解。(☺通过调解人从中调解，双方终于达成谅解。)
③ 看来，这两个国家的矛盾是不可调和的，非打起来不可。(＊看来，这两个国家的矛盾是不可调解的，非打起来不可。)
④ 经过法院调解，最后双方庭外达成和解。(＊经过法院调和，最后双方庭外达成和解。)
⑤ 大量的人民内部矛盾是可以通过调解解决的，不一定非要对簿公堂。(＊大量的人民内部矛盾是可以通过调和解决的，不一定非要对簿公堂。)
⑥ 两国的边界争端由来已久，看来没有调和的余地。(＊两国的边界争端由来已久，看来没有调解的余地。)

1244 听[动]tīng ▶ 听见 tīng jiàn

词义说明 Definition

听[listen; hear] 用耳朵接受声音：认真～。[heed; obey; listen to] 听从（劝告）。[accept (somebody's advice)] 接受（意见）：他不～我的话。

听见[hear] 听到：～有人敲门。

词语搭配 Collocation

	～音乐	～录音	～得见	～不见	～话	～老师的话	他不～我的	～了	没～
听	√	√	√	√	√	√	√	√	√
听见	×	×	×	×	×	×	×	√	√

用法对比 Usage

"听"是用耳朵接受声音，"听见"是耳朵接受到了声音，是动词"听"和结果补语"见"组成的词组。

① 刚才的天气预报你听了没有？(☺刚才的天气预报你听见了没有？)
② 你喜欢听古典音乐还是喜欢听现代音乐？(＊你喜欢听见古典音乐还是喜欢听见现代音乐？)
③ 我听了半天也没听清楚他说的是什么。(＊我听了半天也没听见清楚他说的是什么。)
④ 奶奶耳朵不好了，声音小了听不见，你声音大一点儿。(＊奶奶耳朵不好了，声音小了听见不见，你声音大一点儿。)
⑤ A：你听我解释。B：你不要解释了，我不听。(＊你不要解释了，

我不听见。)

"听"还有听从，接受意见或劝告的意思，"听见"没有这个意思。

① 我的话他根本听不进去。(*我的话他根本听见不进去。)

② 听话的孩子老实，但不一定聪明。(*听见话的孩子老实，但不一定聪明。)

1245 停[动]tíng ▶ 停止[动]tíngzhǐ

词义说明 Definition

停[stop; cease; halt; pause] 停止。[stop over; stay]停留。[(of cars) be parked; (of ship) lie at anchor] 停放。

停止[stop; cease; halt; suspend; call off] 不再进行。

词语搭配 Collocation

	~了	船~了	雨~了	~了三天	~车	~电	~工作	~比赛	~营业	~跳动
停	√	√	√	√	√	√	×	×	×	×
停止	√	×	√	√	×	×	√	√	√	√

用法对比 Usage

用法解释 Comparison

"停"有"停止"的意思，也有停留和停放的意思，"停"可以带单音节词作宾语，"停止"要带双音节词语作宾语。

语境示例 Examples

① 雨停了。(☺雨停止了。)

② 我准备在上海停两天，看一个朋友。(*我准备在上海停止两天，看一个朋友。)

③ 正在看电视，突然停电了。(*正在看电视，突然停止电了。)

④ 银行星期日停止营业。(*银行星期日停营业。)

⑤ 这里可以停车吗？(*这里可以停止车吗？)

⑥ 一颗伟大的心脏停止了跳动。(*一颗伟大的心脏停了跳动。)

T

1246 停留[动]tíngliú ▶ 停[动]tíng

词义说明 Definition

停留[stay for a time; stop; remain] 暂时不继续前进。

停[stop; cease; halt; pause] 停止。[stop over; stay] 停留。

词语搭配 Collocation

	～几天	短暂～	～在	雨～了	车～了	～下来	～不住
停留	√	√	√	×	×	√	×
停	√	×	√	√	√	√	√

用法对比 Usage

句中能用“停留”的地方，一般都可以用“停”替换，但用“停”的地方不一定能用“停留”替换。

① 我准备在北京停留几天，看看我的牙。(☺我准备在北京停几天，看看我的牙。)

② 外语学到一定阶段，可能会出现较长一段时间停留在一个水平上的现象。(☺外语学到一定阶段，可能会出现较长一段时间停在一个水平上的现象。)

③ 到前边路口停一下，我下车。(*到前边路口停留一下，我下车。)

④ 不知道为什么，火车突然停了。(*不知道为什么，火车突然停留了。)

⑤ 这是谁的车？快开走，这里不能停车。(*这是谁的车？快开走，这里不能停留车。)

⑥ 他可能在中国停留到下个星期。(*他可能在中国停到下个星期。)

⑦ 我的表停了。(*我的表停留了。)

状语是双音节词语时只能用“停留”，不能说“停”。

他这次路过上海只作短暂停留。(*他这次路过上海只作短暂停。)

1247 挺[副]tǐng ▶ 很[副]hěn

词义说明 Definition

挺[very; rather; quite] 很，相当。

很[very; very much; quite] 表示程度高。

词语搭配 Collocation

	~冷	~努力	~好	~快	~不错	~好的	~难的	~喜欢	~能写	好得~
挺	√	√	√	√	√	√	√	√	√	×
很	√	√	√	√	√	×	×	√	√	√

用法对比 Usage

"挺"和"很"都是程度副词，都可以作动词或形容词的状语，"挺"比"很"的程度略低。

① 我和你爸爸的身体挺好，你放心吧。(☺我和你爸爸的身体很好，你放心吧。)

② 他最近一段时间学习挺努力。(☺他最近一段时间学习很努力。)

③ 这个书画展览挺不错。(☺这个书画展览很不错。)

④ 她才十九岁，一个人来中国留学挺不容易。(☺她才十九岁，一个人来中国留学很不容易。)

⑤ 这个故事发生在很久以前。(＊这个故事发生在挺久以前。)

"挺"在口语中常与后边的动词或形容词组成"挺……的"的结构，用来作谓语或补语，"很"没有这种用法。

① 这件衣服挺好看的。(＊这件衣服很好看的。)

② 这孩子挺能吃苦的。(＊这孩子很能吃苦的。)

③ 这本书写得挺好的。(＊这本书写得很好的。)

"很"可以作形容词的程度补语，"挺"没有这种用法。

① 这种工作麻烦得很。(＊这种工作麻烦得挺。)

② 今天大家在一起玩得高兴得很。(＊今天大家在一起玩得高兴得挺。)

"很"前面可以用"不"否定，"挺"不能。

他最近心情不很好。(＊他最近心情不挺好。)

1248 通报[动、名] tōngbào ▶ 通告[动、名] tōnggào

词义说明 Definition

通报[circulate a notice] 上级机关把工作情况或经验教训等用书面形式通告下级机关。[circular] 上级机关通告下级的文件。

[bulletin; journal] 报告科学研究的动态或成果的刊物。[notify or report to (one's superior or master)] 通知上级或主人。

通告[give public notice; announce] 普遍地通知。[public notice; announcement; circular] 普遍通知的文告。

词语搭配 Collocation

	~表扬	~批评	情况~	科学~	~上级	发布~	~周知
通报	√	√	√	√	√	√	×
通告	×	×	×	×	×	√	√

用法对比 Usage

用法解释 Comparison

"通报"一般不公开，只限于相关单位或人员知道，"通告"的事情大家都可以知道；"通告"可以张贴在大街上，"通报"的形式是文件，不张贴在大街上。

语境示例 Examples

① 国务院通报表扬了发射神舟号飞船的有关部门。(＊国务院通告表扬了发射神舟号飞船的有关部门。)

② 因为发生了一起重大事故，他们受到上级通报批评。(＊因为发生了一起重大事故，他们受到上级通告批评。)

③ 布告栏里张贴着一张通告。(＊布告栏里张贴着一张通报。)

④ 中国国家主席给法国总统通了电话，向他通报了最近中美两国首脑会谈的情况。(＊中国国家主席给法国总统通了电话，向他通告了最近中美两国首脑会谈的情况。)

⑤ 这件事要通告全校师生。(＊这件事要通报全校师生。)

1249 通常[形]tōngcháng ▶ 平常[形名]píngcháng

词义说明 Definition

通常[general; usual; normal] 一般，平常。

平常[ordinary; common] 普通；不特别。[generally; usually; ordinarily; as a rule] 平时。

词语搭配 Collocation

	很～	～的情况	～的方法	～心
通常	×	√	√	×
平常	√	√	√	√

用法对比 Usage

用法解释 Comparison

“通常”和“平常”都是形容词。但是“通常”一般作定语，不能作谓语，也不受程度副词修饰。“平常”可以作定语和谓语，也可以受程度副词修饰。

语境示例 Examples

① 这台洗碗机平常很少用。(☺这台洗碗机通常很少用。)

② 通常我们都愿意到这个饭店吃饭，因为这里的饭菜又便宜又好吃。(☺平常我们都愿意到这个饭店吃饭，因为这里的饭菜又便宜又好吃。)

③ 汉语学习到一定阶段，通常会出现一个“高原期”，你会觉得自己进步比较慢。(* 汉语学习到一定阶段，平常会出现一个“高原期”，你会觉得自己进步比较慢。)

④ 对于比赛的输赢要有一颗平常心。(* 对于比赛的输赢要有一颗通常心。)

⑤ 外国留学生上课迟到的情况很平常。(* 外国留学生上课迟到的情况很通常。)

1250 通信 tōng xìn ▶ 通讯[动、名] tōngxùn

词义说明 Definition

通信[transmit scripts or images by electric wave or light wave signals] 利用电波、光波等信号传送文字、图像等。[communicate by letter; correspond] 用书信互通消息，反映情况等。

通讯[communications; exchanging of information through communications equipment] 利用电讯设备传递消息。[news report; news dispatch; correspondence; detailed and lively news account of an objective event or a model individual］详实而生动地报道客观事物或典型人物的文章。

词语搭配　Collocation

	数字～	～卫星	～员	无线电～	微波～	激光～	～设备	～社	一篇～报道
通信	√	√	√	×	×	×	×	×	×
通讯	×	×	√	√	√	√	√	√	√

用法对比　Usage

"通信"和"通讯"有相同的意思，但是与其他词语的搭配不同。"通信"因是动宾结构，可以分开用，"通讯"不能。

① 这些照片都是通过通信卫星传过来的。（＊这些照片都是通过通讯卫星传过来的。）

② 数字通信已经得到了广泛应用。（＊数字通讯已经得到了广泛应用。）

③ 两年前我们通过信，现在已经没有什么联系了。（＊两年前我们通过讯，现在已经没有什么联系了。）

④ 要打击破坏通讯设备的犯罪行为，保证通信畅通无阻。（＊要打击破坏通信设备的犯罪行为，保证通信畅通无阻。）

"通讯"还有名词的用法，"通信"没有。

① 报上今天发表了长篇通讯，报道了这个案件侦破的经过。（＊报上今天发表了长篇通信，报道了这个案件侦破的经过。）

② 他是我们厂的通讯员，经常给报纸写稿子。（＊他是我们厂的通信员，经常给报纸写稿子。）

T

1251 通知［动、名］tōngzhī ▶ 通告［动、名］tōnggào

词义说明　Definition

通知［notify; inform; give notice］把事情告诉人知道。［notice; circular］通知事项的文书或口信。

通告［give public notice; announce］普遍地通知。［public notice; announcement; circular］普遍通知的文告。

词语搭配 Collocation

	～大家	～开会	～我一声	会议～	把～发出去	贴～	录取～书
通知	√	√	√	√	√	√	√
通告	√	×	×	×	×	√	×

用法对比 Usage

用法解释 Comparison

“通知”和“通告”不同的是，“通知”的内容可让少数人知道，也可让广大群众知道，“通告”的内容是让广大群众都知道。

语境示例 Examples

① 国务院已经发出通知，号召各地立即行动起来，抗旱救灾。(☺国务院已经发出通告，号召各地立即行动起来，抗旱救灾。)

② 把这张通知贴到布告栏里去。(☺把这张通告贴到布告栏里去。)

③ 快把会议通知发下去。(＊快把会议通告发下去。)

④ 请通知暑假去农村考察的同学开个会。(＊请通告暑假去农村考察的同学开个会。)

⑤ 应该把这件事情通知他的家人。(＊应该把这件事情通告他的家人。)

⑥ 大学录取通知书要及时无误地送到考生手里。(＊大学录取通告书要及时无误地送到考生手里。)

1252 同期[名]tóngqī ▶ 同时[名]tóngshí

词义说明 Definition

同期[corresponding period] 同一个时期。[same term (at school, etc.)] 同一届。

同时[at the same time; simultaneously; meanwhile; in the meantime] 动作行为在同一个时间发生。[moreover; besides; furthermore] 表示并列关系。

词语搭配 Collocation

	～最高水平	～毕业	～发生	～到达
同期	√	√	×	×
同时	×	√	√	√

T

用法对比 Usage

"同时"表示的是某个时点，带定语时前面要加"的"。"同期"表示的是某个时段，带定语时可以不加"的"。

① 同期：我们俩是同期毕业的。(是同一届学生)
同时：我们俩是同时毕业的。(毕业的时间相同)

② 今年前半年工业生产与去年同期相比增长7.3%。(*今年前半年工业生产与去年同时相比增长7.3%。)

③ 昨天这个地段，同时发生两起交通事故。(*昨天这个地段，同期发生两起交通事故。)

④ 在加快工程进度的同时，要高度重视安全工作和工程质量。(*在加快工程进度的同期，要高度重视安全工作和工程质量。)

⑤ 我们俩是同时来中国学习汉语的。(*我们俩是同期来中国学习汉语的。)

"同时"可以用来表示并列关系，"同期"没有这个用法。

他是我们的老师，同时也是我们的朋友。(*他是我们的老师，同期也是我们的朋友。)

1253 同样[形、连]tóngyàng ▶ 一样[形]yíyàng

词义说明 Definition

同样[same; equal; similar; of no difference] 相同，一样，没有区别。

一样[same; alike; as... as...] 同样；没有差别。

词语搭配 Collocation

	~好	~快	~高	~大小	~价钱	~处理	~的工作	颜色~	跟我~	跟你的不~
同样	√	√	√	√	√	√	√	×	×	×
一样	√	√	√	√	√	√	√	√	√	√

用法对比 Usage

"一样"和"同样"的意思差不多，但是用法有所不同，"一样"可以作谓语，"同样"不能单独作谓语。

① 这两间屋子同样大。(☺这两间屋子一样大。)

T

② 我跟你的心情是同样的。(☺我跟你的心情是一样的。)
③ 咱们两个干的是同样的工作。(☺咱们两个干的是一样的工作。)
④ 这两台电脑的牌子一样。(＊这两台电脑的牌子同样。)

"一样"常与"跟"连用，表示比较，"同样"不能这么用。

① 他的车跟你的颜色一样。(＊他的车跟你的颜色同样。)
② 他汉语说得跟中国人一样好。(＊他汉语说得跟中国人同样好。)

"同样"还是连词，可以连接两个句子，"一样"没有这种用法。

你的专业是中国古代史，同样，我的专业也是中国古代史。(＊你的专业是中国古代史，一样，我的专业也是中国古代史。)

"一样"可以用"不"否定，"同样"不能。

① 这两辆汽车价钱不一样。(＊这两辆汽车价钱不同样。)
② 我们俩是同学，但是学的专业不一样。(＊我们俩是同学，但是学的专业不同样。)

1254 同意[动]tóngyì ▶ 准[动]zhǔn

词义说明 Definition

同意[agree; consent; approve] 对某种主张表示赞成的意见；赞成；准许。

准[allow; grant; permit] 准许。

词语搭配 Collocation

	不～	非常～	～你的看法	～他的意见	不～请假	～假	不～打人
同意	√	√	√	√	√	×	×
准	√	×	×	×	√	√	√

用法对比 Usage

用法解释 Comparison

"同意"的宾语可以是"意见、看法、建议、主张、计划、打算"等，也可以是实施上述这些的动作行为；"准"的宾语常常是某种动作行为。

语境示例 Examples

① 老师同意我请假回家。(☺老师准我请假回家。)
② 父母不准我去国外留学。(☺父母不同意我去国外留学。)
③ 考试不准作弊。(＊考试不同意作弊。)

④ 楼道里不准抽烟。(＊楼道里不同意抽烟。)
⑤ 你同意他的看法吗?(＊你准他的看法吗?)
⑥ 我不同意你的意见。(＊我不准你的意见。)
⑦ 不准为私事用办公室的电话打国际长途。(＊不同意为私事用办公室的电话打国际长途。)

1255 痛苦[形]tòngkǔ ▶ 困苦[形]kùnkǔ

词义说明 Definition

痛苦[pain; suffering; agony] 身体或精神感到非常难受。

困苦[hardship; tribulation](生活上)艰难痛苦。

词语搭配 Collocation

	非常～	相当～	精神～	疾病的～	解除～	生活～	～的日子	艰难～
痛苦	√	√	√	√	√	×	√	×
困苦	√	√	×	×	×	√	√	√

用法对比 Usage

用法解释 Comparison

“困苦”主要指生活，而“痛苦”主要指身体和精神。

语境示例 Examples

① 这种病折磨得他非常痛苦。(＊这种病折磨得他非常困苦。)
② 是大夫帮助我解除了疾病的痛苦。(＊是大夫帮助我解除了疾病的困苦。)
③ 过去我们村里，大家的生活都很困苦。(＊过去我们村里，大家的生活都很痛苦。)
④ 失恋给他精神上造成了极大的痛苦。(＊失恋给他精神上造成了极大的困苦。)
⑤ 他不愿再回忆那段痛苦的经历。(＊他不愿再回忆那段困苦的经历。)
⑥ 要战胜一切艰难困苦，达到成功的彼岸。(＊要战胜一切艰难痛苦，达到成功的彼岸。)

1256 头[名、形]tóu ▶ 头脑[名]tóunǎo

词义说明 Definition

头[head] 人的头部：~疼|从~到脚。[hair or hair style] 头发或发型：梳~|平~。[top; end] 物体的顶端或末梢：街东~。[beginning or end] 事情的起点或终点：话~儿。[first] 第一：~等车厢。[(used before a numeral) first] 用在数量词前边，表示次序在前的：~三名|~一个月|~一遍。

头脑[brains; mind] 脑筋：~清楚。[main threads; clue] 头绪：摸不着~。

词语搭配 Collocation

	~疼	从~到脚	梳~	山~	笔~儿	~等	万事开~难	很有~	没有~	~清楚
头	√	√	√	√	√	√	√	×	√	×
头脑	×	×	×	×	×	×	×	√	√	√

用法对比 Usage

"头"是个多义词，还是个语素，有组词能力；"头脑"不能与其他语素组合。

① 不要被小小的胜利冲昏了头。(☺不要被小小的胜利冲昏了头脑。)
② 我刚来，一切都还摸不着头脑。(*我刚来，一切都还摸不着头。)
③ 他头脑很清楚。(*他头很清楚。)
④ 我感冒了，发烧，头疼。(*我感冒了，发烧，头脑疼。)
⑤ 昨天来找你的那个人个子不高，留着小平头。(*昨天来找你的那个人个子不高，留着小平头脑。)
⑥ 越是在这个时候，越是要保持清醒的头脑。(*越是在这个时候，越是要保持清醒的头。)
⑦ 你把这篇课文从头读一遍。(*你把这篇课文从头脑读一遍。)

"头"有形容词的用法，"头脑"没有。

这是头等茶叶。(*这是头脑等茶叶。)

1257 头子[名]tóuzi ▶ 首领[名]shǒulǐng

词义说明 Definition

头子[chieftain; chief; boss] 首领（含贬义）。

首领[chieftain; leader; head] 指某些集团的领导人。

词语搭配 Collocation

	土匪～	黑帮～	集团～	军队～	地方～
头子	√	√	×	×	×
首领	×	×	√	√	√

用法对比 Usage

用法解释 Comparison

“首领”是个中性词，“头子”是个贬义词；“头子”用于口语，“首领”没有此限。

语境示例 Examples

① 这个恐怖组织的头子目前在逃。(☺这个恐怖组织的首领目前在逃。)

② 警察摧毁了一个黑社会组织，抓获了这个组织的头子。(☺警察摧毁了一个黑社会组织，抓获了这个组织的首领。)

③ 纵观中国历史，不少农民起义军首领一旦获得权利和地位就走向专制和腐败。（＊纵观中国历史，不少农民起义军头子一旦获得权利和地位就走向专制和腐败。)

④ 政府军和反政府游击队的首领进行了谈判。（＊政府军和反政府游击队的头子进行了谈判。)

T

1258 透明[形]tòumíng ▶ 透亮[形]tòuliàng

词义说明 Definition

透明[transparent; diaphanous]（物体）能透出光线的：玻璃～。

透亮[bright; transparent]（因透光而）明亮：窗户大，屋子里很～。[perfectly clear]（心里）明白：这么一说，我心里就～了。

词语搭配 Collocation

	不～	很～	～度	～体	窗户～	心里～
透明	√	√	√	√	√	×
透亮	√	√	×	×	√	√

用法对比 Usage

用法解释 Comparison

“透明”和“透亮”都有透光的意思；不过，“透亮”表示心里明白，“透明”还有公开，让公众知道的意思。

语境示例 Examples

① 纱窗不透明。(☺纱窗不透亮。)

② 水是透明的液体。(＊水是透亮的液体。)

③ 房间的窗户很大，所以屋子里显得很透亮。(＊房间的窗户很大，所以屋子里显得很透明。)

④ 选拔领导干部要增加透明度。(＊选拔领导干部要增加透亮度。)

⑤ 你这么一说，我心里就透亮了。(＊你这么一说，我心里就透明了。)

1259 突破[动]tūpò ▶ 冲破[动]chōngpò

词义说明 Definition

突破[break through; make a breakthrough] 集中兵力向一点进攻或反攻，打开缺口。[surmount (difficulty); break (limit)] 打破（苦难、限制等）。

冲破 [break through (a certain situation, limitation, etc.); breach] 突破某种状态、限制等。

词语搭配 Collocation

	～封锁	～禁区	～障碍物	～难关	～定额	新～	～防线	～敌人阵地	～束缚
突破	√	√	√	√	√	√	√	√	√
冲破	√	√	×	×	×	×	×	×	√

用法对比 Usage

用法解释 Comparison

"突破"的对象既可以是具体的，又可以是抽象的；"冲破"的对象一般是抽象的，如传统观念的束缚、旧的经济体制等。

语境示例 Examples

① 中国已经突破了旧的经济体制的束缚，初步建立起了市场经济体系。(☺中国已经冲破了旧的经济体制的束缚，初步建立起了市场经济体系。)

② 要改革就要敢于突破禁区。(☺要改革就要敢于冲破禁区。)

③ 要勇敢地冲破旧思想旧观念的束缚，解放思想，大胆创新。(☺要勇敢地突破旧思想旧观念的束缚，解放思想，大胆创新。)

④ 新稻种试验成功后，水稻可望突破亩产1000公斤大关。(＊新稻种试验成功后，水稻可望冲破亩产1000公斤大关。)

⑤ 我们月月突破生产定额，超额完成任务。(＊我们月月冲破生产定额，超额完成任务。)

⑥ 一定要尽快突破语音语调和汉字这些难关。(＊一定要尽快冲破语音语调和汉字这些难关。)

⑦ 经过多年的刻苦努力，中国终于在冰上运动项目上，实现了零的突破。(＊经过多年的刻苦努力，中国终于在冰上运动项目上，实现了零的冲破。)

1260 徒弟[名]túdì ▶ 弟子[名]dìzǐ

词义说明 Definition

徒弟[apprentice; disciple] 跟从师傅学习的人。

弟子[disciple; pupil; follower] 学生，徒弟。

词语搭配 Collocation

	他的～	关门～	收他做～	当～
徒弟	√	×	√	√
弟子	√	√	√	×

用法对比 Usage

用法解释 Comparison

"徒弟"和"弟子"的意思相同，但是，"徒弟"多指工业、手工业、商业部门跟师学徒的人，“弟子”一般是指在教育、艺术部门跟老师或导师学习的专业人员。

语境示例 Examples

① 过去师傅和徒弟的关系非常复杂，好的情同父子，不好的就是主仆关系。（*过去师傅和弟子的关系非常复杂，好的情同父子，不好的就是主仆关系。）
② 他早年曾在一家店铺当徒弟。（*他早年曾在一家店铺当弟子。）
③ 他曾是高教授的弟子，现在也是有名的教授了。（*他曾是高教授的徒弟，现在也是有名的教授了。）
④ 这位是著名画家关山清的弟子。（*这位是著名画家关山清的徒弟。）
⑤ 我的导师总希望自己的弟子能超过他。（*我的导师总希望自己的徒弟能超过他。）

1261 团聚[动]tuánjù ▶ 团圆[动]tuányuán

词义说明 Definition

团聚[reunite] 相聚（多指亲人分别后再相聚）。[unite and gather] 团结聚集。

团圆[reunion (of family members)]（夫妻、父子等）散而复聚。

词语搭配 Collocation

	全家～	骨肉～	夫妻～	～饭	～节
团聚	√	√	√	×	×
团圆	√	√	√	√	√

用法对比 Usage

用法解释 Comparison

“团聚”和“团圆”有相同的意思，“团聚”除了指亲人之间的相聚之外，还有团结聚集力量的意思。

语境示例 Examples

① 中国传统的节日——春节和中秋节都是家庭团聚的日子。（☺中国的传统节日——春节和中秋节都是家庭团圆的日子。）
② 由于人为的因素，海峡两岸的亲人至今不能真正团聚。（*由于人为的因素，海峡两岸的亲人至今不能真正团圆。）
③ 你们夫妻团圆，应该高兴才是，你怎么哭了？（☺你们夫妻团聚，

应该高兴才是，你怎么哭了?)

④ 今天我们全家好好吃一顿团圆饭吧。(*今天我们全家好好吃一顿团聚饭吧。)

⑤ 分别多年的兄弟团聚在一起，都有说不完的话。(*分别多年的兄弟团圆在一起，都有说不完的话。)

1262 推迟[动]tuīchí ▶ 推后[动]tuīhòu

词义说明 Definition

推迟[put off; postpone; defer] 把预定时间向后改动。

推后[put off; defer] 把预定时间向后推。

词语搭配 Collocation

	~了	~一天	~婚期	~毕业	~回国	~关门	~结束	~起飞	~开业
推迟	√	√	√	√	√	√	√	√	√
推后	√	√	√	√	√	√	√	√	√

用法对比 Usage

用法解释 Comparison

“推迟”和“推后”是同义词，可以互换使用。

语境示例 Examples

① 为了早日完成这项宏伟工程，一些青年工人主动推迟了婚期。(☺为了早日完成这项宏伟工程，一些青年工人主动推后了婚期。)

② 因为有病，他是推迟一年毕的业。(☺因为有病，他是推后一年毕的业。)

③ 我想推迟半个月回国。(☺我想推后半个月回国。)

④ 应广大观众要求，他们决定把这个展览结束的日期推迟两天。(☺应广大观众要求，他们决定把这个展览结束的日期推后两天。)

⑤ 因为有大雾，飞机只好推迟起飞。(☺因为有大雾，飞机只好推后起飞。)

1263 推动 tuī dòng ▶ 推进[动]tuījìn

词义说明 Definition

推动[push forward; promote; give impetus to]使事物前进，使工

作展开。

推进[push on; carry forward; advance; give impetus to]推动工作，使前进。[move forward; push; drive]使前进。

词语搭配 Collocation

	～工作	～事业发展	～科学研究	～教学	～到一个新阶段	向前～
推动	√	√	√	√	×	√
推进	√	√	√	√	√	√

用法对比 Usage

用法解释 Comparison

“推动”是离合词，可以分开用，加“得”或“不”组成“推得动”和“推不动”。“推进”是个动词，没有这种用法。

语境示例 Examples

① 要不断总结经验，推动经济改革顺利进行。(☺要不断总结经验，推进经济改革顺利进行。)

② 要调动一切积极因素，推动中国的现代化建设。(☺要调动一切积极因素，推进中国的现代化建设。)

③ 改革开放推动了中国各项事业的发展。(☺改革开放推进了中国各项事业的发展。)

④ 要把学校的科研工作再向前推进一步。(☺要把学校的科研工作再向前推动一步。)

⑤ 这个班的汉语水平还很低，用汉语讲专业课根本推不动。(＊这个班的汉语水平还很低，用汉语讲专业课根本推不进。)

1264 推荐[动]tuījiàn ▶ 介绍[动]jièshào

词义说明 Definition

推荐[recommend]把好的人或事物向人或组织介绍，希望被任用或接受。

介绍[introduce; present]使双方相识或发生联系。[recommend; suggest]引进；带入新的人或事物。[let know; brief]使了解情况或使熟悉。

词语搭配 Collocation

	～她当经理	～这种药	～优秀作品	～人	～信	～一下	自我～	～入会	～情况
推荐	√	√	√	√	√	√	√	×	×
介绍	×	√	√	√	√	√	√	√	√

用法对比 Usage

用法解释 Comparison

"推荐"的对象一般是好的人或好的事物，"介绍"的对象不受此限。

语境示例 Examples

①《健康报》上推荐了一种治疗心脏病的新药。(☺《健康报》上介绍了一种治疗心脏病的新药。)

② 我给你推荐一本书，你可以看看。(☺我给你介绍一本书，你可以看看。)

③ 我推荐一个人，他可以帮助你们解决这个难题。(☺我介绍一个人，他可以帮助你们解决这个难题。)

④ 我先介绍一下，这位是李教授，这位是我们公司的马经理。(*我先推荐一下，这位是李教授，这位是我们公司的马经理。)

⑤ 是王教授介绍我来拜访您的。(*是王教授推荐我来拜访您的。)

⑥ 今天请专家给我们介绍一下科学养殖的方法。(*今天请专家给我们推荐一下科学养殖的方法。)

1265 推算[动] tuīsuàn ▶ 推测[动] tuīcè

词义说明 Definition

推算[calculate; reckon] 根据已有的数据计算出有关的数值。

推测[infer; conjecture; guess] 根据已知的事情来想像不知道的事情。

词语搭配 Collocation

	进行～	～他的年龄	～一下	～出来	～不出来	无法～	～得很准
推算	√	√	√	√	√	√	√
推测	√	×	√	√	√	√	√

T

用法对比　Usage

用法解释 Comparison

“推算”的对象是数量，“推测”的对象除了数量以外，还包括事情的原因和结果等。

语境示例 Examples

① 算卦的说能根据你的生日推算出你的未来，完全是胡说八道。(☺算卦的说能根据你的生日推测出你的未来，完全是胡说八道。)

② 根据太阳、地球、月球运行的规律，可以推算出日食和月食的时间。(☺根据太阳、地球、月球运行的规律，可以推测出日食和月食的时间。)

③ 这些文物是什么年代的，现在还无从推测。(*这些文物是什么年代的，现在还无从推算。)

④ 你是属狗的，我推算你今年二十了，对吧？(*你是属狗的，我推测你今年二十了，对吧?)

⑤ 据专家推测，这是一亿年前的鸟类化石。(*据专家推算，这是一亿年前的鸟类化石。)

1266 推选[动]tuīxuǎn ▶ 选[动、名]xuǎn

词义说明　Definition

推选[orally nominate for election; elect; choose] 口头推举选任。

选[select; choose; pick] 挑选合适的、喜欢的人或东西：~好的买。[elect] 选举：~学生代表。[person or thing selected] 被选中的人或物：人~。[selection; anthology] 挑选出来编在一起的作品：小说~。

词语搭配　Collocation

	~代表	~他当班长	~教材	乒乓球~手	唐诗~
推选	√	√	×	×	×
选	√	√	√	√	√

用法对比　Usage

用法解释 Comparison

“推选”是“选”的一种方式，不需要投票，可以口头提名选举；“选”一般要投票。“推选”的宾语只能是人，“选”的宾语不限于人，也可以是物。

语境示例 Examples

① 大家推选麦克当班长。(☺大家选麦克当班长。)

② 我们推选他当代表。(☺我们选他当代表。)

"选"口语中还有"被选"的意思，"推选"没有这个意思。

他选上总统了。(＊他推选上总统了。)

"选"还有"挑选"、"选择"等意思，"推选"没有这些意思。

① 你选一个大的（苹果）吃。(＊你推选一个大的〔苹果〕吃。)

② 你选不选写作课？(＊你推选不推选写作课？)

1267 妥当[形]tuǒdàng ▶ 妥善[形]tuǒshàn

词义说明 Definition

妥当[appropriate; proper] 稳妥适当。

妥善[appropriate; proper; well arranged] 妥当可靠。

词语搭配 Collocation

	很～	不～	安排～	～安置	用词～
妥当	√	√	√	×	√
妥善	√	√	√	√	×

用法对比 Usage

用法解释 Comparison

"妥当"和"妥善"都可以作状语和补语。但是，"妥当"常作定语和谓语；"妥善"常作定语，不常作谓语。

语境示例 Examples

① 中国的大学对外国留学生都有妥当的安排，让他们一到就能吃住无忧，安心学习。(☺中国的大学对外国留学生都有妥善的安排，让他们一到就能吃住无忧，安心学习。)

② 这件事处理得不太妥当。(＊这件事处理得不太妥善。)

③ 要妥善安置复员转业军人的工作。(＊要妥当安置复员转业军人的工作。)

④ 我把出国留学的一切手续都办妥当了，才告诉父母。(＊我把出国留学的一切手续都办妥善了，才告诉父母。)

⑤ 这个词用在这里不是很妥当。(＊这个词用在这里不是很妥善。)

W

1268 外[名]wài ▶ 外边[名]wàibian

词义说明 Definition

外[(as opposed to 'in' or 'inner') out; outside] 外边；外边的(跟"内"或"里"相对)：～表|～出|课～活动。[other (than one's own)] 自己所在地以外的：～省|～地。[foreign] 外国；外国的：～语|对～贸易。[relatives of one's mother, sister or daughter] 称母亲或女儿方面的亲戚：～祖母|～孙。[besides; apart from] 以外：除～|五百米～。

外边[outside; out] 超出某一范围的地方：到～散散步吧。[place other than one's own] 指外地：儿子在～工作。[surface; exterior] 表面：箱子～。

词语搭配 Collocation

	～国	～商	～出	～地	～语	～贸	～祖父	～甥	此～	教室～
外	√	√	√	√	√	√	√	√	√	√
外边	×	×	×	×	×	×	×	×	×	√

用法对比 Usage

用法解释 Comparison

"外边"和"外"只有在表示方位的意思时相同。"外"与其他语素可以组成新词语；"外边"没有这种组词能力，单用较自由。

语境示例 Examples

① 教室外边停了很多车。(☺教室外停了很多车。)
② 出门在外一定要注意身体。(☺出门在外边一定要注意身体。)
③ 他外边穿了一件黑大衣。(＊他外穿了一件黑大衣。)
④ 听，外边是不是有人敲门。(＊听，外是不是有人敲门。)
⑤ 中国将坚持对外开放的政策。(＊中国将坚持对外边开放的政策。)
⑥ 这个消息外边早传开了，你怎么还不知道？(＊这个消息外早传

开了，你怎么还不知道？）

⑦ 一到国庆节，驻外使领馆都要举行招待会。（＊一到国庆节，驻外边使领馆都要举行招待会。）

⑧ 他到外地出差去了，还没有回来。（＊他到外边地出差去了，还没有回来。）

1269 外表[名]wàibiǎo ▶ 外观[名]wàiguān

词义说明 Definition

外表[appearance] 表面。

外观[appearance；exterior] 物体从外表看的样子。

词语搭配 Collocation

	看～	～很好	～很美观	～典雅大方	楼的～
外表	√	√	√	√	√
外观	√	√	×	√	√

用法对比 Usage

用法解释 Comparison

说“外表”时，表示物体表面的客观存在，不含主观评价因素，用“外观”时有对物体表面主观评价的意味。

语境示例 Examples

① 这套家具外表还可以，不知道内在质量怎么样。（☺这套家具外观还可以，不知道内在质量怎么样。）

② 你别看这座楼的外表不好看，其实里边的装修非常豪华。（☺你别看这座楼的外观不好看，其实里边的装修非常豪华。）

③ 看人不能只看外表，更要看他内在的气质和人品。（＊看人不能只看外观，更要看他内在的气质和人品。）

④ 这个数码相机不但内在质量好，外表也很美观。（＊这个数码相机不但内在质量好，外观也很美观。）（☺这个照相机不但内在质量好，外观也很好。）

⑤ 这座房子的外表经过粉刷以后，漂亮多了。（＊这座房子的外观经过粉刷以后，漂亮多了。）

W

1270 外部[名]wàibù ▶ 外界[名]wàijiè

词义说明 Definition

外部[outside; external] 某一范围以外。[exterior; surface] 表面；外表。

外界[external (or outside) world] 某个物体以外的空间。[outside] 某个范围以外的社会。

词语搭配 Collocation

	~世界	~情况	~条件	~因素	~反映	~影响	~舆论
外部	√	√	√	√	×	×	√
外界	×	×	×	×	√	√	√

用法对比 Usage

用法解释 Comparison

“外部”既表示具体的处所，也表示抽象的处所，包括人的因素，也包含其他因素；而“外界”只表示抽象的处所，只指人的因素。

语境示例 Examples

① 迫于外部舆论的压力，他们不得不改变态度。(☺迫于外界舆论的压力，他们不得不改变态度。)

② 近来我一天到晚忙工作，所以对外部世界了解得很少。(＊近来我一天到晚忙工作，所以对外界世界了解得很少。)

③ 你们公司开展的这项公益活动外界反映很好。(＊你们公司开展的这项公益活动外部反映很好。)

④ 这座楼的外部需要重新粉刷一下。(＊这座楼的外界需要重新粉刷一下。)

⑤ 家居的外部环境十分重要。(＊家居的外界环境十分重要。)

1271 外交[名]wàijiāo ▶ 外事[名]wàishì

词义说明 Definition

外交[diplomacy; foreign affairs] 一个国家在国际关系方面的活动，如参加国际组织和会议，跟别的国家互派使节、进行谈判、签定条约和协定等。

外事[foreign affairs; external affairs] 外交事务。

词语搭配 Collocation

	～部	～活动	～机关	～关系	～谈判	～途径	～人员	～辞令	～特权	～使节
外交	√	√	√	√	√	√	√	√	√	√
外事	×	√	√	×	√	×	√	×	×	×

用法对比 Usage

用法解释 Comparison

“外交”多指一个国家的涉外活动，“外事”除表示外交事务的意义之外，主要指一个单位的涉外活动。

语境示例 Examples

① 在外交活动中要注意尊重各国人民的风俗习惯，不能强加于人。(☺在外事活动中要注意尊重各国人民的风俗习惯，不能强加于人。)

② 今年中国的外交活动非常活跃。(*今年中国的外事活动非常活跃。)

③ 其余问题双方商定，通过外交途径解决。(*其余问题双方商定，通过外事途径解决。)

④ 两国通过谈判，决定从今年五月八日起建立大使级外交关系。(*两国通过谈判，决定从今年五月八日起建立大使级外事关系。)

⑤ 参加今天植树活动的还有各国驻华使馆的外交官员。(*参加今天植树活动的还有各国驻华使馆的外事官员。)

⑥ 学校外事处要组织留学生参观这个展览。(*学校外交处要组织留学生参观这个展览。)

1272 外语[名]wàiyǔ ▶ 外文[名]wàiwén

W

词义说明 Definition

外语[foreign language] 外国语。

外文[foreign language] 外国的语言或文字。

词语搭配 Collocation

	~系	~学院	说~	~书店	学习~	~杂志	~报纸	~翻译	用~写
外语	√	√	√	×	√	√	√	√	√
外文	×	×	×	√	√	√	√	√	√

用法对比 Usage

用法解释 Comparison

“外语”偏重于指“语”，“外文”偏重于指“文”，不过交际中，一般不分，可以通用。“外语”比“外文”常用，“外文”多用于书面。

语境示例 Examples

① 阅览室有很多外文杂志和外文报。(☺阅览室有很多外语杂志和外语报。)

② 掌握一门外语是每个大学生必须具备的基本能力。(☺掌握一门外文是每个大学生必须具备的基本能力。)

③ 因为从小在国外长大，他外语说得比中文还流利。(☺因为从小在国外长大，他外文说得比中文还流利。)

④ 他是外语学院的教授。(* 他是外文学院的教授。)

⑤ 你们外语系有多少语种？(* 你们外文系有多少语种？)

⑥ 学校附近就有个外文书店。(* 学校附近就有个外语书店。)

1273 完[动]wán ▶ 完成[动]wánchéng

词义说明 Definition

完[intact; whole] 全；完整：覆巢之下无~卵。[run out; use up] 消耗尽；没有剩余：打印纸用~了。[finish; complete; be over; be through] 完结；完成：作业做~了。

完成[accomplish; complete; fulfil] 按照预期的目的结束：~任务。

词语搭配 Collocation

	~工	~了	~作业	~计划	~学业	~好	看~	做~	用~
完	√	√	×	×	×	√	√	√	√
完成	×	√	√	√	√	×	×	×	×

用法对比 Usage

用法解释 Comparison

“完”和“完成”都是动词，都可以作谓语，但是因为音节不同，“完”要带单音节名词作宾语，“完成”要带双音节词语作宾语；“完”可以作补语，“完成”不能作补语。

语境示例 Examples

① 工作完了，咱们去放松放松吧。（☺工作完成了，咱们去放松放松吧。）
② 第三册书你们学完了没有？（*第三册书你们学完成了没有？）
③ 要按时完成老师布置的作业。（*要按时完老师布置的作业。）
④ 我这个月的钱已经花完了。（*我这个月的钱已经花完成了。）
⑤ 这个学期又快完了。（*这个学期又快完成了。）
⑥ 这个手机掉在地上摔了一下，竟然完好无损。（*这个手机掉在地上摔了一下，竟然完成好无损。）

1274 完成[动]wánchéng ▶ 完毕[动]wánbì

词义说明 Definition

完成[accomplish; complete; fulfil] 按照预期的目的结束：～任务。

完毕[finish; complete; end] 完结：一切都已准备～，只等出发了。

词语搭配 Collocation

	～了	工作～了	～任务	～作业	操练～	考试～	工程～了
完成	√	√	√	√	×	×	√
完毕	√	√	×	×	√	√	√

用法对比 Usage

用法解释 Comparison

“完成”和“完毕”都可以作谓语。但是，“完成”是及物动词，可以带宾语，“完毕”是不及物动词，不能带宾语。

语境示例 Examples

① 这项工程已经完成了。（☺这项工程已经完毕了。）
② 要按时完成这个实验。（*要按时完毕这个实验。）

③ 南水北调工程需要多长时间才能完成？（＊南水北调工程需要多长时间才能完毕？）
④ 我们保证完成领导交给的任务。（＊我们保证完毕领导交给的任务。）
⑤ 训练完毕，他们全身都是汗。（＊训练完成，他们全身都是汗。）
⑥ 考试一完毕，他就去旅行了。（＊考试一完成，他就去旅行了。）

1275 完全[形]wánquán ▶ 全部[名]quánbù

词义说明 Definition

完全[complete; whole] 齐全；不缺少什么：电教室的设备不～。[completely; fully; wholly; entirely; absolutely] 全部：～不了解情况。

全部[whole; complete; total; all] 各个部分的总和：～情况就是这样。

词语搭配 Collocation

	～同意	～好了	～懂了	～掌握了	～解决	～完成	～力量	～时间	～精力
完全	√	√	√	√	√	×	×	×	×
全部	√	√	√	√	√	√	√	√	√

用法对比 Usage

"完全"是形容词，"全部"是名词。"完全"可以用来作状语，也可以作谓语，但不能作宾语。"全部"可以作状语、定语和宾语，但不能作谓语。

① 中文广播我现在还不能完全听懂。(☺中文广播我现在还不能全部听懂。)
② 我们班完全是外国留学生，没有一个中国学生。(☺我们班全部是外国留学生，没有一个中国学生。)
③ 老师，课后的练习全部都做吗？（＊老师，课后的练习完全都做吗？）
④ 我们现在了解到的情况只是一部分，而不是全部。（＊我们现在了解到的情况只是一部分，而不是完全。）
⑤ 我完全支持你的立场。(＊我全部支持你的立场。)

"完全"可以用"不"否定，"全部"不能。

这个句子没有"了"，意思不完全。（＊这个句子没有"了"，意思不全部。）

“全部”可以作定语，“完全”不能。

① 这一课的全部练习我都做了。（＊这一课的完全练习我都做了。）

② 他把自己的全部力量都献给了中国的慈善事业。（＊他把自己的完全力量都献给了中国的慈善事业。）

1276 完全[形]wánquán ▶ 完整[形]wánzhěng

词义说明 Definition

完全[complete; whole] 齐全；不缺少什么：四肢～。[completely; fully; wholly; absolutely; entirely] 全部：～不懂。

完整[complete; integrated; intact] 具有或保持着应有的各部分；没有损坏或残缺：维护领土～。

词语搭配 Collocation

	～不懂	～明白	～同意	～好了	～支持	领土～	结构～	很～
完全	√	√	√	√	√	×	×	×
完整	×	×	×	×	×	√	√	√

用法对比 Usage

用法解释 Comparison

“完全”强调的是“全”，是事物的全部或各部分都齐备，“完整”强调的是“整体”完好，没有残缺。“完全”常用来作状语，“完整”常用来作谓语。

语境示例 Examples

① 完全：这位外国人把当年他爷爷得到的中国文物完全交还给了中国。（指全部还给了中国）

完整：这位外国人把当年他爷爷得到的中国文物完整地交还给了中国。（指这些文物没有破损）

② 我这套《鲁迅全集》丢了一本，已经不完整了。（☺我这套《鲁迅全集》丢了一本，已经不完全了。）

③ 我完全听不懂中文广播说的是什么。（＊我完整听不懂中文广播说的是什么。）

④ 我完全同意你的意见。（＊我完整同意你的意见。）

⑤ 妈妈的病已经完全好了。（＊妈妈的病已经完整好了。）

⑥ 这次出土的铜马车很完整，没有受到损坏。（＊这次出土的铜马车很完全，没有受到损坏。）

1277 完善[形、动]wánshàn ▶ 完备[形]wánbèi

词义说明 Definition

完善[perfect; consummate] 该有的都有而且很好：管理制度还有待～。[make perfect; improve] 使完善：～管理制度。

完备[complete; perfect] 应该有的全都有了：新房里的家具还不～。

词语搭配 Collocation

	很～	非常～	不～	设备～	教具～	制度～	～管理	～制度	～法律
完善	√	√	√	√	√	√	√	√	√
完备	√	√	√	√	√	×	×	×	×

用法对比 Usage

用法解释 Comparison

形容词“完善”侧重描写抽象事物，而“完备”侧重描写具体事物。“完善”还是动词，可以带宾语，有使动义，“完备”不能带宾语。

语境示例 Examples

① 这个方案有什么不完善的地方请大家提出来，我们好进一步修改。（☺这个方案有什么不完备的地方请大家提出来，我们好进一步修改。）

② 体育馆里各种设施还比较完备。（☺体育馆里各种设施还比较完善。）

③ 公司的规章制度还有待完善。（＊公司的规章制度还有待完备。）

④ 我们学校有很完备的教学设施。（＊我们学校有很完善的教学设施。）

⑤ 中国正在不断地完善各项法律法规。（＊中国正在不断地完备各项法律法规。）

⑥ 我有一套完备的中文软件。（＊我有一套完善的中文软件。）

1278 完善[形、动]wánshàn ▶ 完美[形]wánměi

词义说明 Definition

完善[perfect; consummate] 该有的都有而且很好：设施～。[make perfect; improve] 使完善：～规章制度。

完美[perfect; consummate] 完备美好；没有缺陷：～的结局。

词语搭配 Collocation

	很～	非常～	设备～	制度～	～管理	～法规	追求～	～无缺	～的艺术	～的形式
完善	√	√	√	√	√	√	×	×	×	×
完美	√	√	×	√	×	×	√	√	√	√

用法对比 Usage

用法解释 Comparison

“完善”可以带宾语，“完美”不能带宾语；“完善”可以修饰抽象事物，也可以修饰具体事物，“完美”多修饰抽象事物。

语境示例 Examples

① 这个计划订得很完善，但是要实现它可不是一件容易的事。(☺这个计划订得很完美，但是要实现它可不是一件容易的事。)

② 这个体育馆设备完善，完全符合举行国际比赛的标准。(*这个体育馆设备完美，完全符合举行国际比赛的标准。)

③ 这部歌剧以完美的艺术形式表现了一个美丽动人的爱情故事。(*这部歌剧以完善的艺术形式表现了一个美丽动人的爱情故事。)

④ 当今世界上还没有一种社会制度是完美无缺的，都需要不断完善。(*当今世界上还没有一种社会制度是完善无缺的，都需要不断完美。)

⑤ 这部小说以生动的语言和感人的故事，塑造了一个鲜明的艺术形象，达到了近乎完美的艺术境界。(*这部小说以生动的语言和感人的故事，塑造了一个鲜明的艺术形象，达到了近乎完善的艺术境界。)

⑥ 这个杂技表演以完美的技巧征服了观众。(*这个杂技表演以完善的技巧征服了观众。)

1279 顽固[形]wángù ▶ 顽强[形]wánqiáng

词义说明 Definition

顽固[obstinate; stubborn; headstrong] 思想保守，不愿意接受新事物。[bitterly opposed to change; die-hard] 在政治上坚持错误，不肯改变。

顽强[indomitable; tenacious] 坚强；强硬。

词语搭配 Collocation

	很～	～不化	～守旧	～分子	～的斗争	～的性格
顽固	√	√	√	√	×	×
顽强	√	×	×	×	√	√

用法对比 Usage

用法解释 Comparison

“顽固”和“顽强”的意思不同，“顽固”是贬义词，“顽强”是褒义词，它们不能相互替换。

语境示例 Examples

① 你也太顽固了，怎么一点儿也听不进别人的意见呢？（*你也太顽强了，怎么一点儿也听不进别人的意见呢？）

② 他以顽强的毅力战胜了疾病，并且创造出令人钦佩的成就。（*他以顽固的毅力战胜了疾病，并且创造出令人钦佩的成就。）

③ 她与抢劫银行的歹徒进行了英勇顽强的斗争。（*她与抢劫银行的歹徒进行了英勇顽固的斗争。）

④ 他从小就有一种顽强的性格，不达目的誓不罢休。（*他从小就有一种顽固的性格，不达目的誓不罢休。）

⑤ 顽固坚持军国主义立场的人是极少数。（*顽强坚持军国主义立场的人是极少数。）

1280 顽强[形]wánqiáng ▶ 坚强[形]jiānqiáng

词义说明 Definition

顽强[tenacious; indomitable] 坚持；强硬。

坚强［strong; firm; staunch］强固有力，不可动摇或摧毁。［strengthen］使坚强。

词语搭配 Collocation

	很～	～的精神	～的斗争	～领导	性格～	～的意志	～不屈	～信心	～起来
顽强	√	√	√	×	√	√	×	×	×
坚强	√	×	√	√	×	√	√	√	√

用法对比 Usage

用法解释 Comparison

“坚强”和“顽强”都可以形容抽象事物，如斗争、意志等，“坚强”有使动的用法，“顽强”没有使动的用法。

语境示例 Examples

① 他是一个意志顽强的人，历经磨难，仍赤心不改，敢于为民请命，大胆直言。(☺他是一个意志坚强的人，历经磨难，仍赤心不改，敢于为民请命，大胆直言。)

② 他凭着顽强的性格，战胜了重重困难，终于把这个机器人研制成功了。(＊他凭着坚强的性格，战胜了重重困难，终于把这个机器人研制成功了。)

③ 正是在他的坚强领导下，我们才取得了这么伟大的胜利。(＊正是在他的顽强领导下，我们才取得了这么伟大的胜利。)

④ 越是在困难的时候，越是要坚强信心，看到前途，看到光明，提高我们战胜困难的勇气。(＊越是在困难的时候，越是要顽强信心，看到前途，看到光明，提高我们战胜困难的勇气。)

⑤ 在敌人的威胁利诱面前，她表现得坚强不屈，大义凛然。(＊在敌人的威胁利诱面前，她表现得顽强不屈，大义凛然。)

1281 晚［形、名］wǎn ▶ 晚上［名］wǎnshang

词义说明 Definition

晚［evening; night］晚上。［delayed; behind］比规定的或合适的时间靠后：～秋。

晚上［(in the) evening; (at) night］太阳落了以后到深夜以前的一段时间。也泛指夜里。

词语搭配 Collocation

	很~	不~	太~了	~了	~会	~饭	~年	来得~	去得~	睡得~	今天~	一个~
晚	√	√	√	√	√	√	√	√	√	√	×	×
晚上	×	×	×	√	×	×	×	×	×	×	√	√

用法对比 Usage

用法解释 Comparison

“晚”是形容词也是名词，“晚上”只是名词；“晚”可以作动词的补语，“晚上”不能作补语。

语境示例 Examples

① 今晚你有事吗？(☺今天晚上你有事吗?)

② 我咳嗽得一个晚上没睡好。(＊我咳嗽得一个晚没睡好。)(☺我咳嗽得一晚没睡好。)

③ 我每天都睡得很晚。(＊我每天都睡得很晚上。)

④ 对不起，我来晚了。(＊对不起，我来晚上了。)

⑤ 我们现在去晚不晚？(＊我们现在去晚上不晚上?)

⑥ 因为有雾，飞机晚起飞了两个多小时。(＊因为有雾，飞机晚上起飞了两个多小时。)

⑦ 爸爸妈妈都已经退休，我希望他们有个幸福的晚年。(＊爸爸妈妈都已经退休，我希望他们有个幸福的晚上年。)

1282 万万 [副] wànwàn ▶ 千万 [副] qiānwàn

词义说明 Definition

万万 [(used in the negative) absolutely] 绝对；无论如何（用于否定式）。

千万 [be sure to; must] 务必，一定（表示恳切叮咛）。

词语搭配 Collocation

	~没想到	~不可	~不能	~记着	~别干	~小心	~来信
万万	√	√	√	×	×	×	×
千万	×	√	√	√	√	√	√

W

用法对比　Usage

用法解释 Comparison

"万万"多用于否定句，表示强烈否定和禁止的语气；"千万"表示叮咛和嘱咐，只用于祈使句。

语境示例 Examples

① 刚下了雪，路滑，开车一定要小心，万万不可大意。（☺刚下了雪，路滑，开车一定要小心，千万不可大意。）
② 这种违法的事儿你千万不要干。（*这种违法的事儿你万万不要干。）
③ 我万万没想到，出卖我的竟是自己的朋友。（*我千万没想到，出卖我的竟是自己的朋友。）
④ 这件事你千万不要告诉她。（*这件事你万万不要告诉她。）
⑤ 你千万要记住，不论走到什么地方，你都是中国人，不能做对不起祖国的事。（*你万万要记住，不论走到什么地方，你都是中国人，不能做对不起祖国的事。）
⑥ 到了那里千万来个电话，免得我们担心。（*到了那里万万来个电话，免得我们担心。）

1283 往[介]wǎng ▶ 向[介]xiàng

词义说明　Definition

往[be bound for; in the direction of; towards; to] 表示动作方向，（向某处）去：～东走|～左拐|开～北京|飞～沈阳。

向[towards; in the direction of] 表示动作方向：～右看|～他学习|从胜利走～胜利。

词语搭配　Collocation

	～东走	～右拐	飞～北京	～前看	走～明天	～右看齐	～她学习
往	√	√	√	√	×	×	×
向	√	√	√	√	√	√	√

用法对比　Usage

"往"和"向"只在表示动作方向这个意义上有相同的用法，它们的宾语都可以是方位处所词；"向"的宾语还可以是人，"往"的宾语不能是人。

① 凡事要向远处看，不要只看眼前。（☺凡事要往远处看，不要只看

眼前。)

② 从这儿往前走，不远就是一个药店。(☺从这儿向前走，不远就是一个药店。)

③ 我们向老师表示衷心的感谢。(＊我们往老师表示衷心的感谢。)

④ 我有个问题想向您请教。(＊我有个问题想往您请教。)

⑤ 在这方面，我应该向你学习。(＊在这方面，我应该往你学习。)

⑥ 他回过头来，向我们挥了挥手就走了。(＊他回过头来，往我们挥了挥手就走了。)

“向”作补语时，它的宾语既可是抽象的，也可是具体的，“往”作补语时，它的宾语是具体的。

① 我们必将从胜利走向新的更大的胜利。(＊我们必将从胜利走往新的更大的胜利。)

② 不久他就要飞往大洋彼岸，与亲人团聚。(☺不久他就要飞向大洋彼岸，与亲人团聚。)

1284 往返[动]wǎngfǎn ▶ 来回[动]láihuí

词义说明 Definition

往返[to and fro] 来回，反复。

来回[make a round trip; make a return journey; go to a place and come back] 在一段距离之内去了再回来。[round trip] 往返一次。[back and forth; to and fro] 来来去去不止一次。

词语搭配 Collocation

	～有多远	～有一里	～机票	～奔走	～走	～于两地间	打个～	～地动
往返	√	√	√	√	×	√	×	×
来回	√	√	√	√	√	×	√	√

用法对比 Usage

用法解释 Comparison

“来回”是口语，“往返”多用于书面。“来回”有往返一次的意思，可以重叠使用，“往返”不能重叠。

语境示例 Examples

① 从学校到我家往返有十多里路。(☺从学校到我家来回有十多里路。)

② 我买的是往返票。(☺我买的是来回票。)
③ 从这里到电视台来回得两个小时。(☺从这里到电视台往返得两个小时。)
④ 北京到天津，他每个月得往返跑三四趟。(☺北京到天津，他每个月得来回跑三四趟。)
⑤ 从这儿到北京，一天可以打个来回。(＊从这儿到北京，一天可以打个往返。)
⑥ 我来来回回跑了五六趟才把签证办下来。(＊我往往返返跑了五六趟才把签证办下来。)

1285 妄图[动]wàngtú ▶ 妄想[动、名]wàngxiǎng

词义说明 Definition

妄图[try in vain; vainly attempt] 狂妄地谋划。

妄想[vainly hope to do sth.] 狂妄地打算。[vain hope (or attempt); wishful thinking] 不能实现的打算。

词语搭配 Collocation

	～逃跑	～杀人灭口	～升官	～陷害他人	～发财	～捞一把	痴心～	无知～
妄图	√	√	√	√	√	√	×	×
妄想	√	√	√	√	√	√	√	√

用法对比 Usage

用法解释 Comparison

“妄图”和“妄想”都是贬义词，但是行为主体有所不同。“妄图”的行为主体指坏人、罪犯、歹徒、敌人等，“妄想”的行为主体不一定是坏人，好人也常存妄想。“妄想”还是个名词，可以作宾语，“妄图”只是动词。

语境示例 Examples

① 歹徒一看被警察发现了，就妄图逃跑。(☺歹徒一看被警察发现了，就妄想逃跑。)
② 他们这样干，是妄图把台湾从中国分裂出去。(☺他们这样干，是妄想把台湾从中国分裂出去。)
③ 他整天妄想发财，结果连本都赔进去了。(＊他整天妄图发财，结果连本都赔进去了。)

④ 不要妄想一步登天，要脚踏实地地干才能成功。（* 不要妄图一步登天，要脚踏实地地干才能成功。）
⑤ 这种想法简直是妄想，永远也实现不了。（* 这种想法简直是妄图，永远也实现不了。）
⑥ 你这个计划就跟抓着自己的头发想上天一样，完全是妄想。（* 你这个计划就跟抓着自己的头发想上天一样，完全是妄图。）

1286 忘[动]wàng ▶ 忘记[动]wàngjì ▶ 忘却[动]wàngquè

词义说明 Definition

忘[forget] 不记得了。

忘记[forget] 经历的事情不再存留在在记忆中；不记得。[overlook; neglect] 应该做的或原来准备做的事情因为疏忽而没有做；没有记住。

忘却：[forget] 忘记。

词语搭配 Collocation

	~了	不会~	无法~	永不~	难~	不~	难以~	别~了	爱~事	~做了	~带了
忘	√	√	√	√	√	√	×	√	√	√	√
忘记	√	√	√	√	√	√	√	√	×	√	√
忘却	√	√	√	√	√	×	√	×	×	×	×

用法对比 Usage

用法解释 Comparison

“忘”和“忘记”都是及物动词，可以带宾语；“忘却”是不及物动词，不能带宾语，多用于书面，口语不用；“忘”常用于口语，“忘记”口语和书面语都用。

语境示例 Examples

① 这件事是我终生难忘的。(☺这件事是我终生难忘记/忘却的。)
② 我忘带手机了。(☺我忘记带手机了。)（* 我忘却带手机了。）
③ 我认识他，可是把他的名字忘了。(☺我认识他，可是把他的名字忘记了。)（* 我认识他，可是把他的名字忘却了。）
④ 你别忘了给她回电话。(☺你别忘记了给她回电话。)（* 你别忘却

了给她回电话。)

⑤ 年纪大了，脑子不好用了，爱忘事。(＊年纪大了，脑子不好用了，爱忘记/忘却事。)

⑥ 这些往事历历在目，难以忘却。(☺这些往事历历在目，难以忘记。)(＊这些往事历历在目，难以忘。)

1287 望[动]wàng ▶ 看[动]kàn

词义说明 Definition

望[gaze into the distance; look far ahead] 向远处看：登高远～。[call on; see] 探望：看～。[hope; expect; look forward to] 盼望、希望：～尘莫及。[reputation; prestige] 名望：德高～重。

看[see; look at; watch; read (silently)] 使视线接触人或物：～书|～电视。[think; consider] 观察并加以判断：我～这个方法不错。[call on; visit; see] 访问：～朋友。[look upon; regard] 对待：另眼相～。[see or consult (a doctor); treat (a patient or an illness)] 诊治：～病。[look after] 照料：照～。[(used after a reduplicated verb or a verb phrase) try and see (what happens)] 用在动词或动词性词组后面，表示试一试(前面的动词常用重叠式)：想想～|找找～。

词语搭配 Collocation

	～远	～子成龙	探～	～不到边	～不上	～书	～比赛	～妈妈	～病	试试～
望	√	√	√	√	×	×	×	×	×	×
看	×	×	×	√	√	√	√	√	√	√

用法对比 Usage

用法解释 Comparison

“望”一般不单用，要和别的词素构成多音节词使用，“看”可以单用。

语境示例 Examples

① 站得高，才能望得远。(☺站得高，才能看得远。)

② 走进阅览室，只见很多同学都在静静看书学习。(＊走进阅览室，只见很多同学都在静静望书学习。)

③ 我去看了一个朋友。(＊我去望了一个朋友。)(☺我去看望了一个朋友。)

④ 上午我要去医院看病，不能去上课。(＊上午我要去医院望病，不能去上课。)

⑤ 很多父母都有望子成龙的思想。(＊很多父母都有看子成龙的思想。)

⑥ 今天晚上咱们去看京剧吧。(＊今天晚上咱们去望京剧吧。)

⑦ 你看这件毛衣怎么样？(＊你望这件毛衣怎么样？)

⑧ 望你早日恢复健康。(＊看你早日恢复健康。)

⑨ 你想想看，谁会给你送这样的礼物？(＊你想想望，谁会给你送这样的礼物？)

1288 危害[动]wēihài ▶ 损害[动]sǔnhài

词义说明 Definition

危害[impair; jeopardize] 使受破坏，损害。

损害[do harm to (a cause, sb.'s interests, health, reputation, etc.); damage; impair] 使事业、利益、健康、名誉等蒙受损失。

词语搭配 Collocation

	严重～	～生命	～性	～治安	地震的～	受到～	～视力	～人民利益	～积极性
危害	√	√	√	√	√	√	×	×	×
损害	√	×	×	×	×	√	√	√	√

用法对比 Usage

用法解释 Comparison

“危害”的宾语是生命、健康、治安、秩序等，“损害”的宾语是视力、健康、积极性等。

语境示例 Examples

① 吸烟危害健康，你还是戒了吧。(☺吸烟损害健康，你还是戒了吧。)

② 对于危害社会治安的黑社会团伙，要严厉打击，决不能手软。(＊对于损害社会治安的黑社会团伙，要严厉打击，决不能手软。)

③ 损害别人的肖像权是要负法律责任的。(＊危害别人的肖像权是要负法律责任的。)
④ 决不能损害农民群众的利益。(＊决不能危害农民群众的利益。)
⑤ 他这种做法，严重损害了两国关系，伤害了中国人民的感情。(＊他这种做法，严重危害了两国关系，伤害了中国人民的感情。)
⑥ 对邪教的危害性不能低估。(＊对邪教的损害性不能低估。)

1289 危机[名]wēijī ▶ 危急[形]wēijí

词义说明 Definition

危机[crisis] 危险的根由。[critical moment] 严重的关头。

危急[critical; in imminent danger; in a desperate situation] 危险而紧急。

词语搭配 Collocation

	经济～	政治～	～四伏	人才～	情况～	～关头	形势很～	～时刻
危机	√	√	√	√	×	×	×	×
危急	×	×	×	×	√	√	√	√

用法对比 Usage

用法解释 Comparison

“危机”是名词，可以作宾语，不能作谓语。“危急”是形容词，可以作谓语，不能作宾语。

语境示例 Examples

① 现在两国关系处于危急状态，战争有一触即发之势。(☺现在两国关系处于危机状态，战争有一触即发之势。)
② 这个国家出现的政治危机导致了政府垮台。(＊这个国家出现的政治危急导致了政府垮台。)
③ 人才危机是制约经济持续发展的关键因素。(＊人才危急是制约经济持续发展的关键因素。)
④ 在这危急关头，他立刻冲上去，拦住惊马，救了孩子。(＊在这危机关头，他立刻冲上去，拦住惊马，救了孩子。)
⑤ 目前洪峰还没有过去，形势仍然十分危急。(＊目前洪峰还没有过去，形势仍然十分危机。)

⑥ 几个月前就听说他们夫妻关系出现了危机，现在到底还是离婚了。(＊几个月前就听说他们夫妻关系出现了危急，现在到底还是离婚了。)

1290 威信[名]wēixìn ▶ 威望[名]wēiwàng

词义说明 Definition

威信[prestige; popular trust] 威望和名望。

威望[prestige] 声誉和名望。

词语搭配 Collocation

	有～	没有～	树立～	～很高	崇高的～	～扫地	国际～
威信	√	√	√	√	√	√	×
威望	√	√	√	√	√	×	√

用法对比 Usage

用法解释 Comparison

“威望”比“威信”程度要高，不是指一般人，“威信”可以指一般人。

语境示例 Examples

① 总理所以在人民中有崇高的威信，是因为他多年来廉洁奉公，为人民做了大量好事。(☺总理所以在人民中有崇高的威望，是因为他多年来廉洁奉公，为人民做了大量好事。)

② 他学习好，又肯帮助人，所以在同学中很有威信。(＊他学习好，又肯帮助人，所以在同学中很有威望。)

③ 他是具有国际威望的眼科专家。(＊他是具有国际威信的眼科专家。)

④ 他虽说也是个领导，但因为平庸无能，在群众中一点儿威信也没有。(＊他虽说也是个领导，但因为平庸无能，在群众中一点儿威望也没有。)

⑤ 因为剽窃别人论文的事被公开揭露，他被搞得威信扫地。(＊因为剽窃别人论文的事被公开揭露，他被搞得威望扫地。)

1291 微小[形]wēixiǎo ▶ 渺小[形]miǎoxiǎo

词义说明 Definition

微小[litter; tiny] 极小（与“巨大”相对）。

渺小[tiny; negligible; insignificant; paltry] 微小（与“伟大”相对）。

词语搭配 Collocation

	极其～	～的希望	～的进步	～的颗粒	何等的～
微小	√	√	√	√	×
渺小	√	×	×	×	√

用法对比 Usage

用法解释 Comparison

“微小”和“渺小”都表示极小，非常小。但是，“微小”着眼于事物的形体、数量等，既可以用来描写具体事物，如尘埃、颗粒，也可以描写抽象事物，如作用、价值、影响等。“渺小”着眼于精神，带主观性，常常用来形容个人的力量、形象、精神、力量、事业等抽象事物。

语境示例 Examples

① 个人的力量是微小的，只有依靠广大人民群众才能取得成功。(☺个人的力量是渺小的，只有依靠广大人民群众才能取得成功。)

② 不能过分夸大个人的作用，和人民群众比起来，个人的作用是极其渺小的。(☺不能过分夸大个人的作用，和人民群众比起来，个人的作用是极其微小的。)

③ 地球在整个太阳系，不过是一颗非常微小的行星。（＊地球在整个太阳系，不过是一颗非常渺小的行星。)

④ 对于学生的哪怕非常微小的进步都要热情鼓励，使他们增强信心。(＊对于学生的哪怕非常渺小的进步都要热情鼓励，使他们增强信心。)

⑤ 这件事还有微小的希望，我们要尽力争取。（＊这件事还有渺小的希望，我们要尽力争取。)

⑥ 每当面对浩瀚的大海、雄伟的高山和广阔的星空时，就会感到个人是多么的渺小啊！（＊每当面对浩瀚的大海、雄伟的高山和广阔的星空时，就会感到个人是多么的微小啊！)

1292 为难[动、形]wéinán ▶ 难为[动]nánwei

词义说明 Definition

为难[feel embarrassed；feel awkward] 感到难以应付：不要使人感到~。[make things difficult for] 作对或刁难他人：你这是故意~他。

难为[embarrass；bring pressure on sb.] 使人为难：你知道他不会跳舞，别~他了。[thinks to；be a tough job to] 多亏（做了不容易做的事）：我出国这一年，真~你啦！[used to thank sb. for doing a favour] 用于表示感谢别人代自己做事时的客套话：~你还想着我。

词语搭配 Collocation

	很~	真~你了	别~他了	感到~	~的事	叫人~	故意~人
为难	√	√	√	√	√	√	√
难为	×	√	√	×	×	×	√

用法对比 Usage

“难为”和“为难”都是动词，相同的意思是：觉得难办或不知道怎么办。“为难”还是个形容词。

① 你别难为我了，我哪儿能当翻译啊！(☺你别为难我了，我哪儿能当翻译啊！)

② 你不要为难他了，他真的不会跳舞。(☺你不要难为他了，他真的不会跳舞。)

③ 我根本不会喝酒，你非让我喝，不是为难我吗？(☺我根本不会喝酒，你非让我喝，不是难为我吗？)

④ 我明天有课，可是朋友要我去机场接他，我感到很为难。(*我明天有课，可是朋友要我去机场接他，我感到很难为。)

⑤ 这件事你能办就办，不能办也不要太为难了。(*这件事你能办就办，不能办也不要太难为了。)

“难为”有对他人表示感激的意思。

难为你了，帮我们这么大的忙。(*为难你了，帮我们这么大的忙。)

W

1293 违反[动]wéifǎn ▶ 违犯[动]wéifàn

词义说明 Definition

违反 [violate (rules, regulations, etc.); run counter to; transgress; infringe] 不遵守，不符合（法则、规程等）。

违犯[violate (laws, regulations, etc.); infringe; act contrary to] 违背和触犯法规等。

词语搭配 Collocation

	～政策	～纪律	～规定	～制度	～宪法	～法律	～法规	～刑法
违反	√	√	√	√	×	×	×	×
违犯	×	×	×	×	√	√	√	√

用法对比 Usage

用法解释 Comparison

这两个动词涉及的对象不同，不能相互替代。

语境示例 Examples

① 酒后开车违反交通规则。(＊酒后开车违犯交通规则。)

② 违反学校的纪律就要进行批评教育。(＊违犯学校的纪律就要进行批评教育。)

③ 不能做违犯法律的事情。(＊不能做违反法律的事情。)

④ 你们这么做，完全违反了两家达成的有关协议。(＊你们这么做，完全违犯了两家达成的有关协议。)

⑤ 这次事故是有关人员违反操作规程造成的。(＊这次事故是有关人员违犯操作规程造成的。)

⑥ 他的行为已经违反了公司的规定。(＊他的行为已经违犯了公司的规定。)

W

1294 惟独[副]wéidú ▶ 惟有[副]wéiyǒu

词义说明 Definition

惟独[only; alone] 单单。

惟有[only; alone; except] 只有。

词语搭配 Collocation

	～他	～没有	～这件事	～工作	～足球
惟独	√	√	√	√	√
惟有	√	×	√	√	√

用法对比 Usage

用法解释 Comparison

"惟独"和"惟有"是同义词，都含有"只这一个，别的都不是"的意思。但是，"惟有"不用于带"没有"的否定句。

语境示例 Examples

① 别的书你都可以借走，惟独这一本你不能借。(☺别的书你都可以借走，惟有这一本你不能借。)

② 别人都同意，惟独他反对。(☺别人都同意，惟有他反对。)

③ 大家都下班了，惟独他还在实验室里工作。(☺大家都下班了，惟有他还在实验室里工作。)

④ 惟有刻苦学习，才能取得好成绩。(＊惟独刻苦学习，才能取得好成绩。)

⑤ 他心里总是装着别人，惟独没有自己。(＊他心里装着别人，惟有没有自己。)

1295 维持[动]wéichí ▶ 保持[动]bǎochí

词义说明 Definition

维持[keep; maintain] 使继续存在下去；保持。

保持[keep; maintain; preserve] 维持（原状），使不消失或减弱。

词语搭配 Collocation

	～现状	～秩序	～生活	～水土	～冷静	～中立	～警惕	～物价稳定	～联系
维持	√	√	√	×	×	×	×	×	×
保持	√	×	×	√	√	√	√	√	√

用法对比 Usage

用法解释 Comparison

"保持"的对象是水土、水平、传统、作风、警惕、联系等具体名词和抽象名词，"维持"的对象是秩序、治安、现状、生命、生活等抽象名词。

语境示例 Examples

① 今天参观的人肯定很多，保安人员一定要维持好秩序。（＊今天参观的人肯定很多，保安人员一定要保持好秩序。）

② 遇到这种事情，你一定要保持冷静，要理智地处理，千万不能感情用事。（＊遇到这种事情，你一定要维持冷静，要理智地处理，千万不能感情用事。）

③ 爸爸有病，不能工作，我们家靠妈妈微薄的工资维持生活。（＊爸爸有病，不能工作，我们家靠妈妈微薄的工资保持生活。）

④ 务必要保持艰苦奋斗的优良传统。（＊务必要维持艰苦奋斗的优良传统。）

⑤ 对于可能发生的战争，我们要保持高度的警惕。（＊对于可能发生的战争，我们要维持高度的警惕。）

⑥ 要退耕还林，退耕还草，做好水土保持工作。（＊要退耕还林，退耕还草，做好水土维持工作。）

1296 维护[动]wéihù ▶ 爱护[动]àihù

词义说明 Definition

维护[safeguard; defend; uphold] 维持保护；使免于遭受破坏。

爱护[cherish; treasure; take good care of] 爱惜并保护。

用法对比 Usage

	～公物	～儿童	～法律的尊严	～国家利益	～主权	～世界和平	～团结
维护	×	×	√	√	√	√	√
爱护	√	√	×	×	×	×	×

用法对比 Usage

用法解释 Comparison

“维护”的宾语是抽象事物，“爱护”的宾语是具体事物，它们的用法不同，不能相互替换。

语境示例 Examples

① 团结就是力量，团结是我们的事业必定要胜利的保障，一定要维护全国各民族之间的团结。（＊团结就是力量，团结是我们的事

W

业必定要胜利的保障，一定要爱护全国各民族之间的团结。)

② 维护国家主权不受侵犯。(＊爱护国家主权不受侵犯。)

③ 世界各国应共同努力，维护世界和平。(＊世界各国应共同努力，爱护世界和平。)

④ 必须维护法律的尊严。(＊必须爱护法律的尊严。)

⑤ 要爱护校园内的一草一木。(＊要维护校园内的一草一木。)

⑥ 要特别爱护眼睛和牙齿。(＊要特别维护眼睛和牙齿。)

1297 维修[动]wéixiū ▶ 修理[动]xiūlǐ

词义说明 Definition

维修[keep in (good) repair; service; maintain] 保护和修理。

修理[repair; mend; overhaul; fix] 使损坏的东西恢复原来的形状和作用。[prune; trim] 修剪；整治。

词语搭配 Collocation

	～房屋	设备～	～汽车	～机器	～工	～店	正在～	～好了
维修	√	√	√	√	√	×	×	×
修理	×	×	√	√	√	√	√	√

用法对比 Usage

用法解释 Comparison

“维修”是在设备、机器等完好无损的时候做的工作，以保证其正常使用或运转，“修理”是设备、机器等损坏以后不能使用或不能运转时做的工作。

语境示例 Examples

① 修理：我的车送去修理了。(车坏了，不能开了)
维修：我的车送去维修了。(车可能没有坏，只是检查检查)

② 他是一个维修工。(☺他是一个修理工。)

③ 机器设备经常维修才能保证正常使用。(＊机器设备经常修理才能保证正常使用。)

④ 请问，附近有没有修理自行车的？(＊请问，附近有没有维修自行车的？)

⑤ 前边不远有一个修理店。(＊前边不远有一个维修店。)

⑥ 院子里的这些树该修理了。(＊院子里的这些树该维修了。)

1298 伪造[动]wěizào ▶ 捏造[动]niēzào

词义说明 Definition

伪造[forge; fabricate] 假造。

捏造[fabricate; concoct; fake; trump up] 假造事实。

词语搭配 Collocation

	~证件	~签名	~账目	~文件	~历史	~罪名	~事实	~数字	纯属~
伪造	√	√	√	√	√	×	×	×	×
捏造	×	×	×	×	×	√	√	√	√

用法对比 Usage

用法解释 Comparison

"伪造"和"捏造"的对象不同。"伪造"的宾语一般是具体名词,"捏造"的对象是抽象名词。

语境示例 Examples

① 这个身份证是伪造的。(＊这个身份证是捏造的。)

② 这个公司伪造账目,用不报收入或少报收入的手段,偷税漏税。(＊这个公司捏造账目,用不报收入或少报收入的手段,偷税漏税。)

③ 这个犯罪团伙用伪造的文件和伪造的签字,从我们这里冒领了几万美元。(＊这个犯罪团伙用捏造的文件和捏造的签字,从我们这里冒领了几万美元。)

④ 这些上报的植树数字都是捏造出来的,实际上根本没有这么多。(＊这些上报的植树数字都是伪造出来的,实际上根本没有这么多。)

⑤ 他捏造罪名,诬陷别人,结果自己反被抓进了监狱。(＊他伪造罪名,诬陷别人,结果自己反被抓关进了监狱。)

⑥ 这些所谓的事实纯属捏造。(＊这些所谓的事实纯属伪造。)

1299 为[介]wèi ▶ 为了[介]wèile

词义说明 Definition

为[in the interest of; for] 表示行为的对象,替:~大多数人谋

利益。[because of] 表示原因：～友谊干杯！ [for the purpose of; for the sake of] 表示目的：～实现现代化而奋斗！[to; towards] 给：～晚报写文章。

为了 [for; for the sake of; in order to] 表示目的：考试是～更好地学习，学习不是～考试。

词语搭配 Collocation

	～你高兴	～人民服务	～胜利干杯	～工作	～帮助别人	～人民的利益
为	√	√	√	√	√	√
为了	×	×	√	√	√	√

用法对比 Usage

用法解释 Comparison

“为”可以表示行为的对象、原因和目的，而“为了”只表示动作行为的目的。“为”后边常常跟词或词组，“为了”后边可以跟词组也可以跟句子。在表示动作行为目的时可以用“为”也可以用“为了”，但是表示动作行为对象时，只能用“为”，不能用“为了”。句子用“为”时，节奏急促，用“为了”节奏舒缓。

语境示例 Examples

① 他是为保护人民的生命财产而光荣牺牲的。(☺他是为了保护人民的生命财产而光荣牺牲的。)
② 为了教英语，他来到了中国。(☺为教英语，他来到了中国。)
③ 我学汉语是为了当翻译。(☺我学汉语是为当翻译。)
④ 为了能去中国留学，他每天都到咖啡馆打工挣钱。(☺为能去中国留学，他每天都到咖啡馆打工挣钱。)
⑤ 为我们的友谊干杯！(☺为了我们的友谊干杯！)
⑥ 我真为你感到高兴。(＊我真为了你感到高兴。)
⑦ 能为大家办点儿事，我感到很愉快。(＊能为了大家办点儿事，我感到很愉快。)

W

1300 为了[介]wèile ▶ 因为[连、介]yīnwèi

词义说明 Definition

为了 [for; for the sake of; in order to] 表示目的：我现在学汉语是～以后学中医。

因为[because] 表示原因或理由：～感冒了，所以没有去上课。

词语搭配 Collocation

	～工作	～学习	～留学	～人民	～有病	～身体不好	～忙	～太贵
为了	√	√	√	√	×	×	×	×
因为	√	√	√	×	√	√	√	√

用法对比 Usage

用法解释 Comparison

"为了"是介词，"因为"是连词也是介词。表示动作行为的目的时用"为了"，表示动作行为的原因或理由时，要用"因为"。这两个词的意思和用法都不同，在句子中不能相互替换。

语境示例 Examples

① 为了学习武术他来到了中国。(＊因为学习武术他来到了中国。)
② 我学习汉语是为了以后跟中国做生意。(＊我学习汉语是因为以后跟中国做生意。)
③ 为了能通过 HSK 考试，他参加了一个辅导班。(＊因为能通过 HSK 考试，他参加了一个辅导班。)
④ 因为今天有事，所以我没有跟同学们一起去参观。(＊为了今天有事，所以我没有跟同学们一起去参观。)
⑤ 因为身体不好，他已经两个星期没有上课了。(＊为了身体不好，他已经两个星期没有上课了。)
⑥ 我所以没有买，是因为觉得太贵。(＊我所以没有买，是为了觉得太贵。)
⑦ 因为天气的关系，飞机不能按时起飞。(＊为了天气的关系，飞机不能按时起飞。)

1301 未必[副]wèibì ▶ 不一定bù yídìng

词义说明 Definition

未必[may not; not necessarily] 不一定；不见得。

不一定[not necessarily; probably not] 不能肯定。

词语搭配 Collocation

	~知道	~好	~对	~喜欢	~愿意	~同意	~可信	~可靠	~能来	还~
未必	√	√	√	√	√	√	√	√	√	√
不一定	√	√	√	√	√	√	√	√	√	√

用法对比 Usage

用法解释 Comparison

“未必”有“不一定”的意思，作状语，多用于书面；“不一定”多用于口语。“不一定”能单用，“未必”不能单用。

语境示例 Examples

① 网上的这个消息未必可信。(☺网上的这个消息不一定可信。)

② 这件事他未必知道。(☺这件事他不一定知道。)

③ 他身体不好，这种活动他未必能参加。(☺他身体不好，这种活动他不一定能参加。)

④ 你给她买的，她未必喜欢，还不如给她钱让她自己买呢。(☺你给她买的，她不一定喜欢，还不如给她钱让她自己买呢。)

⑤ 这些题他未必都会回答，能回答对一半就不错了。(☺这些题他不一定都会回答，能回答对一半就不错了。)

⑥ 我的意见不一定正确，仅供参考。(☺我的意见未必正确，仅供参考。)

⑦ 名牌衣服穿着未必舒服。(☺名牌衣服穿着不一定舒服。)

⑧ A：你明天下午能回来吗？B：不一定。(*未必。)

1302 未免[副]wèimiǎn ▶ 不免[副]bùmiǎn

W

词义说明 Definition

未免[(imply disagreement, objection) rather; a bit too; truly] 实在不能不说是（表示说话人不满或不同意的态度）。[unavoidable] 不免。

不免[cannot avoid; cannot help but; unavoidable] 免不了；难免。

词语搭配 Collocation

	～太过分了	～太客气了	～多余	～想家	～感到寂寞	～觉得不习惯	～紧张
未免	√	√	√	√	√	√	√
不免	×	×	×	√	√	√	√

用法对比 Usage

用法解释 Comparison

"未免"也含有"不免"的意思，表示"不免"的意思时，二者可以互换。但是"未免"表示对某种过分的情况不以为然，含有批评的意思，有"实在是"的意思，"不免"表示客观上不容易避免。

语境示例 Examples

① 谁碰到这种情况都未免发脾气。（☺谁碰到这种情况都不免发脾气。）
② 初次见面，彼此未免有些拘束。（☺初次见面，彼此不免有些拘束。）
③ 因为是第一次参加 HSK 考试，未免有些紧张。（☺因为是第一次参加 HSK 考试，不免有些紧张。）
④ 刚到一个新地方，人生地不熟，未免会想家。（☺刚到一个新地方，人生地不熟，不免会想家。）
⑤ 他这样说未免太过分了。（＊他这样说不免太过分了。）
⑥ 这篇文章未免长了一点。（＊这篇文章不免长了一点。）
⑦ 两个人住，这个房间未免小了点儿。（＊两个人住，这个房间不免小了点儿。）
⑧ 这种想法未免过于天真。（＊这种想法不免过于天真。）

1303 味道[名]wèidao ▶ 滋味[名]zīwèi

词义说明 Definition

味道[taste; flavour] 物质所具有的能使舌头得到某种味觉的特性。[interest] 兴趣。

滋味[taste; flavour] 味道。[experiencl; feeling] 比喻某种感受。

词语搭配 Collocation

	什么～	菜的～	汤的～	～很难闻	很有～	没有～	挨饿的～	不是～
味道	√	√	√	√	√	√	×	×
滋味	√	√	√	×	×	×	√	√

用法对比 Usage

用法解释 Comparison

"味道"除了指味觉器官对食物的感受以外，还表示兴趣、趣味的意思。"滋味"有味道的意思，还表示内心对生活、事情的感受和体验。

语境示例 Examples

① 这个菜很有味道。(☺这个菜很有滋味。)
② 这本小说越看越有味道。(☺这本小说越看越有滋味。)
③ 你尝尝我做的这个菜味道怎么样？(＊你尝尝我做的这个菜滋味怎么样?)
④ 真不知道一个人在国外生活是什么滋味。(＊真不知道一个人在国外生活是什么味道。)
⑤ 挨饿的滋味不好受。(＊挨饿的味道不好受。)
⑥ 听了他的话，我心里很不是滋味。(＊听了他的话，我心里很不是味道。)

1304 畏惧[动]wèijù ▶ 害怕[动]hàipà

词义说明 Definition

畏惧[fear; dread] 害怕；恐惧。

害怕[be afraid of; be scared] 遇到困难、危险时心中不安或发慌。

词语搭配 Collocation

	毫不～	无所～	～心理	很～	非常～	不～	～困难	～走夜路	叫人～
畏惧	√	√	√	√	√	√	√	×	√
害怕	√	×	√	√	√	√	√	√	√

用法对比 Usage

用法解释 Comparison

"畏惧"和"害怕"意思相同。"畏惧"多用于否定，是书面语，"害怕"是口语，肯定否定都可以用。

语境示例 Examples

① 面对那个穷凶极恶的歹徒他毫不畏惧，勇敢地与他展开了搏斗。(☺面对那个穷凶极恶的歹徒他毫不害怕，勇敢地与他展开了搏斗。)
② 小偷和强盗往往利用人们的畏惧心理作案。(☺小偷和强盗往往利用人们的害怕心理作案。)
③ 你一个人住在这里害怕不害怕？（*你一个人住在这里畏惧不畏惧?)
④ 这次考试通不过，就得回国，因此我很害怕。(*这次考试通不过，就得回国，因此我很畏惧。)
⑤ 我害怕晚上一个人走路。(*我畏惧晚上一个人走路。)
⑥ 一个彻底的唯物主义者是无所畏惧的。（*一个彻底的唯物主义者是无所害怕的。)

1305 胃[名]wèi ▶ 肚子[名]dùzi

词义说明 Definition

胃[stomach] 消化器官的一部分，形状像口袋，上端跟食道相连，下端跟十二指肠相连，能分泌胃液，消化食物。

肚子[belly; abdomen] 腹部的俗称。

词语搭配 Collocation

	~病	~疼	拉~	一~气	~口好	大~
胃	√	√	×	×	√	×
肚子	×	√	√	√	×	√

用法对比 Usage

用法解释 Comparison

"肚子"是口语，"胃"是书面语，严格地说，肚子里不仅有胃，还有其他消化和排泄器官，所以，这两个词不是同义词。

语境示例 Examples

① 我肚子疼得厉害。(☺我胃疼得厉害。)
② 昨天晚上拉肚子了。(*昨天晚上拉胃了。)

③ 为这事她生了一肚子气。(＊为这事她生了一胃气。)
④ 他俩的表演能让人笑得肚子疼。(＊他俩的表演能让人笑得胃疼。)
⑤ 我以前有胃病。(＊我以前有肚子病。)
⑥ 最近我胃口不好，老不想吃东西。(＊最近我肚子口不好，老不想吃东西。)

1306 温和[形]wēnhé ▶ 温柔[形]wēnróu

词义说明 Definition

温和[(of climate) temperate; mild; moderate] 气候不热不冷。[(of disposition, manner, speech, etc.) gentle; mild] 性格、态度、言语等不严厉，不粗暴，使人感到亲切。

温柔[(of a woman) gentle and soft] 温和柔顺。

词语搭配 Collocation

	气候～	性格～	～的目光	谈吐～	脸色～	～的姑娘
温和	√	√	√	√	√	×
温柔	×	√	√	×	×	√

用法对比 Usage

用法解释 Comparison

“温和”描写态度、言语、性情，也形容气候不冷不热，“温柔”多描写女性的性格温和柔顺。

语境示例 Examples

① 看到她温和的目光，我感到不太紧张了。(☺看到她温柔的目光，我感到不太紧张了。)
② 她是一个性格温柔，聪明美丽的女孩儿。(☺她是一个性格温和，聪明美丽的女孩儿。)
③ 周老师温和地对这个孩子说：“你想想是不是自己错了?”(＊周老师温柔地对这个孩子说：“你想想是不是自己错了?”)
④ 我的家乡气候温和，冬天不冷，夏天也不是太热。(＊我的家乡气候温柔，冬天不冷，夏天也不是太热。)
⑤ 她说话的语调非常温和，但是态度却异常坚决。(＊她说话的语调非常温柔，但是态度却异常坚决。)

1307 文化[名]wénhuà ▶ 文明[名、形]wénmíng

词义说明 Definition

文化[civilization; culture] 人类在社会历史发展过程中所创造的物质财富和精神财富的总和；也特指精神财富，如文学、艺术、教育、科学等。[education; culture; schooling; literacy] 指运用文字的能力及一般知识。

文明[civilization; culture] 文化。[civilized] 社会发展到较高阶段和具有较高文化的。

词语搭配 Collocation

	~水平	学习~	~知识	中华~	物质~	精神~	~社会	很~	~的行为
文化	√	√	√	√	×	×	×	×	×
文明	×	×	×	√	√	√	√	√	√

用法对比 Usage

"文明"可以作谓语，"文化"不能作谓语。"文明"可以受副词修饰，"文化"不能受副词修饰。

① 我对中华文化很感兴趣。(☺我对中华文明很感兴趣。)

② 语言是文化的载体，要学好一种语言必须了解与它相关的文化。(*语言是文明的载体，要学好一种语言必须了解与它相关的文明。)

③ 要努力提高全民族的科学文化水平。(*要努力提高全民族的科学文明水平。)

④ 一手抓物质文明，一手抓精神文明，要两手抓，两手都要硬。(*一手抓物质文化，一手抓精神文化，要两手抓，两手都要硬。)

⑤ 物质文明和精神文明建设要靠政治文明来保证。(*物质文化和精神文化建设要靠政治文化来保证。)

⑥ 开展国际文化交流，可以增进各国人民之间的相互了解。(*开展国际文明交流，可以增进各国人民之间的相互了解。)

⑦ 要继承祖国优秀的文化遗产，努力创造社会主义新文化。(*要继承祖国优秀的文明遗产，努力创造社会主义新文明。)

不会读书看报，叫"没有文化"，不说"没有文明"。

因为过去家里穷，爷爷没有上过学，没有文化。(*因为过去家

W

里穷，爷爷没有上过学，没有文明。）

不遵守公共道德规范，没有礼貌叫“不文明”，不说“不文化”。

① 乱扔烟头是不文明的行为。（*乱扔烟头是不文化的行为。）

② 你说话能不能文明点儿？（*你说话能不能文化点儿？）

1308 文件[名]wénjiàn ▶ 文献[名]wénxiàn

词义说明 Definition

文件[documents; papers; file] 公文、信件或指有关政治理论、时事政策、学术研究等方面的文章。

文献[document; literature of hisforical value] 有历史价值或参考价值的图书资料。

词语搭配 Collocation

	重要~	历史~	~袋	红头~	秘密~	科技~	经典~
文件	√	√	√	√	√	×	×
文献	√	√	×	×	×	√	√

用法对比 Usage

用法解释 Comparison

“文献”可以包括文件，但是一般的“文件”不能称作“文献”，“文献”一定具有历史价值。

语境示例 Examples

① 这些都是已经解密的历史文件。（☺这些都是已经解密的历史文献。）

② 这是一份研究中国革命历史的重要文献。（☺这是一份研究中国革命历史的重要文件。）

③ 这份文件复印二十份，发给到会的人。（*这份文献复印二十份，发给到会的人。）

④ 请把这个文件打印出来。（*请把这个文献打印出来。）

⑤ 要研究现代中国，应该读一些马列主义的经典文献。（*要研究现代中国，应该读一些马列主义的经典文件。）

⑥ 我电脑中的一个文件怎么找不到了？（*我电脑中的一个文献怎么找不到了？）

1309 闻名[动]wénmíng ▶ 有名[形]yǒumíng

词义说明 Definition

闻名[well-known; famous; renowned] 有名。[be familiar with sb.'s name; know sb. by repute] 听到名声。

有名[well-known; famous; celebrated] 名字为大家所熟知；出名。

词语搭配 Collocation

	非常～	很～	～于世	举世～	～全国	～世界	～的作家	～的科学家
闻名	√	√	√	√	√	√	√	√
有名	√	√	×	×	×	×	√	√

用法对比 Usage

用法解释 Comparison

“闻名”是动词，可以带宾语，多用于书面；“有名”是形容词，不能带宾语，常用于口语。

语境示例 Examples

① 他是个闻名的作家。(☺他是个有名的作家。)

②《红楼梦》这部小说在中国非常有名。(☺《红楼梦》这部小说在中国非常闻名。)

③ 这位导演世界闻名。(☺这位导演世界有名。)

④ 这部电影闻名世界。(＊这部电影有名世界。)

⑤ 万里长城是举世闻名的古代建筑。(＊万里长城是举世有名的古代建筑。)

⑥ 桂林以其独特的山水闻名于世。(＊桂林以其独特的山水有名于世。)

W

1310 稳妥[形]wěntuǒ ▶ 妥当[形]tuǒdàng

词义说明 Definition

稳妥[safe; reliable] 稳当、可靠。

妥当[appropriate; proper] 稳妥适当。

词语搭配 Collocation

	很～	处事～	用词～	安排～	～的计划
稳妥	√	√	×	×	√
妥当	√	√	√	√	√

用法对比 Usage

用法解释 Comparison

"稳妥"多用来形容人的处事风格，"妥当"多形容事情的处理结果。

语境示例 Examples

① 这件事办得很稳妥。(☺这件事办得很妥当。)

② 他这个人处事很稳妥，你就放心吧。(☺他这个人处事很妥当，你就放心吧。)

③ 设想要大胆，但是措施要稳妥。（☺设想要大胆，但是措施要妥当。)

④ 她把家里的事安排妥当以后才出国。(＊她把家里的事安排稳妥以后才出国。)

⑤ 这个句子用在这里不太妥当。(＊这个句子用在这里不太稳妥。)

⑥ 要妥当安排失业人员的生活，帮助他们再就业。(＊要稳妥安排失业人员的生活，帮助他们再就业。)

1311 问好 wèn hǎo ▶ 问候[动] wènhòu

词义说明 Definition

问好[send one's regards to; say hello to] 询问安好，表示关切。

问候[send one's respects (or regards) to; extend greetings to] 问好。

W

词语搭配 Collocation

	向她～	～她	亲切的～	～你妈妈	代致～	致以亲切的～
问好	√	×	×	×	×	×
问候	×	√	√	√	√	√

用法对比 Usage

"问好"表示客气礼貌，一般只说一两句话，对象多是不熟悉不了解的人，“问候”表示关心尊敬，对象一般是熟悉的人，问话多涉及对方的健康和生活情况。“问好”是离合词，不能再带宾语，“问候”是个动词，可以带宾语，多用于书面。

① 请代我向你爸爸妈妈问好。(＊请代我向你爸爸妈妈问候。)(☺请代我问候你爸爸妈妈。)
② 请代我问候张教授。(＊请代我问好张教授。)
③ 请代我问候朋友们。(＊请代我问好朋友们。)
④ 我爸爸让我代他问候您。(＊我爸爸让我代他问好您。)
⑤ 我代表学校领导向大家致以亲切的问候。(＊我代表学校领导向大家致以亲切的问好。)

“问好”可以分开用，“问候”不能。

① 问你爸爸妈妈好。(＊问你爸爸妈妈候。)
② 请代我向大家问个好。(＊请代我向大家问个候。)

1312 我们[代]wǒmen ▶ 咱们[代]zánmen

词义说明 Definition

我们[we; us] 称呼包括自己在内的一些人。

咱们[we or us (including both the speaker and the person or persons spoken to)] 总称包括自己一方（我或我们）和对方（听话的一方；你或你们）。

词语搭配 Collocation

	～都是留学生	～是朋友	～走吧	～不去	～怎么办	～的老师
我们	√	√	√	√	√	√
咱们	√	√	√	√	√	√

用法对比 Usage

用法解释 Comparison

“我们”可以称对话双方，也可以称对话双方的自己一方，“咱们”只能用来称呼对话双方。

语境示例 Examples

① 我们都是语言大学的留学生。(☺咱们都是语言大学的留学生。)
② 不知道这次分别，我们什么时候才能再见面呢。(☺不知道这次分别，咱们什么时候才能再见面呢。)

W

③ 你是北京语言大学的学生，我也是，咱们是同学。(☺你是北京语言大学的学生，我也是，我们是同学。)
④ 大爷，您不用客气，咱们军民是一家人嘛。(☺大爷，您不用客气，我们军民是一家人嘛。)
⑤ 你们是外国人，我们是中国人，咱们是朋友。(＊你们是外国人，咱们是中国人，我们是朋友。)

1313 无从[副]wúcóng ▶ 无法[副]wúfǎ

词义说明 Definition

无从[have no way (of doing sth.); not be in a position (to do sth.)] 没有门径或找不到头绪（做某件事）。

无法[unable; incapable] 没有办法。

词语搭配 Collocation

	~下手	~查考	~说起	~答复	~解决	~改变	~处理	~应付	~形容	~控制
无从	√	√	√	√	×	×	×	×	×	×
无法	√	√	×	√	√	√	√	√	√	√

用法对比 Usage

用法解释 Comparison

“无从”是副词，在句子中作状语，“无法”在句子中和其他动词一起作谓语。“无从”多用于书面，“无法”可以用于书面也可以用于口语。

语境示例 Examples

① 写这篇论文的资料我已经准备了不少，但还是觉得无从下手。(☺写这篇论文的资料我已经准备了不少，但还是觉得无法下手。)

② 连他的地址和电话号码都没有，无法查找。(☺连他的地址和电话号码都没有，无从查找。)
③ 心里有很多话，可以一见面却觉得无从说起。(＊心里有很多话，可以一见面却觉得无法说起。)
④ 这个问题我想一时还无法解决。(＊这个问题我想一时还无从解决。)
⑤ 台湾可以千变万变，但是，它是中国领土一部分的事实永远无法

改变。（＊台湾可以千变万变，但是，它是中国领土一部分的事实永远无从改变。）

⑥ 桂林山水的美简直无法用语言形容。（＊桂林山水的美简直无从用语言形容。）

1314 无法[副]wúfǎ ▶ 无力[副]wúlì

词义说明 Definition

无法[unable; incapable] 没有办法。

无力[lack strength; feel weak] 没有力气。[unable; incapable; powerless] 没有力量。

词语搭配 Collocation

	～相信	～想像	～解决	～克服	～处理	软弱～	四肢～	浑身～
无法	√	√	√	√	√	×	×	×
无力	×	×	√	√	√	√	√	√

用法对比 Usage

"无法"表示因没有办法而不能，"无力"表示因没有能力或力量而不能，多用于抽象事物。"无法"常用来作状语，"无力"除了可以作状语以外，还可以作谓语。

① 遇到这样的困难，他一个人是无法克服的，需要大家帮一把。(☺遇到这样的困难，他一个人是无力克服的，需要大家帮一把。)

② 因为家里太穷，父母已经无力让我继续上学了。(☺因为家里太穷，父母已经无法让我继续上学了。)

③ 这个问题我们无法解决。(☺这个问题我们无力解决。)

④ 我简直无法相信他会做出这样的事情。（＊我简直无力相信他会做出这样的事情。）

⑤ 这样做的后果是无法想像的。（＊这样做的后果是无力想像的。）

⑥ 我不知道他的电话，无法跟他联系。（＊我不知道他的电话，无力跟他联系。）

"无力"还有身体虚弱没有力量的意思，"无法"没有这个意思。

我感冒发烧，感到全身无力。（＊我感冒发烧，感到全身无法。）

1315 无非[副]wúfēi ▶ 不过[副]búguò

词义说明 Definition

无非[nothing but; no more than; simply; only] 只；不外乎。

不过[only; merely; no more than] 指明范围，含有往小里或轻里说的意味；仅仅。

词语搭配 Collocation

	~是	~十七岁	~一千块钱	~退学
无非	√	×	×	√
不过	√	√	√	×

用法对比 Usage

用法解释 Comparison

“无非”和副词“不过”同义，都有把事情往小里、轻里说的意味，“无非”常跟“是”连用，“不过”没有此限。

语境示例 Examples

① 我这里没有什么重要的书，无非是一些文史方面的杂书。(☺我这里没有什么重要的书，不过是一些文史方面的杂书。)

② 院子里种的无非是一些常见的花木，没有什么特别的。(☺院子里种的不过是一些常见的花木，没有什么特别的。)

③ 晚上我一般没有什么事，无非是看看电视，跟家人聊聊天儿。(☺晚上我一般没有什么事，不过是看看电视，跟家人聊聊天儿。)

④ 我来中国时不过十八岁，什么也不懂。(＊我来中国时无非十八岁，什么也不懂。)

⑤ 我不太了解情况，只不过随便说说。(＊我不太了解情况，只无非随便说说。)

⑥ 这件大衣不过一千元，很便宜。(＊这件大衣无非一千元，很便宜。)

W

1316 无论[连]wúlùn ▶ 不管[连]bùguǎn

词义说明 Definition

无论[(often used correlatively with 都，也 or 总) no matter what,

who, how, etc.; regardless of] 表示条件或情况不同而结果不变，后面往往有正反并列的词语或表示任指的疑问代词，下文多用“都、总”等副词与它呼应。

不管[(indicating that sth. will never change in any case, usu. correlated with adverbs like 都 and 也 that follow it) regardless of; no matter (what, who, etc.)] 表示在任何条件或情况下结果都不会改变，后边常有“都、也”等副词与它呼应。

词语搭配 Collocation

	~去不去	~什么	~怎么样	~谁	~什么时候	~有多大困难	~做什么
无论	√	√	√	√	√	√	√
不管	√	√	√	√	√	√	√

用法对比 Usage

连词“无论”(也常说“不论”)和连词“不管”的意思一样，用法也一样。

① 无论你去不去都给我来个电话，告诉我一声。(☺不管你去不去都给我来个电话，告诉我一声。)

② 无论刮风还是下雨，他从来没有缺过课。(☺不管刮风还是下雨，他从来没有缺过课。)

③ 无论你什么时候来我都欢迎。(☺不管你什么时候来我都欢迎。)

④ 不管怎样，你们也要为孩子想想。(☺无论/不论怎样，你们也要为孩子想想。)

⑤ 无论是哪国人，人的本性基本是一样的。(☺不管是哪国人，人的本性基本上是一样的。)

⑥ 无论是大国还是小国，都是国际社会平等的一员。(☺不管是大国还是小国，都是国际社会平等的一员。)

“不管”还是个词组，可以作谓语，“无论”没有这个用法。

① 你去不去我不管，反正我去。(*你去不去我无论/不论，反正我去。)

② 家务事爸爸一点儿都不管。(*家务事爸爸一点儿都无论/不论。)

1317 无奈[形]wúnài ▶ 无法[副]wúfǎ

词义说明 Definition

无奈[cannot help but; have no alternative; have no choice] 没有办法；无可奈何。[but; however] 用在转折句的头上，表示由于某种原因，不能实现上文所说的意图，有"可惜"的意思：我早就想来，～工作忙，脱不开身。

无法[unable; incapable] 没有办法：风景美得～形容。

词语搭配 Collocation

	很～	非常～	出于～	万般～	～解决	～克服	～忍受	～处理
无奈	√	√	√	√	×	×	×	×
无法	×	×	×	×	√	√	√	√

用法对比 Usage

用法解释 Comparison

"无奈"的意思是"没有办法，感到为难"，"无法"是因为没有办法而不能做什么。"无奈"是形容词，常作谓语；"无法"是副词，常作状语，它们不能相互替换。

语境示例 Examples

① 我的同屋睡觉打呼噜，我常常被吵醒，感到很无奈。（＊我的同屋睡觉打呼噜，我常常被吵醒，感到很无法。）

② 我本来计划寒假去中国南方旅行，可是妈妈来电话要我回国参加哥哥的婚礼，无奈，我只好取消原来的计划。（＊我本来计划寒假去中国南方旅行，可是妈妈来电话要我回国参加哥哥的婚礼，无法，我只好取消原来的计划。）

③ 这种病现在医学还无法治疗。（＊这种病现在医学还无奈治疗。）

④ 这个问题我无法解决。（＊这个问题我无奈解决。）

⑤ 旅行时我把护照和钱全丢了，非常着急，无法可想，只好去求大使馆帮助我。（＊旅行时我把护照和钱全丢了，非常着急，无奈可想，只好去求大使馆帮助我。）

⑥ 他正在睡觉，女朋友来电话要他陪着去买东西，他无奈地说："好吧。"（＊他正在睡觉，女朋友来电话要他陪着去买东西，他无法地说："好吧。"）

1318 无穷[形]wúqióng ▶ 无数[形]wúshù

词义说明 Definition

无穷[infinite; endless; boundless; inexhaustible] 没有穷尽，没有限度。

无数[innumerable; countless] 难以计数，形容极多。[not know for certain; be uncertain] 不知底细；没有把握。

词语搭配 Collocation

	～无尽	～的烦恼	～的忧虑	～的智慧	心中～	～困难	花钱～
无穷	√	√	√	√	×	×	×
无数	×	×	×	×	√	√	√

用法对比 Usage

“无穷”修饰抽象名词，“无数”修饰具体名词，它们的意思不同，不能相互替换。

① 只要把群众发动起来，就会产生无穷的力量。（*只要把群众发动起来，就会产生无数的力量。）

② 人民群众中蕴藏着无穷的智慧。（*人民群众中蕴藏着无数的智慧。）

③ 无数事实证明，一个代表先进生产力，代表先进文化，代表最广大人民根本利益，全心全意为人民服务的政党，是无往而不胜的。（*无穷事实证明，一个代表先进生产力，代表先进文化，代表最广大人民根本利益，全心全意为人民服务的政党，是无往而不胜的。）

④ 无数先烈为了人民的解放牺牲了他们的生命，我们应该永远记住他们。（*无穷先烈为了人民的解放牺牲了他们的生命，我们应该永远记住他们。）

⑤ 中国人民战胜了无数的艰难困苦，才得到了今天的解放。（*中国人民战胜了无穷的艰难困苦，才得到了今天的解放。）

“无数”还有“没有把握”的意思，“无穷”没有这个意思。

这次能不能考及格，我实在心中无数。（*这次能不能考及格，我实在心中无穷。）

1319 无意[动]wúyì ▶ 无心[动]wúxīn

词义说明 Definition

无意[have no intention (of doing sth.); not be inclined to] 没有做某种事的愿望。[inadvertently; unwittingly; accidentally] 不是故意的。

无心[not be in the mood for] 没有心思。[not intentionaly; unwittingly; inadvertently] 不是故意的。

词语搭配 Collocation

	～工作	～看书	说者～	～参加	～中发现	～伤害别人
无意	×	×	√	√	√	√
无心	√	√	√	√	×	√

用法对比 Usage

用法解释 Comparison

"无心"和"无意"都有"不是故意"的意思。但是"无心"是因为心情不好，"无意"是不感兴趣，不愿意。

语境示例 Examples

① 无意：这个活动他无意参加。(不感兴趣，不愿意参加)
无心：这个活动他无心参加。(心情不好，不想参加)

② 她最近因为失恋了，心情不好，什么也无心干。(＊她最近因为失恋了，心情不好，什么也无意干。)

③ 这几天我忙得团团转，连电影也无心去看。(＊这几天我忙得团团转，连电影也无意去看。)

④ 举世闻名的兵马俑是1974年几个农民在挖井的时候无意中发现的。(＊举世闻名的兵马俑是1974年几个农民在挖井的时候无心中发现的。)

⑤ 那天我去逛旧书店，无意中发现了这本书，高兴得不得了。(＊那天我去逛旧书店，无心中发现了这本书，高兴得不得了。)

⑥ 言者无心，听者有意。他听了你的话就把这件事记在了心里。(＊言者无意，听者有意。他听了你的话就把这件事记在了心里。)

1320 勿[副]wù ▶ 不要[副]búyào

词义说明 Definition

勿[(used in prohibitions, admonitions, etc.) do not; never] 不要；表示禁止或劝阻。

不要[do not] 表示禁止和劝阻。

词语搭配 Collocation

	请～吸烟	请～大声喧哗	请～入内	切～上当	～大意	～说话	～听他的	～去
勿	√	√	√	√	×	×	×	×
不要	√	√	√	×	√	√	√	√

用法对比 Usage

用法解释 Comparison

"勿"和"不要"同义，都表示劝止，但是"勿"只用于书面，而"不要"用于口语。

语境示例 Examples

① 公共场所，请勿吸烟。不能写成：公共场所，请不要吸烟。

② 请勿大声喧哗。不能写成：请不要大声喧哗。

③ 保护草坪，请勿入内。不能写成：保护草坪，请不要入内。

④ 上课了，请不要说话了。(＊上课了，请勿说话了。)

⑤ 下雪了，开车一定小心，千万不要大意。(＊下雪了，开车一定小心，千万勿大意。)

⑥ 他这个人说话没准儿，你不要听他的。(＊他这个人说话没准儿，你勿听他的。)

1321 务必[副]wùbì ▶ 必须[副]bìxū

词义说明 Definition

务必[must; be sure to] 必须，一定要。

必须[must; have to; (used to add weight to an order)] 表示事理上和情理上的必要。加强命令语气。

词语搭配 Collocation

	~参加	~照办	~带来	~去	~指出	~完成	~补考	~努力
务必	√	√	√	√	√	√	√	√
必须	√	√	√	√	√	√	√	√

用法对比 Usage

用法解释 Comparison

“务必”有“必须”的意思，但是“务必”强调的行为主体是“你”、“你们”或“我们”，一般不说“我务必怎样怎样”，而“必须”可以说“你/你们/我们必须……”，也可以说“我必须……”。另外，用“务必”表达的是恳求、请求、劝说、叮嘱、教导等，比较客气有礼貌，而“必须”用于第二人称时表示命令和要求，语气比较生硬，用于第一人称时是表示决定或决心。

语境示例 Examples

① 明天的活动是教学实践活动，同学们务必参加。(☺明天的活动是教学实践活动，同学们必须参加。)

② 这个世界还不太平，对于可能发生的战争，我们必须保持高度的警惕。(☺这个世界还不太平，对于可能发生的战争，我们务必保持高度的警惕。)

③ 明天早上你务必六点以前赶到车站。(☺明天早上你必须六点以前赶到车站。)

④ 这些书务必在十号以前发到大家手中。(☺这些书必须在十号以前发到大家手中。)

⑤ 这批货物你们务必在月底以前送到。(☺这批货物你们必须在月底以前送到。)

⑥ 星期一的会议请你务必参加。(＊星期一的会议请你必须参加。)

⑦ 我必须通过这次考试，不然就得留级。(＊我务必通过这次考试，不然就得留级。)

1322 务必[副]wùbì ▶ 一定[形、副]yídìng

词义说明 Definition

务必[must; be sure to] 必须；一定要。

一定[must; certainly; surely; necessarily] 表示坚决或确定；必

定；必然。[fixed; specified; definite; regular] 规定的，确定的：按照～的标准生产。[given; particular; certain] 特定的：在～意义上说|在～条件下。[proper; fair; due] 相当的：达到了～的水平。

词语搭配 Collocation

	～完成	～解决	～回来	～去一趟	不～	～的时间	～的标准	～的能力	～努力
务必	√	√	√	√	×	×	×	×	√
一定	√	√	√	√	√	√	√	√	√

用法对比 Usage

"务必"有"一定"的意思，但是"务必"强调的行为主体是"你"、"你们"或"我们"，一般不说"我务必怎样怎样"，而"一定"可以说"你/你们/我们一定……"，也可以说"我一定……"。另外"务必"表达比较客气、有礼貌的恳求、请求、叮嘱、劝说等，而"一定"表达的是命令、要求或决心等。

① 今天下午的会请你务必参加。(☺今天下午的会请你一定参加。)

② 大后天就是春节了，爸爸妈妈叫你务必赶回家来过节。(☺大后天就是春节了，爸爸妈妈叫你一定赶回家来过节。)

③ 放心吧，我明天一定回去。(*放心吧，我明天务必回去。)

④ 今后我一定更加努力地学习。(*今后我务必更加努力地学习。)

⑤ 天阴得这么重，一定会下雨，今天别去了。(*天阴得这么重，务必会下雨，今天别去了。)

"一定"还是形容词，可以作定语和谓语，"务必"不能作定语和谓语。

① 她每天的作息时间是一定的。(*她每天的作息时间是务必的。)

② 你的汉语已经达到了一定的水平。(*你的汉语已经达到了务必的水平。)

W

1323 物资[名]wùzī ▶ 物质[名]wùzhì

词义说明 Definition

物资[goods and materials needed for production or life] 生产上和生活上所需要的物质资料。

物质[matter; substance; objective being independent of the consciousness of man] 独立存在于人的意识之外的客观存在。[material; money; means of subsistence] 特指金钱、生活资料等。

词语搭配 Collocation

	~交流	~丰富	~管理	~生活	~奖励	~享受	~文明	~基础	~条件
物资	√	√	√	×	×	×	×	×	×
物质	×	×	×	√	√	√	√	√	√

用法对比 Usage

用法解释 Comparison

"物质"是个哲学概念，指独立于人意识之外的万物，也可以指金钱、物品等具体的东西。"物资"只指具体的生活生产用品，不包括金钱。它们不能相互替换。

语境示例 Examples

① 这些都是各地捐助地震灾区的救灾物资。(*这些都是各地捐助地震灾区的救灾物质。)

② 物资管理也要引进现代管理科学。(*物质管理也要引进现代管理科学。)

③ 人有两种生活，一是精神生活，一是物质生活，缺一不可。(*人有两种生活，一是精神生活，一是物资生活，缺一不可。)

④ 不能只满足于物质享受，还要有更高的精神追求。(*不能只满足于物资享受，还要有更高的精神追求。)

⑤ 要两手抓，一手抓物质文明，一手抓精神文明。(*要两手抓，一手抓物资文明，一手抓精神文明。)

⑥ 唯物辩证法认为，世界是由运动着的物质组成的。(*唯物辩证法认为，世界是由运动着的物资组成的。)

W

1324 误会[动、名]wùhuì ▶ 误解[动]wùjiě

词义说明 Definition

误会 [misunderstand; mistake; misconstrue] 误解对方的意思。[misunderstanding] 对对方意思的误解。

误解 [misread; misunderstand] 理解得不正确。[misunderstanding] 不正确的理解。

词语搭配 Collocation

	你～了	这是个～	引起～	产生～	消除～	～很深	不要～	有～
误会	√	√	√	√	√	√	√	√
误解	√	√	√	√	√	×	√	√

用法对比 Usage

用法解释 Comparison

“误会”表示把对方的意思领会错了，或对情况判断有误，也表示双方都错误地领会了对方的意思。“误解”只表示把对方的意思做了错误的理解，行为主体是单方面的。“误会”比“误解”的语义重，适用面也广。

语境示例 Examples

① 请你出面解释一下吧，以免引起误会。(☺请你出面解释一下吧，以免引起误解。)

② 你完全误会了我的意思。(☺你完全误解了我的意思。)

③ 他们双方误会太深，消除这些误会，需要时间。(*他们双方误解太深，消除这些误解，需要时间。)

④ 他对我的误会很深，我现在也不准备解释，让时间去证明吧。(☺他对我的误解很深，我现在也不准备解释，让时间去证明吧。)

⑤ 他们俩由相爱而结婚，又因误会而分离。(*他们俩由相爱而结婚，又因误解而分离。)

⑥ 由于语言不通，彼此很容易产生误会。(*由于语言不通，彼此很容易产生误解。)

⑦ 这是一个误会，我本来不是这个意思。(☺这是一个误解，我本来不是这个意思。)

⑧ 建议双方坐下来好好谈，以便消除误会。(☺建议双方坐下来好好谈，以便消除误解。)

1325 西[名]xī ▶ 西边[名]xībian

词义说明 Definition

西[west] 太阳落下去的一边。[Western] 内容或形式属于西洋的。

西边（面）[west] 太阳落下去的一边。

词语搭配 Collocation

	～面	向～走	往～去	河～	～医	～服	～药	～式	～餐	中～医结合	学贯中～
西	√	√	√	√	√	√	√	√	√	√	√
西边	×	√	√	√	×	×	×	×	×	×	×

用法对比 Usage

“西”表示方向，“西边”既表示方向也表示方位处所。“西”也是个语素，可以与其他语素组成新词，“西边”没有组词能力。

① 从这儿往西走，大约十分钟就到了。(☺从这儿往西边走，大约十分钟就到了。)

② 我家住在北京西城。(＊我家住在北京西边城。)

③ 西边天空出现了一道美丽的晚霞。(＊西天空出现了一道美丽的晚霞。)

“西”还指代欧美国家，“西边”没有这个意思。

①你喜欢不喜欢吃西餐？(＊你喜欢不喜欢吃西边餐？)

② 他们用中西医结合的方法治疗疑难病症，收到了很好的效果。(＊他们用中西边医结合的方法治疗疑难病症，收到了很好的效果。)

③ 他是一位学贯中西的专家。(＊他是一位学贯中西边的专家。)

1326 西边[名]xībian ▶ 西部[名]xībù

词义说明 Definition

西边[west] 太阳落下去的一边。

西部[west part] 西边的部分；特指中国西边的省份，如陕西、四川、新疆、西藏等地。

词语搭配 Collocation

	学校～	图书馆～	中国～	～地区	开发～	～各省	发展～经济	～教育
西边	√	√	√	×	×	×	×	×
西部	×	×	√	√	√	√	√	√

用法对比 Usage

“西边”和“西部”所指不同，“西边”既表示方向也可表示方位处所，“西部”只表示方位处所，不能表示方向。

① 我们学校，东边是教学区，西边是家属区。(☺我们学校，东部是教学区，西部是家属区。)

② 北京大学在清华大学西边。(*北京大学在清华大学西部。)

③ 他家住景山公园西边。(*他家住景山公园西部。)

④ 从这里往西边走，大约五分钟就到了。(*从这儿往西部走，大约五分钟就到了。)

“西部”特指中国西边的一些省份，“西边”没有这个意思。

① 中国西部地域辽阔，自然资源丰富，但是经济落后，人民生活与东部地区比起来还有差距。(*中国西边地域辽阔，自然资源丰富，但是经济落后，人民生活与东部地区比起来还有差距。)

② 中国政府正在实施的西部大开发战略，吸引了全世界投资者的目光。(*中国政府正在实施的西边大开发战略，吸引了全世界投资者的目光。)

③ 发展西部经济是中国走向小康的重要步骤。(*发展西边经济是中国走向小康的重要步骤。)

1327 西部[名]xībù ▶ 西方[名]xīfāng

词义说明 Definition

西部[west part] 西边的部分；特指中国西边的省份，如陕西、四川、新疆、西藏等地。

西方[west] 太阳落下去的一边。[West] 欧美各国，有时特指欧洲各国和美国。

词语搭配 Collocation

	～大开发	～经济区	～各省	～的自然条件	～世界	～文化	～国家
西部	√	√	√	√	×	×	×
西方	×	×	×	×	√	√	√

用法对比 Usage

用法解释 Comparison

“西部”表示方位，也特指中国西部地区，“西方”表示西边，也特指欧洲各国和美国。

语境示例 Examples

① 太阳每天从东方升起，到西方落下。（*太阳每天从东方升起，到西部落下。）

② 中国的两条大河——长江和黄河发源于中国西部。（*中国的两条大河——长江和黄河发源于中国西方。）

③ 我们应该学习西方国家一些好的东西，例如，先进的科技和科学的管理等。（*我们应该学习西部国家一些好的东西，例如，先进的科技和科学的管理等。）

④ 中国西部大开发战略必将推动整个中国经济的发展。（*中国西方大开发战略必将推动整个中国经济的发展。）

⑤ 中国的地形是西部高，东部低。（*中国的地形是西方高，东部低。）

⑥ 无论是西方国家还是东方国家，都各有自己的长处和短处，应该加强交流，增进了解。（*无论是西部国家还是东部国家，都各有自己的长处和短处，应该加强交流，增进了解。）

1328 吸收[动]xīshōu ▶ 吸取[动]xīqǔ

词义说明 Definition

吸收[absorb; suck up; assimilate; imbibe; draw] 物体把外界的某种物质吸到内部；特指有机体把组织外部的物质吸到组织内部。[recruit; enroll; admit] 组织或团体接受某人为成员。

吸取[absorb; draw; assimilate] 吸收采取。

词语搭配 Collocation

	～养分	～水分	～知识	有～作用	～入会	～会员	～教训	～精华	～营养
吸收	√	√	√	√	√	√	×	×	×
吸取	×	×	×	×	×	×	√	√	√

用法对比 Usage

“吸收”和“吸取”都是动词，但是它们涉及的对象不同，“吸收”的对象多为具体的、物质的，而“吸取”的对象多为抽象的、精神的。

语境示例 Examples

① 植物靠根部吸收水分和养分。(*植物靠根部吸取水分和养分。)

② 本书在编写的过程中，吸收了学术界新的研究成果。(*本书在编写的过程中，吸取了学术界新的研究成果。)

③ 这种树对空气中的尘埃和有害气体有吸收作用。(*这种树对空气中的尘埃和有害气体有吸取作用。)

④ 大会决定吸收中国为世贸组织的正式成员。(*大会决定吸取中国为世贸组织的正式成员。)

⑤ 要认真吸取这次事故的教训，加强安全工作。(*要认真吸收这次事故的教训，加强安全工作。)

⑥ 无论是对封建文化还是对资本主义文化，都不能兼收并蓄，而应该吸取其精华，剔除其糟粕。(*无论是对封建文化还是对资本主义文化，都不能兼收并蓄，而应该吸收其精华，剔除其糟粕。)

1329 牺牲[动]xīshēng ▶ 死[动]sǐ

词义说明 Definition

牺牲[sacrifice oneself; die a martyr's death; lay down one's life] 为了正义的目的舍弃自己的生命；为坚持信仰而死。[sacrifice; give up; do sth. at the expense of] 放弃或损害一方的利益。

死[die]（生物）失去生命（跟"活"、"生"相对）。

词语搭配 Collocation

	~了	~了生命	流血~	为国~	~休息时间	~人	~火山
牺牲	√	√	√	√	√	×	×
死	√	×	×	×	×	√	√

用法对比 Usage

用法解释 Comparison

表示为正义的目的、为人民利益而死时才说"牺牲"，一般人的死不能说"牺牲"。"牺牲"可以带宾语，而"死"是不及物动词，不能带宾语。"牺牲"只用于指人，而"死"还可以指其他事物。

语境示例 Examples

① 为人民利益而牺牲是比泰山还要重的。(☺为人民利益而死是比泰山还要重的。)

② 他为抢救国家财产光荣牺牲了。（*他为抢救国家财产光荣死了。）

③ 我爷爷是去年死的。(*我爷爷是去年牺牲的。)

④ 为了帮助小学安装电脑，他牺牲了很多休息时间。（*为了帮助小学安装电脑，他死了很多休息时间。）

⑤ 人民英雄纪念碑是为纪念那些为国牺牲的先烈们而建立的。(*人民英雄纪念碑是为纪念那些为国死的先烈们而建立的。)

⑥ 这棵花死了。(*这棵花牺牲了。)

1330 习惯[名、动]xíguàn ▶ 惯[动、形]guàn

词义说明 Definition

习惯[be accustomed to; be used to; be inured to] 常常接触某种新的情况而逐渐适应。[habit; custom; usual practice] 在长时期里逐渐养成的、一时不容易改变的行为、倾向或社会风尚。

惯[be used to; be in the habit of] 习以为常；习惯。[indulge; spoil (a child)] 纵容子女养成不良习惯或作风。

词语搭配 Collocation

	~了	不~	很~	工作~了	干~了	良好~	不良~	~孩子	~成自然	看不~
习惯	√	×	√	√	√	√	√	×	√	×
惯	√	√	×	√	√	×	×	√	×	√

用法对比 Usage

用法解释 Comparison

“习惯”和“惯”都有动词的词性，但是“习惯”还是名词，可以作宾语，而“惯”不能作宾语。

语境示例 Examples

① 工作惯了，一退休觉得心里空荡荡的。(☺工作习惯了，一退休觉得心里空荡荡的。)

② 你刚来，肯定有很多地方不习惯，过一段时间就好了。(*你刚来，肯定有很多地方不惯，过一段时间就好了。)

③ 不少搞写作的人习惯夜间工作，白天睡觉。(*不少搞写作的人惯夜间工作，白天睡觉。)

④ 吸烟是不好的习惯。(*吸烟是不好的惯。)

⑤ 对孩子不能惯，惯就害了他们。(*对孩子不能习惯，习惯就害了他们。)

⑥ 要让孩子从小就养成良好的习惯。(*要让孩子从小就养成良好的惯。)

⑦ 我现在还吃不惯中餐。(*我现在还吃不习惯中餐。)

⑧ 我看不惯他对什么都满不在乎的样子。(*我看不习惯他对什么都满不在乎的样子。)

1331 媳妇儿[名]xífur ▶ 妻子[名]qīzi ▶ 夫人[名]fūrén

词义说明 Definition

媳妇儿[wife] 妻子。

妻子[wife] 男女双方结婚后，女子是男人的妻子。

夫人[wife; lady; Madame; wife of a high official] 尊称一般人的妻子；用于外交场合称呼外交官的妻子：你～做什么工作|大使～。[Mrs.; Madame; lady] 称呼国家领导人的夫人：第一～。

词语搭配 Collocation

	我～	你～	他～	老师的～	大使～	第一～
媳妇儿	√	√	√	×	×	×
妻子	√	√	√	√	×	×
夫人	√	√	√	√	√	√

用法对比 Usage

“媳妇儿”和“妻子”都有男方爱人的意思，但是，城市里一般称“妻子”，不叫“媳妇儿”，而农村多用“媳妇儿”的称呼。“夫人”是尊称，用于正式交际场合，特别是外交场合。

① 我媳妇儿是医院的大夫。(☺我妻子/夫人是医院的大夫。)

② 他媳妇儿还是个博士生呢。(☺他妻子/夫人还是个博士生呢。)

③ 弟弟的妻子叫“弟妹”。(☺弟弟的媳妇儿叫“弟妹”。)

④ 听说他媳妇儿是外国人。(☺听说他妻子是外国人。)

⑤ 老师，您夫人是做什么工作的？(☺老师，您妻子是做什么工作的？)(＊老师，您媳妇儿是做什么工作的？)

X

⑥ 我来介绍一下，这位是大使夫人，……。(＊我来介绍一下，这位是大使媳妇儿/妻子，……。)

“夫人”还可以尊称其他女性，“媳妇儿”和“妻子”没有这个用法。

夫人，请问您找谁？(＊媳妇儿/妻子，请问您找谁？)

1332 喜欢[动]xǐhuan ▶ 喜爱[动]xǐ'ài

词义说明 Definition

喜欢[like; love; be fond of; be keen on] 对人或事有好感或感兴趣。[happy; elated; filled with joy] 愉快，高兴。

喜爱[like; love; be fond of; be keen on] 对人或事物有好感或感兴趣。

词语搭配 Collocation

	很～	非常～	～看电视	～游泳	招人～	好不～	～散步	～这个歌
喜欢	√	√	√	√	√	√	√	√
喜爱	√	√	√	√	√	×	√	√

用法对比 Usage

用法解释 Comparison

"喜欢"和"喜爱"的对象都可以是人或事物，但"喜欢"还表示愉快和高兴的心情，"喜爱"没有这个意思。"喜爱"只能带具体名词作宾语，"喜欢"的宾语既可以是具体名词，也可以是抽象名词。

语境示例 Examples

① 你喜欢什么运动？(☺你喜爱什么运动？)

② 我很喜欢听音乐。(☺我很喜爱听音乐。)

③ 这孩子心地善良，待人诚恳热情，很招人喜爱。(☺这孩子心地善良，待人诚恳热情，很招人喜欢。)

④ 你是什么时候喜欢上她的？(☺你是什么时候喜爱上她的？)

⑤ 听到这个消息大家好不喜欢。(＊听到这个消息大家好不喜爱。)

⑥ 你喜欢上哪儿，我就陪你上哪儿。(＊你喜爱上哪儿，我就陪你上哪儿。)

⑦ 你就喜欢空想！(＊你就喜爱空想！)

1333 喜悦[形]xǐyuè ▶ 高兴[形、动]gāoxìng

词义说明 Definition

喜悦[happy; joyous] 愉快、高兴。

高兴[glad; happy; cheerful] 愉快而兴奋。[be willing to; be happy to] 带着愉快的心情去做某件事。

词语搭配 Collocation

	~的心情	很~	非常~	~看京剧	~地说	~了	不~
喜悦	√	√	√	×	×	×	×
高兴	√	√	√	√	√	√	√

用法对比 Usage

"喜悦"是形容词，常作定语，不能带宾语；"高兴"既是形容词也是动词，可以作定语、状语，也可以带宾语。"高兴"有重叠形式，而"喜悦"没有重叠形式。

① 听到这个消息大家非常高兴。(☺听到这个消息大家非常喜悦。)

② 我以喜悦的心情读完了你的信。(☺我以高兴的心情读完了你的信。)

③ 再没有比看足球比赛更让我高兴的了。(＊再没有比看足球比赛更让我喜悦的了。)

④ 女儿背着新书包，高高兴兴地上学去了。(＊女儿背着新书包，喜喜悦悦地上学去了。)

"高兴"可以用"不"否定，"喜悦"不能。

① 这次公司没派他去中国工作，他不太高兴。(＊这次公司没派他去中国工作，他不太喜悦。)

② 他不高兴去就算了，我们去吧。(＊他不喜悦去就算了，我们去吧。)

1334 戏[名、动]xì ▶ 戏剧[名]xìjù

X

词义说明 Definition

戏[play; sport] 玩耍；游戏。[make fun of; joke] 开玩笑。[drama; play; show] 戏剧。

戏剧[drama; play; theatre] 通过演员表演故事来反映社会生活中的各种冲突的艺术。是以表演艺术为中心的文学、音乐、舞蹈等艺术的综合。分为话剧、戏曲、歌剧、舞剧等，按作品类型又可以分为悲剧、喜剧、正剧等。

词语搭配 Collocation

	演~	~迷	~院	~票	现代~	~评论	~水	~言
戏	√	√	√	√	√	×	√	√
戏剧	×	×	×	×	√	√	×	×

用法对比 Usage

用法解释 Comparison

“戏”是多义词，含有“戏剧”的意思，但是它的其他意思是“戏剧”所没有的。

语境示例 Examples

① 我喜欢看家乡戏。(☺我喜欢看家乡戏剧。)

② 京剧只是上千种中国戏剧中的一种。(☺京剧只是上千种中国戏中的一种。)

③ 很多戏剧评论缺乏分析，只是一味地说好。(＊很多戏评论缺乏分析，只是一味地说好。)(☺很多戏评缺乏分析，只是一味地说好。)

④ 受父母的影响，她从小就喜欢看戏演戏。(＊受父母的影响，她从小就喜欢看戏剧演戏剧。)

⑤ 几个孩子在游泳池里戏水。(＊几个孩子在游泳池里戏剧水。)

⑥ 那不过是一句戏言，你不必在意。(＊那不过是一句戏剧言，你不必在意。)

1335 系统[名、形]xìtǒng ▶ 体系[名]tǐxì

词义说明 Definition

系统[system] 同类事物按一定的关系组成的整体。[methodical; systematic] 有条理的；有系统的。

体系[system; setup] 若干有关事物或某些意识互相联系而构成的一个整体。

词语搭配 Collocation

	~化	组织~	网络~	灌溉~	~学习	~研究	思想~	理论~	工业~
系统	√	√	√	√	√	√	×	×	√
体系	×	×	×	×	×	×	√	√	√

X

用法对比 Usage

用法解释 Comparison

“系统”可以作状语，修饰动词，“体系”不能作状语。“体系”是抽象的；“系统”可以是抽象的，如组织系统，也可以是具体的，如灌溉系统。

语境示例 Examples

① 我没有系统学习过汉语语法。（＊我没有体系学习过汉语语法。）

② 他准备系统研究一下中国的经济法。（＊他准备体系研究一下中国的经济法。）

③ 马克思主义是一个完整的思想体系，是对资本主义社会科学的理论总结。（＊马克思主义是一个完整的思想系统，是对资本主义社会科学的理论总结。）

④ 要创立自己的学术体系，不是一件轻而易举的事情，需要为之奋斗一生。（＊要创立自己的学术系统，不是一件轻而易举的事情，需要为之奋斗一生。）

⑤ 他们那里建立起了一个非常科学的农田灌溉系统，能做到旱涝保收。（＊他们那里建立起了一个非常科学的农田灌溉体系，能做到旱涝保收。）

⑥ 一个规范的市场经济体系正逐步建立起来。（＊一个规范的市场经济系统正逐步建立起来。）

1336 细心[形]xìxīn ▶ 认真[形]rènzhēn

词义说明 Definition

细心[careful; attentive] 用心细密。

认真[conscientious; earnest; serious] 严肃对待，不马虎。

词语搭配 Collocation

	非常～	很～	～人	办事～	～周到	～照料	～工作	～学习
细心	√	√	√	√	√	√	×	×
认真	√	√	×	√	√	√	√	√

X

用法对比 Usage

用法解释 Comparison

"细心"和"认真"都是形容词，"认真"可以重叠使用，"细心"没有重叠形式。

语境示例 Examples

① 他办事很细心。(☺他办事很认真。)
② 这个学生学习很细心。(☺这个学生学习很认真。)
③ 她是一个细心人。(*她是一个认真人。)(☺她是一个认真的人。)
④ 做完练习要细心地检查一遍。(☺做完练习要认真地检查一遍。)
⑤ 这件事我们要认真研究一下。(*这件事我们要细心研究一下。)
⑥ 要老老实实地做人，认认真真地做事。(*要老老实实地做人，细细心心地做事。)

1337 细心[形]xìxīn ▶ 细致[形]xìzhì

词义说明 Definition

细心[careful; attentive] 用心细密。

细致[careful; meticulous; fastidious] 精细周密。[intricate; precise about details] 细密精致。

词语搭配 Collocation

	很~	非常~	工作~	~人	~照料	~观察	~护理	~的花纹
细心	√	√	√	√	√	√	√	×
细致	√	√	√	×	×	×	×	√

用法对比 Usage

用法解释 Comparison

"细心"描写的是人，"细致"可以描写人，也可以描写东西。

语境示例 Examples

① 一般来说，女孩子要比男孩子细心。(☺一般来说，女孩子要比男孩子细致。)
② 她是一个细心人。(*她是一个细致人。)
③ 要深入细致地做工作，把群众的意见反映上来。(*要深入细心

地做工作，把群众的意见反映上来。）

④ 在护士小姐的细心照料下，妈妈的身体恢复得很快。（＊在护士小姐的细致照料下，妈妈的身体恢复得很快。）

⑤ 人口普查是一项细致而复杂的工作。（＊人口普查是一项细心而复杂的工作。）

⑥ 新出土的几个瓷瓶上都有细致的花纹。（＊新出土的几个瓷瓶上都有细心的花纹。）

1338 狭隘[形]xiá'ài ▶ 狭窄[形]xiázhǎi

词义说明 Definition

狭隘 [narrow] 宽度小：～的山路。[(of mind, knowledge, views, tolerance, etc.) narrow and limited; parochial]（心胸、气量、见识等）局限在一个小范围里；不宽广；不宏大：心胸～。

狭窄 [narrow; cramped] 宽度小：过道很～。[(of mind, knowledge, etc.) narrow and limited; narrow]（心胸、见识等）不宏大宽广：心胸～。

词语搭配 Collocation

	很～	～的山路	道路～	～的胡同	见闻～	心胸～	心地～	眼光～	～的经验
狭隘	√	√	√	×	√	√	√	√	√
狭窄	√	√	√	√	√	√	√	√	×

用法对比 Usage

用法解释 Comparison

“狭隘”和“狭窄”同义，“狭窄”为客观描写，“狭隘”带有主观评价色彩。“狭窄”虽可描写抽象事物，如“心胸”，但多用于描写具体事物，如道路，过道、胡同、走廊等；“狭隘”虽可描写具体事物，如“山路”，但多描写抽象事物，如眼光、心胸、经验等。

语境示例 Examples

① 心胸狭隘的人不可能干成大事。（☺心胸狭窄的人不可能干成大事。）

② 不要跟心地狭窄的人交朋友。（☺不要跟心地狭隘的人交朋友。）

③ 他们沿着狭窄的山路往上爬。(☺他们沿着狭隘的山路往上爬。)
④ 不能只凭狭隘的经验来观察当今社会。(＊不能只凭狭窄的经验来观察当今社会。)
⑤ 住在这么狭窄的小胡同里，让人感到压抑。(＊住在这么狭隘的小胡同里，让人感到压抑。)
⑥ 我发现这个人很狭隘。(＊我发现这个人很狭窄。)

1339 下[名]xià ▶ 下边(面)[名]xiàbian(mian)

词义说明 Definition

下[(used alone, in contrast to 上) below; down; under] 单独用，与“上”相对，表示位置在低处的，辈分低，年龄小的：上有老，～有小|上到厂长，～到一般工人，都参加了这项公益活动。[(used after a preposition) down; downward] 用在介词后边表示位置在低处的：向～看|向～拉。[(used after a noun) under] 用在名词后边，表示具体位置：山～|楼～。[next (in time or order); latter; second] 表示次序或时间在后的；以后的：～次|～星期|～个月。[(indicating scope, state, condition, etc.) under] 属于一定的范围、情况、条件等：在……的领导～|在这种情况～。[the second of two or the last of three] 二个中的第二，三个中的第三：～集|～部|～册。[lower; inferior] 等次或品级低的：～等|～级|～策。[downward; down] 向下面：～达任务。

下边(面)[below; under; underneath] 位置较低的：桥～。[next in order; following] 次序靠后的部分：～该谁了？[lower level; subordinate] 下级：注意听听～的意见。

词语搭配 Collocation

	～面	楼～	往～看	向～走	～级	～个星期	～个月	大桥～	山～
下	√	√	√	√	√	√	√	√	√
下边	×	√	√	√	×	×	×	√	√

用法对比 Usage

“下”和“下边(面)”都表示方位和处所。但“下”还是个语素，有组词能力，“下边”没有组词能力。

① 参加飞行表演的两架飞机从大桥下飞了过去。(☺参加飞行表演的

两架飞机从大桥下边（面）飞了过去。）

② 站在山上往下看，风景美极了。（☺站在山上往下边（面）看，风景美极了。）

③ 顺这条路往下走，就到了湖边。（☺顺这条路往下边（面）走，就到了湖边。）

④ 他上有老，下有小，家庭负担很重。（*他上有老，下边（面）有小，家庭负担很重。）

"下"还是个语素，可以与其他语素组合，"下边（面）"不能。

① 下级服从上级，这在任何社会恐怕都一样。（*下边（面）级服从上级，这在任何社会恐怕都一样。）

② 这部小说分上、中、下三册，这本是下册。（*这部小说分上、中、下边（面）三册，这本是下边（面）册。）

③ 我妈妈下个月来北京。（*我妈妈下边（面）个月来北京。）

"下"还可以连用，"下边（面）"不能。

我们下下星期有考试。（*我们下边（面）下边（面）星期有考试。）

"下"可以与"在"组成"在 + 名词 + 下"，作状语，"下边（面）"不能。

① 在一个朋友的帮助下，我终于找到了工作。（*在一个朋友的帮助下边（面），我终于找到了工作。）

② 在非常困难的情况下，他仍然坚持自学。（*在非常困难的情况下边（面），他仍然坚持自学。）

"下边（面）"单用比较自由，"下"不太自由。

① 下边（面）该谁说了？（*下该谁说了？）

② 下边（面）我们开始讲课文。（*下我们开始讲课文。）

③ 我们到下边（面）去看看。（*我们到下去看看。）

④ 要多听听下边（面）的意见，及时了解下情。（*要多听听下的意见，及时了解下情。）

1340 下来xià lái ▶ 下去xià qù

词义说明 Definition

下来[come downward or down] 从高处到低处来：他从楼上～了（说话人在楼下）。[come down] 从高的位置到低的位置来：省里～人了（说话人在下面）。[indicating a period of time] 表示经过的时间：一年～，他的汉语水平提高了很多。[（used behind a verb to indicate motion toward a lower or nearer position）down（here）] 用在动词后，表示由高处向低处或由远处向近处来：把衣服从衣架上取～。[used behind a verb to indicate continuation from past to persent, or from beginning to end] 用在动词后，表示从过去继续到现在或从开始继续到最后：这一年我总算坚持～了。[used behind a verb to indicate the end or result of an action] 用在动词后，表示动作的完成或结果：车停～了。[used after an adjective to indicate increase in degree] 用在形容词后，表示程度继续增加：天渐渐黑～了。

下去[go down; descend] 从高处到低处去：上面太冷，我们～吧（说话人在上面）。[go down to a place regarded as lower or below] 从上级到下级：领导干部要～了解民情。[lessen; be reduced; go down] 减少，变小：肿的地方已经～了。[（used after a verb to indicate motion toward a lower or farther position）down there] 用在动词后表示从高处向低处或从近处向远处去：从这里跳～（说话人在高处）。[（used after a verb to indicate continuation from present to future）go on（doing sth.）; continue] 用在动词后，表示从现在继续到将来：无论遇到多少困难，都要坚持～。[（used after an adjective to indicate increase in degree）develop; grow] 用在形容词后，表示程度继续增加：吃了减肥药，喝了减肥茶也没有瘦～。

词语搭配 Collocation

	拿～	发～	写～	画～	学～	坚持～	画不～	写不～	说不～	黑～	冷～
下来	√	√	√	√	√	√	√	√	√	√	√
下去	√	√	√	√	√	√	√	√	√	×	√

用法对比 Usage

“下来”和“下去”用法的基本区别在于说话人立足点的不同，用“下来”表明动作向着说话人所在地（说话人是在低处，在下面）；用“下去”表明动作离开说话人所在地（说话人是在高处，在上面或在近处）。“下来”和“下去”都可以与“得/不”一起组成可能补语，表示能或不能实现某种结果。

① 你们从那儿下来吧。（说话人在下边）

我们从这儿下去吧。(说话人在上边)

② 我下楼去散散步。(说话人在楼上)

他下山来了。(说话人在山下)

③ 中央派调查组下来了。(说话人在地方)

中央派调查组下去了。(说话人在中央)

"下来"和"下去"都可以作另一个动词的复合趋向补语。

① 请你把书包帮我拿下来。(说话人在下边)

请你把箱子帮我提下去。(说话人在上边)

② 水是从上边流下来的。(说话人在下边)

水是从这儿流下去的。(说话人在上边)

③ 考卷已经发下去了。(说话人是老师)

考卷已经发下来了。(说话人是学生)

④ 你放得太高了,我够不着,拿不下来。(*你放得太高了,我够不着,拿不下去。)

复合趋向补语"下来"和"下去"除了表示趋向以外,还表示引申的意义。动词和"下来"的引申义表示动作从过去某一时间继续到现在(说话时),动词和"下去"表示动作从说话时继续到未来。

① 这一年我总算学下来了。(从去年到现在)

② 我已经学了一年了,还要继续学下去。(从现在到以后)

③ 不要打断她,让他说下去。(继续往下说)

④《花木兰》的故事是从古代流传下来的。(从过去到现在)

⑤ 这个故事还会继续流传下去。(从现在到将来)

⑥ 我借助词典才勉强把这本英文小说看下来。(看完了)

⑦ 这个电视连续剧很有意思,我要接着看下去。(继续往下看)

⑧ 他说着说着说不下去了。(因为难过而不能继续说)

⑨ 他说着说着说不下来了。(因为忘记而不能继续说)

⑩ 她一边哭一边说,说着说着说不下去了。(*她一边哭一边说,说着说着说不下来了。)

⑪ 这本书没有什么意思,我一点儿也看不下去。(*这本书没有什么意思,我一点儿也看不下来。)

"动词+下来"表示动作使信息留在某种媒介上,"动词+下去"没有这个意思和用法。

① 请你们把黑板上的句子抄下来。(抄了以后,句子留在本子上或纸上)(*请你们把黑板上的句子抄下去。)

② 我想把这里的风景拍下来。(拍了以后,风景留在了胶卷上或存储卡上)(*我想把这里的风景拍下去。)

③ 你把我的电话号码记下来，有事好联系。(记了以后，留在电话号码本上或纸上)(＊你把我的电话号码记下去，有事好联系。)
④ 我把这篇文章从网上下载下来了。(下载以后留在了电脑里)(＊我把这篇文章从网上下载下去了。)
⑤ 老师说得太快，我记不下来。(＊老师说得太快，我记不下去。)

"形容词＋下来"表示某种状态开始出现并继续发展。

① 天慢慢黑下来了，我们快点儿走吧。(＊天慢慢黑下去了，我们快点儿走吧。)
② 我看她俩的关系冷下来了。(＊我看她俩的关系冷下去了。)

"形容词＋下去"表示某种状态已经存在并将继续发展，强调继续发展。

① 现在才十二月，天还会冷下去。(天越来越冷)(＊现在才十二月，天还会冷下来。)
② 天要再这么冷下去就该放暖气了。(＊天要再这么冷下来就该放暖气了。)

1341 夏[名]xià ▶ 夏天[名]xiàtiān

词义说明 Definition

夏[summer] 夏季。一年中的第二个季节；在中国一般是六、七、八三个月。

夏天[summer] 夏季。一年中的第二个季节；在中国一般是六、七、八三个月。

词语搭配 Collocation

	～末	～季	～粮	～收	初～	立～	在～	～的时候	～的天气
夏	√	√	√	√	√	√	×	×	×
夏天	×	×	×	×	×	×	√	√	√

用法对比 Usage

用法解释 Comparison

"夏"和"夏天"同义，因为音节不同，所以用法有差别。"夏"还是个语素，可以与其他语素组合，单用不太自由；"夏天"单用比较自由。

语境示例 Examples

① 夏：一年中有春、夏、秋、冬四季。
夏天：一年中有春天、夏天、秋天、冬天四个季节。
② 我们家乡是著名的旅游区，夏天可以游泳，冬天可以滑冰滑雪。(☺我们家乡是著名的旅游区，夏可以游泳，冬可以滑冰滑雪。)
③ 夏天的天气变化无常。(＊夏的天气变化无常。)
④ 夏收季节，农民们是最忙的。（＊夏天收季节，农民们是最忙的。)
⑤ 今年夏粮又获得了大丰收。(＊今年夏天粮又获得了大丰收。)
⑥ 现在正是初夏，荷花开了，西湖显得更美了。(＊现在正是初夏天，荷花开了，西湖显得更美了。)

1342 先后[名、副]xiānhòu ▶ 前后[名]qiánhòu

词义说明 Definition

先后[being early or late; priority; order] 先和后。[successively; one after another] 前后相继。表示一段时期内事件发生的顺序。

前后[around (a certain time); about] 比某一特定时间稍早或稍晚的一段时间：春节～|圣诞节～。[from beginning to end (in time)] （时间）从开始到末了：我～只学了半年汉语。[in front and behind] 在某一种东西的前面和后面：房子～都是花。[people or things of the same kind in succession] 同类的人或事情相接续的：这部小说～出版过三种版本。

词语搭配 Collocation

	～到达	不分～	～来了三次	～去过十个国家	春节～	教室～
先后	√	√	√	√	×	×
前后	×	×	√	√	√	√

用法对比 Usage

“先后”表示的是两段时间，即先和后，“前后”既可以表示两段时间，即前和后，也可以表示某一段时间，例如：春节前后。用“先后”的句子一般都可以用“前后”替换，但是，用“前后”的句子不一定能用“先后”替换。另外，“前后”还表示处所，“先后”

不能表示处所。
① 他先后去过十几个国家。(☺他前后去过十几个国家。)
② 我先后学过两年汉语，可是因为不用，都忘得差不多了。(☺我前后学过两年汉语，可是因为不用，都忘得差不多了。)
③ 他先后来过三次中国。(☺他前后来过三次中国。)
④ 春节前后是中国人最紧张忙碌也是最高兴的时候。(＊春节先后是中国人最紧张忙碌也是最高兴的时候。)
⑤ 我家房屋前后都是绿地。(＊我家房屋先后都是绿地。)
"前后"可以重叠，"先后"不能重叠。
他前前后后跑了好几趟也没有见到他。(＊他先先后后跑了好几趟也没有见到他。)

1343 先生[名]xiānsheng ▶ 老师[名]lǎoshī

词义说明 Definition

先生[teacher] 老师。[Mister (Mr); gentleman; sir] 对知识分子和官员的称呼：张～|总统～。[husband] 称别人的丈夫或对人称自己的丈夫（要带人称代词作定语）：你～在吗？

老师[teacher (sometimes used as a form of address)] 尊称传授文化、技术的人，泛指在某方面值得学习的人。

词语搭配 Collocation

	～们	尊敬的～	王～	你～	她～	我～	老～
先生	√	√	√	√	√	√	√
老师	√	√	√	√	√	√	√

用法对比 Usage

"先生"有"老师"的意思，还用于对男子或女专家、女学者的尊称。
① 我给你介绍一下，这位是王老师。(☺我给你介绍一下，这位是王先生。)(王先生不一定是老师)
② 女士们、先生们：……（在正式场合致辞时的称呼）(＊女士们、老师们：……)
③ 鲁迅先生是浙江绍兴人。(＊鲁迅老师是浙江绍兴人。)
④ 请问老先生，您找谁？(＊请问老老师，您找谁？)

X

"先生"有"丈夫"的意思，"老师"没有这个意思。

A：你先生在家吗？B：我先生出差了。

1344 鲜[形]xiān ▶ 新鲜[形]xīnxiān

词义说明 Definition

鲜[fresh] 新鲜。[(of salty dishes or soup) delicious; tasty] 鲜美。[bright-coloured; bright] 鲜明。[delicacy] 鲜美的食物：尝～。[seafood; aquatic foods] 特指鱼虾等水产食物：海～。

新鲜[fresh]（刚生产、宰杀或烹调的食物）没有变质，也没有经过腌制、干制等；（花朵）没有枯萎；空气经常流通，不含杂类气体。[new; novel; strange] 事物出现不久，还不普遍，少见的；稀罕。

词语搭配 Collocation

	～肉	～菜	～果	～红	～美	尝～	海～	～食品	～蔬菜	～水果	～空气	～事物
鲜	√	√	√	√	√	√	√	×	×	×	×	×
新鲜	√	√	×	×	×	×	×	√	√	√	√	√

用法对比 Usage

"鲜"和"新鲜"有一些相同的意思和用法，但"鲜"多与单音节词搭配，"新鲜"常与双音节词语搭配。"新鲜"可以形容具体事物，也可以形容抽象事物。"鲜"只能修饰具体事物。

① 我每天早上都喝一杯鲜牛奶。(☺我每天早上都喝一杯新鲜牛奶。)

② 要多吃新鲜蔬菜和水果。(☺要多吃鲜菜和水果。)

"鲜"有名词的用法，表示鲜美的食物，有时特指海产品，"新鲜"没有这个意思。

① 这是刚从树上摘下来的荔枝，请你们尝尝鲜。（＊这是刚从树上摘下来的荔枝，请你们尝尝新鲜。）

② 今天晚上我们去饭店吃海鲜吧。（＊今天晚上我们去饭店吃海新鲜吧。）

"鲜"可以形容色彩，"新鲜"没有这个用法。

鲜红的太阳照遍大地。(＊新鲜红的太阳照遍大地。)

"新鲜"表示少见的，"鲜"没有这个意思。

① 到中国以后遇到不少新鲜事。（＊到中国以后遇到不少鲜事。）
② 这事可真新鲜。（＊这事可真鲜。）

1345 衔接[动]xiánjiē ▶ 对接[动]duìjiē

词义说明 Definition

衔接[link up; join] 事物相连接。

对接[dock] 指两个或两个以上航行中的航天器（航天飞机、宇宙飞船等）靠拢后接合成为一体。

词语搭配 Collocation

	互相～	～上	～起来	～成功
衔接	√	√	√	×
对接	√	√	√	√

用法对比 Usage

用法解释 Comparison

“衔接”的既可是抽象事物，也可以是具体事物，“对接”的是具体物体，二者不能相互替换。

语境示例 Examples

① 这个学期的工作要和上学期衔接起来。（＊这个学期的工作要和上学期对接起来。）
② 这个句子和前边的句子衔接不上。（＊这个句子和前边的句子对接不上。）
③ 大桥建成后，把这两条公路衔接了起来。（＊大桥建成后，把这两条公路对接了起来。）
④ 飞船与空间站进行了成功的对接。（＊飞船与空间站进行了成功的衔接。）
⑤ 把这两张桌子对接起来，可以多坐一个人。（＊把这两张桌子衔接起来，可以多坐一个人。）

1346 嫌[动]xián ▶ 嫌弃[动]xiánqì

词义说明 Definition

嫌[suspicion] 嫌疑。[ill will; resentment; enmity; grudge] 对（人或事）不满。[dislike; mind; complain of] 厌恶；不喜欢。

嫌弃[dislike and avoid; cold-shoulder] 厌恶而不愿接近。

词语搭配 Collocation

	避～	前～	别～他	～贵	～麻烦	～脏	～吵
嫌	√	√	√	√	√	√	√
嫌弃	×	×	√	×	×	×	×

用法对比 Usage

用法解释 Comparison

“嫌”表示因（事物的）某种不足和缺点而不喜欢甚至厌恶，对象可以是人，也可以是物，“嫌弃”的对象只能是人，表示不喜欢某人而疏远他。

语境示例 Examples

① 不能因为他犯过错误就嫌弃他。(☺不能因为他犯过错误就嫌他。)
② 听说他女朋友是嫌他家里穷跟他吹的。(＊听说他女朋友是嫌弃他家里穷跟他吹的。)
③ 因为嫌贵我没有买。(＊因为嫌弃贵我没有买。)
④ 我嫌原来的房间太吵，所以搬到了这里。(＊我嫌弃原来的房间太吵，所以搬到了这里。)
⑤ 办这种事不能嫌麻烦。(＊办这种事不能嫌弃麻烦。)
⑥ 我不喜欢吃这个菜，嫌辣。(＊我不喜欢吃这个菜，嫌弃辣。)

1347 显[动]xiǎn ▶ 显得[动]xiǎnde ▶ 显示[动]xiǎnshì

词义说明 Definition

显[be apparent; be obvious; be noticeable] 露在外边容易看出来；明显：～而易见|脸上的白点儿下去了，不～了。[show; display；manifest］表现；露出：各～本领。

显得［look；seem；appear］表现出（某种情形）：面试时她～有点儿紧张。

显示［show；display；demonstrate；manifest］明显地表现：她在这个电视剧里的表演～了扎实的艺术功力。

词语搭配 Collocation

	不～	～而易见	～更加美丽	～很大气	～威力	～才能	～出来	～器
显	√	√	×	×	√	√	√	×
显得	×	×	√	√	×	×	×	×
显示	√	×	×	×	√	√	√	√

用法对比 Usage

"显"和"显示"的宾语是名词，"显得"的宾语是形容词。

① 一个十七岁的中学生能写出这样一本小说来，显示出了他非凡的文学才能。(☺一个十七岁的中学生能写出这样一本小说来，显出了他非凡的文学才能。)（＊一个十七岁的中学生能写出这样一本小说来，显得出了他非凡的文学才能。）

② 你穿上这条裙子显得更漂亮了。（＊你穿上这条裙子显示/显更漂亮了。）

③ 近年来中国经济显示了强劲的增长势头。（＊近年来中国经济显/显得它强劲的增长势头。）

④ 节日的天安门显得更加壮丽。（＊节日的天安门显示/显更加壮丽。）

⑤ 把这张桌子放在这里，房间显得非常拥挤。（＊把这张桌子放在这里，房间显示/显非常拥挤。）

"显"可以单独作谓语，"显示"和"显得"不能。

这个疤不显，不仔细看根本看不出来。（＊这个疤不显得/显示，不仔细看根本看不出来。）

1348 显著［形］xiǎnzhù ▶ 明显［形］míngxiǎn

词义说明 Definition

显著［notable；marked；striking；remarkable；outstanding］非常明显。

明显[clear; obvious; evident; distinct] 清楚地显露出来，容易让人看出或感觉到。

词语搭配 Collocation

	很~	~的成绩	~的提高	~的进步	~的改进	~的变化	效益~	目标~
显著	√	√	√	√	√	√	√	×
明显	√	√	√	√	√	√	√	√

用法对比 Usage

用法解释 Comparison

“显著”只修饰抽象名词，是褒义词；“明显”既可以修饰抽象名词，也可以修饰具体名词，是中性词。

语境示例 Examples

① 在北京学了一年，他的汉语水平有了显著的提高。(☺在北京学了一年，他的汉语水平有了明显的提高。)

② 这里的投资环境有了显著的改善。(☺这里的投资环境有了明显的改善。)

③ 利用明星做广告有着显著的效果。(☺利用明星做广告有着明显的效果。)

④ 这个饭店的服务质量比过去有了明显的改进。(☺这个饭店的服务质量比过去有了显著的改进。)

⑤ 这种药的疗效非常明显。(☺这种药的疗效非常显著。)

⑥ 因为年代久远，字迹已经不太明显了，看不出来是谁写的。(*因为年代久远，字迹已经不太显著了，看不出来是谁写的。)

⑦ 很明显，他的意思是不想跟我们一起干。(*很显著，他的意思是不想跟我们一起干。)

⑧ 伤好以后，留下了一个明显的伤疤。(*伤好以后，留下了一个显著的伤疤。)

1349 现实[名、形]xiànshí ▶ 现状[名]xiànzhuàng

词义说明 Definition

现实[reality; actuality] 客观存在的事物。[real; actual] 合乎客观情况。

现状[present (or current) situation; existing state of affairs] 目

前的状况。

词语搭配 Collocation

	不~	很~	结合~	脱离~	改变~	打破~	维持~	~的办法	~生活
现实	√	√	√	√	×	×	×	√	√
现状	×	×	×	×	√	√	√	×	×

用法对比 Usage

用法解释 Comparison

“现实”包含“现状”的意思，但是“现实”比“现状”的内涵更丰富。“现实”还是形容词，可以作谓语，“现状”不能作谓语。

语境示例 Examples

① 研究中国问题，要充分考虑到中国人口多，底子薄的现实。（☺研究中国问题，要充分考虑到中国人口多，底子薄的现状。）

② 只学了一年汉语就想当翻译，这个想法也太不现实了。（*只学了一年汉语就想当翻译，这个想法也太不现状了。）

③ 制定计划，不能脱离现实。（*制定计划，不能脱离现状。）

④ 要把理想变成现实，必须经过长期艰苦的努力。（*要把理想变成现状，必须经过长期艰苦的努力。）

⑤ 先工作几年挣点儿钱，然后再出国留学，这个计划我觉得还比较现实。（*先工作几年挣点儿钱，然后再出国留学，这个计划我觉得还比较现状。）

⑥ 不能维持现状，必须改革陈旧落后的东西。（*不能维持现实，必须改革陈旧落后的东西。）

1350 限制[动、名]xiànzhì ▶ 限定[动]xiàndìng

词义说明 Definition

限制［place (or impose) restriction on; restrict; limit; confine］规定范围，不许超过；约束。［confinement; limit］规定的范围。

限定［perscribe (or set) a limit to; limit; restrict］在数量、范围等方面加以规定。

词语搭配 Collocation

	有～	没有～	不加～	～数量	～时间	～人数	年龄～	一定的～	～得太死
限制	√	√	√	√	√	√	√	√	√
限定	×	×	√	√	√	√	×	×	√

用法对比 Usage

用法解释 Comparison

“限制”既是动词，也有名词的用法，“限定”只是动词；“限制”可以作宾语，“限定”不能。

语境示例 Examples

① 因为发言的人比较多，每个人的发言时间限定在15分钟以内。(☺因为发言的人比较多，每个人的发言时间限制在15分钟以内。)

② 稿件的字数不能限制得太死。(☺稿件的字数不能限定得太死。)

③ 中国考大学已经取消了年龄的限制。(＊中国考大学已经取消了年龄的限定。)

④ 大学生在校学习期间不准结婚的限制是不是要打破了？(＊大学生在校学习期间不准结婚的限定是不是要打破了？)

⑤ 以往那种对公民出国的限制性政策正在逐步改变。(＊以往那种对公民出国的限定性政策正在逐步改变。)

⑥ 这种情况是限制不住的。(＊这种情况是限定不住的。)

1351 羡慕[动]xiànmù ▶ 忌妒[动]jìdu

词义说明 Definition

羡慕[admire; envy] 看到别人有某种长处、好处或有利条件而希望自己也有。

忌妒(也写成“嫉妒”，读 jídù) [be jealous (or envious) of; envy] 对才能、名誉、地位或境遇等比自己好的人心怀怨恨。

词语搭配 Collocation

	很～	非常～	～别人	～他	～心
羡慕	√	√	√	√	×
忌妒	√	√	√	√	√

用法对比 Usage

用法解释 Comparison

“羡慕”是人的正常心理，“忌妒”是人性的弱点。不过，口语中，“忌妒”用来自指的时候和“羡慕”同义。

语境示例 Examples

① 羡慕：他被保送上了大学，我很羡慕。(很正常的心理)
忌妒：我被保送上了大学，他很忌妒。(很不健康的心理)

② 看到你汉语说得这么流利我真羡慕。(☺看到你汉语说得这么流利我真忌妒。)

③ 我非常羡慕那些会画画儿的人。(＊我非常忌妒那些会画画儿的人。)

④ 不应该忌妒别人，应该向人家学习。(＊不应该羡慕别人，应该向人家学习。)

⑤ 我很羡慕他的才华。(＊我很忌妒他的才华。)

⑥ 忌妒心太强的话，能使人鬼迷心窍，干出荒唐事来。(＊羡慕心太强的话，能使人鬼迷心窍，干出荒唐事来。)

1352 相当[副]xiāngdāng ▶ 很[副]hěn

词义说明 Definition

相当[quite; fairly; considerably] 表示程度高，但不到“很”的程度。

很[very; very much; quite] 表示程度高。

词语搭配 Collocation

	～好	～难	～不错	～喜欢	～成功	～便宜	～努力	好得～
相当	√	√	√	√	√	√	√	×
很	√	√	√	√	√	√	√	√

用法对比 Usage

用法解释 Comparison

“很”和“相当”都是副词，都可以作状语，但是“很”还可以放在“动词＋得”后边作程度补语，“相当”没有这个用法。

语境示例 Examples

① 这次他考得很不错，门门都是 90 分以上。(☺这次他考得相当不错，门门都是 90 分以上。)

② 这儿的东西相当便宜。(☺这儿的东西很便宜。)
③ 他很喜欢打太极拳。(☺他相当喜欢打太极拳。)
④ 这次考试很难。(☺这次考试相当难。)
⑤ 哈尔滨的冬天冷得很。(＊哈尔滨的冬天冷得相当。)

1353 相当[形]xiāngdāng ▶ 相等[动]xiāngděng

词义说明 Definition

相当[(of quantity, value, terms, condition, etc.) match; balance; correspond to; be about equal to; be commensurate with](数量、价值、条件、情形等)两方面差不多;配得上或能够相抵。[suitable; fit; appropriate] 适合;适宜。

相等[(amount, quantity, number, degree, etc.) be equal] (数量、分量、程度等)彼此一样。

词语搭配 Collocation

	年龄～	得失～	实力～	水平～	面积～	数量～	价钱～	～于
相当	√	√	√	√	√	√	√	√
相等	×	×	×	×	√	√	√	×

用法对比 Usage

用法解释 Comparison

"相当"是差不多,但是不一定相等,"相等"是完全一样。"相当"可以作状语,修饰形容词,"相等"不能。

语境示例 Examples

① 相等:这两个屋子的面积相等。(比如都是20平方米)
相当:这两个屋子的面积相当。(大小差不多)
② 这两件衣服的价钱相等。(☺这两件衣服的价钱相当。)
③ 他比女朋友大四岁,俩人的其他条件也相当。(＊他比女朋友大四岁,俩人的其他条件也相等。)
④ 这种情景,我一时还想不出来相当的词来描写了。(＊这种情景,我一时还想不出来相等的词来描写了。)
⑤ 我国台湾省的面积相当于两个北京市。(＊我国台湾省的面积相等于两个北京市。)
⑥ 这两支足球队实力相当。(＊这两支足球队实力相等。)

1354 相反[形]xiāngfǎn ▶ 相对[动、形]xiāngduì

词义说明 Definition

相反[contrary; opposite] 事物的两个方面互相矛盾、互相排斥：我的想法跟你的～。[(used at the beginning or in the middle of the following sentence) on the contrary] 用在下文句首或句中，表示跟上文所说的意思相矛盾：这里夏天雨水不是太多，～是太少，很多树和草都旱死了。

相对[opposite to each other; face to face] 性质上互相对立：大与小是～的|美和丑是～而言。[(as opposed to 'absolute') relative; dependent on given conditions] 依靠一定条件而存在，随着一定条件而变化的（跟"绝对"相对）：平衡是～的，不平衡是绝对的。[relatively; comparatively] 比较的：～地说。

词语搭配 Collocation

	～的方向	～相成	与愿望～	～而坐	～稳定	～优势	意见～
相反	√	√	√	×	×	×	√
相对	×	×	×	√	√	√	×

用法对比 Usage

用法解释 Comparison

"相对"有时也表示"相反"的意思，但是，多数情况下，它们不能相互替换。

语境示例 Examples

① 反义词就是跟一个词意义相反的词，例如，大是小的反义词，多是少的反义词等。(☺反义词就是跟一个词意义相对的词，例如，大是小的反义词，多是少的反义词等。)

② 事物发展到了一定阶段就要向相反的方向转化，比如，热天转变为冷天，弱队转变为强队。(＊事物发展到了一定阶段就要向相对的方向转化，比如，热天转变为冷天，弱队转变为强队。)

③ 到楚国去应该往南走，你怎么往北走呢，方向正好相反。(＊到楚国去应该往南走，你怎么往北走呢，方向正好相对。)

④ 在最困难的时候，他没有退缩，相反，更加坚信自己的选择是正

X

确的，所以才最终取得了成功。（*在最困难的时候，他没有退缩，相对，更加坚信自己的选择是正确的，所以才最终取得了成功。）

⑤ 事物的大小、好坏都是相对的。（*事物的大小、好坏都是相反的。）

⑥ 中国南方比起北方来，自然条件相对好一些。（*中国南方比起北方来，自然条件相反好一些。）

⑦ 相对地说，出身贫苦的人比较能吃苦，比较能奋斗。（*相反地说，出身贫苦的人比较能吃苦，比较能奋斗。）

1355 相似[形]xiāngsì ▶ 相像[形]xiāngxiàng

词义说明 Definition

相似[resemble; be similar; be alike] 彼此差不多。

相像[resemble; be similar; be alike] 彼此有相同点或共同点。

词语搭配 Collocation

	很~	十分~	面貌~	~之处	惊人的~
相似	√	√	√	√	√
相像	√	√	√	×	×

用法对比 Usage

用法解释 Comparison

“相似”和“相像”同义，但“相像”强调彼此的外部特征，“相似”既指彼此的外部特征，又包括内在特征。

语境示例 Examples

① 这种病初起时，症状跟感冒很相似，所以常常被误以为是感冒。（☺这种病初起时，症状跟感冒很相像，所以常常被误以为是感冒。）

② 他们哥俩长得很相像。（☺他们哥俩长得很相似。）

③ 这两种树的叶子十分相似，所以不容易区别。（☺这两种树的叶子十分相像，所以不容易区别。）

④ 今年的这场大风与去年相似，都带有大量的沙尘。（*今年的这场大风与去年相像，都带有大量的沙尘。）

⑤ 你跟他的观点非常相似。（*你跟他的观点非常相像。）

⑥ 历史往往有惊人的相似之处。（*历史往往有惊人的相像之处。）

1356 相同[形]xiāngtóng ▶ 相通[动]xiāngtōng

词义说明 Definition

相同[identical; same; alike] 彼此一样，没有区别。

相通[communicate with each other; be interlinked] 事物之间彼此连贯沟通。

词语搭配 Collocation

	不～	很～	观点～	看法～	颜色～	大小～	内容～	息息～	心是～的
相同	√	√	√	√	√	√	√	×	×
相通	√	×	×	×	×	×	×	√	√

用法对比 Usage

用法解释 Comparison

"相同"和"相通"的意思不同，词性也不同，"相同"是形容词，"相通"是动词，它们不能相互替换。

语境示例 Examples

① 相同：虽然我们远隔千山万水，但是我们的心是相同的。（观点、思想一样）

相通：虽然我们远隔千山万水，但是我们的心是相通的。（观点一致，关系密切。）

② 这条街跟那条街是相通的。（*这条街跟那条街是相同的。）

③ 你跟我弟弟的年龄相同。（*你跟我弟弟的年龄相通。）

④ 这篇文章的观点跟那篇不相同。（*这篇文章的观点跟那篇不相通。）

⑤ 他们两个在这个问题上的看法是不相同的。（*他们两个在这个问题上的看法是不相通的。）

X

1357 相同[形]xiāngtóng ▶ 一样[形]yíyàng

词义说明 Definition

相同[identical; same; alike] 彼此一样，没有区别。

一样[same; alike; as ... as...] 同样；没有差别。

词语搭配 Collocation

	~的面积	~的颜色	距离~	想法~	爱好~	~高低	~好	~漂亮	~贵
相同	√	√	√	√	√	×	×	×	×
一样	√	√	√	√	√	√	√	√	√

用法对比 Usage

用法解释 Comparison

“相同”的主语必须是复数，“一样”的主语可以是复数，也可以是单数。“一样”可修饰形容词，“相同”不能修饰形容词。

语境示例 Examples

① 这两辆汽车颜色相同。（☺这两辆汽车颜色一样。）
② 对这个问题我们两个有相同的看法。（☺对这个问题我们两个有一样的看法。）
③ 她待我像亲姐姐一样。（＊她待我像亲姐姐相同。）
④ 他唱得跟歌手一样好。（＊他唱得跟歌手相同好。）
⑤ 这两件衣服一样贵。（＊这两件衣服相同贵。）
⑥ 今天跟春天一样暖和。（＊今天跟春天相同暖和。）
⑦ 双方对很多问题的看法有相同点。（＊双方对很多问题的看法有一样点。）
⑧ 你放心吧，剩下妈妈一个人也一样能把你养大成人。（＊你放心吧，剩下妈妈一个人也相同能把你养大成人。）

1358 相信[动]xiāngxìn ▶ 信任[动]xìnrèn

词义说明 Definition

相信[believe in; be convinced of; trust; have faith in] 认为正确或确实而不怀疑：我~你。

信任[trust; have confidence in] 相信而敢于依靠：领导很~他。

词语搭配 Collocation

	很~	非常~	不~	不太~	~她	~朋友	~你的话	~是真的	~事实	~会成功
相信	√	√	√	√	√	√	√	√	√	√
信任	√	√	√	√	√	√	×	×	×	×

X

用法对比 Usage

“信任”和“相信”都是动词。“信任”的对象是人（或单位、组织等由人组成的团体），信任某人，表示认为他人品好、有办事能力，因而让他去负责某事；“相信”的对象可以是人，也可以是事，相信某人，表示对某人了解，对他说的话或做的事不怀疑，相信某事，即认为它是真实的。

① 公司领导很相信他，最近让他当了一个部门的经理。（☺公司领导很信任他，最近让他当了一个部门的经理。）

② 既然用他就应该相信他，用人不疑嘛。（☺既然用他就应该信任他，用人不疑嘛。）

③ 我不相信他说的话。（＊我不信任他说的话。）

④ 你这么努力，我相信你一定能学好汉语。（＊你这么努力，我信任你一定能学好汉语。）

⑤ 我相信这件事是真的。（＊我信任这件事是真的。）

“相信”的对象可以是自己，“信任”的对象不能是自己。

我相信自己的判断是正确的。（＊我信任自己的判断是正确的。）

1359 详细[形]xiángxì ▶ 详尽[形]xiángjìn

词义说明 Definition

详细[detailed; minute] 周密完备。

详尽[detailed and complete; exhaustive; thorough] 详细而全面。

词语搭配 Collocation

	～研究	讲得很～	～的报告	～情况	～的记载	～的记录
详细	√	√	√	√	√	√
详尽	×	×	√	×	√	√

用法对比 Usage

“详细”和“详尽”都是形容词，都可以作定语。“详细”强调“细”，指内容具备应有的细节。“详尽”着重在“尽”，应有尽有，没有遗漏，比“详细”更进一层。常用的是“详细”。

① 有关那场战争的情况，这本书上有详细的记载。（☺有关那场战争的情况，这本书上有详尽的记载。）

② 记者对这一事件进行了详细的报道。（☺记者对这一事件进行了详

尽的报道。)

“详细”可以作补语，“详尽”不能作补语。

这个问题老师讲得很详细。(* 这个问题老师讲得很详尽。)

它们与其他词语的搭配有所不同。

① 没有详细的观察和研究，就很难得出正确的结论。(* 没有详尽的观察和研究，就很难得出正确的结论。)

② 公司要求我提供一份关于中国烟草生产情况的详细报告。(* 公司要求我提供一份关于中国烟草生产情况的详尽报告。)

③ 我对公司生产的详细情况不太了解。(* 我对公司生产的详尽情况不太了解。)

1360 享受[动、名]xiǎngshòu ▶ 享乐[动]xiǎnglè

词义说明 Definition

享受[enjoy; treat] 物质上或精神上得到满足。

享乐[(usu. derog.) lead a life of pleasure; indulge in creature comforts] 享受安乐(多用于贬义)。

词语搭配 Collocation

	～生活	美的～	～公费医疗	～权利	贪图～	～在后	～主义	～思想
享受	√	√	√	√	√	√	×	×
享乐	×	×	×	×	√	×	√	√

用法对比 Usage

用法解释 Comparison

“享受”是及物动词，可以带宾语，“享乐”是不及物动词，不能带宾语；而且“享乐”含贬义，“享受”是中性词；“享受”还是个名词，“享乐”没有名词的用法。

语境示例 Examples

① 其实，干部的优劣，只要看一看他的生活作风便一目了然，贪图享受的干部是不可能全心全意为人民服务的。(☺其实，干部的优劣，只要看一看他的生活作风便一目了然，贪图享乐的干部是不可能全心全意为人民服务的。)

② “先天下而忧而忧，后天下之乐而乐”，用现代汉语解释就是“吃苦在前，享受在后”。(* “先天下而忧而忧，后天下之乐而乐”，

用现代汉语解释就是“吃苦在前，享乐在后”。）

③ 公民享受宪法赋予的一切权利。（＊公民享乐宪法赋予的一切权利。）

④ 看这个摄影展览真是一次美的享受。（＊看这个摄影展览真是一次美的享乐。）

⑤ 抱有享乐主义人生观的人，不仅不珍惜自然资源，也不珍惜自己的生命。（＊抱有享受主义人生观的人，不仅不珍惜自然资源，也不珍惜自己的生命。）

1361 享受[动]xiǎngshòu ▶ 享用[动]xiǎngyòng

词义说明 Definition

享受[enjoy; treat] 物质上或精神上得到满足。

享用[enjoy the use of; enjoy] 使用某种东西而得到物质上或精神上的满足。

词语搭配 Collocation

	贪图～	～权利	～公费医疗	艺术～	美的～	～在后	～不尽	供大家～
享受	√	√	√	√	√	√	×	×
享用	×	×	×	×	×	×	√	√

用法对比 Usage

用法解释 Comparison

“享受”和“享用”的意思差不多，但是“享受”是及物动词，可以带宾语，而“享用”是不及物动词，不能带宾语。使用较多的是“享受”。

语境示例 Examples

① 听这样的音乐会真是一次美的享受。（＊听这样的音乐会真是一次美的享用。）

② 大学教师都享受公费医疗。（＊大学教师都享用公费医疗。）

③ 我们一方面享受公民的权利，一方面还要尽公民的义务。（＊我们一方面享用公民的权利，一方面还要尽公民的义务。）

④ 他的财产一辈子都享用不尽，可是他仍不满足，还贪污公款几百万。（＊他的财产一辈子都享受不尽，可是他仍不满足，还贪污公款几百万。）

⑤ 大厅里的沙发、电话，还有茶水都是供大家享用的。（＊大厅里的沙发、电话，还有茶水都是供大家享受的。）

1362 响亮[形]xiǎngliàng ▶ 洪亮[形]hóngliàng ▶ 嘹亮[形]liáoliàng

词义说明 Definition

响亮[(of sound) loud and clear; sonorous]（声音）宏大。
洪亮[(of voice) loud and clear; sonorous]（声音）大，响亮。
嘹亮[(of sound) loud and clear; resonant]（声音）清晰洪亮。

词语搭配 Collocation

	很～	非常～	不太～	歌声～	回答得很～	～的回声	嗓音～	～的号声
响亮	√	√	√	√	√	√	×	×
洪亮	√	√	√	√	×	×	√	×
嘹亮	√	√	√	√	×	×	×	√

用法对比 Usage

用法解释 Comparison

这三个词都是用来形容声音的，但是它们能修饰的中心语的范围很窄，一般形容人或乐器等发出的声音。“响亮”形容人的喊声、叫声、鼓声等，“洪亮”形容人的嗓音、说话声，“嘹亮”形容歌声、号声、笛声等，它们都不能用于修饰其他声音。

语境示例 Examples

① 他那嘹亮的歌声响彻整个音乐厅。（☺他那响亮/洪亮的歌声响彻整个音乐厅。）
② 老师点到谁的名字时，请响亮地回答：到！（＊老师点到谁的名字时，请洪亮/嘹亮地回答：到！）
③ 他的嗓音真洪亮。（＊他的嗓音真响亮/嘹亮。）
④ 我爱听那嘹亮的小号声。（＊我爱听那响亮/洪亮的小号声。）
⑤ 那嘹亮悠扬的笛声使我想起了在农村生活的时光。（＊那洪亮/响亮悠扬的笛声使我想起了在农村生活的时光。）

1363 想[动、助动]xiǎng ▶ 要[动、助动、连]yào

词义说明 Definition

想[think; ponder] 开动脑筋，思索：～办法。[think back; try to remember; recall; recollect] 回忆。[suppose; reckon; consider; think] 推测；认为：我～他不来了。[want to; would like to; feel like (doing sth.)] 希望；打算：我～去旅行。[remember with longing; miss] 思念、怀念：～家|很～你。

要[want; ask for; wish; desire] 希望得到；希望保持：我～一碗汤。[ask (or want) sb. to do sth.] 要求，请求：这个星期，老师～我们写一篇作文。[want to; wish to] 表示做某件事的意志：我～学打太极拳。[must; should; it is necessary (or imperative, essential)] 须要，应该：开车～小心。[need; take] 需要：坐汽车～两个小时。[shall; will; be going to] 将要：～考试了。[(used in comparisons to indicate an estimate)] 表示估计，用于比较：这里夏天比我们那里～热一些。[if; suppose; in case] 如果：～去就快点儿，别磨磨蹭蹭的。

词语搭配 Collocation

	～问题	～家	～去	～钱	～买	～小心	～考试了	～下雨的话
想	√	√	√	×	√	×	×	×
要	×	×	√	√	√	√	√	√

用法对比 Usage

“想”和“要”都有动词和助动词的词性，但是意义和用法不同。

① 想：她明年想去中国学习汉语。（打算，至于能不能成行还不肯定）

要：她明年要去中国学习汉语。（已经决定，肯定去）

② 你想不想报名学太极拳？（☺你要不要报名学太极拳？）

以下“想”的用法不能用“要”替换。

① 出国快一年了，我很想家。（＊出国快一年了，我很要家。）

② 老师为我们想得很周到。（＊老师为我们要得很周到。）

③ 你再想想把钥匙放在什么地方了。（＊你再要要把钥匙放在什么地方了。）

④ 我想他今天不会来了。（＊我要他今天不会来了。）

⑤ 我不想当翻译，想当老师。（＊我不要当翻译，要当老师。）

以下“要”的用法不能用“想”替换。

① 我要一瓶啤酒。(＊我想一瓶啤酒。)

② 快过生日了，你要什么生日礼物?(＊快过生日了，你想什么生日礼物?)

③ 下雪了，路滑，开车不要大意。(＊下雪了，路滑，开车不想大意。)

④ 从北京到天津开车要多长时间?(＊从北京到天津开车想多长时间?)

⑤ 我们要期中考试了。(＊我们想期中考试了。)

⑥ 这里夏天比我们那里要热得多。(＊这里夏天比我们那里想热得多。)

⑦ 你要愿意就跟我一起去吧。(＊你想愿意就跟我一起去吧。)

1364 想到 xiǎng dào ▶ 料到 liào dào

词义说明 Definition

想到[think of; call to mind] 考虑到。[expect sth. to happen; expect that sth. will happen] 推测到。

料到[forecast; expect] 预测到；预想到。

词语搭配 Collocation

	～了	没～	很难～	忽然～	～这里	～那天的情景
想到	√	√	√	√	√	√
料到	√	√	√	×	×	×

用法对比 Usage

“想到”和“料到”是动词“想”和“料”与“到”构成的动补词组，都表示已然的思想活动。“料到”主要是以往对未来事件的预见或预测，“想到”可以表示以往对未来的预测，也可以表示现在或经常出现的思想活动。

① 这种情况是我们没有想到的。(☺这种情况是我们没有料到的。)

② 我就想到你今天会来。(☺我就料到你今天会来。)

③ 这个结果是我早就想到的。(☺这个结果是我早就料到的。)

④ 十年前，谁也没想到这里会发生这么大的变化。(☺十年前，谁也没料到这里会发生这么大的变化。)

“料到”不能表达现实的或经常的思想活动。

① 我忽然想到一件事，你看该不该办。（＊我忽然料到一件事，你看该不该办。）

② 每想到这件事，我就感到很惭愧。（＊每料到这件事，我就感到很惭愧。）

1365 想念[动]xiǎngniàn 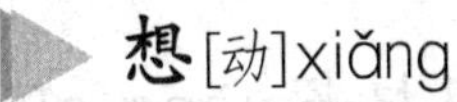 想[动]xiǎng

词义说明 Definition

想念[miss; long to see sb. or sth. unforgettable (respected person, parting person, place, etc.)] 对景仰的人、离别的人或环境不能忘记，希望见到。

想[think; ponder] 开动脑筋，思索：～办法。[think back; try to remember; recall; recollect] 回忆，回想：你再仔细～～，把钥匙放什么地方了？ [suppose; presume; consider; think] 推测；认为：我～你今天会来。 [miss; remember with longing] 怀念；想念：～家|很～你。

词语搭配 Collocation

	～家	～亲人	非常～你	～孩子	不～	～办法	～不到	没～到
想念	×	√	√	√	√	×	×	×
想	√	√	√	√	√	√	√	√

用法对比 Usage

“想”的对象可以是人，也可以是地方，“想念”的对象只能是人。

① 到中国以后我非常想念父母和朋友。(☺到中国以后我非常想父母和朋友。)

② 你想不想你男朋友？(☺你想念不想念你男朋友？)

③ 你想不想家？(＊你想念不想念家？)

以下句中的“想”都不能用“想念”替换。

① 这件事你帮我想想办法。(＊这件事你帮我想念想念办法。)

② 你仔细想想那天还有谁来了？（＊你仔细想念想念那天还有谁来了？)

③ 我想你今天会给我来电话。(＊我想念你今天会给我来电话。)

④ 你想没想过毕业以后做什么？（＊你想念没想念过毕业以后做什么？）

⑤ 他没想到事情的结果会是这样。（＊他没想念到事情的结果会是这样。）

"想"还是个助动词，"想念"只是个动词。

你想不想跟我一起去中国？（＊你想念不想念跟我一起去中国？）

1366 想起来xiǎng qǐlái ▶ 想出来xiǎng chūlái

词义说明 Definition

想起来[remember; recollect; recall; think of; call to mind] 通过思索，恢复记忆，即大脑里原来储存有记忆，后来忘记了，现在又恢复了。（可能式为：想得起来/想不起来）：我～了，她叫玛丽。

想出来[think out; think up] 通过思索，大脑里产生了想法、办法、主意等。（可能式为：想不出来/想得出来）：我～了一个好办法。

词语搭配 Collocation

	～了	没～	～他的电话	～她的名字	～一个办法	～一个好主意
想起来	√	√	√	√	×	×
想出来	√	√	×	×	√	√

用法对比 Usage

用法解释 Comparison

"想起来"和"想出来"都是动词"想"与趋向动词"起来"和"出来"组成的动补词组，它们的宾语既可以跟在后边，又可以插在"想起"或"想出"与"来"中间，口语中还常常说"想起"和"想出"。它们不能相互替换。

语境示例 Examples

① 我想起来了，这个电影我以前看过。（＊我想出来了，这个电影我以前看过。）

② 我一时还真想不起来把他的电话号码记在什么地方了。（＊我一时还真想不出来把他的电话号码记在什么地方了。）

③ 一看到这张照片，就想起当年在北京学习的情景来了。（＊一看

到这张照片，就想出当年在北京学习的情景来了。）

④ 我怎么也想不起来他叫什么名字了。（＊我怎么也想不出来他叫什么名字了。）

⑤ 这个办法是谁想出来的，还真不错。（＊这个办法是谁想起来的，还真不错。）

⑥ A：怎么办呢？快帮我想想主意呀！B：我也想不出什么好主意来。（＊我也想不起什么好主意来。）

⑦ 我想出来了一个办法，你看行不行？（＊我想起来了一个办法，你看行不行？）

1367 向来[副]xiànglái ▶ 从来[副]cónglái

词义说明 Definition

向来[always; all along] 从过去到现在都……。一向；从来。

从来[from the past till the present; always; at all times; all along] 从过去到现在都（不/没）……。

词语搭配 Collocation

	～如此	～认真	～很努力	～学得很好	～不失信	～不吸烟	～没听说过
向来	√	√	√	√	√	√	×
从来	√	×	×	×	√	√	√

用法对比 Usage

“向来”和“从来”都是副词，都表示从过去到现在，用法基本相同。不过，“向来”用于肯定句比用于否定句多，“从来”用于否定句比用于肯定句多。

① 他向来就是这样，不爱说话。（☺他从来就是这样，不爱说话。）

② 我从来不吸烟。（☺我向来不吸烟。）

③ 这个人从来说话不算话。（☺这个人向来说话不算话。）

④ 他办事向来认真负责，你跟他合作没问题。（☺他办事从来认真负责，你跟他合作没问题。）

⑤ 我从来不认为男的就一定比女的强。（☺我向来不认为男的就一定比女的强。）

⑥ 这件事我从来没有听他说过。（＊这件事我向来没有听他说过。）

“从来”一般不修饰单个动词或形容词，“向来”没有此限。

她向来努力，所以成绩很好。（＊她从来努力，所以成绩很好。）

X

1368 像[动]xiàng ▶ 似[动]sì

词义说明 Definition

像[be like; resemble; take after] 两个事物在形象上相同或有较多的共同点。[look as if; seem] 好像。[such as; like] 比如。

似[similar; like] 像，如同。[seem; as if; appear] 似乎。

词语搭配 Collocation

	她～妈妈	哥儿俩很～	好～要下雨	～熊猫	相～	近～	～应解决
像	√	√	√	√	√	×	×
似	√	×	×	×	√	√	√

用法对比 Usage

"像"常用于口语，"似"多用于书面。

① 我长得像我妈妈。(☺我长得似我妈妈。)

② 这个案件和一个月前发生的那件，作案手段相似。(☺这个案件和一个月前发生的那件，作案手段相像。)

③ 他们哥儿俩长得很像。(*他们哥儿俩长得很似。)

④ 天阴得这么重，像要下雨。(*天阴得这么重，似要下雨。)

⑤ 像他那样刻苦的学生很少见。(*似他那样刻苦的学生很少见。)

⑥ 此类事情似应交地方政府解决(书面)。(*此类事情像应交地方政府解决。)

"像"有比如的意思，用于举例，"似"没有这个用法。

中国有不少珍稀动物，像大熊猫、金丝猴等，都应该好好保护。(*中国有不少珍稀动物，似大熊猫、金丝猴等，都应该好好保护。)

1369 消除[动]xiāochú ▶ 清除[动]qīngchú

词义说明 Definition

消除[eliminate; dispel; remove; clear up] 使不存在，除去(不利的事物)。

清除[clear away; eliminate; get rid of] 扫除干净；全部去掉。

词语搭配 Collocation

	～误会	～隔阂	～隐患	～分歧	～顾虑	～垃圾	～积雪	～杂草	～出去
消除	√	√	√	√	√	×	×	×	×
清除	×	×	×	×	×	√	√	√	√

用法对比 Usage

用法解释 Comparison

“消除”和“清除”虽然都有“除去”的意思，但是它们的对象不同。“消除”的对象为抽象的事物，“清除”的对象多为具体事物，它们不能相互替换。

语境示例 Examples

① 你最好找她好好谈谈，消除她对你的误会。（*你最好找她好好谈谈，清除她对你的误会。）
② 为了消除安全隐患，设备要定期检查。（*为了清除安全隐患，设备要定期检查。）
③ 这次会谈消除了双方在这个问题上的分歧。（*这次会谈清除了双方在这个问题上的分歧。）
④ 要把这些杂草清除掉。（*要把这些杂草消除掉。）
⑤ 把这些不用的东西都清除出去。（*把这些不用的东西都消除出去。）
⑥ 这些垃圾什么时候可以清除完？（*这些垃圾什么时候可以消除完？）

1370 消费[动]xiāofèi ▶ 消耗[动]xiāohào

词义说明 Definition

消费[consume] 为了生产或生活需要而消耗物质财富。

消耗[(of spirit, force, things, etc.) consume; use up; expend] (精神、力量、东西等) 因使用或受损失而减少。[deplete] 使消耗。

词语搭配 Collocation

	～者	～水平	～城市	～品	～精力	～时间	～能源	～能量	理性～
消费	√	√	√	√	×	×	×	×	√
消耗	×	×	×	×	√	√	√	√	×

用法对比 Usage

用法解释 Comparison

“消费”的行为主体是人，“消耗”的行为主体可以是人，也可以是动物或机器等。“消费”的对象一般是日常生活用品，“消耗”的对象不受此限，既可以是具体物质，也可以是精力、时间等抽象事物。

语境示例 Examples

① 大量消耗自然资源也造成了地球生态环境的破坏。（＊大量消费自然资源也造成了地球生态环境的破坏。）

② 人们的消费水平随着经济的发展在逐步提高。（＊人们的消耗水平随着经济的发展在逐步提高。）

③ 法律保障消费者的合法权益。（＊法律保障消耗者的合法权益。）

④ 生活消费品越来越多样、美观、经济、实用。（＊生活消耗品越来越多样、美观、经济、实用。）

⑤ 为了写这本书，他消耗了大量的时间和精力。（＊为了写这本书，他消费了大量的时间和精力。）

1371 消灭[动]xiāomiè ▶ 歼灭[动]jiānmiè

词义说明 Definition

消灭[perish; die out; become extinct; pass away] 消失；灭亡。[make extinct; eliminate; abolish; wipe out; annihilate] 使消灭；除掉（敌对的或有害的人或事物）。

歼灭[annihilate; wipe out; destroy] 消灭（敌人）。

词语搭配 Collocation

	～了	～敌人	～侵略者	～蚊蝇	～害虫	～差错	～事故	～剥削	～贫困
消灭	√	√	√	√	√	√	√	√	√
歼灭	√	√	√	×	×	×	×	×	×

用法对比 Usage

用法解释 Comparison

“消灭”的宾语可以是敌人和有害的昆虫，还可以是事故、差错、贫困、剥削等抽象的名词。“歼灭”的宾语很少，只有

"敌人，敌人的有生力量"等。

语境示例 Examples

① 要歼灭一切敢于来犯的侵略者。（☺要消灭一切敢于来犯的侵略者。）
② 如果地面作战，就要集中十倍于敌的兵力，歼灭其有生力量。（☺如果地面作战，就要集中十倍于敌的兵力，消灭其有生力量。）
③ 要加强安全管理工作，消灭事故隐患。（*要加强安全管理工作，歼灭事故隐患。）
④ 中国已经基本消灭了骨髓灰质炎。（*中国已经基本歼灭了骨髓灰质炎。）
⑤ 消灭害虫是爱国卫生运动的一项重要内容。（*歼灭害虫是爱国卫生运动的一项重要内容。）
⑥ 要消灭贫困，实现全面建设小康社会的目标，中国还有很长的路要走。（*要歼灭贫困，实现全面建设小康社会的目标，中国还有很长的路要走。）

1372 消失[动]xiāoshī ▶ 消亡[动]xiāowáng ▶ 消灭[动]xiāomiè

词义说明 Definition

消失[disappear; vanish; dissolve; die (or fade) away] 事物逐渐减少到没有。

消亡[wither away; die out] 消失，灭亡。

消灭[perish; die out; pass away] 消失。灭亡。[eliminate; abolish; exterminate; wipe out] 使消失；除掉（敌对的或有害的人或事物）。

词语搭配 Collocation

	~了	~在人群中	疼痛~了	自行~	逐渐~	~病虫害	~敌人	~侵略者
消失	√	√	√	√	√	×	×	×
消亡	√	×	×	×	√	×	×	×
消灭	√	×	×	×	√	√	√	√

用法对比 Usage

这三个词都有"事物逐渐减少到没有"的意思，"消失"和"消亡”的过程是逐渐的，“消灭”不一定是逐渐的。

① 凡是在历史上发生的东西，都要在历史上消灭。(☺凡是在历史上发生的东西，都要在历史上消亡。)（*凡是在历史上发生的东西，都要在历史上消失。)

② 国家、政党都将随着阶级社会的消亡而消亡。(☺国家、政党都将随着阶级社会的消灭而消灭。)（*国家、政党都将随着阶级社会的消失而消失。)

③ 我腿上的红肿已经消失，但还有点儿疼。（*我腿上的红肿已经消亡/消灭，但还有点儿疼。)

④ 我一直看着他走远，消失在人群中。（*我一直看着他走远，消灭/消亡在人群中。)

“消灭”还是及物动词，可以带宾语，表示除掉敌对的或有害的人或事物的意思。“消失”和“消亡”是不及物动词，不能带宾语。

① 改革不是造成社会丑恶现象的真正原因，恰恰相反，改革的最终目的是要实现人民均富，最终消灭这些丑恶现象。（*改革不是造成社会丑恶现象的真正原因，恰恰相反，改革的最终目的是要实现人民均富，最终消亡/消失这些丑恶现象。)

② 对敢于来犯之敌，要坚决彻底地把他们消灭。（*对敢于来犯之敌，要坚决彻底地把他们消亡/消失。)

1373 消息[名]xiāoxi ▶ 新闻[名]xīnwén

词义说明 Definition

消息[news; information] 关于人或事物情况的报道。[tidings; news; message] 音信。

新闻[news] 报社、通讯社、广播电台、电视台以及网络等报道的消息。泛指社会上最近发生的新事情。

词语搭配 Collocation

	好～	一条～	没有～	电视～	国际～	国内～	～稿	～记者	～广播	～界	发布～
消息	√	√	√	×	×	×	×	×	×	×	√
新闻	√	√	√	√	√	√	√	√	√	√	√

用法对比 Usage

用法解释 Comparison

“消息”可以是日常生活中口口相传的信息，也可以是见诸各种媒体的报道。“新闻”指各种媒体的报道，包括文字、图片和图像等。“新闻”多用于正式场合，“消息”正式场合和非正式场合都常用。

语境示例 Examples

① 很多媒体通过国际互联网发布消息。(☺很多媒体通过国际互联网发布新闻。)
② 今天报上有什么重要新闻吗？(☺今天报上有什么重要消息吗？)
③ 我已经一个多月没有他的消息了。(＊我已经一个多月没有他的新闻了。)
④ 告诉你一个好消息，你的申请批准了。(＊告诉你一个好新闻，你的申请批准了。)
⑤ 为了练习听力，我每天坚持听新闻联播。(＊为了练习听力，我每天坚持听消息联播。)
⑥ 大学毕业以后，他想当一名新闻记者。(＊大学毕业以后，他想当一名消息记者。)
⑦ 外交部每周都举行新闻发布会。(＊外交部每周都举行消息发布会。)
⑧ 他是国务院的新闻发言人。(＊他是国务院的消息发言人。)

1374 小心[动、形]xiǎoxīn ▶ 注意[动]zhùyì

词义说明 Definition

小心[take care; be careful; be cautious] 注意；留神；谨慎。

注意[pay attention to; take note (or notice) of] 把意志放在某一方面。

词语搭配 Collocation

	～！	不～	很～	～摔倒	路上～	～安全	～身体	～发音	～声调
小心	√	√	√	√	√	×	×	×	×
注意	√	√	√	×	√	√	√	√	√

用法对比 Usage

用法解释 Comparison

“小心”有注意、留心的意思，是动词也是形容词；“注意”

只是动词，可以带宾语，“小心”不常带宾语。

语境示例 Examples

① 路上人多车多，开车一定要小心。(☺路上人多车多，开车一定要注意。)

② 我一时不小心摔了一跤。(☺我一时不注意摔了一跤。)

③ 他做事一向很小心，生怕出差错。(☺他做事一向很注意，生怕出差错。)

④ 上下山时大家一定要注意安全。（＊上下山时大家一定要小心安全。)

⑤ 同学们朗读课文的时候要注意发音和声调。（＊同学们朗读课文的时候要小心发音和声调。)

⑥ 爸爸很注意锻炼身体。(＊爸爸很小心锻炼身体。)

1375 晓得[动]xiǎode ▶ 懂得[动]dǒngde

词义说明 Definition

晓得[know] 知道。

懂得[understand; know; grasp] 知道（意义和做法等)。

词语搭配 Collocation

	不～	～了	～怎么用	～怎么做	～做人的道理	～他住哪儿	～他的情况
晓得	√	√	√	√	√	√	√
懂得	√	√	√	√	√	×	×

用法对比 Usage

用法解释 Comparison

“晓得”是视觉、听觉和大脑等器官对信息的处理结果，既可以是感性认识层面的，也可以是理性认识层面的；而“懂得”主要是大脑对信息处理的结果，一定是理性认识层面的。

语境示例 Examples

① 这个词的意思我知道，但是不晓得怎么用。(☺这个词的意思我知道，但是不懂得怎么用。)

② 老师不仅教我们学习知识，还让我们懂得做人的道理。(☺老师不

仅教我们学习知识，还让我们晓得做人的道理。)

③ 这个手机是刚买来的，我还不晓得怎么发短信息呢。(＊这个手机是刚买来的，我还不懂得怎么发短信息呢。)

④ A：明天上午不上课，要去博物馆参观。B：晓得了。(＊懂得了。)

⑤ 你晓得王老师住哪儿吗？(＊你懂得王老师住哪儿吗？)

⑥ 对他最近的情况我一点儿也不晓得。(＊对他最近的情况我一点儿也不懂得。)

1376 效果[名]xiàoguǒ ▶ 成果[名]chéngguǒ

词义说明 Definition

效果[effect; result] 由某种力量、做法或因素产生的结果（多指好的）。

成果[achievement in one's career; positive result] 工作或事业的收获。

词语搭配 Collocation

	取得～	良好的～	～很多	教学～	治疗～	丰硕～	劳动～	科研～	改革～
效果	√	√	×	√	√	×	×	×	×
成果	√	×	√	√	×	√	√	√	√

用法对比 Usage

用法解释 Comparison

“效果”是个中性词，有好的也有不好的；“成果”是褒义词。“效果”不可数，“成果”前面可以带数量词。

语境示例 Examples

① 去年一年教学改革取得了很好的效果。(＊去年一年教学改革取得了很好的成果。)

② 这部专著是他潜心研究数年取得的一项重要科研成果。(＊这部专著是他潜心研究数年取得的一项重要科研效果。)

③ 这种中药治疗糖尿病的效果不错。(＊这种中药治疗糖尿病的成果不错。)

④ 中国改革开放二十多年，已经取得了举世瞩目的丰硕成果。(＊中国改革开放二十多年，已经取得了举世瞩目的丰硕效果。)

⑤ 使用这套新教材的教学效果很好。(＊使用这套新教材的教学成

果很好。)

⑥ 这个剧场的音响效果很好。(＊这个剧场的音响成果很好。)

1377 协定[名]xiédìng ▶ 协议[动、名]xiéyì

词义说明 Definition

协定[agreement; accord] 协商后订立的共同遵守的条款。[reach an agreement on sth.; conclude a convention] 经过协商订立(共同遵守的条款)。

协议[negotiate and agree on] 协商。[agreement] 国家、政党或团体间经过谈判、协商后取得的一致意见。

词语搭配 Collocation

	签定～	达成～	遵守～	贸易～	停战～	双方～	破坏～	撕毁～	～离婚
协定	√	×	√	√	√	×	√	√	×
协议	√	√	√	√	√	√	√	√	√

用法对比 Usage

用法解释 Comparison

“协定”只是名词，多指书面条款，有庄重色彩；“协议”泛指取得的一定的意见，不限于国家、集团之间，还可以是公司、单位之间的，没有庄重色彩。“协议”可以作状语也可以作谓语，“协定”只能作宾语。

语境示例 Examples

① 两国经过谈判终于签定了有关边界的协定。(☺两国经过谈判终于签定了有关边界的协议。)

② 双方同意共同遵守业已达成的协议。(＊双方同意共同遵守业已达成的协定。)

③ 这项贸易协定的签定对发展两国间的贸易将起重要作用。(☺这项贸易协议的签定对发展两国间的贸易将起重要作用。)

④ 停战协定有力地维护了两国边境地区的安全。(☺停战协议有力地维护了两国边境地区的安全。)

⑤ 由于一国单方面撕毁了协定，所以引起了这场战争。(☺由于一国单方面撕毁了协议，所以引起了这场战争。)

⑥ 他们俩已经协议离婚了。(＊他们俩已经协定离婚了。)

1378 协商[动]xiéshāng ▶ 协议[动、名]xiéyì

词义说明 Definition

协商[consult; talk things over in order to achieve agreement] 共同商量以便取得一致意见。

协议[negotiate and agree on] 协商。[agreement] 国家、政党或团体间经过谈判、协商后取得的一致意见。

词语搭配 Collocation

	民主～	～会议	友好～	～解决	达成～	遵守～	违反～	撕毁～	终止～
协商	√	√	√	√	×	×	×	×	×
协议	√	×	√	√	√	√	√	√	√

用法对比 Usage

用法解释 Comparison

“协商”是动词，而“协议”是动词兼名词，“协议”可以作宾语，“协商”不常作宾语。(可以作个别动词的宾语，例如：参与协商)。

语境示例 Examples

① 双方如果出现矛盾或分歧，应该在平等互谅的基础上协商解决。(☺双方如果出现矛盾或分歧，应该在平等互谅的基础上协议解决。)

② 国与国之间如果遇到问题应该通过协商解决，决不能诉诸武力或以武力相威胁。(＊国与国之间如果遇到问题应该通过协议解决，决不能诉诸武力或以武力相威胁。)

③ 中国各党派有一个政治协商会议，共同协商解决国家政治生活中的大事。(＊中国各党派有一个政治协议会议，共同协议解决国家政治生活中的大事。)

④ 经过友好协商，双方达成了多项技术合作协议。(＊经过友好协议，双方达成了多项技术合作协商。)

⑤ 协议规定的条款都得到了很好的执行。(＊协商规定的条款都得到了很好的执行。)

1379 携带[动]xiédài ▶ 带[动]dài

词义说明 Definition

携带[carry; take along] 随身带着。

带[take; bring; carry] 随身拿着，携带：～上相机。[do sth. incidentally] 捎带着做某事：你去邮局给～几张邮票回来。[bear; have] 呈现；显出：面～微笑。[having sth. attached; simultaneous] 含有；连着，附带：这块手表～日历。[lead; head] 引领；领：～队。[look after; bring up; raise] 抚养，养育：这孩子是姥姥～大的。[drive; spur on] 带动。

词语搭配 Collocation

	随身～	～行李	～照相机	～东西	～家属	～孩子	～方便	连说～笑	～队	～起来
携带	√	√	√	√	√	×	√	×	×	×
带	√	√	√	√	√	√	×	√	√	√

用法对比 Usage

用法解释 Comparison

“携带”应带双音节词作宾语，它的对象一般是物品，不能是某个具体的人；“带”的宾语没有音节限制，对象可以是东西，也可以是人。

语境示例 Examples

① 还是手机携带起来方便。(☺还是手机带起来方便。)

② 民航只允许一个旅客携带二十公斤的行李。(☺民航只允许一个旅客带二十公斤的行李。)

③ 这次他带队去参加世界杯足球赛。(＊这次他携带队去参加世界杯足球赛。)

④ 我从小是奶奶带大的。(＊我从小是奶奶携带大的。)

⑤ 这种葡萄酒带点儿酸味。(＊这种葡萄酒携带点儿酸味。)

⑥ 一个班有几个学得好的学生就能把全班带起来。(＊一个班有几个学得好的学生就能把全班携带起来。)

⑦ 我去商店，你要不要带东西？ (＊我去商店，你要不要携带东西？)

⑧ 这种电脑带 DVD 播放器。(＊这种电脑携带 DVD 播放器。)

X

1380 谢绝[动]xièjué ▶ 拒绝[动]jùjué

词义说明 Definition

谢绝[politely refuse; decline] 委婉地拒绝：～参观。

拒绝[refuse (a request, opinion or offer); reject; turn down; decline] 不接受（请求、意见或赠礼等）：～参加|～回答他的问题。

词语搭配 Collocation

	～了	～参观	婉言～	～接受	～贿赂	～诱惑	遭到～	不要～	坚决～
谢绝	√	√	√	×	×	×	×	×	×
拒绝	√	√	×	√	√	√	√	√	√

用法对比 Usage

用法解释 Comparison

“谢绝”是有礼貌地或委婉地拒绝，宾语是抽象的，如聘请、希望、好意等；“拒绝”的宾语可以是抽象的，也可以是比较具体的，如请求、要求、礼物等。

语境示例 Examples

① 他谢绝了外国公司的高薪聘请，毅然回国服务。（☺他拒绝了外国公司的高薪聘请，毅然回国服务。）

② 国外那所大学希望他再延长工作两年，他婉言谢绝了。（*国外那所大学希望他再延长工作两年，他婉言拒绝了。）

③ 对方的邀请是真诚的，你不应该拒绝。（☺对方的邀请是真诚的，你不应该谢绝。）

④ 他申请脱产读博士，遭到了领导的拒绝，于是就辞职了。（*他申请脱产读博士，遭到了领导的谢绝，于是就辞职了。）

⑤ 他想把这件礼物送给我，但是我拒绝了。（☺他想把这件礼物送给我，但是我谢绝了。）

⑥ 我邀请他参加我的婚礼，他拒绝了。（☺我邀请他参加我的婚礼，他谢绝了。）

1381 心[名]xīn ▶ 心灵[名]xīnlíng

词义说明 Definition

心[heart] 心脏；心病。[heart; mind; feeling; intention] 通常指思想的器官和思想、感情等：～地善良｜好～人。[centre; core] 中心；中央的部分：菜～。

心灵[heart; soul; spirit] 指内心、精神、思想等：～深处。

词语搭配 Collocation

	一颗～	用～	谈～	一～一意	江～	美好的～	幼小的～	～美	～好	好～人
心	√	√	√	√	√	×	×	×	√	√
心灵	×	×	×	×	×	√	√	√	×	×

用法对比 Usage

用法解释 Comparison

"心"也含有"心灵"的意思，但是"心"作为语素可以与其他词组成新词语，"心灵"没有组词能力。"心"既是抽象名词，也是具体名词，可以用数量词修饰；"心灵"是抽象名词，不能用数量词修饰。

语境示例 Examples

① 她人美，心更美。(☺她人美，心灵更美。)

② 他这个人心很好。(＊他这个人心灵很好。)

③ 我从心里感谢你。(＊我从心灵里感谢你。)

④ 这个钱包被一个好心人捡到后又送还给了我。(＊这个钱包被一个好心灵人捡到后又送还给了我。)

⑤ 从这件事可以看出她美好的心灵。(＊从这件事可以看出她美好的心。)

⑥ 河心有一个小岛，岛上住着十几户人家。(＊河心灵有一个小岛，岛上住着十几户人家。)

1382 心安xīn ān ▶ 安心[形]ānxīn

词义说明 Definition

心安[feel at ease and justified; have an easy conscience; with mind at rest and conscience clear; feel no qualm]心里坦然：~理得。

安心[feel at ease; be relieved; set one's mind at rest; keep one's mind on sth.] 心情安定：~养病|~工作。

词语搭配 Collocation

	感到~	~理得	很~	不~	~学习	~工作	~复习
心安	√	√	×	×	×	×	×
安心	√	×	√	√	√	√	√

用法对比 Usage

用法解释 Comparison

"心安"是个主谓结构的词组，"安心"是形容词，意思是心情安定，没有变化。它们不能相互替换。

语境示例 Examples

① 因为出国手续遇到麻烦，所以他最近不能安心工作。（* 因为出国手续遇到麻烦，所以他最近不能心安工作。）

② 你安心养病吧，不用操心单位的工作。（* 你心安养病吧，不用操心单位的工作。）

③ 妈妈要我安心学习，不要挂念家里。（* 妈妈要我心安学习，不要挂念家里。）

④ 做好人，行善事，就会感到心安。（* 做好人，行善事，就会感到安心。）

⑤ 虽然他来这个单位已经三年了，但是一直不安心工作，总想跳槽。（* 虽然他来这个单位已经三年了，但是一直不心安工作，总想跳槽。）

1383 心情[名]xīnqíng ▶ 情绪[名]qíngxù

词义说明 Definition

心情[frame (or state) of mind; mood] 感情状态。

情绪[morale; feeling; mood; sentiment] 人从事某种活动时产生的兴奋心理状态。 [depression; moodiness] 指不愉快的情感。

词语搭配 Collocation

	有～	没～	～很好	～愉快	～舒畅	～激动	～高涨	急躁～	闹～
心情	√	√	√	√	√	√	×	×	×
情绪	√	√	√	×	×	√	√	√	√

用法对比 Usage

"心情"好坏，可以有外在表现，也常常不表现出来，"情绪"好坏一定有外在表现，从情绪可以看出一个人心情的好坏。

① 心情：听到这个消息他心情很激动。(这个消息是好消息)
 情绪：听到这个消息他显得情绪很激动。(这个消息不一定是好消息)

② 她最近心情很不好。(☺她最近情绪很不好。)

③ 欣赏这美丽的景色，心情非常愉快。(＊欣赏这美丽的景色，情绪非常愉快。)

④ 一听说要到郊外去玩，同学们个个情绪高涨。(＊一听说要到郊外去玩，同学们个个心情高涨。)

⑤ 要克服急躁情绪。(＊要克服急躁心情。)

"有情绪"的意思是"不满，不高兴"，"有心情"的意思"乐意干"，"没有心情"是"不想干"、"不愿意干"。

① 由于妻子要跟他离婚，这几天他干什么都没有心情。(＊由于妻子要跟他离婚，这几天他干什么都没有情绪。)

② 领导上没有批准他的申请，他有点儿情绪。(＊领导上没有批准他的申请，他有点儿心情。)

1384 心情[名]xīnqíng ▶ 心绪[名]xīnxù

词义说明 Definition

心情[frame (or state) of mind; mood] 感情状态。

心绪[(referring to calmness or a disturbed state of mind) state of mind] 心情（多就安定或紊乱说）。

词语搭配 Collocation

	～舒畅	～激动	～沉重	～愉快	悲伤的～	～不宁	～很乱	～烦乱
心情	√	√	√	√	√	×	×	×
心绪	×	×	×	×	×	√	√	√

用法对比 Usage

用法解释 Comparison

“心情”是中性词，书面口语都用；“心绪”指不好的心情，一般用于书面。

语境示例 Examples

① 他心情烦躁地在屋里走来走去。（☺他心绪烦躁地在屋里走来走去。）

② 钱包被小偷掏走了，我一点儿游览的心情也没有了。（☺钱包被小偷掏走了，我一点儿游览的心绪也没有了。）

③ 这件事搞得我心绪烦乱。（＊这件事搞得我心情烦乱。）

④ 我怀着崇敬的心情瞻仰了人民英雄纪念碑。（＊我怀着崇敬的心绪瞻仰了人民英雄纪念碑。）

⑤ 能跟这么多外国同学一起学习汉语，我的心情非常舒畅。（＊能跟这么多外国同学一起学习汉语，我的心绪非常舒畅。）

⑥ 实验又失败了，他的心情很沉重。（＊实验又失败了，他的心绪很沉重。）

1385 心事[名]xīnshì ▶ 心思[名]xīnsi

词义说明 Definition

心事[sth. weighing on one's mind; a load on one's mind; worry] 心里想的事（多指感到为难的）。

心思[thought; idea] 念头：我真猜不透她的～。[thinking] 脑筋：用～。[state of mind; mood] 想做某事的心情：因为考得不好，没有～去看电影。

词语搭配 Collocation

	有～	没有～	想～	～重重	坏～	用～	费～
心事	√	√	√	√	×	×	×
心思	√	√	√	×	√	√	√

用法对比 Usage

用法解释 Comparison

这两个词意思不同，在与其他词语搭配时也有所不同，它们不能相互替换。

语境示例 Examples

① 走进屋，只见她一个人在那儿低头想心事。（*走进屋，只见看她一个人在那儿低头想心思。）

② 看她心事重重的样子，不知道出了什么事。（*看她心思重重的样子，不知道出了什么事。）

③ 她好像有什么心事。（*她好像有什么心思。）

④ 这件事很费心思。（*这件事很费心事。）

⑤ 这次考得不好，没有心思去玩儿。（*这次考得不好，没有心事去玩儿。）

1386 心疼[动]xīnténg ▶ 心爱[形]xīn'ài

词义说明 Definition

心疼[love dearly] 疼爱：～儿女。[feel sorry; be distressed] 舍不得；惋惜：这东西还能用，扔了～。

心爱[loved; treasured; dear to one's heart] 衷心喜爱：～的人|～的礼物。

词语搭配 Collocation

	～极了	～孙子	～钱	觉得～	～的人	～的礼物	～的东西
心疼	√	√	√	√	×	×	×
心爱	×	×	×	×	√	√	√

用法对比 Usage

用法解释 Comparison

“心疼”的人是晚辈儿孙，“心爱”的人是爱人、情人。“心疼”的东西是舍不得用或扔掉的，“心爱”的东西是非常喜欢的东西。“心疼”可以作谓语，“心爱”常作定语，不作谓语。

语境示例 Examples

① 心爱：他最心爱的就是那辆车。（他非常喜欢那辆车）

心疼：他最心疼的就是那辆车。（那辆车可能坏了或者丢了）

② 爷爷奶奶对小孙子心疼极了。（*爷爷奶奶对小孙子心爱极了。）

③ 花这么多钱我感到有点儿心疼。（*花这么多钱我感到有点儿心爱。）

④ 刚买的自行车就丢了，真叫人心疼。（*刚买的自行车就丢了，真叫人心爱。）

⑤ 快到情人节了，她要给心爱的人送一件礼物。（*快到情人节了，她要给心疼的人送一件礼物。）

1387 心眼儿[名]xīnyǎnr ▶ 心[名]xīn

词义说明 Definition

心眼儿[heart; mind] 内心。[intention; person's mind] 心地：～好。[intelligence; cleverness] 聪明机智：有～。[unfounded doubts; unnecessary misgivings] 对人的不必要的顾虑和考虑：～多。[tolerance] 气量（小或窄）：～小。

心[heart; mind; feeling; intention] 人的思想器官和思想、感情：好～办坏事。[centre; core] 中央的部分，中心：江～。

词语搭配 Collocation

	一个～	从～里	～好	缺～	有～	～太多	～太小	少个～	多～了	河～
心眼儿	√	√	√	√	√	√	√	√	×	×
心	√	√	√	×	√	×	√	×	√	√

用法对比 Usage

用法解释 Comparison

“心”既是个名词，也是个词素，有组词能力；“心眼儿”是个名词，没有组词能力。

语境示例 Examples

① 心眼儿：你别看他小小年龄，可有心眼儿了。（聪明，有主意）
心：你别看他小小年龄，可有心了。（肯动脑筋，爱思考）

② 我打心眼儿里喜欢他。（☺我打心里喜欢他。）

③ 她这个人心眼儿好。（☺她这个人心好。）

④ 她这个人整天傻乎乎的，缺心眼儿。（*她这个人整天傻乎乎的，

X

缺心。)

⑤ 她的心眼儿太多了。(＊她的心太多了。)

⑥ 你不要多心，我不是说你。(＊你不要多心眼儿，我不是说你。)

⑦ 船刚到河心就翻了。(＊船刚到河心眼儿就翻了。)

1388 心意[名]xīnyì ▶ 心愿[名]xīnyuàn

词义说明 Definition

心意[regard; kindly feelings] 对人的情意：送点儿礼物，表表～。[intention; purpose] 心里想的意思：不了解她的～。

心愿[cherished desire; aspiration; wish; dream] 愿望：美好的～。

词语搭配 Collocation

	一点儿～	表达～	你的～	我的～	美好的～	～很好
心意	√	√	√	√	√	√
心愿	√	√	√	√	√	√

用法对比 Usage

用法解释 Comparison

“心意”和“心愿”的意思不同，“心意”表示想法和情意，“心愿”表示愿望。

语境示例 Examples

① 心意：你的心意是好的，但是方法不对，让别人不容易接受。

心愿：你的心愿是好的，但是如果不努力，也实现不了。

② 因为不会说汉语，我只好用英语向她表达我的心意。(☺因为不会说汉语，我只好用英语向她表达我的心愿。)

③ 这是我的一点儿心意，请您收下。(心意＝礼物)(＊这是我的一点儿心愿，请您收下。)

④ 您的心意我领了，但是这礼物我不能收。(＊您的心愿我领了，但是这礼物我不能收。)

⑤ 她有一个美好的心愿，就是学好汉语以后当汉语老师。(＊她有一个美好的心意，就是学好汉语以后当汉语老师。)

1389 辛苦[动、形]xīnkǔ ▶ 苦[形、动]kǔ

词义说明 Definition

辛苦[hard; strenuous; toilsome; laborious] 身心劳苦。[(ask sb. to do sth.) go to great trouble; go through hardships] 求人办事时说的客套话：～你了！|～你跑一趟。

苦[(as opposed to 'sweet') bitter] 像黄连的味道（跟“甜”相对）：这种药太～了。[hardship; suffering; pain] 难受；痛苦：～笑|～日子过去了。[cause sb. so much pain; give sb. a hard time] 使痛苦：～了你了。[be troubled by; suffer from] 苦于：～夏。[painstakingly; doing one's utmost] 有耐心地，尽力地：～～劝告|勤学～练。

词语搭配 Collocation

	很～	非常～	～了	不～	中药太～	～你了	～了你	受～了	～干	～练
辛苦	√	√	√	√	×	√	×	×	×	×
苦	√	√	×	√	√	×	√	√	√	√

用法对比 Usage

“苦”是个多义词，还是个语素，有组词能力，“辛苦”没有组词能力。

① 爱人出国了，她一个人又要工作又要带孩子，真够辛苦的。(☺爱人出国了，她一个人又要工作又要带孩子，真够苦的。)

② 一个人在国外学习和生活，感到最苦的就是寂寞和孤独。（＊一个人在国外学习和生活，感到最辛苦的就是寂寞和孤独。)

③ 一个人干了这么多活，真苦了你了。（＊一个人干了这么多活，真辛苦了你了。)

④ 你一双儿女都大学毕业参加了工作，苦日子算到头了。（＊你一双儿女都大学毕业参加了工作，辛苦日子算到头了。)

“辛苦”还是一句客套话，用来向帮助自己的人表示感谢之情，“苦”没有这个用法。

① 同志们辛苦了！（＊同志们苦了！)

② 辛苦你去机场接他一下吧。（＊苦你去机场接他一下吧。)

“苦”可以作状语，“辛苦”不能作状语。

① 必须勤学苦练才能学好。（＊必须勤学辛苦练才能学好。)

② 我禁不住他苦苦哀求，就答应了。（＊我禁不住他辛苦辛苦哀求，

就答应了。)

"苦"表示一种味道，"辛苦"没有这个意思。

这种中药的味道有点儿苦。(*这种中药的味道有点儿辛苦。)

"苦"可以作补语，"辛苦"不能。

这辆破车，今天可害苦我了，一路上老抛锚。(*这辆破车，今天可害辛苦我了，一路上老抛锚。)

1390 辛勤[形]xīnqín ▶ 辛苦[形、动]xīnkǔ

词义说明 Definition

辛勤[industrious; hardworking] 辛苦勤劳：~劳动挣的钱是最干净的。

辛苦[hard; strenuous; toilsome; laborious] 身心劳苦。[(ask sb. to do sth.) go to great trouble; go through hardships] 求人办事时说的客套话：同志们~了！(领导说的话)

词语搭配 Collocation

	很~	~劳动	~培育	非常~	~你了	太~了
辛勤	×	√	√	×	×	×
辛苦	√	√	√	√	√	√

用法对比 Usage

用法解释 Comparison

"辛勤"是形容词，"辛苦"既是形容词也是动词；"辛勤"只能在句中作状语，不能作谓语，"辛苦"可以作谓语。"辛苦"可以重叠，重叠后可以作状语，"辛勤"不能重叠。

语境示例 Examples

① 他是靠自己的辛勤劳动发家致富的。(☺他是靠自己的辛苦劳动发家致富的。)

② 几年来，他辛勤培育了很多优良稻种。(*几年来，他辛苦培育了很多优良稻种。)

③ 为了完成这个科研项目，他每天都工作十五六个小时，非常辛苦。(*为了完成这个科研项目，他每天都工作十五六个小时，非常辛勤。)

④ 为这点儿小事还辛苦你跑一趟，实在不好意思。(*为这点儿小

事还辛勤你跑一趟，实在不好意思。）

⑤ 人们常把老师比作辛勤的园丁。（*人们常把老师比作辛苦的园丁。）

⑥ 环卫工人每天都辛辛苦苦维护市容卫生。（*环卫工人每天都辛辛勤勤维护市容卫生。）

1391 欣赏[动]xīnshǎng ▶ 喜欢[动]xǐhuan

词义说明 Definition

欣赏[appreciate; enjoy; admire; like] 享受美好的事物；认为好，喜欢。

喜欢[like; love; be fond of; be keen on] 对人或事物有好感或感兴趣。[happy; elated; filled with joy] 愉快、高兴。

词语搭配 Collocation

	很～	不太～	～她	音乐～	～音乐	～雪景	～不了	～文学	～游泳	～运动
欣赏	√	√	√	√	√	√	√	×	×	×
喜欢	√	√	√	×	√	√	×	√	√	√

用法对比 Usage

“欣赏”和“喜欢”都可以作谓语，都有认为人或事物美好的意思。

① 我很欣赏欧洲的古典建筑艺术。（☺我很喜欢欧洲的古典建筑艺术。）

② 她又漂亮又聪明，我们班的男学生都很喜欢她。（☺她又漂亮又聪明，我们班的男学生都很欣赏她。）

“欣赏”含有理解、懂得的意思，可以带可能补语，“喜欢”没有这个意思，也不能带可能补语。

① 你会欣赏意大利歌剧吗？（*你会喜欢意大利歌剧吗？）

② 我欣赏不了现代派的绘画作品。（*我喜欢不了现代派的绘画作品。）

“喜欢”还是个助动词，表示爱好，感兴趣、有好感，“欣赏”没有这个意思和用法。

① 我特别喜欢看京剧。（*我特别欣赏看京剧。）

② 他喜欢运动，特别喜欢游泳和爬山。（*他喜欢运动，特别欣赏游泳和爬山。）

X

“欣赏”含有以轻松愉快的心情看或听的意思，“喜欢”不含这个意思。

我借了一张影碟，今天晚上我们一起欣赏欣赏。（＊我借了一张影碟，今天晚上我们一起喜欢喜欢。）

1392 新式[形]xīnshì ▶ 新型[形]xīnxíng

词义说明 Definition

新式[new type; latest type; new style] 新产生的样式：～武器。[new form or rite] 新的形式或仪式：～婚礼。

新型[new type; new pattern] 新的类型；新式：～人才。

词语搭配 Collocation

	～武器	～建筑	～设备	～婚礼	～飞机	～女性	～人才
新式	√	√	√	√	√	×	×
新型	√	√	√	×	√	√	√

用法对比 Usage

用法解释 Comparison

“新型”可以形容人，也可以形容物，“新式”只能形容事物。

语境示例 Examples

① 这种新式机车的牵引力非常大。（☺这种新型机车的牵引力非常大。）

② 那家商店正在展销一种新式家具。（☺那家商店正在展销一种新型家具。）

③ 侵略者用最新式的武器杀害这个国家无辜的平民。（☺侵略者用最新型的武器杀害这个国家无辜的平民。）

④ 这是我们公司研制的新型电脑。（＊这是我们公司研制的新式电脑。）

⑤ 新式婚礼简直五花八门，有在空中举行的，也有在水下举行的。（＊新型婚礼简直五花八门，有在空中举行的，也有在水下举行的。）

⑥ 社会需要既有较高的学历又有实际本领的新型人才。（＊社会需要既有较高的学历又有实际本领的新式人才。）

1393 新鲜[形]xīnxiān ▶ 新颖[形]xīnyǐng

词义说明 Definition

新鲜[fresh]（刚生产出来的食物）没有变质，也没有经过腌制或干制。[(of flowers) not fading]（花朵）没有枯萎。[fresh (air; containing no impurities)]（空气）经常流通，不含有害气体。[new; novel; strange]（事物）出现不久，还不普遍；少见的，稀罕。

新颖[nascent; new and original; novel] 新奇别致，不一般。

词语搭配 Collocation

	很～	不～	不～了	～食品	～水果	～的花朵	～空气	～经验	形式～	题材～
新鲜	√	√	√	√	√	√	√	√	×	×
新颖	√	√	×	×	×	×	×	×	√	√

用法对比 Usage

用法解释 Comparison

“新鲜”和“新颖”都是形容词，“新颖”只修饰抽象事物，指语言、风格、形式、内容、见解等跟一般的不同，多用于书面；“新鲜”既能修饰具体事物，也可以修饰抽象事物，口语书面都常用，它们不能相互替换。

语境示例 Examples

① 市场上的瓜果蔬菜都非常新鲜。（*市场上的瓜果蔬菜都非常新颖。）

② 这条鱼已经不新鲜了，不要吃了。（*这条鱼已经不新颖了，不要吃了。）

③ 虽然外边比较冷，但是还是要经常开开窗户换换新鲜空气。（*虽然外边比较冷，但是还是要经常开开窗户换换新颖空气。）

④ 这套服装的款式设计非常新颖。（*这套服装的款式设计非常新鲜。）

⑤ 这个电视剧的题材很新颖。（*这个电视剧的题材很新鲜。）

⑥ 家用摄像机现在已经不是什么新鲜玩意儿了。（*家用摄像机现

在已经不是什么新颖玩意儿了。)

⑦ 要不断总结并推广人民群众创造的新鲜经验。(＊要不断总结并推广人民群众创造的新颖经验。)

1394 信[名]xìn ▶ 信件[名]xìnjiàn

词义说明 Definition

信[letter; mail] 按照一定格式把要说的话写下来给对方看的东西：写～|发～。[message; word; information] 信息：你给他带个～儿去。

信件[letters; papers; printed matter, etc. (sent either by post or messenger)] 书信的总称，也包括和传递的文件、印刷品。

词语搭配 Collocation

	一封～	一包～	送～	寄～	介绍～	推荐～	口～儿	带个～儿	邮递～
信	√	√	√	√	√	√	√	√	×
信件	×	√	√	√	×	×	×	×	√

用法对比 Usage

用法解释 Comparison

“信”是可数名词，“信件”是“信”的总称，是不可数名词；“信”还有信息的意思，“信件”没有这个意思。

语境示例 Examples

① 节目播出后，我们收到了大量来自全国各地的信件。(☺节目播出后，我们收到了大量来自全国各地的信。)

② 自从有了电子邮件(e-mail)，通过邮局寄的信件少多了。(☺自从有了电子邮件，通过邮局寄的信少多了。)

③ 我现在都是用电子邮件(e-mail)收发信。(☺我现在都是用电子邮件收发信件。)

④ 这儿有你的一封信。(＊这儿有你的一封信件。)

⑤ 今天送信的来了没有?(＊今天送信件的来了没有?)

⑥ 老师，我想请您写一封推荐信。(＊老师，我想请您写一封推荐

信件。)

⑦ 他去看他的时候，给我带个口信儿吧。(＊他去看他的时候，给我带个口信件吧。)

1395 信息[名]xìnxī ▶ 消息[名]xiāoxi

词义说明 Definition

信息[information; news; message] 音信；消息：～爆炸。

消息[news; information] 关于人或事物情况的报道：好～。[tidings] 音信：飞机到没到，现在没有～。

词语搭配 Collocation

	有～	没有～	传递～	～量	新～	～处理	好～	坏～
信息	√	√	√	√	√	√	×	×
消息	√	√	√	×	√	×	√	√

用法对比 Usage

用法解释 Comparison

"信息"比"消息"的内容更宽泛，"消息"比"信息"更口语化。

语境示例 Examples

① 有了国际互联网，信息的传递真是又快又方便。(☺有了国际互联网，消息的传递真是又快又方便。)

② 今天报上有什么新消息？(☺今天报上有什么新信息？)

③ 这个消息是谁告诉你的？(☺这个信息是谁告诉你的？)

④ 他走了快一个星期了，一点儿消息也没有。(＊他走了快一个星期了，一点儿信息也没有。)

⑤ 当今世界已经进入信息时代。(＊当今世界已经进入消息时代。)

⑥ 告诉你一个好消息，这次考试你得了一百分。(＊告诉你一个好信息，这次考试你得了一百分。)

1396 信仰[动、名]xìnyǎng ▶ 信念[名]xìnniàn

词义说明 Definition

信仰[faith; belief; conviction] 对某人或某种主张、主义、宗教极度相信和尊敬，拿来作为自己行动的榜样或指南：～自由。

信念[faith; belief; conviction] 自己认为可以确信的看法：坚定的～。

词语搭配 Collocation

	宗教～	～自由	政治～	～危机	坚定的～	必胜的～
信仰	√	√	√	√	√	×
信念	×	×	×	×	√	√

用法对比 Usage

用法解释 Comparison

“信仰”是动词，可以作谓语，可以带宾语；又是名词，可以作宾语。“信念”是名词，不能作谓语，只能作主语或宾语。

语境示例 Examples

① 无论在任何情况下，我都不会动摇自己的信仰。(☺无论在任何情况下，我都不会动摇自己的信念。)

② 坚定的信仰使她战胜了一个又一个困难。(☺坚定的信念使她战胜了一个又一个困难。)

③ 中国的宪法规定，公民有信仰宗教的自由，也有不信仰宗教的自由。(＊中国的宪法规定，公民有信念宗教的自由，也有不信念宗教的自由。)

④ 他信仰佛教。(＊他信念佛教。)

⑤ 我们对这次比赛怀有必胜的信念。(＊我们对这次比赛怀有必胜的信仰。)

1397 信用[名]xìnyòng ▶ 信誉[名]xìnyù

词义说明 Definition

信用[trustworthiness; credit] 能够履行跟人约定的事情而取得信任：讲～。[credit] 不需要提供物资保证，可以按时偿付的：～贷款。

信誉[prestige; credit; reputation] 信用和名誉：维护公司的～。

词语搭配 Collocation

	有～	守～	讲～	不讲～	～很好	国际～	～贷款	丧失～	～卡
信用	√	√	√	√	√	×	√	×	√
信誉	√	√	√	√	√	√	×	√	×

用法对比 Usage

用法解释 Comparison

“信誉”包含“信用”的意思，但还有“名誉”的意思。

语境示例 Examples

① 重承诺，守信用，这是做人最起码的准则。(☺重承诺，守信誉，这是做人最起码的准则。)
② 讲信用才能受到别人的信任和尊敬。(☺讲信誉才能受到别人的信任和尊敬。)
③ 这家公司的信誉很好。(☺这家公司的信用很好。)
④ 一个企业如果不讲信用就等于自掘坟墓。(☺一个企业如果不讲信誉就等于自掘坟墓。)
⑤ 这家公司拥有国际信誉，所以跟他们合作你们完全可以放心。(*这家公司拥有国际信用，所以跟他们合作你们完全可以放心。)
⑥ 这本来是一家老企业，可以因为坑害消费者，丧失了信誉，垮掉了。(*这本来是一家老企业，可以因为坑害消费者，丧失了信用，垮掉了。)
⑦ 企业的信誉千金难买，可惜一些厂家不懂这个道理。(*企业的信用千金难买，可惜一些厂家不懂这个道理。)

1398 兴办[动]xīngbàn ▶ 兴建[动]xīngjiàn

词义说明 Definition

兴办[initiate; set up] 创办（事业）：～现代化企业。

兴建[build; construct] 开始建筑（多指规模较大的）：～大坝。

词语搭配 Collocation

	～学校	～企业	～工厂	～化工基地	～外贸城	正在～	～起来了
兴办	√	√	√	×	×	√	√
兴建	√	√	√	√	√	√	√

用法对比 Usage

用法解释 Comparison

“兴办”的对象一般是抽象的，“兴建”的对象既可以是抽象的，也可以是具体的。

语境示例 Examples

① 我们公司为这个山村兴办了一所中学。(☺我们公司为这个山村兴建了一所中学。)
② 他们计划在城北面兴办一座大型的小商品批发市场。(☺他们计划在城北面兴建一座大型的小商品批发市场。)
③ 他投资为家乡兴建了一个农副产品加工厂。(☺他投资为家乡兴办了一个农副产品加工厂。)
④ 很多华侨华人为家乡捐资兴办教育。(*很多华侨华人为家乡捐资兴建教育。)
⑤ 他们村由于兴办了一些企业，从而走上了富裕的道路。(*他们村由于兴建了一些企业，从而走上了富裕的道路。)
⑥ 这里将兴建化工生产基地。(*这里将兴办化工生产基地。)

1399 兴盛[形]xīngshèng ▶ 兴旺[形]xīngwàng

词义说明 Definition

兴盛[prosper; flourish; thrive; be in the ascendant] 蓬勃发展。
兴旺[prosper; flourish; thrive] 兴盛；旺盛。

词语搭配 Collocation

	国家～	事业～	～时期	～起来	～发达	越办越～	人丁～	六畜～
兴盛	√	√	√	√	×	×	×	×
兴旺	√	√	√	√	√	√	√	√

用法对比 Usage

用法解释 Comparison

“兴盛”的使用面很窄，只能修饰很少的名词；“兴旺”用处较广，可以形容人，也可以形容事业、国家、六畜（指猪、牛、羊、马、狗、鸡等家养动物）等。

语境示例 Examples

① 国家兴盛才是我们普通老百姓的福气。(☺国家兴旺才是我们普通老百姓的福气。)
② 这家公司越办越兴旺。(☺这家公司越办越兴盛。)
③ 青年人朝气蓬勃，正在兴旺时期，希望寄托在你们身上。(*青年人朝气蓬勃，正在兴盛时期，希望寄托在你们身上。)
④ 别看我们公司现在才十几个人，过不了几年，我们一定会兴旺起来。(*别看我们公司现在才十几个人，过不了几年，我们一定会兴盛起来。)
⑤ 改革开放以来，中国的各项事业都兴旺发达，到处是一派蒸蒸日上的景象。(*改革开放以来，中国的各项事业都兴盛发达，到处是一派蒸蒸日上的景象。)
⑥ 对一个农民家庭来说，盼的是五谷丰登，六畜兴旺。(*对一个农民家庭来说，盼的是五谷丰登，六畜兴盛。)

1400 行动[动、名]xíngdòng ▶ 行为[名]xíngwéi

词义说明 Definition

行动[move (or get) about] 行走，走动：~不便。[act; take action] 指为实现某种意图而具体地进行活动：~计划。[action; operation] 行为；举动：军事~。

行为[action; behaviour; conduct] 受思想支配而表现在外面的活动：正义~。

词语搭配 Collocation

	不宜~	~不便	~纲领	~计划	~自由	自由~	什么~	不法~	~能力
行动	√	√	√	√	√	√	√	×	×
行为	×	×	×	×	×	×	√	√	√

用法对比 Usage

用法解释 Comparison

“行动”是动词也是名词，“行为”是名词，只能用于人，“行动”没有此限，它们不能相互替换。

语境示例 Examples

① 团组织号召青少年积极行动起来，为保护环境做一件力所能及的

事。(＊团组织号召青少年积极行为起来，为保护环境做一件力所能及的事。)

② 他刚做完手术，行动不便。(＊他刚做完手术，行为不便。)

③ 你身体还没有完全恢复，最好卧床休息，不宜行动。(＊你身体还没有完全恢复，最好卧床休息，不宜行为。)

④ 下一步的行动计划是什么？(＊下一步的行为计划是什么？)

⑤ 该公司这些不法行为，给用户带来了巨大的经济损失。(＊该公司这些不法行动，给用户带来了巨大的经济损失。)

⑥ 诚实守信应当是社会每个团体和个人最基本的行为准则。(＊诚实守信应当是社会每个团体和个人最基本的行动准则。)

1401 形态[名]xíngtài ▶ 形状[名]xíngzhuàng

词义说明 Definition

形态[form; shape; pattern] 事物的形状和表现：经济～。

形状[form; appearance; shape] 物体的外表，样子：～像苹果。

词语搭配 Collocation

	意识～	观念～	词的～	物体的～	什么～	～像什么
形态	√	√	√	√	×	×
形状	×	×	×	√	√	√

用法对比 Usage

用法解释 Comparison

“形态”是抽象的，看不见，摸不着；“形状”是具体的，看得见，摸得着。二者均为名词，但意思和用法都不同，不能相互替换。

语境示例 Examples

① 形态：水没有固定的形态，一般情况下，是液体，在一定条件下，它也可以变成气体和固体。

形状：水没有固定的形状，把它装进筒里它是筒状，把它盛在杯子里，它就成了杯子状。

② 经济形态的多元化，必然影响到人们的意识形态。(＊经济形状的多元化，必然影响到人们的意识形状。)

③ 随着中国的改革开放，人民的观念形态也发生了很大变化。

（＊随着中国的改革开放，人民的观念形状也发生了很大变化。）
④ 麋鹿的形状不像马，也不像鹿，所以俗称四不像。（＊麋鹿的形态不像马，也不像鹿，所以俗称四不像。）
⑤ 这个花瓶的形状很奇特。（＊这个花瓶的形态很奇特。）

1402 兴趣[名]xìngqù ▶ 爱好[名、动]àihào

词义说明 Definition

兴趣[interest] 喜好的情绪。

爱好[be fond of；have a weakness for；be keen on] 对某种事物具有浓厚的兴趣。[like] 喜爱。

词语搭配 Collocation

	有～	没有～	感～	不感～	～很浓	～体育	～京剧	什么～	～者
兴趣	√	√	√	√	√	×	×	√	×
爱好	√	√	×	×	×	√	√	√	√

用法对比 Usage

用法解释 Comparison

“兴趣”是名词，常说“对……感/不感兴趣”，“爱好”既是名词又是动词；“爱好”能带宾语，“兴趣”不能带宾语。

语境示例 Examples

① 他的兴趣很广泛。（☺他的爱好很广泛。）
② 我最大的爱好是下围棋。（☺我最大的兴趣是下围棋。）
③ 兴趣是学习最初的动力。（☺爱好是学习最初的动力。）
④ 你的业余爱好是什么？（＊你的业余兴趣是什么？）
⑤ 我爱好音乐。（＊我兴趣音乐。）（☺我对音乐感兴趣。）
⑥ 她是个京剧爱好者。（＊她是个京剧兴趣者。）
⑦ 我对太极拳很感兴趣。（＊我对太极拳很感爱好。）

X

1403 幸福[形]xìngfú ▶ 福[名]fú

词义说明 Definition

幸福[happiness；well-being] 使人心情舒畅的境遇和生活：祝你

~。[happy]（生活、境遇）称心如意：~的生活。

福[(as opposed to 'misfortune') luck; happiness; good fortune; blessing] 幸福；福气（跟"祸"相对）：~无双至。

词语搭配 Collocation

	很~	非常~	为人民谋~	生活~	~的晚年	~的回忆	有~	~气	享~	造~一方
幸福	√	√	√	√	√	√	×	×	×	×
福	×	×	×	×	×	×	√	√	√	√

用法对比 Usage

用法解释 Comparison

"福"有"幸福"的意思，但"幸福"是形容词，"福"是名词，它们的词性和音节都不同，用法也不同，不能相互替换。

语境示例 Examples

① 随着中国经济的不断发展，人民的生活会越来越幸福。（*随着中国经济的不断发展，人民的生活会越来越福。）

② 幸福生活当然离不开金钱，但是有钱并不一定就幸福。（*福生活当然离不开金钱，但是有钱并不一定就福。）

③ 我认为，幸福不幸福完全取决于个人的感觉。（*我认为，福不福完全取决于个人的感觉。）

④ 夫妇退休后，过着幸福的晚年生活。（*夫妇退休后，过着福的晚年生活。）

⑤ 很多农民还有多子多福的传统观念。（*很多农民还有多子多幸福的传统观念。）

⑥ 为官一任，造福一方，是一个领导干部的职责。（*为官一任，造幸福一方，是一个领导干部的职责。）

1404 幸亏[副]xìngkuī ▶ 幸好[副]xìnghǎo

X

词义说明 Definition

幸亏[(indicating the favourable conditions for removing difficulties) fortunately; luckily] 在困难情况即将出现时，由于某种有利因素的存在或出现使困难情况得以避免。

幸好[fortunately; luckily] 正好出现了有利的情况（不一定是遇到困难情况时）。

词语搭配 Collocation

	~警察赶来了	~抢救及时	~你在家	~你不在	~护照没丢	~人没事	~没受伤
幸亏	√	√	√	√	√	√	√
幸好	√	√	√	√	×	×	×

用法对比 Usage

用法解释 Comparison

“幸亏”一定用在不好的情况即将出现时，由于某种有利因素的存在或出现而化险为夷，避免了损失或伤害；“幸好”表达的是有利情况的存在或出现，不一定是遇到了不好的情况，一般情况也可以用“幸好”。

语境示例 Examples

① 几个歹徒正要作案，幸亏警察及时赶到了。（☺几个歹徒正要作案，幸好警察及时赶到了。）

② 幸亏消防车到得及时，要不损失就大了。（☺幸好消防车到得及时，要不损失就大了。）

③ 在他心脏病发作突然倒下时，幸好当时在场的有位大夫，救了他一命。（☺在他心脏病发作突然倒下时，幸亏当时在场的有位大夫，救了他一命。）

④ 失火时幸亏孩子和妈妈都不在家，要不损失就更大了。（☺失火时幸好孩子和妈妈都不在家，要不损失就更大了。）

⑤ 幸好你来了，我正要去找你呢。（*幸亏你来了，我正要去找你呢。）

⑥ 幸好你在，我还担心找不到你呢。（*幸亏你在，我还担心找不到你呢。）

1405 幸运[形]xìngyùn ▶ 侥幸[形]jiǎoxìng

词义说明 Definition

幸运[good fortune; good luck; good chance] 好的运气；出乎意料的好机会。[fortunate; lucky] 称心如意；运气好。

侥幸[lucky; by luck; by a fluke; succeed or avoid disaster by chance] 由于偶然的原因得到成功或免去灾害。

词语搭配 Collocation

	真～	很～	～儿	心存～	～取胜	～过关	～心理
幸运	√	√	√	×	×	×	×
侥幸	√	√	×	√	√	√	√

用法对比 Usage

用法解释 Comparison

"侥幸"和"幸运"都有碰巧得到成功或免去不幸的意思。不过，"侥幸"是人普遍存在的一种心理，有企图不通过努力而靠碰上偶然机会的意思，带贬义。"幸运"则是实在碰到了好机会或好事。

语境示例 Examples

① 这次我能考上真是幸运。(☺这次我能考上真是侥幸。)

② 说到那次经历，真是幸运！我们遇到了一个技术高超的驾驶员，在飞机轮子打不开的情况下，硬是靠机腹着陆，将飞机安全降落在机场，救了一百多个旅客的生命，我是其中之一。(☺说到那次经历，真是侥幸！我们遇到了一个技术高超的驾驶员，在飞机轮子打不开的情况下，硬是靠机腹着陆，将飞机安全降落在机场，救了一百多个旅客的生命，我是其中之一。)

③ 安全工作重于泰山，决不能有任何侥幸心理，要经常督促，经常检查，把事故隐患消灭在萌芽状态。(*安全工作重于泰山，决不能有任何幸运心理，要经常督促，经常检查，把事故隐患消灭在萌芽状态。)

④ 这次他们队出线，完全是侥幸取胜。(*这次他们队出线，完全是幸运取胜。)

⑤ 我这次是瞎猫碰到死耗子，侥幸得了第一名。(*我这次是瞎猫碰到死耗子，幸运得了第一名。)

⑥ 他真是个幸运儿，三年内连升三级，现在是我们的部长了。(*他真是个侥幸儿，三年内连升三级，现在是我们的部长了。)

1406 性格[名]xìnggé ▶ 性情[名]xìngqíng

词义说明 Definition

性格[nature; disposition; temperament] 在对人、对事的态度和

行为方式上所表现出来的心理特点，如英勇、刚强、懦弱、粗暴等。

性情[disposition; temperament; temper] 性格；脾气。

词语搭配 Collocation

	~特点	有~	~鲜明	~温顺	~粗暴	~温柔	~温和
性格	√	√	√	√	√	√	×
性情	×	×	×	√	√	√	√

用法对比 Usage

用法解释 Comparison

“性情”有“性格”的意思，但是“性情”还指一时表现出来的人性特点，有“脾气”的意思。

语境示例 Examples

① 妻子美丽大方，性格温柔典雅，又精通业务，你还有什么不满足的？(☺妻子美丽大方，性情温柔典雅，又精通业务，你还有什么不满足的？)

② 夫妇俩性格不同，可能有互补作用吧，他们的家庭非常幸福美满。(☺夫妇俩性情不同，可能有互补作用吧，他们的家庭非常幸福美满。)

③ 他从小就性情温顺，不太爱动，整天就是看书学习。(☺他从小就性格温顺，不太爱动，整天就是看书学习。)

④ 这个电视剧里的主人公性格鲜明，形象也不错。(*这个电视剧里的主人公性情鲜明，形象也不错。)

⑤ 常言说“性格就是命运”，一个人的命运如何，往往可以从他的性格上找到某些原因。(*常言说“性情就是命运”，一个人的命运如何，往往可以从他的性情上找到某些原因。)

⑥ 中华民族历来勤劳勇敢，不屈不挠，这种可贵的民族性格正是他们五千年来生生不息的奥秘所在。(*中华民族历来勤劳勇敢，不屈不挠，这种可贵的民族性情正是他们五千年来生生不息的奥秘所在。)

1407 性命[名]xìngmìng ▶ 生命[名]shēngmìng

词义说明 Definition

性命[life (of a man or animal)] 人和动物的生命。

生命[life] 生物体所具有的活动能力，生命是蛋白质存在的一种形式。

词语搭配 Collocation

	牺牲～	～不息	～力	～线	艺术～	运动～	政治～	丢了～
性命	×	×	×	×	×	×	×	√
生命	√	√	√	√	√	√	√	√

用法对比 Usage

用法解释 Comparison

“生命”的意义范围很广，有比喻的用法，而“性命”的意义很窄，不能用于比喻。

语境示例 Examples

① 我这条性命是大夫给我的，要不是大夫抢救及时，我早完了。(☺我这条生命是大夫给我的，要不是大夫抢救及时，我早完了。)

② 体操运动员的运动生命是很短的，所以，要多为他们的将来考虑。(＊体操运动员的运动性命是很短的，所以，要多为他们的将来考虑。)

③ 因为贪污受贿，他不仅葬送了自己的政治生命，还被判了十年徒刑。(＊因为贪污受贿，他不仅葬送了自己的政治性命，还被判了十年徒刑。)

④ 为了建成这条世界上海拔最高的铁路，一些年轻的建设者献出了自己宝贵的生命。(＊为了建成这条世界上海拔最高的铁路，一些年轻的建设者献出了自己宝贵的性命。)

⑤ 生命不息，奋斗不止，我要在有生之年，为人民多做贡献。(＊性命不息，奋斗不止，我要在有生之年，为人民多做贡献。)

1408 凶狠[形]xiōnghěn ▶ 凶恶[形]xiōng'è

词义说明 Definition

凶狠[fierce and malicious]（性情、行为）凶恶狠毒：～的豺狼。

[powerful; vigorous] 猛烈：拼抢～。

凶恶[(of temper, appearance or behaviour) fierce; ferocious](性情、行为或相貌)十分可怕：～的敌人。

词语搭配 Collocation

	很～	非常～	～的敌人	扣球～	打法～	～的目光	～的动物
凶狠	√	√	√	√	√	√	√
凶恶	√	√	√	×	×	√	√

用法对比 Usage

用法解释 Comparison

“凶狠”和“凶恶”用来形容人或动物及其动作，“凶狠”还有动作猛烈的意思，不含贬义，“凶恶”是贬义词。

语境示例 Examples

① 狼是非常凶狠的动物。(☺狼是非常凶恶的动物。)

② 当年入侵中国的侵略者比豺狼还要凶狠。(☺当年入侵中国的侵略者比豺狼还要凶恶。)

③ 某国一个中学生为了报复，竟然凶狠地向自己的老师开枪。(☺某国一个中学生为了报复，竟然凶恶地向自己的老师开枪。)

④ 他那凶恶的目光真让人害怕。(☺他那凶狠的目光真让人害怕。)

⑤ 他的打法(乒乓球)很凶狠，很难对付。(*他的打法很凶恶，很难对付。)

⑥ 他一脚凶狠的射门，攻进了一个球。(*他一脚凶恶的射门，攻进了一个球。)

1409 胸怀[名、动]xiōnghuái ▶ 心胸[名]xīnxiōng

X

词义说明 Definition

胸怀[mind; heart] 心里想着的；内心世界：博大的～。[chest; bosom; thorax] 胸部。

心胸[in the depth of one's heart; in the mind] 内心深处；胸中。[mind; tolerance] 胸怀，气量：～开阔。[aspiration; ambition] 志气；抱负：有～。

词语搭配 Collocation

	～大志	～祖国	～开阔	～狭窄	宽广的～	～坦荡	有～
胸怀	√	√	√	√	√	√	×
心胸	×	×	√	√	√	√	√

用法对比 Usage

用法解释 Comparison

“胸怀”有两个词性，一个是动词，一个是名词，可以作谓语，而“心胸”只是名词，不能作谓语。

语境示例 Examples

① 他是个胸怀坦荡的男子汉。(☺他是个心胸坦荡的男子汉。)

② 心胸狭窄的人不可能有真正的朋友。(☺胸怀狭窄的人不可能有真正的朋友。)

③ 他有心胸有办法，所以才取得了巨大的成功。(＊他有胸怀有办法，所以才取得了巨大的成功。)

④ 老师总鼓励学生，要胸怀大志，刻苦学习，努力锻炼，使自己成为一个对社会有用的人才。(＊老师总鼓励学生，要心胸大志，刻苦学习，努力锻炼，使自己成为一个对社会有用的人才。)

⑤ 中国人无论走到世界什么地方，都胸怀祖国，心系家乡。(＊中国人无论走到世界什么地方，都心胸祖国，心系家乡。)

1410 雄伟[形]xióngwěi ▶ 宏伟[形]hóngwěi

词义说明 Definition

雄伟[grand; imposing and great] 雄壮而宏伟：～的高山。

宏伟[(of scale, plan, etc.) grand; magnificent] (规模、计划等) 雄壮伟大。

词语搭配 Collocation

	很～	非常～	～的天安门	～的大会堂	～的气魄	气势～	～的蓝图	～的前景
雄伟	√	√	√	√	√	×	×	×
宏伟	√	√	×	√	√	√	√	√

用法对比 Usage

用法解释 Comparison

“雄伟”多形容具体的事物，如自然景物、大坝、高山、人体等，而“宏伟”多形容蓝图、计划、设想、前景、事业、目标等抽象的名词。它们都可以修饰建筑物。

语境示例 Examples

① 雄伟的三峡大坝像一座巍峨的高山，把长江水拦腰截断，“高峡出平湖”的伟大理想终于在我们这一代人手中变成了现实。(☺宏伟的三峡大坝像一座巍峨的高山，把长江水拦腰截断，“高峡出平湖”的伟大理想终于在我们这一代人手中变成了现实。)

② 南水北调，西气东输，这些建设项目，充分显示了中国人民改天换地的雄伟气魄。(☺南水北调，西气东输，这些建设项目，充分显示了中国人民改天换地的宏伟气魄。)

③ “南水北调”的宏伟前景已经展现在我们面前。(＊“南水北调”的雄伟前景已经展现在我们面前。)

④ 这是一幅宏伟的建设蓝图，如果实现，必将大大改善中国北方水资源短缺的局面。(＊这是一幅雄伟的建设蓝图，如果实现，必将大大改善中国北方水资源短缺的局面。)

⑤ 建设新北京，迎接新奥运，这个宏伟的目标极大地鼓舞着全市人民奋发图强。(＊建设新北京，迎接新奥运，这个雄伟的目标极大地鼓舞着全市人民奋发图强。)

1411 雄伟[形]xióngwěi ▶ 雄壮[形]xióngzhuàng

词义说明 Definition

雄伟[grand; imposing] 雄壮而宏伟：～的高山。

雄壮[full of power and grandeur; magnificent; majestic]（气魄、声势）强大：～的步伐。

词语搭配 Collocation

	很～	非常～	～的天安门	～的气魄	～的步伐	歌声～
雄伟	√	√	√	√	×	×
雄壮	√	√	×	×	√	√

用法对比 Usage

用法解释 Comparison

“雄伟”和“雄壮”都是形容词，但是它们描写的对象不同，“雄伟”描写的是建筑物、自然景观等，“雄壮”描写的是声音、声势、气魄等，它们不能相互替换。

语境示例 Examples

① 雄伟的天安门、高耸的人民英雄纪念碑、庄严的大会堂和毛主席纪念堂都是全中国人民向往的地方。（*雄壮的天安门、高耸的人民英雄纪念碑、庄严的大会堂和毛主席纪念堂都是全中国人民向往的地方。）

② 这座雄伟的建筑，只用了十个月就建起来了。（*这座雄壮的建筑，只用了十个月就建起来了。）

③ 运动员迈着雄壮的步伐走过大会主席台。（*运动员迈着雄伟的步伐走过大会主席台。）

④ 在雄壮的国歌声中，仰望着徐徐升起的五星红旗，我这个海外游子，不由得热泪盈眶。（*在雄伟的国歌声中，仰望着徐徐升起的五星红旗，我这个海外游子，不由得热泪盈眶。）

⑤ 中国人民正以改天换地的雄伟气魄，为实现自己美好的理想而努力奋斗着。（*中国人民正以改天换地的雄壮气魄，为实现自己美好的理想而努力奋斗着。）

1412 休息[动]xiūxi ▶ 歇息[动]xiēxi

词义说明 Definition

休息[take a breather; have (or take) a rest; rest] 暂时停止工作、学习或活动，也指睡眠。

歇息[have a rest] 休息。[put up for the night; go to bed] 住宿，睡觉。

X

词语搭配 Collocation

	～了	不～	课间～	幕间～	～室	～一下儿	～一会儿	～几天吧	～的时候
休息	√	√	√	√	√	√	√	√	√
歇息	√	√	×	×	×	√	√	√	√

用法对比 Usage

用法解释 Comparison

“歇息”和“休息”都有暂时不工作、不学习的意思，但是“歇息”不用于正式场合，“休息”没有此限。

语境示例 Examples

① 走得太累了，我们休息一会儿吧。(☺走得太累了，我们歇息一会儿吧。)

② 困了就洗洗休息吧。(☺困了就洗洗歇息吧。)

③ 病刚好，还要注意休息。(＊病刚好，还要注意歇息。)

④ 课间休息的时候我常常去喝杯咖啡，吃点儿点心。(＊课间歇息的时候我常常去喝杯咖啡，吃点儿点心。)

⑤ 等幕间休息的时候咱们再出去吧。(＊等幕间歇息的时候咱们再出去吧。)

1413 修[动]xiū ▶ 修理[动]xiūlǐ

词义说明 Definition

修[repair; mend; overhaul] 修理；整治：～汽车。[build; construct] 兴建；建筑：～铁路。[trim; prune] 剪或削，使整齐：～树。[(of learning, character, conduct, etc.) study; cultivate] (学问、品行方面) 学习和锻炼：～古汉语。

修理[repair; mend; overhaul; fix] 使损坏的东西恢复原来的形状或作用：～洗衣机。[prune; trim] 修剪；整治：～花木。

词语搭配 Collocation

	～汽车	～手表	～电脑	～桥	～路	～水库	～机器	～花木	自～	进～
修	√	√	√	√	√	√	√	×	√	√
修理	√	√	√	×	×	×	√	√	×	×

用法对比 Usage

用法解释 Comparison

“修”是个多义词，“修理”是个单义词，“修”有修理的意思，但是“修”还有“修建、进修”等意思，这是“修理”没有的。“修”还是个语素，可以与其他语素组合，“修理”没有组词能力。

语境示例 Examples

① 请问，这附近有没有修自行车的？(☺请问，这附近有没有修理自行车的？)
② 我的手表修好了没有？(☺我的手表修理好了没有？)
③ 你去把门前的花修修吧。(☺你去把门前的花修理修理吧。)
④ 前方修路，请来往车辆绕行。（*前方修理路，请来往车辆绕行。）
⑤ 他捐资给家乡修了一座桥。（*他捐资给家乡修理了一座桥。）
⑥ 我们一周有二十节课，十节必修课，十节选修课。（*我们一周有二十节课，十节必修理课，十节选修理课。）
⑦ 他利用业余时间在自修汉语。（*他利用业余时间在自修理汉语。）

1414 修改[动]xiūgǎi ▶ 修正[动]xiūzhèng

词义说明 Definition

修改[revise; modify; amend; alter; change the mistakes, errors or defects in an article, plan, etc.] 改正文章、计划里面的错误和缺点：～计划。

修正[revise; amend; correct] 修改使正确：～错误。

词语搭配 Collocation

	～错误	～错句	～文章	～作文	～计划	～章程	～完	～好了	～几个数字
修改	×	√	√	√	√	√	√	√	√
修正	√	×	×	×	×	×	×	×	×

用法对比 Usage

用法解释 Comparison

“修正”的宾语只限于错误等少数几个名词，“修改”的范围很广，包括宪法、法律、政策、报告、作品、文章、计划、错误、错句、衣服等。“修改”可以带补语，“修正”因是动补结构，不能再带补语。

语境示例 Examples

① 这份报告中的一些数字需要修改。(☺这份报告中的一些数字需要修正。)

② 留学生的作文很难修改，不过，修改时也觉得特别有意思。（＊留学生的作文很难修正，不过，修正时也觉得特别有意思。）
③ 我把你作文中的错句和错字都修改过来了，你再看看。（＊我把你作文中的错句和错字都修正过来了，你再看看。）
④ 这届全国人民代表大会的一个重要任务就是修改宪法。（＊这届全国人民代表大会的一个重要任务就是修正宪法。）
⑤ 明年的工作计划还要在征求意见的基础上进行修改。（＊明年的工作计划还要在征求意见的基础上进行修正。）
⑥ 一个对人民负责的政党，要勇于坚持真理，随时修正错误。（＊一个对人民负责的政党，要勇于坚持真理，随时修改错误。）

1415 修建[动]xiūjiàn ▶ 修筑[动]xiūzhù

词义说明 Definition

修建[build; construct; erect]（土木工程）施工，建筑：～大桥。
修筑[build; construct; put up] 修建（道路、工事等）：～公路。

词语搭配 Collocation

	正在～	～铁路	～桥梁	～机场	～大坝	～公园	～学校	～医院
修建	√	√	√	√	√	√	√	√
修筑	√	√	√	√	√	×	×	×

用法对比 Usage

用法解释 Comparison

“修建”和“修筑”的意思相同，但是宾语有所不同，“修建”的宾语常常是工厂、学校、医院、机场、电站等，而“修筑”只限于公路、铁路、桥梁等。

语境示例 Examples

① 在青藏高原修建的铁路，恐怕是世界上最高的铁路了。（☺在青藏高原修筑的铁路，恐怕是世界上最高的铁路了。）
② 这条河上游正在修建一座大型水电站。（☺这条河上游正在修筑一座大型水电站。）
③ 正在修建的这个机场是中国最大的机场。（☺正在修筑的这个机场是中国最大的机场。）
④ 中国内地对西藏实行对口支援，各地分别为西藏修建了一些工

厂、学校、医院等。（＊中国内地对西藏实行对口支援，各地分别为西藏修筑了一些工厂、学校、医院等。）

⑤ 家乡人民为了纪念他，为他修建了一座纪念碑。（＊家乡人民为了纪念他，为他修筑了一座纪念碑。）

1416 虚假[形]xūjiǎ ▶ 虚伪[形]xūwěi

词义说明 Definition

虚假[false; sham; make-believe] 跟实际不符合的。

虚伪[two-faced; hypocritical] 不真实，不实在，做假。

词语搭配 Collocation

	很～	非常～	太～	～现象	～的数字	～的情况	情节～	～的成绩
虚假	√	√	√	√	√	√	√	√
虚伪	√	√	√	×	×	×	×	×

用法对比 Usage

用法解释 Comparison

“虚伪”多形容人不实在，“虚假”既可形容人，也可以形容事情、事物。

语境示例 Examples

① 他这人太虚假，不可交。（☺他这人太虚伪，不可交。）

② 这些虚假的统计数字根本不可信。（＊这些虚伪的统计数字根本不可信。）

③ 决不能以这些虚假的报告作为决策的依据。（＊决不能以这些虚伪的报告作为决策的依据。）

④ 看问题要看本质，不能被虚假的现象所迷惑。（＊看问题要看本质，不能被虚伪的现象所迷惑。）

1417 虚心[形]xūxīn ▶ 谦虚[形、动]qiānxū

词义说明 Definition

虚心[open-minded; modest] 不自以为是，能够接受别人的意见。

谦虚［modest; self-effacing］虚心，不自满。［make modest remarks］说谦虚的话。

词语搭配 Collocation

	非常～	很～	～学习	～使人进步	～听取意见	～谨慎	～了一番	别～了
虚心	√	√	√	√	√	×	×	×
谦虚	√	√	×	√	×	√	√	√

用法对比 Usage

用法解释 Comparison

“谦虚”还可以作动词用，“虚心”不能作动词用；“虚心”可以作状语，“谦虚”不能作状语。

语境示例 Examples

① 虚心使人进步，骄傲使人落后。（☺谦虚使人进步，骄傲使人落后。）

② 他虽然是地位很高的领导，但是却非常虚心。（☺他虽然是地位很高的领导，但是却非常谦虚。）

③ 中央要求各级领导干部，越是在取得胜利、颂歌盈耳的时候，越是要头脑清醒，务必保持谦虚谨慎、不骄不躁的作风。（*中央要求各级领导干部，越是在取得胜利、颂歌盈耳的时候，越是要头脑清醒，务必保持虚心谨慎、不骄不躁的作风。）

④ 要虚心听取群众的意见，不断改进我们的工作。（*要谦虚听取群众的意见，不断改进我们的工作。）

⑤ 你就别谦虚了，给同学们讲讲经验吧。（*你就别虚心了，给同学们讲讲经验吧。）

⑥ 他谦虚了一番才接受了我们的邀请。（*他虚心了一番才接受了我们的邀请。）

1418 需要［动、名］xūyào ▶ 需［动］xū

X

词义说明 Definition

需要［need; want; require; demand］应该有或必须有：我～一本《汉日词典》。［needs］对事物的欲望或要求：从顾客的～考虑。

需[need; want; require] 需要：所～物品，均已购得。[necessaries; needs] 需用的东西：取其所～。

词语搭配 Collocation

	不～	很～	非常～	～帮助	～辅导	满足～	急～药品	～住院治疗	～检查
需要	√	√	√	√	√	√	×	√	√
需	√	×	×	×	×	×	√	√	×

用法对比 Usage

用法解释 Comparison

“需要”是动词和名词，“需”只是动词，二者意义相同，但因为音节不同，用法也有所不同。“需要”多与双音节或多音节词语搭配，可以作宾语；“需”不能单独跟双音节词语搭配，不能作宾语。“需”多用于书面，“需要”书面口语都常用。

语境示例 Examples

① 我们学校需要从中国聘请一位汉语教师。(☺我们学校需从中国聘请一位汉语教师。)
② 坐火车去上海需要十几个小时。(☺坐火车去上海需十几个小时。)
③ 她的病需要住院治疗。(☺她的病需住院治疗。)
④ 你需要什么就告诉我一声。(＊你需什么就告诉我一声。)
⑤ 我们这里急需治疗蛇毒的药。(＊我们这里急需要治疗蛇毒的药。)
⑥ 情况越是紧急越是需要冷静。(＊情况越是紧急越是需冷静。)
⑦ 现在最需要的是科技管理人才。(＊现在最需的是科技管理人才。)
⑧ 这个超市的商品种类齐全，基本能满足附近居民日常生活的需要。(＊这个超市的商品种类齐全，基本能满足附近居民日常生活的需。)

1419 徐徐[副]xúxú ▶ 慢慢[副]mànmàn ▶ 缓缓[副]huǎnhuǎn

词义说明 Definition

徐徐[slowly; gently] 慢慢地。

慢慢[slowly] 速度低；不着急地。

缓缓[slowly] 不迅速；慢慢地。

词语搭配 Collocation

	～升起	～开进站	～地流动	～落下	～地说	～地走	～停了下来
徐徐	√	√	×	×	×	×	×
慢慢	√	√	√	√	√	√	√
缓缓	√	√	√	√	×	×	×

用法对比 Usage

用法解释 Comparison

“徐徐”、“慢慢”和“缓缓”都是单音节形容词“徐”、“慢”和“缓”的重叠形式构成的副词。“徐徐”和“缓缓”多用于书面，口语中用得最多的是“慢慢”。

语境示例 Examples

① 五星红旗在雄壮的国歌声中徐徐升起。(☺五星红旗在雄壮的国歌声中慢慢升起。)(☺五星红旗在雄壮的国歌声中缓缓升起。)

② 泰山日出是一幅壮丽的画图，当人们看到一轮红日在云海中缓缓/慢慢升起时，无不为眼前的美景所陶醉。(☺泰山日出是一幅壮丽的画图，当人们看到一轮红日在云海中徐徐升起时，无不为眼前的美景所陶醉。)

③ 小河里的水缓缓地流着。(☺小河里的水慢慢地流着。)(*小河里的水徐徐地流着。)

④ 火车慢慢地开动了。(☺火车缓缓地开动了。)(☺火车徐徐地开动了。)

⑤ 有话慢慢说，不要吵。(*有话缓缓说，不要吵。)(*有话徐徐说，不要吵。)

⑥ 你别着急，慢慢吃，我等着你。(*你别着急，徐徐吃，我等着你。)(*你别着急，缓缓吃，我等着你。)

X

1420 许多[形]xǔduō ▶ 多[形、动]duō

词义说明 Definition

许多[many; much; a great many; a lot of] 很多。

多 [many; much; more] 数量大（跟“少”相对）：他在中国已经很~年了。[have (a specified amount) more or too many] 超出原有或应有的数目；比原来的数目有所增加（跟“少”相对）：怎么~了一张票？[over a specified amount; and more]（用在数字后）表示有零头：学了一年~。[much; more; far more] 表示相差的程度大：你比我跑得快~了。

词语搭配 Collocation

	~东西	~人	~年	老了~	~事情	~了	一年~	好~了
许多	√	√	√	√	√	×	×	×
多	×	×	√	×	×	√	√	√

用法对比 Usage

用法解释 Comparison

“许多”可以修饰单音节名词，也可以修饰双音节名词，“多”一般修饰单音节名词。“多”可以作结果补语，“许多”不能。“多”可以受程度副词修饰，还可以带“了”，“许多”不能受程度副词修饰，也不能带“了”。

语境示例 Examples

① 这件事已经过去许多年了，我还记得清清楚楚。(☺这件事已经过去多年了，我还记得清清楚楚。)

② 她从国内带来了许多东西，来中国一看，这些东西中国都有，而且很便宜。(＊她从国内带来了多东西，来中国一看，这些东西中国都有，而且很便宜。)

③ 快回国了，有许多事情要办。(＊快回国了，有多事情要办。)

④ 来中国留学的收获不仅是学了汉语，还交了许多朋友。(＊来中国留学的收获不仅是学了汉语，还交了多朋友。)

⑤ 中国是个多民族的国家。(＊中国是个许多民族的国家。)

⑥ 中国由五十六个民族组成，人口最多的是汉族，少数民族有五十五个。(＊中国由五十六个民族组成，人口最许多的是汉族，少数民族有五十五个。)

⑦ 我刚来，什么也不知道，请您多指教。(＊我刚来，什么也不知道，请您许多指教。)

⑧ 他汉语说得比我强多了。(＊他汉语说得比我强许多了。)

1421 许可[动]xǔkě ▶ 容许[动]róngxǔ ▶ 允许[动]yǔnxǔ

词义说明 Definition

许可[permit; allow] 准许，容许：未经～，不得动用。

容许[tolerate; permit; allow] 许可：原则问题不～让步。

允许[permit; allow] 许可：未经～，不得拍照。

词语搭配 Collocation

	不～	决不～	～别人说话	得到～	情况～	条件～	～误差	请～
许可	√	√	×	√	√	√	×	×
容许	√	√	√	×	×	×	×	×
允许	√	√	√	√	√	√	√	√

用法对比 Usage

用法解释 Comparison

这三个词是同义词。“容许”的语气较“允许”和“许可”要重，它们的不同在于与其他词语的搭配上，“允许”口语常用，“容许”多用于书面。

语境示例 Examples

① 这件事已经得到领导许可。(☺这件事已经得到领导允许。)(＊这件事已经得到领导容许。)

② 决不容许任何外来势力干涉中国的内政。(☺决不允许任何外来势力干涉中国的内政。) (＊决不许可任何外来势力干涉中国的内政。)

③ 只要条件许可，我们会很快开通这条航线。(☺只要条件允许，我们会很快开通这条航线。)(＊只要条件容许，我们会很快开通这条航线。)

④ 请允许别人把话讲完。(＊请容许/许可别人把话讲完。)

⑤ 这种设备的允许误差是多少？(＊这种设备的容许/许可误差是多少?)

⑥ 请允许我代表中国政府向大会表示热烈的祝贺。(＊请容许/许可我代表中国政府向大会表示热烈的祝贺。)

1422 宣布[动]xuānbù ▶ 宣告[动]xuāngào

词义说明 Definition

宣布[declare; proclaim; announce] 正式告诉（大家消息、命令等）：～独立。

宣告[declare; proclaim] 向大家报告消息：～成立|～破产。

词语搭配 Collocation

	～命令	～名单	～考试成绩	～结果	～成立	～结束	～完成	没有～
宣布	√	√	√	√	√	×	×	√
宣告	×	×	×	×	√	√	√	√

用法对比 Usage

用法解释 Comparison

“宣告”用于正式场合，“宣告”的一般是重大消息和事件；“宣布”没有这些限制。

语境示例 Examples

① 国家主席宣布大会开幕。（☺国家主席宣告大会开幕。）

② 中华人民共和国是1949年10月1日宣告成立的。（☺中华人民共和国是1949年10月1日宣布成立的。）

③ 这一规模宏大的水利工程，经过建设者们十多年艰苦奋斗，今天终于宣告完成了。（*这一规模宏大的水利工程，经过建设者们十多年艰苦奋斗，今天终于宣布完成了。）

④ 到今年年底，这项工作可以宣告结束。（*到今年年底，这项工作可以宣布结束。）

⑤ 国务院总理今天宣布了国务院第188号令。（*国务院总理今天宣告了国务院第188号令。）

⑥ 今天国家主席宣布了中央人民政府工作人员任免名单。（*今天国家主席宣告了中央人民政府工作人员任免名单。）

1423 宣传[动]xuānchuán ▶ 宣扬[动]xuānyáng

词义说明 Definition

宣传[do publicity work; propagate; disseminate; give publicity to] 对群众说明讲解，使群众相信并跟着行动。

宣扬[publicize; propagate; advocate; advertise] 广泛宣传，使大家知道。传布。

词语搭配 Collocation

	～工作	～部门	～部长	～政策	～交通法规	～好人好事	大肆～	不必～
宣传	√	√	√	√	√	√	√	√
宣扬	×	×	×	×	×	√	√	√

用法对比 Usage

用法解释 Comparison

"宣传"和"宣扬"同义，但是"宣传"常用，而"宣扬"不太常用；"宣传"为中性词，"宣扬"略带贬义。

语境示例 Examples

① 宣传好人好事，揭露和批评坏人坏事，才能弘扬正气，使社会风气好起来。(☺宣扬好人好事，揭露和批评坏人坏事，才能弘扬正气，使社会风气好起来。)

② 做了点儿好事完全是应该的，不必到处宣扬。(☺做了点儿好事完全是应该的，不必到处宣传。)

③ 宣传工作是一项非常重要的工作。(*宣扬工作是一项非常重要的工作。)

④ 宣传工作要实事求是，入情入理，还要留有余地，不说过头话，不能强加于人。(*宣扬工作要实事求是，入情入理，还要留有余地，不说过头话，不能强加于人。)

⑤ 他大学毕业以后一直做宣传工作。(*他大学毕业以后一直做宣扬工作。)

⑥ 中国各种媒体的一个重要任务就是宣传国家的方针、政策，法律、法规。(*中国各种媒体的一个重要任务就是宣扬国家的方针、政策，法律、法规。)

1424 选[动、名]xuǎn ▶ 选拔[动]xuǎnbá

X

词义说明 Definition

选[select; choose; pick] 挑选。[elect] 选举。[person or thing selected] 被选中了的（人或物）。[selection; anthology] 挑选出来编在一起的作品。

选拔[select; choose] 挑选人才。

词语搭配 Collocation

	～人才	～运动员	～代表	～总统	～民	～赛	～票	入～	诗～	小说～
选	√	√	√	√	√	×	√	√	√	√
选拔	√	√	×	×	×	√	×	×	×	×

用法对比 Usage

"选"是多义词，对象可以是人，也可以是物，"选拔"的对象只能是人。

① 最重要的是选拔人才，没有人才就不可能保证我们事业的成功。(☺最重要的是选人才，没有人才就不可能保证我们事业的成功。)

② 这次选拔赛的目的是选拔优秀运动员参加全国运动会。(*这次选赛的目的是选优秀运动员参加全国运动会。)

③ 我们选他当代表，去参加人民代表大会。(*我们选拔他当代表，去参加人民代表大会。)

④ 他们是每四年选一次总统。(*他们是每四年选拔一次总统。)

"选"有名词的用法，"选拔"没有。

① 本届茅盾文学奖一共有六部长篇小说入选。(*本届茅盾文学奖一共有六部长篇小说入选拔。)

② 我们把本届获奖的小说编成了这本《获奖小说选》。(*我们把本届获奖的小说编成了这本《获奖小说选拔》。)

1425 选举[动、名]xuǎnjǔ ▶ 选[动、名]xuǎn

词义说明 Definition

选举[elect] 用投票或举手等表决方式选出代表或负责人。

选[select; choose; pick] 挑选。[elect] 选举。[person or thing selected] 被选中了的（人或物）。[selection; anthology] 挑选出来编在一起的作品。

词语搭配 Collocation

	～法	参加～	～代表	～结果	～权	～上	入～	～人才	～作品	～教材
选举	√	√	√	√	√	√	×	×	×	×
选	×	×	√	×	×	√	√	√	√	√

用法对比 Usage

用法解释 Comparison

"选举"的对象只能是人，而"选"的对象可以是人也可以是物。

语境示例 Examples

① 这次选举的结果怎么样？(☺这次选的结果怎么样？)
② 中国每五年选举一次国家主席和国务院总理。(☺中国每五年选一次国家主席和国务院总理。)
③ 他是今年全国十佳青年的候选人。(＊他是今年全国十佳青年的候选举人。)
④ 70%以上的选民都参加了选举。（＊70%以上的选民都参加了选。)
⑤ 你选什么礼物送给他？(＊你选举什么礼物送给他？)
⑥ 我们准备选这本书当教材。(＊我们准备选举这本书当教材。)

1426 选择[动、名]xuǎnzé ▶ 选用[动]xuǎnyòng

词义说明 Definition

选择[select; choose; opt; pick] 挑选。
选用[select and use; choose and apply; select for employment or for use] 选择使用或运用。

词语搭配 Collocation

	～日期	～学校	～场地	别无～	正确的～	～人才	～教材	～资料
选择	√	√	√	√	√	√	√	√
选用	×	×	×	×	×	√	√	√

用法对比 Usage

用法解释 Comparison

"选择"既是动词，也是名词，"选用"只是动词。"选择"的对象可以是具体的，也可以是抽象的；"选用"的对象只能是具体的。

语境示例 Examples

① 房子装修，选择什么材料很重要。(☺房子装修，选用什么材料很

重要。)

② 你们准备选用什么教材?(☺你们准备选择什么教材?)

③ 你打算选择什么专业?(＊你打算选用什么专业?)

④ 这些资料是我多年积累的，你可以选用。(＊这些资料是我多年积累的，你可以选择。)

⑤ 我想请教您，去中国留学，选择哪个学校比较好?(＊我想请教您，去中国留学，选用哪个学校比较好?)

⑥ 我觉得你的选择是正确的。(＊我觉得你的选用是正确的。)

1427 削弱[动]xuēruò ▶ 减弱[动]jiǎnruò

词义说明 Definition

削弱[(of strength and power) weaken; die down; enfeeble](力量、势力)变弱。[weaken; cripple; enfeeble; undermine] 使变弱。

减弱[weaken; abate](气势、力量等)变弱。

词语搭配 Collocation

	体力～了	风势～了	不能～	兴趣～	～力量
削弱	×	×	√	×	√
减弱	√	√	×	√	×

用法对比 Usage

用法解释 Comparison

“削弱”指去掉一部分而变弱，多为外因，行为主体是他人；“减弱”是减少一部分而变弱，多为内因，行为主体是事物自身。

语境示例 Examples

① 大学基础课的教学力量不能削弱，还应该加强。(☺大学基础课的教学力量不能减弱，还应该加强。)

② 在世界还不太平的情况下，我们的国防力量不能削弱，只能加强。(☺在世界还不太平的情况下，我们的国防力量不能减弱，只能加强。)

③ 刮了一天风，直到傍晚，风势才减弱下来。(＊刮了一天风，直到傍晚，风势才削弱下来。)

④ 要最大限度地削弱敌人的力量，壮大自己的力量。(＊要最大限

度地减弱敌人的力量，壮大自己的力量。)

⑤ 随着年岁的增长，体力也逐渐减弱了。(＊随着年岁的增长，体力也逐渐削弱了。)

⑥ 因为工作太忙，很多业余兴趣也减弱了。(＊因为工作太忙，很多业余兴趣也削弱了。)

1428 学[动、名]xué ▶ 学习[动、名]xuéxí

词义说明 Definition

学[study; learn] 学习：～外语。[imitate; mimic] 模仿：～鸟叫。[learning; knowledge] 学问：博～。[subject of study; branch of learning] 学科：数～|哲～。[school; college] 学校：小～|中～|大～。

学习[study; learn; emulate] 从阅读、听讲、研究、实践中获得知识或技能；效法：～科学知识|～先进经验。

词语搭配 Collocation

	～文化	～先进技术	～知识	～外语	治～	博～	语言～	大～	中～	小～
学	√	√	√	√	√	√	√	√	√	√
学习	√	√	√	√	×	×	√	×	×	×

用法对比 Usage

用法解释 Comparison

“学”是多义词，它有“学习”的意思，但是，它的其他意思是“学习”没有的。“学”还是语素，有组词能力，“学习”没有组词能力。

语境示例 Examples

① 我决定到中国去学哲学。(☺我决定到中国去学习哲学。)

② 学习语言的同时还要学习一门专业。(☺学语言的同时还要学一门专业。)

③ 这本书一个学期学不完。(☺这本书一个学期学习不完。)

④ 读书是学习，使用也是学习，而且是更重要的学习。(＊读书是学，使用也是学，而且是更重要的学。)

⑤ 最近<u>学习</u>很紧张。(＊最近<u>学</u>很紧张。)

⑥ 他在法国留过<u>学</u>。(＊他在法国留过<u>学习</u>。)

⑦ 语言<u>学</u>是一门非常重要的学科。(＊语言<u>学习</u>是一门非常重要的学科。)

1429 学问[名]xuéwen ▶ 知识[名]zhīshi

词义说明 Definition

学问[systematic learning; a branch of knowledge] 正确反映客观事物的系统知识：一门～。[learning; knowledge; scholarship] 知识；学识：很深的～。

知识[knowledge; intellect] 人们在改造客观世界的实践中所获得的认识和经验的总和：文化～。[pertaining to learning or culture; intellectual] 有关学术文化的：～分子。

词语搭配 Collocation

	有～	做～	～很大	大～	～界	～分子	科学～	文化～	书本～	社会～	语言～
学问	√	√	√	√	×	×	×	×	×	×	×
知识	√	×	×	×	√	√	√	√	√	√	√

用法对比 Usage

用法解释 Comparison

“学问”是个人通过学习掌握的属于自己的那部分知识，“知识”可以指属于个人的学问，而大量的是客观存在着的。“学问”好比小河流水，而“知识”则是汪洋大海。口语中有时可以通用。

语境示例 Examples

① 我的导师<u>学问</u>渊博，是国际上有名的教授。(☺我的导师<u>知识</u>渊博，是国际上有名的教授。)

② 知识分子只有用自己的<u>知识</u>为社会服务，才能最大限度地实现自身的价值。(☺知识分子只有用自己的<u>学问</u>为社会服务，才能最大限度地实现自身的价值。)

③ 他在语言学方面的<u>学问</u>很好。(＊他在语言学方面的<u>知识</u>很好。)

④ 他是中国历史上有名的大学问家。（＊他是中国历史上有名的大知识家。）
⑤ 做学问一定要老老实实，来不得半点儿的虚伪和骄傲。（＊做知识一定要老老实实，来不得半点儿的虚伪和骄傲。）
⑥ 一个是书本知识，一个是实践知识，二者缺一不可。（＊一个是书本学问，一个是实践学问，二者缺一不可。）

1430 学者[名]xuézhě ▶ 专家[名]zhuānjiā

词义说明 Definition

学者[scholar; learned person; person of learning] 指在学术上有一定成就的人。

专家[expert; specialist] 对某一门学问有专门研究的人；擅长某项技术的人。

词语搭配 Collocation

	青年～	访问～	水稻～	眼科～	桥梁～	电脑～
学者	√	√	×	×	×	×
专家	√	×	√	√	√	√

用法对比 Usage

用法解释 Comparison

“学者”多指理论研究型的专门家，而“专家”偏重于科技实践型的学者，二者的意思不尽相同。交际中常合用，称“专家学者”。

语境示例 Examples

① 我们应该认真听取有关学者的意见。（☺我们应该认真听取有关专家的意见。）（☺我们应该认真听取有关专家学者的意见。）
② 他是一个德高望重的学者。（☺他是一个德高望重的专家。）
③ 她是环保领域卓有成就的青年学者。（☺她是环保领域卓有成就的青年专家。）
④ 他是世界有名的水稻专家。（＊他是世界有名的水稻学者。）
⑤ 五年前，我作为访问学者去过德国。（＊五年前，我作为访问专家去过德国。）

X

1431 雪[名]xuě ▶ 雪花[名]xuěhuā

词义说明 Definition

雪[snow] 空气中降落的白色结晶，多为六角形。[resembling snow; snowy] 颜色或光彩像雪的。

雪花[snowflake] 空中飘下的雪，形状像花，所以叫雪花。

词语搭配 Collocation

	大～	一场～	下～了	飘～了	～飘	～白	～亮
雪	√	√	√	×	×	√	√
雪花	√	×	×	√	√	×	×

用法对比 Usage

用法解释 Comparison

"雪"和"雪花"有相同的意思，不过"雪"还可以组成其他词语，表示像雪一样的颜色或光彩，"雪花"没有这个用法。

语境示例 Examples

① 走进农场，只见那像雪一样洁白的棉花堆积如山。(☺走进农场，只见那像雪花一样洁白的棉花堆积如山。)

② 下雪了。(*下雪花了。)(☺飘雪花了。)

③ 中国北方的人们非常喜欢雪。(*中国北方的人们非常喜欢雪花。)

④ "瑞雪兆丰年"的意思是说，只要冬天下几场雪，庄稼就一定有好收成。(*"瑞雪兆丰年"的意思是说，只要冬天下几场雪花，庄稼就一定有好收成。)

⑤ 一进屋，只见雪白的墙壁上挂着一幅照片。(*一进屋，只见雪花白的墙壁上挂着一幅照片。)

⑥ 灯光把屋子照得雪亮。(*灯光把屋子照得雪花亮。)

⑦ 一场大雪使大地银装素裹，分外妖娆。(*一场大雪花使大地银装素裹，分外妖娆。)

1432 寻找[动]xúnzhǎo ▶ 寻求[动]xúnqiú

词义说明 Definition

寻找[seek; look for] 为了要见到或得到所需求的人或东西而努力；找：～失物。

寻求[seek; explore; go in quest of] 寻找追求：～真理。

词语搭配 Collocation

	～知识	～真理	～合作伙伴	～失物	到处～	～不到
寻找	×	√	√	√	√	√
寻求	√	√	√	×	√	√

用法对比 Usage

用法解释 Comparison

"寻求"的宾语是抽象名词，"寻找"的宾语主要是具体名词，也可以是抽象名词。

语境示例 Examples

① 当年，先辈们为了寻找救国救民的真理，不惜抛头颅，洒热血。(☺当年，先辈们为了寻求救国救民的真理，不惜抛头颅，洒热血。)

② 他们公司正在中国寻找合作伙伴。(☺他们公司正在中国寻求合作伙伴。)

③ 他这次来中国是想寻求中国政府的支持。(＊他这次来中国是想寻找中国政府的支持。)

④ 一般来说，在公共场所丢失的东西很难寻找回来，可我的钱包丢了，却被好心人捡到后又送了回来。(＊一般来说，在公共场所丢失的东西很难寻求回来，可我的钱包丢了，却被好心人捡到后又送了回来。)

⑤ 我这次到贵国来，是为了寻求合作和友谊。(＊我这次到贵国来，是为了寻找合作和友谊。)

1433 迅速[形]xùnsù ▶ 快[形]kuài

词义说明 Definition

迅速[rapid; swift; speedy; prompt] 速度高，非常快。

快[fast; quick; rapid; swift] 速度高；走路、做事等用的时间短（跟“慢”相对）：我的表～了两分钟。[speed] 快慢的程度：他能跑多～？[hurry up; make haste] 赶快；从速：～来人啊！[soon; before long] 快要；将要：～开车了。[quick-witted; ingenious] 灵敏；反应迅速：他脑子真～！[sharp]（刀子、剪子等）锋利：刀子不～了，得磨一磨。[forthright; plain-spoken] 爽快；痛快：～人～语。[pleased; happy] 愉快；高兴；舒服：大～人心。

词语搭配 Collocation

	很～	不～	多～	动作～	～前进	发展～	～赶上	～跑	～来了	～刀	～感
迅速	√	√	×	√	√	√	√	×	×	×	×
快	√	√	√	√	√	√	√	√	√	√	√

用法对比 Usage

用法解释 Comparison

“迅速”只有速度快一个意思，而“快”除了迅速的意思之外，还有其他意思。“快”还是语素，有组词能力，“迅速”没有组词能力。

语境示例 Examples

① 幸亏他反应快，把车停住了，要不我们就危险了。(☺幸亏他反应迅速，把车停住了，要不我们就危险了。)

② 人民希望迅速赶上发达国家的生产和生活水平。(☺人民希望快赶上发达国家的生产和生活水平。)

③ 近年来，民办教育发展得很迅速。(☺近年来，民办教育发展得很快。)

④ 发展的步子可以再快一点儿。(☺发展的步子可以再迅速一点儿。)

⑤ 这些年中国人民的生活水平得到了迅速提高。(*这些年中国人民的生活水平得到了快提高。)

⑥ 看样子快下雪了。(*看样子迅速下雪了。)

⑦ 快！快叫救护车，把他送到医院去。(*迅速！迅速叫救护车，把他送到医院去。)

⑧ 这种汽车能跑多快？(*这种汽车能跑多迅速？)

1434 压迫[动]yāpò ▶ 压制[动]yāzhì

词义说明 Definition

压迫[oppress; repress] 用权力或势力强制别人服从。[constrict] 对有机体的某个部分加上压力。

压制[suppress; stifle; inhibit] 竭力限制或制止；抑制。

词语搭配 Collocation

	~人	反抗~	~批评	~不同意见	~神经	~不住
压迫	√	√	×	×	√	×
压制	×	×	√	√	×	√

用法对比 Usage

用法解释 Comparison

“压迫”的对象是人或人的肌体的某个部分，而“压制”的对象是批评、不同意见等，它们的意思和用法都不同，不能相互替换。

语境示例 Examples

① 随着私有企业的增加，要注意用法律的手段保护劳动者的人权，防止人压迫人、人剥削人的现象死灰复燃。(*随着私有企业的增加，要注意用法律的手段保护劳动者的人权，防止人压制人、人剥削人的现象死灰复燃。)

② 哪里有压迫哪里就有反抗。(*哪里有压制哪里就有反抗。)

③ 决不允许人压迫人的情况在中国这块土地上重演。(*决不允许人压制人的情况在中国这块土地上重演。)

④ 大夫，我感到胸部有压迫感。(*大夫，我感到胸部有压制感。)

⑤ 压制批评，压制不同意见，是与民主根本不相容的。(*压迫批评，压迫不同意见，是与民主根本不相容的。)

1435 压制[动]yāzhì ▶ 压抑[动]yāyì

词义说明 Definition

压制[suppress; stifle; inhibit] 竭力限制或制止；抑制。

压抑[(of feelings; strength, etc.) constrain; inhibit; depress; hold back] 对感情、力量等加以限制，使不能充分流露或发挥。

词语搭配 Collocation

	~民主	~不同意见	~批评	~不住	~感	心情~	~积极性	气氛~
压制	√	√	√	√	×	×	√	×
压抑	×	×	×	×	√	√	×	√

用法对比 Usage

用法解释 Comparison

“压制”用的是职权或舆论等，对象是民主、积极性、首创精神等正面的东西，“压抑”是指精神或心理感到受限制。“压制”是主动的行为，“压抑”往往是被动的。

语境示例 Examples

① 新生力量是压制不住的，它总要战胜腐朽的势力，成长起来。(＊新生力量是压抑不住的，它总要战胜腐朽的势力，成长起来。)

② 压制民主的做法是不得人心的，最终只能使自己垮台。(＊压抑民主的做法是不得人心的，最终只能使自己垮台。)

③ 压制群众的批评是错误的，哪有人民公仆害怕人民批评的道理呢？(＊压抑群众的批评是错误的，哪有人民公仆害怕人民批评的道理呢？)

④ 压制不同意见，听不得批评意见，是一些领导干部所以犯错误的原因之一。(＊压抑不同意见，听不得批评意见，是一些领导干部所以犯错误的原因之一。)

⑤ 在这样的单位工作，我感到压抑，所以炒了老板的鱿鱼——辞职不干了。(＊在这样的单位工作，我感到压制，所以炒了老板的鱿鱼——辞职不干了。)

⑥ 会议的气氛让人感到压抑。(＊会议的气氛让人感到压制。)

1436 延长[动]yáncháng ▶ 延伸[动]yánshēn

词义说明 Definition

延长[elongate; lengthen; prolong; extend] 向长的方面发展。

延伸[extend; stretch; elongate] 延长，伸展。

词语搭配 Collocation

	向前～	不断～	～时间	～了五公里	～一年	～到10号	～到海边
延长	√	√	√	√	√	√	√
延伸	√	√	×	√	×	×	√

用法对比 Usage

用法解释 Comparison

“延长”可以带宾语，“延长”的对象可以是长度和距离，也可以是时间；“延伸”的只能是长度和距离。

语境示例 Examples

① 这条铁路又向前延长了二百公里。(☺这条铁路又向前延伸了二百公里。)

② 我们计划把这条公路延长到海边。(☺我们计划把这条公路延伸到海边。)

③ 这条修建中的输油管道正在不断地向前延伸。(*这条修建中的输油管道正在不断地向前延长。)

④ 原来我打算在中国学习一年，现在觉得一年时间太短了，想再延长一年。(*原来我打算在中国学习一年，现在觉得一年时间太短了，想再延伸一年。)

⑤ 会议延长了一天，到10号才结束。(*会议延伸了一天，到10号才结束。)

⑥ 因为参观这个展览的人太多，展览馆决定延长开放时间。(*因为参观这个展览的人太多，展览馆决定延伸开放时间。)

1437 严[形]yán ▶ 严格[形]yángé

词义说明 Definition

严[tight; close] 严密；紧密。[strict; stern; rigorous] 严厉；严格。

严格[strict; rigorous; rigid; stringent] 在遵守制度或掌握标准时认真不放松。

词语搭配 Collocation

	非常～	关～了	～要求	～是爱	～父慈母	～训练	～说来	～按规定办事
严	√	√	√	√	√	×	×	×
严格	√	×	√	×	×	√	√	√

用法对比 Usage

"严"和"严格"都可以做状语，但"严格"修饰双音节词语，"严"一般不能修饰双音节词语。"严"还是个语素，有组词能力，"严格"没有组词能力。

① 王老师对我们的要求非常严。(☺王老师对我们的要求非常严格。)

② 严师出高徒。(＊严格师出高徒。)

③ 常言说，严是爱，松是害，老师严格要求是为你们好。(＊常言说，严格是爱，松是害，老师严格要求是为你们好。)

④ 要在比赛中取得好成绩，必须严格要求，严格训练。(＊要在比赛中取得好成绩，必须严要求，严训练。)

⑤ 既然有制度，就要严格按制度办事。(＊既然有制度，就要严按制度办事。)

"严"有"严密"的意思，可以作补语，"严格"没有这个意思和用法。

这个窗户关不严。(＊这个窗户关不严格。)

1438 严格[形]yángé ▶ 严厉[形]yánlì

Y

词义说明 Definition

严格[strict; rigorous; rigid; stringent] 在遵守制度或掌握标准时不放松。

严厉[strong; stern; severe] 严肃厉害。

词语搭配 Collocation

	～要求	～训练	～管理	～说来	～打击	态度～	措辞～
严格	√	√	√	√	×	×	×
严厉	×	×	×	×	√	√	√

用法对比 Usage

用法解释 Comparison

“严格”和“严厉”修饰的对象不同，“严格”多作状语，修饰动词，“严厉”常作谓语。它们不能相互替换。

语境示例 Examples

① 对学生必须严格要求，严格训练，才能把他们培养成才。（＊对学生必须严厉要求，严厉训练，才能把他们培养成才。）

② 严格说来，大学毕业生不经过社会实践是不可能有所作为的。（＊严厉说来，大学毕业生不经过社会实践是不可能有所作为的。）

③ 对不法分子的盗版行为必须进行严厉的打击。（＊对不法分子的盗版行为必须进行严格的打击。）

④ 中国外交部就这一事件发表了措辞严厉的声明。（＊中国外交部就这一事件发表了措辞严格的声明。）

⑤ 我们学校对考试作弊的行为处分非常严厉。（＊我们学校对考试作弊的行为处分非常严格。）

⑥ 老师严厉批评了那些考试作弊的学生。（＊老师严格批评了那些考试作弊的学生。）

1439 严肃[形]yánsù ▶ 严厉[形]yánlì

词义说明 Definition

严肃[(of expression; atmosphere; etc.) stern; grave; serious; keep a straight face]（神情、气氛等）使人感到敬畏的。[(of style of work and attitude) strict; earnest]（作风、态度等）严格认真。[tighten] 使严肃。

严厉[strong; stern; severe] 严肃厉害。

词语搭配 Collocation

	很～	～的气氛	～的人	态度～	～打击	～批评	～的措施
严肃	√	√	√	√	×	√	×
严厉	√	×	×	√	√	√	√

用法对比 Usage

用法解释 Comparison

“严肃”可以形容环境、气氛，也可以形容人的表情，而“严厉”只能形容人的行为、态度。

语境示例 Examples

① 学校对考试作弊的学生进行了严肃的批评。(☺学校对考试作弊的学生进行了严厉的批评。)

② 因为贪赃枉法，他受到了法律的严厉制裁。（*因为贪赃枉法，他受到了法律的严肃制裁。)

③ 要严肃处理违法乱纪的干部。(*要严厉处理违法乱纪的干部。)

④ 公判大会的气氛很严肃。(*公判大会的气氛很严厉。)

⑤ 他是一个严肃的人，不喜欢跟别人开玩笑。（*他是一个严厉的人，不喜欢跟别人开玩笑。)

⑥ 要严厉打击走私犯罪集团疯狂的走私活动。(*要严肃打击走私犯罪集团疯狂的走私活动。)

1440 严重[形]yánzhòng ▶ 严峻[形]yánjùn

词义说明 Definition

严重[serious; grave; critical] 程度深，影响大，情势危机。

严峻[stern; severe; rigorous; grim] 严重；严厉；严肃。

词语搭配 Collocation

	情况～	病情～	问题～	～的后果	～警告	～性	事态～	形势～	～的考验
严重	√	√	√	√	√	√	√	√	×
严峻	×	×	×	×	×	×	×	√	√

用法对比 Usage

用法解释 Comparison

“严峻”也含有“严重”的意思，但修饰的面很窄，没有“严重”常用。

语境示例 Examples

① 目前两国边境的形势非常严重，战争一触即发。(☺目前两国边境的形势非常严峻，战争一触即发。)
② 今年中国北部一些地区的旱情很严重。(＊今年中国北部一些地区的旱情很严峻。)
③ 让你到那么艰苦的地方去工作，是一个严峻的考验。(＊让你到那么艰苦的地方去工作，是一个严重的考验。)
④ 走私活动的猖獗给国家经济带来了严重的损失。(＊走私活动的猖獗给国家经济带来了严峻的损失。)
⑤ 要充分认识黄、赌、毒败坏社会风气的严重性，加大打击力度。(＊要充分认识黄、赌、毒败坏社会风气的严峻性，加大打击力度。)
⑥ 因为失职，他受到了严重警告的处分。(＊因为失职，他受到了严峻警告的处分。)

1441 沿着[动]yánzhe ▶ 顺着[动]shùnzhe

词义说明 Definition

沿着[along (a river, road, or the edge of sth.)] 在江河、道路或物体的边上移动。

顺着[along] 依照自然情势移动；沿着。[obey; yield to; act in submission to] 顺从。

词语搭配 Collocation

	～河边走	～大路走	～这条街走	～他
沿着	√	√	√	×
顺着	√	√	√	√

用法对比 Usage

用法解释 Comparison

“沿着”和“顺着”都有依照自然情势移动的意思，它们后边多跟“道路、河边、街道”等处所词。不过，“顺着”还有顺从他人的意思，“沿着”没有这个意思。“沿着”的处所宾语还可以是抽象的道路、方向、路线等，“顺着”不能带这样的宾语。

语境示例 Examples

① 你沿着这条街一直走，到十字路口往右拐，不远就到了。(☺你顺着这条街一直走，到十字路口往右拐，不远就到了。)

② 傍晚我总喜欢沿着湖边散步。(☺傍晚我总喜欢顺着湖边散步。)

③ 沿着这条路，可以一直爬到山顶。(☺顺着这条路，可以一直爬到山顶。)

④ 中国人民正沿着建设中国特色社会主义的道路阔步前进。(*中国人民正顺着建设中国特色社会主义的道路阔步前进。)

⑤ 他明明不对，你为什么要顺着他？(*他明明不对，你为什么要沿着他？)

1442 掩盖[动]yǎngài ▶ 遮盖[动]zhēgài

词义说明 Definition

掩盖[cover; overspread] 遮盖。[conceal; cover up] 掩藏；隐瞒。

遮盖[cover; overspread] 从上面挡住。[hide; conceal; cover up] 隐瞒。

词语搭配 Collocation

	大雪～了田野	～罪行	～错误	～事实	～住了	～不住	～不了	～着
掩盖	×	√	√	√	√	√	√	√
遮盖	√	×	√	×	√	√	√	√

用法对比 Usage

用法解释 Comparison

“掩盖”和“遮盖”是同义词，不同的地方是与其他词语的搭配上。“掩盖”的对象偏重于抽象事物，例如“错误”、“罪行”、“倾向”、“事实”等，“遮盖”的对象偏重于具体事物。

语境示例 Examples

① 错误既然已经犯下了，正确的态度不是去掩盖它，而是吸取教训，不再重犯。(☺错误既然已经犯下了，正确的态度不是去遮盖

它，而是吸取教训，不再重犯。）
② 谎言掩盖不了事实。（* 谎言遮盖不了事实。）
③ 事物在发展过程中，往往是一种倾向掩盖着另一种倾向。（* 事物在发展过程中，往往是一种倾向遮盖着另一种倾向。）
④ 他销毁了有关账目，企图掩盖自己贪污公款的罪行。（* 他销毁了有关账目，企图遮盖自己贪污公款的罪行。）
⑤ 道路被大雪遮盖住了。（* 道路被大雪掩盖住了。）
⑥ 头发长得把眼都遮盖住了。（* 头发长得把眼都掩盖住了。）

1443 眼[名]yǎn ▶ 眼睛[名]yǎnjing

词义说明 Definition

眼[eye] 人或动物的视觉器官，统称眼睛。[a small hole; aperture]（眼儿）小洞；窟窿：泉～。[look; glance] 动量词：瞪了他一～。[key; point]（眼儿）事物的关键所在：节骨～儿。

眼睛[eye] 眼的通称。

词语搭配 Collocation

	睁开～	闭上～	一双～	大～	明亮的～	看一～	大饱～福	打个～儿
眼	√	√	√	√	×	√	√	√
眼睛	√	√	√	√	√	×	×	×

用法对比 Usage

“眼”有“眼睛”的意思，但是“眼”的其他意思是“眼睛”所没有的。

① 我的眼很好，不用带眼镜。(☺我的眼睛很好，不用带眼镜。)
② 今天早上，我一睁开眼就八点半了。(☺今天早上，我一睁开眼睛就八点半了。)
③ 我的眼眯住了。(☺我的眼睛眯住了。)
④ 刚才他还在这儿，怎么一转眼就不见了。（* 刚才他还在这儿，怎么一转眼睛就不见了。）
⑤ 她有一双美丽的眼睛。（* 她有一双美丽的眼。）
⑥ 我一眼就认出来，她就是上次扶我过马路的那个女警察。（* 我一眼睛就认出来，她就是上次扶我过马路的那个女警察。）
⑦ 到春节庙会去看了看，真是大饱眼福。（* 到春节庙会去看了看，真是大饱眼睛福。）

“节骨眼儿”的意思是关键的时刻，“眼睛”没有这个用法。

就在她面临退学的节骨眼儿上，希望工程资助她重新回到了学校。（＊就在她面临退学的节骨眼睛上，希望工程资助她重新回到了学校。）

“眼儿”还有小洞的意思，“眼睛”没有这个意思。

你想不想扎耳朵眼儿？（＊你想不想扎耳朵眼睛？）

1444 眼看[副、动]yǎnkàn ▶ 马上[副]mǎshàng

词义说明 Definition

眼看[soon; in a moment] 很快就；马上：天～就黑了。[watch helplessly; look on helplessly] 让（不如意的事情发生或发展）而不管不问：不能～着他往错误的路上走。

马上[at once; immediately; straight away; right away; in the near future; soon] 很快地；很快就……：寒假～就要结束了。

词语搭配 Collocation

	～要下雨了	～天就黑了	～要考试了	～开始	～出发	～就回来	～上车	～着
眼看	√	√	√	×	×	×	×	√
马上	√	√	√	√	√	√	√	×

用法对比 Usage

用法解释 Comparison

“眼看”和“马上”有相同的意思，副词“眼看”只用于客观描述，不能用于祈使句；“马上”可以用于祈使句。“眼看”还是个动词，可以带“着”，也可以带宾语，“马上”不能。

语境示例 Examples

① 马上要期中考试了，我得复习功课，不能老玩儿了。（☺眼看要期中考试了，我得复习功课，不能老玩儿了。）

② 天阴得很重，眼看要下雨了，你就别走了。（☺天阴得很重，马上要下雨了，你就别走了。）

③ 车眼看要开了，他还没来，真急死人了。（☺车马上要开了，他还没来，真急死人了。）

④ 你稍等一会儿，他马上就回来了。（＊你稍等一会儿，他眼看就回来了。）

⑤ 时间到了，请同学们快上车，我们马上出发。（＊时间到了，请同学们快上车，我们眼看出发。）
⑥ 不能眼看着他流血不管啊，要赶快想办法把伤者送到医院去。（＊不能马上着他流血不管啊，要赶快想办法把伤者送到医院去。）

1445 眼前[名]yǎnqián ▶ 现在[名]xiànzài

词义说明 Definition

眼前[before one's eyes] 眼睛前面；跟前：～是一望无边的大海。[at the moment; at present; now] 现在；目前：好日子就在～。

现在[now; at present; today] 这个时候，指说话的时候，有时包括说话前后或长或短的一段时间（区别于"过去"或"将来"）：～几点了？

词语搭配 Collocation

	只顾～	～的情况	～利益	胜利就在～	～怎么样	～几点	～出发
眼前	√	√	√	√	×	×	×
现在	√	√	×	×	√	√	√

用法对比 Usage

用法解释 Comparison

"现在"可以指较长的一段时间，也可以指较短的一段时间，"眼前"则指较远的一段时间，另外，"眼前"还表示眼睛所见的。

语境示例 Examples

① 不能只顾眼前，不顾长远。（☺不能只顾现在，不顾长远。）
② 从眼前的情况看，他的病已经控制住了。（☺从现在的情况看，他的病已经控制住了。）
③ 他现在的生活情况怎么样？（＊他眼前的生活情况怎么样？）
④ 这项工程经过几年的努力，胜利就在眼前了。（＊这项工程经过几年的努力，胜利就在现在了。）
⑤ 现在几点了？（＊眼前几点了？）
⑥ 同学们，我们现在上课。（＊同学们，我们眼前上课。）

Y

⑦ 下了一夜雪，打开窗户一看，眼前是一片白茫茫的世界。（＊下了一夜雪，打开窗户一看，现在是一片白茫茫的世界。）

1446 眼色[名]yǎnsè ▶ 眼神[名]yǎnshén

词义说明 Definition

眼色[hint given with the eyes; meaningful glance; wink] 向人示意的目光。[ability to adapt to circumstances] 见机行事的能力：看～行事。

眼神[expression in one's eyes] 眼睛的神态。

词语搭配 Collocation

	看～	使个～	长～	没～	异样的～
眼色	√	√	√	√	×
眼神	√	×	×	×	√

用法对比 Usage

用法解释 Comparison

"眼色"和"眼神"的意思不同，一般不能替换。

语境示例 Examples

① 他给我使了一个眼色，让我不要说。（＊他给我使了一个眼神，让我不要说。）

② 到时候你看我的眼色行事。（＊到时候你看我的眼神行事。）

③ 你怎么这么没眼色，见客人来了，也不知道让个座。（＊你怎么这么没眼神，见客人来了，也不知道让个座。）

④ 刚才你给我使眼色，我不明白你是什么意思。（＊刚才你给我使眼神，我不明白你是什么意思。）

⑤ 从他的眼神里可以看出，他的情绪不好。（＊从他的眼色里可以看出，他的情绪不好。）

⑥ 她的眼神告诉我，她是多么希望我留下来。（＊她的眼色告诉我，她是多么希望我留下来。）

1447 眼下[名]yǎnxià ▶ 眼前[名]yǎnqián

词义说明 Definition

眼下[at the moment; at present; now] 目前：～正是三九天。

眼前[before one's eyes] 眼睛前面；跟前：～一片白茫茫的。

[for the time being; at the moment; at present] 目前：～利益。

词语搭配 Collocation

	～很忙	～正是秋收	～是水池	～利益	就在～
眼下	√	√	×	×	×
眼前	√	√	√	√	√

用法对比 Usage

用法解释 Comparison

"眼下"表示的时间正是说话时，"眼前"比"眼下"所指的时间要长。"眼下"用于口语。"眼前"除了表示时间之外，还表示眼睛看到的处所或景象，可以用于书面。

语境示例 Examples

① 眼下正是三夏大忙的时候，农民们很早就下地了。(☺眼前正是三夏大忙的时候，农民们很早就下地了。)

② 眼下他正在国外度假。(*眼前他正在国外度假。)

③ 再坚持一下，胜利就在眼前了。(*再坚持一下，胜利就在眼下了。)

④ 爬到山顶，一个大湖出现在我们眼前。(*爬到山顶，一个大湖出现在我们眼下。)

⑤ 眼前是一片金黄色的稻田。(*眼下是一片金黄色的稻田。)

⑥ 要把眼前利益和长远利益结合起来。(*要把眼下利益和长远利益结合起来。)

1448 演出[动、名]yǎnchū ▶ 表演[动、名]biǎoyǎn

Y

词义说明 Definition

演出[perform (opera, dances, ballad singing and storytelling, acrobatics, etc.); show; put on a show] 把戏剧、舞蹈、曲艺、

杂技等演给观众欣赏。

表演[perform; act; play] 在戏剧、舞蹈、杂技等演出中，把其中的各个细节或人物特性表现出来：～汉语节目。[performance; exhibition] 表演的内容：杂技～|体育～。

词语搭配 Collocation

	登台～	～节目	～结束	为大家～	第一次～	杂技～	文艺～	体育～	～体操
演出	√	√	√	√	√	×	√	×	×
表演	√	√	√	√	√	√	√	√	√

用法对比 Usage

"表演"和"演出"有相同的意思，都可以作谓语，但是，"表演"可以带宾语，"演出"不常带宾语。

① 我第一次登台演出时，心情非常紧张。(☺我第一次登台表演时，心情非常紧张。)

② 你们的演出非常成功。(☺你们的表演非常成功。)

③ 表演结束时，领导上台跟演员们一起合影留念。(☺演出结束时，领导上台跟演员们一起合影留念。)

④ 晚会上我给大家表演了一个节目。(＊晚会上我给大家演出了一个节目。)

⑤ 他会表演魔术。(＊他会演出魔术。)

⑥ 人民艺术剧院最近在演出话剧《雷雨》。(＊人民艺术剧院最近在表演话剧《雷雨》。)

"表演"可以和"体操、体育、杂技"等组成偏正词组，作中心语，"演出"不能。

① 昨天晚上的杂技表演怎么样？(＊昨天晚上的杂技演出怎么样?)

② 我很喜欢看体操表演。(＊我很喜欢看体操演出。)

1449 演讲[动]yǎnjiǎng ▶ 演说[动、名]yǎnshuō ▶ 讲演[动、名]jiǎngyǎn

Y

词义说明 Definition

演讲[give a lecture; make a speech; lecture] 演说，讲演。

演说[deliver a speech; make an address] 就某个问题对听众说明事理，发表见解。

讲演[give a speech or lecture] 对听众讲述有关某一事物的知识或对某一问题的见解。[speech; lecture] 发表的讲演。

词语搭配 Collocation

	发表～	他的～	听了～	生动的～	～很生动	登台～	～词	～稿	～比赛
演讲	√	√	√	√	√	√	√	√	√
演说	√	√	√	√	√	√	√	×	×
讲演	√	√	√	√	√	√	√	√	√

用法对比 Usage

用法解释 Comparison

“演讲”和“讲演”同义，可以举行比赛；“演说”使用于庄重的场合，带有政治性，不能进行比赛。

语境示例 Examples

① 这是鲁迅先生当年在北京大学的一篇讲演稿。(☺这是鲁迅先生当年在北京大学的一篇演讲稿。)(＊这是鲁迅先生当年在北京大学的一篇演说稿。)

② 他的演说很有鼓动性。(☺他的演讲/讲演很有鼓动性。)

③ 国家主席在这所国立大学发表过演说。(☺国家主席在这所国立大学发表过演讲。)(＊国家主席在这所国立大学发表过讲演。)

④ 今天下午，我们系举行了留学生汉语演讲比赛。(☺今天下午，我们系举行了留学生汉语讲演比赛。)(＊今天下午，我们系举行了留学生汉语演说比赛。)

⑤ 他是在发表争民主、争自由的演说时被右翼分子暗杀的。(＊他是在发表争民主、争自由的演讲/演讲时被右翼分子暗杀的。)

1450 养分[名]yǎngfèn ▶ 养料[名]yǎngliào

Y

词义说明 Definition

养分[nutrient] 物质中所含的能供给有机体营养的成分。

养料[nutrient; nourishment] 能供给有机体营养的物质。

词语搭配 Collocation

	有~	没有~	~丰富	缺乏~	提供~	吸收~	土壤的~
养分	√	√	√	√	√	√	√
养料	√	√	√	√	√	√	×

用法对比 Usage

用法解释 Comparison

“养分”说的是物质中所含有的营养成分，“养料”既有具体意义，也表示有益的东西或影响等抽象意义。

语境示例 Examples

① 植物靠根部从土壤中吸收水分和养料。(☺植物靠根部从土壤中吸收水分和养分。)
② 这种食品含有人体必需的丰富养料。(☺这种食品含有人体必需的丰富养分。)
③ 这盆花我好久没有给它施肥了，因为缺乏养料，半死不活的。(＊这盆花我好久没有给它施肥了，因为缺乏养分，半死不活的。)
④ 这种水果的养分非常丰富。(＊这种水果的养料非常丰富。)
⑤ 作家应该到人民群众中去吸取创作的养料。(＊作家应该到人民群众中去吸取创作的养分。)

1451 养活[动]yǎnghuo ▶ 养育[动]yǎngyù

词义说明 Definition

养活[support; provide for] 供给生活资料或生活费用。[raise (animals)] 饲养动物。

养育[bring up; rear] 抚养教育。

词语搭配 Collocation

	~一家人	~自己	~一百多头牛	~子女	~之恩	~成人
养活	√	√	√	√	×	×
养育	×	×	×	√	√	√

用法对比 Usage

用法解释 Comparison

“养活”用于人，也用于动物，“养育”只能用于人。

语境示例 Examples

① 母亲去世后，是姨把我养活大的。(☺母亲去世后，是姨把我养育大的。)

② 我已经长大了，已经能自己挣钱养活自己了。(＊我已经长大，已经能自己挣钱养育自己了。)

③“谁言寸草心，报得三春晖”，这句诗的意思是，父母的养育之恩是儿女无法报答的。(＊“谁言寸草心，报得三春晖”，这句诗的意思是，父母的养活之恩是儿女无法报答的。)

④ 他上要养活父母，下要养育一双儿女，所以家庭负担很重。(＊他上要养育父母，下要养育一双儿女，所以家庭负担很重。)

⑤ 再苦再累也要把子女养育成人，使他们能受到良好的教育，成为对社会有用的人。(＊再苦再累也要把子女养活成人，使他们能受到良好的教育，成为对社会有用的人。)

⑥ 他们家养活了一百多头猪。(＊他们家养育了一百多头猪。)

1452 样子[名]yàngzi ▶ 样式[名]yàngshì

词义说明 Definition

样子[appearance; shape] 形态：衣服的～。[manner; air] 人的模样或神情：高兴的～。[sample; model; pattern] 作为标准或代表，供人看或模仿的事物：鞋～。[tendency; likelihood] 形势；趋势：要下雨的～。

样式[pattern; type; style; form] 式样；形式：各种～的大衣。

词语搭配 Collocation

	衣服～	照～做	各种～	高兴的～	要哭的～	不像～	看～	～美观	建筑～
样子	√	√	√	√	√	√	√	×	×
样式	√	√	√	×	×	×	×	√	√

用法对比 Usage

用法解释 Comparison

“样子”可以指人，也可以指东西的外观，“样式”只能指东西，不能指人。

语境示例 Examples

① 你想买什么样子的？(☺你想买什么样式的？)

② 这套家具的样式美观大方。(☺这套家具的样子美观大方。)
③ 展销会上各种样式的都有。(☺展销会上各种样子的都有。)
④ 这个小女孩儿的样子真可爱。(＊这个小女孩儿的样式真可爱。)
⑤ 这活做得不像样子。(＊这活做得不像样式。)
⑥ 看样子又要下雨。(＊看样式又要下雨。)
⑦ 这座楼的建筑样式有点儿像欧洲的古典建筑。(＊这座楼的建筑样子有点儿像欧洲的古典建筑。)

1453 要求[动、名]yāoqiú ▶ 请求[动、名]qǐngqiú

词义说明 Definition

要求[ask; demand; require; claim] 提出具体愿望和条件，希望得到满足或实现。[requirement; demand; claim] 所提出的具体愿望和条件。

请求[ask; request] 说明要求，希望得到满足。[request; appeal] 所提出的要求。

词语搭配 Collocation

	～发言	～增加工资	～换班	严格～	符合～	满足～	～原谅	答应～
要求	√	√	√	√	√	√	×	√
请求	√	×	√	×	×	×	√	√

用法对比 Usage

"要求"和"请求"是同义词，名词的用法差不多，动词的用法不同。"请求"比"要求"客气、有礼貌，下对上要用"请求"，上对下一般用"要求"，对自己一方常用"要求"，对他人宜用"请求"。

① 领导答应了我的请求。(☺领导答应了我的要求。)
② 上级要求我们年内完成这项任务。(＊上级请求我们年内完成这项任务。)
③ 我们要尽量满足顾客的要求。(＊我们要尽量满足顾客的请求。)
④ 你有什么要求尽管说，只要我能做到的，一定尽力。(＊你有什么请求尽管说，只要我能做到的，一定尽力。)
⑤ 这个要求过高，我们目前还没有条件满足。(＊这个请求过高，我们目前还没有条件满足。)
⑥ 昨天是我不对，请求你原谅。(＊昨天是我不对，要求你原谅。)

"请求"的行为主体只能是人，"要求"的行为主体不只是人。

这些产品都符合质量要求。（*这些产品都符合质量请求。）

1454 要求[动、名]yāoqiú ▶ 需求[名]xūqiú ▶ 求[动]qiú

词义说明 Definition

要求[ask; demand; require; claim] 提出具体愿望或条件，希望得到满足或实现。[requirement; demand; claim] 提出的具体愿望或条件：按照质量～去做。

需求[requirement; demand] 由需要而产生的要求：满足顾客的～。

求[beg; request; entreat; beseech] 请求：～教|～助|～你一件事。[strive for] 要求：～生存|～发展。[seek; try; demand] 需要，需求：供过于～。[seek; look after; search for] 追求；寻求；探求：实事～是|～同存异。

词语搭配 Collocation

	～增加工资	～发言	严格～	～过高	满足～	～赔偿	～很高	～学	～发展	供～
要求	√	√	√	√	√	√	√	×	√	×
需求	×	×	×	×	√	×	×	×	×	×
求	×	×	×	×	×	×	×	√	√	√

用法对比 Usage

用法解释 Comparison

“要求”可以带宾语，也可以作宾语，“需求”只能作宾语，不能带宾语，“求”可以带宾语，不能作宾语。“要求”用于上对下，“求”用于下对上或己对人。“求”是个语素，有组词能力，“要求”和“需求”没有组词能力。

语境示例 Examples

① 你有什么要求尽管说，别客气。（☺你有什么需求尽管说，别客气。）（*你有什么求尽管说，别客气。）

② 对外国留学生一方面要严格要求，另一方面要热情帮助。（*对外国留学生一方面要严格需求/求，另一方面要热情帮助。）

③ 随着生活水平的提高，人民对文化的需求越来越迫切。（☺随着生

Y

活水平的提高，人民对文化的要求越来越迫切。）（＊随着生活水平的提高，人民对文化的求越来越迫切。）

④ 在一些国家，工人们经常罢工，要求资方增加工资。（＊在一些国家，工人们经常罢工，需求/求资方增加工资。）

⑤ 我们要千方百计满足顾客的要求。（☺我们要千方百计满足顾客的需求。）（＊我们要千方百计满足顾客的求。）

⑥ 第三世界国家和人民求发展的愿望非常强烈。（☺第三世界国家和人民要求发展的愿望非常强烈。）（＊第三世界国家和人民需求发展的愿望非常强烈。）

⑦ 我求你了，帮帮忙吧。（＊我要求/需求你了，帮帮忙吧。）

⑧ 很多商品已经供过于求。（＊很多商品已经供过于需求/要求。）

1455 邀请[动、名]yāoqǐng

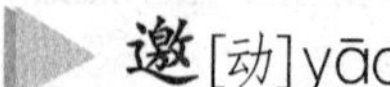

邀[动]yāo

请[动]qǐng

词义说明 Definition

邀请[invite] 请人到自己的地方或到约定的地方去：～代表团访问中国。

邀[invite; ask] 邀请：～几个朋友来玩儿。

请[invite; engage] 邀请；聘请：～大夫。

词语搭配 Collocation

	发出～	接受～	～代表团	应～	应…的～	～大夫	特～代表	～客
邀请	√	√	√	×	√	×	×	×
邀	×	×	×	√	×	×	√	×
请	×	×	√	×	×	√	×	√

用法对比 Usage

用法解释 Comparison

“邀请”和“邀”用于正式场合，如外交场合等，是书面语；“请”用于口语。

语境示例 Examples

① 晚上我想邀/邀请几个朋友聚聚，你也来吧。（☺晚上我想请几个朋友聚聚，你也来吧。）

② 北京大学请他去做学术报告。（☺北京大学邀请他去做学术报告。）

(＊北京大学邀他去做学术报告。)

③ 今天晚上我请客。(＊今天晚上我邀请/邀客。)

④ 总理愉快地接受了客人的邀请。(＊总理愉快地接受了客人的邀/请。)

⑤ 应中国国家主席的邀请，法国总统今天乘专机抵达北京，开始为期五天的国事访问。(＊应中国国家主席的邀/请，法国总统今天乘专机抵达北京，开始为期五天的国事访问。)

⑥ 中国国务院总理应邀到泰国访问。(＊中国国务院总理应邀请/请到泰国访问。)

1456 谣言[名]yáoyán ▶ 流言[名]liúyán

词义说明 Definition

谣言[rumour; unfounded report; groundless allegation] 没有事实根据的消息。

流言[rumour; gossip] 没有根据的话（多指背后议论、污蔑或挑拨的话）。

词语搭配 Collocation

	散布～	制造～	轻信～	戳穿～	～飞语
谣言	√	√	√	√	×
流言	×	×	√	×	√

用法对比 Usage

用法解释 Comparison

“谣言”和“流言”同义，但“谣言”常用，“流言”不常用，可与“飞语”一起组成“流言飞语”。

语境示例 Examples

① 不要轻信谣言。(☺不要轻信流言。)

② 流言止于智者。(☺谣言止于智者。)

③ 散布谣言，混淆视听，是一些政客的卑鄙手段。(＊散布流言，混淆视听，是一些政客的卑鄙手段。)

④ 要及时戳穿敌人制造的谣言，让人民明白事情的真相。(＊要及时戳穿敌人制造的流言，让人民明白事情的真相。)

⑤ 为了把经理打倒，由他取而代之，他竟指使人在下面散布谣言，

结果被送上了法庭。（＊为了把经理打倒，由他取而代之，他竟指使人在下面散布流言，结果被送上了法庭。）

1457 摇摆[动]yáobǎi ▶ 摇晃[动]yáohuàng

词义说明 Definition

摇摆[sway; swing; rock; vacillate] 向相反的方向来回地移动或变动。

摇晃[rock; sway; shake] 摇摆；晃动。

词语搭配 Collocation

	在～	～了	有点儿～	迎风～	～了一下
摇摆	√	√	×	√	√
摇晃	√	√	√	×	√

用法对比 Usage

“摇摆”和“摇晃”表达的意思不尽相同。“摇摆”含抽象义，比喻立场、观点不坚定，“摇晃”不含此义。

① 导游不停地摇摆着手里的小旗，招呼人们上车。（☺导游不停地摇晃着手里的小旗，招呼人们上车。）

② 他喝多了，走起路来摇摇晃晃的。（☺他喝多了，走起路来摇摇摆摆的。）

③ 在这个问题上，他的态度有点儿摇摆不定。（＊在这个问题上，他的态度有点儿摇晃不定。）

④ 在这个问题上我们必须态度鲜明，不能左右摇摆。（＊在这个问题上我们必须态度鲜明，不能左右摇晃。）

“摇晃”表示物体不稳，“摇摆”没有这个意思。

① 这把椅子有点儿摇晃了。（＊这把椅子有点儿摇摆了。）

② 我这颗牙有点儿摇晃了，要不要拔掉？（＊我这颗牙有点儿摇摆了，要不要拔掉？）

③ 地震把大楼震得直摇晃。（＊地震把大楼震得直摇摆。）

强调手的动作时用“摇晃”，不用“摇摆”。

这瓶药水容易沉淀，喝之前先摇晃摇晃。（＊这瓶药水容易沉淀，喝之前先摇摆摇摆。）

1458 遥远[形]yáoyuǎn ▶ 远[形]yuǎn

词义说明 Definition

遥远[distant；remote；faraway] 很远。

远[faraway (in time or space)；distant；remote] 空间和时间的距离长（跟"近"相对）。[by far；far and away]（差别）程度大：差得～。[keep away from；keep at a distance] 不接近：敬而～之。

词语搭配 Collocation

	很～	路途～	～的地方	～的将来	～处	看得～	～～	～看去	～小人	不～
遥远	√	√	√	√	×	×	×	×	×	×
远	√	√	√	×	√	√	√	√	√	√

用法对比 Usage

"遥远"就是"远"，但是"遥远"多用于书面，"远"书面口语都常用。"遥远"修饰双音节词语，"远"一般修饰单音节词。"远"可用"不"否定，"遥远"不能直接用"不"否定。

① 从罗马到北京路途遥远，坐飞机要十个多小时。(☺从罗马到北京路途很远，坐飞机要十个多小时。)

② 我们要在不远的将来，实现这个宏伟的目标。(＊我们要在不遥远的将来，实现这个宏伟的目标。)

③ 你家离大学远吗？(＊你家离大学遥远吗？)

④ 北京离天津有多远？(＊北京离天津有多遥远？)

"远"可以作动词用，"遥远"没有动词的用法。

很多政治家都知道"亲贤臣，远小人"的重要，可是真正做到并不容易。(＊很多政治家都知道"亲贤臣，遥远小人"的重要，可是真正做到并不容易。)

"远"可以重叠，"遥远"不能重叠使用。

从这里远远望去，就是大海。(＊从这里遥遥远远望去，就是大海。)

"远"可以作补语，"遥远"不能。

我把爸爸送上汽车，看着车走远了，才回来。(＊我把爸爸送上汽车，看着车走遥远了，才回来。)

1459 药品[名]yàopǐn ▶ 药物[名]yàowù

词义说明 Definition

药品[medicines and chemical reagents] 药物和化学试剂的总称。

药物[pharmaceuticals; materia medica; medicines; drug] 能治疗疾病、病虫害等的物质。

词语搭配 Collocation

	~生产	~商店	~管理	~市场	~价格	~中毒
药品	√	√	√	√	√	×
药物	√	×	√	√	√	√

用法对比 Usage

用法解释 Comparison

“药品”和“药物”是同义词，用法的不同在于与其他词语的搭配上。

语境示例 Examples

① 药品生产必须经过卫生管理部门批准。(☺药物生产必须经过卫生管理部门批准。)

② 要加强对药品市场的管理。(☺要加强对药物市场的管理。)

③ 进口药品的价格大多过高。(*进口药物的价格大多过高。)

④ 药品商店应该有特别醒目的标志，而且应该有二十四小时营业的。(*药物商店应该有特别醒目的标志，而且应该有二十四小时营业的。)

⑤ 要严防药物中毒的事件发生。(*要严防药品中毒的事件发生。)

1460 要不[连]yàobù ▶ 不然[连、形]bùrán

词义说明 Definition

要不[otherwise; or else; or] 如果不这样（指前文所说的情况）的话，就会出现后文的结果。也说“不然，否则，要么”：发电子邮件，～就打电话。

不然[or else; otherwise; if not] 表示如果不是上文所说的情况，就发生或可能发生下文所说的情况：快走吧，～就迟到了。[not so] 不是这样：其实～。[（used at the beginning of a sentence to express disagreement）no] 用在对话的开头，表示否定对方的话：～，事情不像你想得那么简单。

词语搭配 Collocation

	～坐飞机去吧	～你去吧	～就迟到了	～就回去吧	～听听音乐	其实～
要不	√	√	√	√	√	×
不然	√	√	√	√	√	√

用法对比 Usage

"要不"和"不然"都是连词，常常可以相互替换。

① 我们得快点儿走，要不就赶不上火车了。(☺我们得快点儿走，不然就赶不上火车了。)

② 赶快给家里打个电话，要不爸爸妈妈又该担心了。(☺赶快给家里打个电话，不然爸爸妈妈又该担心了。)

③ 我们去踢球怎么样？要不就去游泳。(☺我们去踢球怎么样？不然就去游泳。)

④ 他可能有什么事了，不然不会这时候还不来。(☺他可能有什么事了，要不不会这时候还不来。)

⑤ 多亏我们来得早，不然连号也挂不上。(☺多亏我们来得早，要不连号也挂不上。)

"不然"还是形容词，有"不是这样"的意思，"要不"没有这个意思。

都说汉语的语法简单。其实不然。(＊都说汉语的语法简单。其实要不。)

"不然"可以用在句子开头，在对话中否定对方的意见。

A：如果他们真的过不到一起的话，离婚算了。

B：不然，事情不像你说的那样简单。还有孩子呢，离婚后孩子怎么办？(＊要不，事情不像你说的那样简单。还有孩子呢，离婚后孩子怎么办？)

1461 要是[连]yàoshì ▶ 要[连]yào

词义说明 Definition

要是[if; suppose; in case] 如果；如果是。

要[if; suppose; in case] 如果。[(used with 就 or 就是) or; either ... or ...] 要么。

用法对比 Usage

用法解释 Comparison

连词"要是"和"要"有相同的意思，都表示假设；"要"还有"要么"的意思，"要是"没有这个用法。

语境示例 Examples

① 你要想把汉语学好，就应该坚持天天上课。(☺你要是想把汉语学好，就应该坚持天天上课。)

② 明天要是下雨我们就别去了。(☺明天要下雨我们就别去了。)

③ 我星期一要回不来，你就给我请个假。(☺我星期一要是回不来，你就给我请个假。)

④ 我要是能说一口流利的汉语多好啊！(☺我要能说一口流利的汉语多好啊！)

⑤ 你要是我，遇到这种情况会怎么办呢？(*你要我，遇到这种情况会怎么办呢?)

⑥ 今天是周末，晚上要就去跳舞，要就在家看电视，反正得放松放松。(*今天是周末，晚上要是就去跳舞，要是就在家看电视，反正得放松放松。)

1462 夜里[名]yèli ▶ 夜晚[名]yèwǎn ▶ 夜间[名]yèjiān

词义说明 Definition

夜里[at night] 从天黑到天亮的一段时间。

夜晚[night] 夜里，晚上。

夜间[at night] 夜里。

词语搭配 Collocation

	昨天～	～工作	～施工	～演习	～十点	一个～	从白天到～
夜里	√	√	√	√	√	×	√
夜晚	√	√	√	√	√	√	√
夜间	√	√	√	√	√	×	×

用法对比 Usage

用法解释 Comparison

这三个是同义词，都表示从天黑到天亮的这一段时间，可以相互替换，不同的是，"夜晚"是可数名词，"夜里"和"夜间"是不可数名词。

语境示例 Examples

① 昨天夜里谁来的电话？把我也吵醒了。(☺昨天夜晚/夜间谁来的电话？把我也吵醒了。)

② 他习惯夜里工作，白天睡觉。(☺他习惯夜晚/夜间工作，白天睡觉。)

③ 国家规定，在高考期间，为了保证考生休息，禁止建筑单位夜里施工。(☺国家规定，在高考期间，为了保证考生休息，禁止建筑单位夜间/夜晚施工。)

④ 他昨天夜里不知道去哪儿了。(☺他昨天夜间/夜晚不知道去哪儿了。)

⑤ 事情紧急，我要乘今天夜里的飞机赶回去。(☺事情紧急，我要乘今天夜晚/夜间的飞机赶回去。)

⑥ 为了准备这次会议，他一连三个夜晚都睡得很晚。(*为了准备这次会议，他一连三个夜里/夜间都睡得很晚。)

1463 医治[动]yīzhì ▶ 医疗[名]yīliáo ▶ 治疗[动]zhìliáo

词义说明 Definition

医治[cure; treat; heal] 治疗：～脚气。

医疗[medical treatment] 疾病的治疗：～设备。

治疗[treat; cure] 用药物、手术等消除疾病：住院～。

词语搭配 Collocation

	赶快～	～创伤	～队	～机构	～设备	～疾病	住院～	～效果	手术～	～无效
医治	√	√	×	×	×	√	×	×	×	√
医疗	×	×	√	√	√	×	×	√	×	×
治疗	√	×	×	×	×	√	√	√	√	√

用法对比 Usage

用法解释 Comparison

这三个词的意思相同，但是与它们搭配的词语不同，“医治”还可以带抽象宾语，如“医治战争的创伤”，“医疗”和“治疗”不能这样用。“医疗”是名词，可作定语，不能作谓语。

语境示例 Examples

① 这种病目前医学上还没有很好的医治方法。(☺这种病目前医学上还没有很好的医疗/治疗方法。)

② 要组织医疗队下乡为农民防病治病。(＊要组织医治/治疗队下乡为农民防病治病。)

③ 我们医院的医疗设备是第一流的。(＊我们医院的医治/治疗设备是第一流的。)

④ 这种药的治疗/医疗效果不太明显。(＊这种药的医治效果不太明显。)

⑤ 他的病需要住院治疗。(＊他的病需要住院医治/医疗。)

⑥ 这个国家经过多年的努力，医治了战争的创伤，走上了和平发展的道路。(＊这个国家经过多年的努力，医疗/治疗了战争的创伤，走上了和平发展的道路。)

1464 依旧[形、副]yījiù ▶ 依然[形、副]yīrán

词义说明 Definition

依旧[as before; still; remain the same] 跟过去一样，照旧。

依然[still; as before] 依旧。

词语搭配 Collocation

	风光～	山河～	～还在	～有效	～没变	～是老样子	～在这里
依旧	√	√	√	√	√	√	√
依然	√	×	√	√	√	√	√

用法对比 Usage

用法解释 Comparison

“依旧”强调照旧，岁月变化，仍旧保持原样，“依然”强调继续保持不变，二者都是副词，作状语时，可以互换。“依旧”可以作谓语，依然不常作谓语。

语境示例 Examples

① 十年过去了，老屋里的陈设依旧是老样子。(☺十年过去了，老屋里的陈设依然是老样子。)

② 几年没见，她依然那么年轻。(☺几年没见，她依旧那么年轻。)

③ 我们分手已经十年了，她依旧是单身一人。(☺我们分手已经十年了，她依然是单身一人。)

④ 家乡山水依然，但是此时的心情却大不一样了。(☺家乡山水依旧，但是此时他的心情却大不一样了。)

⑤ 这本词典经过修订，增加了不少新词，但体例依旧。(＊这本词典经过修订，增加了不少新词，但体例依然。)

1465 依据[动、名]yījù ▶ 根据[动、名]gēnjù

词义说明 Definition

依据[according to; in the light of; on the basis of; judging by] 根据。[basis; foundation] 作为依据的事物。

根据[on the basis of; according to; in the light of; in line with] 把某种事物作为结论的前提或语言行动的基础。[basis; foundation; grounds] 作为根据的事物。

词语搭配 Collocation

	～上级指示	～…理论	重要～	有～	没有～	～天气预报	～情况
依据	√	√	√	√	√	×	×
根据	√	√	×	√	√	√	√

Y

用法对比　Usage

用法解释 Comparison

“依据”和“根据”是同义词，“根据”使用频率更高。

语境示例 Examples

① 只有依据科学的理论来观察当今世界形势，才能做出正确的判断。(☺只有根据科学的理论来观察当今世界形势，才能做出正确的判断。)

② 说这事是他干的，你有什么根据？(☺说这事是他干的，你有什么依据？)

③ 要根据具体情况进行具体分析。(☺要依据具体情况进行具体分析。)

④ 根据天气预报，明天仍然有小到中雨。(＊依据天气预报，明天仍然有小到中雨。)

⑤ 这部电影是根据同名小说改编的。(＊这部电影是依据同名小说改编的。)

⑥ 这次考古发现对确定中国史前历史的分期提供了重要的依据。(＊这次考古发现对确定中国史前历史的分期提供了重要的根据。)

1466 依靠[动、名]yīkào ▶ 依赖[动]yīlài

词义说明　Definition

依靠[fall back on; rely on (other people or things to reach purpose); depend on] 指望（别的人或事物来达到一定目的）。[person or thing on whom or which one can depend on] 可以依靠的人或东西。

依赖[rely on; be dependent on] 依靠别的人或事物而不能自立或自给。[interdependent] 各个事物或现象互为条件而不可分离。

Y

词语搭配　Collocation

	有～	没有～	～自己	～群众	～别人	～进口	～出口	相互～	～思想	～性
依靠	√	√	√	√	√	√	√	×	×	×
依赖	×	×	×	×	√	√	√	√	√	√

用法对比 Usage

“依靠”既是动词，也是名词，可以作宾语，“依赖”只是动词，不能作宾语。“依靠”的对象是别的人或别的事物，也可以是自身的力量，“依赖”的对象只能是别的人或事物。

① 不能有依赖思想，要自力更生，创造自己美好的生活。（*不能有依靠思想，要自力更生，创造自己美好的生活。）
② 她依靠希望工程的资助，才上了大学。（*她依赖希望工程的资助，才上了大学。）
③ 丈夫去世后，她顿时感到失去了依靠。（*丈夫去世后，她顿时感到失去了依赖。）
④ 天上不会掉馅饼，要创造幸福生活，只能依靠自己的双手。（*天上不会掉馅饼，要创造幸福生活，只能依赖自己的双手。）
⑤ 他依靠自己的诚实劳动，使全家过上了幸福的生活。（*他依赖自己的诚实劳动，使全家过上了幸福的生活。）
⑥ 找到工作以后，全家生活有了依靠。（*找到工作以后，全家生活有了依赖。）

“依赖”还表示事物或现象互为条件而不可分离，“依靠”没有这个意思。

① 一切事物中，矛盾着的双方是相互依赖的，失去一方，另一方也不复存在，例如，没有小，就没有老；没有生，就没有死。（*一切事物中，矛盾着的双方是相互依靠的，失去一方，另一方也不复存在，例如，没有小，就没有老；没有生，就没有死。）
② 外向型经济对外有着很大的依赖性。（*外向型经济对外有着很大的依靠性。）

1467 依然[副]yīrán ▶ 仍然[副]réngrán

词义说明 Definition

依然[as before; still] 跟过去一样。

仍然[still; yet] 情况继续不变或恢复原状。

词语搭配 Collocation

	～是老样子	～存在	～不变	～未改	～下着雨	～保持着
依然	√	√	√	√	√	√
仍然	√	√	√	√	√	√

Y

用法对比 Usage

用法解释 Comparison

“依然”和“仍然”都是副词，都可以作状语，表示动作从过去到说话时不停地进行和情况或状态继续存在。不同的是，“依然”书面语色彩更浓一些。

语境示例 Examples

① 当今世界，发生局部战争的危险依然存在。(☺当今世界，发生局部战争的危险仍然存在。)

② 虽然遭到那么大的挫折，但是她依然没有失去生活的信心。(☺虽然遭到那么大的挫折，但是她仍然没有失去生活的信心。)

③ 回到阔别十年的家乡，家乡的老屋依然是老样子。(☺回到阔别十年的家乡，家乡的老屋仍然是老样子。)

④ 我明年仍然在这儿学习。(＊我明年依然在这儿学习。)

⑤ 昨天下了一天雨，天气预报说今天仍然有雨。(＊昨天下了一天雨，天气预报说今天依然有雨。)

1468 依照[介、动]yīzhào ▶ 依据[动、名]yījù

词义说明 Definition

依照[according to; in accordance with; in the light of] 以某事物为根据照着进行。按照。

依据[according to; in the light of; on the basis of; judging by] 根据。[basis; foundation] 作为依据的事物。

词语搭配 Collocation

	～宪法	～情况	～规定	～指示	～原样	有～	没有～	毫无～
依照	√	√	√	√	√	×	×	×
依据	√	√	√	√	×	√	√	√

用法对比 Usage

用法解释 Comparison

“依据”的对象是抽象的事物，“依照”的对象可以抽象的事物，也可以是具体事物；“依据”可以作宾语，“依照”不能作宾语。

语境示例 Examples

① 这篇论文我依照导师的意见进行了修改。(☺这篇论文我依据导师的意见进行了修改。)
② 必须依照法律办案。(☺必须依据法律办案。)
③ 应依照学校的有关规定对该生给予记过处分。(☺应依据学校的有关规定对该生给予记过处分。)
④ 我们依照原样又复制了一个。(*我们依据原样又复制了一个。)
⑤ 这些文物的出土为研究中国的丝绸文化提供了实物依据。(*这些文物的出土为研究中国的丝绸文化提供了实物依照。)
⑥ 你这么说有什么依据吗?(*你这么说有什么依照吗?)

1469 一刹那[名、副]yíchànà

霎时间[副]shàshíjiān

词义说明 Definition

一刹那[in a split second; in an instant; in a flash; in the twinkling of an eye] 极短的时间。

霎时间[in a twinkling; in a split second; in a jiffy; a very short time; also 霎时 (shàshí)] 极短的时间。

用法对比 Usage

用法解释 Comparison

这两个词都表示极短的时间，都可以作时间状语，表示动作或事情发生得极快、很突然。不同的是，“一刹那”可以作定语和宾语，而“霎时间”没有这个用法。

语境示例 Examples

① 一刹那，天空中乌云密布，眼看就要下雨了。(☺霎时间，天空中乌云密布，眼看就要下雨了。)
② 他倒在地上，一刹那就不省人事了。(☺他倒在地上，霎时间就不省人事了。)
③ 只听一声炮响，霎时间天空中就绽放出千万朵礼花。(☺只听一声炮响，一刹那天空中就绽放出千万朵礼花。)
④ 我刚才还看见他在这儿呢，怎么一刹那就不见了?(*我刚才还看见他在这儿呢，怎么霎时间就不见了?)

⑤ 只一刹那的工夫，山洪就把那座大桥冲垮了。（＊只霎时间的工夫，山洪就把那座大桥冲垮了。）

⑥ 在这一刹那，我才发现，原来世间所有的母亲都是那么容易满足的啊！（＊在这霎时间，我才发现，原来世间所有的母亲都是那么容易满足的啊！）

1470 一概[副]yígài ▶ 一律[形、副]yílǜ

词义说明 Definition

一概[one and all; without exception; totally; categorically] 表示适用于全体，没有例外。

一律[all; without exception] 适用于全体，没有例外。[same; alike; uniform] 一个样子；相同。

词语搭配 Collocation

	～作废	～不知	～拒绝	～而论	强求～	～平等	千篇～	～持证上岗
一概	√	√	√	√	×	×	×	×
一律	√	×	√	×	√	√	√	√

用法对比 Usage

用法解释 Comparison

“一律”既是副词又是形容词，可以作状语，也可以作谓语；而“一概”是副词，只能作状语。“一律”可以用于人，也可以指事物；“一概”只能指事物，不能用于人。

语境示例 Examples

① 他处事相当低调，凡是要求采访的，他一概拒绝。（☺他处事相当低调，凡是要求采访的，他一律拒绝。）

② 各国情况不同，在社会制度的选择上，怎能强求一律？（＊各国情况不同，在社会制度的选择上，怎能强求一概？）

③ 具体情况要具体分析，不能一概而论。（＊具体情况要具体分析，不能一律而论。）

④ 国家无论大小，应该一律平等。（＊国家无论大小，应该一概平等。）

⑤ 我刚来，这些情况一概不知道。（＊我刚来，这些情况一律不知道。）

⑥ 这些会议报道千篇一律，非常乏味。（＊这些会议报道千篇一概，非常乏味。）

1471 一共[副]yígòng ▶ 共[副]gòng

词义说明 Definition

一共[altogether; in all; all told] 合在一起，全部。

共[altogether; in all; all told] 一共；总共。[common; general] 相同的：～命运。[share; together; in company] 共同具有或承受：同甘苦，～患难|～进午餐。

词语搭配 Collocation

	～多少钱	～几个	～三千	～命运	～进晚餐	～饮一江水	～收二十篇	～有
一共	√	√	√	×	×	×	√	√
共	√	×	×	√	√	√	√	√

用法对比 Usage

用法解释 Comparison

“一共”后边必带数量词，“共”后边可以带数量词，也可以不带数量词。

语境示例 Examples

① 这些一共多少钱？（☺这些共多少钱？）

② 我们大学一共有四万多在校生。（☺我们大学共有四万多在校生。）

③ 这本书一共收入作者近年来创作的小说二十多篇。（☺这本书共收入作者近年来创作的小说二十多篇。）

④ 这条河为两国所共有。（＊这条河为两国所一共有。）

⑤ 国家主席同来访的贵宾共进晚餐。（＊国家主席同来访的贵宾一共进晚餐。）

⑥ 身居海外的中华儿女始终与祖国同呼吸、共命运。（＊身居海外的中华儿女始终与祖国同呼吸、一共命运。）

1472 一共[副]yígòng ▶ 全部[名]quánbù

词义说明 Definition

一共[altogether; in all; all told] 表示合在一起。

全部[all; entire; whole; complete; total; full; a whole lot of; the all in one] 各个部分的总和，整个。

词语搭配 Collocation

	～多少	～一百人	～是一千	～力量	～积蓄	～工作	～情况	～解决
一共	√	√	√	×	×	×	×	×
全部	√	√	√	√	√	√	√	√

用法对比 Usage

用法解释 Comparison

“一共”是副词，只能放在动词前面或数量词前面作状语，不能作主语和宾语；“全部”是名词，可以作主语、定语，也可以作状语。

语境示例 Examples

① 这些一共是多少钱？(☺这些全部是多少钱？)

② 我们学校一共有一万多学生。(＊我们学校全部有一万多学生。)

③ 我这里一共有五万块钱，你先拿去用吧。(＊我这里全部有五万块钱，你先拿去用吧。)

④ 你应该把全部情况向警察说清楚。(＊你应该把一共情况向警察说清楚。)

⑤ 好了，问题全部解决了，你可以放心了。(＊好了，问题一共解决了，你可以放心了。)

⑥ 他把这本书的稿费全部捐给了家乡的小学。(＊他把这本书的稿费一共捐给了家乡的小学。)

1473 一贯[形]yíguàn ▶ 一向[副、名]yíxiàng

词义说明 Definition

一贯[(of thinking, style of work, etc.) consistent; persistent; all along] (思想、作风)一向如此，从未改变。

一向[earlier on; lately] 过去的一段时间。[(indicating a period from the past to the present) always; consistently; all along] 表示从过去到现在。

词语搭配 Collocation

	~政策	~主张	~如此	~俭朴	~好客	~认真	~谦虚	~作风	~可好啊
一贯	√	√	√	√	√	√	√	√	×
一向	×	√	√	√	√	√	√	×	√

用法对比 Usage

"一贯"和"一向"意思相同，都可以作状语，不过"一贯"是形容词，可以作定语，而"一向"是副词，不能作定语。

① 这个国家的人民一贯勤劳善良，热情好客。(☺这个国家的人民一向勤劳善良，热情好客。)

② 他一贯廉洁奉公，所以深得群众信任和爱戴。(☺他一向廉洁奉公，所以深得群众信任和爱戴。)

③ 中国一贯主张，国家不分大小，应一律平等。(☺中国一向主张，国家不分大小，应一律平等。)

④ 实事求是是我们的一贯作风。(*实事求是是我们的一向作风。)

"一向"有名词的用法，"一贯"没有这种用法。

这一向你身体好吗？(*这一贯你身体好吗？)

1474 一会儿[名]yíhuìr ▶ 一刹那[名]yíchànà

词义说明 Definition

一会儿[a little while] 很短的时间：休息~吧。[in a moment; presently] 很短的时间之内：我~就来。[(reduplicated before a pair of antonyms) now ... now ...; one moment ... the next ...] 用在两个反义词的前面，表示两种情况交替出现：~哭~笑。

一刹那[in an instant; a split second; in the twinkling of an eye] 非常短的时间；瞬间。

词语搭配 Collocation

	~工夫	等~	睡~	休息~吧	看~书
一会儿	√	√	√	√	√
一刹那	√	×	×	×	×

用法对比 Usage

用法解释 Comparison

这两个词都表示很短的时间，但是“一会儿”多用于口语，可以作补语；“一刹那”多用于书面，不能作补语。

语境示例 Examples

① 那个飞碟（UFO）刚才看还是一个很大的碟子，一会儿就变成了一个小亮点儿。(☺那个飞碟刚才看还是一个很大的碟子，一刹那就变成了一个小亮点儿。)

② 咱们休息一会儿再干吧。(*咱们休息一刹那再干吧。)

③ 雪下得很大，一会儿地上就积了厚厚的一层。(*雪下得很大，一刹那地上就积了厚厚的一层。)

④ 你先坐一会儿，她马上就回来。(*你先坐一刹那，她马上就回来。)

⑤ 我中午只要睡一会儿，下午工作就有精神。(*我中午只要睡一刹那，下午工作就有精神。)

1475 一会儿[副、名]yíhuìr ▶ 一下儿[副]yíxiàr

词义说明 Definition

一会儿[a little while] 很短的时间：等~。 [in a moment; presently] 在很短的时间之内：他~就回来。[(reduplicated before a pair of antonyms) now . . . now . . .; one moment . . . the next . . .] 叠用在两个反义词的前面，表示两种情况交替：~风~雨。

一下儿[in a short while; all at once] 用在动词后边作动量补语，表示动作时间短暂或试着做：我看~，好吗？[all of a sudden] 表示短暂的时间：~就好了。

词语搭配 Collocation

	休息～吧	～就去	～阴～晴	等～	看～	～就好了	～就热了
一会儿	√	√	√	√	√	√	√
一下儿	√	×	√	√	√	√	√

用法对比 Usage

用法解释 Comparison

“一会儿”和“一下儿”都表示很短时间，都可以放在动词前边作状语或放在动词后边作补语。但是，“一会儿”作补语表示的是时量，而“一下儿”作补语表示的是动量。

语境示例 Examples

① 一下儿：灯一下儿就亮了。(灯忽然地亮了)

一会儿：灯一会儿就亮了。(灯现在还没有亮，过一会儿才能亮)

② 你在这里稍等一会儿，他马上就回来。(☺你在这里稍等一下儿，他马上就回来。)

③ 累的话就去休息一会儿吧。(☺累的话就去休息一下儿吧。)

④ 这鬼天气，一会儿阴一会儿晴。(☺这鬼天气，一下儿阴一下儿晴。)

⑤ 小马，你来一下儿。(＊小马，你来一会儿。)

⑥ 你来看一下儿这是怎么回事。(＊你来看一会儿这是怎么回事。)

⑦ 中午没有休息，晚上只学了一会儿就困了。(＊中午没有休息，晚上只学了一下儿就困了。)

1476 一块儿[副]yíkuàir ▶ 一起[副]yìqǐ

词义说明 Definition

一块儿[at the same place] 同一个处所：在～住。[together] 一同：～出国|～回来。

一起[in the same place] 同一个处所：坐在～。[together; in company] 一同：我们～去。

词语搭配 Collocation

	～学习	住在～	～来中国	～工作	～生活	跟我～去	说不到～	～吃吧	总在～
一块儿	√	√	√	√	√	√	√	√	√
一起	√	√	√	√	√	√	√	√	√

用法对比 Usage

用法解释 Comparison

"一块儿"和"一起"都是副词，"一块儿"是口语，不能用于书面，"一起"书面和口语都可以用。

语境示例 Examples

① 我们俩是一块儿来的中国，又一块儿进的北京语言大学。(☺我们俩是一起来的中国，又一起进的北京语言大学。)

② 我下午去书店，你想不想跟我一起去？(☺我下午去书店，你想不想跟我一块儿去?)

③ 她们俩总在一块儿，形影不离。(☺她们俩总在一起，形影不离。)

④ 他们俩常常说不到一块儿，谁也不服谁。(☺他们俩常常说不到一起，谁也不服谁。)

⑤ 让我们团结在一起，共同完成这项重要的实验。(＊让我们团结在一块儿，共同完成这项重要的实验。)

1477 一切[代]yíqiè ▶ 全部[名]quánbù

词义说明 Definition

一切[all; every] 全部的：～积极因素。[everything; all] 全部的事物：人民利益高于～。

全部[whole; complete; total; all] 各个部分的总和；整个。

词语搭配 Collocation

	～行动	～机会	～问题	～都好	～为了人民	～情况	～开支	～力量	～是学生
一切	√	√	√	√	√	√	√	√	×
全部	√	×	√	×	√	√	√	√	√

用法对比 Usage

用法解释 Comparison

"一切"不能作状语，只能作定语或宾语；"全部"可以作状语，也可以作定语，但不能作宾语。

语境示例 Examples

① 在朋友的帮助下，我的一切问题都得到了解决。(☺在朋友的帮助下，我的全部问题都得到了解决。)

② 只要努力，一切困难都是可以克服的。(☺只要努力，全部困难都是可以克服的。)

③ 保险公司赔偿了他的全部损失。(☺保险公司赔偿了他的一切损失。)

④ 爸爸妈妈，我在这里一切都很好，你们放心吧。(*爸爸妈妈，我在这里全部都很好，你们放心吧。)

⑤ 运动会的志愿者，全部是首都各大学的大学生。(*运动会的志愿者，一切是首都各大学的大学生。)

⑥ 这个旅行团的成员全部是退休的老人。(*这个旅行团的成员一切是退休的老人。)

⑦ 这个月的钱我已经全部花光了。(*这个月的钱我已经一切花光了。)

⑧ 为了发展少数民族地区的教育事业，他无私地献出了自己的一切。(*为了发展少数民族地区的教育事业，他无私地献出了自己的全部。)

1478 一下子[副]yíxiàzi ▶ 一下儿[副]yíxiàr

词义说明 Definition

一下子[one time; once; all of a sudden] 表示动作发生得突然，迅速。

一下儿[used after a verb to indicate one action or one try] 表示动作时间短暂或试着做：我看~，好吗？[in a short while; all of a sudden] 表示时间短暂：～就好了。

词语搭配 Collocation

	来～	看～	去～	亲～	打听～	想～	考虑～	灯～灭了	～忘了	～全来了
一下子	×	×	×	×	×	×	×	√	√	√
一下儿	√	√	√	√	√	√	√	√	√	√

用法对比 Usage

用法解释 Comparison

“一下子”多用来作状语，放在动词前边，表示时间短，动作发生得突然，不能作补语。“一下儿”常作动量补语，放在动词后边，表示动作时间短，也可用在动词前边作状语。

语境示例 Examples

① 课文我已经会复述了，可是老师叫我复述时，因为太紧张，一下子全忘了。(☺课文我已经会复述了，可是老师叫我复述时，因为太紧张，一下儿全忘了。)
② 灯一下儿全都亮了。(☺灯一下子全都亮了。)
③ 风一下子把我的帽子刮跑了。(☺风一下儿把我的帽子刮跑了。)
④ 请你等一下儿，我马上就来。(＊请你等一下子，我马上就来。)
⑤ 这个问题我们研究一下儿再回答你。(＊这个问题我们研究一下子再回答你。)
⑥ 我打听一下儿，王伟国老师住几号楼？(＊我打听一下子，王伟国老师住几号楼？)

1479 一向[副、名]yíxiàng ▶ 一直[副]yìzhí

词义说明 Definition

一向[earlier on; lately] 过去的一段时间：前～来过。[(indicating a period from the past to the present) always; consistently; all along] 表示从过去到现在：～节省；表示从上次见面到现在：你～好哇？

一直[indicating one direction; straight] 表示顺着一个方向不变：～走，不拐弯。[(indicating an uninterrupted action or a constant state) continuously; all along; always; all the way] 表示动作始终不间断或状态始终不变：我们～在等你。

Y

词语搭配 Collocation

	前～	～很好	～节俭	～很努力	～热情	～很忙	～工作到十一点	～不放心	～咳嗽
一向	√	√	√	√	√	√	×	×	×
一直	×	√	√	√	√	√	√	√	√

用法对比 Usage

"一向"和"一直"都是副词，"一向"主要表示时间范畴，说的是从过去到现在一段时间的动作行为和情况，而"一直"强调的是动作在一定的时间段内不停地进行或状态始终不变。

① 他一向很自信。(☺他一直很自信。)
② 我爸爸身体一向很好。(☺我爸爸身体一直很好。)
③ 她一向不喜欢参加社交活动。(☺她一直不喜欢参加社交活动。)
④ 你这一向口语进步很快。(*你这一直口语进步很快。)
⑤ 昨天晚上我一直学习到12点。(*昨天晚上我一向学习到12点。)
⑥ 从前天感冒到现在我一直咳嗽。(*从前天感冒到现在我一向咳嗽。)

"一直"还有不拐弯的意思，"一向"没有这个意思。

从这儿一直往前走就是国家大剧院。(*从这儿一向往前走就是国家大剧院。)

1480 一再[副]yízài ▶ 再三[副]zàisān

词义说明 Definition

一再[time and again; again and again; repeatedly] 一次又一次。

再三[over and over again; time and again; again and again; repeatedly] 一次又一次。

词语搭配 Collocation

	～感谢	～要求	～声明	～宣称	～表示	～挽留	～嘱咐	考虑～	～再四
一再	√	√	√	√	√	√	√	×	×
再三	√	√	√	√	√	√	√	√	√

用法对比 Usage

用法解释 Comparison

"一再"和"再三"是同义词，都作状语，修饰动词。不同的是，“再三”可以作补语，“一再”不能作补语。

语境示例 Examples

① 我一再向他表示道歉，可是他都不原谅我。(☺我再三向他表示道歉，可是他都不原谅我。)

② 公司领导再三挽留他，可是他还是婉言谢绝了。(☺公司领导一再挽留他，可是他还是婉言谢绝了。)

③ 我出国时，父母一再嘱咐我，要好好学习。(☺我出国时，父母再三嘱咐我，要好好学习。)

④ 老师一再要求，要按时上课，按时完成作业。(☺老师再三要求，要按时上课，按时完成作业。)

⑤ 国外这所大学希望我留下，我考虑再三，还是决定回国。(＊国外这所大学希望我留下，我考虑一再，还是决定回国。)

1481 移动[动]yídòng ▶ 移[动]yí

词义说明 Definition

移动[move; shift] 改换原来的位置。

移[move; remove; shift; change; alter] 移动；改变；变动。

词语搭配 Collocation

	向前～	～过来	～过去	～出来	正在～	不能～	～花	～树	～通讯	～电话
移动	√	√	√	×	√	√	×	×	√	√
移	√	√	√	√	√	√	√	√	×	×

用法对比 Usage

用法解释 Comparison

“移动”和“移”都是动词，都有改变原来位置的意思，“移”可以带宾语，“移动”不能。因为音节的关系。“移”不修饰双音节词语，“移动”可以。

语境示例 Examples

① 我想把院子里的这棵树移走，它太挡光。(＊我想把院子里这棵树移动走，它太挡光。)

② 把花盆里的花移出来，栽到院子里去。(＊把花盆里的花移动出来，栽到院子里去。)

③ 中国的移动通讯事业发展得很快。（＊中国的移通讯事业发展得很快。）

④ 移风易俗首先要改变旧观念。（＊移动风易俗首先要改变旧观念。）

⑤ 天气预报说，有一股冷空气正向我国北方移动。（＊天气预报说，有一股冷空气正向我国北方移。）

1482 遗失[动]yíshī ▶ 丢失[动]diūshī

词义说明 Definition

遗失[lose] 由于疏忽而丢掉（东西）。

丢失[lose] 遗失。

词语搭配 Collocation

	行李～了	证件～了	文件～了	～声明
遗失	√	√	√	√
丢失	√	√	√	×

用法对比 Usage

用法解释 Comparison

“遗失”和“丢失”是同义词，“遗失”多用于书面，口语常说“丢失”或“丢”。

语境示例 Examples

① 我的行李丢失了。（☺我的行李遗失了。）

② 我把手提包遗失在出租车上了。（＊我把手提包丢失在出租车上了。）

③ 我存在电脑里的一个文件丢失了。（☺我存在电脑里的一个文件遗失了。）

④ 本人的学生证不慎遗失，证号为：XZ2068，特声明作废。（☺本人的学生证不慎丢失，证号为：XZ2068，特声明作废。）

⑤ 此证件请妥为保存，遗失不补。（＊此证件请妥为保存，丢失不补。）

1483 遗体[名]yítǐ ▶ 尸体[名]shītǐ

词义说明 Definition

遗体[remains (of sb. held in esteem)] 死者的尸体（多用于所尊敬的人）。

尸体[corpse; carcass; dead body of a human being or animal] 人或动物死后的身体。

词语搭配 Collocation

	向～告别	瞻仰…的～	发现一具～	～解剖	动物～
遗体	√	√	×	×	×
尸体	×	×	√	√	√

用法对比 Usage

用法解释 Comparison

“遗体”和“尸体”是同义词，“遗体”多用于书面或正式场合，多用于人，不用于动物。“尸体”可以用于人，也可以用于动物。

语境示例 Examples

① 今天下午在八宝山举行遗体告别仪式。（*今天下午在八宝山举行尸体告别仪式。）

② 警察在树丛中发现一具尸体。（*警察在树丛中发现一具遗体。）

③ 根据对死者尸体的解剖，警方认为是他杀。（*根据对死者遗体的解剖，警方认为是他杀。）

④ 遗体保存需要多学科的知识和技术。（*尸体保存需要多学科的知识和技术。）

⑤ 很多人要求死后把遗体捐献给医疗单位。（*很多人要求死后把尸体捐献给医疗单位。）

⑥ 我们考察队在山脚下发现了一具大熊猫的尸体。（*我们考察队在山脚下发现了一具大熊猫的遗体。）

1484 遗址[名]yízhǐ ▶ 旧址[名]jiùzhǐ

词义说明 Definition

遗址[site; ruins] 毁坏的年代较久的建筑物所在的地方。

旧址[site (of a former organization, building, etc.)] 已经迁走或不存在的某个机构或建筑的旧时的地址。

词语搭配 Collocation

	圆明园～	古城～	半坡村～	淮海战役～	报社～	农会～
遗址	√	√	√	√	×	√
旧址	×	×	×	×	√	√

用法对比 Usage

用法解释 Comparison

"遗址"和"旧址"的意思不同，"旧址"暗含现在有新址，"遗址"没有这种含义。

语境示例 Examples

① 谁参观了圆明园遗址都会感到心情沉重，它提醒中国人民，不能忘记侵略者在中国犯下的这一滔天罪行。(＊谁参观了圆明园旧址都会感到心情沉重，它提醒中国人民，不能忘记侵略者在中国犯下的这一滔天罪行。)

② 这次去西安我专程去参观了标志新石器时代仰韶文化的半坡村遗址。(＊这次去西安我专程去参观了标志新石器时代仰韶文化的半坡村旧址。)

③ 当年平型关战役的遗址在哪个省？(＊当年平型关战役的旧址在哪个省?)

④ 这里原是我们报社的旧址，现在已经成了大饭店。(＊这里原是我们报社的遗址，现在已经成了大饭店。)

⑤ 我们去延安参观了中共中央办公厅旧址。(＊我们去延安参观了中共中央办公厅遗址。)

1485 疑问[动、名]yíwèn ▶ 疑惑[动]yíhuò

词义说明 Definition

疑问[query；quistion；doubt；doubtful question；something that is uncertain or cannot be explained] 有怀疑的问题；不能确定或不能解释的事情。

疑惑[feel uncertain；not be convinced] 心里不明白；困惑。

词语搭配 Collocation

	有～	没有～	提出～	毫无～	～不解	感到～	很大的～
疑问	√	√	√	√	×	×	√
疑惑	×	×	×	×	√	√	×

用法对比 Usage

用法解释 Comparison

"疑问"表示怀疑不解，"疑惑"表示不明白、困惑。"疑问"还表示不相信，"疑惑"没有这个意思。

语境示例 Examples

① 疑问：对这条消息我一开始就产生了疑问。(不相信是真的)
疑惑：对这条消息我一开始就产生了疑惑。(不明白为什么，感到困惑)

② 毫无疑问，要发展经济就必须有一个稳定的社会环境。(＊毫无疑惑，要发展经济就必须有一个稳定的社会环境。)

③ 让人疑惑不解的是，他明明知道这样做是犯法的，为什么还要这样做。(＊让人疑问不解的是，他明明知道这样做是犯法的，为什么还要这样做。)

④ 提出这样的疑问对于一个善良的人来说，是可以理解的。(＊提出这样的疑惑对于一个善良的人来说，是可以理解的。)

⑤ 有什么疑问请大家提出来，我给大家解答。(＊有什么疑惑请大家提出来，我给大家解答。)

1486 已经[副]yǐjing ▶ 已[副]yǐ

词义说明 Definition

已经[already] 表示事情完成或时间过去。

已[stop；cease；end] 停止。[（as opposed to ‘not yet’）already] 已经（跟“未”相对）。

词语搭配 Collocation

	～完成	～毕业	～结婚	～工作	～做了	雨季～过	大局～定	为时～晚	～红了
已经	√	√	√	√	√	×	×	×	√
已	√	√	√	√	√	√	√	√	×

用法对比 Usage

用法解释 Comparison

“已”有“已经”的意思，还有“停止”的意思，“已经”没有“停止”的意思。“已”可以用于四字格，“已经”不能。

语境示例 Examples

① 我已经大学毕业了。(☺我已大学毕业了。)
② 这个消息我已经听说了。(☺这个消息我已听说了。)
③ 我知道她的情况以后，想劝阻她，但是为时已晚。(＊我知道她的情况以后，想劝阻她，但是为时已经晚。)(☺我知道她的情况以后，想劝阻她，但是已经晚了。)
④ 今年夏粮丰收的大局已定。(＊今年夏粮丰收的大局已经定。)
⑤ 夏季已过，天气慢慢转凉了。(＊夏季已经过，天气慢慢转凉了。)
⑥ 学术会上，大家对这个问题争论不已。(＊学术会上，大家对这个问题争论不已经。)

1487 以[介连]yǐ ▶ 用[动]yòng

词义说明 Definition

以[with；by means of] 用；拿：～少胜多。[according to] 按照：～姓氏笔画为序。[at（a certain time）；on（a fixed date）] 在；于（时间）。[because of] 因：不～人废言。[in order to；so as to] 表示目的：学～致用。

用[use；employ；apply；with] 使用。[usefulness；use] 用处。[（used in the negative）need；have to] 需要（多用于否定）：不～着急。[eat；drink] 吃、喝（含恭敬意）：请～茶。

词语搭配 Collocation

	有~	没~	不~	~诚相待	~此类推	~示区别	~电脑	~手写	~餐
以	×	×	×	√	√	√	×	×	×
用	√	√	√	×	×	×	√	√	√

用法对比 Usage

用法解释 Comparison

"以"和"用"都是多义词。"以"是介词，而"用"是动词；"用"可以作谓语，"以"不能作谓语；"以"常和它的宾语组成介词词组作状语，"用"没有这个用法。"以"多用于书面，"用"常用于口语。

语境示例 Examples

① 要以实事求是的态度来处理这件事。(☺要用实事求是的态度来处理这件事。)
② 不能以一时的成败论英雄。(＊不能用一时的成败论英雄。)
③ 以下排名以姓氏笔画为序。(＊以下排名用姓氏笔画为序。)
④ 现在我很少用手写了，都用电脑。(＊现在我很少以手写了，都以电脑。)
⑤ 学生应该把主要精力用在学习上。(＊学生应该把主要精力以在学习上。)
⑥ 时间还早呢，你不用着急。(＊时间还早呢，你不以着急。)
⑦ 各位，请先用茶。(＊各位，请先以茶。)

1488 以及[连]yǐjí ▶ 和[连]hé

词义说明 Definition

以及[as well as; along with; and] 连接并列的词和词组。

和[and] 表示联合；跟；与。

词语搭配 Collocation

	英语、法语~日语	汉语~英语	上海、北京~天津	上海~北京
以及	√	×	√	×
和	√	√	√	√

用法对比 Usage

"和"用来连接两个代词、名词或名词词组，如果有三个代词或名词，“和”要用在第三个之前，第一个和第二个之间不能再用“和”，连接两个代词、名词时，只能用“和”，不能用“以及”；如果要列举三个事物时，“以及”要放在第三个事物之前。

用“以及”的地方可以用“和”替换，但是用“和”的地方不能用“以及”替换，如果“和”与“以及”同时出现在一个句子里，“和”在前，“以及”在后。

用“和”连接的事物无主次先后之分，用“以及”连接的事物，“以及”前为先，“以及”后为后，“以及”前是主要的，“以及”后是次要的。

① 北京、上海以及广州都是很大的城市。(☺北京、上海和广州都是很大的城市。)
② 北海和颐和园都是很漂亮的公园。(＊北海以及颐和园都是很漂亮的公园。)
③ 我觉得汉语发音和汉字书写以及语法都不容易。(＊我觉得汉语发音以及汉字书写和语法都不容易。)
④ 院子里种着桃树和梨树以及一些花草。(＊院子里种着桃树和梨树和一些花草。)
⑤ 总理接见了大使馆和中资机构工作人员以及留学生代表。(＊总理接见了大使馆以及中资机构工作人员和留学生代表。)

“以及”可以连接小句，“和”不能。

你的身体和学习怎么样，习惯不习惯那里的生活，以及那里的气候怎么样，都写信告诉我们。(＊你的身体和学习怎么样，习惯不习惯那里的生活，和那里的气候怎么样，都写信告诉我们。)

1489 以免[连]yǐmiǎn ▶ 免得[连]miǎnde

词义说明 Definition

以免[in order to avoid; so as not to; lest] 用在下半句的开头，表示目的是使下文所说的情况不至于发生。

免得[so as not to; so as to avoid] 以免。

词语搭配 Collocation

	～误会	～上当	～受骗	～做错	～吃亏	～走错路	～白跑一趟	～发生事故
以免	√	√	√	√	√	√	√	√
免得	√	√	√	√	√	√	√	√

用法对比 Usage

用法解释 Comparison

"以免"和"免得"的意思相同，它们都用在下半句的开头，表示目的是避免不好的事情发生。可以互换，不同的是，"以免"多用于书面，"免得"常用于口语。"免得"前边可以用"也"修饰，"不免"不能。

语境示例 Examples

① 还是再问问吧，以免走错路。(☺还是再问问吧，免得走错路。)
② 先打个电话问问他在不在家，免得白跑一趟。(☺先打个电话问问他在不在家，以免白跑一趟。)
③ 要换人民币最好去银行，免得上当受骗。(☺要换人民币最好去银行，以免上当受骗。)
④ 你应该跟她解释清楚，也免得她误会。(*你应该跟她解释清楚，也以免她误会。)
⑤ 题做完以后要认真检查一遍，以免遗漏。(☺题做完以后要认真检查一遍，免得遗漏。)
⑥ 自行车不要乱停乱放，以免影响交通。(☺自行车不要乱停乱放，免得影响交通。)

1490 以前[名]yǐqián ▶ 以往[名]yǐwǎng

词义说明 Definition

以前[before; formerly; previously] 现在或所说某时之前的时期。

以往[before; formerly; in the past] 从前；过去。

词语搭配 Collocation

	一年～	毕业～	结婚～	上大学～	回国～	～的岁月	比～好得多
以前	√	√	√	√	√	√	√
以往	×	×	×	×	×	√	√

用法对比 Usage

用法解释 Comparison

"以前"和"以往"都是名词，"以前"是现在或所说某时之前的时期，除了单用以外还可以附在其他词语后边；“以往”是从前、过去的意思，用来作时间状语或定语，不能用在其他词语后边。

语境示例 Examples

① 这里的农村以前连电灯也没有。（☺这里的农村以往连电灯也没有。）

② 以前的事已经过去了，不要再提了。（☺以往的事已经过去了，不要再提了。）

③ 我家今年的收入比以往任何一年都多。（☺我家今年的收入比以前任何一年都多。）

④ 大学毕业以前她曾经交过一个男朋友，大学毕业以后就吹了。（＊大学毕业以往她曾经交过一个男朋友，大学毕业以后就吹了。）

⑤ 他是三年以前来中国的。（＊他是三年以往来中国的。）

⑥ 来中国留学以前我是一家公司的职员。（＊来中国留学以往我是一家公司的职员。）

1491 以至[连]yǐzhì ▶ 以致[连]yǐzhì

词义说明 Definition

以至[（used to indicate the extension of time, number, degree, scope, etc.）down to; up to] 表示在时间、数量、程度、范围上的延伸。[（used at the beginning of the second half of a sentence to indicate the result of an action or situation expressed in the first half of the sentence）to such an extent ... as; so ... that ...] 用在下半句的开头，表示由于前半句话所说的动作、情况的程度很深而形成的结果。

以致[（used at the beginning of the second part of a sentence to indicate the second part is the result of the first part, oft. referring to bad results）so that; with the result that; consequently; as a result] 用在下半句话的开头，表示下文是上述的原因所形成

Y

的结果（多指不好的结果）。

词语搭配 Collocation

	～病倒了	～忘了吃饭	～忘了考试	～不及格	～不能毕业	～丢了护照
以至	√	√	√	√	√	√
以致	√	√	√	√	√	√

用法对比 Usage

“以至”和“以致”发音相同，但是意思不同，书写时应注意。它们都用在后半句的前头，不过，“以致”引出的多是不好的，说话人不希望的结果，“以至”则不一定。

① 他为了迎接考试，常常一连学习好几个小时，以至忘了吃饭。（☺他为了迎接考试，常常一连学习好几个小时，以致忘了吃饭。）

② 上海这几年的变化太大了，以至在外地工作的上海人回去一看都感到吃惊。（☺上海这几年的变化太大了，以致在外地工作的上海人回去一看都感到吃惊。）

③ 这次事故惊动了省里以至国务院领导。（*这次事故惊动了省里以致国务院领导。）

④ 他整天跟一些不三不四的人鬼混，以致走上了犯罪的道路。（*他整天跟一些不三不四的人鬼混，以至走上了犯罪的道路。）

⑤ 他平时不来上课，以致考试不及格，只好留级。（*他平时不来上课，以至考试不及格，只好留级。）

“以至”还有直到的意思，“以致”没有这个意思。

实践、认识、再实践、再认识，这种形式，循环往复以至无穷。（*实践、认识、再实践、再认识，这种形式，循环往复以致无穷。）

1492 一点儿［副、量］yìdiǎnr

有（一）点儿［副、动］yǒu(yi)diǎnr

词义说明 Definition

一点儿［indefinite amount］表示不定数量。［tiny; a little］表示很少或很小。［(used after 这么 or 那么, or with a negative expression) thing; a little］用在“这么”或“那么”后边，表示很少：我就这么～钱了；用在否定句中表示完全否定：～也看

不懂。

有(一)点儿[some; a little] 作定语，表示数量不大或程度不深。[somewhat; rather; a bit] 表示程度不高，稍微。

词语搭配 Collocation

	长~	这么~	那么~	~也不难	~希望	~不舒服	~不好意思	~热	~贵	~难
一点儿	√	√	√	√	√	×	×	×	×	×
有点儿	×	×	×	×	√	√	√	√	√	√

用法对比 Usage

"一点儿"表示很少或不定的数量，常用在名词前面作定语，也常用在形容词后边表示比较，如"有没有长一点儿的?"如果形容词后边有"了"，表示客观上过分，主观上不满，不合要求或愿望，如"贵了一点儿"。

动词"有（一）点儿"也表示少量，可以用在名词前面作定语，如"我还有（一）点儿钱"。副词"有（一）点儿"用在形容词或状态动词前面表示稍微，多用于不如意、不满意的情况或事物，与"形容词+了+一点儿"用法相同，如"有（一）点儿贵"。

① 这件毛衣颜色深了一点儿，我不太喜欢。(☺这件毛衣颜色有〔一〕点儿深，我不太喜欢。)

② 一千块一件，贵了一点儿。(☺一千块一件，有〔一〕点儿贵。)

能用"一点儿"的，不能用"有（一）点儿"替代。

① 你想喝(一)点儿什么?(＊你想喝有〔一〕点儿什么?)

② 瓶子里就这么一点儿酒了。(＊瓶子里就这么有〔一〕点儿酒了。)

③ 我想去买一点儿吃的。(＊我想去买有〔一〕点儿吃的。)

④ 你口袋里还有钱吗? 先借给我一点儿。(＊你口袋里还有钱吗? 先借给我有〔一〕点儿。)

⑤ 这件贵一点儿，那件便宜一点儿，你要哪件?(＊这件贵有〔一〕点儿，那件便宜有〔一〕点儿，你要哪件?)

⑥ 弟弟比我还高一点儿。(＊弟弟比我还高有〔一〕点儿。)

⑦ 我一点儿也不觉得冷。(＊我有〔一〕点儿也不觉得冷。)

⑧ 明天你能不能来得早一点儿?(＊明天你能不能来得早有〔一〕点儿?)

能用"有（一）点儿"的，不能用"一点儿"替代。

① 从那儿走有（一）点儿远。(＊从那儿走一点儿远。)

② 今天有（一）点儿冷。（＊今天一点儿冷。）
③ 我有（一）点儿不舒服，不想去了。（＊我一点儿不舒服，不想去了。）
④ 这件有（一）点儿大，有没有小一点儿的。（＊这件一点儿大，有没有小一点儿的。）
⑤ 我看他有（一）点儿不太高兴。（＊我看他一点儿不太高兴。）

1493 一举[名、副]yījǔ ▶ 一下子[副]yíxiàzi

词义说明 Definition

一举[in one action; one stroke; one fell swoop] 一种举动；一次行动。

一下子[in a short while; all at once; all of a sudden] 表示短暂的时间；很快地。

词语搭配 Collocation

	多此～	在此～	～捣毁	～消灭	～亮了	～流了出来	～记住了
一举	√	√	√	√	×	×	×
一下子	×	×	√	√	√	√	√

用法对比 Usage

用法解释 Comparison

“一举”是名词也是副词，可以作宾语、定语，也可以作状语，而“一下子”多用来作状语。“一下子”用于口语，“一举”多用于书面。

语境示例 Examples

① 警察一举摧毁了这个盗窃集团。（☺警察一下子摧毁了这个盗窃集团。）
② 我把多年的积蓄都投进去了，成败就在此一举了。（＊我把多年的积蓄都投进去了，成败就在此一下子了。）
③ 你这么干真是多此一举。（＊你这么干真是多此一下子。）
④ 看到这种情况，他的眼泪禁不住一下子流了出来。（＊看到这种情况，他的眼泪禁不住一举流了出来。）
⑤ 这么多生词要想一下子都记住是不可能的，得慢慢记。（＊这么多生词要想一举都记住是不可能的，得慢慢记。）

Y

1494 一口气[副]yìkǒuqì ▶ 一连[副]yìlián

词义说明 Definition

一口气[in one breath; without a break; at one go; at a stretch; breathlessly] 不间断地（做某件事）。

一连[in a row; in succession; running] 表示动作继续不断或情况连续发生。

词语搭配 Collocation

	～爬到山顶	～跑了一万米	～做完	～喝完	～干了三天	～工作了十个小时
一口气	√	√	√	√	×	×
一连	×	√	×	×	√	√

用法对比 Usage

用法解释 Comparison

“一口气”修饰的动词，只能表示人的动作，“一连”修饰的动词，可以表示人的动作，也可以表示大自然或其他情况。

语境示例 Examples

① 今天，我一口气游了两千米。(☺今天，我一连游了两千米。)

② 他们一口气爬上长城了。(＊他们一连爬上长城了。)

③ 昨天他一连工作了十个小时。（＊昨天他一口气工作了十个小时。)

④ 一连刮了两天大风。(＊一口气刮了两天大风。)

⑤ 国民经济一连十年保持快速增长。(＊国民经济一口气十年保持快速增长。)

⑥ 一连下了三天雨，地上到处都是水。(＊一口气下了三天雨，地上到处都是水。)

1495 一连[副]yìlián ▶ 接连[副]jiēlián

词义说明 Definition

一连[in a row; in succession; running] 表示动作连续不断或情

况连续发生。

接连[on end; in a row; in succession; one after the other] 一个接一个地；一次接一次地，连续不断地。

词语搭配 Collocation

	～下了三天	～来了五个人	～三年	～到了三批	～撞了几辆车	～不断地
一连	√	√	√	√	√	×
接连	√	√	×	√	√	√

用法对比 Usage

用法解释 Comparison

“一连”后边必跟数量词语，“接连”没有此限。

语境示例 Examples

① 这雨一连下了三天了，还没有晴的意思。(☺这雨接连下了三天了，还没有晴的意思。)

② 今天接连来了三批货，忙得我团团转。(☺今天一连来了三批货，忙得我团团转。)

③ 三天内一连考了六门，实在太累了。(☺三天内接连考了六门，实在太累了。)

④ 这个地方自从开发成旅游区以后，每天来的中外游客接连不断。(*这个地方自从开发成旅游区以后，每天来的中外游客一连不断。)

⑤ 最近这个地段接连不断地发生交通事故。(*最近这个地段一连不断地发生交通事故。)

⑥ 今年接连传来好消息。(*今年一连传来好消息。)

1496 一连[副]yìlián ▶ 连续[动]liánxù

Y

词义说明 Definition

一连[in a row; in succession; running] 表示动作连续不断或情况连续发生。

连续[continuously; successively; in a row; one after the other]

一个接一个。

词语搭配 Collocation

	~好几天	~去了两批	~发表三篇	~发生	~剧	~工作	~十年	~出版	~看
一连	√	√	√	×	×	×	√	×	×
连续	√	√	√	√	√	√	√	√	√

用法对比 Usage

用法解释 Comparison

“一连”是副词，表示动作连续不断或情况不断发生，后边必须跟数量词，不能直接带名词；“连续”是动词，可以作谓语，后边可以带数量词，也可以不带数量词。

语境示例 Examples

① 他今年一连发表了三篇论文。(☺他今年连续发表了三篇论文。)

② 这里一连发生了好几起交通事故。(☺这里连续发生了好几起交通事故。)

③ 连续下了两场雨，天气一下子凉快了。(☺一连下了两场雨，天气一下子凉快了。)

④ 电视连续剧要是不连续看没有意思，连续看又没有时间。(*电视连续剧要是不一连看没有意思，一连看又没有时间。)

⑤ 这个句子要和上一个句子连续起来读，意思才清楚。(*这个句子要和上一个句子一连起来读，意思才清楚。)

1497 一起[副]yìqǐ ▶ 一齐[副]yìqí

词义说明 Definition

一起[in the same place] 同一个处所：坐在~。[together; in company] 一同：~生活。

一齐[at the same time; simultaneously; in unison] 表示多人同时做某个动作。

Y

词语搭配 Collocation

	住在～	生活在～	～工作	～学习	～鼓掌	～欢呼	～回答
一起	√	√	√	√	√	√	√
一齐	×	×	×	×	√	√	√

用法对比 Usage

用法解释 Comparison

这两个词的语义不同，“一齐”表示同时，即多人同时进行某一动作或几个事物同时出现。“一起”既表示动作同时，也表示动作在同一处所，“一齐”没有这个意思。

语境示例 Examples

① 几万观众一齐站起来为足球队的胜利欢呼。(☺几万观众一起站起来为足球队的胜利欢呼。)
② 演出结束时，观众一齐鼓掌，祝贺演出成功。(☺演出结束时，观众一起鼓掌，祝贺演出成功。)
③ 我是跟妈妈一起来的北京。(＊我是跟妈妈一齐来的北京。)
④ 同学们不约而同地一齐回答：“好!”(☺同学们不约而同地一起回答：“好!”)
⑤ 运动员们一齐迈着整齐雄壮的步伐，通过主席台。(☺运动员们一起迈着整齐雄壮的步伐，通过主席台。)
⑥ 把你的行李跟我的放在一起。(＊把你的行李跟我的放在一齐。)
⑦ 我跟她在一起工作了三年。(＊我跟她在一齐工作了三年。)

1498 一生[名]yìshēng ▶ 一辈子[名]yíbèizi

词义说明 Definition

一生[all one's life; throughout one's life] 从生到死的全部时间。

一辈子[all one's life; throughout one's life; a lifetime] 一生。

词语搭配 Collocation

	奋斗了～	～都忘不了	～做好事	光荣的～	战斗的～	为人民的～
一生	√	√	√	√	√	√
一辈子	√	√	√	×	×	×

用法对比 Usage

用法解释 Comparison

这两个词的意思一样。"一辈子"只用于口语，"一生"口语和书面都可以用。

语境示例 Examples

① 父母为我们兄妹操劳了一生。(☺父母为我们兄妹操劳了一辈子。)
② 他一生为人民做了很多好事。(☺他一辈子为人民做了很多好事。)
③ 一个人做一点儿好事并不难，难的是一辈子做好事，不做坏事。(☺一个人做一点儿好事并不难，难的是一生做好事，不做坏事。)
④ 他把一生都献给了中国人民的解放事业。(☺他把一辈子都献给了中国人民的解放事业。)
⑤ 他的一生是战斗的一生，光荣的一生。(＊他的一辈子是战斗的一辈子，光荣的一辈子。)

1499 一时[名]yìshí ▶ 暂时[名]zànshí

词义说明 Definition

一时[a period of time] 一个时期。[for a short while; temporary; momentary] 短时间；暂时。[temporary; offhand; accidental; by chance] 临时；偶然。[(used in pairs) now ... now ...; one moment ...; the next] 叠用，跟"时而"相同：～清楚～糊涂。

暂时[in a short period; temporary; transient; for the time being; for the moment] 短时间以内。

词语搭配 Collocation

	～不用	～想不起来	～高兴	～的现象	～用用	～关闭	～停下来	～帮帮忙
一时	√	√	√	√	×	×	×	×
暂时	√	×	×	√	√	√	√	√

用法对比 Usage

用法解释 Comparison

"一时"和"暂时"的意思基本相同，但"一时"多作定语，"暂时"常作状语。"一时"有"时而"的用法，"暂时"没有这种用法。

语境示例 Examples

① 这本书我一时还用不着，你拿去用吧。(☺这本书我暂时还用不着，你拿去用吧。)
② 干什么都不能只凭一时的热情，要多些理性思维。(＊干什么都不能只凭暂时的热情，要多些理性思维。)
③ 他现在有事，暂时来不了。(☺他现在有事，一时来不了。)
④ 我在这里只是暂时帮帮忙，不是长期工作。(＊我在这里只是一时帮帮忙，不是长期工作。)
⑤ 父亲的病一时好，一时坏。(＊父亲的病暂时好，暂时坏。)
⑥ 我认识他，可一时想不起他叫什么名字了。(＊我认识他，可暂时想不起他叫什么名字了。)

1500 一直[副]yìzhí ▶ 向来[副]xiànglái

词义说明 Definition

一直[indicating one direction; straight] 表示顺着一个方向不变：～走，不拐弯。[(indicating an uninterrupted action or a constant state) continuously; all along; always; all the way] 表示动作始终不间断或状态始终不变：我们～在等你。

向来[always; all along] 从过去到现在都……；一向；从来。

词语搭配 Collocation

	～很好	～走	～下雪	～很努力	～在等你	～不抽烟	～如此	～认真
一直	√	√	√	√	√	√	√	√
向来	√	×	×	√	×	√	√	√

用法对比 Usage

“一直”和“向来”都表示从过去某一时间到现在动作始终进行和状态始终不变。

① 妈妈的身体一直很好，不知道为什么突然住院了。(☺妈妈的身体向来很好，不知道为什么突然住院了。)
② 她学习一直都很努力。(☺她学习向来都很努力。)
③ 他一直不抽烟。(☺他向来不抽烟。)
④ 来中国后，我一直跟他保持着联系。(＊来中国后，我向来跟他

保持着联系。)

动词带有数量补语时，不能再用“向来”作状语。

① 这场雪一直下了一天一夜。(＊这场雪向来下了一天一夜。)

② 她一直等了你五年，后来才跟现在的丈夫结的婚。(＊她向来等了你五年，后来才跟现在的丈夫结的婚。)

“一直”还表示从某个地方向另一个地方不变方向地移动，“向来”没有这个用法。

从这儿一直往东走，到红绿灯那儿往左拐，不远就到了。(＊从这儿向来往东走，到红绿灯那儿往左拐，不远就到了。)

持续时间短，离说话时近，只能用“一直”，不能用“向来”。

① 最近几天一直很冷。(＊最近几天向来很冷。)

② 一上午一直没见到他。(＊一上午向来没见到他。)

1501 异常[形、副]yìcháng ▶ 非常[副、形]fēicháng

词义说明 Definition

异常[unusual; abnormal] 不同于寻常。[extremely; exceedingly; particularly] 非常；特别。

非常[extraordinary; unusual; special] 不同于寻常的，特殊的。[very; extremely; highly] 十分；极。

词语搭配 Collocation

	情况～	～激动	～高兴	～努力	～荣幸	～美丽	～反感	～会议	～时期
异常	√	√	√	√	√	√	√	×	×
非常	×	√	√	√	√	√	√	√	√

用法对比 Usage

用法解释 Comparison

“异常”可以作谓语，也可以作定语和状语；“非常”可以作定语，也可以作状语，不能作谓语。

语境示例 Examples

① 中国市场上的商品异常丰富，应有尽有。(☺中国市场上的商品非常丰富，应有尽有。)

② 酒后开车异常危险。(☺酒后开车非常危险。)

③ 他们的表演非常精彩。(☺他们的表演异常精彩。)

④ 看得出来，他的情绪异常激动。（☺看得出来，他的情绪非常激动。）
⑤ 如果发现情况异常，请立刻叫大夫。（＊如果发现情况非常，请立刻叫大夫。）
⑥ 警察看到他神色异常就过去盘问，果然是个在逃犯。（＊警察看到他神色非常就过去盘问，果然是个在逃犯。）
⑦ 建议召开非常会议讨论这个问题。（＊建议召开异常会议讨论这个问题。）
⑧ 战争时期是非常时期，随时都有牺牲的危险，要有充分的思想准备。（＊战争时期是异常时期，随时都有牺牲的危险，要有充分的思想准备。）

1502 意图[名]yìtú ▶ 意向[名]yìxiàng

词义说明 Definition

意图[intention; intent] 希望达到某种目的的打算。

意向[intention; purpose] 意图；目的。

词语搭配 Collocation

	你的～	我的～	～很明显	上级的～	～不明	～书	投资～
意图	√	√	√	√	√	×	×
意向	×	×	×	×	√	√	√

用法对比 Usage

用法解释 Comparison

“意图”可以用于口语，“意向”多用于书面。

语境示例 Examples

① 我至今不明白他们的意图。（☺我至今不明白他们的意向。）
② 要认真领会上级的意图。（＊要认真领会上级的意向。）
③ 你的意图是好的，但是方法不对。（＊你的意向是好的，但是方法不对。）
④ 他这样做的意图很明确，就是表示爱你。（＊他这样做的意向很明确，就是表示爱你。）
⑤ 这家公司有没有来我们这里投资的意向？（＊这家公司有没有来我们这里投资的意图？）

⑥ 他们双方已经签定了投资意向书。（＊他们双方已经签定了投资意图书。）

1503 意义[名]yìyì ▶ 意思[名]yìsi

词义说明 Definition

意义[meaning; sense; significance] 语言文字或其他信号所表示的内容：文章的～。[value; effect] 价值；作用：有～的事情|人生的～。

意思[meaning; idea] 语言文字的意义；思想内容：这个词是什么～？[opinion; wish; desire] 意见；愿望：我的～是咱们一起去。[a token of affection; appreciation; gratitude, etc.] 指礼品所代表的心意：这不过是一点儿小～，你就收下吧。[as a mere token] 指表示一点儿心意：人家帮了我们不少忙，得～～。[suggestion; hint; trace] 某种趋势或苗头：天有下雨的～。[an expression of love] 爱慕的表示：他对你好像有点儿～。[interest; fun] 情趣；趣味：这个电影很有～。

词语搭配 Collocation

	有～	没有～	～重大	作品的～	什么～	他的～	小～	～一下	要开花的～
意义	√	√	√	√	√	×	×	×	×
意思	√	√	×	√	√	√	√	√	√

用法对比 Usage

“意思”的某些义项与“意义”相同，但是“意义”多用于书面，“意思”常用于口语。“意思”的其他义项是“意义”没有的。

① 意思：这次活动很有意思。(有趣)

意义：这次活动很有意义。(很重要)

② 学习一个词首先要弄懂这个词的意义。(☺学习一个词首先要弄懂这个词的意思。)

③ 你没有明白我的意思。（＊你没有明白我的意义。）

④ 玩这种游戏很有意思。（＊玩这种游戏很有意义。）

“意思”表示对人爱慕、爱恋，“意义”没有这个用法。

我看小张对你有点儿意思。(小张好像喜欢你)（＊我看小张对你有点儿意义。）

“意思”表示意图和用意，“意义”没有这个用法。

你这话是什么意思？（＊你这话是什么意义？）

“意思”还指表示感谢或表达心意时送的礼物，“意义”没有这个用法。

① 这是一点儿小意思，请您收下。（＊这是一点儿小意义，请您收下。）

② 人家帮了我们这么大的忙，我们得意思意思。（送点儿礼物或请吃饭）（＊人家帮了我们这么大的忙，我们得意义意义。）

“意思”表示某种趋势或迹象，“意义”没有这个用法。

天有点儿要下雪的意思。（＊天有点儿要下雪的意义。）

“意义”多用于正式场合，前面常常用“深远、伟大、现实、历史”等词语修饰，“意思”不能这么用。

① 五四运动是中国现代史上具有重大历史意义的事件。（＊五四运动是中国现代史上具有重大历史意思的事件。）

② 这是一次具有伟大历史意义的大会。（＊这是一次具有伟大历史意思的大会。）

1504 毅然[副]yìrán ▶ 坚决[形]jiānjué

词义说明 Definition

毅然[resolutely; firmly; determinedly] 坚决地，毫不犹豫地。

坚决[(of attitude, opinion, act, etc.) firm; resolute; determined]（态度、主张、行动等）确定不移。

词语搭配 Collocation

	～决然	～冲上去	～报名	态度～	～改正	～完成	～照办	很～
毅然	√	√	√	×	×	×	×	×
坚决	×	√	√	√	√	√	√	√

Y

用法对比 Usage

用法解释 Comparison

“毅然”和“坚决”的意思差不多，都可以作状语。但是，“坚决”是形容词，可以作谓语，“毅然”是副词，不能作谓语。

“毅然”修饰的是已然的动作行为，“坚决”作状语时，既可以修饰已然的动作行为，也可以修饰未然的动作行为。

语境示例 Examples

① 当祖国面临被侵略的危险时，他毅然报名参军上了前线。(☺当祖国面临被侵略的危险时，他坚决报名参军上了前线。)

② 火车快要开过来了，一匹马却站在铁路中间，他毅然冲过去，把马拉开，使火车安全通过。(☺火车快要开过来了，一匹马却站在铁路中间，他坚决冲过去，把马拉开，使火车安全通过。)

③ 父母反对她跟男朋友结婚，于是她毅然离开了家，和男朋友生活在了一起。(☺父母反对她跟男朋友结婚，于是她坚决离开了家，和男朋友生活在了一起。)

④ 我们是人民的法官，要坚决依法办案，不能屈服于来自任何方面的压力。(*我们是人民的法官，要毅然依法办案，不能屈服于来自任何方面的压力。)

⑤ 在这个问题上，我们的态度很坚决，是不可能让步的。(*在这个问题上，我们的态度很毅然，是不可能让步的。)

⑥ 知道自己错了，就要坚决改正，不能文过饰非。(*知道自己错了，就要毅然改正，不能文过饰非。)

1505 因此[连]yīncǐ ▶ 所以[连]suǒyǐ

词义说明 Definition

因此[so; therefore; for this reason; consequently] 因为这个（即上句所说的事情或情况）。

所以[(used to introduce a clause of result, preceded by a clause of reason or cause with or without the introductory word 因为 or 由于) as a result; so; therefore] 用在下半句表示结果：因为有病，~不能上课。[(used between the subject and the predicate of a clause of result followed by a clause of reason or cause introduced by 是因为 or 由于) the reason why] 用在上半句主语和谓语之间，提出需要说明原因的事情，下半句说明原因：我~

Y

不上课是因为有病。[(used in the pattern 是…所以…的原因，preceded by a clause of reason or cause) that's why] 上半句先说明原因，下半句用"是…所以…的原因（缘故）"：感冒是他～不去上课的主要原因。[that's just the reason; that's just the point] 单独成句，表示"原因就在这里"：～呀，不然我为什么不去上课呢？[used in certain set phrases as the object of the verb, to refer to sth. indefinite but understood] 实在的情由或适宜的举动（用于固定词组中作宾语）：忘乎～｜不知～。

词语搭配 Collocation

	～很高兴	～都喜欢	～要保护	～没有来	～考得好	～说得流利	不知～
因此	√	√	√	√	√	√	×
所以	√	√	√	√	√	√	√

用法对比 Usage

用"因此"时，前半句不能用"因为"或"由于"，用"所以"时前半句有没有"因为"或"由于"都可以。

① 大熊猫是濒临灭绝的珍稀动物，因此要好好保护。(☺大熊猫是濒临灭绝的珍稀动物，所以要好好保护。)

② 我们俩是同学，又同在一个单位工作过，所以我对她比较了解。(☺我们俩是同学，又同在一个单位工作过，因此我对她比较了解。)

③ 因为不舒服，所以晚上我不想去看京剧了。(＊因为不舒服，因此晚上我不想去看京剧了。)

"所以"可以用于前半句，"因此"不能。

他所以能取得好成绩是因为平时学习非常努力。(＊他因此能取得好成绩是因为平时学习非常努力。)

"所以"可以用在主语和谓语之间，"因此"不能。

妈妈突然住院了，我只好去照顾她，这就是我所以没有来的原因。(＊我妈妈突然住院了，我只好去照顾她，这就是我因此没有来的原因。)

1506 因为[连]yīnwèi ▶ 因而[连]yīn'ér

词义说明 Definition

因为[because; because of] 表示原因或理由。

因而[thus; as a result] 用在下半句，表示由于上半句的原因或情况而产生的结果。

词语搭配 Collocation

	~感冒了	~没睡好	~堵车	~咳嗽	~迟到	~要修大坝	~取得好成绩
因为	√	√	√	√	√	√	√
因而	√	√	√	√	√	√	√

用法对比 Usage

用法解释 Comparison

"因为"常常用在前半句表示原因或理由，"因而"用在后半句表示结果，相当于"所以"和"因此"。"因为"和"因而"不能同时出现在一个句子里，它们不能相互替换。

语境示例 Examples

① 因为路上堵车，所以来晚了。(*因而路上堵车，所以来晚了。)

② 因为天气突然变冷，所以很多人得了感冒。(*因而天气突然变冷，所以很多人得了感冒。)

③ 因为下雨，我们只好坐缆车下山。(*因而下雨，我们只好坐缆车下山。)

④ 因为下游常常发生洪涝灾害，所以要在上游修大坝。(*因而下游常常发生洪涝灾害，所以要在上游修大坝。)(☺下游常常发生洪涝灾害，因而要在上游修大坝。)

⑤ 早上来不及吃早饭，因而不到中午就觉得饿得慌。(*早上来不及吃早饭，因为不到中午就觉得饿得慌。)

⑥ 这所大学有来自世界一百多个国家和地区的留学生，因而有"小联合国"之称。(*这所大学有来自世界一百多个国家和地区的留学生，因为有"小联合国"之称。)(☺因为这所大学有来自世界一百多个国家和地区的留学生，所以有"小联合国"之称。)

1507 引进[动]yǐnjìn ▶ 引入[动]yǐnrù

词义说明 Definition

引进[recommend (a person)] 引荐。[introduce from elsewhere; import (personnel, capital, technology, equipment, etc.)] 从外地或外国引入(人员、资金、设备、技术等)。

引入[lead into; draw into; introduce from elsewhere] 引进。

词语搭配 Collocation

	～资金	～技术	～新品种	～人才	～设备	～水池	～圈套	～歧途
引进	√	√	√	√	√	√	×	×
引入	√	√	×	×	×	√	√	√

用法对比 Usage

用法解释 Comparison

"引进"的对象是抽象的,"引入"的对象既可以是抽象的,也可以是具体的。

语境示例 Examples

① 改革开放以来,引进了大量外资,促进了经济的发展。(☺改革开放以来,引入了大量外资,促进了经济的发展。)

② 他们把河水引入池塘,在池塘里养鱼。(☺他们把河水引进池塘,在池塘里养鱼。)

③ 要提高水稻产量,就要引进优良品种。(*要提高水稻产量,就要引入优良品种。)

④ 这些先进的医疗设备都是从国外引进的。(*这些先进的医疗设备都是从国外引入的。)

⑤ 由于引进了一些优秀人才,我们公司终于起死回生。(*由于引入了一些优秀人才,我们公司终于起死回生。)

⑥ 走私分子用金钱美色把一些干部引入歧途,使他们成了走私集团的保护伞。(*走私分子用金钱美色把一些干部引进歧途,使他们成了走私集团的保护伞。)

1508 隐藏[动]yǐncáng ▶ 隐蔽[动、形]yǐbì

词义说明 Definition

隐藏[hide; conceal; keep out of sight; remain under cover] 藏起来不让发现。

隐蔽[conceal; take cover; with the cover of sth.] 借旁的事物来掩盖：~起来。[covert; be concealed from exposure] 被别的事物遮住不易被发现：手法~。

词语搭配 Collocation

	很~	十分~	~起来	~在树林里	没法~	~不住	地形~	手法~
隐藏	×	×	√	√	√	√	×	×
隐蔽	√	√	√	√	√	√	√	√

用法对比 Usage

用法解释 Comparison

"隐藏"和"隐蔽"都是动词，"隐藏"是及物动词，可以带宾语；"隐蔽"是不及物动词，不能带宾语。"隐蔽"还有形容词的用法，"隐藏"没有。

语境示例 Examples

① 战士们隐藏在一个山洞里。(☺战士们隐蔽在一个山洞里。)

② 儿子隐藏在门后面，我走进来时，他突然钻出来，吓了我一跳。(☺儿子隐蔽在门后面，我走进来时，他突然钻出来，吓了我一跳。)

③ 贩毒分子把毒品隐藏在行李车里，结果被警察发现了。(*贩毒分子把毒品隐蔽在行李车里，结果被警察发现了。)

④ 这个地方很隐蔽，别人不容易发现。(*这个地方很隐藏，别人不容易发现。)

⑤ 走私分子走私的手法越来越隐蔽。(*走私分子走私的手法越来越隐藏。)

1509 隐瞒[动]yǐnmán ▶ 掩盖[动]yǎngài

词义说明 Definition

隐瞒[conceal; cover up; hold back the facts from revealing] 掩盖真相，不让人知道。

掩盖[cover; overspread; conceal; hide; cover up] 遮盖；隐瞒。

词语搭配 Collocation

	～真相	～事实	～错误	被～	～不住	～着	～了	～下去
隐瞒	√	√	√	√	√	√	√	√
掩盖	√	√	√	√	√	√	√	√

用法对比 Usage

用法解释 Comparison

“隐瞒”是贬义词，它的行为主体是人，宾语为抽象事物。“掩盖”是中性词，它的行为主体可以是人，也可以是物，宾语可以是抽象事物，也可以是具体事物。

语境示例 Examples

① 这种事你想隐瞒是隐瞒不住的。(☺这种事你想掩盖是掩盖不住的。)

② 隐瞒错误不是正确的态度，知道错了，应该改正才是。(☺掩盖错误不是正确的态度，知道错了，应该改正才是。)

③ 这件事你不要再隐瞒下去了。(＊这件事你不要再掩盖下去了。)

④ 我从来不隐瞒自己的观点。(＊我从来不掩盖自己的观点。)

⑤ 谎言掩盖不了事实。(＊谎言隐瞒不了事实。)

⑥ 山顶被积雪掩盖着。(＊山顶被积雪隐瞒着。)

1510 印[动、名]yìn ▶ 印刷[动]yìnshuā

Y

词义说明 Definition

印[(in a broad sense) seal; stamp; official seals of government organizations] 政府机关的图章，泛指图章。[mark; trace; print] 痕迹：脚～儿。[print; leave marks; characters or pictures left on paper or wares] 留下痕迹，特指文字或图画等留在纸上或器物上：石～。[tally; conform] 符合：～证。

印刷[printing] 把文字、图画等做成版，涂上油墨，印在纸张上。

词语搭配 Collocation

	～章	手～儿	～书	～在脑子里	～品	第一次～	～数	～体	～厂
印	√	√	√	√	×	×	√	×	√
印刷	×	×	×	×	√	√	×	√	√

用法对比 Usage

用法解释 Comparison

"印"是名词和动词，"印刷"只是动词。"印刷"多用于书面，不能作宾语。口语中"印刷"也常常说"印"。

语境示例 Examples

① 这本书第一次就印了十万册。(☺这本书第一次就印刷了十万册。)
② 他在一家印刷厂工作。(☺他在一家印厂工作。)
③ 汉字也有手写体和印刷体之分。（*汉字也有手写体和印体之分。）
④ 这件事我记得特清楚，就像印在脑子里一样。（*这件事我记得特清楚，就像印刷在脑子里一样。）
⑤ 邮寄印刷品比较便宜。(*邮寄印品比较便宜。)
⑥ 毕业证书上盖有学校的钢印。（*毕业证书上盖有学校的钢印刷。）

1511 应[助动]yīng ▶ 该[助动]gāi

词义说明 Definition

应[should; ought to] 应该。

该[need; ought to; should] 应该，应当：我～走了。[be sb.'s turn (duty, or lot)] 应该是；应当：下一个～谁了？[(used alone) deserve the punishment; serve sb. right] 理应如此：活～！[(indicating a certain or probable outcome in accordance with reason or experience) will probably; can be reasonably or naturally expected to] 根据情理或经验推测必然的或可能的结果：他今天～来了。[used in exclamatory sentences for emphasis] 用于感叹句时有加强语气的作用：你要是能跟我一起去～多好啊！

词语搭配　Collocation

	不～	～做	～努力	～学习	～参加	～有尽有	～谁了	～多高兴啊	～来了
应	√	√	√	√	√	√	×	×	×
该	√	√	√	√	√	×	√	√	√

用法对比　Usage

“应”和“该”有相同的意义，与其他词语搭配时有些不同。“应”一般用于书面，“该”一般用于口语，“该”用于感叹句时有加强语气的作用，“应”常用于陈述句，不能用于感叹句。

① 不该干的事一定不要干，该干的事一定干好它。（☺不应干的事一定不要干，应干的事一定干好它。）

② 他该回来了，已经11点多了。（*他应回来了，已经11点多了。）

③ 明年你们就该毕业了吧？（*明年你们就应毕业了吧？）

④ 下边该谁说了？（*下边应谁说了？）

⑤ 谁能开车送我们去该多好啊！（*谁能开车送我们去应多好啊！）

⑥ 活该！谁让你不听我的话呢。（*活应！谁让你不听我的话呢。）

⑦ 我们到书市去看看吧，书市的书应有尽有，而且比一般书店便宜得多。（*我们到书市去看看吧，书市的书该有尽有，而且比一般书店便宜得多。）

“该”可以用于假设句的后一个分句，“应”不能。

你要是再不回去，你妈妈该来电话催你了。（*你要是再不回去，你妈妈应来电话催你了。）

1512 应该[助动]yīnggāi ▶ 应[助动]yīng

词义说明　Definition

应该[should; ought to] 表示理所当然。

应[should; ought to] 应该。

词语搭配　Collocation

	不～	～做	～努力	～学习	～参加	～去	～有尽有	～冷静些	～考虑
应该	√	√	√	√	√	√	×	√	√
应	√	√	√	√	√	√	√	√	√

用法对比 Usage

用法解释 Comparison

"应该"和"应"有相同的意义，因为音节不同，与其他词语搭配使用时有些不同，"应该"用于书面和口语都可以，"应"一般用于书面。

语境示例 Examples

① 社会制度的不同不应该成为国与国之间发展国家关系的障碍。(☺社会制度的不同不应成为国与国之间发展国家关系的障碍。)
② 你应该再冷静考虑考虑，这是你的终身大事，不要轻易决定。(☺你应再冷静考虑考虑，这是你的终身大事，不要轻易决定。)
③ 父母送你来留学，你就应该努力学习，不能让他们失望。(☺父母送你来留学，你就应努力学习，不能让他们失望。)
④ 这个会你应该参加。(☺这个会你应参加。)
⑤ 这事你就不应该告诉他。(＊这事你就不应告诉他。)(☺这事你就不该告诉他。)
⑥ 超市里的商品丰富极了，可以说应有尽有。(＊超市里的商品丰富极了，可以说应该有尽有。)
⑦ 对观众的这一意见应予研究，加以改进。(＊对观众的这一意见应该予研究，加以改进。)

1513 英雄[名]yīngxióng ▶ 英勇[形]yīngyǒng

词义说明 Definition

英雄[hero; talented and brave person] 才能勇武过人的人。[person who never fears difficulties and struggles bravely for the sake of the people's interests, thus winning the respect of the people] 不怕困难，不顾自己，为人民利益而英勇斗争、令人钦敬的人。[heroic; with qualities of a hero] 具有英雄品质的。

英勇[exceptionally brave; heroic; valiant] 勇敢出众。

词语搭配 Collocation

	很～	非常～	～献身	～奋斗	～的战士	人民～	～行为	～本色	～气概	～业绩
英雄	×	×	×	×	√	√	√	√	√	√
英勇	√	√	√	√	√	×	×	×	×	×

用法对比 Usage

用法解释 Comparison

“英雄”和“英勇”词性不同。“英雄”是名词，可以作主语和宾语，不能作谓语；“英勇”是形容词，可以作谓语。

语境示例 Examples

① 在抗洪抢险中，战士们表现出了不怕困难，不怕牺牲，战胜一切困难，而决不被困难所屈服的英雄气概。（*在抗洪抢险中，战士们表现出了不怕困难，不怕牺牲，战胜一切困难，而决不被困难所屈服的英勇气概。）

② 在广大人民的心目中，他是一位民族英雄。（*在广大人民的心目中，他是一位民族英勇。）

③ 只要我们团结一心，英勇奋斗，就一定能改变家乡贫穷落后的面貌。（*只要我们团结一心，英雄奋斗，就一定能改变家乡贫穷落后的面貌。）

④ 他是为保卫祖国的领空而英勇献身的。（*他是为保卫祖国的领空而英雄献身的。）

⑤ 让我们踏着英雄的足迹前进。（*让我们踏着英勇的足迹前进。）

⑥ 人民英雄永垂不朽！（*人民英勇永垂不朽！）

1514 迎接[动]yíngjiē ▶ 迎[动]yíng ▶ 接[动]jiē

词义说明 Definition

迎接[meet; welcome; greet] 到某个地方去陪同客人等一起来；面对；承受。

迎[welcome; greet; go to meet] 迎接。[against; towards; meet face to face] 对着，冲着：～风飘扬。

接[meet; welcome] 迎接：到机场～人。[come into contact with; be close to] 靠近：～近。[connect; join; link] 连接；使连接：～电话线。[catch; take hold of; support] 托住；承受：～球|～住。[take over; succeed] 接替：～班。[receive; ac-

Y

cept］接受。

词语搭配 Collocation

	～客人	～挑战	～新年	～上前去	～面	～线	～不上	一个～一个	～电话	～班
迎接	√	√	√	×	×	×	×	×	×	×
迎	√	×	√	√	√	×	√	×	×	×
接	√	×	×	×	×	√	√	√	√	√

用法对比 Usage

“迎接”的对象可以是人，也可以是其他事物，如春节、圣诞节、困难等；“迎”除了迎接的意思外，还有“面对”的意思；“接”的意思比较多，除了有迎接的意思外，还有连接、承受、接受、接替、靠近等意思，口语常用。“迎接”用于书面。

① 董事长明天要去机场迎接一个代表团。(☺董事长明天要去机场接一个代表团。)(*董事长明天要去机场迎一个代表团。)

② 我到前边去迎一迎他。(☺我到前边去接一接他。)(*我到前边去迎接一迎接他。)

③ 看到客人来了，他连忙迎上前去。(*看到客人来了，他连忙迎接/接上前去。)

④ 我明天要去接妈妈出院。(*我明天要去迎接/迎妈妈出院。)

“迎接”和“迎”的对象可以是一个特别的日子或时间，“接”没有这个用法。

大家都正忙着迎接/迎春节呢。(*大家都正忙着接春节呢。)

“迎接”还可以带抽象宾语，“迎”和“接”不能。

我们要准备迎接新的挑战。(*我们要准备迎/接新的挑战。)

“接”的对象可以是东西，例如：电话，球，信等，“迎接”和“迎”没有这个用法。

① 小王，接一下电话。(*小王，迎接/迎一下电话。)

② 你给我寄的书已经接到了。(*你给我寄的书已经迎接/迎到了。)

③ 这条线太短，接不上。(*这条线太短，迎接/迎不上。)

④ 我把球传给他，他没接住。(*我把球传给他，他没迎接/迎住。)

1515 影响[动、名]yǐngxiǎng ▶ 打扰[动]dǎrǎo

词义说明 Definition

影响[influence; effect] 对别人的思想或行动起作用。[affect; influence] 对人或事物所起的作用。

打扰[disturb; trouble] 扰乱；搅扰；受招待时所说的婉辞。

词语搭配 Collocation

	有～	没有～	～很大	～健康	～下一代	～进度	～工作	～一下	别～他	～您了
影响	√	√	√	√	√	√	√	×	√	×
打扰	×	×	×	×	×	×	×	√	√	√

用法对比 Usage

用法解释 Comparison

"影响"有好的方面也有不好的方面，"打扰"只在很少的情况下可以与"影响"互换。"影响"可以作谓语，也可以作宾语，"打扰"不能作宾语。

语境示例 Examples

① 他正在复习功课呢，别影响他。(☺他正在复习功课呢，别打扰他。)

② 对不起，打扰您休息了。(☺对不起，影响您休息了。)

③ 对不起，我打扰一下。(＊对不起，我影响一下。)

④ 请勿打扰。(＊请勿影响。)

以下"影响"的用法都不能用"打扰"替换。

① 吸烟影响身体健康。(＊吸烟打扰身体健康。)

② 这部电影在全国产生了很大影响。(＊这部电影在全国产生了很大打扰。)

③ 因为下雨影响了比赛的进行。(＊因为下雨打扰了比赛的进行。)

④ 父母总是以自己的言行举止影响着孩子，不是好的影响，就是坏的影响。(＊父母总是以自己的言行举止打扰着孩子，不是好的打扰，就是坏的打扰。)

1516 硬[副、形]yìng ▶ 坚决[形]jiānjué

词义说明 Definition

硬[(as opposed to 'soft') hard; stiff to the touch; tough] 物质内部组织紧密，受外力作用后不容易改变形状（跟"软"相对）。[(of character) unyielding; (of will) firm; (of attitude) resolved and obstinate] 比喻性格刚强；意志坚定；态度坚决或执拗等：～要去|态度很～|～汉子。[be reluctant; manage to do sth. with difficulty] 勉强：～撑着。[(of quality) good; (of ability) strong] 质量好，能力强：功夫很～。

坚决[(of attitude, opinion, act, etc.) firm; resolute; determined]（态度、主张、行动等）确定不移，不犹豫。

词语搭配 Collocation

	很～	不～	不要～干	～要去	～达到目的	～工夫	～完成	态度很～
硬	√	√	√	√	×	√	×	√
坚决	√	√	×	√	√	×	√	√

用法对比 Usage

用法解释 Comparison

"硬"有"坚决"的意义，二者都可以作状语或谓语，但是"硬"用于口语，"坚决"口语和书面都用。"坚决"只修饰未然的动作行为，"硬"没有此限。"硬"的其他意思"坚决"没有。

语境示例 Examples

① 他的态度很坚决，谁劝也不行。(☺他的态度很硬，谁劝也不行。)
② 我不让他去，他硬要去。(☺我不让他去，他坚决要去。)
③ 他用了三年时间，硬把这本书写了出来。(＊他用了三年时间，坚决把这本书写了出来。)
④ 我们要坚决达到年初定下的指标。(＊我们要硬达到年初定下的指标。)
⑤ 干不了不要硬干。(＊干不了不要坚决干。)
⑥ 知道错了就要坚决改正。(＊知道错了就要硬改正。)
⑦ 我坚决反对你这样做。(＊我硬反对你这样做。)
⑧ 他从小就练武术，练就了一身硬工夫。(＊他从小就练武术，练就了一身坚决工夫。)

1517 拥有[动]yōngyǒu ▶ 有[动]yǒu

词义说明 Definition

拥有[possess; have; own (a great deal of land, population, property, etc.)] 领有；具有大量的土地、人口、财产等：新疆～丰富的石油资源。

有[have] 表示领有（跟“无”或“没”相对）：我～一个妹妹。[there is; exist] 表示存在：桌子上～一本词典。[indicating estimation or comparison] 表示估量或比较：他～我高吗？|这条鱼～两斤多。[indicating occurrence or emergence] 表示发生或出现：爸爸～病了。[used to indicate ample amount] 用在一些中性名词前面表示“多，丰富”等意思：～价值|～经验。[be used in a general sense, indicating 'certain' or 'some'] 泛指：跟“某”的作用相当：～一天。[(used after certain monosyllabic verbs, indicating the existence or means of the object) there is; exist] 用在单音动词后面；表示宾语存在或产生的方式：瓶上刻～花纹。

词语搭配 Collocation

	～丰富的资源	～词典	～十多岁	～事	～学问	～水平	～人说	～一天	挂～
拥有	√	×	×	×	×	×	×	×	×
有	√	√	√	√	√	√	√	√	√

用法对比 Usage

用法解释 Comparison

“拥有”的宾语是抽象名词，而且必须是双音节词，可以说“拥有土地，拥有矿藏”等大量的东西，不能说“我拥有一辆汽车”，“他拥有一百块钱”。“有”的宾语可以是具体名词也可以是抽象名词，可以是单音节词，也可以是双音节词和多音节词。例如“他有一个妹妹”，“他很有学问”等。

语境示例 Examples

① 吐鲁番虽然是沙漠，但是却拥有丰富的地下水资源。(☺吐鲁番虽然是沙漠，但是却有丰富的地下水资源。)

② 中国拥有十三亿人口。(☺中国有十三亿人口。)

③ 我看他今年有二十多岁。(＊我看他今年拥有二十多岁。)

④ 书架上有一本《现代汉语词典》。（＊书架上拥有一本《现代汉语词典》。）

⑤ 纪念碑的正面刻有“人民英雄永垂不朽”八个大字。（＊纪念碑的正面刻拥有“人民英雄永垂不朽”八个大字。）

⑥ 这本书很有参考价值。（＊这本书很拥有参考价值。）

⑦ 这幅画儿画得很有水平。（＊这幅画儿画得很拥有水平。）

⑧ 他是个很有经验的老师。（＊他是个很拥有经验的老师。）

1518 永远[副]yǒngyuǎn ▶ 永久[形]yǒngjiǔ

词义说明 Definition

永远[always; forever; ever] 时间长久，没有终止。

永久[permanent; perpetual; everlasting; forever; for good (and all)] 永远；长久。

词语搭配 Collocation

	～记住	～别忘	～难忘	～和平	～性	～存在
永远	√	√	√	×	×	√
永久	×	×	√	√	√	√

用法对比 Usage

用法解释 Comparison

“永远”是副词，能作状语，不能作定语；“永久”是形容词，能作定语和谓语。“永远”带有主观色彩，“永久”含客观意味。

语境示例 Examples

① 这一年在中国生活和学习的经历是我永远难忘的。（☺这一年在中国生活和学习的经历是我永久难忘的。）

② 这座高耸的纪念碑就是对先烈永久的纪念。（☺这座高耸的纪念碑就是对先烈永远的纪念。）

③ 这种社会现象恐怕会永远存在。（☺这种社会现象恐怕会永久存在。）

④ 中国永远是维护世界和平的重要力量。（＊中国永久是维护世界

和平的重要力量。)

⑤ 人对自然界和社会的认识永远不会终结。(*人对自然界和社会的认识永久不会终结。)

⑥ 这个鬼地方我永远不会再来了。(*这个鬼地方我永久不会再来了。)

1519 勇敢[形]yǒnggǎn ▶ 英勇[形]yīngyǒng

词义说明 Definition

勇敢[brave; courageous] 不怕危险和困难；有胆量。

英勇[exceptionally brave; heroic; valiant] 勇敢出众。

词语搭配 Collocation

	勤劳~	机智~	作战~	~的战士	~奋斗	~顽强	~善战	~不屈	~就义
勇敢	√	√	√	√	√	√	√	×	×
英勇	×	×	√	√	√	√	√	√	√

用法对比 Usage

用法解释 Comparison

“勇敢”和“英勇”同义，“英勇”比“勇敢”程度更高，形容为正义事业奋不顾身，敢于牺牲，表现出英雄气概。“勇敢”形容行动、言论和精神。

语境示例 Examples

① 这是一支英勇善战的英雄部队。(☺这是一支勇敢善战的英雄部队。)

② 在抗洪救灾中，战士们表现出了不怕困难，不怕牺牲，英勇顽强的战斗精神。(☺在抗洪救灾中，战士们表现出了不怕困难，不怕牺牲，勇敢顽强的战斗精神。)

③ 为了保护人质，一名警察英勇牺牲了。(*为了保护人质，一名警察勇敢牺牲了。)

④ 在这次抓捕罪犯的战斗中，他表现得机智勇敢。(*在这次抓捕罪犯的战斗中，他表现得机智英勇。)

1520 勇敢[形]yǒnggǎn ▶ 勇于[动]yǒngyú

词义说明 Definition

勇敢[brave; courageous] 不怕危险和困难；有胆量。

勇于[（followed by a verb） be brave in; be bold in; have the courage to] 在困难面前不退缩；不推脱（后跟动词）。

词语搭配 Collocation

	很～	非常～	机智～	勤劳～	～的战士	～创新	～负责	～实践	～开拓
勇敢	√	√	√	√	√	√	×	√	×
勇于	×	×	×	×	×	√	√	√	√

用法对比 Usage

用法解释 Comparison

“勇敢”是形容词，可以作定语和谓语；“勇于”是动词，不能作定语，可带动词作宾语。用“勇于”的地方一般都可以用“勇敢”替代，但是，用“勇敢”的句子不一定能用“勇于”替代。

语境示例 Examples

① 出了问题要勇敢负责，不能责怪别人。(☺出了问题要勇于负责，不能责怪别人。)

② 错了就要勇于承认，不要遮遮掩掩。(☺错了就要勇敢承认，不要遮遮掩掩。)

③ 只有勇于实践，大胆创新，才能不断把我们的事业推向前进。(☺只有勇敢实践，大胆创新，才能不断把我们的事业推向前进。)

④ 在人民群众遇到危难的时候，最先冲在前面的总是勇敢的解放军战士。(＊在人民群众遇到危难的时候，最先冲在前面的总是勇于的解放军战士。)

⑤ 他在这次抗震救灾中表现得很勇敢。(＊他在这次抗震救灾中表现得很勇于。)

⑥ 勤劳勇敢的中国人民，正意气风发地创造着自己美好的生活。(＊勤劳勇于的中国人民，正意气风发地创造着自己美好的生活。)

1521 用心[名]yòngxīn ▶ 用意[名]yòngyì

词义说明 Definition

用心[motive; intention] 想法；动机；存心。

用意[intention; purpose] 动机；目的；企图。

词语搭配 Collocation

	什么～	我的～	～险恶	别有～	～良苦
用心	√	×	√	√	√
用意	√	√	×	×	×

用法对比 Usage

用法解释 Comparison

"用心"含有贬义，"用意"是中性词。

语境示例 Examples

① 他这样做的用意是什么？(☺他这样做的用心是什么？)

② 他说这话的用意就是想劝劝你。（*他说这话的用心就是想劝劝你。）

③ 要警惕那些民族败类企图分裂国家的险恶用心。（*要警惕那些民族败类企图分裂国家的险恶用意。）

④ 我的用意是想帮他一把，反而让他产生了误会。（*我的用心是想帮他一把，反而让他产生了误会。）

注意：口语中还有一个动宾词组"用心 yòng xīn"[diligently; attentively; with concentrated attention]，意思是集中注意力，专心。

① 上课的时候要用心听讲。（*上课的时候要用意听讲。）

② 他做作业不用心，常常出错。（*他做作业不用意，常常出错。）

1522 优点[名]yōudiǎn ▶ 特点[名]tèdiǎn

词义说明 Definition

优点[(as opposed to 'demerit') merit; strong (or good) point; advantage; virtue] 好处，长处（跟"缺点"相对）。

特点[characteristic; distinguishing feature; peculiarity; trait] 人或事物所具有的独特的地方。

词语搭配 Collocation

	~很多	有什么~	很有~	~是什么	一个~	生理~
优点	√	√	×	√	√	×
特点	√	√	√	√	√	√

用法对比 Usage

用法解释 Comparison

"特点"和"优点"都是名词，"优点"是指好的方面，"特点"是指特别的地方，可以是优点，也可以不是优点。

语境示例 Examples

① 他的优点是肯钻研，对不懂的问题非弄懂不可。(☺他的特点是肯钻研，对不懂的问题非弄懂不可。)

② 这种东西的优点是耐用。(☺这种东西的特点是耐用。)

③ 汉语的特点之一是靠语序表达语义。(*汉语的优点之一是靠语序表达语义。)

④ 每个同学都有优点和缺点，我们应该互相学习，取长补短。(*每个同学都有特点和缺点，我们应该互相学习，取长补短。)

⑤ 我们国家气候的特点是冬天少雨干旱，夏天多雨湿润。(*我们国家气候的优点是冬天少雨干旱，夏天多雨湿润。)

⑥ 体育课要根据男女学生不同的生理特点来安排运动量。(*体育课要根据男女学生不同的生理优点来安排运动量。)

1523 优秀[形]yōuxiù ▶ 杰出[形]jiéchū

词义说明 Definition

优秀[(of conduct, character, learning, results, etc.) outstanding; excellent; splendid; fine](品行、学问、成绩等)非常好。

杰出[(of talent and achievement) outstanding; remarkable; prominent](才能、成就)出众。

词语搭配 Collocation

	～作品	～电影	～儿女	成绩～	～学生	～教师	～人物	～人才	～贡献
优秀	√	√	√	√	√	√	√	√	×
杰出	×	×	×	×	×	×	√	√	√

用法对比 Usage

用法解释 Comparison

“杰出”主要形容人，“优秀”可以形容人，也可以形容其他事物，例如，电影作品、成绩等。

语境示例 Examples

① 他是中国当代历史上一位杰出的政治家。(☺他是中国当代历史上一位优秀的政治家。)

② 这些中华民族的优秀儿女，为了国家的富强而英勇献身的精神让我这个外国人也很感动。(*这些中华民族的杰出儿女，为了国家的富强而英勇献身的精神让我这个外国人很感动。)

③ 引进优秀人才是公司发展的大计。(☺引进杰出人才是公司发展的大计。)

④ 他是全国十大杰出青年之一。(*他是全国十大优秀青年之一。)

⑤ 他为中国的改革做出了杰出的贡献。(*他为中国的改革做出了优秀的贡献。)

⑥ 他今年被评为全国优秀教师。(*他今年被评为全国杰出教师。)

⑦ 这是今年出现的一部优秀作品。(*这是今年出现的一部杰出作品。)

⑧ 他的优秀品质感动了成千上万的人。(*他的杰出品质感动了成千上万的人。)

1524 优秀[形]yōuxiù ▶ 优异[形]yōuyì ▶ 优良[形]yōuliáng

Y

词义说明 Definition

优秀 [(of conduct, character, learning, results, etc.) outstanding; excellent; splendid; fine] (品行、学问、成绩等) 非常好。

优异[excellent; outstanding; exceedingly good] 特别好。

优良[(of variety, quality, results, style, etc.) fine; good] (品行、学问、成绩、作风等) 十分好。

词语搭配 Collocation

	很～	～的成绩	～品质	～作品	～电影	～人才	～传统	～作风	～品种
优秀	√	√	√	√	√	√	×	×	×
优异	√	√	×	×	×	×	×	×	×
优良	×	√	√	×	×	×	√	√	√

用法对比 Usage

用法解释 Comparison

"优秀"、"优异"和"优良"都是形容词，它们修饰的对象不尽相同。"优秀"可以修饰人，也可以修饰品质、成绩、电影、作品等；"优异"和"优良"可以修饰成绩、品种、传统等，但不能修饰人。

语境示例 Examples

① 由于学习刻苦努力，她取得了优秀的成绩。(☺由于学习刻苦努力，她取得了优异/优良的成绩。)

② 导师的优秀品质和治学的科学态度值得我永远学习。(☺导师的优良品质和治学的科学态度值得我永远学习。)(＊导师的优异品质和治学的科学态度值得我永远学习。)

③ 要继承和发扬老一代科学家的优良传统。(＊要继承和发扬老一代科学家优秀/优异传统。)

④ 他培育的水稻优良品种，为解决中国的粮食问题做出了杰出的贡献。(＊他培育的水稻优秀/优异品种，为解决中国的粮食问题做出了杰出的贡献。)

⑤ 要选拔优秀人才来担当重任。(＊要选拔优异/优良人才来担当重任。)

⑥ 这是近年来一部非常优秀的国产电影。(＊这是近年来一部非常优良/优异的国产电影。)

Y

1525 忧虑[动]yōulǜ ▶ 忧郁[形]yōuyù

词义说明 Definition

忧虑[be worried; be anxious; be concerned] 忧愁担心。

忧郁[melancholy; heavy-hearted; dejected] 忧伤，愁闷。

词语搭配 Collocation

	很～	非常～	深感～	无穷的～	令人～	～病人	神情～	～症
忧虑	√	√	√	√	√	√	×	×
忧郁	√	√	×	×	×	×	√	√

用法对比 Usage

用法解释 Comparison

"忧虑"是动词，可以带宾语，宾语为不愉快的事情。"忧郁"是形容词，不能带宾语，表示人的心情不愉快。

语境示例 Examples

① 母亲住院后，我一直忧虑不安。（*母亲住院后，我一直忧郁不安。）
② 看他病成这个样子，我非常忧虑。（*看他病成这个样子，我非常忧郁。）
③ 父母都为儿子没考上大学而忧虑他的前途。（*父母都为儿子没考上大学而忧郁他的前途。）
④ 看她神情忧郁的样子，肯定有什么心事。（*看她神情忧虑的样子，肯定有什么心事。）
⑤ 我看你再这么下去非得忧郁症不可。（*我看你再这么下去非得忧虑症不可。）

1526 悠久[形]yōujiǔ ▶ 长久[形]chángjiǔ

词义说明 Definition

悠久[long; long-standing; age-old] 年代久远。
长久[long time; permanently; lasting] 时间很长，长远。

词语搭配 Collocation

	历史～	～的历史	～的文化	～的传统	～打算	住不～	不能～
悠久	√	√	√	√	×	×	×
长久	×	×	×	×	√	√	√

用法对比 Usage

用法解释 Comparison

"悠久"一般用来形容历史，"长久"用来修饰时间。它们不能相互替换。

语境示例 Examples

① 中国是一个历史悠久的国家。(*中国是一个历史长久的国家。)

② 北京悠久的文化，充满魅力的名胜古迹，吸引着越来越多的中外游客。(*北京长久的文化，充满魅力的名胜古迹，吸引着越来越多的中外游客。)

③ 学习一门外语不容易，要经常用才能巩固，如果长久不用，肯定会忘记。(*学习一门外语不容易，要经常用才能巩固，如果悠久不用，肯定会忘记。)

④ 靠金钱、美色维持的所谓爱情是不可能长久的。(*靠金钱、美色维持的所谓爱情是不可能悠久的。)

⑤ 我这次回国有个比较长久的打算，就是想自己办一个公司。(*我这次回国有个比较悠久的打算，就是想自己办一个公司。)

⑥ 她想在中国长久住下去。(*她想在中国悠久住下去。)

1527 由[介]yóu ▶ 从[介]cóng

词义说明 Definition

由[starting point] 表示起点：～北京出发。[by; through; via; from] 从：～东门进。[(done) by sb.] (某事) 归 (某人去做)：～你担任领队。[because of; due to; by means of] 表示凭借：水～氢与氧化合而成。

从[from (a time, a place, or a point of view)] 表示起点：～北京到上海。[via; through, or past (a place)] 表示经过，用在处所词语前面：～桥上过。

词语搭配 Collocation

	～旁门进	～你负责	～词组成	～北京出发	～上到下	～英语译成汉语	～今天起
由	√	√	√	√	√	√	×
从	√	×	×	√	√	√	√

用法对比 Usage

用法解释 Comparison

介词“由”有“从”的意思，“从”是口语，“由”多用于书面。“由”的其他意思是“从”所没有的。

语境示例 Examples

① 你由这儿一直往东走，到红绿灯那儿往右拐，马路东边就是博物馆。(☺你从这儿一直往东走，到红绿灯那儿往右拐，马路东边就是博物馆。)
② 从北京到广州，坐飞机大概需要多长时间？(☺由北京到广州，坐飞机大概需要多长时间？)
③ 人民代表由民主协商选举产生。（＊人民代表从民主协商选举产生。)
④ 我才学了两年汉语，要把这本书由英语翻译成汉语，谈何容易！(☺我才学了两年汉语，要把这本书从英语翻译成汉语，谈何容易！)
⑤ 你们可以由立交桥上过。(☺你们可以从立交桥上过。)
⑥ 要从根本上解决中国人口素质问题，一靠发展经济，二靠发展教育。（＊要由根本上解决中国人口素质问题，一靠发展经济，二靠发展教育。)
⑦ 句子是由词组成的。(＊句子是从词组成的。)
⑧ 今天的大会由国务院总理主持。（＊今天的大会从国务院总理主持。)

1528 由于[介连]yóuyú ▶ 因为[连]yīnwèi

词义说明 Definition

由于[owing to; thanks to; as a result of; due to; in virtue of] 表示原因和理由。[because; since] 因为：～时间关系，今天就讲到这儿。

因为[because] 表示原因：～感冒，所以没去上课。[because of; on account of; owing to] 表示理由：～资金不到位，所以一时不能开工。

词语搭配 Collocation

	～身体原因	～工作关系	～观点不同	～天冷	～感冒	～天旱	～没有浇水
由于	√	√	√	√	√	√	√
因为	√	√	√	√	√	√	√

用法对比　Usage

用法解释 Comparison

这两个词都可以表示原因和理由，不同的是，“因为”要比“由于”常用。“由于”可以与“因此”、“因而”搭配，“因为”不能。连词“因为”可以用在后一个小句，连词“由于”不能。

语境示例 Examples

① 由于他学习努力，所以成绩很好。(☺因为他学习努力，所以成绩很好。)

② 因为“十一”放长假，所以外出旅游的人特别多。(☺由于“十一”放长假，所以外出旅游的人特别多。)

③ 由于双方各不相让，谈判没有取得任何成果。(☺因为双方各不相让，谈判没有取得任何成果。)

④ 因为身体关系（身体不好），他提前退休了。(☺由于身体关系，他提前退休了。)

⑤ 由于采用了高科技手段，因而效率提高了好几倍。(* 因为采用了高科技手段，因而效率提高了好几倍。)

⑥ 由于老师和同学的帮助，我的汉语水平提高得很快。(* 因为老师和同学的帮助，我的汉语水平提高得很快。)

1529 犹如[动]yóurú ▶ 好像[动、副]hǎoxiàng

词义说明　Definition

犹如[just as; like; as if] 如同；好像。

好像[seem; be like] 有些像；仿佛。

词语搭配　Collocation

	～晴天霹雳	～白天	～春天	～亲姐妹	～要下雪	～在哪儿见过	～没听见
犹如	√	√	√	√	×	×	×
好像	√	√	√	√	√	√	√

用法对比　Usage

“犹如”和“好像”都可以表示比喻，但是“好像”还可以表示判断和推测，“犹如”没有这个用法。“犹如”只用于书面，“好像”没有此限。

① 这个消息犹如晴天霹雳。(☺这个消息好像晴天霹雳。)
② 宴会大厅灯火通明，犹如白昼。(☺宴会大厅灯火通明，好像白昼。)
③ 那件事对我来说犹如一场噩梦。(☺那件事对我来说好像一场噩梦。)
④ 她们俩好像亲姐妹一样。(☺她们俩犹如亲姐妹一样。)

“好像”可以与“似的”搭配使用，“犹如”不能。

他有时候幼稚得好像孩子似的。(＊他有时候幼稚得犹如孩子似的。)

“好像”还是副词，可以作状语，“犹如”不能。

① 我的话他好像没听懂，半天不回答。(＊我的话他犹如没听懂，半天不回答。)
② 这个人我好像在哪儿见过。(＊这个人我犹如在哪儿见过。)
③ 我叫了她半天她好像没听见一样，连理也不理。(＊我叫了她半天她犹如没听见一样，连理也不理。)

1530 犹豫[形]yóuyù ▶ 踌躇[动]chóuchú

词义说明 Definition

犹豫[hesitate; be irresolute] 拿不定主意。

踌躇[hesitate; shilly-shally] 犹豫。

词语搭配 Collocation

	很～	十分～	～不决	～不定	毫不～	有点儿～	～了一下	～了半天	颇费～
犹豫	√	√	√	√	√	√	√	√	×
踌躇	√	√	√	√	√	√	√	√	√

用法对比 Usage

用法解释 Comparison

“犹豫”是形容词，“踌躇”是动词，二者同义，但“犹豫”可以重叠，“踌躇”不能。“踌躇”用于书面，“犹豫”书面口语都用。

语境示例 Examples

① 这件事不要再犹豫了，就这样决定了吧。(☺这件事不要再踌躇了，就这样决定了吧。)

② 我请她上车，她犹豫了一下才上来。(☺我请她上车，她踌躇了一下才上来。)
③ 你别再犹豫不决了，赶快决定吧。(☺你别再踌躇不决了，赶快决定吧。)
④ 他可是个好人，看到你有困难时，他会毫不犹豫地帮助你。(＊他可是个好人，看到你有困难时，他会毫不踌躇地帮助你。)
⑤ 你怎么还犹犹豫豫的，真拿你没办法。(＊你怎么还踌踌躇躇的，真拿你没办法。)
⑥ 这件事颇费踌躇，我考虑了很久，至今也定不下来。(＊这件事颇费犹豫，我考虑了很久，至今也定不下来。)

1531 游泳 yóu yǒng ▶ 游 [动] yóu

词义说明 Definition

游泳 [swim] 人或动物在水里游动。体育运动项目之一。人在水中用各种不同的姿势划水前进。

游 [swim] 人或动物在水里游动：～泳。[rove around; saunter; stroll; travel; tour] 从容地行走；闲逛：～园|～人。[moving about; roving; floating] 不固定的；经常移动的：～牧。

词语搭配 Collocation

	～去	会～	～衣	～池	～过去	周～世界	～资	～客
游泳	√	√	√	√	√	×	×	×
游	√	√	×	×	√	√	√	√

用法对比 Usage

用法解释 Comparison

“游”包含“游泳”的意思，但是，“游”的其他意思是“游泳”没有的。

语境示例 Examples

① 我们可以从这边儿游过去。(☺我们可以从这边儿游泳过去。)
② 你会不会游泳？(☺你会不会游？)(在一定的语境中可以这么说)
③ 他得过奥运会的游泳冠军。(＊他得过奥运会的游冠军。)
④ 我最喜欢的运动是游泳。(＊我最喜欢的运动是游。)
⑤ 我有一个愿望，就是能周游世界。(＊我有一个愿望，就是能周

游泳世界。)

⑥ 西安的兵马俑吸引了世界各国的游人前去参观。(*西安的兵马俑吸引了世界各国的游泳人前去参观。)

1532 友爱[形]yǒu'ài ▶ 友好[形、名]yǒuhǎo

词义说明 Definition

友爱[friendly; affectionate; fraternal] 友好亲爱。

友好[close friend; friend] 好朋友。[friendly; amicable] 亲近和睦。

词语搭配 Collocation

	团结~	生前~	~访问	~往来	~的气氛	~代表团	~协会	~使者	~人士	~条约
友爱	√	×	×	×	×	×	×	×	×	×
友好	×	√	√	√	√	√	√	√	√	√

用法对比 Usage

用法解释 Comparison

"友好"既是形容词,又是名词,"友爱"有"友好"的意思,但使用频率低。

语境示例 Examples

① 中国致力于发展与世界各国的友好关系。(*中国致力于发展与世界各国的友爱关系。)

② 同学之间要团结友爱,互相帮助。(*同学之间要团结友好,互相帮助。)

③ 明天有一个外国友好代表团来我们这里参观访问。(*明天有一个外国友爱代表团来我们这里参观访问。)

④ 大熊猫也成了中国人民的友好使者。(*大熊猫也成了中国人民的友爱使者。)

⑤ 我们两国人民应该世世代代友好下去。(*我们两国人民应该世世代代友爱下去。)

⑥ 两国签定了友好互助条约。(*两国签定了友爱互助条约。)

⑦ 参加追悼会的还有他的生前友好。(*参加追悼会的还有他的生前友爱。)

Y

1533 友谊[名]yǒuyì ▶ 友好[形、名]yǒuhǎo ▶ 友情[名]yǒuqíng

词义说明 Definition

友谊[friendship] 朋友间的交情。

友好[close friend; friend] 好朋友。[friendly; amicable] 亲近和睦。

友情[friendly sentiments; friendship] 朋友的感情；友谊。

词语搭配 Collocation

	深厚的～	建立～	非常～	生前～	～访问	～的气氛	～往来	～使者	～难忘
友谊	√	√	×	×	×	×	×	×	√
友好	×	×	√	√	√	√	√	√	×
友情	√	√	×	×	×	×	×	×	√

用法对比 Usage

用法解释 Comparison

“友谊”和“友情”都是名词，“友谊”使用频率高，范围广，常用来作宾语，不常作定语；“友情”和“友谊”相同，但是不常用。“友好”常用的词性是形容词，多用于正式场合，名词“友好”不常用。

语境示例 Examples

① 他长期在中国生活和工作，和中国人民建立了深厚的友谊。(☺他长期在中国生活和工作，和中国人民建立了深厚的友情。)(＊他长期在中国生活和工作，和中国人民建立了深厚的友好。)

② 她真挚的友情令我难忘。(☺她真挚的友谊令我难忘。)(＊她真挚的友好令我难忘。)

③ 中国国家主席即将对欧洲五国进行友好访问。(＊中国国家主席即将对欧洲五国进行友谊/友情访问。)

④ 这次访问进一步加深了两国人民之间的友谊。(＊这次访问进一步加深了两国人民之间的友情/友好。)

⑤ 为我们两国人民的友谊干杯！(☺为我们两国人民的友情干杯！)(＊为我们两国人民的友好干杯！)

⑥ 会谈在亲切友好的气氛中进行。(＊会谈在亲切友谊/友情的气氛

中进行。)

⑦ 会谈后，两国首脑出席了友好条约的签字仪式。(＊会谈后，两国首脑出席了友谊/友情的签字仪式。)

⑧ 宴会上，他发表了热情友好的讲话。(＊宴会上，他发表了热情友谊/友情的讲话。)

1534 有名[形]yǒumíng ▶ 著名[形]zhùmíng

词义说明 Definition

有名[well-known; famous; celebrated] 出名；大家都知道他的名字。

著名[famous; celebrated; well-known] 有名。

词语搭配 Collocation

	很～	非常～	十分～	～的科学家	～作品	～的论断
有名	√	√	√	√	√	√
著名	√	√	√	√	√	√

用法对比 Usage

用法解释 Comparison

“著名”常用于书面，“有名”多用于口语；“有名”的否定是“无名”，“著名”的否定是“不著名”。

语境示例 Examples

① 诸葛亮是三国时期有名的政治家。(☺诸葛亮是三国时期著名的政治家。)

② 他是中国最有名的科学家。(☺他是中国最著名的科学家。)

③ 在二十世纪的中国没有谁比他更有名的了。(☺在二十世纪的中国没有谁比他更著名的了。)

④ 连许多外国人都知道“不到长城非好汉”这句著名的诗。(☺连许多外国人都知道“不到长城非好汉”这句有名的诗。)

⑤ 这是一部著名的小说。(☺这是一部有名的小说。)

⑥《雷雨》这部话剧很著名。(☺《雷雨》这部话剧很有名。)

⑦ 这个饭店的北京烤鸭很有名。(＊这个饭店的北京烤鸭很著名。)

1535 有益[形]yǒuyì ▶ 有利[形]yǒulì

词义说明 Definition

有利[advantageous; beneficial; favourable] 有好处，有帮助。

有益[profitable; beneficial; useful] 有帮助，有好处。

词语搭配 Collocation

	～的条件	～时机	～于国计民生	～于健康	～于人民	～的贡献	～可图
有利	√	√	√	√	√	×	√
有益	×	×	×	√	√	√	×

用法对比 Usage

用法解释 Comparison

“有益”和“有利”都是形容词，意思也都是“有好处，有帮助”。不同的是，“有益”多指精神的、抽象的；“有利”也可指精神方面，但侧重于物质方面。

语境示例 Examples

① 开展两国边境贸易活动，对两国人民都有利。(☺开展两国边境贸易活动，对两国人民都有益。)

② 如果谈判成功，对我们双方都有益。(☺如果谈判成功，对我们双方都有利。)

③ 多读些中外名著对提高自己的知识水平和文化修养是非常有益的。(＊多读些中外名著对提高自己的知识水平和文化修养是非常有利的。)

④ 要利用年轻这个有利条件，努力学习，掌握一两门外语。(＊要利用年轻这个有益条件，努力学习，掌握一两门外语。)

⑤ 我们大学生要做一个有益于社会的人。(＊我们大学生要做一个有利于社会的人。)

⑥ 现在的国际形势对我们发展经济很有利。(＊现在的国际形势对我们发展经济很有益。)

1536 有意思 yǒu yìsi ▶ 有趣 [形] yǒuqù

词义说明 Definition

有意思 [significant; meaningful] 有意义，耐人寻味。[interesting; enjoyable] 有趣。[be attracted sexually; take a fancy to] 指男女间有爱慕之心。

有趣 [interesting; fascinating; amusing] 能引起人的好奇心或喜爱。

词语搭配 Collocation

	很～	非常～	特别～	～的故事	～的游戏	他对你～
有意思	√	√	√	√	√	√
有趣	√	√	√	√	√	×

用法对比 Usage

用法解释 Comparison

“有趣”和“有意思”的意义相同，不过，“有意思”有时还表示男女之间的爱慕，“有趣”没有这个用法。

语境示例 Examples

① 他这个人很有意思，说的话常常把大家逗笑。(☺他这个人很有趣，说的话常常把大家逗笑。)

② 达观、幽默、淡泊，才能使自己的生活过得有意思。(☺达观、幽默、淡泊，才能使自己的生活过得有趣。)

③ 这个电影很有意思。(☺这个电影很有趣。)

④ 与其看这些没有意思的电视剧，还不如跟朋友聊会儿天呢。(＊与其看这些没有趣的电视剧，还不如跟朋友聊会儿天呢。)

⑤ 为什么人们那么喜欢相声和小品呢？就是因为有趣！(☺为什么人们那么喜欢相声和小品呢？就是因为有意思！)

⑥ 你看不出来吗？他早就对你有意思。(＊你看不出来吗？他早就对你有趣。)

1537 右 [名] yòu ▶ 右边 [名] yòubian

词义说明 Definition

右 [right side; right] 面对南边靠西的一边（跟“左”相对）。

[conservative; the Right] 保守的、反动的一派：～派。

右边[the right (or right hand) side; the right] 靠右的一边。

词语搭配 Collocation

	靠～走	向～拐	～手	～派	～翼	太～	极～势力
右	√	√	√	√	√	√	√
右边	√	√	×	×	×	×	×

用法对比 Usage

用法解释 Comparison

“右”除了表示右面（边）的意思之外，还有表示保守的，反动的意思，“右边”没有这个意思。

语境示例 Examples

① 在中国，行人车辆要靠右走。(☺在中国，行人车辆要靠右边走。)

② 你到前边十字路口往右拐，就看见新华书店了。(☺你到前边十字路口往右边拐，就看见新华书店了。)

③ 很多人习惯用右手，我习惯用左手。(*很多人习惯用右边手，我习惯用左手。)

④ 这个人的思想太右。(*这个人的思想太右边。)

⑤ 如果极右势力上台，对这个国家乃至世界都不是好事。(*如果极右边势力上台，对这个国家乃至世界都不是好事。)

1538 于[介]yú ▶ 在[介]zài

词义说明 Definition

于[(indicating time or place) in; on; at] 在：生～上海。[indicating direction] 向：求助～人。[to] 给：献身～科学事业。[with regard to; concerning; to] 对；对于：忠～祖国和人民。[(indicating beginning or origin) from] 自；从：出～自愿。[indicating comparison] 用在形容词后，表示比较：大～｜小～。[(indicating the doer of an action) by] 表示被动：负～上海队。

Y

在[at, in, on (a place or time)] 表示时间、处所、范围等：故事发生～去年|～大学学习|～方法上还要注意一下。

词语搭配 Collocation

	发源～	生～	发生～	有求～人	有益～人民	青出～蓝	好～	在～	难～
于	√	√	√	√	√	√	√	√	√
在	×	√	√	×	×	×	√	×	×

用法对比 Usage

"于"有"在"的意思，多用于书面，"在"口语书面都常用。

① 第一次世界大战是<u>于</u>1914年爆发的。(☺第一次世界大战是<u>在</u>1914年爆发的。)

② 这项工程将<u>于</u>五年后完成。(☺这项工程将<u>在</u>五年后完成。)

③ 多跟中国人谈话有利<u>于</u>汉语听说能力的提高。(＊多跟中国人谈话有利<u>在</u>汉语听说能力的提高。)

④ 他三年前毕业<u>于</u>北京语言大学。(＊他三年前毕业<u>在</u>北京语言大学。)

⑤ 你的汉语是<u>在</u>哪儿学的？(＊你的汉语是<u>于</u>哪儿学的？)

⑥ <u>在</u>老师的帮助下，我的进步很快。(＊<u>于</u>老师的帮助下，我的进步很快。)

⑦ <u>在</u>那么多同学面前说话，我总有点儿紧张。(＊<u>于</u>那么多同学面前说话，我总有点儿紧张。)

⑧ 我从小生活<u>在</u>农村。(＊我从小生活<u>于</u>农村。)

"于"可以用于比较，"在"没有这个用法。

今年的留学生多<u>于</u>去年。(＊今年的留学生多<u>在</u>去年。)

1539 于是[连]yúshì ▶ 所以[连]suǒyǐ

词义说明 Definition

于是[(indicating that the latter immediately following the former, and that the latter is often led to by the former) so; then; thereupon; hence] 表示后一件事紧接着前一事，后一事往往是由前一事引起的。

所以[(used to introduce a clause of result, preceded by a clause of reason or cause with or without the introductory word 因为 or 由于) as a result; so; therefore] 用在下半句表示结果：因为有病～不能上课。[(used between the subject and the predicate of a clause of result followed by a clause of reason or cause introduced by 是因为 or 由于) the reason why] 用在上半句主语和谓语之间，提出需要说明原因的事情，下半句说明原因：我～不上课是因为有病。[(used in the pattern 是……所以……的原因，preceded by a clause of reason or cause) that's why] 上半句先说明原因，下半句用"是……所以……的原因（缘故）"：感冒是他～不去上课的主要原因。[that's just the reason; that's just the point] 单独成句，表示"原因就在这里"：～呀，不然我为什么不去上课呢？[used in certain set phrases as the object of the verb, to refer to sth. indefinite but understood] 实在的情由或适宜的举动（用于固定词组中作宾语）：忘乎～|不知～。

用法对比 Usage

"于是"只能用在第二个分句前边，表示在第一个分句所说的情况下，产生了下边的动作行为；"所以"表示结果，常与"因为"搭配使用，通常用在第二个分句前边，也可以倒置，用在第一个分句前边。

① 他要开车进城，问我想不想去，我正好也想进城买点儿东西，于是就跟他一起去了。(☺他要开车进城，问我想不想去，我正好也想进城买点儿东西，所以就跟他一起去了。)

② 我学习汉语是受姐姐的影响，姐姐要来中国留学，于是我就也来了。(☺我学习汉语是受姐姐的影响，姐姐要来中国留学，所以我就也来了。)

③ 当时，鲁迅先生认为文艺是改变人民精神的最好工具，于是就改学医为学文。(☺当时，鲁迅先生认为文艺是改变人民精神的最好工具，所以就改学医为学文。)

明显的因果复句，第二个分句不能用"于是"，只能用"所以"。

① 因为感冒了，所以他两天没有来上课。(* 因为感冒了，于是他两天没有来上课。)

② 我所以了解他，是因为上大学时我俩是同班同学。(＊我于是了解他，是因为上大学时我俩是同班同学。)

③ 他所以能取得这么好成绩，是因为他既聪明又刻苦。(＊他于是能取得这么好成绩，是因为他既聪明又刻苦。)

1540 余[动、名]yú ▶ 剩[动]shèng

词义说明 Definition

余[surplus; spare; remaining] 剩下。[more than; odd; over] 大数或度量单位后边的余头。[beyond; after] 指某种事情、情况以外或以后的时间。

剩[surplus; remnant; leftover] 剩余。

词语搭配 Collocation

	～钱	～粮	～饭	～菜	业～	工作之～	五十有～	～下
余	√	√	×	×	√	√	√	√
剩	×	×	√	√	×	×	×	√

用法对比 Usage

用法解释 Comparison

“剩”有“余”的意思，但“余”还是名词，“剩”只是动词。

语境示例 Examples

① 买了书只剩下五块钱了。(☺买了书只余下五块钱了。)

② 中午不用做饭了，还有剩饭，热热就可以了。(＊中午不用做饭了，还有余饭，热热就可以了。)

③ 大家都走了，这里就剩我一个人了。(＊大家都走了，这里就余我一个人了。)

④ 工作之余，我喜欢听听音乐。(＊工作之剩，我喜欢听听音乐。)

⑤ 看样子，他四十有余。(＊看样子，他四十有剩。)

Y

1541 愉快[形]yúkuài ▶ 快乐[形]kuàilè

词义说明 Definition

愉快[happy; joyful; cheerful] 快活舒畅。

快乐[happy; joyful; cheerful] 感到幸福或满意。

词语搭配 Collocation

	很~	非常~	生活~	~的事	心情~	过得~	生日~	新年~	春节~	圣诞~
愉快	√	√	√	√	√	√	×	×	×	×
快乐	√	√	√	√	×	√	√	√	√	√

用法对比 Usage

用法解释 Comparison

"愉快"和"快乐"的意思相同，用法的不同主要在习惯搭配。例如，习惯上说"祝你新年快乐!"不常说"祝你新年愉快!"实际上，"祝你新年愉快!"并不错，只是习惯上不这么说就是了。"快乐"可以重叠使用，"愉快"不能重叠。

语境示例 Examples

① 我在这里生活非常愉快。(☺我在这里生活非常快乐。)
② 她那愉快的笑容给我留下了美好的印象。(☺她那快乐的笑容给我留下了美好的印象。)
③ 祝你生日快乐!(*祝你生日愉快!)
④ 祝你圣诞快乐!(*祝你圣诞愉快!)
⑤ 能和这么多来自世界各国的朋友一起学习，我的心情很愉快。(*能和这么多来自世界各国的朋友一起学习，我的心情很快乐。)
⑥ 保持愉快的心情对健康很重要。(*保持快乐的心情对健康很重要。)
⑦ 我希望你每天都快快乐乐的。(*我希望你每天都愉愉快快的。)
⑧ 有了这个小孙子，不知道给家里增添了多少快乐。(*有了这个小孙子，不知道给家里增添了多少愉快。)

1542 愚昧[形]yúmèi ▶ 愚蠢[形]yúchǔn

词义说明 Definition

愚昧[ignorant; benighted] 缺乏知识，愚蠢而不明事理。

愚蠢[stupid; foolish; silly] 愚笨，不聪明。

词语搭配 Collocation

	太~	真~	很~	非常~	~无知	~落后
愚昧	√	√	√	√	√	√
愚蠢	√	√	√	√	√	×

用法对比 Usage

用法解释 Comparison

“愚昧”指因为没有受过教育或受教育的程度低而不明事理，“愚蠢”则指脑瓜不聪明而行为愚笨。其实就是聪明人有时候也会干出愚蠢的事来，而“愚昧”的人决干不出聪明的事来。

语境示例 Examples

① 要想改变农村落后的面貌，首先要发展教育，改变农民愚昧落后的思想观念。（*要想改变农村落后的面貌，首先要发展教育，改变农民愚蠢落后的思想观念。）

② 得了病不去医院看，而去烧香拜佛，简直愚昧无知。（☺得了病不去医院看，而去烧香拜佛，简直愚蠢无知。）

③ 被名利蒙上眼睛的人，往往会干出愚蠢可笑的事情来。（*被名利蒙上眼睛的人，往往会干出愚昧可笑的事情来。）

④ 一个大学生竟然让一个农村妇女给骗了，真是愚蠢到家了。（*一个大学生竟然让一个农村妇女给骗了，真是愚昧到家了。）

⑤ 没有科学的态度，不按照客观规律办事，就一定会干出愚蠢的事情来。（*没有科学的态度，不按照客观规律办事，就一定会干出愚昧的事情来。）

⑥ 聪明的人不一定不干愚蠢的事。（*聪明的人不一定不干愚昧的事。）

1543 语言[名]yǔyán ▶ 言语[名]yányǔ

词义说明 Definition

语言[language] 人类特有的用来表达意思、交流思想的工具，是一种特殊的社会现象，是由语音、词汇和语法构成一定的系统。“语言”一般包括它的书面形式，但在与文字并举时只指口语。[language or spoken language] 话语。

言语[spoken language; speech] 说的话，或写的文章等，是语言的具体表现。

词语搭配 Collocation

	学习～	～学习	～学	～学院	共同～	～生动	～乏味	～粗鲁	～和文字
语言	√	√	√	√	√	√	√	×	√
言语	×	×	×	×	×	×	×	√	√

用法对比 Usage

“语言”和“言语”在语言学范畴不是一个概念，但是在日常交际中，“语言”一词常常包括言语的意思，因此，“言语”一词很少用。

① 刚到国外时，因为语言不通，所以各方面都感到不适应。(☺刚到国外时，因为言语不通，所以各方面都感到不适应。)

② 要学好一种语言非下苦工夫不可。(*要学好一种言语非下苦工夫不可。)

③ 他为了去中国工作，正在一个语言学校学习汉语。(*他为了去中国工作，正在一个言语学校学习汉语。)

④ 这篇小说的语言生动有趣，很有可读性。(*这篇小说的言语生动有趣，很有可读性。)

⑤ 按照语言学的观点，语言是抽象的，言语是具体的，我们平时说的话，写的文章都叫言语。(*按照语言学的观点，言语是抽象的，语言是具体的，我们平时说的话，写的文章叫语言。)

“语言”还表示爱好、兴趣和志向等，“言语”没有这个用法。

由于两个人缺乏共同语言，所以，结婚不久就离婚了。(*由于两个人缺乏共同言语，所以，结婚不久就离婚了。)

1544 预报[动、名]yùbào ▶ 预告[动、名]yùgào

词义说明 Definition

预报[(used in astronomy and meteorology) forecast] 预先报告(多用于天文、气象方面)。

预告[announce in advance; herald] 事先通告。[(used in theatrical announcements, publications, etc.) advance notice] 事先的通告（多用于戏剧演出、图书出版等）。

词语搭配 Collocation

	天气～	演出～	新书～	～新时期的到来	～一个时代的结束
预报	√	×	×	×	×
预告	×	√	√	√	√

用法对比 Usage

用法解释 Comparison

这两个词都有预先报告的意思，但是，“预报”多用于天气，“预告”多用于图书出版、戏剧演出甚至一个重要时期的到来等。

语境示例 Examples

① 天气预报的准确度越来越高。（＊天气预告的准确度越来越高。）
② 我从新书预告中得知了这本书出版的消息。（＊我从新书预报中得知了这本书出版的消息。）
③ 演出节目预告中有演员的名单。（＊演出节目预报中有演员名单。）
④ 互联网的诞生预告了信息时代的到来。（＊互联网的诞生预报了信息时代的到来。）
⑤ 他的逝世预告了一个时代的结束。（＊他的逝世预报了一个时代的结束。）

1545 预订[动]yùdìng ▶ 预定[动]yùdìng

词义说明 Definition

预订[subscribe; book; place an order] 预先订购。

预定[fix in advance; predetermine; schedule] 预先规定、约定。

词语搭配 Collocation

	～饭店	～房间	～机票	～报纸	～杂志	～时间	～计划	～明年完工
预订	√	√	√	√	√	×	×	×
预定	×	×	×	×	×	√	√	√

用法对比　Usage

用法解释 Comparison

“预订”和“预定”的发音相同，但是涉及的对象不同，“预订”的宾语是具体事物，“预定”的宾语是抽象事物，书写时应注意。

语境示例 Examples

① 我要预订一个房间。(＊我要预定一个房间。)

② 请给我预订一张去新加坡的往返机票。(＊请给我预定一张去新加坡的往返机票。)

③ 这场比赛的门票已经预订一空。(＊这场比赛的门票已经预定一空。)

④ 这项工程预定十年完成。(＊这项工程预订十年完成。)

⑤ 比赛按预定计划进行。(＊比赛按预订计划进行。)

⑥ 卫星返回舱在预定地点着陆。(＊卫星返回舱在预订地点着陆。)

1546 预防[动]yùfáng ▶ 防止[动]fángzhǐ

词义说明　Definition

预防 [prevent; take precautions against; guard against] 事先防备。

防止 [prevent; guard against; forestall; avoid] 预先设法制止(坏事发生)。

词语搭配　Collocation

	～为主	～措施	～火灾	～疾病	～中暑	～交通事故
预防	√	√	√	√	√	√
防止	×	×	√	√	√	√

用法对比　Usage

用法解释 Comparison

“预防”和“防止”是同义词，都表示事先防备并制止疾病、战争以及天灾等的发生。不同的是，“预防”可以作定语和宾语，

"防止"不能。

语境示例 Examples

① 秋冬季节要特别注意预防火灾的发生。(☺秋冬季节要特别注意防止火灾的发生。)
② 要大力加强安全教育，防止交通事故的发生。(☺要大力加强安全教育，预防交通事故的发生。)
③ 天气热，要防止中暑。(☺天气热，要预防中暑。)
④ 医疗卫生工作要贯彻预防为主的方针。(*医疗卫生工作要贯彻防止为主的方针。)
⑤ 对于突发事件，要有预防措施。(*对于突发事件，要有防止措施。)
⑥ 由于汛期到来之前预防工作做得好，所以，今年夏天的洪水没有造成太大的损失。(*由于汛期到来之前防止工作做得好，所以，今年夏天的洪水没有造成太大的损失。)

1547 预计[动]yùjì ▶ 预料[动]yùliào

词义说明 Definition

预计[calculate in advance; estimate] 预先计算、计划或推测：~明年完工。

预料[expect; predict; anticipate] 事先推测：~增加7%。[prediction; anticipation] 事先的推测：不出~。

词语搭配 Collocation

	~下周到	~十月完工	~增加7%	~数据	不出~	出乎~	比~的好	跟~的相反
预计	√	√	√	√	×	×	√	×
预料	×	×	×	×	√	√	√	√

用法对比 Usage

用法解释 Comparison

"预计"比"预料"的要准确，因为"预计"是预先经过测算的，"预料"只是根据有关情况做的推测。

语境示例 Examples

① 这个结果比我们预计的要好。(☺这个结果比我们预料的要好。)
② 今年国民经济预计比去年增加7%。(*今年国民经济预料比去年增加7%。)

③ 这项工程预计明年十月完成。（＊这项工程预料明年十月完成。）
④ 代表团预计明天上午到达北京。（＊代表团预料明天上午到达北京。）
⑤ 比赛的结果完全出乎人们的预料。（＊比赛的结果完全出乎人们的预计。）
⑥ 这个情况跟他预料的正好相反。（＊这个情况跟他预计的正好相反。）

1548 预见[动、名]yùjiàn ▶ 预言[动、名]yùyán

词义说明 Definition

预见[foresee; predict] 根据事物的发展规律预先料到将来。[foresight; prevision; ability to have advance knowledge of the future] 能预先料到将来的见识。

预言[prophesy; predict; foretell; tell in advance what will happen in the future] 预先说出（将来要发生的事情）。[prophecy; prediction; words that predict future happenings in advance] 预先说出的关于将来要发生什么事情的话。

词语搭配 Collocation

	可以～	科学的～	科学家的～	～性	～变成了现实	证实了他的～
预见	√	√	√	√	√	√
预言	√	√	√	×	√	√

用法对比 Usage

用法解释 Comparison

“预见”是预先看到未来怎么样，“预言”是预先说出将来怎么样。当然，“预见”到的，一般都会用语言文字说出来或记录下来，即预言出来。不同的是，“预言”可以带动态助词“了”，也可以带宾语，“预见”不能。

语境示例 Examples

① 历史的发展完全证明了他的预见是正确的。（☺历史的发展完全证明了他的预言是正确的。）
② 未来学家早就预言了信息时代的到来。（＊未来学家早就预见了信息时代的到来。）

③ 科学家预言，纳米技术的应用将改变人类的生活。（＊科学家预见，纳米技术的应用将改变人类的生活。）
④ 他曾经预言，这场战争是不可避免的，战争的爆发证实了他的预言。（＊他曾经预见，这场战争是不可避免的，战争的爆发证实了他的预见。）
⑤ 根据事物发展的规律，人类的将来是可以预见的。（＊根据事物发展的规律，人类的将来是可以预言的。）
⑥ 他曾经说过，中国东北地区可能蕴藏着丰富的石油，这个大油田的开发，证明了他的预言。（＊他曾经说过，中国东北地区可能蕴藏着丰富的石油，这个油田的开发，证明了他的预见。）

1549 预料[动]yùliào ▶ 预测[动]yùcè

词义说明 Definition

预料[expect; predict; anticipate] 事先推测：～增加7%。[prediction; anticipation] 事先的推测：不出～。

预测[predict; forecast; foresee] 预先推测或测定。

词语搭配 Collocation

	不出～	出乎～	市场～	跟～的一样	～日食	～台风	～得很准	～得不准
预料	√	√	×	√	×	×	√	√
预测	×	×	√	√	√	√	√	√

用法对比 Usage

用法解释 Comparison

“预测”要经过精确的计算，“预料”只是大脑里产生的对未来情况或结果的想法。

语境示例 Examples

① 这个情况跟我们预料的完全一样。(☺这个情况跟我们预测的完全一样。)
② 你们预测得很准确。（＊你们预料得很准确。）
③ 要开发新产品，首先要做好市场预测。（＊要开发新产品，首先要做好市场预料。）
④ 现在对日食、月食等天象的预测已经十分准确了。（＊现在对日食、月食等天象的预料已经十分准确了。）

⑤ 这次考试的结果是出人预料的。（＊这次考试的结果是出人预测的。）
⑥ 不出预料，他今天又来了。（＊不出预测，他今天又来了。）

1550 遇到 yù dào ▶ 遇见 yù jiàn

词义说明 Definition

遇到［run into；encounter；come across］（事先没有想到地）碰到。

遇见［meet；come across］（事先没有约定地）碰见。

词语搭配 Collocation

	～老同学	～了一个朋友	～老师	～不懂的词	～麻烦	～困难	～问题
遇到	√	√	√	√	√	√	√
遇见	√	√	√	√	×	×	×

用法对比 Usage

用法解释 Comparison

“遇到”和“遇见”的意思相同，都是在没有预想到或没有约定的情况碰到或碰见。不同的是，“遇到”的行为主体不一定是眼睛，而“遇见”的动作主体肯定是眼睛；“遇到”的对象可以是人，也可以是事，而“遇见”的对象一般指人。

语境示例 Examples

① 昨天上街遇见一个老同学。（☺昨天上街遇到一个老同学。）
② 我在云南旅行时遇到我们班的玛丽了。（☺我在云南旅行时遇见我们班的玛丽了。）
③ 他随身带着一本《汉英小词典》，遇到不认识的词就查一查。（☺他随身带着一本《汉英小词典》，遇见不认识的词就查一查。）
④ 如果汉语说得不好，旅行时肯定会遇到不少麻烦。（＊如果汉语说得不好，旅行时肯定会遇见不少麻烦。）
⑤ 要是遇到什么困难就尽管告诉我，我一定帮助你。（＊要是遇见什么困难就尽管告诉我，我一定帮助你。）
⑥ 我无论遇到什么问题，都愿意跟他谈谈。（＊我无论遇见什么问题，都愿意跟他谈谈。）

1551 原先[形]yuánxiān ▶ 原来[形、副]yuánlái

词义说明 Definition

原先 [original; former; originally; formerly; at first] 从前，起初。

原来 [original; former] 起初：我～学习日语。[originally; formerly; at first] 没有经过改变的：我还住～的地方。[as a matter of fact; as it turns out; actually] 表示发现真实情况：～你是泰国人，我以为你是日本人呢。

词语搭配 Collocation

	～的计划	～打算	～的专业	～的地方	～是你	～是这样
原先	√	√	√	√	×	×
原来	√	√	√	√	√	√

用法对比 Usage

用法解释 Comparison

形容词“原先”和“原来”是同义词；“原来”还是个副词，有“明白了实情”的意思，“原先”没有这个意思。

语境示例 Examples

① 我原先的计划是来中国学习汉语，后来才决定学习中国经济。(☺我原来的计划是来中国学习汉语，后来才决定学习中国经济。)

② 他原来打算只学半年，现在想再延长半年。(☺他原先打算只学半年，现在想再延长半年。)

③ 他原先是个中学教师，后来考上了研究生。(☺他原来是个中学教师，后来考上了研究生。)

④ 你还住在原来的地方吗？(☺你还住在原先的地方吗？)

⑤ 我以为你回国了，原来你没有走。(＊我以为你回国了，原先你没有走。)

⑥ 原来你是韩国人啊，我以为你是日本人呢。(＊原先你是韩国人啊，我以为你是日本人呢。)

1552 原因[名]yuányīn ▶ 缘故[名]yuángù

词义说明 Definition

原因[cause; reason] 造成某种结果或引起另一件事发生的条件。

缘故[reason; cause] 原因。(也写作：原故)

词语搭配 Collocation

	什么~	事故的~	成功的~	调查~	必有~
原因	√	√	√	√	√
缘故	√	×	×	×	√

用法对比 Usage

"原因"和"缘故"是同义词,"缘故"使用范围很窄，多用于口语,"原因"使用范围很广，口语书面都常用。

① 他今天生这么大的气，不知是什么缘故。(☺他今天生这么大的气，不知是什么原因。)

② 这次事故的原因正在调查中。(*这次事故的缘故正在调查中。)

③ 他取得好成绩的原因之一是学习主动，刻苦认真。(*他取得好成绩的缘故之一是学习主动，刻苦认真。)

④ 这些不良社会现象的产生，都可以从教育方面找到原因。(*这些不良社会现象的产生，都可以从教育方面找到缘故。)

⑤ 国民素质的高低与受教育程度有直接原因。(*国民素质的高低与受教育程度有直接缘故。)

"缘故"可以跟在"因为"的后边,"原因"不能这么用。

这孩子的体质差是因为营养不良的缘故。(*这孩子的体质差是因为营养不良的原因。)

1553 圆满[形]yuánmǎn ▶ 美满[形]měimǎn

词义说明 Definition

圆满[satisfactory; perfect] 没有缺欠，没有漏洞，使人满意。

美满[happy; perfectly; satisfactory] 美好圆满。

词语搭配 Collocation

	~成功	~的答案	功德~	~结束	~完成	~婚姻	~的生活	~幸福的家庭
圆满	√	√	√	√	√	×	×	×
美满	×	×	×	×	×	√	√	√

用法对比 Usage

用法解释 Comparison

"圆满"和"美满"都有使人满意的意思，但是它们修饰的对象不同。"圆满"多形容答案、结局，也常用来作状语，修饰完成、结束、成功等。"美满"多形容家庭、生活、婚姻等。"美满"不能作状语。

语境示例 Examples

① 通过法院调解，他们两家的纠纷得到了圆满的解决。（*通过法院调解，他们两家的纠纷得到了美满的解决。）

② 经过十多天紧张的工作，大会取得了圆满的成功。（*经过十多天紧张的工作，大会取得了美满的成功。）

③ 他们已经圆满完成了这次南极科学考察的任务，胜利返航。（*他们已经美满完成了这次南极科学考察的任务，胜利返航。）

④ 这届政府五年的工作得到了人民代表的充分肯定，可以说是功德圆满。（*这届政府五年的工作得到了人民代表的充分肯定，可以说是功德美满。）

⑤ 这是一个幸福美满的家庭，夫妻都是大学教授，一双儿女也都学有所成。（*这是一个幸福圆满的家庭，夫妻都是大学教授，一双儿女也都学有所成。）

⑥ 美满幸福的婚姻要靠夫妻双方共同创造。（*圆满幸福的婚姻要靠夫妻双方共同创造。）

1554 远景[名]yuǎnjǐng ▶ 前景[名]qiánjǐng

词义说明 Definition

远景[distant view; long-range perspective; prospect] 远距离的景物。[future; prospects] 将来的景象。

前景[foreground (of a view, picture, photo, etc.); closest aspects to the viewer of a picture, stage or screen] 图画、舞台、

银幕、屏幕上看上去离观者最近的景物。[prospect; vista; perspective; future] 将要出现的景象。

词语搭配 Collocation

	拍摄~	~规划	~广阔	丰收的~
远景	√	√	×	×
前景	×	×	√	√

用法对比 Usage

用法解释 Comparison

"远景"和"前景"都是抽象名词,"远景"常作定语,修饰"计划"、"规划"、"设计"等,"前景"常作中心语,受"光明"、"美好"、"广阔"等修饰。

语境示例 Examples

① 每个城市都制定了发展的远景规划。(*每个城市都制定了发展的前景规划。)
② 用长镜头可以拍摄远景。(*用长镜头可以拍摄前景。)
③ 这里发展旅游业的前景非常广阔。(*这里发展旅游业的远景非常广阔。)
④ 他的去世,给这一地区的和平前景蒙上了一层阴影。(*他的去世,给这一地区的和平远景蒙上了一层阴影。)
⑤ 农民们被夏粮丰收的前景所鼓舞,干劲十足。(*农民们被夏粮丰收的远景所鼓舞,干劲十足。)
⑥ 太阳能产业有着广阔的前景。(*太阳能产业有着广阔的远景。)

1555 怨[动]yuàn ▶ 怪[动、形、副]guài

词义说明 Definition

怨[blame; complain] 怨恨;责怪。
怪[blame; complain] 责备;怨。

词语搭配 Collocation

	都~你	不~我	~我	不要~他	任劳任~	抱~	责~	~不得
怨	√	√	√	√	√	√	×	√
怪	√	√	√	√	×	×	√	√

Y

用法对比 Usage

动词“怨”和“怪”都有责备的意思，用法也基本相同。

① 这事不怨他，是我没有说清楚。(☺这事不怪他，是我没有说清楚。)

② 都怪我，把这件事忘得干干净净的。(☺都怨我，把这件事忘得干干净净的。)

③ 不要怪他了，下次注意一点儿就是了。(☺不要怨他了，下次注意一点儿就是了。)

④ 他任劳任怨，工作勤奋，常常受到领导的表扬。(＊他任劳任怪，工作勤奋，常常受到领导的表扬。)

另外，“怪”还有形容词［strange; odd］和副词［quite, rather］的用法，“怨”没有形容词和副词的词性。

① 这个男学生很怪，把头发染成了绿的。(＊这个男学生很怨，把头发染成了绿的。)

② 我把头发染成了绿的，同学们都看我，弄得我怪不好意思的。(＊我把头发染成了绿的，同学们都看我，弄得我怨不好意思的。)

1556 愿意［助动、动］yuànyì ▶ 肯［助动］kěn

词义说明 Definition

愿意［be willing; be ready; agree to do sth.］认为符合自己的心愿而同意（做某事）。［wish; hope; like; want (sth. to happen)］希望（发生某种情况）。

肯［agree; consent］表示同意。［be willing to; be ready to］表示主观上乐意，接受要求。

词语搭配 Collocation

	很～	不～	非常～	～去	～帮忙	～学习	～努力	～不～	～了
愿意	√	√	√	√	√	√	√	√	√
肯	×	√	×	√	√	√	√	√	×

用法对比 Usage

用法解释 Comparison

“愿意”表示心里同意去做，“肯”除了愿意做，还付之于行动。“愿意”是个动词，而“肯”只是个助动词。“愿意”可以受“很”和“非常”修饰，说“很愿意”，“非常愿意”；“肯”不能受这两个副词的修饰。“愿意”可以带“了”，“肯”不能带“了”。

语境示例 Examples

① 我动员了半天，大家都不愿意参加。(☺我动员了半天，大家都不肯参加。)
② 汉语虽然难学，但是只要你愿意下功夫，就一定能学好。(☺汉语虽然难学，但是只要你肯下功夫，就一定能学好。)
③ 明天我想邀几个朋友聚一聚，不知道你愿意不愿意来？(☺明天我想邀几个朋友聚一聚，不知道你肯不肯来?)
④ 他比较聪明，又肯吃苦，所以才有今天的成绩。(☺他比较聪明，又愿意吃苦，所以才有今天的成绩。)
⑤ 年轻人朝气蓬勃，非常愿意学习新知识。(＊年轻人朝气蓬勃，非常肯学习新知识。)
⑥ 公司想派你去中国工作，你愿意不愿意？(＊公司想派你去中国工作，你肯不肯?)
⑦ 这件事情我愿意听听你的看法。(＊这件事情我肯听听你的看法。)
⑧ 他很愿意帮助我们。(＊他很肯帮助我们。)

1557 愿意[动]yuànyì ▶ 同意[动]tóngyì

词义说明 Definition

愿意[be willing; be ready] 认为符合自己的心愿而同意（做某事）。[wish; hope; like; want (sth. to happen)] 希望（发生某种情况）。

同意[agree; consent; approve] 对某种主张表示赞成的意见；赞成；准许。

词语搭配 Collocation

	我～	不～	表示～	～听听	～你留下	～延长	～你的看法	～你的意见	～帮忙
愿意	√	√	√	√	√	√	×	×	√
同意	√	√	√	√	√	√	√	√	√

Y

用法对比 Usage

用法解释 Comparison

“同意”和“愿意”都是动词，“同意”的对象是别人的意见、建议或看法等；“愿意”表示的是动作者自己的意愿和愿望，虽然在有些句子里可以互换，但是表达的意思不一样。

语境示例 Examples

① 愿意：你愿意参加运动会吗？愿意。（自己想参加，希望参加）
同意：你同意参加运动会吗？同意。（别人要求自己参加）
② 我希望他留下来，他表示同意。（☺我希望他留下来，他表示愿意。）
③ 他愿意帮我的忙。（☺他同意帮我的忙。）
④ 他总不愿意麻烦别人。（*他总不同意麻烦别人。）
⑤ 我不同意你的看法。（*我不愿意你的看法。）

1558 约束[动]yuēshù ▶ 束缚[动]shùfù

词义说明 Definition

约束[keep within bounds; restrict; restrain; bind] 限制使不超过规范。

束缚[tie; bind up; fetter; keep within a narrow scope] 使受到约束限制，使停留在狭窄的范围内。

词语搭配 Collocation

	受~	纪律~	~力	~自己	~思想	~手脚	~生产力	冲破~
约束	√	√	√	√	×	×	×	×
束缚	√	×	×	×	√	√	√	√

用法对比 Usage

用法解释 Comparison

“约束”和“束缚”有相近的语义，但是，“约束”是中性词，而“束缚”是贬义词。“约束”可以是外来的，也可以是自己对自己进行的，受“约束”者可以是被动的，也可以是主动自觉接受的；受“束缚”者是被动的，不愿意接受的。

语境示例 Examples

① 要打破旧框框的约束，充分发挥人的创新精神。(☺要打破旧框框的束缚，充分发挥人的创新精神。)

② 要自觉地受法律法规和纪律的约束，不能违法乱纪。(＊要自觉地受法律法规和纪律的束缚，不能违法乱纪。)

③ 旧的生产关系严重地束缚着生产力的发展。(＊旧的生产关系严重地约束着生产力的发展。)

④ 很多人的头脑还被旧的观念和传统势力束缚着。(＊很多人的头脑还被旧的观念和传统势力约束着。)

⑤ 自由和纪律是相辅相成的，不能认为纪律束缚人们的手脚，如果没有纪律也就不能保证绝大多数人的自由。(＊自由和纪律是相辅相成的，不能认为纪律约束人们的手脚，如果没有纪律也就不能保证绝大多数人的自由。)

1559 阅[动]yuè ▶ 阅读[动]yuèdú

词义说明 Definition

阅[read; scan; peruse; go over] 看（文字）。[review; inspect] 检阅。

阅读[read (books and newspapers) and comprehend] 看（书报）并领会它的内容。

词语搭配 Collocation

	～报纸	～杂志	～兵	～课	～考试	～水平	～能力	～短文	～文章
阅	×	×	√	×	×	×	×	×	×
阅读	√	√	×	√	√	√	√	√	√

用法对比 Usage

用法解释 Comparison

“阅”有“阅读”的意思，还有“检阅”的意思，“阅读”没有“检阅”的意思。“阅”多用于书面或公文批示中，它们不能相互替换。

语境示例 Examples

① 我现在能阅读简单的中文文章了。(＊我现在能阅简单的中文文章了。)

② 坚持阅读中文报刊，使我的中文水平有了很大提高。(＊坚持阅中文报刊，使我的中文水平有了很大提高。)(☺坚持读中文报刊，使我的中文水平有了很大提高。)
③ 除了综合课以外，我们还有阅读课、听力课和口语课。(＊除了综合课以外，我们还有阅课、听力课和口语课。)
④ 明天上午我们有阅读考试。(＊明天上午我们有阅考试。)
⑤ 送上这些材料，请阅。(＊送上这些材料，请阅读。)
⑥ 此件已阅。(＊此件已阅读。)

1560 阅读[动]yuèdú ▶ 阅览[动]yuèlǎn

词义说明 Definition

阅读[read (books and newspapers) and comprehend] 看（书报）并领会它的内容。

阅览[read (books and newspapers)] 看书报。

词语搭配 Collocation

	～课文	～报纸	～杂志	～教材	～课	～考试	～能力	～室
阅读	√	√	√	√	√	√	√	×
阅览	×	×	×	×	×	×	×	√

用法对比 Usage

用法解释 Comparison

“阅读”是及物动词，可以带宾语，“阅览”是不及物动词，不能带宾语。

语境示例 Examples

① 多看外文书报可以不断提高阅读能力。(＊多看外文书报可以不断提高阅览能力。)
② 阅读教材的内容要有趣味，有知识，还要有一定的文化内涵。(＊阅览教材的内容要有趣味，有知识，还要有一定的文化内涵。)
③ 这次阅读考试我的成绩不太好。(＊这次阅览考试我的成绩不太好。)
④ 阅读能力包括两个方面，一是理解能力，二是阅读速度。(＊阅览能力包括两个方面，一是理解能力，二是阅览速度。)

⑤ 我们学校的阅览室里有各种各样的书报杂志。（*我们学校的阅读室里有各种各样的书报杂志。）

1561 越来越… yuè lái yuè…

越…越… yuè…yuè…

词义说明 Definition

越来越… [(expressing deepening of degree over the passage of time) more and more ...] 表示程度随着时间而发展：我的汉语～好。

越…越… [(expressing deepening of degree, same as 'the more ... the more ...')] 表示程度随着条件的发展而发展：我的汉语越说越流利。

词语搭配 Collocation

越来越好	越来越习惯	越来越冷	越来越暖和	提高得越来越快	说得越来越流利
越好越贵	越下越大	越学越好	越跑越快	越吃越胖	越学越有意思

用法对比 Usage

"越来越…"和"越…越…"表达不同的意思，前者表示程度的发展与时间有关，后者表示程度的发展与条件有关。

用"越来越…"的句子都不能换用"越…越…"：

① 他的汉语水平越来越高了。

② 人民的生活越来越好。

③ 一到三月，天气越来越暖和。

用"越…越…"的句子有时可以用"越来越…"替换，但是表达的意思不尽相同。

① 雨越下越大。(☺雨越来越大。)

② 我喜欢吃中国菜，越吃越胖了。(☺我喜欢吃中国菜，越来越胖了。)

③ 学习汉语要多说，越说越流利。（*学习汉语要多说，越来越流利。）

④ 快到终点的时候，他越跑越快。（*快到终点的时候，他越来越快。）

⑤ 我觉得汉语越学越有意思。(＊我觉得汉语越来越有意思。)

1562 云[名]yún ▶ 云彩[名]yúncǎi

词义说明 Definition

云[cloud] 空中悬浮的由水滴、冰晶聚集形成的物体。

云彩[cloud] 云。

词语搭配 Collocation

	白～	彩～	乌～	～层	～团	火烧～	一片～
云	√	√	√	√	√	√	√
云彩	×	×	×	×	×	×	√

用法对比 Usage

用法解释 Comparison

"云彩"就是"云"，由于音节的不同，用法也有所不同。

语境示例 Examples

① 天空蓝蓝的，没有一丝云。(☺天空蓝蓝的，没有一丝云彩。)

② 天气预报说，今天阴转多云，没有雨。(＊天气预报说，今天阴转多云彩，没有雨。)

③ 天空乌云密布，眼看就要下雨了。(＊天空乌云彩密布，眼看就要下雨了。)

④ 秋高气爽，天空万里无云。(＊秋高气爽，天空万里无云彩。)

⑤ 傍晚，西边天上出现了火烧云。(＊傍晚，西边天上出现了火烧云彩。)

1563 允许[动]yǔnxǔ ▶ 同意[动]tóngyì

词义说明 Definition

允许[permit; allow; approve] 许可；同意。

同意[agree; approve; consent; concur] 对某种主张表示赞成的意见；赞成；准许。

词语搭配 Collocation

	非常～	很～	不～	决不～	请～我介绍一下	得到～
允许	×	×	√	√	√	√
同意	√	√	√	√	×	√

用法对比 Usage

用法解释 Comparison

"允许"是书面语，多用于正式场合，"同意"没有此限。"允许"不能用程度副词修饰，"同意"可以。

语境示例 Examples

① 请允许我代表中国政府和中国人民向大会的胜利召开表示热烈的祝贺。(*请同意我代表中国政府和中国人民向大会的胜利召开表示热烈的祝贺。)

② 决不允许"黄赌毒"这些丑恶的社会现象存在。(*决不同意"黄赌毒"这些丑恶的社会现象存在。)

③ 请允许我先来介绍一下，这位是王教授，这是我们马校长。(*请同意我先来介绍一下，这位是王教授，这是我们马校长。)

④ 我完全同意你的看法。(*我完全允许你的看法。)

⑤ 这篇文章的观点我非常同意。(*这篇文章的观点我非常允许。)

1564 运输[动]yùnshū 运送[动]yùnsòng

词义说明 Definition

运输 [transport; transportation; carriage; conveyance; moving materials or people from one place to another in vehicles] 用交通工具把物资和人从一个地方运到另一个地方。

运送 [transport; ship; convey] 把人和物资运到别处。

词语搭配 Collocation

	～物资	～旅客	～费	空中～	海上～	～工具	交通～	～业	～公司
运输	√	×	√	√	√	√	√	√	√
运送	√	√	×	×	×	×	×	×	×

Y

用法对比 Usage

用法解释 Comparison

"运输"是不及物动词，不能带宾语，只能作定语，"运送"可以带宾语。

语境示例 Examples

① 这批货用轮船运输虽然便宜，但是时间太长，还是空运吧。(☺这批货用轮船运送虽然便宜，但是时间太长，还是空运吧。)

② 每年春节，交通部门都要运送上千万旅客。(*每年春节，交通部门都要运输上千万旅客。)

③ 中国的交通运输业发展很快。(*中国的交通运送业发展很快。)

④ 这批货要尽快地运送到客户那里。(*这批货要尽快地运输到客户那里。)

⑤ 要尽量减少运输环节，降低货物成本。(*要尽量减少运送环节，降低货物成本。)

⑥ 要努力发展空中运输服务。(*要努力发展空中运送服务。)

Y

Z

1565 杂乱[形]záluàn ▶ 混乱[形]hùnluàn

词义说明 Definition

杂乱[chaotic; untidy; disorderly; in a jumble; messy; in a mess] 多而乱，没有秩序或条理。

混乱[confusion; chaos; disarray] 没条理，没秩序。

词语搭配 Collocation

	很～	思想～	秩序～	交通～	～无章	管理～	陷于～
杂乱	√	×	×	×	√	×	×
混乱	√	√	√	√	×	√	√

用法对比 Usage

用法解释 Comparison

“杂乱”形容具体的事物，“混乱”形容抽象的事物。

语境示例 Examples

① 抽屉里的东西很杂乱。(*抽屉里的东西很混乱。)

② 这篇文章写得前言不搭后语，显得杂乱无章。(*这篇文章写得前言不搭后语，显得混乱无章。)

③ 因为管理混乱，这个公司没有几年就资不抵债，宣布破产了。(*因为管理杂乱，这个公司没有几年就资不抵债，宣布破产了。)

④ 这篇文章发表后，引起了极大的思想混乱，读者纷纷来信提出批评。(*这篇文章发表后，引起了极大的思想杂乱，读者纷纷来信提出批评。)

⑤ 中国人民决不允许自己的国家出现那种政局动荡，社会混乱的局面。(*中国人民决不允许自己的国家出现那种政局动荡，社会杂乱的局面。)

⑥ 这个路口的交通秩序混乱是造成这起事故的主要原因。(*这个路口的交通秩序杂乱是造成这起事故的主要原因。)

1566 灾害[名]zāihài ▶ 灾难[名]zāinàn

词义说明 Definition

灾害[catastrophe; calamity; disaster; damage caused by drought, floods, pests, hail, war, etc.] 旱、涝、虫、雹、战争、地震等造成的祸害。

灾难[suffering; calamity; disaster; catastrophe; severe damage and pain caused by natural disasters or man-made calamities] 天灾人祸所造成的严重损害和痛苦。

词语搭配 Collocation

	自然~	地震~	旱涝~	~沉重	遭受~	战胜~	避免~
灾害	√	√	√	×	√	√	√
灾难	×	×	×	√	√	×	√

用法对比 Usage

用法解释 Comparison

“灾害”一般指生物所受的，多是自然力造成的，有时也指战争或人祸。“灾难”是人所受的天灾或人祸，是由自然和人为两方面造成的。

语境示例 Examples

① 灾区军民团结一致，决心把地震带来的灾害减少到最低程度。(☺灾区军民团结一致，决心把地震带来的灾难减少到最低程度。)

② 我们一定要战胜洪水带来的灾害，尽快地重建家园，恢复生产。(☺我们一定要战胜洪水带来的灾难，尽快地重建家园，恢复生产。)

③ 由于预报准确，防护措施得力，这里避免了一场可能发生的大灾害。(☺由于预报准确，防护措施得力，这里避免了一场可能发生的大灾难。)

④ 中国地域广大，每年都有不同程度的自然灾害发生。(＊中国地域广大，每年都有不同程度的自然灾难发生。)

⑤ 一个多世纪以来，中国人民多次遭受帝国主义列强的侵略和欺凌，灾难沉重，最知道独立自主与和平的可贵。(＊一个多世纪以来，中国人民多次遭受帝国主义列强的侵略和欺凌，灾害沉重，最知道独立自主与和平的可贵。)

1567 栽[动]zāi ▶ 种[动]zhòng

词义说明 Definition

栽[plant; grow] 栽种。[erect; stick in; insert; plant] 插上。[force sth. on sb.; impose sth. on sb.] 硬给安上。

种[grow; plant; crop; put in] 种植。

词语搭配 Collocation

	~树	~花	~上	~田	~瓜	~麦子	~赃	~一季
栽	√	√	√	×	×	×	√	×
种	√	√	√	√	√	√	×	√

用法对比 Usage

用法解释 Comparison

"种"有"栽"的意思；但是，"栽"还有一个"硬给安上"的意思，"种"没有这个意思。

语境示例 Examples

① 我家的院子里种满了各种各样的花。(☺我家的院子里栽满了各种各样的花。)

② 这棵树有点儿大，我担心栽不活。(☺这棵树有点儿大，我担心种不活。)

③ 结婚那天，他们种下了一棵常青树作为纪念。(☺结婚那天，他们栽下了一棵常青树作为纪念。)

④ 常言说，种瓜得瓜，种豆得豆，有一分耕耘就有一分收获。(＊常言说，栽瓜得瓜，栽豆得豆，有一分耕耘就有一分收获。)

⑤ 他因为给别人栽赃，陷害别人，犯了诬陷罪。(＊他因为给别人种赃，陷害别人，犯了诬陷罪。)

1568 再[副]zài ▶ 又[副]yòu

Z

词义说明 Definition

再[(for an action yet to take place or contemplated) again; once more; one more time] 表示同一动作的重复（这种重复没有实

现)：有时间我们～去。有时专指第二次：～版。[(used before adjectives) to a greater extent or degree; more] 表示更加：～长一点儿就好了。[indicating what will happen if such is allowed to continue] 表示如果继续下去就会怎样：～不努力就得留级。[(indicating one action taking place after the completion of another) then; only then] 表示一个动作发生在另一个动作结束之后：先想好了～写。[(indicating additional information) in addition; moreover; besides] 表示另外有所补充：书包里有书、本子、词典，～就是我的手机。[(follow by a negative expression) no matter how... still (not)] 下接"也"，表示无论怎样情况也不会改变：你～说他也不听。

又 [(indicating repetition or continuation) again] 表示重复或继续(这种重复已经实现)：他～来了；我拿着她的照片看了～看。[(indicating a deeper meaning) also; in addition] 表示意思上更进一层：天黑了，～下着雨，你今天别走了。[(indicating the simultaneous existence of more than one situation or property) both ... and ...; not only ... but also...] 表示几种情况或性质同时存在：～快～好 | ～好吃～便宜。[used reiteratively indicating two contradictory things] 表示有矛盾的两件事情(多叠用)：我～想去，～不想去。[indicating a turning of meaning to 'but'] 表示转折，有"可是"的意思：我刚才还看见他在这儿，现在～不见了。[used in a negative sentence or a rhetorical question to make it more emphatic] 用在否定句或反问句里，加强语气：～不是外人，客气什么？[indicating an addition to a given scope] 表示在某个范围之外有所补充：除了奖金，～发了一个洗衣机。[(indicating an odd number in addition to a whole number) and] 表示整数之外再加零数：一～三分之一。

词语搭配 Collocation

	～来	～来了	～大一点儿	～说也不听	～好～便宜	看了～看	～下雨了
再	√	×	√	√	×	×	×
又	×	√	×	×	√	√	√

Z

用法对比 Usage

"再"和"又"是两个相对的副词。"再"表示同一动作重复或继续，表示未然的情况。用在形容词前边表示程度更高，还有“另、另外”的意思。

“又”表示同一动作重复发生反复进行。与“再”不同的是，“又”多用于已然的情况。放在形容词前边时，多重复使用，强调两种情况或状态同时存在。

以下的句子只能用“再”，不能用“又”：

① 我昨天去看他了，我想明天再去。（*我昨天去看他了，我想明天又去。）
② 这个电影我已经看过了，不想再看了。（*这个电影我已经看过了，不想又看了。）
③ 那个饭店的饭菜不好吃，我再也不去那儿了。（*那个饭店的饭菜不好吃，我又也不去那儿了。）
④ 老师，我还不懂，请您再讲一遍。（*老师，我还不懂，请您又讲一遍）。
⑤ 再过几年北京的变化会更大。（*又过几年北京的变化会更大。）
⑥ 你再不来，我们就不等你了。（*你又不来，我们就不等你了。）
⑦ 再坚持坚持吧，我们一定能把这个实验搞成功。（*又坚持坚持吧，我们一定能把这个实验搞成功。）
⑧ 你再劝他，他也不会听你的。（*你又劝他，他也不会听你的。）
⑨ 昨天去看王老师的有我、玛丽，再就是山本。（*昨天去看王老师的有我、玛丽，又就是山本。）
⑩ 课文我已经复习了，还要再复习复习语法。（*课文我已经复习了，还要又复习复习语法。）
⑪ 他刚才给你来电话了，你不在，他说过一会儿再来。（*他刚才给你来电话了，你不在，他说过一会儿又来。）
⑫ 这本词典很好，我已经买了一本，想再给我弟弟买一本。（*这本词典很好，我已经买了一本，想又给我弟弟买一本。）
⑬ 我再用用你的车，好吗？（*我又用用你的车，好吗？）

“再”用在形容词前面，表示程度加深。“又”没有这个用法。

① 这个房间再大一点儿就好了。（*这个房间又大一点儿就好了。）
② 一百块还是太贵了，能不能再便宜点儿？（*一百块还是太贵了，能不能又便宜点儿？）
③ 我非常喜欢学习汉语，再难也要学下去。（*我非常喜欢学习汉语，又难也要学下去。）
④ 你要是能跟我一起去，就再好不过了。（*你要是能跟我一起去，就又好不过了。）

⑤ 这种东西再好我也不买，没用。（*这种东西又好我也不买，没用。）

“再”表示推延，推脱的意思，“又”没有这个用法。

① 我们吃了晚饭再看这张影碟吧。（*我们吃了晚饭又看这张影碟吧。）

② 今天已经晚了，明天再去吧。（*今天已经晚了，明天又去吧。）

③ 我现在还有事，这个问题我们以后再谈吧。（*我现在还有事，这个问题我们以后又谈吧。）

“再”表示计划，打算，建议等，“又”没有这个用法。

① 我觉得一年时间太短了，想再学一年。（*我觉得一年时间太短了，想又学一年。）

② 爸爸，你能不能再给我点儿钱？（*爸爸，你能不能又给我点儿钱?）

③ 外边冷，你再穿上一件大衣吧。（*外边冷，你又穿上一件大衣吧。）

以下的句子只能用“又”，不能用“再”。

“又”表示动作已经重复。

① 他去年来过，今年又来了。（*他去年来过，今年再来了。）

② 她昨天没来上课，今天又没来。（*她昨天没来上课，今天再没来。）

③ 这篇论文他改了又改，不知道改了多少遍。（*这篇论文他改了再改，不知道改了多少遍。）

“又”表示意思上更进一层，有“而且”的意思。

① 今天的作业不多，又比较容易，一会儿就做完了。（*今天的作业不多，再比较容易，一会儿就做完了。）

② 天已经黑了，又下着雨，你就别回学校去了。（*天已经黑了，再下着雨，你就别回学校去了。）

③ 他又要上学，又要工作，很不容易。（*他再要上学，再要工作，很不容易。）

“又”表示几种情况或性质同时存在，“再”没有这种用法。

① 听到这个消息我又惊又喜。（*听到这个消息我再惊再喜。）

② 这种苹果又大又甜。（*这种苹果再大再甜。）

“又”表示两件矛盾的事情同时存在，“再”没有这个用法。

① 我又想去，又不想去，一时拿不定主意。（*我再想去，再不想去，一时拿不定主意。）

② 听到这个消息，我又是喜，又是忧。（*听到这个消息，我再是

喜，再是忧。）

“又”用来强调否定语气，多用于否定句或反问句，“再”没有这个用法。

① 你就不要客气了，我又不是外人。（＊你就不要客气了，我再不是外人。）

② 我又没有说你，你生什么气呢？（＊我再没有说你，你生什么气呢？）

③ 我又不累，你不用帮我。（＊我再不累，你不用帮我。）

④ 他答应跟我们一起去，怎么又不去了？（＊他答应跟我们一起去，怎么再不去了？）

“又”表示事情有规律的出现，“再”没有这个用法。

① 明天又是星期六了。（＊明天再是星期六了。）

② 又快到新年了，时间过得真快啊！（＊再快到新年了，时间过得真快啊！）

“又”的前后用数量词，表示动作重复发生或情况不断出现；“再”没有这个用法。

① 礼物并不贵重，却包了一层又一层。（＊礼物并不贵重，却包了一层再一层。）

② 每个课文她都一遍又一遍地读，所以都能背着说下来。（＊每个课文她都一遍再一遍地读，所以都能背着说下来。）

“又”表示轻微转折，有“但是”的意思，“再”没有这个用法。

① 我想跟他去，又怕他不同意。（＊我想跟他去，再怕他不同意。）

② 我很想帮帮他，又没有好办法。（＊我很想帮帮他，再没有好办法。）

“又”表示两个动作已经相继发生。

① 他在推荐书上签上了自己的名字，又盖上章。（＊他在推荐书上签上了自己的名字，再盖上章。）

② 上个月我去了一趟上海，又去了一趟广州。（＊上个月我去了一趟上海，再去了一趟广州。）

1569 在[动]zài ▶ 是[动]shì ▶ 有[动]yǒu

词义说明 Definition

在[(indicating where a person or a thing is) be; at; in or on (a place)] 表示人或事物的位置，宾语为处所方位词语。

有 [there is; exist] 表示存在。句首限于用时间词语或处所词语。

是 [(used after nouns denoting place or position to express existence) be; exist] 表示存在。主语一般为处所词语，“是”后面表示存在的事物。

词语搭配 Collocation

	不～	没～	～书	～一个人	小王～吗	～前边	上面～	～教室里	～学校东边
在	√	√	×	×	√	√	×	√	√
有	×	√	√	√	×	×	√	×	×
是	√	×	√	√	×	×	√	×	×

用法对比 Usage

这三个动词都有表示存在的意思，不同的是，“是”和“有”的主语是处所词语，宾语可以是处所词，也可以是事物名词，如果宾语是不定的事物，用“是”或“有”都可以；如果存在的事物是特定的或已知的，则只能用“是”，不能用“有”；而“在”的主语是表示人或事物的名词，宾语是处所词或方位词，表示人或事物的具体位置。

在

① 请问，中国银行在哪儿？（*请问，中国银行是哪儿？）（*请问，中国银行有哪儿？）

② 中国银行在邮局东边。（*中国银行是/有邮局东边。）

③ 我的书在桌子上。（*我的书有/是桌子上。）

④ 玛丽在图书馆呢，你去那儿找她吧。（*玛丽是/有图书馆呢，你去那儿找她吧。）

⑤ 书店就在邮局旁边。（*书店就有/是邮局旁边。）

有

① A：我们学校里有邮局吗？（*我们学校里是邮局吗？）（*我们学校里在邮局吗？）

B：有。（*是。）（*在。）

② 我们学校西边有一个很大的公园。（☺我们学校西边是一个很大的公园。）（*我们学校西边在一个很大的公园。）

③ 我们大学有很多外国留学生。（*我们大学是/在很多外国留学生。）

④ 桌子上有一瓶花。（☺桌子上是一瓶花。）（*桌子上在一瓶花。）

⑤ 教室里有一个学生。（☺教室里是一个学生。）（*教室里在一个

Z

学生。)
⑥ 这个箱子里有什么?(☺这个箱子里是什么?)(*这个箱子里在什么?)
⑦ 屋子里有人吗?(*屋子里是/在人吗?)

是

"是"表示确指,宾语可以是有定的,也可以是无定的,可以是单数也可以是复数。

① 教学楼西边是宿舍楼。(☺教学楼西边有宿舍楼。)(*教学楼西边在宿舍楼。)
② 桌子上是爸爸的书。(*桌子上有/在爸爸的书。)
③ 前边是麦克。(*前边有/在麦克。)
④ 桌子上是一本书。(☺桌子上有一本书。)(*桌子上在一本书。)
⑤ 我左边是玛丽,右边是麦克。(☺我左边有玛丽,右边有麦克。)(*我左边在玛丽,右边在麦克。)
⑥ 九月的北京,大街上到处是鲜花。(☺九月的北京,大街上到处有鲜花。)(*秋天的北京,大街上到处在鲜花。)

1570 在[副]zài ▶ 正[副]zhèng ▶ 正在[副] zhèngzài

词义说明 Definition

在[indicating an action in progress] 表示动作正在进行或状态正在持续:她~看录像呢。

正[be doing; just (doing sth.); just now] 用在动词前面作状语,表示动作的进行、状态的持续就在此刻:我~给他说这件事呢|外边~下着雨呢。

正在[in process of; in course of] 表示动作在进行或状态在持续中:他们~聊天儿呢。

词语搭配 Collocation

	~刮风	~吃饭	~看书	总~学	仍然~做	一直~听	天~变暖	我看见她~哭
在	√	√	√	√	√	√	√	√
正	√	√	√	×	×	×	×	√
正在	√	√	√	×	×	×	√	√

用法对比 Usage

用法解释 Comparison

副词“在”、“正”和“正在”都可以作状语，表示动作在进行中或状态在持续中。“正”强调的是时间，即动作进行或状态持续的时间就在此刻；“在”强调进行着的动作或持续着的状态，也可以用于动作的重复进行或状态的长期延续，所以，它前边一般能用“一直”、“仍然”、“老”、“总”、“始终”、“经常”等副词修饰，“正”和“正在”不能。“正在”是“正”和“在”的组合，既指时间又指状态，意思比“正”和“在”稍重。

语境示例 Examples

① A：你做什么呢？B：我在做练习呢。(☺我正/正在做练习呢。)

② 他在休息呢，别打扰他。(☺他正/正在休息呢，别打扰他。)

③ 她在打太极拳呢。(☺她正/正在打太极拳呢。)

④ 昨天晚上从八点到十点，我一直在做作业，哪儿也没去。(＊昨天晚上从八点到十点，我一直正/正在做作业，哪儿也没去。)

⑤ 他最近仍然在写他的那本书。(＊他最近仍然正/正在写他的那本书。)

⑥ 这几天他总在想回不回国的事。(＊这几天他总正/正在想回不回国的事。)

⑦ 外边仍在下雨，你今天就别去了。(＊外边仍正/正在下雨，你今天就别去了。)

1571 在乎[动]zàihu ▶ 在意zài yì

词义说明 Definition

在乎[(used in the negative) care about; mind; take to heart] 放在心上；介意（多用于否定句或反问句）。[depend on; rest with; lie in; consist in] 在于。

在意[(used in the negative) take notice of; care about; mind; take to heart] 放在心上；留意（多用于否定式）。

词语搭配 Collocation

	不～	很～	～不～	满不～	没～	不会～
在乎	√	√	√	√	×	√
在意	√	√	√	×	√	√

用法对比 Usage

“在乎”和“在意”都表示把事情或人放在心上，有重视的意思，但多用于否定，“在乎”一般用“不”否定，“在意”既可以用“不”否定，也可以用“没”否定。

① 决定了的事情，她一定毫不犹豫地去干，至于别人说什么她一点儿也不在乎。(☺决定了的事情，她一定毫不犹豫地去干，至于别人说什么她一点儿也不在意。)

② 你要太在乎别人七嘴八舌的议论，什么事也干不成。(☺你要太在意别人七嘴八舌的议论，什么事也干不成。)

③ 这种小事用不着太在意。(☺这种小事用不着太在乎。)

④ 我刚才正看信呢，你们说什么我没在意。(*我刚才正看信呢，你们说什么我没在乎。)

⑤ 我一看你满不在乎的样子就生气。(*我一看你满不在意的样子就生气。)

⑥ 只要东西好，贵一点儿我倒不在乎。(*只要东西好，贵一点儿我倒不在意。)

注意：“在乎”还有“在于”的意思，多用于书面，“在意”没有这个意思和用法。

中国画的特点在乎写意。(*中国画的特点在意写意。)

1572 暂且[副]zànqiě ▶ 暂时[形]zànshí

词义说明 Definition

暂且[for the time being; for the moment; temporarily] 暂时；姑且。

暂时[in a short period; temporary; transient; for the time being;

for the moment] 短时间之内。

词语搭配 Collocation

	~不说	~不管	~不论	~这样	~借用	~停止通行	~现象	~的需要	~来不了
暂且	√	√	√	√	×	×	×	×	√
暂时	×	×	×	×	√	√	√	√	√

用法对比 Usage

用法解释 Comparison

"暂且"是副词，只能作状语，口语不常用。"暂时"是形容词，可以作状语，也可以作定语和谓语。

语境示例 Examples

① 把你手头的事暂且放放，先帮他把这件事办一下。(☺把你手头的事暂时放放，先帮他把这件事办一下。)

② 今天就暂且干到这里，明天再接着干。(☺今天就暂时干到这里，明天再接着干。)

③ 他有点儿事，暂时来不了。(☺他有点儿事，暂且来不了。)

④ 没有找到房子以前，他暂时住在旅馆里。(☺没有找到房子以前，他暂且住在旅馆里。)

⑤ 眼前的困难是暂时的，不要失去信心。(*眼前的困难是暂且的，不要失去信心。)

⑥ 你腿上的红肿只是暂时现象，慢慢会退下去的。(*你腿上的红肿只是暂且现象，慢慢会退下去的。)

1573 赞成[动]zànchéng ▶ 同意[动]tóngyì ▶ 赞同[动]zàngtóng

词义说明 Definition

赞成[approve of; favour; agree with; accede; be for sth.; endorse (others' opinions or actions)] 同意(别人的主张或行为)。

同意[agree; consent; approve] 对某种主张表示相同的意见；赞成；准许。

赞同[approve of; agree with; endorse; consent; accede] 赞成；同意。

词语搭配 Collocation

	很~	~她的做法	~你的意见	~这个主张	~这个建议	~他的要求	~大会决议	~票
赞成	√	√	√	√	√	×	×	√
同意	√	√	√	√	√	√	√	×
赞同	√	√	√	√	√	×	×	×

用法对比 Usage

用法解释 Comparison

“赞成”是非常同意，“赞同”也是赞成、同意的意思。但“赞成”多用于口语和非正式场合，“同意”可以用于书面和正式场合，也可以用于口语，“赞同”不常用。

语境示例 Examples

① 工人们都很赞成这项改革措施。(☺工人们都很同意/赞同这项改革措施。)

② 对于这项决议，同意的请举手。(☺对于这项决议，赞成的请举手。)(＊对于这项决议，赞同的请举手。)

③ 我赞成你的意见。(☺我同意/赞同你的意见。)

④ 这篇文章的观点我非常同意。(☺这篇文章的观点我非常赞成/赞同。)

⑤ 你提出辞职，董事会已经同意了。(＊你提出辞职，董事会已经赞成/赞同了。)

⑥ 大会同意秘书长提出的新建议。(＊大会赞成/赞同秘书长提出的新建议。)

⑦ 多数国家对这项决议投了赞成票。(＊多数国家对这项决议投了同意/赞同票。)

1574 赞美[动]zànměi ▶ 赞赏[动]zànshǎng ▶ 赞扬[动]zànyáng

Z

词义说明 Definition

赞美[praise; eulogize] 称赞；颂扬。

赞赏[appreciate; admire; think highly of] 赞美赏识。

赞扬[speak highly of; praise; commend; applaud] 称赞表扬。

词语搭配　Collocation

	非常～	受到～	表示～	值得～	～友谊	～祖国	～他的才能	～美丽的风光
赞美	×	√	×	√	√	√	×	√
赞赏	√	√	√	×	×	×	√	√
赞扬	×	√	√	√	√	×	√	×

用法对比　Usage

"赞赏"是心理活动，一般不用语言或文字表达出来，而"赞扬"和"赞美"则用语言或文字表达出来。它们的对象也不同，"赞美"的对象是自然风光、祖国、人品等；"赞赏"的对象是人的才能，技艺等，而"赞扬"的对象只能是人，是人的品行、精神和友谊等。

① 凡是去过九寨沟的，无不赞美/赞赏那里迷人的自然风光。（＊凡是去过九寨沟的，无不赞扬那里迷人的自然风光。）

② 这些精美的文物受到了参观者的赞美。（☺这些精美的文物受到了参观者的赞赏。）（＊这些精美的文物受到了参观者的赞扬。）

③ 人们赞扬他这种舍己为人的精神。（☺人们赞赏/赞美他这种舍己为人的精神。）

④ 我赞美祖国的现在，更加赞美祖国美好的未来。（＊我赞扬/赞赏祖国的现在，更加赞扬/赞赏祖国美好的未来。）

⑤ 他的高尚品质受到了媒体的赞扬。（＊他的高尚品质受到了媒体的赞赏/赞美。）

"赞赏"可以做"表示"的宾语，可以受程度副词"很"和"非常"修饰，"赞扬"和"赞美"不能。

① 领导很赞赏他的才能。（＊领导很赞扬/赞美他的才能。）

② 大家对他的这种做法表示赞赏。（＊大家对他的这种做法表示赞扬/赞美。）

1575　赞扬[动]zànyáng ▶ 表扬[动]biǎoyáng

词义说明　Definition

赞扬[speak highly of; praise; commend; applaud] 称赞表扬。

表扬[praise; commend; publicly extol good people and good deeds] 对好人好事公开称赞。

Z

词语搭配 Collocation

	受到～	～好人好事	～优秀学生	～先进集体	老师～了她
表扬	√	√	√	√	√
赞扬	√	√	√	√	×

用法对比 Usage

用法解释 Comparison

“表扬”除了口头的形式之外，还可能用发奖状、发奖品的形式表示，“表扬”的行为主体一般是老师、领导或一级组织，用于正式场合；“赞扬”多为口头的表扬，其行为主体一般不是领导或组织，用于一般场合。

语境示例 Examples

① 他助人为乐的精神值得赞扬。(☺他助人为乐的精神值得表扬。)

② 报刊经常表扬好人好事，给大家树立榜样。（*报刊经常赞扬好人好事，给大家树立榜样。)

③ 因为她学习努力，成绩优秀，受到了学校的表扬。（*因为她学习努力，成绩优秀，受到了学校的赞扬。)

④ 他拾金不昧的行为受到了群众的赞扬。（*他拾金不昧的行为受到了群众的表扬。)

⑤ 公司为了表扬他见义勇为的精神，发给他一万元奖金。（*公司为了赞扬他见义勇为的精神，发给他一万元奖金。)

⑥ 他在讲话中热情赞扬两国人民之间的友谊。（*他在讲话中热情表扬两国人民之间的友谊。)

1576 遭到[动]zāodào ▶ 遭受[动]zāoshòu

词义说明 Definition

遭到[（disaster or misfortune）suffer; meet with; encounter] 遇到不幸或不利的事情。

遭受[suffer; be subjected to; sustain; undergo] 受到不幸或损害。

Z

词语搭配 Collocation

	～攻击	～打击	～损失	～失败	～压迫	～折磨	～水灾	～挫折	～白眼	～摧残
遭到	√	√	√	√	×	×	√	√	√	√
遭受	√	√	√	√	√	√	√	√	√	√

用法对比 Usage

用法解释 Comparison

"遭到"和"遭受"都可以带"了"；但"遭受"可以带"着"，表示状态持续，"遭到"不能带"着"。

语境示例 Examples

① 今年这里遭到了百年不遇的水灾。(☺今年这里遭受了百年不遇的水灾。)

② 由于技术泄密，公司遭受了巨大的经济损失。(☺由于技术泄密，公司遭到了巨大的经济损失。)

③ 人一生总会遭受一些挫折和失败。(☺人一生总会遭到一些挫折和失败。)

④ 他因为帮助一个艾滋病患者，遭到了不少人的误解。(*他因为帮助一个艾滋病患者，遭受了不少人的误解。)

⑤ 近来，她一直遭受着失恋带来的痛苦。(*近来，她一直遭到着失恋带来的痛苦。)

⑥ 几年来，他一直遭受着这种疾病的折磨。(*几年来，他一直遭到着这种疾病的折磨。)

1577 遭受[动]zāoshòu ▶ 遭遇[动、名]zāoyù

词义说明 Definition

遭受 [suffer; be subjected to; sustain; undergo] 受到不幸或损害。

遭遇 [meet with; encounter; run up against (an enemy, misfortune, difficulties, etc.)] 碰上；遇到（敌人、不幸的或不顺利的事等）。[experience (bitter); misfortune; bad luck] 遇到的事情（多指不幸的）。

词语搭配 Collocation

	～挫折	～水灾	～不幸	～打击	～苦难	～损失	～失败	共同的～	历史～
遭受	√	√	√	√	√	√	√	×	×
遭遇	√	√	√	√	×	×	×	√	√

用法对比 Usage

用法解释 Comparison

“遭受”只是动词，不能作宾语；“遭遇”既是动词，又是名词，可以作宾语。

语境示例 Examples

① 中国南方部分地区遭受了水灾，水稻产量有所下降。(☺中国南方部分地区遭遇了水灾，水稻产量有所下降。)

② 遭受挫折并不可怕，可怕的是从此一蹶不振。(☺遭遇挫折并不可怕，可怕的是从此一蹶不振。)

③ 由于被盗版，我们出版社遭受到巨大的经济损失。(＊由于被盗版，我们出版社遭遇到巨大的经济损失。)

④ 我们两国都曾经遭受过殖民统治。(＊我们两国都曾经遭遇过殖民统治。)

⑤ 共同的遭遇把两个人的命运连在了一起。(＊共同的遭受把两个人的命运连在了一起。)

⑥ 童年的不幸遭遇给了他顽强不屈的性格。(＊童年的不幸遭受给了他顽强不屈的性格。)

1578 早点[名]zǎodiǎn ▶ 早饭[名]zǎofàn ▶ 早餐[名]zǎocān

词义说明 Definition

早点[breakfast; snack eaten in the morning] 早晨吃的点心，早饭。

早饭[breakfast] 早晨吃的饭。

早餐[breakfast] 早饭。

词语搭配 Collocation

	吃~	买~	做~	不吃~	有~	没有~
早点	√	√	√	√	√	√
早饭	√	√	√	√	√	√
早餐	√	√	√	√	√	√

用法对比 Usage

用法解释 Comparison

“早点”有“早饭”的意思，还指早上吃的点心，“早餐”就是“早饭”，是比较文的说法。

语境示例 Examples

① 我早上一般不吃早饭。(☺我早上一般不吃早餐/早点。)
② 我带来了一些早点，你吃点儿吧。(*我带来了一些早饭/早餐，你吃点儿吧。)
③ 早饭/早餐是几点？ (询问餐厅服务员或会议工作人员时说)(*早点是几点？)
④ 早饭/早餐吃什么？(*早点吃什么?)
⑤ 我吃了两块早点，喝了一杯牛奶。(*我吃了两块早饭/早餐，喝了一杯牛奶。)

1579 早晚[副、名]zǎowǎn ▶ 迟早[副]chízǎo

词义说明 Definition

早晚[morning and evening] 早上和晚上。[sooner or later] 或早或晚。

迟早[sooner or later; someday in the future] 或早或晚；早晚。

词语搭配 Collocation

	~有点儿凉	~都练	~各一片	~会来的	~得去	~会解决	~会知道
早晚	√	√	√	√	√	√	√
迟早	×	×	×	√	√	√	√

Z

用法对比 Usage

用法解释 Comparison

副词“早晚”和“迟早”都表示事情和行动或早或晚会发生

或结束的意思。不过，“早晚”还有名词的用法，“迟早”没有名词的用法。

语境示例 Examples

① 这个问题早晚会解决的。(☺这个问题迟早会解决的。)
② 我现在正打工挣钱，早晚要去中国旅行一次。(☺我现在正打工挣钱，迟早要去中国旅行一次。)
③ 学汉语的学生早晚得去中国。(☺学汉语的学生迟早得去中国。)
④ 这种事瞒是瞒不住的，大家早晚会知道。(☺这种事瞒是瞒不住的，大家迟早会知道。)
⑤ 明天无论早晚，你一定到我这里来一趟。(☺明天无论迟早，你一定到我这里来一趟。)
⑥ 我早晚都打一会儿太极拳。(*我迟早都打一会儿太极拳。)
⑦ 这药早晚各一次，一次一片。(*这药迟早各一次，一次一片。)
⑧ 现在早晚还有点儿凉，要注意保暖。(*现在迟早还有点儿凉，要注意保暖。)

1580 责备[动]zébèi ▶ 责怪[动]zéguài

词义说明 Definition

责备[accuse; blame; remonstrate; reproach] 批评指责。
责怪[blame; accuse; remonstrate; reproach] 责备；埋怨。

词语搭配 Collocation

	受到～	良心的～	别～他	～的目光	不应该～他
责备	√	√	√	√	√
责怪	√	×	√	×	√

用法对比 Usage

用法解释 Comparison

“责备”和“责怪”意思相同，不同的是“责怪”的对象多为他人，而“责备”的对象可以是他人，也可以是说话人自己。

语境示例 Examples

① 你不应该责备他，因为这件事跟他一点儿关系都没有。(☺你不应该责怪他，因为这件事跟他一点儿关系都没有。)

Z

② 别责怪他，他还是个孩子，再说又不是故意的。(☺别责备他，他还是个孩子，再说又不是故意的。)

③ 父母责怪我说，结婚是一件大事，怎么连个招呼也不打就结了。(☺父母责备我说，结婚是一件大事，怎么连个招呼也不打就结了。)

④ 我受不了别人那责备的目光。(＊我受不了别人那责怪的目光。)

⑤ 如果为了金钱就放弃做人的原则，我一辈子都会受到良心的责备。(＊如果为了金钱就放弃做人的原则，我一辈子都会受到良心的责怪。)

1581 怎么[代]zěnme ▶ 为什么[代]wèishénme

词义说明 Definition

怎么[(used to enquire about the nature, condition, manner, cause, etc.) how; what; why] 询问性质、状况、方式、原因等：这是～回事？|这个问题～解决？|我们～去？|他～还不来？[(used to indicate the general nature, condition or manner of sth.) in a certain way; in any way; no matter how] 泛指性质、状况或方式：你想～办就～办。[(used in the negative as an understatement, used to indicate inadequacy) (not) very; (not) much; (not) quite; (not) too] 有一定程度（用于否定式）：不～疼|我不～懂京剧。[(used by itself at the beginning of a sentence to show surprise) what] 单独用在句首，表示惊讶，惊奇：～？他出车祸了？

为什么[why; why (or how) is it that] 询问原因或目的：他～不来？

词语搭配 Collocation

	～走	～学汉语	～解决	～写	～回事	～了	不～好	～不去	不～
怎么	√	√	√	√	√	√	√	√	√
为什么	√	√	√	√	×	×	×	√	√

用法对比 Usage

“怎么”有“为什么”的意思，可以用来作状语，询问原因；但是，用“怎么”时有表示奇怪、惊讶或不太满意的感情色彩。它们的其他语义不同。

① 同学们都去看话剧了，你怎么没去？(☺同学们都去看话剧了，你为什么没去？)

② 这个问题，你怎么不问问老师？(☺这个问题，你为什么不问问老师？)

③ 你今天怎么来得这么晚？(☺你今天为什么来得这么晚？)

④ 你想去旅行，为什么不跟旅行团去呢？(☺你想去旅行，怎么不跟旅行团去呢？)

⑤ 不知道怎么，老师一叫我的名字，我心里就发慌。(☺不知道为什么，老师一叫我的名字，我心里就发慌。)

单纯询问事情的原因时只能用“为什么”，不用“怎么”。

请告诉我，你为什么要这么干？（*请告诉我，你怎么要这么干？）

“怎么”常用来询问动作行为的方式，“为什么”不能这么用。

① 从这里去王府井怎么坐车？(*从这里去王府井为什么坐车？)

② 老师，这个字怎么写？(*老师，这个字为什么写？)

③ A：你怎么搞的，到现在才来，大家等你半个钟头了。(*A：你为什么搞的，到现在才来，大家等你都等你半个钟头了。) B：对不起，我坐错车了。

④ 放心吧，你怎么说，我们就怎么做。（*放心吧，你为什么说，我们就为什么做。）

询问事情的状况、性质或经过时只能用“怎么”，不能用“为什么”。

① 这是怎么回事？(*这是为什么回事？)

② A：前边怎么了？(*前边为什么了？) B：出车祸了。

③ A：你怎么了？(*A：你为什么了？) B：我有点儿头晕。

“怎么”还可以表示虚指，“为什么”没有这个用法。

① 语音的重要性怎么强调都不过分。(*语音的重要性为什么强调都不过分。)

② 你愿意怎么去咱们就怎么去。(*你愿意为什么去咱们就为什么去。)

“不怎么”表示“不太”的意思，“不为什么”表示不愿回答或没有原因。

① 我刚学汉语，还不怎么会说。(=不太会说)(*我刚学汉语，还不为什么会说。)

Z

② 我爸爸的身体不怎么好。(＊我爸爸的身体不为什么好。)
③ 他这个人不怎么爱说话。(＊他这个人不为什么爱说话。)
④ 这个地方我不怎么熟。(＊这个地方我不为什么熟。)
⑤ 把字句的用法我还不怎么清楚。(＊把字句的用法我还不为什么清楚。)
⑥ 这本词典怎么贵我也得买，我太需要一本这样的词典了。(＊这本词典为什么贵我也得买，我太需要一本这样的词典了。)
⑦ 我不明白为什么中国青年那么喜欢当解放军。(＊我不明白怎么中国青年那么喜欢当解放军。)
⑧ A：你为什么学习汉语？B：不为什么，我只是受爸爸影响，我爸爸是个中国迷。(＊A：你怎么学习汉语？B：不怎么，我只是受爸爸影响，我爸爸是个中国迷。)
⑨ 他把怎么来怎么去都告诉了我。(他把事情的全过程告诉了我)
他把为什么来为什么去都告诉了我。(他把来和去的原因告诉了我)

"怎么"用于句首时，表示惊讶的语气，"为什么"用于句首时，表示不解。

① 怎么？你不是很喜欢他吗？为什么拒绝了他？(对你拒绝他表示惊讶)
为什么？你不是很喜欢他吗？为什么拒绝了他？(对你拒绝他不理解)
② 怎么？这件事连你也不知道。(＊为什么？这件事连你也不知道。)

1582 怎么[代]zěnme ▶ 怎么样[代]zěnmeyàng

词义说明 Definition

怎么[(used to enquire about the nature, condition, manner, cause, etc.) how; what; why] 询问性质、状况、方式、原因等：这是～回事？|这个问题～解决？|我们～去？|他～还不来？[(used to indicate the general nature, condition or manner of sth.) in a certain way; in any way; no matter how] 泛指性质、状况或方式：你想～办就～办。[(used in the negative as an understatement, used to indicate inadequacy) (not) very;

Z

(not) much; (not) quite; (not) too] 有一定程度（用于否定式）：不～疼|我不～懂京剧。[(used by itself at the beginning of a sentence to show surprise) what] 单独用在句首，表示惊讶，惊奇：～？他连你也没告诉？

怎么样 [(used to enquire about the nature, condition, manner, cause, etc. of sth.) how about; what about] 疑问代词，也说"怎样"；询问性质、状况、方式等：最近～？[what's it like; how are things; what do you think] 表示关心或问候：你们的节目练得～了？[(used to indicate the general nature, condition or manner of sth.) in a certain way; in any way; no matter how] 泛指性质、状况或方式：老师～教，我们就～练。[only used in the negative; replace an unnamed action or condition] 代替某种不说出来的动作或情况（只用于否定式，比直说委婉）：他说得不～（=不好）|除了说他几句，你还能～他？

词语搭配 Collocation

	～办	～去	～了	～读	～写	不～好	不～	身体～	工作～	那儿～	～回事
怎么	√	√	√	√	√	√	√	×	×	×	√
怎么样	√	√	√	√	√	×	√	√	√	√	×

用法对比 Usage

"怎么"和"怎么样"都是疑问代词，都可以用来询问人或事物的性质、状态或动作行为的方式等；但是"怎么"常用来作状语，"怎么样"多用来作谓语。

① 要注意发音和声调，老师怎么说，你们就怎么说。(☺要注意发音和声调，老师怎么样说，你们就怎么样说。)

② 这件事该怎么办就怎么办吧。(☺这件事该怎么样办就怎么样办吧。)

③ 在你看来，我怎么做都不对。(☺在你看来，我怎么样做都不对。)

④ 他来信总说那里怎么怎么好，希望我也去。(☺他来信总说那里怎么样怎么样好，希望我也去。)

⑤ 我们怎么办呢？(*我们怎么样办呢？)

⑥ 这是怎么回事？(*这是怎么样回事？)

⑦ 这件事大家都知道了，你怎么还不知道？(*这件事大家都知道了，你怎么样还不知道？)

⑧ 别哭，慢慢说，你到底怎么了？(你出了什么事？)(*别哭，慢

慢说，你到底怎么样了？）
⑨ 你是怎么搞的，这么一点儿事都办不成！（*你是怎么样搞的，这么一点儿事都办不成！）
“怎么”有“为什么”的意思，“怎么样”没有这个意思。
① 不知怎么一下子摔倒了。（*不知怎么样一下子摔倒了。）
② 玛丽今天怎么没有来？（*玛丽今天怎么样没有来？）
“怎么”用于否定式表示程度不高，动作不经常发生，有“不太、不常”的意思。
① 这本词典并不怎么贵。（不怎么＝不太）（*这本词典并不怎么样贵。）
② 这个孩子不怎么爱学习。（*这个孩子不怎么样爱学习。）
③ 我对他不怎么了解。（*我对他不怎么样了解。）
④ 今天我不怎么舒服，不想去了。（*今天我不怎么样舒服，不想去了。）
⑤ 这个学期他不怎么上课。（不怎么＝不常）（*这个学期他不怎么样上课。）
“怎么”单独用表示惊讶、吃惊、不解等，“怎么样”单独用表示询问状况以表示关心或商量、建议等。
① 怎么？他今天又没有来？（*怎么样？他今天又没有来？）
② 怎么样？最近身体还好吧？（*怎么？最近身体还好吧？）
③ 这次考得怎么样？（*这次考得怎么？）
④ 我们骑车去，怎么样？（*我们骑车去，怎么？）
“怎么＋形容词”表示程度高，有“多么”的意思。
我现在特别需要一台笔记本电脑，怎么贵也得买。（*我现在特别需要一台笔记本电脑，怎么样贵也得买。）
“不怎么样”是不好的意思，表示不满或委婉的批评。
A：这个电影你觉得怎么样？B：不怎么样。（*A：这个电影你觉得怎么？B：不怎么。）
“怎么样”还表示某种不说出来的动作或情况。
他硬不干，你也不能把他怎么样。（*他硬不干，你也不能把他怎么。）
“怎么了”询问的是现实发生情况的原因，说话人是不知情的，“怎么样了”询问的是已知事物当前的情况或发展的结果。
① A：前边怎么了？（*前边怎么样了？）B：出车祸了。
② A：你怎么了？（*你怎么样了？）B：我肚子有点儿不舒服。
③ A：你妈妈的病怎么样了？（*你妈妈的病怎么了？）B：现在好

多了。

④ A：你准备得怎么样了？（*你准备得怎么了？）B：准备得差不多了。

⑤ 他后来怎么样了？（*他后来怎么了？）

1583 怎样[代]zěnyàng ▶ 如何[代]rúhé

词义说明 Definition

怎样［(used to enquire about the nature, condition, manner, cause, etc. of sth.) how about; what about］疑问代词，也说“怎么样”；询问性质、状况、方式等：最近～？［(used to indicate the general nature, condition or manner of sth.) in a certain way; in any way; no matter how］泛指性质、状况或方式：你想想十年前～，再看看现在～，就知道变化有多大了。|人家～做，我也～做。

如何［how; what］怎么；怎么样。

词语搭配 Collocation

	身体～	工作～	感觉～	情况～	～办理	进展～	～是好	无论～	不管～
怎样	√	√	√	√	√	√	×	√	√
如何	√	√	√	√	√	√	√	√	×

用法对比 Usage

用法解释 Comparison

“怎样”和“如何”的意思相同，都用来询问方法，手段，状态，性质等。“如何”是书面语，“怎样”是口语，也说“怎么样”。“怎样”可以表示虚指，“如何”不能这么用。

语境示例 Examples

① 关于怎样提高汉语听说能力的问题，请王老师给我们讲讲。（☺关于如何提高汉语听说能力的问题，请王老师给我们讲讲。）

② 他总说桂林如何如何好，使我动了心，也想到桂林去看看。（☺他总说桂林怎样怎样好，使我动了心，也想到桂林去看看。）

③ 你现在感觉怎样？（☺你现在感觉如何？）

④ 你这么一说，真叫我不知如何是好。（☺你这么一说，真叫我不知怎样是好。）

⑤ 不管遇到怎样的困难我们都要把这项研究搞出个名堂来。(＊不管遇到如何的困难我们都要把这项研究搞出个名堂来。)
⑥ 人家怎样做我们也怎样做吧。(＊人家如何做我们也如何做吧。)

1584 增加[动]zēngjiā ▶ 增添[动]zēngtiān

词义说明 Definition

增加[increase; raise; add; augment] 在原有的基础上加多。
增添[add; increase; augment] 添加；加多(量较少)。

词语搭配 Collocation

	～收入	～工资	～设备	～人手	～力量	～信心	人数～了	～到
增加	√	√	√	√	√	√	√	√
增添	×	×	√	√	√	√	×	√

用法对比 Usage

用法解释 Comparison

"增加"和"增添"所带宾语有所不同，而且"增添"的量较小。"增加"适用的范围比"增添"广，数量可大可小。

语境示例 Examples

① 这么一布置，增加了不少节日的气氛。(☺这么一布置，增添了不少节日的气氛。)
② 要进一步发展生产就要增加人和设备。(☺要进一步发展生产就要增添人和设备。)
③ 大家都想为奥运会增添一份力量。(☺大家都想为奥运会增加一份力量。)
④ 只有调整好农业生产结构，发展特色、高效农业，才能增加农民的收入。(＊只有调整好农业生产结构，发展特色、高效农业，才能增添农民的收入。)
⑤ 听说明年要给我们增加工资。(＊听说明年要给我们增添工资。)
⑥ 我们学校留学生的人数已经增加到了八千多。(＊我们学校留学生的人数已经增添到了八千多。)

1585 增进[动]zēngjìn ▶ 增加[动]zēngjiā

词义说明 Definition

增进[enhance; promote; further] 增加并促进。

增加[increase; raise; add; augment] 在原有的基础上加多。

词语搭配 Collocation

	~友谊	~了解	~食欲	~健康	~收入	~工资	~人数	~一倍	~生产
增进	√	√	√	√	×	×	×	×	×
增加	×	√	√	×	√	√	√	√	√

用法对比 Usage

用法解释 Comparison

"增进"只能带抽象宾语，"增加"没有此限。

语境示例 Examples

① 组织两国青年互访，可以增进他们之间的相互了解和友谊。(☺组织两国青年互访，可以增加他们之间的相互了解和友谊。)

② 吃辣椒可以增进食欲。(☺吃辣椒可以增加食欲。)

③ 只有增加生产才能提高人民的生活水平。(*只有增进生产才能提高人民的生活水平。)

④ 给你们班增加了一个学生。(*给你们班增进了一个学生。)

⑤ 全乡农民的收入比去年增加了20%。(*全乡农民的收入比去年增进了20%。)

⑥ 来中国以后，我的体重增加了五公斤。(*来中国以后，我的体重增进了五公斤。)

1586 诈骗[动]zhàpiàn ▶ 欺骗[动]qīpiàn

词义说明 Definition

诈骗[defraud; swindle] 假借某种理由或用威胁手段向人强行索取财物。

欺骗[deceive; cheat; dupe] 用谎言或行动来掩盖真实的情况。

词语搭配 Collocation

	～人	～钱财	～犯	～大家	～世人	～顾客
诈骗	√	√	√	×	×	×
欺骗	√	×	×	√	√	√

用法对比 Usage

用法解释 Comparison

“诈骗”构成犯罪，“欺骗”也是不好的行为，但是不一定构成犯罪。

语境示例 Examples

① 他因为犯诈骗罪被判处十年徒刑。（＊他因为犯欺骗罪被判处十年徒刑。）

② 父母离异以后，他就一个人到处流浪，最后成了一个诈骗犯。（＊父母离异以后，他就一个人到处流浪，最后成了一个欺骗犯。）

③ 他的公司用假种子假化肥欺骗农民，结果他被逮捕法办了。（＊他的公司用假种子假化肥诈骗农民，结果他被逮捕法办了。）

④ 报纸决不允许登虚假广告欺骗消费者。（＊报纸决不允许登虚假广告诈骗消费者。）

⑤ 他欺骗了我，他说没有结过婚，谁知道他连孩子都有了。（＊他诈骗了我，他说没有结过婚，谁知道他连孩子都有了。）

1587 债务[名]zhàiwù ▶ 债[名]zhài

词义说明 Definition

债务[debt; liabilities] 债户所负还债的义务。也指所欠的债。

债[debt] 欠别人的钱。

词语搭配 Collocation

	欠～	还～	～权	偿还～	血～	一笔～	人情～
债务	×	×	×	√	×	×	×
债	√	√	√	×	√	√	√

Z

用法对比 Usage

用法解释 Comparison

“债务”和“债”有相同的意思。“债”还有抽象意义，比如有“血债”、“人情债”等说法；“债务”没有抽象意义。“债”多用于口语，“债务”一般用于书面。

语境示例 Examples

① 我们公司所欠银行的债务已经还清。(☺我们公司所欠银行的债已经还清。)

② 我家里还欠别人一万多块钱的债呢。(＊我家里还欠别人一万多块钱的债务呢。)

③ 有困难我要尽量自己解决，不去麻烦别人，我不愿意欠人情债。(＊有困难我要尽量自己解决，不去麻烦别人，我不愿意欠人情债务。)

④ 欠债总是要还的。(＊欠债务总是要还的。)

1588 展出[动]zhǎnchū ▶ 展现[动]zhǎnxiàn

词义说明 Definition

展出[put on display; be on show (or view); exhibit] 展览出来(让大家看)。

展现[unfold before one's eyes; emerge; show; appear] 显现出，展示。

词语搭配 Collocation

	～作品	～新发明	～机器人	～文物	～出来	～在眼前
展出	√	√	√	√	×	×
展现	×	×	×	×	√	√

用法对比 Usage

用法解释 Comparison

“展出”的行为主体是人，是主动地把东西摆出来给人看，可以带宾语；“展现”表示客观事物在人大脑中的反映或感觉，它的动作主体可以是人，也可以是物，不能带宾语。

语境示例 Examples

① 展览会上展出了很多高科技产品。(＊展览会上展现了很多高科

Z

技产品。)

② 他这次展出的绘画作品都是近年来新创作的。(＊他这次展现的绘画作品都是近年来新创作的。)

③ 大厅里展出的机器人引起了孩子们的兴趣。(＊大厅里展现的机器人引起了孩子们的兴趣。)

④ 一进大厅，展现在人们面前的是一张巨幅画像。(＊一进大厅，展出在人们面前的是一张巨幅画像。)

⑤ 这些年来，个体经济展现了蓬勃发展的势头。(＊这些年来，个体经济展出了蓬勃发展的势头。)

⑥ 这种新产品展现出了良好的市场前景。(＊这种新产品展出出了良好的市场前景。)

1589 展览[动、名]zhǎnlǎn ▶ 展示[动]zhǎnshì

词义说明 Definition

展览[put on display; exhibit; exhibition; show] 陈列出来让大家观看。

展示[reveal; show; lay bare; put on show; open up before one's eyes] 清楚地摆出来；明显地表现出来。

词语搭配 Collocation

	～馆	工业～	摄影～	美术～	～品	～风采	～人物心理	～新风貌	～出来
展览	√	√	√	√	√	×	×	×	√
展示	×	×	×	×	×	√	√	√	√

用法对比 Usage

用法解释 Comparison

“展示”是动词，“展览”既是动词也是名词，这两个词的意思都是“摆出来给大家看”，但是“展示”的宾语是抽象名词，而“展览”的宾语是具体名词。它们不能相互替换。

语境示例 Examples

① 故宫博物院正在展览最新出土的文物。(＊故宫博物院正在展示最新出土的文物。)

② 禁毒展览办得很好，它警示人们要远离毒品，珍惜生命。(＊禁

毒展示办得很好，它警示人们要远离毒品，珍惜生命。）

③ 我们明天去看摄影展览吧。（＊我们明天去看摄影展示吧。）

④ 胡同展示了老北京的历史和风情。（＊胡同展览了老北京的历史和风情。）

⑤ 这幅画充分展示了人物复杂的内心世界。（＊这幅画充分展览了人物复杂的内心世界。）

⑥ 这上百件摄影作品展示了近年来摄影创作的新成果。（＊这上百件摄影作品展览了近年来摄影创作的新成果。）

1590 占领[动]zhànlǐng ▶ 占据[动]zhànjù

词义说明 Definition

占领[capture; occupy; seize; use force to seize (a position or territory)] 用武装力量取得阵地或领土。[take possession of; possess; have; own] 占有。

占据[seize; occupy; hold or take by force (a region, place, etc.)] 用强力取得或保持地域、场所等。

词语搭配 Collocation

	～市场	～阵地	～制高点	～他国	～重要地位	～好的位置	～她的心灵
占领	√	√	√	√	×	×	×
占据	×	×	×	×	√	√	√

用法对比 Usage

用法解释 Comparison

"占领"常用武力，"占据"不一定用武力；"占领"的对象可以是别国的领土，也可以是市场，"占据"的对象带抽象性，一般不是别国的领土。

语境示例 Examples

① 我们公司的产品不仅占领了国内市场，并且也开始进入国际市场。（＊我们公司的产品不仅占据了国内市场，并且也开始进入国际市场。）

② 这里的葡萄酒生产在国际市场上也占据着重要地位。（＊这里的葡萄酒生产在国际市场上也占领着重要地位。）

③ 中国台湾省曾被日本侵略者占领五十年之久。（＊中国台湾省曾

Z

被日本侵略者占据五十年之久。)

④ 二次世界大战中，德国曾经占领过法国。（＊二次世界大战中，德国曾经占据过法国。)

⑤ 要凭产品质量和优质服务占领市场。（＊要凭产品质量和优质服务占据市场。)

⑥ 这家公司的通讯设备销售额在国际市场上占据首位。（＊这家公司的通讯设备销售额在国际市场上占领首位。)

1591 战争[名]zhànzhēng ▶ 打仗dǎ zhàng

词义说明 Definition

战争 [war; warfare; armed struggle waged between nations, states, classes, or political groups] 民族与民族之间、国家与国家之间，阶级与阶级之间或政治集团之间的武装斗争。

打仗[fight; go to war; make war] 进行战争；进行战斗。

词语搭配 Collocation

	发动～	制止～	侵略～	正义～	解放～	抗日～	跟敌人～
战争	√	√	√	√	√	√	×
打仗	×	×	×	×	×	×	√

用法对比 Usage

“战争”一定要打仗，但是“打仗”不一定就是战争；“战争”是个名词，而“打仗”是动宾词组，它们不能相互替换。

① 人类社会已经经历了两次世界性的战争。（＊人类社会已经经历了两次世界性的打仗。)

② 为了保卫祖国，保卫和平，青年们纷纷报名要上前线打仗。（＊为了保卫祖国，保卫和平，青年们纷纷报名要上前线战争。)

③ 战争有正义与非正义之分，侵略战争是非正义的战争，反抗侵略的战争是正义的战争。（＊打仗有正义与非正义之分，侵略打仗是非正义的打仗，反抗侵略的打仗是正义的打仗。)

④ 人民希望尽快结束这场战争，实现和平。（＊人民希望尽快结束这场打仗，实现和平。)

“打仗”可以分开用，而“战争”没有这个用法。

他们在生产上打了一个漂亮仗。（＊他们在生产上战了一个漂亮争。）

1592 张望[动]zhāngwàng ▶ 瞭望[动]liàowàng

词义说明 Definition

张望[peep (through a crack, etc.); look around] 从小孔或缝隙里看；向四周或远处看。

瞭望[look far out from a height] 登高远望。[observe the enemy from a height or distance; keep a lookout on the enemy] 特指从高处或远处监视敌情。

词语搭配 Collocation

	四处～	不停地～	往外～	向远处～	向海上～	～塔	～哨
张望	√	√	√	√	×	×	×
瞭望	√	√	×	√	√	√	√

用法对比 Usage

用法解释 Comparison

“张望”是向周围看，目的是发现要找的人、道路等；“瞭望”是向远处看，目的是发现目标或敌情。

语境示例 Examples

① 我看见一个人在四处张望，不知道他是干什么的。（＊我看见一个人在四处瞭望，不知道他是干什么的。）

② 河两岸的高地上都建有瞭望塔，为过往的船只提供信号服务。（＊河两岸的高地上都建有张望塔，为过往的船只提供信号服务。）

③ 战士用望远镜向海上瞭望。（＊战士用望远镜向海上张望。）

④ 他向教室里探头张望了一下就走了。（＊他向教室里探头瞭望了一下就走了。）

⑤ 向海上瞭望，只见点点白帆。（＊向海上张望，只见点点白帆。）

1593 掌管[动]zhǎngguǎn ▶ 掌握[动]zhǎngwò

词义说明 Definition

掌管[be in charge of; administer] 负责管理；主持。

掌握[grasp; master; know well; learn thoroughly] 了解事物，因而能充分支配或运用。[have in hand; take into one's hands; control] 主持，控制。

词语搭配 Collocation

	～军政大权	～军队	～财务	专人～	～会议	～技术	～外语	～规律	～原则
掌管	√	√	√	√	×	×	×	×	×
掌握	√	√	√	√	√	√	√	√	√

用法对比 Usage

用法解释 Comparison

"掌握"也有"掌管"的意思，用"掌管"的地方一般可以用"掌握"替换；但是"掌握"还有"了解事物，能充分支配和运用"的意思，"掌管"没有这个用法。

语境示例 Examples

① 她掌管着公司的财务大权。(☺她掌握着公司的财务大权。)

② 他现在掌管着这个国家的军政大权。(☺他现在掌握着这个国家的军政大权。)

③ 在现代社会，掌握一门外语太重要了。(＊在现代社会，掌管一门外语太重要了。)

④ 只有掌握先进的科学技术，才能加快发展生产力。(＊只有掌管先进的科学技术，才能加快发展生产力。)

⑤ 学习上要掌握主动，就要好好预习。(＊学习上要掌管主动，就要好好预习。)

⑥ 这些单词和语法都是刚学的，我还没有完全掌握。(＊这些单词和语法都是刚学的，我还没有完全掌管。)

1594 招收[动]zhāoshōu ▶ 招聘[动]zhāopìn

词义说明 Definition

招收 [recruit; take in; enrol (studends, apprentices and staff members) through an examination] 用考试或其他方法接受学生、学徒或工作人员等：～大学生。

招聘 [engage through public notice; invite applications for a job] 用公告的方式聘请需要的人员：～高科技人才。

词语搭配 Collocation

	～学生	～工人	～服务员	～厨师	～技术员	～教授	～翻译	～工程师
招收	√	√	√	×	×	×	×	×
招聘	×	×	√	√	√	√	√	√

用法对比 Usage

用法解释 Comparison

从词语搭配可以看出，"招收"的人员都是学生或一般工作人员，而"招聘"的对象多指有专业知识的各方面人才。

语境示例 Examples

① 你们这里招收不招收服务员？(☺你们这里招聘不招聘服务员？)
② 我们大学也准备到外国的著名学府去招聘校长。(＊我们大学也准备到外国的著名学府去招收校长。)
③ 这个系从海外招聘了几个博士生做教授。(＊这个系从海外招收了几个博士生做教授。)
④ 今年中国的大学将招收四百多万新生。(＊今年中国的大学将招聘四百多万新生。)
⑤ 公司要招聘十几个高级管理人员。(＊公司要招收十几个高级管理人员。)
⑥ 现在很多工厂招收不到新工人。(＊现在很多工厂招聘不到新工人。)

1595 着急zháo jí ▶ 焦急[形]jiāojí

词义说明 Definition

着急 [get worried; get excited; feel anxious; have ants in one's pants] 急躁不安。

焦急 [anxious; worried; agitated] 很着急。

词语搭配 Collocation

	很～	特别～	十分～	心里～	不用～	别～	～地等待	不必～	何必那么～
着急	√	√	√	√	√	√	√	√	√
焦急	√	√	√	√	×	×	√	×	×

用法对比 Usage

用法解释 Comparison

“着急”和“焦急”是同义词。不同的是，“着急”可以分开用，“焦急”不能分开。“着急”可以用在表示劝止的祈使句中，也可以用于陈述句中；“焦急”用于陈述句中，不能用于祈使句。

语境示例 Examples

① 人们都在焦急地等待这一庄严时刻的到来。(☺人们都在着急地等待这一庄严时刻的到来。)

② 快开车了他还没来，大家都很着急。(☺快开车了他还没来，大家都很焦急。)

③ 已经到时间了，银行还不开门，人们都等得很着急。(☺已经到时间了，银行还不开门，人们都等得很焦急。)

④ 你着什么急，时间还早着呢。(*你焦什么急，时间还早着呢。)

⑤ 不要着急，事情总会得到解决的。(*不要焦急，事情总会得到解决的。)

⑥ 别着急，好好养病。(*别焦急，好好养病。)

1596 找[动]zhǎo ▶ 寻[动]xún

词义说明 Definition

找[look for; try to find; seek] 为了要见到或得到所需求的人或事物而努力。[want to see; call on; approach; ask for] 求见。

寻[look for; search; seek] 找。

词语搭配 Collocation

	～人	～东西	～钥匙	～出路	～销路	～工作	～物启事	～开心
找	√	√	√	√	√	√	×	×
寻	√	×	×	√	×	×	√	√

用法对比 Usage

用法解释 Comparison

“找”和“寻”是同义词，口语中常用的是“找”，“寻”多用于书面。

语境示例 Examples

① 大学毕业生要找个理想的工作也不容易。（＊大学毕业生要寻个理想的工作也不容易。）
② 你的车找到了没有？（＊你的车寻到了没有？）
③ 我到处找你，原来你在这儿呢。（＊我到处寻你，原来你在这儿呢。）
④ 他们正在为这些产品找出路呢。（☺他们正在为这些产品寻出路呢。）
⑤ 我想找机会去国外进修一年。（＊我想寻机会去国外进修一年。）
⑥ 要找出地震发生的规律并不容易。（＊要寻出地震发生的规律并不容易。）
⑦ 你应该在报上登个寻人启事。（＊你应该在报上登个找人启事。）
⑧ 你们别拿我寻开心了。（＊你们别拿我找开心了。）

1597 召集[动]zhàojí ▶ 召开[动]zhàokāi

词义说明 Definition

召集[call together; convene; assemble] 通知人们聚集起来。

召开[convene; hold; convoke (a meeting, conference)] 召集人们开会，举行（会议）。

词语搭配 Collocation

	～在一起	～人	～大家	～开会	～会议
召集	√	√	√	√	√
召开	×	×	×	×	√

用法对比 Usage

用法解释 Comparison

“召集”指把人们叫到一起，宾语多是人，有时也可以是会议；“召开”的宾语只能是表示会议的词语。

语境示例 Examples

① 中国每年都要召开一次全国人民代表大会，讨论国家的大事。(☺中国每年都要召集一次全国人民代表大会，讨论国家的大事。)
② 今年的大会定于三月五日到十八日在北京召开，届时欢迎中外记者采访。(*今年的大会定于三月五日到十八日在北京召集，届时欢迎中外记者采访。)
③ 把大家召集在一起，我说个事儿。(*把大家召开在一起，我说个事儿。)
④ 这次大会的召开是全国人民政治生活中的一件大事。(*这次大会的召集是全国人民政治生活中的一件大事。)
⑤ 国际间的问题应该由联合国召集各国开会讨论，不能由少数几个国家说了算。(*国际间的问题应该由联合国召开各国开会讨论，不能由少数几个国家说了算。)

1598 照常[形]zhàocháng ▶ 照旧[形]zhàojiù

词义说明 Definition

照常[as usual] 跟平常一样。

照旧[as before; as usual; as of old] 跟原来一样。

词语搭配 Collocation

	～工作	～营业	一切～	～不改	～不变
照常	√	√	√	√	√
照旧	×	×	√	√	√

用法对比 Usage

用法解释 Comparison

“照常”和“照旧”的意思不太一样。“照常”侧重于跟平常一样，“照旧”侧重于像原来的（做法和习惯）那样。

语境示例 Examples

① 照常：我离开已经一年了，家里一切照常。(很正常，没有发生问题)
照旧：我离开已经一年了，家里一切照旧。(跟一年前一样，没有变化)

② 比赛因雨改期，入场券照常有效。(☺比赛因雨改期，入场券照旧有效。)

③ 中国的商店节假日照常营业，我觉得这一点特别好，我们国家节假日商店全关门。(＊中国的商店节假日照旧营业，我觉得这一点特别好，我们国家节假日商店全关门。)

④ 他的这个坏毛病你说他一下，他好两天，你不说他，就一切照旧。(＊他的这个坏毛病你说他一下，他好两天，你不说他，就一切照常。)

⑤ 今天我们七点见面吧，地点照旧。(＊今天我们七点见面吧，地点照常。)

1599 照常[形]zhàocháng ▶ 照样[副]zhàoyàng

词义说明 Definition

照常[as usual] 跟平常一样。

照样[after a pattern or model] 依照某个样式。[in the same old way; all the same; as before; as usual] 跟以往一样。仍旧。

词语搭配 Collocation

	一切~	~工作	~营业	~进行	~办理	~能做
照常	√	√	√	√	√	×
照样	√	√	√	√	√	√

用法对比 Usage

"照常"是形容词，可以作谓语；"照样"是副词，不能作谓语。

① 即使下雨，比赛也照常进行。(☺即使下雨，比赛也照样进行。)

② 明天照常，还是八点开始训练，别迟到！(＊明天照样，还是八点开始训练，别迟到！)

③ 没有你，我一个人照样能完成这项工作，你就放心地走吧。(＊没有你，我一个人照常能完成这项工作，你就放心地走吧。)

④ 我的计算机出了毛病，不能照常工作了。(＊我的计算机出了毛病，不能照样工作了。)

还有个动宾词组“照样”，可以分开用，“照常”没有这种用法。

你们照着老师画的样子，把这张画儿画下来。

1600 照顾[动]zhàogù ▶ 侍候[动]shìhou

词义说明 Definition

照顾［give consideration to；show consideration for；make allowance (s) for］考虑（到）；注意（到）：～全面。［keep an eye on；look for］照料：～一下我的狗。［look after；care for；attend to］特别注意，加以优待：～病人。

侍候［wait upon；look after；attend upon］服侍。

词语搭配 Collocation

	～全局	～行李	～孩子	～父母	～老人	～病人	～一下	给予～
照顾	√	√	√	√	√	√	√	√
侍候	×	×	√	√	√	√	×	×

用法对比 Usage

用法解释 Comparison

“照顾”的对象可以是人，也可以是其他事物；“侍候”的对象只能是人。“侍候”是口语，不能用于书面；“照顾”书面口语都可以用。

语境示例 Examples

① 妈妈身体不好，我想雇个保姆照顾她。(☺妈妈身体不好，我想雇个保姆侍候她。)

② 处理外交上的任何事件，都要照顾到两个国家之间的关系。(＊处理外交上的任何事件，都要侍候到两个国家之间的关系。)

③ 我们考虑问题，要照顾到大多数。(＊我们考虑问题，要侍候到大多数。)

④ 单位领导对她很照顾。(＊单位领导对她很侍候。)

⑤ 我去买车票，你照顾一下行李。(＊我去买车票，你侍候一下行李。)

1601 照顾[动]zhàogù ▶ 照料[动]zhàoliào

词义说明 Definition

照顾 [give consideration to; show consideration for; make allowance (s) for] 考虑（到）；注意（到）：~各家利益。[keep an eye on; look for] 照料：~一下我的狗。[look after; care for; attend to] 特别注意，加以优待：~孩子。

照料[take care of; attend to] 关心料理。

词语搭配 Collocation

	~大局	~多数	~一下	~情绪	受到~	需要~	~病人	~家务	~孩子
照顾	√	√	√	√	√	√	√	√	√
照料	×	×	√	×	×	√	√	√	√

用法对比 Usage

用法解释 Comparison

“照顾”有特别优待的意思，“照料”没有这个意思和用法；“照顾”可以带抽象宾语，“照料”不能带抽象宾语。

语境示例 Examples

① 孩子的父母都工作，他们上班后，我帮他们照顾孩子。(☺孩子的父母都工作，他们上班后，我帮他们照料孩子。)

② 这些病人都得到了精心的照料。(☺这些病人都得到了精心的照顾。)

③ 我请了一个阿姨帮助照料家务。(*我请了一个阿姨帮助照顾家务。)

④ 我有病以后一直受到她的照顾。(*我有病以后一直受到她的照料。)

⑤ 要照顾大局，不能搞地方保护主义。(*要照料大局，不能搞地方保护主义。)

⑥ 我们是人民政府，考虑问题、办事情，一定要照顾到大多数人的利益。(*我们是人民政府，考虑问题、办事情，一定要照料到大多数人的利益。)

1602 照例[副]zhàolì ▶ 照样[副]zhàoyàng

词义说明 Definition

照例[as a rule; as usual; usually] 按照惯例，按照常情。

照样[in the same old way; all the same; as before; as usual] 跟以往一样；仍旧。

词语搭配 Collocation

	~早起	~办理	~放假一个月	~休息	~不懂	~工作
照例	√	√	√	√	×	×
照样	√	√	√	√	√	√

用法对比 Usage

用法解释 Comparison

"照例"强调按照惯例或常情办理，"照样"强调跟某种样子或情况一样。

语境示例 Examples

① 照例：去年春节放了一个星期假，今年春节照例放假一个星期。(跟过去的春节一样)

照样：国庆节放假一个星期，春节照样放假一个星期。(跟国庆节一样)

② 他今年寒假照例要回家探亲。(☺他今年寒假照样要回家探亲。)

③ 老师没讲时，我不明白，老师讲了以后还照样不明白。(＊老师没讲时，我不明白，老师讲了以后还照例不明白。)

④ 昨天他没来，今天照样没来。(＊昨天他没来，今天照例没来。)

⑤ 这次考试他照样不及格。(＊这次考试他照例不及格。)

⑥ 照例，往年这时天气该冷了，今年还这么暖和。(＊照样，往年这时天气该冷了，今年还这么暖和。)

1603 照相zhào xiàng ▶ 拍照pāi zhào

Z

词义说明 Definition

照相[take a picture (or photograph); photograph (also 照像 zhào xiàng)] 摄影的通称。

拍照[take a picture or have a picture taken; photography] 照相。

词语搭配 Collocation

	～馆	去～	喜欢～	去郊外～	从空中～
照相	√	√	√	×	×
拍照	×	√	√	√	√

用法对比 Usage

用法解释 Comparison

“照相”和“拍照”意思相同，“照相”一般说的是给自己或他人，对象一般是人；“拍照”不限于人，也可以是景物。“照相”是动宾词组，可以分开用，“拍照”常用作动词。

语境示例 Examples

① 照相：他很喜欢照相。（可以是给别人照，也可以是请别人给自己照）

拍照：他很喜欢拍照。（喜欢摄影，给别人照相或者照景物等）

② 这是我在颐和园上照的相。（*这是我在颐和园拍的照。）（☺这是我在颐和园拍的照片。）

③ 我在那儿一共照了十张相。（*我在那儿一共拍了十张照。）（☺我在那儿一共拍了十张照片。）

④ 来，我们一起照张相。（*来，我们一起拍张照。）（☺我们一起拍张照片。）

⑤ 这个周末我要去长城拍照。（*这个周末我要去长城照相。）

⑥ 朋友开了一家照相馆，生意很不错。（*朋友开了一家拍照馆，生意很不错。）

1604 照应[动]zhàoying ▶ 照料[动]zhàoliào

词义说明 Definition

照应[look after; take care of] 照料。

照料[take care of; attend to] 关心料理。

Z

词语搭配 Collocation

	~病人	~客人	~得很好	多亏你~	~一下	~孩子	~行李	~家务
照应	√	√	√	√	√	√	√	×
照料	√	√	√	√	√	√	√	√

用法对比 Usage

"照应"和"照料"是同义词，多用于口语。

① 家里由我照应，你就放心地走吧。(☺家里由我照料，你就放心地走吧。)

② 一路上多亏你照应。(☺一路上多亏你照料。)

③ 家务由我母亲照料。(☺家务由我母亲照应。)

④ 我走后，把孩子托给妈妈照料。(☺我走后，把孩子托给妈妈照应。)

⑤ 有什么照料不到的地方，请多包涵。(☺有什么照应不到的地方，请多包涵。)

"照应"含有接待或招待的意思，"照料"没有这个意思。

来了两个记者，你去照应一下。(*来了两个记者，你去照料一下。)

1605 这么[代]zhème ▶ 这样[代]zhèyàng

词义说明 Definition

这么 [(indicating nature, state, way, degree, etc.) so; such; this way; like this] 指示性质、状态、方式、程度等。

这样 [(indicating nature, state, way, degree, etc.) so; such; this way; like this] 指示性质、状态、方式、程度等。

词语搭配 Collocation

	是~回事	~说	~看来	~好	~的人	~努力	~认真
这么	√	√	√	√	×	√	√
这样	×	√	√	√	√	√	√

用法对比 Usage

"这样"也说"这么样"，可以作定语或状语，也可以作补语或谓语。"这么"只能作定语或状语。用"这么"或"这样"的句子一般接上文，“这”指上文所说的。
① 我家小芳已经有你这么高了。(☺我家小芳已经有你这样高了。)
② 事情哪像你说得这么简单？(☺事情哪像你说得这样简单？)
③ 北京的夏天怎么这么热？(☺北京的夏天怎么这样热？)
④ 这个句子用汉语应该这么翻译。(☺这个句子用汉语应该这样翻译。)
⑤ 他就是这么个人，特爱激动。(☺他就是这样个人，特爱激动。)
⑥ 这么说，你打算在中国办公司了。(☺这样说，你打算在中国办公司了。)
⑦ 好，就这么办吧。(☺好，就这样办吧。)
⑧ 她怎么学得这样好？(☺她怎么学得这么好？)
⑨ 我们家乡没有北京这么冷。(☺我们家乡没有北京这样冷。)
“这样”可以做补语，“这么”不能。
① 你干什么去了，怎么累成这样？(＊你干什么去了，怎么累成这么？)
② 这么一点儿事就把你愁成这样，你还是个男子汉吗？(＊这么一点儿事就把你愁成这么，你还是个男子汉吗？)
“这样”可以作定语修饰名词，“这么”不能。
① 这样的电影很受青年人欢迎。(＊这么的电影很受青年人欢迎。)
② 这样的事情一万年以后还会发生。(＊这么的事情一万年以后还会发生。)
③ 这样的情况我还是第一次遇到。(＊这么的情况我还是第一次遇到。)
“这样”和“那样”并列使用，可以虚指，“这么”不能。
虽然遇到过这样那样的困难，我还是坚持下来了。(＊虽然遇到过这么那么的困难，我还是坚持下来了)
“这样”可以承接上文，“这么”不能。
① ……，就这样，她同意跟我结婚了。(＊……，就这么，她同意跟我结婚了。)
② 你要多听，多说，这样才能提高听说能力。(＊你要多听，多说，这么才能提高听说能力。)
“这么”可以指示数量，“这样”不能。
① 他就看了这么两次，就记住了。(＊他就看了这样两次，就记住了。)
② 我就坚持练了这么两年，汉语口语终于过关了。(＊我就坚持练了这样两年，汉语口语终于过关了。)

1606 这样[代]zhèyàng ▶ 那样[代]nàyàng

词义说明 Definition

这样[（indicating nature, state, way, degree, etc.）so; such; like this; this way] 指示性质、状态、方式、程度等。

那样[（indicating property, state of affairs, method, degree, etc.）like that; such; so; that way] 指示性质、状态、方式、程度等。

词语搭配 Collocation

	～好	别～	～贵	～办吧	情况就是～	做成～
这样	√	√	√	√	√	√
那样	√	×	√	×	×	×

用法对比 Usage

用法解释 Comparison

"这样"指代离说话人近的事物或发生在眼前的事情，也指此前提及的言行。"那样"指代离说话人远的事物或发生在过去的情况。所谓"远"、"近"也指说话人的意念和主观认定。

语境示例 Examples

① 这样：这样的家具多少钱一套？(家具就在面前)
那样：那样的家具多少钱一套？(家具在离说话人较远处)

② 这样：这样的情况在哪个国家都可能发生。(正在议论或看到的情况)
那样：那样的情况在哪个国家都可能发生。(以前说到或以前发生的情况)

③ 这样：没想到他写得这样好。(写的东西就在说话人面前)
那样：没想到他写得那样好。(写的东西不在说话人面前)

④ 这样：如果你觉得这样办好，就这样办吧。(正在谈论的办法或方式)
那样：如果你觉得那样办好，就那样办吧。(以前谈过的办法或方式)

⑤ 他怎么这样着急？(☺他怎么那样着急？)

⑥ 坚持上课，按老师的要求做作业，这样，你一定能把汉语学好。(☺坚持上课，按老师的要求做作业，那样，你一定能把汉语

Z

学好。)

⑦ 他不像你这样认真。(＊他不像你那样认真。)

⑧ 当时那样的情况，谁也没有办法。(＊当时这样的情况，谁也没有办法。)

1607 珍惜[动]zhēnxī ▶ 珍爱[动]zhēn'ài

词义说明 Definition

珍惜[treasure; value; cherish] 重视爱护。

珍爱[treasure; love dearly; be very fond of] 珍视爱惜。

词语搭配 Collocation

	~时间	~生命	~友谊	~人才	~这件礼物	~这些字画
珍惜	√	√	√	√	√	√
珍爱	×	√	×	×	√	√

用法对比 Usage

用法解释 Comparison

“珍惜”意在因重视而“惜”，舍不得用或丢掉；“珍爱”着重指“爱”，“喜爱”和“爱护”。“珍惜”多带抽象宾语，“珍爱”多带具体宾语。

语境示例 Examples

① 他很珍惜你送的那件礼物。(☺他很珍爱你送的那件礼物。)

② 要教育青少年远离毒品，珍爱生命。(☺要教育青少年远离毒品，珍惜生命。)

③ 要珍惜人才，人才的浪费是最大的浪费。(＊要珍爱人才，人才的浪费是最大的浪费。)

④ 老人非常珍爱自己的孙子。(＊老人非常珍惜自己的孙子。)

⑤ 我十分珍惜我们之间的友谊。(＊我十分珍爱我们之间的友谊。)

⑥ 他很珍惜这次出国进修的机会。(＊他很珍爱这次出国进修的机会。)

1608 真[副、形]zhēn ▶ 很[副]hěn

词义说明 Definition

真[(as opposed to 'false, fake') true; real; genuine] 真实（跟"假、伪"相对）～心|千～万确|是～的。[really; truly; indeed] 的确、实在：时间过得～快！[clear; unmistakable] 清楚确实：看得～吗？

很[very; very much; quite] 表示程度相当高。

词语搭配 Collocation

	～好	～快	～行	～满意	～不错	～有道理	～丝	～的	～不懂	不～好	热得～
真	√	√	√	√	√	√	√	√	√	×	×
很	√	√	√	√	√	√	×	×	×	√	√

用法对比 Usage

用法解释 Comparison

"很"只是个副词，"真"不仅是副词，还有形容词的用法。副词"真"和"很"表达的语气不一样，"很"一般用于陈述句，用于客观描述；而副词"真"多用于感叹句，表示感叹，即使用在陈述句中也带有感叹的语气，含主观评价的意味。

语境示例 Examples

① 真：北京的自行车真多！(表示感叹)
   很：北京的自行车很多。(表示陈述)

② 真：他汉语说得真好！(称赞)
   很：他汉语说得很好。(介绍，说明)

③ 真：这张照片照得真不错！(赞美)
   很：这张照片照得很不错。(陈述)

④ 真：我真喜欢看京剧，还打算学唱京剧。(不是假喜欢)
   很：我很喜欢看京剧，还打算学唱京剧。(非常喜欢)

⑤ 时间过得真快，一转眼来中国都一年了。(☺时间过得很快，一转眼来中国都一年了。)

⑥ 给你添了很多麻烦，真过意不去。(☺给你添了很多麻烦，很过意不去。)

⑦ 他通过了 HSK 高级考试，真了不起！（☺他通过了 HSK 高级考试，很了不起。）
⑧ 你的话说得很有道理。（☺你的话说得真有道理！）
⑨ 这张画儿画得很不错。（☺这张画儿画得真不错！）
⑩ 我真不知道他去哪儿了。（＊我很不知道他去哪儿了。）
⑪ 他说的完全是谎话，你还真信了。（＊他说的完全是谎话，你还很信了。）
⑫ 我晚上不常看电视，也很少看电影。（＊我晚上不常看电视，也真少看电影。）
⑬ 这个故事发生在很久很久以前。（＊这个故事发生在真久真久以前。）
⑭ 王老师是个很好的老师。（＊王老师是个真好的老师。）
⑮ 昨天我看的那个电影好得很！（＊昨天我看的那个电影好得真！）
⑯ 顾客对你的服务满意得很。（＊顾客对你的服务满意得真。）

1609 真诚[形]zhēnchéng ▶ 真挚[形]zhēnzhì

词义说明 Definition

真诚[with one's all heart; sincere; genuine; true] 真实诚恳，没有一点儿虚伪。

真挚[(of feelings) sincere; cordial] 真诚恳切（指感情）。

词语搭配 Collocation

	非常～	态度～	感情～	～的愿望	～地希望	～的友谊	～合作
真诚	√	√	×	√	√	√	√
真挚	√	×	√	×	×	√	×

用法对比 Usage

用法解释 Comparison

二者都是褒义词，“真诚”描写人的态度，“真挚”描写感情。“真诚”可以作定语，也可以作状语，“真挚”能作定语，不能作状语。“真挚”多用于书面，“真诚”口语书面都可以，适用范围比“真挚”广。

语境示例 Examples

① 朋友之间的真诚友谊是无法用金钱来衡量的。（☺朋友之间的真挚

Z

友谊是无法用金钱来衡量的。)

② 我希望我们之间永远保持这种真挚的友情。(☺我希望我们之间永远保持这种真诚的友情。)

③ 姑娘被他的真诚感动了，终于答应嫁给他。(*姑娘被他的真挚感动了，终于答应嫁给他。)

④ 我觉得他这个人非常真诚，所以愿意跟他交朋友。(*我觉得他这个人非常真挚，所以愿意跟他交朋友。)

⑤ 我们真诚地希望能继续保持这种合作关系。(*我们真挚地希望能继续保持这种合作关系。)

1610 真实[形]zhēnshí ▶ 真相[名]zhēnxiàng

词义说明 Definition

真实[true; real; actual; authentic] 不假，跟客观事实相符合。

真相[real (or true) situation; real (or actual) facts; actual state of affairs; truth] 事情的真实情况（区别于表面的或假造的情况）。

词语搭配 Collocation

	～的感情	～情况	～记录	～的故事	～大白	掩盖事实～	事情的～
真实	√	√	√	√	×	×	×
真相	×	×	×	×	√	√	√

用法对比 Usage

用法解释 Comparison

“真实”是形容词，可以作谓语和定语，“真相”是名词，不能作谓语。

语境示例 Examples

① 这部电视剧反映了当时历史的真实。(☺这部电视剧反映了当时历史的真相。)

② 这篇散文表达了作者的真实感情。(*这篇散文表达了作者的真相感情。)

③ 这些照片就是当时情况的真实记录。(*这些照片就是当时情况的真相记录。)

④ 为了掩盖事实真相，他们竟然阻止记者前往采访。(*为了掩盖

Z

事实真实，他们竟然阻止记者前往采访。)

⑤ 大众媒体代表着社会的良心，把真实情况告诉人民是义不容辞的责任。(＊大众媒体代表着社会的良心，把真相情况告诉人民是义不容辞的责任。)（☺大众媒体代表着社会的良心，把真相告诉人民是义不容辞的责任。）

⑥ 经过多方调查，这一事件的真相已经大白。(＊经过多方调查，这一事件的真实已经大白。)

1611 镇定[形]zhèndìng ▶ 镇静[形]zhènjìng

词义说明 Definition

镇定[calm; cool; composed; unruffled] 遇到紧急的情况时不慌不乱。[came down] 使镇定。

镇静[calm; cool; composed; unruffled] 情绪稳定或平静。[calm down] 使镇静。

词语搭配 Collocation

	很～	非常～	～一下	保持～	神色～	要～	～情绪	～自己	～下来	～剂
镇定	√	√	√	√	√	√	√	√	√	×
镇静	√	√	√	√	√	√	√	√	√	√

用法对比 Usage

用法解释 Comparison

“镇定”强调的是遇到紧急情况时不慌不乱，情绪稳定，“镇静”强调的是遇到紧急情况时内心平静。二者可以互相替换。

① 遇到紧急情况时一定要保持镇定。(☺遇到紧急情况时一定要保持镇静。)

② 这个教练有大将风度，越是在紧急关头越是显得镇定。(☺这个教练有大将风度，越是在紧急关头越是显得镇静。)

③ 这种事情的发生是难以避免的，所以一定要使自己镇静下来，好好想想下一步怎么办。(☺这种事情的发生是难以避免的，所以一定要使自己镇定下来，好好想想下一步怎么办。)

④ 在这种情况下，他表现得非常镇定。(☺在这种情况下，他表现得非常镇静。)

⑤ 他镇定了一下自己的情绪，又继续说下去。(☺他镇静了一下自己

的情绪，又继续说下去。）

⑥ 这时，他深深吸了一口气，尽力镇静自己。（☺这时，他深深吸了一口气，尽力镇定自己。）

"镇静"可以直接作定语，修饰名词，"镇定"不能。

刚给他打了一针镇静剂，现在已经睡着了。（*刚给他打了一针镇定剂，现在已经睡着了。）

1612 震动[动]zhèndòng ▶ 振动[动]zhèndòng

词义说明 Definition

震动[shake; shock; vibrate; quake] 颤动；使颤动。[stir; astonish; excite]（重大的事情、消息等）使人心不平静。

振动[vibrate] 物体通过一个中心位置，不断做往复运动。

词语搭配 Collocation

	～了一下	～全国	～世界	引起～	～很大	物理～	钟摆的～
震动	√	√	√	√	√	×	×
振动	√	×	×	×	×	√	√

用法对比 Usage

用法解释 Comparison

"震动"和"振动"发音相同，但是意义不同，是两种不同的"动"。"振动"是指物理学上所说的物体在一个中心位置来回往复的运动，例如，钟摆的动作；"震动"是物体的颤动，或重大事件和消息对人产生的影响。

语境示例 Examples

① 这列电车震动得厉害。（*这列电车振动得厉害。）

② 屋子里很静，只有钟摆振动的声音。（*屋子里很静，只有钟摆震动的声音。）

③ 这一突发事件震动了全国。（*这一突发事件振动了全国。）

④ 这件事对我震动很大。（*这件事对我振动很大。）

⑤ 这次地震很厉害，连平房都产生了震动。（*这次地震很厉害，连平房都产生了振动。）

⑥ 恐怖分子的目的就是要引起大的社会震动，破坏社会的稳定。（*恐怖分子的目的就是要引起大的社会振动，破坏社会的稳定。）

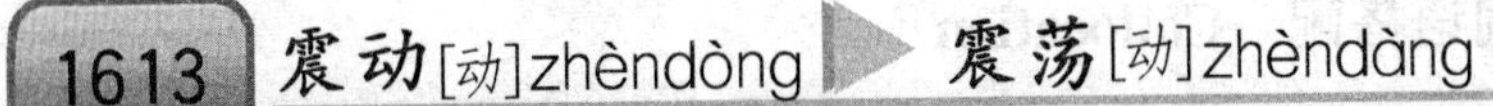

1613 震动[动]zhèndòng ▶ 震荡[动]zhèndàng

词义说明 Definition

震动[shake; shock; vibrate; quake] 颤动；使颤动。[stir; astonish; excite]（重大的事情、消息等）使人心不平静。

震荡[shake; shock; vibrate; quake] 震动；动荡。

词语搭配 Collocation

	感到～	～了一下	～全国	～世界	引起～	思想～	社会～	回声～
震动	√	√	√	√	√	√	√	×
震荡	×	×	×	×	×	×	√	√

用法对比 Usage

用法解释 Comparison

“震动”是及物动词，可以带宾语；“震荡”是不及物动词，不能带宾语。“震动”既可以用于人，也可以用于事，能带动量补语；“震荡”只用于事，也不能带动量补语。

语境示例 Examples

① 社会震动给这个国家的经济带来了极大的损害。(☺社会震荡给这个国家的经济带来了极大的损害。)

② 那次大地震使北京都感到了震动。(＊那次大地震使北京都感到了震荡。)

③ 这一骇人听闻的恐怖事件震动了全世界。(＊这一骇人听闻的恐怖事件震荡了全世界。)

④ 你的那些话对他的思想震动很大。(＊你的那些话对他的思想震荡很大。)

⑤ 这件事在社会上引起了强烈的震动。(＊这件事在社会上引起了强烈的震荡。)

⑥ 火车震动了一下，开出了站。(＊火车震荡了一下，开出了站。)

1614 争论[动、名]zhēnglùn ▶ 争议[动、名]zhēngyì

词义说明 Definition

争论[controversy; dispute; debate; contention] 各人坚持自己的意见，互相辩论。

争议[dispute; controversy] 表达不同的意见；争论。

词语搭配 Collocation

	有～	产生～	发生～	～起来	～得很激烈	～不休	激烈的～	自由～	互相～
争论	√	√	√	√	√	√	√	√	√
争议	√	√	×	×	×	×	×	×	×

用法对比 Usage

用法解释 Comparison

"争议"与"争论"同义，但是"争论"可以带宾语，"争议"不能带宾语；用得较多的是"争论"，"争议"多用来作"有"的宾语。

语境示例 Examples

① 在确定代表人选的问题上双方发生了争论。(☺在确定代表人选的问题上双方发生了争议。)
② 这本书一出版就引起了很大的争论。(☺这本书一出版就引起了很大的争议。)
③ 学术问题，允许自由争论，可以批评，也可以反批评。(*学术问题，允许自由争议，可以批评，也可以反批评。)
④ 我们不能这样无休止地争论下去，现在最需要的是行动。(*我们不能这样无休止地争议下去，现在最需要的是行动。)
⑤ 他是一个在中国历史上很有争议的人物。(*他是一个在中国历史上很有争论的人物。)
⑥ 你们俩争论什么问题呢？(*你们俩争议什么问题呢？)

1615 争取[动]zhēngqǔ ▶ 争夺[动]zhēngduó

词义说明 Definition

争取[strive for; fight for; win over] 力求获得；力求实现。

争夺[fight (or contend, scramble) for; enter into rivalry with sb. over sth.; vie with sb. for sth.] 争着夺取。

词语搭配 Collocation

	～时间	～胜利	～提前完成	～主动	～市场	～冠军	～金牌	～人才
争取	√	√	√	√	×	√	√	×
争夺	×	×	×	×	√	√	√	√

用法对比 Usage

用法解释 Comparison

“争取”的宾语可以是具体名词，也可以是抽象名词，“争夺”的宾语只能是具体名词。“争取”可以带动宾词组作宾语，“争夺”不能。

语境示例 Examples

① 争取：既然参加比赛，当然要争取拿冠军。
争夺：既然参加比赛，当然要争夺冠军。
② 这次比赛我们要争取拿到5块金牌。(＊这次比赛我们要争夺拿到5块金牌。)
③ 我们争取提前一个月完成今年的生产任务。(＊我们争夺提前一个月完成今年的生产任务。)
④ 各个公司都在进行着激烈的人才争夺战。(＊各个公司都在进行着激烈的人才争取战。)
⑤ 要想争夺市场，首先要争夺人才。(＊要想争取市场，首先要争取人才。)
⑥ 学习上要争取主动。(＊学习上要争夺主动。)
⑦ 兄弟俩为争夺遗产打起了官司。(＊兄弟俩为争取遗产打起了官司。)

1616 整顿[动]zhěngdùn 整理[动]zhěnglǐ

词义说明 Definition

整顿[rectify; consolidate; reorganize] 使紊乱的变为整齐；使不健全的健全起来（多指组织、纪律、作风等）。

整理[put in order; straighten out; arrange; sort out] 使有条理秩序。

词语搭配 Collocation

	～一下	～好	～纪律	～组织	～领导班子	～城市治安	～房间	～资料	～书报
整顿	√	√	√	√	√	√	×	×	×
整理	√	√	×	×	×	×	√	√	√

用法对比 Usage

用法解释 Comparison

“整顿”的行为主体是行政机关，宾语是抽象的，如纪律、组织等，多用于书面；“整理”的行为主体是个人或集体，宾语是具体的，如房间、书籍、资料等，口语书面都用。它们不能相互替换。

语境示例 Examples

① 要办好一个企业，就必须把领导班子整顿好。（＊要办好一个企业，就必须把领导班子整理好。）
② 要下大力气整顿城市治安。（＊要下大力气整理城市治安。）
③ 要整顿执法人员的纪律，惩处那些执法犯法的害群之马。（＊要整理执法人员的纪律，惩处那些执法犯法的害群之马。）
④ 今天有客人来，我得把客厅整理整理。（＊今天有客人来，我得把客厅整顿整顿。）
⑤ 我把书柜里的书整理了一下。（＊我把书柜里的书整顿了一下。）
⑥ 你需要的资料我已经整理好了。（＊你需要的资料我已经整顿好了。）

1617 整个[形]zhěnggè ▶ 全部[名]quánbù

词义说明 Definition

整个[whole; entire] 全部。

全部[whole; complete; total; all] 各个部分的总和；整个。

词语搭配 Collocation

	～晚上	～上午	～会场	～社会	～世界	～情况	～力量	～损失	～消灭
整个	√	√	√	√	√	×	×	×	×
全部	×	×	×	×	×	√	√	√	√

用法对比 Usage

用法解释 Comparison

“整个”是形容词，表示完整的一个；“全部”是名词，既含有“整个”的意思，也表示多个的总和。

语境示例 Examples

① 法院判处盗版者赔偿我们公司遭受的全部损失。（＊法院判处盗版者赔偿我们公司遭受的整个损失。）
② 他整个上午都在打电话联系这件事。（＊他全部上午都在打电话联系这件事。）

③ 他话音刚落，整个会场就响起了雷鸣般的掌声。（＊他话音刚落，全部会场就响起了雷鸣般的掌声。）
④ 他为自己热爱的教育事业献出了全部力量。（＊他为自己热爱的教育事业献出了整个力量。）
⑤ 我们学校的应届毕业生已经全部被用人单位录用了。（＊我们学校的应届毕业生已经整个被用人单位录用了。）
⑥ 这个苹果太大，我吃不了整个的，吃半个就够了。（＊这个苹果太大，我吃不了全部的，吃半个就够了。）

1618 整齐[形]zhěngqí ▶ 整洁[形]zhěngjié

词义说明 Definition

整齐[in good order; neat; tidy; trim and well-groomed] 有秩序；有条理；不乱：服装～。[put sth. in order; keep sth. in good order] 使整齐：～步调。[even; level; regular; alike] 大小、长短相差不多：字写得很～。[even; regular] 外形规则、完整：～的房屋。

整洁[clean and tidy; neat; trim] 整齐干净：衣着～。

词语搭配 Collocation

	～的步伐	唱得很～	写得很～	服装～	收拾得很～	衣着～	干净～
整齐	√	√	√	√	√	×	√
整洁	×	×	×	√	√	√	×

用法对比 Usage

用法解释 Comparison

“整齐”强调的是不乱，“整洁”强调的是干净；“整齐”可以重叠，“整洁”不能重叠。

语境示例 Examples

① 整洁：她把屋子收拾得很整洁。(屋子里很干净)
整齐：她把屋子收拾得很整齐。(东西摆放得井然有序)
② 队伍迈着整齐的步伐通过主席台。（＊队伍迈着整洁的步伐通过主席台。）
③ 他们班学生的水平比较整齐。(＊他们班学生的水平比较整洁。)
④ 书架上整齐地摆着很多中文书。（＊书架上整洁地摆着很多中

Z

文书。)

⑤ 她的作业总是写得整整齐齐的。(＊她的作业总是写得整整洁洁的。)

⑥ 房间虽小，但是显得很整洁。(＊房间虽小，但是显得很整齐。)

1619 正巧[副]zhèngqiǎo ▶ 正好[形、副]zhènghǎo

词义说明 Definition

正巧[happen to; chance to; as it happens; just in time; in the nick of time; just at the right time] 事情发生得正合愿望：当时我～带着摄像机呢。[just in time; in the nick of time; just at the right time] 事情发生得正是时候：你来得～，我正要去找你呢。

正好[(of time, position, size, quantity, degree, etc. as neither too little nor too much) just in time; just right; just enough; happen to; chance to; as it happens] 恰好(指时间、位置不前不后，体积不大不小，数量不多不少，程度不高不低等)：这双鞋我穿～。

词语搭配 Collocation

	穿着～	来得～	～赶上	～碰到	～带着呢	～来了	～看到
正巧	×	√	√	√	√	√	√
正好	√	√	√	√	√	√	√

用法对比 Usage

用法解释 Comparison

“正巧”是副词，“正好”是副词也是形容词。“正巧”能作补语和状语，不能作谓语；“正好”能作状语和补语，也能作谓语。

语境示例 Examples

① 我们当时正巧带着相机呢，就把它拍了下来。(☺我们当时正好带着相机呢，就把它拍了下来。)

② 他作案时正巧被警察发现，当场就被抓住了。(☺他作案时正好被警察发现，当场就被抓住了。)

③ 你来得正巧，我正要给你打电话呢。(☺你来得正好，我正要给你打电话呢。)

④ 你来得正巧，我们刚要吃饭，一起吃吧。(☺你来得正好，我们刚要吃饭，一起吃吧。)
⑤ 这件毛衣你穿不大不小，正好。（*这件毛衣你穿不大不小，正巧。)
⑥ 我手里不多不少正好一千块。(*我手里不多不少正巧一千块。)

1620 正确[形]zhèngquè 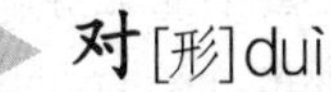 对[形]duì

词义说明 Definition

正确[correct; right; proper] 符合事实、道理或某种公认的标准。

对[right; correct] 正确；正常；相合。

词语搭配 Collocation

	很～	非常～	不～	判断～	答案～	～对待	猜～了	做得～	说得很～	情况不～
正确	√	√	√	√	√	√	×	√	√	×
对	√	√	√	×	√	×	√	√	√	√

用法对比 Usage

用法解释 Comparison

“对”有“正确”的意思，也是符合事实、道理和标准的意思，但二者用法不同。“正确”多用于书面，“对”多用于口语；“正确”可以作状语、定语、补语和谓语，“对”只能作谓语和补语，不能作状语。

语境示例 Examples

① 我认为作者的看法是正确的。(☺我认为作者的看法是对的。)
② 这件事他做得很对。(☺这件事他做得很正确。)
③ 在正确路线的指引下，中国经济得到了快速发展。（*在对路线的指引下，中国经济得到了快速发展。)
④ 这个题你做对了吗?(*这个题你做正确了吗?)
⑤ 要正确对待中学生早恋的问题。（*要对对待中学生早恋的问题。)
⑥ 你的脸色不对，快到医院去看看吧。（*你的脸色不正确，快到医院去看看吧。)

1621 证件[名]zhèngjiàn ▶ 证书[名]zhèngshū

词义说明 Definition

证件[credentials; papers; certificate (e.g. student or work credentials, diploma, etc.)] 证明身份、经历等的文件，如工作证、身份证、毕业证等。

证书[certificate; credentials] 有机关、学校、团体等发的证明资格或权利的文件：结婚～|毕业～。

词语搭配 Collocation

	有效～	合法～	请出示～	审查～	毕业～	结婚～
证件	√	√	√	√	×	×
证书	√	×	×	×	√	√

用法对比 Usage

用法解释 Comparison

"证书"是"证件"的一种，"证件"包括护照、身份证、工作证、学生证、记者证、结婚证等等。

语境示例 Examples

① 这个证件最好随身带着。(☺这个证书最好随身带着。)
② 这是我的毕业证书。(*这是我的毕业证件。)
③ 进入大门请出示证件。(*进入大门请出示证书。)
④ 你有没有证明身份的有效证件？(*你有没有证明身份的有效证书？)
⑤ 请问，办护照都需要什么证件？(*请问，办护照都需要什么证书？)
⑥ 他还没有取得在国外行医的资格证书。(*他还没有取得在国外行医的资格证件。)

1622 证明[动、名]zhèngmíng ▶ 证实[动]zhèngshí

词义说明 Definition

证明[prove; testify; bear out; verify] 用可靠的材料来表明或断定人或事物的真实性。[certificate; identification; testimonial]

证明书或证明信。

证实[confirm; verify; bear out] 证明其确实。

词语搭配 Collocation

	得到～	～人	～书	～信	开个～	医生～	～文件	～真理
证明	√	√	√	√	√	√	√	√
证实	√	×	×	×	×	×	×	×

用法对比 Usage

用法解释 Comparison

"证明"既是动词也是名词，可以作谓语，也可以作宾语；而"证实"只是动词，不能作宾语。

语境示例 Examples

① 你有没有能证明自己身份的证件？(☺你有没有能证实自己身份的证件？)

② 科学家的这个假说已经得到了证实。(☺科学家的这个假说已经得到了证明。)

③ 小国可以战胜大国，弱国可以打败强国，战争史上有大量的战例已经证明了这一点。(☺小国可以战胜大国，弱国可以打败强国，战争史上有大量的战例已经证实了这一点。)

④ 请病假需要医生开证明。(＊请病假需要医生开证实。)

⑤ 护照是个人身份最有力的证明。(＊护照是个人身份最有力的证实。)

⑥ 事实证明你的估计是对的。(＊事实证实你的估计是对的。)

1623 之间 zhī jiān ▶ 之中 zhī zhōng ▶ 之内 zhī nèi

词义说明 Definition

之间[among; between] 表示在两个人或事物的中间。

之中[centre; middle; among] 表示在某些事物的中间。

之内[within; inside; in] 表示在某个时间段里。

词语搭配 Collocation

	朋友～	师生～	兄弟～	群众～	国与国～	湖水～	三天～	一个月～
之间	√	√	√	×	√	×	×	×
之中	×	×	√	√	×	√	√	√
之内	×	×	×	×	×	×	√	√

用法对比 Usage

用法解释 Comparison

"之间"、"之中"和"之内"都不能单用，必须跟在其他词语（不能是单音节词，也不能是表示单数的词）之后使用，表示限制在一定的处所、时间、数量、过程、范围。

语境示例 Examples

① 这里一个月之内出了两起交通事故。(☺这里一个月之中出了两起交通事故。)(*这里一个月之间出了两起交通事故。)

② 住宅小区楼与楼之间有一块很大的草坪。(*住宅小区楼与楼之内/之中有一块很大的草坪。)

③ 国与国之间应该遵守互相尊重主权和领土完整，互不侵犯，互不干扰内政，平等互利，和平共处的原则。(*国与国之中/之内应该遵守互相尊重主权和领土完整，互不侵犯，互不干扰内政，平等互利，和平共处的原则。)

④ 朋友之间应该互相帮助。(*朋友之内/之中应该互相帮助。)

⑤ 这种新型机车还在研制之中。(*这种新型机车还在研制之间/之内。)

⑥ 我们兄弟之中，只有大哥一人上过大学。(*我们兄弟之间/之内，只有大哥一人上过大学。)

⑦ 农民群众之中有不少能人。(*农民群众之间/之内有不少能人。)

⑧ 托运行李限制在二十公斤之内。(*托运行李限制在二十公斤之间/之中。)

1624 支持[动]zhīchí ▶ 支援[动]zhīyuán

Z

词义说明 Definition

支持［sustain; hold out; bear］勉强维持；支撑。［support;

back; stand by] 给以鼓励或赞助。

支援[support; assist; help] 用人力、物力、财力或其他实际行动去支持和援助。

词语搭配 Collocation

	大力~	得到~	互相~	坚决~	~农业	~灾区	~不住
支持	√	√	√	√	×	×	√
支援	√	√	√	√	√	√	×

用法对比 Usage

"支持"一般是精神上的、道义上的,宾语是抽象名词;"支援"一般是物质上的,需要金钱物资,宾语是具体名词。它们不能相互替换。

① 中国政府鼓励和支持个体经济的发展。(*中国政府鼓励和支援个体经济的发展。)

② 我完全支持你的建议。(*我完全支援你的建议。)

③ 如果经济上有困难,我可以支援你一些。(*如果经济上有困难,我可以支持你一些。)

④ 全国各地都积极支援灾区人民重建家园。(*全国各地都积极支持灾区人民重建家园。)

⑤ 国家各个部门都在大力支援西部开发。(*国家各个部门都在大力支持西部开发。)

"支持"还有勉强维持的意思,"支援"没有这个意思。

我冷得实在支持不住了。(*我冷得实在支援不住了。)

1625 支出[动、名]zhīchū ▶ 支付[动]zhīfù

词义说明 Definition

支出[pay (money); expend; disburse] 付出;支付。[expenses; expenditure; outlay; disbursement] 支付的款项。

支付[pay (money); defray] 付出(款项)。

词语搭配 Collocation

	月~	~多少	~现金	~水电费	~手段
支出	√	√	√	√	×
支付	×	√	√	√	√

Z

用法对比 Usage

用法解释 Comparison

"支出"是指有关钱款离开所有者一方，"支付"表示有关钱款给了应得到的一方。

语境示例 Examples

① 支出：我们家一个月要支出一百多块的水电费。（钱离开了我的家）
支付：我们家一个月要支付一百多块的水电费。（钱到了水电部门）

② 要保证收入和支出的平衡。（＊要保证收入和支付的平衡。）

③ 对方要求我们支付现金。（＊对方要求我们支出现金。）

④ 合同上已经规定了支付的日期和手段。（＊合同上已经规定了支出的日期和手段。）

⑤ 已经到了支付期限，可是货款还没有筹齐。（＊已经到了支出期限，可是货款还没有筹齐。）

1626 执行[动]zhíxíng ▶ 实行[动]shíxíng

词义说明 Definition

执行［carry out; execute; implement］实行政策、法令、计划、命令、判决中规定的事项。

实行［put into practice (or effect); carry out; practise; implement］用行动来实现纲领、政策、计划等。

词语搭配 Collocation

	～任务	～命令	～纪律	～政策	～制度	～民主	～集体领导	～经济改革
执行	√	√	√	√	×	×	×	×
实行	×	×	×	√	√	√	√	√

用法对比 Usage

用法解释 Comparison

"执行"和"实行"的对象不同，它们不能相互替换。

语境示例 Examples

① 中国实行独立自主的和平外交政策。（＊中国执行独立自主的和平外交政策。）

② 军队以执行命令为天职。(*军队以实行命令为天职。)
③ 民警执行着保卫人民生命财产，保护一方平安的任务。(*民警实行着保卫人民生命财产，保护一方平安的任务。)
④ 各级领导都实行集体领导、分工负责的制度。(*各级领导都执行集体领导、分工负责的制度。)
⑤ 中国实行了有效的经济改革，保证了经济健康快速地发展。(*中国执行了有效的经济改革，保证了经济健康快速地发展。)
⑥ 在人民内部实行最广泛的民主，对人民的敌人实行专政，这就是中国基本的政治制度——人民民主专政。(*在人民内部执行最广泛的民主，对人民的敌人执行专政，这就是中国基本的政治制度——人民民主专政。)

1627 直到[动]zhídào ▶ 直达[动]zhídá ▶ 直至[动]zhízhì

词义说明 Definition

直到[until; up to] 一直到（多指时间）。

直达[through; nonstop] 不用在中途换车、换船、换飞机而直接到达。

直至[until; up to] 直到。

词语搭配 Collocation

	～今天	～现在	～明年	～十月	～北京	～车	～车票	～胜利	～毕业	～中央
直到	√	√	√	√	√	×	×	√	√	√
直达	×	×	×	×	√	√	√	×	×	×
直至	√	√	√	√	×	×	×	√	√	√

用法对比 Usage

用法解释 Comparison

“直到”、“直达”和“直至”的意思相同，但是使用范围不同。“直达”多用于交通方面，带地名或处所词作宾语；“直到”多带时间词语作宾语。“直至”和“直到”同义，但是，“直至”只能带抽象名词作宾语，用于书面，“直到”没有此限。

Z

语境示例 Examples

① 这是直达北京的178次火车。(☺这是直到北京的178次火车。)(*这是直至北京的178次火车。)
② 直到/直至现在他还被蒙在鼓里。(*直达现在他还被蒙在鼓里。)
③ 这孩子从小学、中学，直到大学，学习上没有让我们操过心。(*这孩子从小学、中学，直达/直至大学，学习上没有让我们操过心。)
④ 昨天晚上我失眠了，直到三点多才迷迷糊糊地睡着。(*昨天晚上我失眠了，直达/直至三点多才迷迷糊糊地睡着。)
⑤ 我们一定要坚持实验下去，直到/直至成功。(*我们一定要坚持实验下去，直达成功。)
⑥ 每个公民都有权向上级政府直至国务院反映自己的意见。(*每个公民都有权向上级政府直到/直达国务院反映自己的意见。)

1628 值得[动]zhídé ▶ 值[动]zhí

词义说明 Definition

值得[be worth the money] 价钱相当；合算：～买。[be worth; merit; deserve] 这样去做有好的结果；有价值，有意义：不～。

值[value] 价格，数值：币～。[be worth; what a specific sum of money can buy] 货物和价钱相当：这件大衣～多少钱？[worth; worthwhile] 有意义或有价值，值得。[happen to] 遇到，碰上：正～国庆节。

词语搭配 Collocation

	～买	～看	～考虑	～一读	不～一提	～注意	～怀疑	～多少	正～新年
值得	√	√	√	√	√	√	√	×	×
值	×	×	×	×	√	×	×	√	√

用法对比 Usage

"值"有"值得"的意思，但是二者音节不同，用法也不同。

① 你这件皮大衣买得很值得。(☺你这件皮大衣买得很值。)
② 这是我应该做的事，不值一提。(☺这是我应该做的事，不值得一提。)

③ 花一百块钱买这块旧表不值。(☺花一百块钱买这块旧表不值得。)
④ 你猜这辆二手汽车值多少钱? (＊你猜这辆二手汽车值得多少钱?)
⑤ 我觉得这本小说值得一读。(＊我觉得这本小说值一读。)
⑥ 桂林、昆明这些地方都值得去看看。(＊桂林、昆明这些地方都值去看看。)
⑦ 这辆破车不值得修了，处理了得了。(＊这辆破车不值修了，处理了得了。)

"值"有"遇到，碰上(时间)"的意思，"值得"没有这个用法。

正值春节，我们又多年不见，一定好好在一起聚聚。(＊正值得春节，我们又多年不见，一定好好在一起聚聚。)

1629 只[副]zhǐ ▶ 仅[副]jǐn

词义说明 Definition

只[only; just; merely] 表示限于某个范围；只有；仅有。

仅[only; merely; alone] 表示限于某个范围。

词语搭配 Collocation

	～能	～要	～想	～有	～一人	～次于	～～
只	√	√	√	√	√	×	×
仅	√	×	×	√	√	√	√

用法对比 Usage

用法解释 Comparison

"只"和"仅"都用来作状语，修饰动词；但"仅"用于书面，"只"口语书面都用；"仅"可以重叠使用，"只"不能重叠。

语境示例 Examples

① 这个月我只剩下二百元了。(☺这个月我仅剩下二百元了。)
② 我们班只有五个男学生。(☺我们班仅有五个男学生。)
③ 这个教室只能坐下二十个人。(☺这个教室仅能坐下二十个人。)
④ 今天的作业我仅仅用了一个小时就做完了。(＊今天的作业我只只用了一个小时就做完了。)(☺今天的作业我只用了一个小时就做完了。)

⑤ 黄河是中国的第二大河，仅次于长江。（＊黄河是中国的第二大河，只次于长江。）

1630 只顾[副]zhǐgù ▶ 只管[副]zhǐguǎn

词义说明 Definition

只顾[be absorbed in; only concerned with; just think of] 表示专一不变。[care only for; pay attention only to; just (do sth.)] 仅仅顾到。

只管[by all means; feel free to; simply; just] 表示不受条件限制，没有顾虑地去干；尽管。[be absorbed in; only concerned with; just think of] 只顾。

词语搭配 Collocation

	～自己	～赚钱	～干活	～用吧	～告诉我
只顾	√	√	√	×	×
只管	√	√	√	√	√

用法对比 Usage

用法解释 Comparison

“只管”和“只顾”都是副词，有相同的意思和用法；但是“只管”还有“尽管”的意思，“只顾”没有这个意思。

语境示例 Examples

① 他只顾在电脑前工作，连有人敲门都没听见。（☺他只管在电脑前工作，连有人敲门都没听见。）

② 不能只顾做买卖赚钱，还要多关心孩子的教育问题。（☺不能只管做买卖赚钱，还要多关心孩子的教育问题。）

③ 不能只顾学习，还要注意锻炼身体。（☺不能只管学习，还要注意锻炼身体。）

④ 我们只顾谈话了，忘了火上还坐着锅呢。（☺我们只管谈话了，忘了火上坐着锅呢。）

⑤ 你只管听我的，没有错。（＊你只顾听我的，没有错。）

⑥ 你有什么困难只管告诉我，我帮你想办法。（＊你有什么困难只顾告诉我，我帮你想办法。）

1631 只好[副]zhǐhǎo ▶ 只得[副]zhǐdé

词义说明 Definition

只好[cannot but; have to; be forced to] 表示没有别的选择，（没有办法）不得不（这样做）；只得。

只得[have no alternative but to; be obliged to; have to]（没有办法）不得不（这样做）。

词语搭配 Collocation

	~停工	~休会	~延期	~我自己去	~坐出租车	~加班	~另想办法	~作罢
只好	√	√	√	√	√	√	√	√
只得	√	√	√	√	√	√	√	√

用法对比 Usage

用法解释 Comparison

“只好”和“只得”是同义词，既可以用在动词前面，也可以用在主语前面。但是，“只好”比“只得”常用，“只得”多用于口语，“只好”没有此限。“只好”后边可以跟否定句，“只得”后边不常跟否定句。

语境示例 Examples

① 因为末班车已经过去了，我只好坐出租车回来。（☺因为末班车已经过去了，我只得坐出租车回来。）

② 因为补考也不及格，只好让他留级。（☺因为补考也不及格，只得让他留级。）

③ 等了半天你也没有来，我们只好先进去了。（☺等了半天你也没有来，我们只得先进去了。）

④ 钥匙锁在屋子里了，只好从窗户爬进去。（☺钥匙锁在屋子里了，只得从窗户爬进去。）

⑤ 这活别人帮不上忙，只得你自己干。（☺这活别人帮不上忙，只好你自己干。）

⑥ 她害怕坐飞机，我们只好不坐飞机去。（*她害怕坐飞机，我们只得不坐飞机去。）

1632 只见zhǐ jiàn ▶ 见[动]jiàn

词义说明 Definition

只见[catch sight of; see] 看到，看见。

见[see; catch sight of] 看见，看到。[meet with; be exposed to] 接触，遇到：怕～光。[show evidence of; appear to be] 看得出；显现出：病还不～好。[refer to; see] 指出出处或需要参看的地方：～右图。[meet; call on; see] 遇到，接见，会见，见到：明天～。

词语搭配 Collocation

	～大家在看书	～一辆车开过来	～面	会～	遇～	高～
只见	√	√	×	×	×	×
见	√	√	√	√	√	√

用法对比 Usage

用法解释 Comparison

"只见"是"只"和"见"组成的词组，表示只看见；而"见"是多义词，除了看见的意思以外，还有其他意思。"只见"只能用在后半句，句子不能有主语，"见"没有此限。"见"的其他意思是"只见"所没有的。

语境示例 Examples

① 走进阅览室，只见大家都在静静地看书学习。(☺走进阅览室，见大家都在静静地看书学习。)

② 回来的时候，我见麦克正在操场踢球呢。(＊回来的时候，我只见麦克正在操场踢球呢。)

③ 我想去见一下王老师。(＊我想去只见一下王老师。)

④ 昨天你去见王老师了吗？(＊昨天你去只见王老师了吗？)

⑤ 又吃减肥药，又喝减肥茶，可就是不见瘦。(＊又吃减肥药，又喝减肥茶，可就是不只见瘦。)

1633 只要[连]zhǐyào ▶ 只有[连]zhǐyǒu

词义说明 Definition

只要[(used correlatively with 就 or 便) if only; as long as; provided] 表示充足条件（下文常用“就”或“便”呼应）。

只有[(used correlatively with 才 or 方) only; alone; prorided] 表示惟一的必需的条件（下文常用“才”或“方”呼应）。

用法对比 Usage

用法解释 Comparison

“只要”和“就”连用，组成“只要……就……”，“只有”和“才”连用，组成“只有……才……”。用“只要……就……”时，说话人认为，“只要”后边的条件是比较容易得到的，有这个条件就够了。用“只有……才……”时，说话人认为，“只有”后面的条件是不易得到的，没有这个条件是不行的。因此，认为容易时，用“只要……就……”，认为难时，用“只有……才……”。

语境示例 Examples

① 只要……就……：只要你去请，他就能来。(你去就行)
只有……才……：只有你去请，他才能来。(别人去不行)

② 只要……就……：这种中药只要有钱就能买到。(很容易买到)
只有……才……：这种中药只有去中国才能买到。(在别的国家买不到)

③ 只要……就……：汉语只要想学，就能学好。(学好汉语比较容易)
只有……才……：汉语只有坚持不懈地学，才能学好。(学好汉语很不容易)

④ 只要……就……：你只要平时坚持上课，就能考好。(考好不难)
只有……才……：你只有平时坚持上课，才能考好。(考好不容易)

⑤ 只要……就……：这笔钱只要你需要就可以用。
只有……才……：这笔钱只有遇到紧急情况时你才能用。

⑥ 只要工夫深，铁杵磨成针。(＊只有工夫深，铁杵磨成针。)

1634 纸[名]zhǐ ▶ 纸张[名]zhǐzhāng

词义说明 Definition

纸[paper] 用植物纤维制成的物品，用于写字、绘画、印刷、包装等。

纸张[paper] 纸的总称。

词语搭配 Collocation

	一张~	卫生~	~手帕	复印~	节约~	浪费~
纸	√	√	√	√	√	√
纸张	×	×	×	×	√	√

用法对比 Usage

用法解释 Comparison

"纸"是可数名词,"纸张"是不可数名词。"纸"还是个词素,能与其他词语组词,而"纸张"没有组词能力。

语境示例 Examples

① 不要浪费纸,能两面用的尽量两面用。(☺不要浪费纸张,能两面用的尽量两面用。)

② 节约纸张就是节约能源,保护环境。(☺节约纸就是节约能源,保护环境。)

③ 我去买一包复印纸。(*我去买一包复印纸张。)

④ 这种宣纸一张多少钱?(*这种宣纸张一张多少钱?)

⑤ 纸是一千多年前由中国人发明的。(*纸张是一千多年前由中国人发明的。)

⑥ 中国人把笔墨纸砚叫做"文房四宝"。(*中国人把笔墨纸张砚叫做"文房四宝"。)

1635 指导[动]zhǐdǎo ▶ 引导[动]yǐndǎo

词义说明 Definition

指导[guide; direct; instruct; coach] 指示教导,指点引导。

引导[guide; lead] 在前带头使后面的人跟随着。[instruct and guide sb. in actions towards a certain goal] 带着人向某个目标行动。

词语搭配 Collocation

	~学生	~研究生	~做论文	善于~	~大家	~我们前进
指导	√	√	√	√	√	√
引导	√	×	×	√	√	√

用法对比 Usage

用法解释 Comparison

“指导”可以直接放在名词前面作定语，“引导”不能。

语境示例 Examples

① 要善于引导农民群众，调整种植结构，发展生态农业。(☺要善于指导农民群众，调整种植结构，发展生态农业。)
② 考古队长引导记者参观了这个古墓的发掘现场。(*考古队长指导记者参观了这个古墓的发掘现场。)
③ 我最近忙着指导研究生写论文。(*我最近忙着引导研究生写论文。)
④ 果树专家指导大家进行优质苹果的嫁接。(*果树专家引导大家进行优质苹果的嫁接。)
⑤ 教授在指导学生们做实验。(*教授在引导学生们做实验。)
⑥ 一个国家应该有一个科学的指导思想，只有这样才能把人民团结起来，为建设国家而共同奋斗。(*一个国家应该有一个科学的引导思想，只有这样才能把人民团结起来，为建设国家而共同奋斗。)

1636 指导[动、名]zhǐdǎo ▶ 指点[动]zhǐdiǎn

词义说明 Definition

指导[guide; direct] 指示教导；指点引导。

指点[give direction or guidance; point out, give tips (to sb.)] 指出来使人知道；点明。

词语搭配 Collocation

	～思想	～战争	～员	～学生	～～	～一下	耐心～
指导	√	√	√	√	√	√	√
指点	×	×	×	√	√	√	√

用法对比 Usage

用法解释 Comparison

“指导”是动词和名词，可以作谓语也可以作定语和宾语，“指点”只是动词，多用于口语，不能用于正式场合，“指导”没

Z

有此限。

语境示例 Examples

① 导师指导我怎么做学问，怎么写论文。(☺导师指点我怎么做学问，怎么写论文。)
② 我现在指导两个硕士研究生。(＊我现在指点两个硕士研究生。)
③ 你这么一指点我就明白怎么操作了。(☺你这么一指导我就明白怎么操作了。)
④ 教练正在耐心地指导队员训练。(☺教练正在耐心地指点队员训练。)
⑤ 要保证国家统一，民族团结和社会稳定，必须有一个正确的指导思想。(＊要保证国家统一，民族团结和社会稳定，必须有一个正确的指点思想。)
⑥ 这个程序我不知道怎么做，请给我指点指点。(＊这个程序我不知道怎么做，请给我指导指导。)

1637 指导[动、名]zhǐdǎo ▶ 指引[动]zhǐyǐn

词义说明 Definition

指导[guide; direct] 指示教导；指点引导。

指引[point (the way); guide; show] 指点引导。

词语搭配 Collocation

	～思想	～学生	～青年	～员	～道路	在…的～下
指导	√	√	√	√	×	√
指引	×	√	√	×	√	√

用法对比 Usage

用法解释 Comparison

“指导”既是动词又是名词，既可以作谓语又可以作定语和宾语，“指引”多用作谓语。

语境示例 Examples

① 青年人需要科学理论的指导。(☺青年人需要科学理论的指引。)
② 是导师指引我走上了科学研究的道路。(☺是导师指导我走上了科学研究的道路。)

③ 王教授是博士生的指导老师。（*王教授是博士生的指引老师。）
④ 在教授的指导下，我把这个实验完成了。（*在教授的指引下，我把这个实验完成了。）
⑤ 是一位老人指引他们走出了大森林。（*是一位老人指导他们走出了大森林。）

1638 指示[动、名]zhǐshì ▶ 指令[名、动]zhǐlìng

词义说明 Definition

指示[show; indicate; point out] 指给人看。[(of a superior or an elder) give directives or instructions] 上级对下级或长辈对晚辈说明处理某个问题的原则和方法。[instruction; directive; order] 指示下级或晚辈的话或文字。

指令[instruct; order; direct; command] 指示、命令。

词语搭配 Collocation

	发出～	～我们	奉上级～	～前进方向	～道路	～性计划	～指标
指示	√	√	√	√	√	×	×
指令	√	√	×	×	×	√	√

用法对比 Usage

用法解释 Comparison

“指示”既是名词，也是动词，可以带宾语；“指令”很少作动词用，常用的是名词形式。

语境示例 Examples

① 载人飞船按照地面指挥系统发出的指令，顺利降落在预定地点。(☺载人飞船按照地面指挥系统发出的指示，顺利降落在预定地点。)
② 上级指示我们马上派医疗队奔赴地震灾区。(☺上级指令我们马上派医疗队奔赴地震灾区。)
③ 要把上级的指示及时传达下去。(☺要把上级的指令及时传达下去。)
④ 科学理论为我们指示着前进的方向。（*科学理论为我们指令着前进的方向。）

⑤ 对于上级的指示，我们必须坚决执行。（*对于上级的指令，我们必须坚决执行。）

⑥ 随着市场经济的发展和完善，指令性计划将不断减少。（*随着市场经济的发展和完善，指示性计划将不断减少。）

1639 志[名]zhì ▶ 志气[名]zhìqì

词义说明 Definition

志[ambition; ideal; aspiration; will; wish] 志向；志愿。

志气[aspiration; spirit; backbone; ambition] 求上进的决心和勇气；要求做成某件事的气概。

词语搭配 Collocation

	立～	雄心壮～	～在四方	有～	没有～	～很大
志	√	√	√	×	×	×
志气	×	×	×	√	√	√

用法对比 Usage

用法解释 Comparison

“志”和“志气”是同义词，但是，“志”还是个词素，可以组成新词语，“志气”没有组词能力。

语境示例 Examples

① 好儿女志在四方。（*好儿女志气在四方。）

② 人不怕没能力，就怕没志气。（*人不怕没能力，就怕没志。）

③ 从小树雄心，立壮志，努力学习，长大后才能有出息。（*从小树雄心，立壮志气，努力学习，长大后才能有出息。）

④ 有志者事竟成。（*有志气者事竟成。）

⑤ 中国人民有志气，决心在不太长的时间内，赶上中等发达国家的水平。（*中国人民有志，决心在不太长的时间内，赶上中等发达国家的水平。）

1640 志愿[名、动]zhìyuàn ▶ 愿望[名]yuànwàng ▶ 心愿[名]xīnyuàn

词义说明 Definition

志愿[aspiration and wish; ideal; will] 志向和愿望；自愿。

愿望[desire; wish; aspiration; idea to achieve a certain goal in the future] 希望将来能达到某种目的的想法。

心愿[cherished desire; aspiration; wish; dream] 愿望。

词语搭配 Collocation

	立下～	～当翻译	～者	了却～	实现～	主观～	美好的～
志愿	√	√	√	×	×	×	×
愿望	×	×	×	×	√	√	√
心愿	√	×	×	√	×	×	√

用法对比 Usage

"志愿"和"心愿"、"愿望"都可以做主语。

① 他的志愿是将来当一个外交官。(☺他的心愿/愿望是将来当一个外交官。)

② 她有一个愿望，就是到中国去留学。(☺她有一个心愿，就是到中国去留学。)(*她有一个志愿，就是到中国去留学。)

作宾语时与之搭配的动词不同。

① 他从小就立下志愿，长大要当一个大夫。(*他从小就立下心愿/愿望，长大要当一个大夫。)

② 这次能登上长城，了却了他多年的一个心愿。(*这次能登上长城，了却了他多年的一个愿望/志愿。)

③ 我希望能成为一名为奥运会服务的志愿者。(*我希望能成为一名为奥运会服务的愿望/心愿者。)

1641 志愿[名、动]zhìyuàn ▶ 自愿[动]zìyuàn

词义说明 Definition

志愿[aspiration; wish; ideal] 志向与愿望。[do sth. of one's own free will; volunteer] 自愿。

自愿[voluntary; of one's own accord; of one's own free will; on a voluntary basis] 自己愿意。

词语搭配 Collocation

	我的～	～者	～书	立下～	自觉～	出于～	～参加	～原则
志愿	√	√	√	√	×	×	√	×
自愿	×	×	×	×	√	√	√	√

用法对比 Usage

用法解释 Comparison

动词"志愿"有"自愿"的意思，但"志愿"还是名词，可以作宾语。"自愿"只是动词，不能作宾语。

语境示例 Examples

① 他为能当一个志愿者感到自豪。(＊他为能当一个自愿者感到自豪。)
② 参加这个组织是自觉自愿的。(＊参加这个组织是自觉志愿的。)
③ 我的志愿是上北大法律系，毕业后当律师。(＊我的自愿是上北大法律系，毕业后当律师。)
④ 暑假下乡为农民服务，完全是我自愿去的。(＊暑假下乡为农民服务，完全是我志愿去的。)
⑤ 学生会准备组织一个农村考察团，自愿参加，谁愿意可以报名。(＊学生会准备组织一个农村考察团，志愿参加，谁愿意可以报名。)
⑥ 很多大学毕业生都志愿到中国西部去创业。(☺很多大学毕业生都自愿到中国西部去创业。)

1642 制造[动]zhìzào ▶ 制作[动]zhìzuò

词义说明 Definition

制造[make; manufacture; produce] 用人工使原材料成为可供使用的物品。[concoct; stir up; create] 人为地造成某种气氛或局面。

制作[make; manufacture; produce] 制造。

Z

词语搭配 Collocation

	～模型	～家具	～标本	～机器	～飞机	～分裂	～紧张局势	～舆论	～谣言	～纠纷
制造	√	√	√	√	√	√	√	√	√	√
制作	√	√	√	×	×	×	×	×	×	×

用法对比 Usage

用法解释 Comparison

"制作"有"制造"的意思，但是其对象只限于工艺不复杂的家具、手工艺品之类；"制造"的对象规模要大得多，工艺也复杂得多。"制造"能带抽象名词作宾语，"制作"不能。

语境示例 Examples

① 这套家具的制作工艺还可以。(☺这套家具的制造工艺还可以。)

② 这种飞机是中国自己设计制造的。(＊这种飞机是中国自己设计制作的。)

③ 他们在国际间制造紧张局势，有着不可告人的目的。(＊他们在国际间制作紧张局势，有着不可告人的目的。)

④ 他们都在为自己的竞选而制造舆论。(＊他们都在为自己的竞选而制作舆论。)

⑤ 这部电影已经拍摄完成，目前正在进行后期制作，估计春节前可以公演。(＊这部电影已经拍摄完成，目前正在进行后期制造，估计春节前可以公演。)

⑥ 这些灯笼都是我制作的。(＊这些灯笼都是我制造的。)

1643 制止[动]zhìzhǐ ▶ 禁止[动]jìnzhǐ

词义说明 Definition

制止[prevent; stop; deter; check; interdict; curb; refrain; put a stay on; put a stop on] 强迫使停止；不允许继续（行动）。

禁止[prohibit; ban; forbid] 不许可（做不合要求或不应该做的事）。

词语搭配 Collocation

	～侵略	～战争	～他	～入内	～通行	～拍照	～抽烟	～停车	～招贴
制止	√	√	√	×	×	×	×	×	×
禁止	×	×	×	√	√	√	√	√	√

用法对比　Usage

用法解释 Comparison

“制止”的对象可以是战争、侵略等大的事件的发生，“禁止”的一般是日常生活中的不当行为，它们多用于书面。

语境示例 Examples

① 全世界人民都要提高警惕，制止战争的发生。（*全世界人民都要提高警惕，禁止战争的发生。）
② 我给他使了个眼神，制止他继续说下去。（*我给他使了个眼神，禁止他继续说下去。）
③ 室内禁止吸烟。（*室内制止吸烟。）
④ 前面修路，禁止通行，请绕行。（*前面修路，制止通行，请绕行。）
⑤ 此处禁止停车。（*此处制止停车。）

1644 治[动]zhì ▶ 治疗[动]zhìliáo

词义说明　Definition

治[rule; govern; control; administer; manage] 治理：依法～国。[treat; cure; heal] 医治：～病救人。[control; harness (a river)] 治理：～黄工程。[study or research] 研究：先生一生专～清史，硕果累累。

治疗[treat; cure] 用药物、手术等消除疾病：～常见病。

词语搭配　Collocation

	～病	～效果	～疾病	～不了	～不好	～好战争创伤	～病救人	～学	～山	～水
治	√	×	×	√	√	√	√	√	√	√
治疗	×	√	√	×	×	×	×	×	×	×

用法对比　Usage

“治”是个多义词，口语常用；“治疗”只有医治疾病的意思，它的宾语不能是单音节词，用于书面。“治”有治疗的意思，还有其他意思是“治疗”没有的；“治”还是个语素，可以与其他语素组合成

Z

新词语，“治疗”不能。

① 你的病最好住院治疗。(☺你的病最好住院治。)

② 医生的工作就是治病救人，如果见死不救，不仅是失职，简直是犯罪。(＊医生的工作就是治疗病救人，如果见死不救，不仅是失职，简直是犯罪。)

③ 这种中药对癌症的治疗效果非常明显。(＊这种中药对癌症的治效果非常明显。)

④ 两国间的战争虽然停止了，但是要治好战争的创伤则需要相当长的时间。(＊两国间的战争虽然停止了，但是要治疗好战争的创伤则需要相当长的时间。)

“治”的以下用法是“治疗”没有的。

① 治黄（治理黄河）工作几十年来取得了巨大成绩。(＊治疗黄工作几十年来取得了巨大成绩。)

② 先生治学严谨，为人正直，无论是做人或者做学问都是我的榜样。(＊先生治疗学严谨，为人正直，无论是做人或者做学问都是我的榜样。)

1645 中[名]zhōng ▶ 中间[名]zhōngjiān

中心[名]zhōngxīn

词义说明 Definition

中[centre; middle] 跟四周的距离相等；中心。[in; among; amidst] 范围内；内部：水～|家～。[(with 在 before the verb, used after a verb to indicate continuity) in the course of; in the process of] 用在动词后表示持续状态（动词前有“在”字)：工程在建设～。

中间[among; between] 里面：两座楼～。[centre; middle] 中心：湖～很深。[between] 在事物两端之间或两个事物之间的位置：～要换一次车。

中心[centre; middle; heart; core; hub; focus] 跟四周距离相等的位置。[main; chief; body] 事物的主要部分：～思想。

[centre (city or area of certain importance)] 在某一方面占重要地位的城市或地区：政治～。

词语搭配 Collocation

	广场～	河～	上～下	进行～	～学	群众～	～地带	～价	政治～	文化～
中	√	√	√	√	√	√	×	×	×	×
中间	√	√	×	×	×	√	√	√	×	×
中心	√	√	×	×	×	×	√	×	√	√

用法对比 Usage

用法解释 Comparison

“中”可以与“在”组成“在……中”，作状语，表示动作持续或正在进行。“中间”和“中心”不能这么用。“中心”除了有“中”的意思外，还表示某个城市的地位重要或单位名称，“中间”只表示方位和处所。

语境示例 Examples

① 湖中有一个小岛。(☺湖中间/中心有一个小岛。)
② 天安门广场中心是一座人民英雄纪念碑。(☺天安门广场中间是一座人民英雄纪念碑。)(* 天安门广场中是一座人民英雄纪念碑。)
③ 这座大坝正在紧张建设中。(* 这座大坝正在紧张建设中间/中心。)
④ 两座楼中间是一个花坛。(* 两座楼中/中心是一个花坛。)
⑤ 北京是中国的政治、经济和文化中心。(* 北京是中国的政治、经济和文化中/中间。)
⑥ 这个城市中心是一个大广场。(* 这个城市中/中间是一个大广场。)
⑦ 我们国家的首都有一个中国文化中心。(* 我们国家的首都有一个中国文化中/中间。)
⑧ 在中国的城市中，我最喜欢北京。(* 在中国的城市中心/中间，我最喜欢北京。)

1646 中断 [动] zhōngduàn ▶ 中止 [动] zhōngzhǐ

词义说明 Definition

中断 [interrupt; suspend; break off; discontinue] 中途停止或断绝。

中止[(of work or activity) discontinue; suspend; abate; cease] (做事)中途停止。

词语搭配 Collocation

	交通~	运输~	供应~	联系~	~谈判	~外交关系	~发行	~比赛
中断	√	√	√	√	√	√	×	√
中止	×	×	×	×	√	√	√	√

用法对比 Usage

用法解释 Comparison

"中断"用于交通、比赛、谈判,多为客观原因所致;"中止"用于活动、外交关系等,多是主观原因所致,口语很少用。

语境示例 Examples

① 因为雨越下越大,比赛不得不被迫中断。(☺因为雨越下越大,比赛不得不被迫中止。)

② 由于双方分歧太大,谈判中断了。(☺由于双方分歧太大,谈判中止了。)

③ 我们遗憾地宣布,由于对方违背与我建交时做出的承诺,从即日起,中止两国间的外交关系。(*我们遗憾地宣布,由于对方违背与我建交时做出的承诺,从即日起,中断两国间的外交关系。)

④ 双方决定从一月一日起,恢复中断了三年的外交关系。(*双方决定从一月一日起,恢复中止了三年的外交关系。)

⑤ 由于洪水冲垮了路基,交通中断了十几个小时。(*由于洪水冲垮了路基,交通中止了十几个小时。)

⑥ 由于该杂志违反国家法律,造成了恶劣影响,有关方面已勒令其中止发行,停业整顿。(*由于该杂志违反国家法律,造成了恶劣影响,有关方面已勒令其中断发行,停业整顿。)

1647 中心[名]zhōngxīn ▶ 中央[名]zhōngyāng

词义说明 Definition

中心[centre; middle; heart; core; hub; focus] 跟四周距离相等的位置。[main; chief; body] 事物的主要部分:~思想。[centre (city or area of certain importance)] 在某一方面占重要地位的城市或地区:政治~。

中央[centre; middle] 中心的地方：湖～。[highest leading body of a state or party] 指国家或党派政治权力最高的地方：～电视台|～领导。

词语搭配 Collocation

	公园～	湖～	广场～	～电视台	文化～	政治～	～思想	～问题
中心	√	√	√	×	√	√	√	√
中央	√	√	√	√	×	×	×	×

用法对比 Usage

用法解释 Comparison

“中央”和“中心”都表示位置在中间的，但是它们所表示的抽象意思不同。

语境示例 Examples

① 湖中心有一个小亭子。(☺湖中央有一个小亭子。)

② 天安门广场中心是人民英雄纪念碑。(☺天安门广场中央是人民英雄纪念碑。)

③ 这篇课文的中心思想是什么？(*这篇课文的中央思想是什么?)

④ 这部电视剧的中心人物是一位工程师。(*这部电视剧的中央人物是一位工程师。)

⑤ CCTV是中国中央电视台的标志。(*CCTV是中国中心电视台的标志。)

⑥ “中央人民广播电台，现在开始播音。”(*“中心人民广播电台，现在开始播音。”)

1648 忠实[形]zhōngshí ▶ 忠诚[形、动]zhōngchéng

词义说明 Definition

忠实[loyal; true; faithful and trustworthy] 忠诚可靠。[true; truthful; real] 真实。

忠诚[(towards country, people, cause, leader, friends, etc.) faithful; staunch; loyal; true] 对国家、人民、事业、领导和朋友等尽心尽力。

Z

词语搭配 Collocation

	~执行	~于原文	~的朋友	~的报道	~的信徒	~教育事业	~老实
忠实	√	√	√	√	√	×	×
忠诚	×	×	√	×	√	√	√

用法对比 Usage

“忠诚”是褒义词，“忠实”是中性词。“忠诚”还是动词，可以带宾语；“忠实”只是形容词，不能带宾语，也很少作谓语，常作定语和状语。

① 因为丈夫对她不忠实，所以她才提出离婚。(☺因为丈夫对她不忠诚，所以她才提出离婚。)

② 他是我最忠实的朋友。(☺他是我最忠诚的朋友。)

③ 这张照片是当时情景的忠实纪录。(＊这张照片是当时情景的忠诚纪录。)

④ 他为人忠诚老实，所以大家都选他当代表。(＊他为人忠实老实，所以大家都选他当代表。)

“忠实”和“忠诚”涉及的对象不同。

① 翻译作品一定要忠实于原文。(＊翻译作品一定要忠诚于原文。)

② 吕教授一生忠诚祖国的教育事业。(＊吕教授一生忠实祖国的教育事业。)

1649 终究[副]zhōngjiū ▶ 毕竟[副]bìjìng

词义说明 Definition

终究[eventually; in the end; after all] 毕竟；终归。

毕竟[after all; all in all; when all is said and done; in the final analysis] 表示追根究底所得的结论；究竟；终归；到底。

词语搭配 Collocation

	~是	~不是	~没有经验	~年轻	~会明白的
终究	√	√	√	√	√
毕竟	√	√	√	√	×

用法对比 Usage

用法解释 Comparison

"终究"和"毕竟"都是副词，都有终归的意思，但"终究"还表示预期的情况最后必然会出现，后边常有能愿动词"会"、"能"、"要"。"毕竟"没有这个意思和用法。

语境示例 Examples

① 他们终究是外国留学生，对中国的了解不是很深。(☺他们毕竟是外国留学生，对中国的了解不是很深。)
② 他毕竟还年轻，缺乏这方面的锻炼。(☺他终究还年轻，缺乏这方面的锻炼。)
③ 一个人的力量终究是有限的，还是得依靠大家。(☺一个人的力量毕竟是有限的，还是得依靠大家。)
④ 虽然他犯有错误，但对于我们地区的发展，毕竟也做出了很大贡献。(☺虽然他犯有错误，但对于我们地区的发展，终究也做出了很大贡献。)
⑤ 我相信，这个道理他终究会明白过来的。(＊我相信，这个道理他毕竟会明白过来的。)
⑥ 这些问题终究会得到解决的。(＊这些问题毕竟会得到解决的。)

1650 终止[动]zhōngzhǐ ▶ 中止[动]zhōngzhǐ

词义说明 Definition

终止[stop; end; be over; close] 结束，停止。

中止[(of work or activity) discontinue; suspend; abate; cease] (做事) 中途停止。

词语搭配 Collocation

	～比赛	～合同	～活动	工作～了	～条约	～发行	～外交关系
终止	√	√	√	√	√	×	×
中止	√	√	√	√	√	√	√

Z

用法对比 Usage

用法解释 Comparison

"终止"和"中止"的发音一样，但是意思不同。"终止"是事情结束、停止，“中止”是中途停止，书写时应注意。

语境示例 Examples

① 单位来电话说公司有急事，他只好中止休假。（＊单位来电话说公司有急事，他只好终止休假。）
② 因为雨越下越大，比赛只好中止。（＊因为雨越下越大，比赛只好终止。）
③ 由于边界纠纷，两国中止了外交关系。（＊由于边界纠纷，两国终止了外交关系。）
④ 这项条约的终止日期已经到了，需要续签。（＊这项条约的中止日期已经到了，需要续签。）
⑤ 因为资金不到位，这项工程中止了。（＊因为资金不到位，这项工程终止了。）
⑥ 你已经学了三年了，中止了太可惜。（＊你已经学了三年了，终止了太可惜。）

1651 种[动]zhòng ▶ 种植[动]zhòngzhí

词义说明 Definition

种[grow; plant; crop; put in] 种植：～田。

种植[plant; grow; crop; put in] 把植物的种子埋在土里。

词语搭配 Collocation

	～田	～树	～花	～水稻	～果树	～面积
种	√	√	√	√	√	×
种植	×	×	×	√	√	√

用法对比 Usage

“种植”和“种”是同义词，“种植”的宾语不能是单音节名词，如果带单音节名词作宾语，单音节名词前面要加修饰成分，“种”的宾语没有此限。

① 我家院子里种了很多花。(☺我家院子里种植了很多花。)
② 爸爸在房子前边种了一棵葡萄树。(☺爸爸在房子前边种植了一棵葡萄树。)
③ 中国南方一年可以种两季水稻。(☺中国南方一年可以种植两季水稻。)

④ 只有科学种田，才能丰产丰收。（＊只有科学种植田，才能丰产丰收。）

“种植”可以直接修饰名词作定语，“种”不能。

① 他们采用减少种植面积，退耕还林还草的办法，来逐步恢复自然生态。（＊他们采用减少种面积，退耕还林还草的办法，来逐步恢复自然生态。）

② 应该采用先进的种植技术，提高单位面积产量。（＊应该采用先进的种技术，提高单位面积产量。）

1652 重大[形]zhòngdà ▶ 重要[形]zhòngyào

词义说明 Definition

重大[(used for abstract things) of great importance; great; weighty; major; significant] 大而重要（用于抽象事物）。

重要[important; significant; major] 具有重大意义、作用和影响的。

词语搭配 Collocation

	～节日	责任～	～成就	～意义	～原则	～胜利	～事故	～变化	～人物	～工作
重大	√	√	√	√	√	√	√	√	×	×
重要	√	√	√	√	√	×	×	×	√	√

用法对比 Usage

用法解释 Comparison

“重大”和“重要”都是形容词，它们修饰的中心语有所不同。“重大”不能形容人，“重要”可以修饰人。

语境示例 Examples

① 他参加过很多重大的国际比赛。（☺他参加过很多重要的国际比赛。）

② 今晚电视台要播送一条重要新闻。（☺今晚电视台要播送一条重大新闻。）

③ 改革开放以来中国发生了重大变化。（＊改革开放以来中国发生了重要变化。）

④ 出席今晚招待会的都是一些重要人物。（＊出席今晚招待会的都

Z

是一些重大人物。)

⑤ 要千方百计减少重大事故的发生。(*要千方百计减少重要事故的发生。)

⑥ 这项工作关系重大,只能做好,不能做坏。(*这项工作关系重要,只能做好,不能做坏。)

1653 重要[形]zhòngyào ▶ 主要[形]zhǔyào

词义说明 Definition

重要[important; significant; major] 具有重大意义、作用和影响的。

主要[main; chief; principal; major] 有关事物中最重要的;起决定作用的。

词语搭配 Collocation

	非常~	~内容	~会议	~讲话	~性	~人物	~理由	~目的	~矛盾
重要	√	√	√	√	√	√	√	√	×
主要	×	√	×	×	×	√	√	√	√

用法对比 Usage

用法解释 Comparison

"主要"是非谓形容词,不能受"很"或"非常"修饰,也不能作谓语。"重要"可以受"很"或"非常"修饰,可以作定语和谓语。

语境示例 Examples

① 我来中国的重要任务是学习汉语,至于选什么专业,现在还没有想好。(☺我来中国的主要任务是学习汉语,至于选什么专业,现在还没有想好。)

② 这个语法非常重要,一定要弄懂会用。(*这个语法非常主要,一定要弄懂会用。)

③ 他在大会上发表了重要讲话。(*他在大会上发表了主要讲话。)

④ 要充分认识语音对外语学习的重要性。(*要充分认识语音对外

Z

语学习的主要性。)

⑤ 你还年轻，要把主要精力放在学习上。(＊你还年轻，要把重要精力放在学习上。)

1654 昼夜[名]zhòuyè ▶ 日夜[名]rìyè

词义说明 Definition

昼夜[day and night; round the clock] 白天和黑夜。

日夜[day and night; round the clock] 白天和黑夜。

词语搭配 Collocation

	～不停	～工作	～警戒	～商店	～兼程	～守卫	～三班倒	五个～
昼夜	√	√	√	√	√	√	√	√
日夜	√	√	√	√	√	√	√	×

用法对比 Usage

用法解释 Comparison

"昼夜"和"日夜"是同义词，不同的是，"日夜"可以重叠，说"日日夜夜"，"昼夜"不能重叠。"昼夜"是可数名词，前边可以用数量词修饰，"日夜"不能。

语境示例 Examples

① 为了早日完成这项任务，他们昼夜不停地工作。(☺为了早日完成这项任务，他们日夜不停地工作。)

② 现在工厂是昼夜三班倒，人停机器不停。(☺现在工厂是日夜三班倒，人停机器不停。)

③ 医疗队日夜兼程赶到地震灾区去抢救伤员。(☺医疗队昼夜兼程赶到地震灾区去抢救伤员。)

④ 解放军日日夜夜地守卫着祖国的边境线，保卫着祖国的安宁。(＊解放军昼昼夜夜地守卫着祖国的边境线，保卫着祖国的安宁。)

⑤ 他们一直在防洪大堤上坚守了七个昼夜。(＊他们一直在防洪大堤上坚守了七个日夜。)

Z

1655 逐渐[副]zhújiàn ▶ 逐步[副]zhúbù

词义说明 Definition

逐渐[gradually; by degrees] 程度和数量慢慢增加或减少。

逐步[step by step; progressively] 一步一步地。

词语搭配 Collocation

	～实现	～深入	～提高	～解决	～发展	～扩大	～升级	～暗了	～消失	～熟悉
逐渐	√	√	√	√	√	√	√	√	√	√
逐步	√	√	√	√	√	√	√	×	×	×

用法对比 Usage

用法解释 Comparison

“逐渐”和“逐步”都是副词，可以作状语，“逐渐”能修饰形容词，“逐步”不能。表现人为的、有意识、有步骤、有计划的变化用“逐步”，表现非人为的动作或自然而然的变化用“逐渐”。

语境示例 Examples

① 他的汉语水平正在逐渐提高。(☺他的汉语水平正在逐步提高。)

② 中国正在逐步走向现代化。(☺中国正在逐渐走向现代化。)

③ 妈妈的病情在逐渐好转。(* 妈妈的病情在逐步好转。)

④ 天逐渐黑了下来。(* 天逐步黑了下来。)

⑤ 科学家认为地球上的气候正在逐渐变暖。(* 科学家认为地球上的气候正在逐步变暖。)

⑥ 问题正在逐步解决。(* 问题正在逐渐解决。)

⑦ 我对这里的情况逐渐熟悉了。(* 我对这里的情况逐步熟悉了。)

⑧ 要逐步提高农民的科学技术水平。(* 要逐渐提高农民的科学技术水平。)

1656 主意[名]zhǔyi ▶ 办法[名]bànfǎ

词义说明 Definition

主意[idea; plan; decision; definite; view] 主见；办法。

办法[way to handle affairs; method] 处理事情或解决问题的

方法。

词语搭配 Collocation

	有～	没有～	出～	想～	打定～	好～	拿不定～	改变～	没了～
主意	√	√	√	√	√	√	√	√	√
办法	√	√	×	√	×	√	×	√	√

用法对比 Usage

“主意”有“办法”的意思，还有“见解，看法”的意思，“办法”没有这些意思。

① 人多主意多。(☺人多办法多。)

② 这是一个好主意。(☺这是一个好办法。)

③ 我实在不知道该怎么办了，你帮我想想办法吧。(☺我实在不知道该怎么办了，你帮我想想主意吧。)

“主意”可以作“出”、“拿”、“打”等动词的宾语，“办法”不能。

① 智囊团的主要工作就是为领导出主意。(＊智囊团的主要工作就是为领导出办法。)

② 暑假是去旅行还是回国，我还没拿定主意。(＊暑假是去旅行还是回国，我还没拿定办法。)

③ 他已打定主意，大学毕业后要考研究生。(＊他已打定办法，大学毕业后要考研究生。)

1657 主意[名]zhǔyi ▶ 想法[名]xiǎngfa

词义说明 Definition

主意[idea; plan; decision; definite; view] 主见；办法。

想法[idea; opinion; what one has in mind; what one concludes after thinking] 思索所得的结果，意见。

词语搭配 Collocation

	好～	有～	没～	～不错	打～	出～	想～
主意	√	√	√	√	√	√	√
想法	√	√	√	√	×	×	×

用法对比 Usage

用法解释 Comparison

“主意”和“想法”的意思不太一样。“主意”有“想法”的意思，还有“办法”、“方法”的意思。“想法”没有“办法、方法”的意思。

语境示例 Examples

① 主意：你的这个主意不错。（想的办法不错）
想法：你的这个想法不错。（打算、计划不错）

② 主意：他很有主意。（他的办法多）
想法：他很有想法。（他对某事很不满意或有不同的意见。）

③ 遇到这种情况，我真的没了主意。（＊遇到这种情况，我真的没了想法。）

④ 这是谁出的主意？（＊这是谁出的想法？）

⑤ 到底买不买，我也拿不定主意。（＊到底买不买，我也拿不定想法。）

⑥ 对于这次选举，几个候选人各有各的想法。（＊对于这次选举，几个候选人各有各的主意。）

⑦ 他这么干，大家对他很有想法。（＊他这么干，大家对他很有主意。）

1658 主意[名]zhǔyi ▶ 主张[名、动]zhǔzhāng

词义说明 Definition

主意[idea; plan; decision; definite; view] 主见；办法。

主张[advocate; stand for; maintain; hold] 对于如何行动持有某种见解。[view; position; stand; proposition] 对于如何行动所持的见解。

词语搭配 Collocation

	好～	有～	没有～	出～	一贯～	坚决～	我们～	～和平解决
主意	√	√	√	√	×	×	×	×
主张	√	√	√	×	√	√	√	√

用法对比 Usage

用法解释 Comparison

“主张”既是动词又是名词，可以作谓语；“主意”只是名词，不能作谓语。“主意”用于口语，“主张”口语书面都可以用。

语境示例 Examples

① 这个主张既合情又合理。(☺这个主意既合情又合理。)
② 请大家给出出主意，看这个问题到底怎么解决。(＊请大家给出出主张，看这个问题到底怎么解决。)
③ 这是谁出的馊主意？(＊这是谁出的馊主张？)
④ 我们一贯主张用和平的手段解决国与国的争端。(＊我们一贯主意用和平的手段解决国与国的争端。)
⑤ 中国历来主张，国家无论大小，一律平等。(＊中国历来主意，国家无论大小，一律平等。)
⑥ 我们坚决支持你们维护国家主权的正义主张。(＊我们坚决支持你们维护国家主权的正义主意。)

1659 嘱咐[动]zhǔfù ▶ 告诉[动]gàosu

词义说明 Definition

嘱咐[enjoin; advise; urge; tell] 用话语告诉对方记住应该做什么或不该做什么，该怎么做，不该怎么做。

告诉[tell; let know] 说给人，使人知道。

词语搭配 Collocation

	～了又～	～他一件事	～我努力学习	～他晚上有电影
嘱咐	√	√	√	×
告诉	×	√	×	√

用法对比 Usage

用法解释 Comparison

“嘱咐”有使动义，“告诉”没有使动义，只是传达某种信息。“嘱咐”一般用于上级对下级或长辈对晚辈，“告诉”没有这个限制。

语境示例 Examples

① 爸爸妈妈在信里嘱咐我要注意身体，好好学习。(☺爸爸妈妈在信里告诉我要注意身体，好好学习。)

② 你一定要记住父母对你的嘱咐。（＊你一定要记住父母对你的告诉。）
③ 我告诉你一个好消息。（＊我嘱咐你一个好消息。）
④ 他告诉我，他不想去了。（＊他嘱咐我，他不想去了。）
⑤ 有什么困难就告诉我。（＊有什么困难就嘱咐我。）
⑥ 这件事你告诉爸爸妈妈没有？（＊这件事你嘱咐爸爸妈妈没有？）

1660 嘱咐[动]zhǔfù ▶ 嘱托[动]zhǔtuō

词义说明 Definition

嘱咐[enjoin; tell; exhort] 用话语告诉对方记住应该做什么或不该做什么，该怎么做，不该怎么做。

嘱托[entrust] 托（人办事）；托付。

词语搭配 Collocation

	再三～	～孩子	～我	临终～	不忘他的～
嘱咐	√	√	√	√	√
嘱托	√	×	√	√	√

用法对比 Usage

用法解释 Comparison

“嘱咐”是告诉对方应该怎样，不该怎样；“嘱托”是托他人为自己办事。

语境示例 Examples

① 嘱咐：爸爸妈妈出国工作前嘱咐我姨，要好好照顾我的生活和学习。
嘱托：爸爸妈妈出国工作前嘱托我姨照顾我的生活和学习。
② 嘱咐：姐姐出国前嘱咐我，要好好照顾小丽的生活和学习。
嘱托：姐姐出国前嘱托我照顾小丽的生活和学习。
③ 爸爸妈妈再三嘱咐我要听姨的话。（＊爸爸妈妈再三嘱托我要听姨的话。）
④ 这是母亲临终时对我的嘱咐。（☺这是母亲临终时对我的嘱托。）
⑤ 她嘱托我把这件礼物交给你。（☺他嘱咐我把这件礼物交给你。）
⑥ 要听大夫的嘱咐，好好在家休养。（＊要听大夫的嘱托，好好在家休养。）

Z

1661 住[动]zhù ▶ 居住[动]jūzhù

词义说明 Definition

住[live; reside; stay] 居住；住宿。[stop; cease] 停止；止住：雨～了。[(used after a verb as complement) firmly] 作动词的补语，表示牢靠或稳当：拿～|把～方向盘。表示停顿或静止：问～了|愣～了。

居住[live; reside; dwell] 较长时间地住在一个地方：在农村～。

词语搭配 Collocation

	～哪儿	～在乡下	～几楼	～旅馆	～宿舍	～条件	～环境	拿～了	问～	挡不～
住	√	√	√	√	√	×	×	√	√	√
居住	√	√	×	×	×	√	√	×	×	×

用法对比 Usage

"住"的时间可长可短，"居住"是在一个地方长期住。"住"多用于口语，"居住"用于书面。"住"的其他意思是"居住"所没有的。

① 他在北京住了三年了。(☺他在北京居住了三年了。)

② 我昨天刚到北京，住在和平饭店。(＊我昨天刚到北京，居住在和平饭店。)

"住"可以带处所宾语，"居住"不能，"居住"可作定语修饰双音节词语，"住"不能。

① A：你住几楼？B：我住十四楼。(＊A：你居住几楼？B：我居住十四楼。)

② 我家的居住条件比过去好多了。(＊我家的住条件比过去好多了。)(☺我家住的条件比过去好多了。)

③ 居住环境比居住面积更重要。(＊住环境比住面积更重要。)

"住"有暂时停留的意思，"居住"没有这个意思。

① 昨天他住院了。(＊昨天他居住院了。)

② 我在这里就住一个晚上。(＊我在这里就居住一个晚上。)

③ 住旅馆一个晚上要多少钱？(＊居住旅馆一个晚上要多少钱？)

"住"可以作动词的补语，"居住"不能，以下句子里的"住"，都不能用"居住"替换。

① 一辆车开到家门口停住了，从车里下来了一个小伙子，我仔细一

看，原来是在国外留学的儿子回来了。
② 守门员一下没扑住，让对方踢进了一个球。
③ 老师的问题把我问住了。
④ 我扔给你，你接得住接不住？
⑤ 一次学的生词太多，我根本记不住。

1662 住房[名]zhùfáng ▶ 住所[名]zhùsuǒ ▶ 住宅[名]zhùzhái

词义说明 Definition

住房[housing; lodgings] 供人居住的房屋。

住所[dwelling place; residence; domicile] 居住的处所（多指住户的）。

住宅[(of large scale) residence; dwelling] 住房（多指规模较大的）。

词语搭配 Collocation

	没有～	有～	～条件	～面积	我的～	～小区	居民～	～楼
住房	√	√	√	√	√	×	√	×
住所	√	√	×	×	√	×	×	×
住宅	√	√	×	×	√	√	√	√

用法对比 Usage

用法解释 Comparison

这三个词的意思差不多，但是在使用时，与它们搭配的词语不同。

语境示例 Examples

① 居民住房的设备坏了，只要打个电话就有人上门来修理。（☺居民住所/住宅的设备坏了，只要打个电话就有人上门来修理。）
② 城市居民的住房条件有了很大的改善。（＊城市居民的住宅/住所条件有了很大的改善。）
③ 他家的住房面积有一百多平方米。（＊他家的住宅/住所面积有一百多平方米。）
④ 北京新建了不少现代化的住宅小区。（＊北京新建了不少现代化

Z

的住房/住所小区。)

⑤ 我的住所/住宅离大学不太远。(＊我的住房离大学不太远。)

⑥ 购买住房/住宅不但要看使用面积、价格和室内设施，更重要的还要看居住的环境。(＊购买住所不但要看使用面积、价格和室内设施，更重要的还要看居住的环境。)

1663 注视[动]zhùshì ▶ 凝视[动]níngshì

词义说明 Definition

注视[look attentively at; gaze at] 注意地看。

凝视[gaze fixedly; stare; be all eyes] 聚精会神地看。

词语搭配 Collocation

	久久～	～着	密切～
注视	√	√	√
凝视	√	√	×

用法对比 Usage

用法解释 Comparison

“凝视”是带着某种神情长时间地聚精会神地看某一点，对象常常是人或具体的静止的东西。“注视”指注意力和精神集中地看或从侧面、从暗中注意观察，对象是人或具体的、变动的事物。“凝视”只能带具体宾语，“注视”既可以带具体宾语，也可以带抽象宾语，如“注视事态发展”等。

语境示例 Examples

① 此刻，亿万双眼睛都注视着荧光屏，观看飞船着陆的实况报道。(☺此刻，亿万双眼睛都凝视着荧光屏，观看飞船着陆的实况报道。)

② 我站在烈士的铜像前，久久凝视着烈士的面容。(☺我站在烈士的铜像前，久久注视着烈士的面容。)

③ 全国人民都密切注视着这次大会的进展情况。(＊全国人民都密切凝视着这次大会的进展情况。)

④ 我们一直注视着这一事件的动向。（＊我们一直凝视着这一事件的动向。）

⑤ 他爱慕地凝视着手中的照片，看了很久很久。（＊他爱慕地注视着手中的照片，看了很久很久。）

1664 祝[动]zhù ▶ 祝贺[动、名]zhùhè

词义说明 Definition

祝[express good wishes; wish] 表示良好的祝愿。

祝贺[congratulate] 为共同的喜事表示庆祝或向有喜事的人道贺。

词语搭配 Collocation

	～你健康	～新年好	～你生日快乐	～圣诞快乐	～你	向你表示～	～演出成功
祝	√	√	√	√	×	×	√
祝贺	×	×	×	×	√	√	√

用法对比 Usage

用法解释 Comparison

“祝”用在未然态，即动作行为或事情发生前；“祝贺”用于已然态，即动作行为或事情发生之后。“祝贺”还是个名词，“祝”只是个动词。

语境示例 Examples

① 祝：祝你考上北京大学！（还没有考试的时候说）
祝贺：祝贺你考上了北京大学！（考上北京大学以后说）

② 祝你一路平安！（送行时说的吉利话）（＊祝贺你一路平安！）

③ 祝贺你生了一个女儿！（＊祝你生了一个女儿！）

④ 我向你们表示热烈的祝贺。（＊我向你们表示热烈的祝。）

⑤ 祝你生日快乐！（＊祝贺你生日快乐！）

⑥ 演出结束后，领导人上台与演出人员合影，祝贺演出成功。（＊演出结束后，领导人上台与演出人员合影，祝演出成功。）

⑦ 国家领导人致电祝贺卫星发射成功。（＊国家领导人致电祝卫星发射成功。）

1665 祝福[动]zhùfú ▶ 祝愿[动、名]zhùyuàn

词义说明 Definition

祝福[blessing; benediction] 祝人平安和幸福。

祝愿[wish] 表示良好的愿望。

词语搭配 Collocation

	衷心～	向你～	～你	良好的～	美好的～	～你万事如意
祝福	√	√	√	√	√	×
祝愿	√	×	×	√	√	√

用法对比 Usage

用法解释 Comparison

"祝福"是动词,"祝愿"是动词兼名词。

语境示例 Examples

① 祝福你和家人幸福快乐!(☺祝愿你和家人幸福快乐!)

② 祝愿您老人家健康长寿!(☺祝福您老人家健康长寿!)

③ 向您致以美好的祝愿!(☺向您致以美好的祝福!)

④ 祖国啊,我为您祝福,祝福您万世平安!(☺祖国啊,我为您祝愿,祝愿您万世平安!)

⑤ 请接受我衷心的祝福。(*请接受我衷心的祝愿。)

⑥ 祝愿贵国在阁下的领导下,繁荣昌盛,人民幸福。(*祝福贵国在阁下的领导下,繁荣昌盛,人民幸福。)(国家元首在外交场合的讲话或信件)

1666 著名[形]zhùmíng ▶ 闻名[形、动]wénmíng

词义说明 Definition

著名[famous; celebrated; well-known] 有名。

闻名[well known; famous; renowned] 有名。[be familiar with sb.'s name; know sb. by repute] 听到名声。

词语搭配 Collocation

	很～	非常～	～的科学家	～作家	～已久	～全国	～世界	～于世
著名	√	√	√	√	×	×	×	×
闻名	√	√	√	×	√	√	√	√

用法对比 Usage

用法解释 Comparison

"著名"和"闻名"都可以作定语，但是修饰的中心语不同。"闻名"后边可以带处所词语，表示"在……（范围内）有名"，"著名"不能这么用。

语境示例 Examples

① 杭州是中国著名的旅游胜地。(☺杭州是中国闻名的旅游胜地。)

② 这是一部著名的小说。(＊这是一部闻名的小说。)

③ 他是一位物理学家，以获得诺贝尔物理奖而闻名于世。(＊他是一位物理学家，以获得诺贝尔物理奖而著名于世。)

④ 兵马俑是举世闻名的考古发现。(＊兵马俑是举世著名的考古发现。)

⑤ 我对他闻名已久，可惜至今还没有见过他。(＊我对他著名已久，可惜至今还没有见过他。)

⑥ 当年红军的二万五千里长征闻名世界。(＊当年红军的二万五千里长征著名世界。)

1667 专心[形]zhuānxīn ▶ 潜心[副]qiánxīn

词义说明 Definition

专心[concentrated; absorbed] 集中注意力，一心一意的。

潜心[devote oneself; work with great concentration] 用心专而深。

词语搭配 Collocation

	～致志	～专意	～研究	～学习	～听讲	～于
专心	√	√	√	√	√	×
潜心	×	×	√	×	×	√

Z

用法对比 Usage

用法解释 Comparison

“专心”和“潜心”的意思相同，但表达的程度不同，“潜心”是非常专心，多修饰研究。“专心”描写精力集中地做某事。“专心”可以作谓语和补语，“潜心”多用来作状语。

语境示例 Examples

① 他潜心研究数学四十多年，在数学领域取得了举世公认的成就。(☺他专心研究数学四十多年，在数学领域取得了举世公认的成就。)

② 学习必须专心。(＊学习必须潜心。)

③ 他干什么都十分专心。(＊他干什么都十分潜心。)

④ 上课时要专心听老师讲解。(＊上课时要潜心听老师讲解。)

⑤ 他目前正潜心于一项考古研究。(＊他目前正专心于一项考古研究。)

⑥ 研究任何学问只有专心致志，持之以恒，才能有所发现，有所建树。(＊研究任何学问只有潜心致志，持之以恒，才能有所发现，有所建树。)

1668 转变[动]zhuǎnbiàn ▶ 改变[动]gǎibiàn

词义说明 Definition

转变[change; transform] 由一种情况变到另一种情况。

改变[striking difference or improvement occurring in sb. or sth.] 事物发生显著的差别。[change; alter] 改换；更动。

词语搭配 Collocation

	～思想	～立场	～面貌	不可～	～态度	～口气	～样式	～方法	～战略	～计划	～设计
转变	√	√	×	×	√	×	×	×	×	×	×
改变	√	√	√	√	√	√	√	√	√	√	√

用法对比 Usage

Z

用法解释 Comparison

“转变”一般指向好的方面变化，与其搭配的词语很有限，只有立场、观点、作风、思想、形势等抽象名词。“改变”可以是向好的方面，也可以是向不好的方面。它的宾语可以是抽象的名词，如计划、设计、方法、性质、性格等，也可以是环境、位置、数量、颜色、声音等较具体的名词。

语境示例 Examples

① 改革开放以来，中国人的观念有了很大转变。(☺改革开放以来，中国人的观念有了很大改变。)

② 通过说服教育，他的态度转变了。(☺通过说服教育，他的态度改变了。)

③ 原来我打算下个月回国，现在改变了主意，决定先去中国西部考察。(*原来我打算下个月回国，现在转变了主意，决定先去中国西部考察。)

④ 历史发展的总趋势是不可改变的。(*历史发展的总趋势是不可转变的。)

⑤ 学校教育的一个重要任务是转变学生的思想，把他们培养成为社会有用的人才。(*学校教育的一个重要任务是改变学生的思想，把他们培养成为社会有用的人才。)

⑥ 经过一年治理，这里的环境有了很大的改变。(*经过一年治理，这里的环境有了很大的转变。)

1669 转告[动]zhuǎngào ▶ 转达[动]zhuǎndá

词义说明 Definition

转告[pass on (word); communicate; transmit] 受人嘱托把某人的话、情况等告诉另一方。

转达[pass on; convey; communicate] 把一方的话转告给另一方。

词语搭配 Collocation

	~给	请你~我的问候	~他	~我妈妈	代为~
转告	√	×	√	√	√
转达	√	√	×	×	√

用法对比 Usage

用法解释 Comparison

“转告”和“转达”的意思相同。不过，“转告”可以直接带宾语，“转达”不能直接带宾语，如带宾语，后边要加介词

Z

"给"。

语境示例 Examples

① 转告：你的话我已经转告她了。
转达：你的话我已经转达给她了。（*你的话我已经转达她了。）
② 我保证把你的话转告老师。（☺我保证把你的话转达给老师。）
③ 我来不及向她告别了，请你转告她吧。（*我来不及向她告别了，请你转达她吧。）（☺我来不及向她告别了，请你转达吧。）
④ 请向你父母转达我的问候。（*请向你父母转告我的问候。）
⑤ 他让我转告你，明天他不能来。（*他让我转达你，明天他不能来。）

1670 转化[动]zhuǎnhuà ▶ 转变[动]zhuǎnbiàn

词义说明 Definition

转化[change; transform] 转变，改变。

转变[change; transform] 由一种情况变到另一种情况。

词语搭配 Collocation

	~了	没有~	很大~	~立场	向反面~	~为生产力	矛盾~了
转变	√	√	√	√	×	×	×
转化	√	√	×	×	√	√	√

用法对比 Usage

用法解释 Comparison

“转变”表示由一种情况变成另一种情况或样子，“转化”表示事物性质或形态的变化，或由此事物变成他事物。“转变”一般指由坏变好，“转化”没有这个意思。

语境示例 Examples

① 要把先进的科学技术转化为现实生产力。（☺要把先进的科学技术转变为现实生产力。）
② 教育的目的之一就是要转变学生的思想，培养学生具有健全的人格。（*教育的目的之一就是要转化学生的思想，培养学生具有健全的人格。）
③ 在老师的教育下，他转变了。（*在老师的教育下，他转化了。）

Z

④ 他到那里走了走，看了看，看法转变了。（＊他到那里走了走，看了看，看法转化了。）
⑤ 要努力把科研成果尽快转化为商品。（＊要努力把科研成果尽快转变为商品。）
⑥ 事物在发展过程中，矛盾的双方往往向着相反的方向转化。（＊事物在发展过程中，矛盾的双方往往向着相反的方向转变。）

1671 庄重[形]zhuāngzhòng ▶ 庄严[形]zhuāngyán

词义说明 Definition

庄重[serious; grave; solemn; sedate]（言语、举止）不随便；不轻浮。

庄严[solemn; dignified; stately] 庄重而严肃。

词语搭配 Collocation

	很～	十分～	神情～	态度～	举止～	～的场面	～声明	～的国徽	语气～
庄重	√	√	√	√	√	√	×	×	√
庄严	√	√	×	×	×	√	√	√	×

用法对比 Usage

用法解释 Comparison

“庄重”一般修饰人的举止、态度、言语和神情，“庄严”修饰的是重要的场面、国徽、声明等。

语境示例 Examples

① 新闻发言人应该举止庄重，落落大方，机智幽默，妙语连珠，言论得体，应答从容，于不经意中展示出一个外交家的气度和风范。（＊新闻发言人应该举止庄严，落落大方，机智幽默，妙语连珠，言论得体，应答从容，于不经意中展示出一个外交家的气度和风范。）
② 她端坐在那里，神情显得十分庄重。（＊她端坐在那里，神情显得十分庄严。）
③ 整个会场充满了庄严的气氛。（☺整个会场充满了庄重的气氛。）
④ 中国政府庄严声明，不允许任何外国势力干涉中国的内政。（＊中国政府庄重声明，不允许任何外国势力干涉中国的内政。）

⑤ 雄伟庄严的人民英雄纪念碑耸立在天安门广场中央。（* 雄伟庄重的人民英雄纪念碑耸立在天安门广场中央。）

1672 装备[动、名]zhuāngbèi ▶ 装置[动、名]zhuāngzhì

词义说明 Definition

装备[equip; fit out (weapons, uniforms, equipment, technical force, etc.)] 配备（武器、器材、技术力量等）。[equipment; outfit (weapons, uniforms, equipment, technical force, etc.)] 指配备的武器、器材、技术力量等。

装置[install; fit] 安装。[installation; unit; device; plant; complex apparatus for a specific function] 机器、仪器或其他设备中，构造较复杂并具有某种独立功用的物件。

词语搭配 Collocation

	～新式导弹	全新的～	国产～	自动化～	～好了	雷达～	～软件
装备	√	√	√	√	√	×	×
装置	×	√	√	√	√	√	√

用法对比 Usage

用法解释 Comparison

动词“装备”的宾语一般是武器、器材等，不能带处所宾语；“装置”的宾语是机器、仪器等，可以带处所宾语。

语境示例 Examples

① 这些都是国产装备。（☺这些都是国产装置。）

② 这种照相机上装备有电子眼，人的眼睛看到什么地方，它会自动对焦到什么地方。（☺这种照相机上装置有电子眼，人的眼睛看到什么地方，它会自动对焦到什么地方。）

③ 我们部队装备了新型导弹。（* 我们部队装置了新型导弹。）

④ 这种导弹都有激光制导装置。（* 这种导弹都有激光制导装备。）

⑤ 这种先进的雷达装置可以捕捉到隐形飞机。（* 这种先进的雷达装备可以捕捉到隐形飞机。）

⑥ 可以把摄像镜头装置在隐蔽的地方进行偷拍。（* 可以把摄像镜头装备在隐蔽的地方进行偷拍。）

Z

1673 装作[动]zhuāngzuò ▶ 装[动、名]zhuāng

词义说明 Definition

装作[pretend to be; disguise as] 假装成：～生气的样子。

装[pretend; feign; make believe] 假装：～哭。[dress up; attire; deck out; play the part (or role) of; act] 修饰，化装，打扮：～大灰狼。[outfit; clothing] 服装：滑雪～。

词语搭配 Collocation

	～睡着了	～生气的样子	～哭	不懂～懂	～出可怜相	～老人	滑雪～	冬～
装作	√	√	×	×	×	√	×	×
装	√	√	√	√	√	√	√	√

用法对比 Usage

用法解释 Comparison

“装作”只是动词，“装”既是动词又是名词。由于音节不同，“装作”不能带单音节词作宾语，“装”不受此限。

语境示例 Examples

① 他看见我装作不认识，连一声招呼也没打。(☺他看见我装不认识，连一声招呼也没打。)

② 懂就是懂，不懂就是不懂，不要装懂。(*懂就是懂，不懂就是不懂，不要装作懂。)

③ 她的笑是装出来的，其实心里很苦。(*她的笑是装作出来的，其实心里很苦。)

④ 别装了，我知道你没有病，就是不想去上课。(*别装作了，我知道你没有病，就是不想去上课。)

⑤ 他装老人装得还挺像。(*他装作老人装作还挺像。)

名词“装”有衣服，服装的意思。

我要去买一件冬装。(*我要去买一件冬装作。)

1674 壮丽[形]zhuànglì ▶ 壮观[形]zhuàngguān

词义说明 Definition

壮丽[majestic; magnificent; glorious] 雄壮而美丽：～的史诗。

壮观[grand (or magnificent) sight] 雄伟的景象；景象雄伟：~的景象。

词语搭配 Collocation

	格外~	十分~	~的景色	~的山河	~的诗篇	~的凯歌
壮丽	√	√	√	√	√	√
壮观	√	√	√	×	×	×

用法对比 Usage

用法解释 Comparison

“壮丽”可以作定语，也可以作谓语；“壮观”常作谓语，很少作定语。“壮丽”和“壮观”都修饰景象、景色，“壮丽”还可以修饰诗歌、山河等，“壮观”不能。

语境示例 Examples

① 国庆之夜，长安街上火树银花，景色非常壮丽。(☺国庆之夜，长安街上火树银花，景色非常壮观。)

② 节日的广场，鲜花怒放，红旗飘扬，显得格外壮丽。(☺节日的广场，鲜花怒放，红旗飘扬，显得格外壮观。)

③ 黄浦江畔那壮丽的景色让我留连忘返。(☺黄浦江畔那壮观的景色让我留连忘返。)

④ 我爱中国壮丽的山河。(*我爱中国壮观的山河。)

⑤《黄河大合唱》是中华民族反抗侵略，战胜强敌的壮丽凯歌。(*《黄河大合唱》是中华民族反抗侵略，战胜强敌的壮观凯歌。)

⑥ 这是一部壮丽的史诗，它必将鼓舞全体中国人民满怀信心地向着宏伟的目标高歌猛进。(*这是一部壮观的史诗，它必将鼓舞全体中国人民满怀信心地向着宏伟的目标高歌猛进。)

1675 状况[名]zhuàngkuàng ▶ 状态[名]zhuàngtài

Z

词义说明 Definition

状况[condition; state; state of affair] 事物呈现出来的样子。

状态[state; condition; state of affair] 人或事物表示出来的形态。

词语搭配 Collocation

	什么~	~怎样	健康~	精神~	生活~	心理~	生存~	固体~	无政府~
状况	√	√	√	√	√	√	√	×	×
状态	√	√	×	√	√	√	√	√	√

用法对比 Usage

用法解释 Comparison

这两个词都是抽象名词，但是，“状态”相对“状况”要具体一些。

语境示例 Examples

① 他虽然有病，但是精神状态很好。(☺他虽然有病，但是精神状况很好。)

② 调查说明，中年知识分子的健康状况有待改善。(＊调查说明，中年知识分子的健康状态有待改善。)

③ 要使自己的心理经常保持平衡状态。(＊要使自己的心理经常保持平衡状况。)

④ 由于政府出现危机，这个国家目前已陷于无政府状态。(＊由于政府出现危机，这个国家目前已陷于无政府状况。)

⑤ 水在一定的温度下，状态会改变。(＊水在一定的温度下，状况会改变。)

⑥ 他们家庭的经济状况不好。(＊他们家庭的经济状态不好。)

1676 追求[动]zhuīqiú ▶ 寻求[动]xúnqiú

词义说明 Definition

追求[seek; pursue; try to acquire or gain; aim at] 用积极的行动争取达到某种目的。[try to win the love of; court (a woman); woo] 特指向异性求爱。

寻求[seek; explore; go in quest of] 寻找追求。

词语搭配 Collocation

	~真理	~进步	~利润	~名利	~她/他	~知识	~出路
追求	√	√	√	√	√	√	×
寻求	√	×	×	×	×	√	√

Z

用法对比 Usage

"追求"的目标是已经确定的，对象可以是进步、真理、利润、名利、享受、形式、数量等，也可以是异性；"寻求"的目标是尚不明确的，"寻求"的对象也不涉及异性。

① 为了追求救国救民的真理，在上个世纪初期，不少知识分子漂洋过海，到欧洲去求学读书。(☺为了寻求救国救民的真理，在上个世纪初期，不少知识分子飘洋过海，到欧洲去求学读书。)

② 我现在正全国到处跑，为我们公司的新产品寻求出路。(＊我现在正全国到处跑，为我们公司的新产品追求出路。)

③ 一个企业当然要追求经济效益，同时也要考虑社会效益。(＊一个企业当然要寻求经济效益，同时也要考虑社会效益。)

④ 不能单纯追求数量，而不顾质量，质量才是一个企业的生命。(＊不能单纯寻求数量，而不顾质量，质量才是一个企业的生命。)

⑤ 我追求了她三年，她始终没答应跟我结婚。(＊我寻求了她三年，她始终没答应跟我结婚。)

"追求"还有名词的用法，"寻求"没有这种用法。

我来中国留学，是为了实现我人生的追求，毕业后当一个汉语老师。(＊我来中国留学，是为了实现我人生的寻求，毕业后当一个汉语老师。)

1677 准备[动、名]zhǔnbèi ▶ 预备[动]yùbèi

词义说明 Definition

准备[prepare; get ready; arrange or plan in advance] 预先安排或筹划：～好了吗？[intend; plan; think] 打算：没有思想～。

预备[prepare; get ready] 预先准备：～好旅费。

词语搭配 Collocation

	有～	没有～	思想～	精神～	～出国	～回国	～发言	～考试	～去旅行
准备	√	√	√	√	√	√	√	√	√
预备	×	√	×	×	√	√	√	√	√

Z

用法对比 Usage

用法解释 Comparison

"准备"是动词也是名词，可以作宾语，而"预备"只是动词，不能作宾语。

语境示例 Examples

① 你们准备什么时候结婚？(☺你们预备什么时候结婚?)
② 为了送我出国留学，爸爸妈妈早就给我预备好了学费。(☺为了送我出国留学，爸爸妈妈早就给我准备好了学费。)
③ 我这些天忙着准备期末考试，连电视都没有看。(☺我这些天忙着预备期末考试，连电视都没有看。)
④ 公司可能派你出国工作，你要有思想准备。(*公司可能派你出国工作，你要有思想预备。)
⑤ 对这件事我一点儿精神准备也没有。(*对这件事我一点儿精神预备也没有。)
⑥ 有备无患，对于可能面对的战争，我们要有充分的物质和精神准备。(*有备无患，对于可能面对的战争，我们要有充分的物质和精神预备。)

1678 准确[形]zhǔnquè ▶ 确实[形、副]quèshí

词义说明 Definition

准确[accurate; exact; precise; (of the result of an action) fully conform to reality or expectation] 行动的结果完全符合实际和预期：~的消息。

确实[true; exact; reliable; trustworthy] 真实可靠：消息~吗？[truly; really; indeed; for sure] 对客观情况的真实性表示肯定：~不错。

词语搭配 Collocation

	~的消息	很~	计算~	发音~	~的时间	~的数字	~有改进	~不是	~错了
准确	√	√	√	√	√	√	×	×	×
确实	√	×	×	×	×	×	√	√	√

用法对比 Usage

用法解释 Comparison

"确实"和"准确"都是形容词；但是，"确实"还是副词，常用来作状语，不能作谓语，“准确”可以作定语和谓语。

语境示例 Examples

① 我现在得不到他准确的消息。(☺我现在得不到他确实的消息。)
② 这个数据计算得很准确。(＊这个数据计算得很确实。)
③ 他汉语的发音和声调都很准确。(＊他汉语的发音和声调都很确实。)
④ 这对我来说确实是一个好消息。(＊这对我来说准确是一个好消息。)
⑤ 这些年上海的变化确实很大。(＊这些年上海的变化准确很大。)
⑥ 这件事确实不是他干的。(＊这件事准确不是他干的。)

1679 准确[形]zhǔnquè ▶ 准[形、动、副、名]zhǔn

词义说明 Definition

准确[accurate; exact; precise; (of the result of an action) fully conform to reality or expectation] 行动的结果完全符合实际和预期：~的消息。

准[accurate; exact] 准确：我的表不~。[allow; grant; permit] 准许：爸爸不~我去留学。[definitely; certainly] 一定：我七点~到。[standard; norm; criterion] 标准：以此为~。

词语搭配 Collocation

	很~	不~	计算~	测量~	数据~	发音~	声调~	时间~	~在	以此为~	~假
准确	√	√	√	√	√	√	√	√	×	×	×
准	√	√	√	√	√	√	√	√	√	√	√

用法对比 Usage

用法解释 Comparison

形容词“准”和“准确”的意思相同，但是，“准”还有动词和副词的用法，“准确”没有这种用法。“准确”多用于书面，“准”用于口语。

语境示例 Examples

① 这个音我总发不准。(☺这个音我总发不准确。)
② 这个数字是准确的。(☺这个数字是准的。)
③ 这块表走得很准。(＊这块表走得很准确。)
④ 他投篮投得很准。(＊他投篮投得很准确。)

⑤ 领导准你假了没有？（＊领导准确你假了没有？）
⑥ 他说要来，至于什么时候来我也说不准。（＊他说要来，至于什么时候来我也说不准确。）
⑦ 你现在去找他吧，他准在宿舍睡觉呢。（＊你现在去找他吧，他准确在宿舍睡觉呢。）
⑧ 这是标准答案，改卷子要以此为准。（＊这是标准答案，改卷子要以此为准确。）

1680 准时[形]zhǔnshí ▶ 及时[形]jíshí

词义说明 Definition

准时［punctual；on time；on schedule；according to the prescribed time］按规定的时间：八点～开会。

及时［timely；in time；seasonable］正赶上时候，适合需要：警察～赶到。［promptly；without delay］不拖延，马上；立刻：要～处理。

词语搭配 Collocation

	很～	非常～	不～	～雨	～到达	～出发	～出席	～解决	～报告	～纠正	报道～
准时	√	√	√	×	√	√	√	×	×	×	×
及时	√	√	√	√	√	√	√	√	√	√	√

用法对比 Usage

用法解释 Comparison

“准时”和“及时”不是同义词，“准时”表示动作行为在规定的进间开始或完成；“及时”强调动作在需要的时间发生或完成。

语境示例 Examples

① 准时：你们到得很准时。（在规定时间到达）
及时：你们到得很及时。（在需要的时间到达）
② 明天早上七点准时集合出发。（＊明天早上七点及时集合出发。）
③ 有问题要及时解决。（＊有问题要准时解决。）
④ 发生重大灾情一定要及时上报，不能隐瞒不报。（＊发生重大灾情一定要准时上报，不能隐瞒不报。）
⑤ 命令部队明天十点要准时开到灾区。（＊命令部队明天十点要及时开到灾区。）
⑥ 由于消防队及时赶到，把大火扑灭，才没有造成太大的损失。

Z

（*由于消防队准时赶到，把大火扑灭，才没有造成太大的损失。）

⑦ 由于抢救及时，病人已经脱离了危险。（*由于抢救准时，病人已经脱离了危险。）

1681 准时[形]zhǔnshí ▶ 正点[副]zhèngdiǎn

词义说明 Definition

准时[punctual; on time; on schedule; according to the prescribed time] 按规定的时间：八点～开会。

正点[(of ships, trains, airplanes, etc.) on schedule; on time; punctually]（车、船、飞机）按规定的时间开出、运行或到达：飞机～到达北京。

词语搭配 Collocation

	～出席	～到校	～上课	～下课	～出发	～到达	～开车	～起飞	～到站
准时	√	√	√	√	√	√	√	√	√
正点	×	×	×	×	√	√	√	√	√

用法对比 Usage

用法解释 Comparison

“准时”和“正点”的意思相同，但是使用范围有所不同。“正点”只用于交通工具，而“准时”除此之外，还可以用于其他活动。

语境示例 Examples

① 飞机准时起飞，飞行时间是两小时五十分。(☺飞机正点起飞，飞行时间是两小时五十分。)

② 经过两个多小时的飞行，飞机正点到达上海。(☺经过两个多小时的飞行，飞机准时到达上海。)

③ 火车正点到站。(☺火车准时到站。)

④ 明天早上七点集合，七点一刻准时出发。（*明天早上七点集合，七点一刻正点出发。）

⑤ 下午三点开会，请大家准时出席。（*下午三点开会，请大家正

Z

点出席。)
⑥ 希望大家要准时上课，不要迟到。(＊希望大家要正点上课，不要迟到。)

1682 准许[动]zhǔnxǔ ▶ 允许[动]yǔnxǔ

词义说明 Definition

准许[permit; allow; grant] 同意别人的要求。

允许[permit; allow; grant; approve] 许可；同意。

词语搭配 Collocation

	得到～	不～	请～	～通行	～办理	～进入	～参观	～拍照
准许	√	√	√	√	√	√	√	√
允许	√	√	√	√	√	√	√	√

用法对比 Usage

用法解释 Comparison

“准许”比“允许”更正式，“准许”一般要履行一定的程序或手续，“允许”包括口头上表示同意。

语境示例 Examples

① 不允许任何人以任何借口破坏纪律。(☺不准许任何人以任何借口破坏纪律。)
② 中国政府现在不准许公民拥有双重国籍。(☺中国政府现在不允许公民拥有双重国籍。)
③ 对不起，这里不准许拍照。(☺对不起，这里不允许拍照。)
④ 大夫还不准许我出院。(＊大夫还不允许我出院。)
⑤ 不经允许不能随便进入。(＊不经准许不能随便进入。)
⑥ 请允许我先作个自我介绍。(＊请准许我先作个自我介绍。)

1683 准则[名]zhǔnzé ▶ 原则[名]yuánzé

词义说明 Definition

准则[norm; standard; criterion; principle that serves as the basis for one's statements, actions, etc.] 言论、行为等所依据的

Z

原则。

原则[principle; tenet; criterion by which one speaks or acts] 说话或行事所依据的法规和标准。[in principle; in general] 指总的方面；大体上。

词语搭配 Collocation

	行动~	国际关系~	~问题	坚持~	基本~	~同意	~上赞成	做人的~
准则	√	√	×	×	√	×	×	√
原则	×	×	√	√	√	√	√	√

用法对比 Usage

用法解释 Comparison

“准则”和“原则”的意思不尽相同，“准则”是要照着做的，有可操作性；“原则”是理论上的，一般不具可操作性。

语境示例 Examples

① 做人要有原则，不能随波逐流，人云亦云。(☺做人要有准则，不能随波逐流，人云亦云。)

② 我们要在和平共处五项原则的基础上，发展同世界各国之间的友好关系。(＊我们要在和平共处五项准则的基础上，发展同世界各国之间的友好关系。)

③ 中国一贯主张按照公认的国际关系准则处理国与国之间的分歧，决不能诉诸武力或以武力相威胁。(＊中国一贯主张按照公认的国际关系原则处理国与国之间的分歧，决不能诉诸武力或以武力相威胁。)

④ 在处理国与国之间的关系上，既要坚持原则，又要适当灵活。(＊在处理国与国之间的关系上，既要坚持准则，又要适当灵活。)

⑤ 在原则问题上我们决不让步。(＊在准则问题上我们决不让步。)

⑥ 上级原则上同意这个规划。(＊上级准则上同意这个规划。)

1684 着手[动]zhuóshǒu ▶ 动手dòng shǒu

词义说明 Definition

着手[begin; put one's hand to; set about] 开始做，动手。

动手 [start work; get to work; get moving] 开始做，做。

[touch; handle] 用手接触。[raise a hand to strike sb.; hit out at] 指打人。

词语搭配 Collocation

	~解决	从…~	早点儿~	及时~	一齐~	~晚了	不许~	~摸
着手	√	√	√	×	×	×	×	×
动手	√	√	√	√	√	√	√	√

用法对比 Usage

用法解释 Comparison

“动手”有“着手”的意思，但是“动手”还有打人和用手接触、触摸的意思，“着手”没有这个意思。“动手”可以分开使用，“着手”不能。

语境示例 Examples

① 我已经着手收集写论文的资料了。(☺我已经动手收集写论文的资料了。)

② 你们要的稿子我还没有动手写呢。(☺你们要的稿子我还没有着手写呢。)

③ 我们吃饺子吧，大家一齐动手包，一会儿就得。(*我们吃饺子吧，大家一齐着手包，一会儿就得。)

④ 明年的工作要早点儿着手安排。(☺明年的工作要早点儿动手安排。)

⑤ 你怎么能动手打人呢，太不像话了。(*你怎么能着手打人呢，太不像话了。

⑥ 来，大家动把手，把车推出去。(*来，大家着把手，把车推出去。)

1685 着想[动]zhuóxiǎng ▶ 考虑[动]kǎolǜ

词义说明 Definition

着想[consider (the interests of sb. or sth.); set one's mind on; take into consideration; think about] (为某人或某事的利益)考虑。

考虑[think over; consider] 思考问题，以便做出决定。

Z

词语搭配 Collocation

	为你～	为他～	为大家～	～一下	～～	～很全面	～周到
着想	√	√	√	×	×	×	×
考虑	√	√	√	√	√	√	√

用法对比 Usage

"着想"是不及物动词，不能带宾语，多用于正式场合，常常与"为"搭配使用。"考虑"是及物动词，可以带宾语，用于一般场合。

① 人民政府时时刻刻要为人民的利益着想。(☺人民政府时时刻刻要为人民的利益考虑。)

② 父母送你来中国留学是为你的未来着想。(☺父母送你来中国留学是为你的未来考虑。)

③ 要好好保护环境，多为下一代着想。(☺要好好保护环境，多为下一代考虑。)

④ 这件事我考虑以后再回答你吧。(*这件事我着想以后再回答你吧。)

"考虑"可以重叠使用，"着想"不能重叠使用。

这件事请你再好好考虑考虑。(*这件事请你再好好着想着想。)

"考虑"可以带补语，"着想"不能。

① 你考虑好以后再决定吧。(*你着想好以后再决定吧。)

② 他考虑问题考虑得很全面。(*他着想问题着想得很全面。)

1686 姿态[名]zītài ▶ 姿势[名]zīshì

词义说明 Definition

姿态[posture; carriage; bearing; deportment] 姿势；样儿。[attitude; gesture; pose] 态度；气度。

姿势[posture; carriage; gesture (of the body)] 身体呈现的样子。

词语搭配 Collocation

	～优美	高～	做出～	～端正	立正的～	积极的～
姿态	√	√	√	×	×	√
姿势	√	×	×	√	√	×

用法对比 Usage

用法解释 Comparison

"姿态"的内涵比"姿势"丰富，它还包括态度或气度，有内在的东西，有抽象义。"姿势"只是身体外在的样子。

语境示例 Examples

① 要以积极的姿态对待生活，对待人生。（*要以积极的姿势对待生活，对待人生。）
② 争执的双方只要一方有点儿高姿态就不至于使矛盾激化。（*争执的双方只要一方有点儿高姿势就不至于使矛盾激化。）
③ 熊猫笨拙憨厚，姿态可爱，所以招人喜欢。（*熊猫笨拙憨厚，姿势可爱，所以招人喜欢。）
④（打太极拳时）首先要以立正的姿势站好，四肢要放松。（*（打太极拳时）首先要以立正的姿态站好，四肢要放松。）
⑤ 我们市长常以普通市民的姿态到群众中去体察民情。（*我们市长常以普通市民的姿势到群众中去体察民情。）

1687 资本[名]zīběn ▶ 资金[名]zījīn

词义说明 Definition

资本[capital; materials and money used in production or management to pursue profit] 用来生产或经营以求牟利的生产资料或货币。[sth. to capitalize on; sth. used to one's own advantage; sth. used to make profit] 比喻牟取利益的凭借。

资金[funds; materials or money of a state for national economic development] 国家用于发展国民经济的物资或货币。[capital (for industrial and commercial management)] 也指经营工商业的本钱。

词语搭配 Collocation

	～投入	～输出	政治～	～家	～主义	建设～	～外流	缺乏～	吸引国外～
资本	√	√	√	√	√	×	×	×	√
资金	√	×	×	×	×	√	√	√	√

用法对比 Usage

用法解释 Comparison

"资本"和"资金"都是名词，用法的不同在于搭配。"资本”有比喻义，“资金”没有比喻义。

语境示例 Examples

① 西部开发需要大量资本投入。(☺西部开发需要大量资金投入。)
② 他们想扩大生产规模，但是缺乏必要的资金。(☺他们想扩大生产规模，但是缺乏必要的资本。)
③ 吸引国外资金的关键是，要有一个良好的投资环境。(☺吸引国外资本的关键是，要有一个良好的投资环境。)
④ 应该多方面多渠道地筹措开发资金。(*应该多方面多渠道地筹措开发资本。)
⑤ 发展地区经济的目的是为了富民强国，而不是为个别地方官员捞取政治资本。(*发展地区经济的目的是为了富民强国，而不是为个别地方官员捞取政治资金。)

1688 资料[名]zīliào ▶ 材料[名]cáiliào

词义说明 Definition

资料[means; necessary materials for production or life] 生产、生活中必需的东西。[data; material; information] 用做参考或依据的材料。

材料[substance or things from which something else is made, e.g. bricks, tiles for construction, and cotton yarn for textiles] 可以直接造成成品的东西，如建筑用的砖瓦、纺织用的棉纱等。[facts; information, etc., to be used in writing] 提供著作内容的事物。[facts for reference] 可供参考的事实。[talent for doing certain things; makings; stuff] 适于做某种事情的人才。

词语搭配 Collocation

	生产～	生活～	建筑～	收集～	参考～	统计～	调查～	唱歌的～
资料	√	√	×	√	√	√	×	×
材料	√	×	√	√	√	×	√	√

用法对比 Usage

用法解释 Comparison

“资料”和“材料”都可以指用于制造精神产品的东西；“材料”还可以是制造物质产品的东西。“资料”多指物，“材料”除了指物以外，还可以指人。

语境示例 Examples

① 这份材料我已经看过了，还给你吧。(☺这份资料我已经看过了，还给你吧。)

② 我正在搜集资料，准备写论文。(☺我正在搜集材料，准备写论文。)

③ 她天生一副好嗓子，是唱歌的材料。(＊她天生一副好嗓子，是唱歌的资料。)

④ 这个案件的调查材料已经整理好了，请您过目。(＊这个案件的调查资料已经整理好了，请您过目。)

⑤ 中国市场上，生活资料供应充足，而且价格都比较便宜。(＊中国市场上，生活材料供应充足，而且价格都比较便宜。)

⑥ 我要到国家图书馆去查阅有关红军长征方面的资料。(＊我要到国家图书馆去查阅有关红军长征方面的材料。)

1689 资助[动]zīzhù ▶ 赞助[动]zànzhù

词义说明 Definition

资助[aid financially; subsidize; give financial aid] 用财务帮助。

赞助[(referring to monetary or material aid) support; assistance; aid] 赞同并帮助（多指拿出财物帮助）。

词语搭配 Collocation

	～农村小学	～他	给予～	～单位	～教育事业	拉～	得到～
资助	√	√	√	×	√	×	√
赞助	√	√	√	√	√	√	√

用法对比 Usage

用法解释 Comparison

“资助”和“赞助”都是用钱帮助的意思。一般来说，“赞助”比“资助”的款项、范围要大；“资助”的对象常常是个人，“赞助”的对象往往是一项大的社会活动，如演出等。

语境示例 Examples

① 为了资助农村的教育事业，很多有名的演员参加了这次义演。(☺为了赞助农村的教育事业，很多有名的演员参加了这次义演。)

② 许多赞助希望工程的人连姓名都没有留下。(☺许多资助希望工程的人连姓名都没有留下。)
③ 如果没有企业的赞助，这项公益活动是搞不成的。(☺如果没有企业的资助，这项公益活动是搞不成的。)
④ 他资助两个农村的孩子上学。(*他赞助两个农村的孩子上学。)
⑤ 建这座图书馆楼时，他赞助了一千万美元。(*建这座图书馆楼时，他资助了一千万美元。)
⑥ 为了给这部电视剧拉赞助，他到处求人。(*为了给这部电视剧拉资助，他到处求人。)

1690 仔细[形]zǐxì ▶ 细致[形]xìzhì

词义说明 Definition

仔细[careful; attentive; meticulous] 细心。[be careful; look out; watch out] 小心；当心。

细致[fastidious; scrupulous] 精细周密。[intricate; precise about details] 细密精致。

词语搭配 Collocation

	很～	工作～	认真～	～领会	～体会	～点儿	～的花边儿
仔细	√	√	√	√	√	√	×
细致	√	√	√	×	×	√	√

用法对比 Usage

用法解释 Comparison

"仔细"可以重叠，"细致"不能重叠。"细致"作定语，可以修饰物品，"仔细"不能修饰物品。"仔细"有小心的意思，"细致"没有这个意思。

语境示例 Examples

① 这项工作一定要认真细致，不能粗枝大叶，粗枝大叶往往出错。(☺这项工作一定要认真仔细，不能粗枝大叶，粗枝大叶往往出错。)
② 这活儿做得又认真又细致。(☺这活儿做得又认真又仔细。)
③ 要仔细调查才能发现问题，走马观花是不行的。(☺要细致调查才能发现问题，走马观花是不行的。)

④ 上课要仔细听讲，作业才会做。（＊上课要细致听讲，作业才会做。）
⑤ 我仔仔细细地检查了一遍，才把卷子交上去。（＊我细细致致地检查了一遍，才把卷子交上去。）
⑥ 出土的青铜器上绘有细致的花纹。（＊出土的青铜器上绘有仔细的花纹。）
⑦ 夜里要仔细点儿，不要出问题。（＊夜里要细致点儿，不要出问题。）

1691 自[介]zì ▶ 从[介]cóng

词义说明 Definition

自 [from; since] 从；由。

从 [from (a time, a place or a point of view)] 起于；“从……”表示“拿……做起点”。[via, through, or past (a place)] 表示经过，用在表示处所词的前面。

词语搭配 Collocation

	～小	～古	～远而近	来～	～小到大	～北京出发	～现在起	～桥上过
自	√	√	√	√	√	√	√	√
从	√	√	√	×	√	√	√	√

用法对比 Usage

用法解释 Comparison

“自”和“从”是同义词，“自”多用于书面，“从”常用于口语。

语境示例 Examples

① 长江自西向东流。(☺长江从西向东流。)
② 他自小就喜欢读书。(☺他从小就喜欢读书。)
③ 他准备从北京出发，游遍中国的名山大川。(☺他准备自北京出发，游遍中国的名山大川。)
④ 自现在起，今后几十年内，是中华民族实现民族复兴的关键时期。(☺从现在起，今后几十年内，是中华民族实现民族复兴的关键时期。)
⑤ 去友谊商店要从前边立交桥上过。(☺去友谊商店要自前边立交桥

上过。）

⑥ 我们班一共有 18 个学生，来自 11 个国家。（＊我们班一共有 18 个学生，来从 11 个国家。）

⑦ 自古以来中国就有许多发明创造。（＊从古以来中国就有许多发明创造。）

⑧ 本法律自公布之日起生效。（＊本法律从公布之日起生效。）

1692 自动[形]zìdòng ▶ 主动[形]zhǔdòng

词义说明 Definition

自动[voluntarily; of one's own accord] 自己主动。[automatic; automated; self-action; self-motion] 不凭借人为力量的；不用人力而用机械装置直接操作的。

主动[(as opposed to 'passive') initiative; act without outside impetus; do sth. of one's own accord] 不待外力推动而行动（与"被动"相对）；[take the initiative] 能够造成有利局面，使事情按照自己的意图进行（跟"被动"相对）：要～学习。

词语搭配 Collocation

	很～	不～	～参加	～燃烧	～灌溉	～控制	～化	积极～	～性	争取～	～权
自动	×	×	√	√	√	√	√	×	×	×	×
主动	√	√	√	×	×	×	×	√	√	√	√

用法对比 Usage

用法解释 Comparison

"自动"的行为主体可以是人，也可以是其他物体；"主动"的行为主体一般是人。

语境示例 Examples

① 鉴于他能主动交代自己的犯罪事实，并有揭发他人的立功表现，法庭决定给予宽大处理。（☺鉴于他能自动交代自己的犯罪事实，并有揭发他人的立功表现，法庭决定给予宽大处理。）

② 这里农村的灌溉、收割等农田作业都实现了自动化。（＊这里农村的灌溉、收割等农田作业都实现了主动化。）

③ 这种导弹发射出去以后，能够自动寻找攻击目标。（＊这种导弹发射出去以后，能够主动寻找攻击目标。）

④ 机场的自动控制系统出了问题，被迫关闭了四个小时。（＊机场的主动控制系统出了问题，被迫关闭了四个小时。）
⑤ 要主动地学，要充分预习，这样才能学好。（＊要自动地学，要充分预习，这样才能学好。）

1693 自动[形]zìdòng ▶ 自发[形]zìfā

词义说明 Definition

自动[voluntarily; of one's own accord] 自己主动。[automatic; automated; self-action; self-motion] 不凭借人为力量的；不用人力而用机械装置直接操作的。

自发[spontaneous; self-generating] 自己产生，不受外力影响的；不自觉的。

词语搭配 Collocation

	～化	～设备	～参加	～交代	～延期	～控制	～组织	～势力	～性
自动	√	√	√	√	√	√	√	×	×
自发	×	×	×	×	×	×	√	√	√

用法对比 Usage

用法解释 Comparison

“自动”和“自发”不是同义词，“自动”可以修饰人的行为，也可以修饰其他物体的动作，“自发”只修饰人的行为。

语境示例 Examples

① 居民们自动组织起来保护小区的环境。（☺居民们自发组织起来保护小区的环境。）
② 看到我遇到了困难，朋友们都自动来帮助我。（☺看到我遇到了困难，朋友们都自发来帮助我。）
③ 这套设备由电脑自动控制。（＊这套设备由电脑自发控制。）
④ 由于干旱，大片的草原自动燃烧了起来。（＊由于干旱，大片的草原自发燃烧了起来。）
⑤ 我们公司生产的全过程都实现了自动化。（＊我们公司生产的全过程都实现了自发化。）
⑥ 要克服自发组织的无政府主义倾向。（＊要克服自动组织的无政府主义倾向。）

Z

1694 自己[代]zìjǐ ▶ 自我[代]zìwǒ

词义说明 Definition

自己[(referring to the preceding noun or pronoun, oft. to exclude an external factor in an emphatic way) oneself] 复指前头的名词或代词（多强调不由于外力）：我～能行 | ～动手。[one's own; closely related to oneself] 亲近的；关系密切的：～人。

自我[(used before disyllabic verbs to indicate an act by the self and upon the self) self; oneself] 自己（用在双音动词前面，表示这个动作由自己发出，同时又以自己为对象）。[be conscious of oneself; be understanding of oneself] 指人们对于自身的把握和认识。

词语搭配 Collocation

	我～	你～	他～	我们～	～觉得	～能做	～人	～介绍	～安慰	～批评	～表现
自己	√	√	√	√	√	√	√	√	×	×	×
自我	×	×	×	×	×	×	×	√	√	√	√

用法对比 Usage

用法解释 Comparison

"自己"是代词，"自我"是反身代词，复指前边的名词或代词，它们不能相互替换。

语境示例 Examples

① 我自己觉得刚才的话说得不太合适。（＊我自我觉得刚才的话说得不太合适。）
② 都是自己人，不要客气。（＊都是自我人，不要客气。）
③ 你自己一个人去还是跟朋友一起去？（＊你自我一个人去还是跟朋友一起去？）
④ 请允许我作个自我介绍。（＊请允许我作个自己介绍。）
⑤ 在这个问题上，我应该作自我批评。（＊在这个问题上，我应该作自己批评。）
⑥ 他爱自我表现，别的没有什么大毛病。（＊他爱自己表现，别的没有什么大毛病。）（☺他爱表现自己，别的没有什么大毛病。）

Z

1695 自学[动]zìxué ▶ 自修[动]zìxiū

词义说明 Definition

自学[study on one's own; study independently; teach oneself] 没有教师指导，自己独立学习。

自修[(of students) study by oneself; self-study] 自习。[study on one's own; study independently] 自学。

词语搭配 Collocation

	~能力	坚持~	~外语	~法律	~成才	~课
自学	√	√	√	√	√	×
自修	×	√	√	√	×	√

用法对比 Usage

用法解释 Comparison

"自学"和"自修"有相同的意思；但是"自修"还有自习的意思，"自学"没有这个意思。

语境示例 Examples

① 多年来他一直利用业余时间自学汉语，终于当上了翻译。(☺多年来他一直利用业余时间自修汉语，终于当上了翻译。)

② 他坚持自学法律，终于成了一名优秀的律师。(☺他坚持自修法律，终于成了一名优秀的律师。)

③ 一个人要想在某个专业领域有所建树，主要靠自学。(☺一个人要想在某个专业领域有所建树，主要靠自修。)

④ 学生不能跟老师学一辈子，要注意培养自学能力。(*学生不能跟老师学一辈子，要注意培养自修能力。)

⑤ 他是自学成才的，现在已经是这个专业领域的权威了。(*他是自修成才的，现在已经是这个专业领域的权威了。)

⑥ 下午是自修课，可以去教室也可以不去。(*下午是自学课，可以去教室也可以不去。)

1696 自由[形]zìyóu ▶ 自在[形]zìzài/zìzai

词义说明 Definition

自由[freedom; liberty; right to act as one pleases within the limits of law］在法律规定的范围内，随自己的意志活动的权利：出版～|言论～。［freedom；consciously apply the law of the development of things one knows in practice］哲学上把人认识了事物发展的规律性，并能自觉地运用到实践中去叫做自由。［free；unrestrained］不受约束，不受限制：～恋爱。

自在［free；unrestrained］自由，不受拘束：日子很～。［comfortable；at ease］读 zìzai 时，有自由的意思，还有舒服、愉快、轻松的意思。

词语搭配 Collocation

	～地生活	热爱～	言论～	出版～	～选择	～结合	心里不～	～讨论	～发言
自由	√	√	√	√	√	√	√	√	√
自在	√	×	×	×	×	×	√	×	×

用法对比 Usage

用法解释 Comparison

“自由”有法律和哲学方面的含义，可以用于口语，也可用于书面；“自在”一般用于口语，不用于书面。

语境示例 Examples

① 自由：爸爸妈妈都出国了，我现在可自由了。(没有人管束了)
自在：爸爸妈妈都出国了，我现在可自在了。(生活轻松愉快)

② 退休后他生活过得很自在。(☺退休后他生活过得很自由。)

③ 他们俩是自由恋爱结婚的。(＊他们俩是自在恋爱结婚的。)

④ 宪法保障公民的言论自由，出版自由。(＊宪法保障公民的言论自在，出版自在。)

⑤ 自由和纪律是对立统一的，个人的自由应以不损害他人为前提。(＊自在和纪律是对立统一的，个人的自在应以不损害他人为前提。)

⑥ 大学毕业生可以自由选择职业。(＊大学毕业生可以自在选择职业。)

⑦ 听了他说的话，我心里很不自在（zìzai）。(不高兴、不愉快)
(＊听了他说的话，我心里很不自由。)

1697 总是[副]zǒngshì ▶ 常常[副]chángcháng

词义说明 Definition

总是[always; invariably] 一直，经常。 [anyway; after all; eventually; sooner or later] 表示无论怎么样一定如此；毕竟；总归。

常常[(occurrence of things) more than once; at short intervals; often; frequently; usually; generally] 表示行为、动作、事情的发生不止一次，而且时间间隔短。

词语搭配 Collocation

	～去那儿	～迟到	～早来	～锻炼	～看电视	～会成功的	孩子～孩子
总是	√	√	√	√	√	√	√
常常	√	√	√	√	√	×	×

用法对比 Usage

用法解释 Comparison

“总是”有“常常”、“经常”的意思，二者都作状语，表示客观叙述。但是“总是”还有“毕竟”、“总归”等意思，“常常”没有这个意思。

语境示例 Examples

① 他最近总是迟到。(☺他最近常常迟到。)

② 晚饭后我总是到湖边去散一会儿步。(☺晚饭后我常常到湖边去散一会儿步。)

③ 早上我常常看见他在操场打太极拳。(☺早上我总是看见他在操场打太极拳。)

④ 这些困难总是能克服的。(*这些困难常常能克服的。)

⑤ 孩子总是孩子，哪能要求他跟大人一样呢？(*孩子常常孩子，哪能要求他跟大人一样呢?)

1698 总算[副]zǒngsuàn ▶ 终于[副]zhōngyú

词义说明 Definition

总算[indicating that a certain wish finally came true after a fairly long period of time; at long last; finally] 经过相当长的时间以

后某种愿望终于实现。[considering everything; all things considered; on the whole] 表示大体上还过得去。

终于[finally; at last; in the end; lastly; in the event] 表示经过种种变化和等待之后出现的情况或结果（一般是好的、令人满意的结果）。

词语搭配 Collocation

	～还可以	～不错	～及格了	～没迟到	～完成了	～实现了	～到达了	～来了
总算	√	√	√	√	√	√	√	√
终于	×	×	√	×	√	√	√	√

用法对比 Usage

用法解释 Comparison

虽然“总算”和“终于”都表示最终实现某种愿望的意思，但是，“总算”实现的是期望值比较低的愿望，给人以实现得勉强、不容易的感觉；“终于”实现的是预先期望值比较高的愿望，给人以合乎心愿、达到目的后轻松、欣喜的感觉。“总算”只用于口语，“终于”口语和书面语都用。“总算”还有“大体上还可以”的意思，“终于”没有这个意思。

语境示例 Examples

① 这次考试总算及格了，没有白复习。(☺这次考试终于及格了，没有白复习。)

② 经过三年的努力，他终于考上了大学。(☺经过三年的努力，他总算考上了大学。)

③ 我来中国留学的愿望终于实现了，心里有说不出的高兴。(☺我来中国留学的愿望总算实现了，心里有说不出的高兴。)

④ 今天我终于登上了万里长城。(☺今天我总算登上了万里长城。)

⑤ 虽然没有别人考得好，但是对我来说这个成绩总算还可以。(＊虽然没有别人考得好，但是对我来说这个成绩终于还可以。)

⑥ 能得到这个结果总算说得过去。(＊能得到这个结果终于说得过去。)

1699 走漏[动]zǒulòu ▶ 泄露[动]xièlòu

词义说明 Definition

走漏[leak out; divulge] 泄露（消息等）。

泄露[(of a secret, etc.) leak; let out; divulge; give away] 不应该让人知道的事情让人知道了。也作“泄漏”。[(of a fluid or gas) leak; escape] (液体、气体) 漏出。

词语搭配 Collocation

	~风声	~消息	~机密	~出去	煤气~了
走漏	√	√	√	√	×
泄露	√	√	√	√	√

用法对比 Usage

用法解释 Comparison

“泄露”和“走漏”同义，但是“泄露”还表示液体和气体漏出，“走漏”没有这个意思。

语境示例 Examples

① 这件事情只有你和我知道，千万不要走漏风声。(☺这件事情只有你和我知道，千万不要泄露风声。)

② 因为走漏了公司的机密，他被解雇了。(☺因为泄露了公司的机密，他被解雇了。)

③ 这是公司的商业机密，决不能泄露出去。(☺这是公司的商业机密，决不能走漏出去。)

④ 她不想让媒体知道自己不婚而孕的事，但是消息早就泄露了出去。(☺她不想让媒体知道自己不婚而孕的事，但是消息早就走漏了出去。)

⑤ 这件事不知道是谁走漏了消息，搞得满城风雨。(☺这件事不知道是谁泄露了消息，搞得满城风雨。)

⑥ 因为管道破裂，造成煤气泄露，才引起这次爆炸。(＊因为管道破裂，造成煤气走漏，才引起这次爆炸。)

1700 租[动、名]zū ▶ 租用[动]zūyòng ▶ 租借[动]zūjiè

词义说明 Definition

租[rent; hire; charter] 租用。[rent out; let out; lease] 出租。[rent; money or kind received from sth. rented] 出租所收取的

金钱或实物。

租用[rent; hire; take on lease] 以归还原物并付给一定代价为条件而使用别人的东西。

租借[rent; hire; lease] 租用。[rent out; let out; lease] 出租。

词语搭配 Collocation

	~车	~家具	~书	~房	~房子	房~	~剧场	~礼堂	~一下	收~
租	√	√	√	√	√	√	√	√	×	√
租用	√	√	×	×	√	×	√	√	√	×
租借	√	√	×	×	√	×	√	√	√	×

用法对比 Usage

用法解释 Comparison

“租”是动词也是名词，名词“租”是租金的意思。“租借”和“租用”都是动词，它们的对象也相同。“租用”和“租借”不能带单音节词作宾语，“租”没有此限。

语境示例 Examples

① 我们想租借你们的礼堂开一个会。(☺我们想租/租用你们的礼堂开一个会。)

② 我想租/租借一辆车到郊外去玩儿。(*我想租用一辆车到郊外去玩儿。)

③ 我想在大学附近租/租借一套房子。(*我想在大学附近租用一套房子。)

④ 这个书店开展租书业务，很受读者欢迎。(*这个书店开展租借/租用书业务，很受读者欢迎。)

⑤ 这套房子已经租/租借出去了。(*这套房子已经租用出去了。)

⑥ 我们那儿是每两个月交一次房租。(*我们那儿是每两个月交一次房租借/租用。)

1701 阻碍[动]zǔ'ài ▶ 妨碍[动]fáng'ài

词义说明 Definition

阻碍[hinder; block; impede] 使不能顺利通过或发展。[obstacle; hindrance; impediment] 起阻碍作用的。

妨碍[hinder; hamper; impede; obstruct; make difficult] 使事情

不能顺利进行；阻碍。

词语搭配 Collocation

	~别人	~走道	~交通	毫无~	~社会发展	~历史前进	~团结
阻碍	×	×	√	×	√	√	×
妨碍	√	√	√	√	×	×	√

用法对比 Usage

用法解释 Comparison

"阻碍"是形成大的障碍，对象除了交通、运输之外，常与人类社会或历史发展、进步、改革、战争、生产等重大事情有关。"妨碍"涉及的事情较小，对象多是工作、学习、进步、活动等。

语境示例 Examples

① 这棵古树正好阻碍新修的高速公路通过，所以，只好把它移走。(☺这棵古树正好妨碍新修的高速公路通过，所以，只好把它移走。)

② 咱们说话小声点儿，别妨碍别人。(*咱们说话小声点儿，别阻碍别人。)

③ 你的车停在这里妨碍交通，请开走。(☺你的车停在这里阻碍交通，请开走。)

④ 任何力量也阻碍不了中国人民胜利前进的步伐。(*任何力量也妨碍不了中国人民胜利前进的步伐。)

⑤ 我们在这里谈吧，这里妨碍不着别人。(*我们在这里谈吧，这里阻碍不着别人。)

⑥ 落后的生产关系阻碍生产力的发展，必须加以改革。(*落后的生产关系妨碍生产力的发展，必须加以改革。)

1702 阻碍[动]zǔ'ài ▶ 阻拦[动]zǔlán ▶ 阻挡[动]zǔdǎng

词义说明 Definition

阻碍[hinder; block; impede] 使不能顺利通过或发展。

阻拦[stop; obstruct; bar the way] 使不能前进；使停止行动。

阻挡[stop; stem; resist; obstruct] 阻止；拦住，不让前进和发展。

词语搭配 Collocation

	～交通	遇到～	～经济发展	～他	～历史潮流	～社会前进	～不住	～不了
阻碍	√	√	√	×	×	×	×	√
阻拦	×	√	×	√	×	×	√	√
阻挡	×	√	×	√	√	√	√	√

用法对比 Usage

用法解释 Comparison

"阻碍"的行为主体是物，"阻拦"的行为主体是人，"阻挡"的行为主体既可以是人，也可以是物。

语境示例 Examples

① 你一定要这样做，我也不能阻拦，不过你要想想这样做的后果。(☺你一定要这样做，我也不能阻挡，不过你要想想这样做的后果。)(＊你一定要这样做，我也不能阻碍，不过你要想想这样做的后果。)

② 他要想干的事，谁也阻拦不住。(☺他要想干的事，谁也阻挡不住。)(＊他要想干的事，谁也阻碍不住。)

③ 一辆卡车坏在了路上，阻碍了交通。(＊一辆卡车坏在了路上，阻挡/阻拦了交通。)

④ 历史发展的潮流是谁也阻挡不了的。(＊历史发展的潮流是谁也阻碍/阻拦不了的。)

⑤ 人们的思想观念陈旧落后也是阻碍生产力发展的重要原因。(＊人们的思想观念陈旧落后也是阻挡/阻拦生产力发展的重要原因。)

1703 阻挠[动]zǔnáo ▶ 阻止[动]zǔzhǐ

词义说明 Definition

阻挠[obstruct; thwart; stand in the way; put a spoke in sb.'s wheel] 阻止或暗中破坏使不能发展或成功。

阻止[prevent; stop; hold back] 使不能前进，使停止行动。

词语搭配 Collocation

	～破坏	～中国统一	受到～	～关系正常化	～谈判	～事态恶化	别～他	～不了
阻挠	√	√	√	√	√	×	×	×
阻止	×	×	×	×	√	√	√	√

用法对比 Usage

用法解释 Comparison

“阻挠”是贬义词，对象常是正面的、积极的行动或事物，例如独立、进步、改革等。“阻止”是中性词，其对象既可以是具体的，也可以是抽象的。

语境示例 Examples

① 为了阻止他们两国关系进一步恶化，联合国决定派官员出面去斡旋。(＊为了阻挠他们两国关系进一步恶化，联合国决定派官员出面去斡旋。)

② 既然他愿意一个人到外国去闯一闯，就让他去吧，不要阻止他。(＊既然他愿意一个人到外国去闯一闯，就让他去吧，不要阻挠他。)

③ 历史有它固有的发展规律，任何人也不能阻止它的前进。(＊历史有它固有的发展规律，任何人也不能阻挠它的前进。)

④ 任何力量也不能阻挠中国人民统一祖国的决心。(☺任何力量也不能阻止中国人民统一祖国的决心。)

⑤ 由于他暗中阻挠，这件事没有办成。(＊由于他暗中阻止，这件事没有办成。)

⑥ 必须坚决阻止他采取过火行动。(＊必须坚决阻挠他采取过火行动。)

1704 组织[动、名]zǔzhī ▶ 安排[动、名]ānpái

词义说明 Definition

组织[organize; form; arrange separate persons or things into a systematic and organic whole] 安排分散的人或事物使具有一定的系统性或整体性：～联欢晚会。[system; organization; organized system] 按照一定的宗旨和系统建立起来的集体：工会～。

安排[arrange (matters); handle things in an orderly fashion] 有条

理、分先后地处理（事物）；安置（人员）：～工作|～生活。[plan；remodel] 规划；改造：～山河。

词语搭配 Collocation

	～演出	～得很好	～参观	～好生活	～工作	～时间	～失业人员	群众～	工会～
组织	√	√	√	×	√	×	×	√	√
安排	√	√	√	√	√	√	√	×	×

用法对比 Usage

用法解释 Comparison

动词“组织”和“安排”的用法差不多，但是名词的意思和用法不同。

语境示例 Examples

① 元旦前我们准备组织一次联欢会。(☺元旦前我们准备安排一次联欢会。)
② 这次培训结束后，安排大家去游览一次。(☺这次培训结束后，组织大家去游览一次。)
③ 这次活动是学生会组织的。(☺这次活动是学生会安排的。)
④ 你对工作安排有什么意见可以提出来。(*你对工作组织有什么意见可以提出来。)
⑤ 在中国，工会、妇联等都是群众组织。(*在中国，工会、妇联等都是群众安排。)
⑥ 要把新同学的食宿安排好。(*要把新同学的食宿组织好。)

1705 最初[名]zuìchū ▶ 起初[名]qǐchū

词义说明 Definition

最初[the earliest; at the beginning; at first; initial; first; originally] 最早的时期；开始的时候。

起初[at first; in the beginning; originally; to begin with] 最初；起先。

词语搭配 Collocation

	～很小	～不会	～不知道	～的计划	～的打算	～印象	～阶段
最初	√	√	√	√	√	√	√
起初	√	√	√	√	√	×	×

Z

用法对比 Usage

用法解释 Comparison

“最初”和“起初”都是时间名词，都可以独立使用，也可以作状语。“最初”还可以作定语，“起初”一般不作定语。

语境示例 Examples

① 起初我一句汉语也不会说，现在能跟中国人自由谈话了。(☺最初我一句汉语也不会说，现在能跟中国人自由谈话了。)

② 我最初不知道他已经结婚了，所以还想给他介绍对象呢。(☺我起初不知道他已经结婚了，所以还想给他介绍对象呢。)

③ 他最初学的是经济，后来才改学国际政治的。(☺他起初学的是经济，后来才改学国际政治的。)

④ 我最初的理想是当记者，没想到当了一辈子教师。(☺我起初的理想是当记者，没想到当了一辈子教师。)

⑤ 我最初认识他是在进大学那一年。(＊我起初认识他是在进大学那一年。)

⑥ 她给我的最初印象是漂亮聪明，也很能干。(＊她给我的起初印象是漂亮聪明，也很能干。)

1706 最后[名]zuìhòu ▶ 然后[连]ránhòu

词义说明 Definition

最后[final; last; ultimate] 在时间上或次序上在所有别的之后。

然后[afterwards; then; after that] 表示紧接着某个动作之后。

词语搭配 Collocation

	～一课	～胜利	坐在～	～才到	～谁赢了	～去上海	～再决定	～回国
最后	√	√	√	√	√	√	√	√
然后	×	×	×	×	×	√	√	√

用法对比 Usage

“最后”是名词，可以作定语和宾语，而“然后”是连词，只能用于后一个分句，不能作定语和宾语。

① 我先去深圳，再去香港，然后回北京。(☺我先去深圳，再去香

Z

港，最后回北京。)

② 你先认真考虑考虑，然后再决定。(☺你先认真考虑考虑，最后再决定。)

③ 昨天晚上的足球赛我没有看完，最后谁赢了？（＊昨天晚上的足球赛我没有看完，然后谁赢了?)

④ 那次马拉松比赛，他一直坚持到最后。（＊那次马拉松比赛，他一直坚持到然后。)

⑤ 今天是我们这个学期的最后一课。（＊今天是我们这个学期的然后一课。)

"最后"还可以表示处所，"然后"没有这个用法。

昨天的讲座我因为去晚了，坐在最后。（＊昨天的讲座我因为去晚了，坐在然后。)

1707 最后[名]zuìhòu ▶ 终于[副]zhōngyú

词义说明 Definition

最后[final; last; ultimate] 在时间上或次序上在所有别的之后。

终于[finally; at last; in the end; lastly; in the event] 表示经过种种变化和等待之后出现的情况或结果（一般是好的、令人满意的结果)。

词语搭配 Collocation

	～一天	～一课	～的结果	～的时间	～胜利	～完成了	比赛的～
最后	√	√	√	√	√	√	√
终于	×	×	×	×	×	√	×

用法对比 Usage

"终于"是副词，"最后"是时间名词；"最后"可以放在主语前边，"终于"不能。

① 她上电影学院的愿望最后实现了，心里很高兴。(☺她上电影学院的愿望终于实现了，心里很高兴。)

② 他经过三年的刻苦努力，终于考上了清华大学。(☺他经过三年的

Z

刻苦努力，最后考上了清华大学。）

③ 昨天晚上的球赛我一直看到最后。（*昨天晚上的球赛我一直看到终于。）

④ 我们先去看电影，然后买东西，最后去饭店吃饭。（*我们先去看电影，然后买东西，终于去饭店吃饭。）

"最后"还可以作定语，"终于"不能作定语。

请大家把书翻到最后一页。（*请大家把书翻到终于一页。）

1708 最近[名]zuìjìn ▶ 近来[名]jìnlái

词义说明 Definition

最近[recently; lately; of late; soon; in the near future; in the next few days; in a couple of days] 指说话前或后不久的日子。

近来[recently; of late; lately] 指过去不久到现在的一段时间。

词语搭配 Collocation

	~怎么样	~好吗	~很忙	~几天	~一期的《读书》	~的情况	~心情不好
最近	√	√	√	√	√	√	√
近来	√	√	√	×	×	√	√

用法对比 Usage

用法解释 Comparison

"最近"包括说话前后的一段时间，可以指过去，也可以指不久的将来；"近来"只表示刚刚过去不久的一段时间，不能指将来。

语境示例 Examples

① 最近我很忙。(☺近来我很忙。)

② 近来天气变化无常。(☺最近天气变化无常。)

③ 他最近的身体怎么样？(☺他近来的身体怎么样？)

④ 最近这几天我看爸爸身体还可以。(☺近来这几天我看爸爸身体还可以。)

⑤ 听说这个电影最近就要上演。（*听说这个电影近来就要上演。）

⑥ 最近一期的《读书》杂志来了没有？（*近来一期的《读书》杂志来了没有？）

1709 尊敬[动]zūnjìng ▶ 敬重[动]jìngzhòng

词义说明 Definition

尊敬[respect; honour; esteem] 重视而且恭敬地对待：～师长。
[honourable; distinguished; respectable] 可尊敬的：～的夫人。
敬重[deeply respect; revere; honour] 恭敬尊重。

词语搭配 Collocation

	很～他	～老师	～父母	～的人	值得～	受人～
尊敬	√	√	√	√	√	√
敬重	√	×	×	×	√	√

用法对比 Usage

用法解释 Comparison

"尊敬"和"敬重"的意思相同。不过，"尊敬"可以作定语，而"敬重"不用来作定语；而且"敬重"的宾语不只是人，还可以是人品、道德等，"尊敬"的对象一般是人。

语境示例 Examples

① 周恩来总理为人民鞠躬尽瘁、死而后已的高贵品质，赢得了全国人民的爱戴和尊敬。(☺周恩来总理为人民鞠躬尽瘁、死而后已的高贵品质，赢得了全国人民的爱戴和敬重。)
② 他殚精竭虑，为国尽忠，清正廉洁，心系百姓，因此受到了人民群众的尊敬。(☺他殚精竭虑，为国尽忠，清正廉洁，心系百姓，因此受到了人民群众的敬重。)
③ 我很敬重我的导师。(☺我很尊敬我的导师。)
④ 他的高风亮节值得敬重。(☺他的高风亮节值得尊敬。)
⑤ 我们敬重先生的道德文章。(*我们尊敬先生的道德文章。)

1710 尊敬[动]zūnjìng ▶ 尊重[动]zūnzhòng

Z

词义说明 Definition

尊敬[respect; honour; esteem] 重视而且恭敬地对待：～师长。
[honourable; distinguished; respectable] 可尊敬的：～的先生。

尊重[respect; value; esteem] 尊敬；敬重：互相～。[attach importance to and treat seriously] 重视并严肃对待：～历史。

词语搭配 Collocation

	～老师	～父母	～的来宾	互相～	～事实	～科学	～知识	～人才	～历史
尊敬	√	√	√	√	×	×	×	×	×
尊重	√	√	×	√	√	√	√	√	√

用法对比 Usage

用法解释 Comparison

"尊敬"的对象只能是人，一般是下对上，幼对长；"尊重"的对象可以是人，也可以是事物。"尊敬"比"尊重"的程度要深。

语境示例 Examples

① 尊敬的来宾，女士们，先生们：……（大会致辞）（*尊重的来宾，女士们，先生们：……）
② 尊重知识，尊重人才既是一个社会文明进步的表现，也是文明进步的保证。（*尊敬知识，尊敬人才既是一个社会文明进步的表现，也是文明进步的保证。）
③ 夫妻之间应该相互尊重。（*夫妻之间应该相互尊敬。）
④ 要尊重少数民族的风俗习惯。（*要尊敬少数民族的风俗习惯。）
⑤ 尊重历史，不忘历史的教训，这是发展我们两国关系的一个政治基础。（*尊敬历史，不忘历史的教训，这是发展我们两国关系的一个政治基础。）
⑥ 尊敬老师，团结同学，是一个学生最起码的行为规范。（*尊重老师，团结同学，是一个学生最起码的行为规范。）

1711 遵守[动]zūnshǒu ▶ 遵从[动]zūncóng

词义说明 Definition

遵守[observe; abide by; comply with] 依照规定行动，不违背。
遵从[defer to; comply with; follow] 遵照并服从。

词语搭配 Collocation

	～纪律	～制度	～时间	～交通规则	～上级的指示	～人民的意愿	～老师的教导
遵守	√	√	√	√	×	×	×
遵从	×	×	×	×	√	√	√

用法对比 Usage

用法解释 Comparison

“遵守”和“遵从”的宾语不同，“遵守”的宾语是规章制度等，不能是人；“遵从”的宾语可以是人。二者没有相同的用法，它们不能相互替换。

语境示例 Examples

① 为了您和家人的幸福，请遵守交通规则。(＊为了您和家人的幸福，请遵从交通规则。)
② 是学生就要遵守学校纪律。(＊是学生就要遵从学校纪律。)
③ 只要遵从老师的教导，就一定能学好。(＊只要遵守老师的教导，就一定能学好。)
④ 人民政府当然应遵从人民的意愿，全心全意地为人民服务。(＊人民政府当然应遵守人民的意愿，全心全意地为人民服务。)
⑤ 遵守国家的法令是每一个公民的义务。(＊遵从国家的法令是每一个公民的义务。)
⑥ 我们必须遵从上级的指示，做到令行禁止，不能阳奉阴违。(＊我们必须遵守上级的指示，做到令行禁止，不能阳奉阴违。)

1712 遵照[动]zūnzhào ▶ 按照[介]ànzhào

词义说明 Definition

遵照[obey; conform to; comply with; act in accordance with] 按照，依照。

按照[according to; in accordance with; in the light of; on the basis of] 以某事物为根据照着进行。

词语搭配 Collocation

	～执行	～政策办事	～法律	～要求	～规定	～音序	～顺序	～自然规律
遵照	√	√	√	√	√	×	×	×
按照	×	√	√	√	√	√	√	√

用法对比 Usage

用法解释 Comparison

“按照”是介词，在句子中作状语；“遵照”是动词，在句子中作谓语，用于书面。“遵照”的宾语是指示、规定、法律、教导、论述等；“按照”的宾语除此之外，还包括非人为的事物，如时间、规律等，书面口语都常用。

语境示例 Examples

① 遵照上级的指示，我们派出了一个五人组成的医疗小分队，奔赴地震灾区抢险救灾。(☺按照上级的指示，我们派出了一个五人组成的医疗小分队，奔赴地震灾区抢险救灾。)

② 要按照法律办事，在法律面前人人平等。(☺要遵照法律办事，在法律面前人人平等。)

③ 要按照自然规律办事，再也不要只凭主观愿望蛮干了。(*要遵照自然规律办事，再也不要只凭主观愿望蛮干了。)

④ 遵照学校的规定，这个学生因旷课太多，被取消了考试资格。(☺按照学校的规定，这个学生因旷课太多，被取消了考试资格。)

⑤ 作业一定要按照老师的要求去做。(*作业一定要遵照老师的要求去做。)

⑥《现代汉语词典》的词条是按照音序排列的。(*《现代汉语词典》的词条是遵照音序排列的。)

1713 遵照[动]zūnzhào ▶ 遵循[动]zūnxún

词义说明 Definition

遵照[obey; conform to; comply with; act in accordance with] 按照，依照。

遵循[follow; abide by; adhere to] 遵从，依照。

词语搭配 Collocation

	～指示	～原则	～政策办事	～规定	～客观规律	～执行	无所～
遵照	√	√	√	√	×	√	×
遵循	×	√	√	√	√	×	√

用法对比 Usage

用法解释 Comparison

“遵照”是遵奉依照的意思，其对象是人为制定的原则、规则、指示、教导等；“遵循”的对象除此之外，还包括客观规律。

Z

语境示例 Examples

① 应遵循和平共处五项原则处理国与国之间的关系。(☺应遵照和平共处五项原则处理国与国之间的关系。)
② 遵照上级指示，我公司自即日起搬到国光大厦2303号办公。(*遵循上级指示，我公司自即日起搬到国光大厦2303号办公。)
③ 对违反学校纪律的学生，都遵照规定做了处理。(*对违反学校纪律的学生，都遵循规定做了处理。)
④ 由于法律不健全，所以有些案件审理无所遵循。(*由于法律不健全，所以有些案件审理无所遵照。)
⑤ 要遵照国家的法律处理这件事。(*要遵循国家的法律处理这件事。)
⑥ 要遵循客观规律办事，不能只凭主观意愿。(*要遵照客观规律办事，不能只凭主观意愿。)

1714 左[名]zuǒ ▶ 左边[名]zuǒbian

词义说明 Definition

左[the left side; the left] 面向南时靠东的一边（跟“右”相对）：往～拐。[different; contrary; opposite] 相反：意见相～。[progressive; the Left] 进步的，革命的：～派。

左边[the left; the left (left-hand) side] 靠左的一边。

词语搭配 Collocation

	～面	～手	往～拐	～派	～倾	在～	～是银行	意见相～
左	√	√	√	√	√	×	×	√
左边	×	×	√	×	×	√	√	×

用法对比 Usage

用法解释 Comparison

“左”是多义词，不单用；而“左边”是单义词，可以单用。“左”也有“左边”的意思，它的其他意思是“左边”所没有的。

语境示例 Examples

① 到前边路口往左拐。(☺到前边路口往左边拐。)
② 他习惯用左手写字。(*他习惯用左边手写字。)
③ 一进房间，靠左边放着一张沙发。(*一进房间，靠左放着一张

沙发。)

④ 思想理论界不仅要防右，更要防左。(＊思想理论界不仅要防右，更要防左边。)

⑤ 极左思想给中国人民带来的灾难无比沉重，这个历史教训任何时候都不要忘记。(＊极左边思想给中国人民带来的灾难无比沉重，这个历史教训任何时候都不要忘记。)

⑥ 他们俩意见往往相左，所以很难合作。(＊他们俩意见往往相左边，所以很难合作。)

1715 左右[名、动]zuǒyòu ▶ 上下[名]shàngxià

词义说明 Definition

左右[left and right sides] 左边和右边。[master; control; influence] 支配、操纵：～不了局势。[(used after a numeral) about; or so] 用在数目字后面表示概数：六点～。

上下[high and low; old and young] 在职位、辈分上较高的人和较低的人：全国～。[from top to bottom; up and down] 从上到下；从低到高或从高到低：～打量了半天才认出来。[relative superiority or inferiority] (程度) 高低；好坏；优劣：他俩的水平不相～。[(used after round numbers) about; around] 用在数量词后边，表示概数：看他也就三十岁～。

词语搭配 Collocation

	大门～	主席台～	～形势	～局面	全国～	～一心	一米～	一千元～	五十公斤～
左右	√	√	√	√	×	×	√	√	√
上下	×	√	×	×	√	√	√	√	√

用法对比 Usage

“左右”和“上下”都可以表示处所。

① 左右：主席台左右坐的都是各级领导。(主席台两边坐着领导)

上下：主席台上下坐的都是各级领导。(主席台上边和下边坐的都是领导)

② 小船在湖里左右摇晃。(☺小船在湖里上下摇晃。)

“左右”和“上下”都可以用在数量词后边表示概数。

① 他身高有一米八左右。(☺他身高有一米八上下。)

② 我们学校的学生大约在一万左右。(☺我们学校的学生大约在一万上下。)

③ 看样子，他有四十岁左右。(☺看样子，他有四十岁上下。)
④ 我晚上大概十点左右到家，不要等我吃饭了。(＊我晚上大概十点上下到家，不要等我吃饭了。)

"左右"有动词的用法，"上下"没有这种用法。

① 孩子大了，你很难左右他的想法。(＊孩子大了，你很难上下他的想法。)
② 如果政府左右不了局势，社会很容易发生动乱。(＊如果政府上下不了局势，社会很容易发生动乱。)

"上下"有表示职位或辈分高低的意思，"左右"没有这个意思。"上下"可以重叠使用，"左右"不能。

① 单位上下都在议论这件事。(＊单位左右都在议论这件事。)
② 他在这个公司上上下下的关系都不错。(＊他在这个公司左左右右的关系都不错。)
③ 他上下打量着我，好像不认识一样。(＊他左右打量着我，好像不认识一样。)
④ 他俩的汉语水平不相上下。(＊他俩的汉语水平不相左右。)

"上下"还有上去和下来的意思，"左右"没有这个意思。

楼里都装有电梯，上下很方便。(＊楼里都装有电梯，左右很方便。)

1716 作业[名]zuòyè ▶ 练习[动、名]liànxí

词义说明 Definition

作业[homework; school assignment] 教师布置的功课：课外～。[work; task; military operation; production] 为完成生产和军事训练任务等而布置的活动：野外～。

练习[practise] 为了获得熟练技巧而经常进行某种动作：～发音。[exercise] 习题或作业（如一篇作文）：做～。

词语搭配 Collocation

	做～	家庭～	野外～	～本	～发音	～射击	～太极拳	好好～	认真～
作业	√	√	√	√	×	×	×	×	×
练习	√	×	×	√	√	√	√	√	√

用法对比 Usage

用法解释 Comparison

"作业"是名词，而"练习"既是名词也是动词，可以带宾语。

语境示例 Examples

① 你今天的作业做完了没有？（☺你今天的练习做完了没有？）
② 他作业做得很认真。（☺他练习做得很认真。）
③ 今天老师没有留家庭作业。（*今天老师没有留家庭练习。）
④ 我每天都练习打太极拳。（*我每天都作业打太极拳。）
⑤ 学习汉语必须好好练习发音和声调。（*学习汉语必须好好作业发音和声调。）
⑥ 我每星期跟老师练习两个小时的书法。（*我每星期跟老师作业两个小时的书法。）

1717 座[名、量]zuò ▶ 坐位[名]zuòwèi

词义说明 Definition

座[seat; place]（～儿）指椅子、凳子等可以坐的东西。[stand; pedestal; base] 放在器物底下垫着的东西：石碑～儿。[used mostly for large or fixed objects] 可以作量词，用于较大或固定的物体。

坐位[place to sit; seat] 供人坐的地方（多用于公共场合），也写成"座位"。

词语搭配 Collocation

	搬个～来	多少～	一万个～	满～	茶碗～	一～山	一～水库	一～桥	一～大楼
座	√	√	√	√	√	√	√	√	√
坐位	×	√	√	×	×	×	×	×	×

用法对比 Usage

用法解释 Comparison

"座"有"坐位"的意思，但"座"的其他意思是坐位所没有的。"座"还可作量词用，"坐位"没有这个用法。

语境示例 Examples

① 新建的体育馆有多少坐位？（☺新建的体育馆有多少座儿？）
② 快给叔叔搬个座儿来。（*快给叔叔搬个坐位来。）
③ 这个京剧交响乐公演以来，场场满座。（*这个京剧交响乐公演以来，场场满坐位。）

④ 这种电影叫好不叫座。(＊这种电影叫好不叫坐位。)
⑤ 这个花盆应该加个座儿。(＊这个花盆应该加个坐位。)
⑥ 我们学校新建了一座图书馆楼。(＊我们学校新建了一坐位图书馆楼。)

1718 做[动]zuò ▶ 作[动]zuò

词义说明 Definition

做[do; make; act; engage in; produce; manufacture] 从事某种工作或活动；制造：～工|～买卖|～衣服|～好工作。[write; compose] 写作：～文章。[be; become] 充当，担任：～母亲的|～编辑。[hold a family or home celebration] 举行家庭庆祝或纪念活动：～生日|～寿。[be used as] 用做：用这本书～教材。[form or contract a relationship] 结成某种关系：～朋友。

作[rise; grow; get up] 起：一鼓～气。[write; compose] 写作：～诗。[writings; work] 作品：新～。[pretend; affect] 装：装模～样。[regard as; take sb. or sth. for] 当作，看作，作为：过期～废。[feel; have] 发作：忌妒心～怪。

词语搭配 Collocation

	～衣服	～文章	～买卖	～翻译	～教材	～朋友	～梦	～弊	～曲	～废	～文	～者
做	√	√	√	√	√	√	√	√	×	×	×	×
作	×	√	×	×	×	×	×	×	√	√	√	√

用法对比 Usage

用法解释 Comparison

这两个词的发音相同，有时可以相互替换，如“作宾语”，也可写成“做宾语”。但其他意义和用法也不尽相同，主要表现在书面上。一般而言，“作”用在动名词前，“做”用在一般名词前。另外，“作”字是古字，较文，较远；“做”字较白，较近。所以一些成语或四字格中，一般固定搭配为“作”字。

语境示例 Examples

① 他会做诗。(☺他会作诗。)
② 我想学做中国菜。(＊我想学作中国菜。)
③ 我今天的作业已经做完了。(＊我今天的作业已经作完了。)

④ 今年我们用这本书做教材。(＊今年我们用这本书作教材。)
⑤ 我毕业以后想做翻译工作。(＊我毕业以后想作翻译工作。)
⑥ 这是我来中国以后做的旗袍。(＊这是我来中国以后作的旗袍。)
⑦ 这个合同现在已经作废了。(＊这个合同现在已经做废了。)
⑧ 这篇小说的作者是谁?(＊这篇小说的做者是谁?)
⑨ 他是这部电影的作曲。(＊他是这部电影的做曲。)
⑩ 我们家是爸爸做饭。(＊我们家是爸爸作饭。)
⑪ 这次展出的都是这位画家近年来的新作。(＊这次展出的都是这位画家近年来的新做。)
⑫ 我准备一鼓作气把这本书写完。(＊我准备一鼓做气把这本书写完。)

词语索引

（共 2842 个）

C

D

J

M

Q